dicionário
collins
inglês • português
português • inglês

Martins Fontes
São Paulo 2004

Primeira edição/First edition

Agosto/August 2004

© **HarperCollins Publishers 2004**

HarperCollins Publishers
Westerhill Road, Bishopbriggs, Glasgow G64 2QT,
Great Britain

www.collins.co.uk

Collins® is a registered trademark of
HarperCollins Publishers Limited

Colaboradores/Contributors
John Whitlam • Vitoria Davies • Mike Harland
Jane Horwood • Lígia Xavier • Gerard Breslin
Helen Newstead • Laura Neves

Coleção dirigida por/Series editor
Lorna Sinclair Knight

Dados Internacionais de Catalogação na Publicação (CIP)
(Câmara Brasileira do Livro, SP, Brasil)

Dicionário Collins : inglês-português, português-inglês / HarperCollins Publishers. – São Paulo : Martins Fontes, 2004.

Título original: Collins portuguese-English aleaf.
Vários colaboradores.
ISBN 85-336-1990-1

1. Inglês – Dicionários – Português 2. Português – Dicionários – Inglês I. HarperCollins Publishers.

	CDD-423.69
04-5245	-469.32

Índices para catálogo sistemático:
   1. Inglês : Português : Dicionários   423.69
   2. Português : Inglês : Dicionários   469.32

Todos os direitos reservados/Reservados todos los derechos

Livraria Martins Fontes Editora Ltda.
Rua Conselheiro Ramalho, 330 01325-000 São Paulo SP Brasil
Tel. (11) 3241.3677 Fax (11) 3105.6867
e-mail: info@martinsfontes.com.br http://www.martinsfontes.com.br

ÍNDICE

Abreviaturas usadas neste dicionário	iv
Pronúncia inglesa	vii
Pronúncia portuguesa	ix
Ortografia do português europeu	xii
Verbos ingleses	xiii
Verbos portugueses	xv
Números	xviii
Datas	xx
INGLÊS–PORTUGUÊS	1
PORTUGUÊS–INGLÊS	223

CONTENTS

Abbreviations used in this dictionary	iv
English pronunciation	vii
Portuguese pronunciation	ix
European Portuguese spelling	xii
English verb forms	xiii
Portuguese verb forms	xv
Numbers	xviii
Dates	xx
ENGLISH–PORTUGUESE	1
PORTUGUESE–ENGLISH	223

Marcas Registradas
As palavras que acreditamos constituir marcas registradas foram assim denominadas. Todavia, não se deve supor que a presença ou a ausência dessa denominação possa afetar o status legal de qualquer marca.

Note on trademarks
Words which we have reason to believe constitute trademarks have been designated as such. However, neither the presence nor the absence of such designation should be regarded as affecting the legal status of any trademark.

ABREVIATURAS

ABBREVIATIONS

abreviatura	**ab(b)r**	abbreviation
adjetivo	**adj**	adjective
administração	**ADMIN**	administration
advérbio, locução adverbial	**adv**	adverb, adverbial phrase
aeronáutica	**AER**	flying, air travel
agricultura	**AGR**	agriculture
anatomia	**ANAT**	anatomy
arquitetura	**ARQ, ARCH**	architecture
artigo definido	**art def**	definite article
artigo indefinido	**art indef**	indefinite article
uso atributivo do substantivo	**atr**	compound element
automobilismo	**AUT(O)**	the motor car and motoring
auxiliar	**aux**	auxiliary
aeronáutica	**AVIAT**	flying, air travel
biologia	**BIO**	biology
botânica, flores	**BOT**	botany
português do Brasil	**BR**	Brazilian Portuguese
inglês britânico	**BRIT**	British English
química	**CHEM**	chemistry
linguagem coloquial (!chulo)	**col(!)**	colloquial (!offensive)
comércio, finanças, bancos	**COM(M)**	commerce, finance, banking
comparativo	**compar**	comparative
computação	**COMPUT**	computing
conjunção	**conj**	conjunction
construção	**CONSTR**	building
uso atributivo do substantivo	**cpd**	compound element
cozinha	**CULIN**	cookery
artigo definido	**def art**	definite article
economia	**ECON**	economics
educação, escola e universidade	**EDUC**	schooling, schools and universities
eletricidade, eletrônica	**ELET, ELEC**	electricity, electronics
especialmente	**esp**	especially
exclamação	**excl**	exclamation
feminino	**f**	feminine
ferrovia	**FERRO**	railways
uso figurado	**fig**	figurative use
física	**FÍS**	physics
fotografia	**FOTO**	photography
(verbo inglês) do qual a partícula é inseparável	**fus**	(phrasal verb) where the particle is inseparable
geralmente	**gen**	generally

geografia, geologia	**GEO**	geography, geology
geralmente	**ger**	generally
impessoal	**impess, impers**	impersonal
artigo indefinido	**indef art**	indefinite article
linguagem coloquial (!chulo)	**inf(!)**	colloquial (!offensive)
infinitivo	**infin**	infinitive
invariável	**inv**	invariable
irregular	**irreg**	irregular
jurídico	**JUR**	law
gramática, lingüística	**LING**	grammar, linguistics
masculino	**m**	masculine
matemática	**MAT(H)**	mathematics
medicina	**MED**	medicine
ou masculino ou feminino, dependendo do sexo da pessoa	**m/f**	masculine/feminine
militar, exército	**MIL**	military matters
música	**MÚS, MUS**	music
substantivo	**n**	noun
navegação, náutica	**NÁUT, NAUT**	sailing, navigation
adjetivo ou substantivo numérico	**num**	numeral adjective or noun
	o.s.	oneself
pejorativo	**pej**	pejorative
fotografia	**PHOT**	photography
física	**PHYS**	physics
fisiologia	**PHYSIO**	physiology
plural	**pl**	plural
política	**POL**	politics
particípio passado	**pp**	past participle
preposição	**prep**	preposition
pronome	**pron**	pronoun
português de Portugal	**PT**	European Portuguese
pretérito	**pt**	past tense
química	**QUÍM**	chemistry
religião e cultos	**REL**	religion, church services
	sb	somebody
educação, escola e universidade	**SCH**	schooling, schools and universities
singular	**sg**	singular
	sth	something
sujeito (gramatical)	**su(b)j**	(grammatical) subject
subjuntivo, conjuntivo	**sub(jun)**	subjunctive
superlativo	**superl**	superlative
também	**tb**	also
técnica, tecnologia	**TEC(H)**	technical term, technology
telecomunicações	**TEL**	telecommunications

tipografia, imprensa	**TIP**	typography, printing
televisão	**TV**	television
tipografia, imprensa	**TYP**	typography, printing
inglês americano	**US**	American English
ver	**V**	see
verbo	**vb**	verb
verbo intransitivo	**vi**	intransitive verb
verbo reflexivo	**vr**	reflexive verb
verbo transitivo	**vt**	transitive verb
zoologia	**ZOOL**	zoology
marca registrada	®	registered trademark
equivalente cultural	≈	cultural equivalent

PRONÚNCIA INGLESA

▶ Vogais

	Exemplo Inglês	*Explicação*
[aː]	father	Entre o *a* de p*a*dre e o *o* de n*ó*; como em f*a*da
[ʌ]	but, come	Aproximadamente como o primeiro *a* de c*a*ma
[æ]	man, cat	Som entre o *a* de l*á* e o *e* de p*é*
[ə]	father, ago	Som parecido com o *e* final pronunciado em Portugal
[əː]	bird, heard	Entre o *e* aberto e o *o* fechado
[ɛ]	get, bed	Como em *pé*
[ɪ]	it, big	Mais breve do que em s*i*
[iː]	tea, see	Como em f*i*no
[ɔ]	hot, wash	Como em *pó*
[ɔː]	saw, all	Como o *o* de p*o*rte
[u]	put, book	Som breve e mais fechado do que em b*u*rro
[uː]	too, you	Som aberto como em j*u*ro

▶ Ditongos

	Exemplo Inglês	*Explicação*
[aɪ]	fly, high	Como em b*ai*le
[au]	how, house	Como em c*au*sa
[ɛə]	there, bear	Como o *e* de a*e*roporto
[eɪ]	day, obey	Como o *ei* de l*ei*
[ɪə]	here, hear	Como *ia* de companh*ia*
[əu]	go, note	[ə] seguido de um *u* breve
[ɔɪ]	boy, oil	Como em b*óia*
[uə]	poor, sure	Como *ua* em s*ua*

▶ Consoantes

	Exemplo Inglês	*Explicação*
[d]	mended	Como em *d*a*d*o, an*d*ar
[g]	get, big	Como em *g*rande
[dʒ]	gin, judge	Como em i*d*a*d*e
[ŋ]	sing	Como em ci*nc*o
[h]	house, he	*h* aspirado
[j]	young, yes	Como em *i*ogurte

[k]	**c**ome, mo**ck**	Como em *c*ama
[r]	**r**ed, t**r**ead	*r* como em pa*r*a, mas pronunciado no céu da boca
[s]	**s**and, ye**s**	Como em *s*ala
[z]	ro**s**e, **z**ebra	Como em *z*ebra
[ʃ]	**sh**e, ma**ch**ine	Como em *ch*apéu
[tʃ]	**ch**in, ri**ch**	Como *t* em *t*imbre
[w]	**w**ater, **wh**ich	Como o *u* em ág*u*a
[ʒ]	vi**s**ion	Como em *j*á
[θ]	**th**ink, my**th**	Sem equivalente, aproximadamente como um *s* pronunciado entre os dentes
[ð]	**th**is, **th**e	Sem equivalente, aproximadamente como um *z* pronunciado entre os dentes

b, f, l, m, n, p, t, v pronunciam-se como em português.

O signo [*] indica que o r final escrito pronuncia-se apenas em inglês britânico, exceto quando a palavra seguinte começa por uma vogal. O signo ['] indica a sílaba acentuada.

PORTUGUESE PRONUNCIATION

The rules given below refer to Portuguese as spoken in the city and surrounding region of Rio de Janeiro, Brazil.

▶ Consonants

c	[k]	café	c before a, o, u is pronounced as in cat
ce, ci	[s]	cego	c before e or i, as in receive
ç	[s]	raça	ç is pronounced as in receive
ch	[ʃ]	chave	ch is pronounced as in shock
d	[d]	data	as in English EXCEPT
de, di	[dʒ]	difícil	d before an i sound or final unstressed e
		cidade	is pronounced as in judge
g	[g]	gado	g before a, o, u as in gap
ge, gi	[ʒ]	gíria	g before e or i, as s in leisure
h		humano	h is always silent in Portuguese
j	[ʒ]	jogo	j is pronounced as s in leisure
l	[l]	limpo, janela	as in English EXCEPT
	[w]	falta, total	l after a vowel tends to become w
lh	[ʎ]	trabalho	lh is pronounced like the lli in million
m	[m]	animal, massa	as in English EXCEPT
	[ãw]	cantam	m at the end of a syllable preceded by a
	[ĩ]	sim	vowel nasalizes the preceding vowel
n	[n]	nadar, penal	as in English EXCEPT
	[ã]	cansar	n at the end of a syllable, preceded by a
	[ẽ]	alento	vowel and followed by a consonant, nasalizes the preceding vowel
nh	[ɲ]	tamanho	nh is pronounced as the ni in onion
q	[k]	queijo	qu before i or e is pronounced as in kick
q	[kw]	quanto	qu before a or o, or qü before e or i, is
		cinqüenta	pronounced as in queen
-r-	[r]	compra	r preceded by a consonant (except n) and followed by a vowel is pronounced with a single trill
r-, -r-	[x]	rato, arpão	inital r, r followed by a consonant and rr
rr	[x]	borracha	pronounced similar to the Scottish ch in loch
-r	[*]	pintar, dizer	word-final r before a word beginning with a consonant or at the end of a sentence is pronounced [x]; before a word beginning with a vowel it is pronounced [r]. In colloquial speech this variable sound is often not pronounced at all.
s-	[s]	sol	as in English EXCEPT
-s-	[z]	mesa	intervocalic s is pronounced as in rose
-s-	[ʒ]	rasgar, desmaio	s before b, d, g, l, m, n, r, and v, as in leisure
-s-, -s	[ʃ]	escada, livros	s before c, f, p, qu, t and finally, as in sugar
-ss-	[s]	nosso	double s is always pronounced as in boss
t	[t]	todo	as in English EXCEPT
te, ti	[tʃ]	amante	t followed by an i sound or final unstressed
		tipo	e is pronounced as ch in cheer
x-	[ʃ]	xarope	initial x or x before a consonant (except c)
		explorar	is pronounced as in sugar
-xce-, -xci-	[s]	exceto	x before ce or ci is unpronounced
		excitar	

ix

ex-	[z]	e**x**ame	*x* in the prefix *ex* before a vowel is pronounced as *z* in squee*z*e
-x-	[ʃ]	rela**x**ar	*x* in any other position may be pronounced
	[ks]	fi**x**o	as in *s*ugar, a*x*e or *s*ail
	[s]	au**x**iliar	
z-, -z-	[z]	**z**angar	as in English EXCEPT
-z	[ʒ]	carta**z**	final *z* is pronounced as in leisure

b, f, k, p, v, w are pronounced as in English.

▶ Vowels

a, á, à, â	[a]	m**a**ta	*a* is normally pronounced as in f*a*ther
ã	[ã]	irm**ã**	*ã* is pronounced approximately as in s*u*ng
e	[e]	v**e**jo	unstressed (except final) *e* is pronounced like *e* in th*ey*, stressed *e* is pronounced either as in th*ey* or as in b*e*t
-e	[i]	fom**e**	final *e* is pronounced as in mon*ey*
é	[ɛ]	mis**é**ria	*é* is pronounced as in b*e*t
ê	[e]	p**ê**lo	*ê* is pronounced as in th*ey*
i	[i]	v**i**da	*i* is pronounced as in m*ea*n
o	[o]	l**o**c**o**motiva	unstressed (except final) *o* is pronounced as in l*o*cal;
	[ɔ]	l**o**ja	stressed *o* is pronounced either as in r*o*ck
	[o]	gl**o**bo	or as in l*o*cal
-o	[u]	livr**o**	final *o* is pronounced as in f*oo*t
ó	[ɔ]	**ó**leo	*ó* is pronounced as in r*o*ck
ô	[o]	col**ô**nia	*ô* is pronounced as in l*o*cal
u	[u]	l**u**va	*u* is pronounced as in r*u*le; it is silent in g*u*e, g*u*i, q*u*e and q*u*i

▶ Diphthongs

ãe	[ãj]	m**ãe**	nasalized, approximately as in fly*ing*
ai	[aj]	v**ai**	as in r*i*de
ao, au	[aw]	**ao**s, **au**xílio	as in sh*out*
ão	[ãw]	v**ão**	nasalized, approximately as in r*ou*nd
ei	[ej]	f**ei**ra	as in th*ey*
eu	[ew]	d**eu**sa	both elements pronounced
oi	[oj]	b**oi**	as in t*oy*
ou	[o]	cen**ou**ra	as in l*o*cal
õe	[õj]	avi**õe**s	nasalized, approximately as in 'b*oing*!'

▶ Stress

The rules of stress in Portuguese are as follows:

(a) when a word ends in *a*, *e*, *o*, *m* (except *im*, *um* and their plural forms) or *s*, the second last syllable is stressed; cam*a*rada; cam*a*radas; p*a*rte; p*a*rtem

(b) when a word ends in *i*, *u*, *im* (and plural), *um* (and plural), *n* or a consonant other than *m* or *s*, the stress falls on the last syllable: ven*di*, al*gum*, al*guns*, fa*lar*

(c) when the rules set out in (a) and (b) are not applicable, an acute or circumflex accent appears over the stressed vowel: ótica, ânimo, inglês

In the phonetic transcription, the symbol ['] precedes the syllable on which the stress falls.

EUROPEAN PRONUNCIATION

The major differences in pronunciation of European Portuguese are as follows:

▶ **Consonants:** as in Brazilian except:

-b-	[β]	cu**b**a	*b* between vowels is a softer sound, closer to ha*v*e
d	[d]	**d**ança, **d**ifícil	as in English EXCEPT
-d-	[ð]	fa**d**o, ci**d**a**d**e	*d* between vowels is softer, approximately as in *the*
-g-	[ɣ]	sa**g**a	*g* between vowels is a softer sound, approximately as in la*g*er
gu	[ɣw]	a**gu**entar	in certain words *gu* is pronounced as in *Gw*ent
qu	[kw]	tran**qu**ilo	in certain words *qu* is pronounced as in *qu*it
r-, rr	[ʀ]	**r**ato	initial *r* and double *r* are pronounced either
	[rr]	ca**rr**o	like the French *r* or strongly trilled as in Scottish *R*ory; pronunciation varies according to region
-r, -r-	[r]	a**r**ma	*r* in any other position is slightly trilled
t	[t]	**t**odo, aman**t**e	*t* is pronounced as in English
z	[z]	**z**angar	as in English EXCEPT
	[ʃ]	carta**z**	final *z* is pronounced as *sh* in fla*sh*

▶ **Vowels:** as in Brazilian except:

a	[a]	fal**a**r	stressed *a* is pronounced either as in f*a*ther
	[ɐ]	c**a**ma	or as *u* in f*u*rther
-a-, -a	[ə]	f**a**lar, fal**a**	unstressed or final *a* is pronounced as *e* in furth*e*r
e	[ə]	m**e**dir	unstressed *e* is a short *i* sound as in rabb*i*t
-e	[ə]	art**e**, regim**e**	final *e* is barely pronounced
o	[u]	p**o**ço, p**o**der	unstressed or final *o* is pronounced as in f*oo*t

EUROPEAN PORTUGUESE SPELLING

The spelling of European Portuguese differs significantly from that of Brazilian. The differences, which affect consonant groups and accents, follow general patterns but do not on the whole conform to fixed rules. Limited space makes it impossible to cover all European forms in the dictionary text, but major differences in spelling and vocabulary have been included. In addition, the following guide is intended as a broad outline of these differences.

The following changes in spelling are consistent:

- Brazilian *gü* and *qü* become European *gu* and *qu*, e.g. agüentar (*BR*), aguentar (*PT*); cinqüenta (*BR*), cinquenta (*PT*).
- Brazilian *-éia* becomes European *-eia*, e.g. idéia (*BR*), ideia (*PT*).
- European spelling links forms of the verb *haver de* with a hyphen, e.g. hei de (*BR*), hei-de (*PT*).
- The numbers dezesseis (*BR*), dezessete(*BR*), dezenove (*BR*) become dezasseis (*PT*), dezassete (*PT*), dezanove (*PT*).
- Adverbial forms of adjectives ending in *m* take double *m* in European spelling, single *m* in Brazilian, e.g. comumente (*BR*), comummente (*PT*).
- European spelling adds an acute accent to the final *a* in first person plural preterite forms of irregular *-ar* verbs to distinguish them from the present tense, e.g. amamos (*BR*), amámos (*PT*).
- Brazilian conosco becomes European connosco.

The following changes may take place, but are not consistent:

▶ Consonant changes

- Brazilian *c* and *ç* double to *cc* and *cç*, acionista (*BR*), accionista (*PT*), seção (*BR*), secção (*PT*).
- Brazilian *t* becomes *ct*, e.g. elétrico (*BR*), eléctrico (*PT*).
- European spelling adds *b* to certain words, e.g. súdito (*BR*), súbdito (*PT*), sutilizar (*BR*), subtilizar (*PT*).
- European spelling changes *ç*, *t* to *pç*, *pt* , e.g. exceção (*BR*), excepção (*PT*), ótimo (*BR*), óptimo (*PT*).
- Brazilian *-n-* becomes *-mn-*, e.g. anistia (*BR*), amnistia (*PT*).
- Brazilian *tr* becomes *t*, e.g. registro (*BR*), registo (*PT*).

▶ Accentuation changes

- Brazilian *ôo* loses circumflex accent, e.g. vôo (*BR*), voo (*PT*).
- European spelling changes circumflex accent on *e* and *o* to acute, e.g. tênis (*BR*), ténis (*PT*), abdômen (*BR*), abdómen (*PT*).

VERBOS IRREGULARES EM INGLÊS

present	pt	pp	present	pt	pp
arise	arose	arisen	**forecast**	forecast	forecast
awake	awoke	awoken	**forget**	forgot	forgotten
be (am, is, are; being)	was, were	been	**forgive**	forgave	forgiven
			freeze	froze	frozen
			get	got	got, (US) gotten
bear	bore	born(e)	**give**	gave	given
beat	beat	beaten	**go** (goes)	went	gone
begin	began	begun	**grind**	ground	ground
bend	bent	bent	**grow**	grew	grown
bet	bet, betted	bet, betted	**hang**	hung	hung
bid (at auction)	bid	bid	**hang** (execute)	hanged	hanged
			have	had	had
bind	bound	bound	**hear**	heard	heard
bite	bit	bitten	**hide**	hid	hidden
bleed	bled	bled	**hit**	hit	hit
blow	blew	blown	**hold**	held	held
break	broke	broken	**hurt**	hurt	hurt
breed	bred	bred	**keep**	kept	kept
bring	brought	brought	**kneel**	knelt, kneeled	knelt, kneeled
build	built	built			
burn	burnt, burned	burnt, burned	**know**	knew	known
			lay	laid	laid
burst	burst	burst	**lead**	led	led
buy	bought	bought	**lean**	leant, leaned	leant, leaned
can	could	(been able)			
cast	cast	cast	**leap**	leapt, leaped	leapt, leaped
catch	caught	caught			
choose	chose	chosen	**learn**	learnt, learned	learnt, learned
cling	clung	clung			
come	came	come	**leave**	left	left
cost	cost	cost	**lend**	lent	lent
creep	crept	crept	**let**	let	let
cut	cut	cut	**lie** (lying)	lay	lain
deal	dealt	dealt	**light**	lit, lighted	lit, lighted
dig	dug	dug			
do (does)	did	done	**lose**	lost	lost
draw	drew	drawn	**make**	made	made
dream	dreamed, dreamt	dreamed, dreamt	**may**	might	–
			mean	meant	meant
drink	drank	drunk	**meet**	met	met
drive	drove	driven	**mistake**	mistook	mistaken
eat	ate	eaten	**mow**	mowed	mown, mowed
fall	fell	fallen			
feed	fed	fed	**must**	(had to)	(had to)
feel	felt	felt	**pay**	paid	paid
fight	fought	fought	**put**	put	put
find	found	found	**quit**	quit, quitted	quit, quitted
fling	flung	flung			
fly	flew	flown	**read**	read	read
forbid	forbad(e)	forbidden	**rid**	rid	rid

present	pt	pp	present	pt	pp
ride	rode	ridden	**spill**	spilt, spilled	spilt, spilled
ring	rang	rung			
rise	rose	risen	**spin**	spun	spun
run	ran	run	**spit**	spat	spat
saw	sawed	sawed, sawn	**spoil**	spoiled, spoilt	spoiled, spoilt
say	said	said	**spread**	spread	spread
see	saw	seen	**spring**	sprang	sprung
sell	sold	sold	**stand**	stood	stood
send	sent	sent	**steal**	stole	stolen
set	set	set	**stick**	stuck	stuck
sew	sewed	sewn	**sting**	stung	stung
shake	shook	shaken	**stink**	stank	stunk
shear	sheared	shorn, sheared	**stride**	strode	stridden
			strike	struck	struck
shed	shed	shed	**swear**	swore	sworn
shine	shone	shone	**sweep**	swept	swept
shoot	shot	shot	**swell**	swelled	swollen, swelled
show	showed	shown			
shrink	shrank	shrunk	**swim**	swam	swum
shut	shut	shut	**swing**	swung	swung
sing	sang	sung	**take**	took	taken
sink	sank	sunk	**teach**	taught	taught
sit	sat	sat	**tear**	tore	torn
sleep	slept	slept	**tell**	told	told
slide	slid	slid	**think**	thought	thought
sling	slung	slung	**throw**	threw	thrown
slit	slit	slit	**thrust**	thrust	thrust
smell	smelt, smelled	smelt, smelled	**tread**	trod	trodden
			wake	woke, waked	woken, waked
sow	sowed	sown, sowed	**wear**	wore	worn
speak	spoke	spoken	**weave**	wove	woven
speed	sped, speeded	sped, speeded	**weep**	wept	wept
			win	won	won
spell	spelt, spelled	spelt, spelled	**wind**	wound	wound
			wring	wrung	wrung
spend	spent	spent	**write**	wrote	written

PORTUGUESE VERB FORMS

1 Gerund. **2** Imperative. **3** Present. **4** Imperfect. **5** Preterite. **6** Future. **7** Present subjunctive. **8** Imperfect subjunctive. **9** Future subjunctive. **10** Past participle. **11** Pluperfect. **12** Personal infinitive.

etc indicates that the irregular root is used for all persons of the tense, e.g. **ouvir 7** ouça *etc* = ouça, ouças, ouça, ouçamos, ouçais, ouçam.

abrir 10 aberto
acudir 2 acode **3** acudo, acodes, acode, acodem
aderir 3 adiro **7** adira
advertir 3 advirto **7** advirta *etc*
agir 3 ajo **7** aja *etc*
agradecer 3 agradeço **7** agradeça *etc*
agredir 2 agride **3** agrido, agrides, agride, agridem **7** agrida *etc*
AMAR 1 amando **2** ama, amai **3** amo, amas, ama, amamos, amais, amam **4** amava, amavas, amava, amávamos, amavéis, amavam **5** amei, amaste, amou, amamos (*PT*: amámos), amastes, amaram **6** amarei, amarás, amará, amaremos, amareis, amarão **7** ame, ames, ame, amemos, ameis, amem **8** amasse, amasses, amasse, amássemos, amásseis, amassem **9** amar, amares, amar, ámarmos, amardes, amarem **10** amado **11** amara, amaras, amara, amáramos, amáreis, amaram **12** amar, amares, amar, amarmos, amardes, amarem
ansiar 2 anseia **3** anseio, anseias, anseia, anseiam **7** anseie *etc*
apreçar 7 aprece *etc*
arrancar 7 arranque *etc*
arruinar 2 arruína **3** arruíno, arruínas, arruína, arruínam **7** arruíne, arruínes, arruíne, arruínem
aspergir 3 aspirjo **7** aspirja *etc*
atribuir 3 atribuo, atribuis, atribui, atribuímos, atribuís, atribuem
averiguar 7 averigúe, averigúes, averigúe, averigúem
boiar 2 bóia, bóias, bóia, bóiam **7** bóie, bóies, bóie, bóiem
bulir 2 bole **3** bulo, boles, bole, bolem
caber 3 caibo **5** coube *etc* **7** caiba *etc* **8** coubesse *etc* **9** couber *etc*
cair 2 cai **3** caio, cais, cai, caímos, caís, caem **4** caía *etc* **5** caí, caíste **7** caia *etc* **8** caísse *etc*
cobrir 3 cubro **7** cubra *etc* **10** coberto
colorir 3 coluro **7** colura *etc*
compelir 3 compilo **7** compila *etc*
crer 2 crê **3** creio, crês, crê, cremos, credes, crêem **5** cri, creste, creu, cremos, crestes, creram **7** creia *etc*
cuspir 3 cospe, cospes, cospe, cospem
dar 2 dá **3** dou, dás, dá, damos, dais, dão **5** dei, deste, deu, demos, destes, deram **7** dê, dês, dê, demos, deis, dêem **8** desse *etc* **9** der *etc* **11** dera *etc*
deduzir 2 deduz **3** deduzo, deduzes, deduz
denegrir 2 denigre **3** denigro, denigres, denigre, denigrem **7** denigre *etc*
despir 3 dispo **7** dispa *etc*
dizer 2 diz (dize) **3** digo, dizes, diz, dizemos, dizeis, dizem **5** disse *etc* **6** direi *etc* **7** diga *etc* **8** dissesse *etc* **9** disser *etc* **10** dito
doer 2 dói **3** dôo (*BR*), doo (*PT*), dóis, dói
dormir 3 durmo **7** durma *etc*
escrever 10 escrito
ESTAR 2 está **3** estou, estás, está, estamos, estais, estão **4** estava *etc* **5** estive,

estiveste, esteve, estivemos, estivestes, estiveram **7** esteja *etc* **8** estivesse *etc* **9** estiver *etc* **11** estivera *etc*
extorquir 3 exturco **7** exturca *etc*
FAZER 3 faço **5** fiz, fizeste, fez, fizemos, fizestes, fizeram **6** farei *etc* **7** faça *etc* **8** fizesse *etc* **9** fizer *etc* **10** feito **11** fizera *etc*
ferir 3 firo **7** fira *etc*
fluir 3 fluo, fluis, flui, fluímos, fluís, fluem
fugir 2 foge **3** fujo, foges, foge, fogem **7** fuja *etc*
ganhar 10 ganho
gastar 10 gasto
gerir 3 giro **7** gira *etc*
haver 2 há **3** hei, hás, há, havemos, haveis, hão **4** havia *etc* **5** houve, houveste, houve, houvemos, houvestes, houveram **7** haja *etc* **8** houvesse *etc* **9** houver *etc* **11** houvera *etc*
ir 1 indo **2** vai **3** vou, vais, vai, vamos, ides, vão **4** ia *etc* **5** fui, foste, foi, fomos, fostes, foram **7** vá, vás, vá, vamos, vades, vão **8** fosse, fosses, fosse, fôssemos, fôsseis, fossem **9** for *etc* **10** ido **11** fora *etc*
ler 2 lê **3** leio, lês, lê, lemos, ledes, lêem **5** li, leste, leu, lemos, lestes, leram **7** leia *etc*
medir 3 meço **7** meça *etc*
mentir 3 minto **7** minta *etc*
ouvir 3 ouço **7** ouça *etc*
pagar 10 pago
parar 2 pára **3** paro, paras, pára
parir 3 pairo **7** paira *etc*
pecar 7 peque *etc*
pedir 3 peço **7** peça *etc*
perder 3 perco **7** perca *etc*
poder 3 posso **5** pude, pudeste, pôde, pudemos, pudestes, puderam **7** possa *etc* **8** pudesse *etc* **9** puder *etc* **11** pudera *etc*
polir 2 pule **3** pulo, pules, pule, pulem **7** pula *etc*
pôr 1 pondo **2** põe **3** ponho, pões, põe, pomos, pondes, põem **4** punha *etc* **5** pus, puseste, pôs, pusemos, pusestes, puseram **6** porei *etc* **7** ponha *etc* **8** pusesse *etc* **9** puser *etc* **10** posto **11** pusera *etc*
preferir 3 prefiro **7** prefire *etc*
prevenir 2 previne **3** previno, prevines, previne, previnem **7** previna *etc*
prover 2 provê **3** provejo, provês, provê, provemos, provedes, provêem **5** provi, proveste, proveu, provemos, provestes, proveram **7** proveja *etc* **8** provesse *etc* **9** prover *etc*
querer 3 quero, queres, quer **5** quis, quiseste, quis, quisemos, quisestes, quiseram **7** queira *etc* **8** quisesse *etc* **9** quiser *etc* **11** quisera *etc*
refletir 3 reflito **7** reflita *etc*
repetir 3 repito **7** repita *etc*
requerer 3 requeiro, requeres, requer **7** requeira *etc*
reunir 2 reúne **3** reúno, reúnes, reúne, reúnem **7** reúna *etc*
rir 2 ri **3** rio, ris, ri, rimos, rides, riem **5** ri, riste, riu, rimos, ristes, riram **7** ria *etc*
saber 3 sei, sabes, sabe, sabemos, sabeis, sabem **5** soube, soubeste, soube, soubemos, soubestes, souberam **7** saiba *etc* **8** soubesse *etc* **9** souber *etc* **11** soubera *etc*
seguir 3 sigo **7** siga *etc*
sentir 3 sinto **7** sinta *etc*
ser 2 sê **3** sou, és, é, somos, sois, são **4** era *etc* **5** fui, foste, foi, fomos, fostes, foram **7** seja *etc* **8** fosse *etc* **9** for *etc* **11** fora *etc*
servir 3 sirvo **7** sirva *etc*
subir 2 sobe **3** subo, sobes, sobe, sobem

suster 2 sustém **3** sustenho, sustens, sustém, sustendes, sustêm **5** sustive, sustiveste, susteve, sustivemos, sustivestes, sustiveram **7** sustenha *etc*
ter 2 tem **3** tenho, tens, tem, temos, tendes, têm **4** tinha *etc* **5** tive, tiveste, teve, tivemos, tivestes, tiveram **6** terei *etc* **7** tenha *etc* **8** tivesse *etc* **9** tiver *etc* **11** tivera *etc*
torcer 3 torço **7** torça *etc*
tossir 3 tusso **7** tussa *etc*
trair 2 trai **3** traio, trais, trai, traímos, traís, traem **7** traia *etc*
trazer 2 (traze) traz **3** trago, trazes, traz, **5** trouxe, trouxeste, trouxe, trouxemos, trouxestes, trouxeram **6** trarei *etc* **7** traga *etc* **8** trouxesse *etc* **9** trouxer *etc* **11** trouxera *etc*
UNIR 1 unindo **2** une, uni **3** uno, unes, une, unimos, unis, unem **4** unia, unias, uníamos, uníeis, uniam **5** uni, uniste, uniu, unimos, unistes, uniram **6** unirei, unirás, unirá, uniremos, unireis, unirão **7** una, unas, una, unamos, unais, unam **8** unisse, unisses, unisse, uníssemos, unísseis, unissem **9** unir, unires, unir, unirmos, unirdes, unirem **10** unido **11** unira, uniras, unira, uníramos, uníreis, uniram **12** unir, unires, unir, unirmos, unirdes, unirem
valer 3 valho **7** valha *etc*
ver 2 vê **3** vejo, vês, vê, vemos, vedes, vêem **4** via *etc* **5** vi, viste, viu, vimos, vistes, viram **7** veja *etc* **8** visse *etc* **9** vir *etc* **10** visto **11** vira
vir 1 vindo, **2** vem **3** venho, vens, vem, vimos, vindes, vêm **4** vinha *etc* **5** vim, vieste, veio, viemos, viestes, vieram **7** venha *etc* **8** viesse *etc* **9** vier *etc* **10** vindo **11** viera *etc*
VIVER 1 vivendo **2** vive, vivei **3** vivo, vives, vive, vivemos, viveis, vivem **4** vivia, vivias, vivia, vivíamos, vivíeis, viviam **5** vivi, viveste, viveu, vivemos, vivestes, viveram **6** viverei, viverás, viverá, viveremos, vivereis, viverão **7** viva, vivas, viva, vivamos, vivais, vivam **8** vivesse, vivesses, vivesse, vivêssemos, vivêsseis, vivessem **9** viver, viveres, viver, vivermos, viverdes, viverem **10** vivido
11 vivera, viveras, vivera, vivêramos, vivêreis, viveram **12** viver, viveres, viver, vivermos, viverdes, viverem

NÚMEROS / NUMBERS

▶ Números cardinais / ▶ Cardinal numbers

Português		Inglês
um (uma)	1	one
dois (duas)	2	two
três	3	three
quatro	4	four
cinco	5	five
seis	6	six
sete	7	seven
oito	8	eight
nove	9	nine
dez	10	ten
onze	11	eleven
doze	12	twelve
treze	13	thirteen
catorze	14	fourteen
quinze	15	fifteen
dezesseis (*BR*), dezasseis (*PT*)	16	sixteen
dezessete (*BR*), dezassete (*PT*)	17	seventeen
dezoito	18	eighteen
dezenove (*BR*), dezanove (*PT*)	19	nineteen
vinte	20	twenty
vinte e um (uma)	21	twenty-one
trinta	30	thirty
quarenta	40	forty
cinqüenta (*BR*), cinquenta (*PT*)	50	fifty
sessenta	60	sixty
setenta	70	seventy
oitenta	80	eighty
noventa	90	ninety
cem	100	a hundred
cento e um (uma)	101	a hundred and one
duzentos(-as)	200	two hundred
trezentos(-as)	300	three hundred
quinhentos(-as)	500	five hundred
mil	1.000/1,000	a thousand
um milhão	1.000.000/1,000,000	a million

▶ Frações etc

zero vírgula cinco	0,5/0.5
três vírgula quatro	3,4/3.4
dez por cento	10%
cem por cento	100%

▶ Fractions etc

zero point five
three point four
ten per cent
a hundred per cent

▶ Números ordinais

primeiro	1º/1st
segundo	2º/2nd
terceiro	3º/3rd
quarto	4º/4th
quinto	5º/5th
sexto	6º/6th
sétimo	7º/7th
oitavo	8º/8th
nono	9º/9th
décimo	10º/10th
décimo primeiro	11º/11th
vigésimo	20º/20th
trigésimo	30º/30th
quadragésimo	40º/40th
qüinquagésimo (BR), quinquagésimo (PT)	50º/50th
centésimo	100º/100th
centésimo primeiro	101º/101st
milésimo	1.000º/1,000th

▶ Ordinal numbers

first
second
third
fourth
fifth
sixth
seventh
eighth
ninth
tenth
eleventh
twentieth
thirtieth
fortieth
fiftieth

hundredth
hundred-and-first
thousandth

DATAS

▶ Dias da semana

segunda(-feira)
terça(-feira)
quarta(-feira)
quinta(-feira)
sexta(-feira)
sábado
domingo

▶ Meses

janeiro
fevereiro
março
abril
maio
junho
julho
agosto
setembro
outubro
novembro
dezembro

DATES

▶ Days of the week

Monday
Tuesday
Wednesday
Thursday
Friday
Saturday
Sunday

▶ Months

January
February
March
April
May
June
July
August
September
October
November
December

Note that the days of the week and the months start with a capital letter in Portugal and a small letter in Brazil.

▶ Vocabulário útil

Que dia é hoje?
Hoje é dia 28.
Quando?
hoje
amanhã
ontem
hoje de manhã/à tarde
em duas semanas
daqui a uma semana
o mês passado/que vem

▶ Useful vocabulary

What day is it today?
Today is the 28th.
When?
today
tomorrow
yesterday
this morning/afternoon
in two weeks *ou* a fortnight
in a week's time
last/next month

**ENGLISH-PORTUGUESE
INGLÊS-PORTUGUÊS**

A a

A [eɪ] n (MUS) lá m

KEYWORD
---

a [eɪ, ə] indef art (before vowel or silent h: an)

1 (approximately) um(a); **~ book/girl** um livro/uma menina; **an apple** uma maçã; **she's ~ doctor** ela é médica

2 (instead of the number "one") um(a); **~ year ago** há um ano, um ano atrás; **~ hundred/thousand** etc **pounds** cem/mil etc libras

3 (in expressing ratios, prices etc): **3 ~ day/week** 3 por dia/semana; **10 km an hour** 10 km por hora; **30p ~ kilo** 30p o quilo

---

AA n abbr (= Alcoholics Anonymous) AA m; (BRIT: = Automobile Association) ≈ TCB m (BR), ≈ ACP m (PT)

AAA n abbr (= American Automobile Association) ≈ TCB m (BR), ≈ ACP m (PT)

aback [ə'bæk] adv: **to be taken ~** ficar surpreendido, sobressaltar-se

abandon [ə'bændən] vt abandonar ♦ n: **with ~** com desenfreio

abbey ['æbɪ] n abadia, mosteiro

abbot ['æbət] n abade m

abbreviation [əbri:vɪ'eɪʃən] n abreviatura

abdicate ['æbdɪkeɪt] vt abdicar, renunciar a ♦ vi abdicar, renunciar ao trono

abdomen ['æbdəmən] n abdômen m

abduct [æb'dʌkt] vt seqüestrar

ability [ə'bɪlɪtɪ] n habilidade f, capacidade f; (talent) talento

ablaze [ə'bleɪz] adj em chamas

able ['eɪbl] adj capaz; (skilled) hábil, competente; **to be ~ to do sth** poder fazer algo

abnormal [æb'nɔ:məl] adj anormal

aboard [ə'bɔ:d] adv a bordo ♦ prep a bordo de

abode [ə'bəud] n (LAW): **of no fixed ~** sem domicílio fixo

abolish [ə'bɔlɪʃ] vt abolir

aborigine [æbə'rɪdʒɪnɪ] n aborígene m/f

abort [ə'bɔ:t] vt (MED) abortar; (plan) cancelar; **abortion** n aborto; **to have an abortion** fazer um aborto, abortar; **abortive** [ə'bɔ:tɪv] adj fracassado

---
KEYWORD
---

about [ə'baut] adv

1 (approximately) aproximadamente; **it takes ~ 10 hours** leva mais ou menos 10 horas; **it's just ~ finished** está quase terminado

2 (referring to place) por toda parte, por todo lado; **to run/walk** etc **~** correr/andar etc por todos os lados

3: **to be ~ to do sth** estar a ponto de fazer algo

♦ prep

1 (relating to) acerca de, sobre; **what is it ~?** do que se trata?, é sobre o quê?; **what** or **how ~ doing this?** que tal se fizermos isso?

2 (place) em redor de, por

---

above [ə'bʌv] adv em or por cima, acima; (greater) acima ♦ prep acima de, por cima de; (greater than: in rank) acima de; (: in number) mais de; **~ all** sobretudo; **aboveboard** adj legítimo, limpo

abrasive [ə'breɪzɪv] adj abrasivo; (fig) cáustico, mordaz

abreast [ə'brɛst] adv lado a lado; **to keep ~ of** (fig) estar a par de

abroad [ə'brɔ:d] adv (be) no estrangeiro; (go) ao estrangeiro

abrupt [ə'brʌpt] adj (sudden) brusco; (curt) ríspido; **abruptly** adv bruscamente

abscess ['æbsɪs] n abscesso (BR), abcesso (PT)

absence ['æbsəns] n ausência

absent ['æbsənt] adj ausente; **absentee** [æbsən'ti:] n ausente m/f; **absent-minded** adj distraído

absolute ['æbsəlu:t] adj absoluto; **absolutely** [æbsə'lu:tlɪ] adv absolutamente

absorb [əb'zɔ:b] vt absorver; (business) incorporar; (changes) assimilar; (information) digerir; **absorbent cotton** (US) n algodão m hidrófilo

abstain [əb'steɪn] vi: **to ~ (from)** abster-se (de)

abstract ['æbstrækt] adj abstrato

absurd [əb'sə:d] adj absurdo

abuse [n ə'bju:s, vb ə'bju:z] n (insults) insultos mpl; (ill-treatment) maus-tratos

abysmal → act

mpl; (*misuse*) abuso ♦ *vt* insultar; maltratar; abusar de; **abusive** [ə'bju:sɪv] *adj* ofensivo

abysmal [ə'bɪzməl] *adj* (*ignorance*) profundo, total; (*failure*) péssimo

abyss [ə'bɪs] *n* abismo

AC *abbr* (= *alternating current*) CA

academic [ækə'dɛmɪk] *adj* acadêmico; (*pej: issue*) teórico ♦ *n* universitário(-a)

academy [ə'kædəmɪ] *n* (*learned body*) academia; **~ of music** conservatório

accelerate [æk'sɛləreɪt] *vt, vi* acelerar; **accelerator** *n* acelerador *m*

accent ['æksɛnt] *n* (*written*) acento; (*pronunciation*) sotaque *m*; (*fig: emphasis*) ênfase *f*

accept [ək'sɛpt] *vt* aceitar; (*responsibility*) assumir; **acceptable** *adj* (*offer*) bem-vindo; (*risk*) aceitável; **acceptance** *n* aceitação *f*

access ['æksɛs] *n* acesso; **accessible** [æk'sɛsəbl] *adj* acessível; (*available*) disponível

accessory [æk'sɛsərɪ] *n* acessório; (*LAW*): **~ to** cúmplice *m/f* de

accident ['æksɪdənt] *n* acidente *m*; (*chance*) casualidade *f*; **by ~** (*unintentionally*) sem querer; (*by coincidence*) por acaso; **accidental** [æksɪ'dɛntl] *adj* acidental; **accidentally** [æksɪ'dɛntəlɪ] *adv* sem querer; **accident-prone** *adj* com tendência para sofrer *or* causar acidente, desastrado

acclaim [ə'kleɪm] *n* aclamação *f*

accommodate [ə'kɔmədeɪt] *vt* alojar; (*subj: car, hotel, etc*) acomodar; (*oblige, help*) comprazer a; **accommodation** [əkɔmə'deɪʃən] *n* alojamento; **accommodations** (*us*) *npl* = **accommodation**

accompany [ə'kʌmpənɪ] *vt* acompanhar

accomplice [ə'kʌmplɪs] *n* cúmplice *m/f*

accomplish [ə'kʌmplɪʃ] *vt* (*task*) concluir; (*goal*) alcançar; **accomplishment** *n* realização *f*

accord [ə'kɔ:d] *n* acordo ♦ *vt* conceder; **of his own** por sua iniciativa; **accordance** [ə'kɔ:dəns] *n*: **in accordance with** de acordo com; **according**: **according to** *prep* segundo, conforme; **accordingly** *adv* por conseguinte; (*appropriately*) do modo devido

accordion [ə'kɔ:dɪən] *n* acordeão *m*

account [ə'kaunt] *n* conta; (*report*) relato; **~s** *npl* (*books, department*) contabilidade *f*; **of no ~** sem importância; **on ~** por conta; **on no ~** de modo nenhum; **on ~ of** por causa de; **to take into ~, take ~ of** levar em conta; **account for** *vt fus* (*explain*) explicar; (*represent*) representar; **accountancy** *n* contabilidade *f*; **accountant** *n* contador(a) *m/f* (*BR*), contabilista *m/f* (*PT*); **account number** *n* número de conta

accumulate [ə'kju:mjuleɪt] *vt* acumular ♦ *vi* acumular-se

accuracy ['ækjurəsɪ] *n* exatidão *f*, precisão *f*

accurate ['ækjurɪt] *adj* (*description*) correto; (*person, device*) preciso; **accurately** *adv* com precisão

accusation [ækju'zeɪʃən] *n* (*act*) incriminação *f*; (*instance*) acusação *f*

accuse [ə'kju:z] *vt* acusar; **accused** *n*: **the accused** o acusado (a acusada)

accustom [ə'kʌstəm] *vt* acostumar; **accustomed** *adj*: **accustomed to** acostumado a

ace [eɪs] *n* ás *m*

ache [eɪk] *n* dor *f* ♦ *vi* (*yearn*): **to ~ to do sth** ansiar por fazer algo; **my head ~s** dói-me a cabeça

achieve [ə'tʃi:v] *vt* alcançar; (*victory, success*) obter; **achievement** *n* realização *f*; (*success*) proeza

acid ['æsɪd] *adj* ácido; (*taste*) azedo ♦ *n* ácido

acknowledge [ək'nɔlɪdʒ] *vt* (*fact*) reconhecer; (*also:* **~ receipt of**) acusar o recebimento de (*BR*) *or* a recepção de (*PT*); **acknowledgement** *n* notificação *f* de recebimento

acne ['æknɪ] *n* acne *f*

acorn ['eɪkɔ:n] *n* bolota

acoustic [ə'ku:stɪk] *adj* acústico; **acoustics** *n, npl* acústica

acquaint [ə'kweɪnt] *vt*: **to ~ sb with sth** pôr alguém ao corrente de algo; **to be ~ed with** conhecer; **acquaintance** *n* conhecimento; (*person*) conhecido(-a)

acquire [ə'kwaɪə*] *vt* adquirir

acquit [ə'kwɪt] *vt* absolver; **to ~ o.s. well** desempenhar-se bem

acre ['eɪkə*] *n* acre *m* (= 4047m^2)

acrobat ['ækrəbæt] *n* acrobata *m/f*

across [ə'krɔs] *prep* (*on the other side of*) no outro lado de; (*crosswise*) através de ♦ *adv*: **to go** (*or* **walk**) **~** atravessar; **the lake is 12km ~** o lago tem 12km de largura; **~ from** em frente de

acrylic [ə'krɪlɪk] *adj* acrílico ♦ *n* acrílico

act [ækt] *n* ação *f*; (*THEATRE*) ato; (*in show*) número; (*LAW*) lei *f* ♦ *vi* tomar ação; (*behave, have effect, THEATRE*) agir; (*pretend*) fingir ♦ *vt* (*part*) representar; **in**

the ~ of no ato de; **to ~ as** servir de; **acting** adj interino ♦ n: **to do some acting** fazer teatro

action ['ækʃən] n ação f; (MIL) batalha, combate m; (LAW) ação judicial; **out of ~** (person) fora de combate; (thing) com defeito; **to take ~** tomar atitude; **action replay** n (TV) replay m

activate ['æktɪveɪt] vt acionar

active ['æktɪv] adj ativo; (volcano) em atividade; **actively** adv ativamente; **activity** [æk'tɪvɪtɪ] n atividade f

actor ['æktə*] n ator m

actress ['æktrɪs] n atriz f

actual ['æktjuəl] adj real; (emphatic use) em si; **actually** adv realmente; (in fact) na verdade; (even) mesmo

acute [ə'kju:t] adj agudo; (person) perspicaz

ad [æd] n abbr = **advertisement**

A.D. adv abbr (= Anno Domini) d.C.

adamant ['ædəmənt] adj inflexível

adapt [ə'dæpt] vt adaptar ♦ vi: **to ~ (to)** adaptar-se (a); **adaptable** adj (device) ajustável; (person) adaptável; **adapter** n (ELEC) adaptador m; **adaptor** = **adapter**

add [æd] vt acrescentar; (figures: also: ~ **up**) somar ♦ vi: **to ~ to** aumentar

addict ['ædɪkt] n viciado(-a); **drug ~** toxicômano(-a); **addicted** [ə'dɪktɪd] adj: **to be addicted to** ser viciado em; (fig) ser fanático por; **addiction** n dependência; **addictive** adj que causa dependência

addition [ə'dɪʃən] n adição f; (thing added) acréscimo; **in ~** além disso; **in ~ to** além de; **additional** adj adicional

additive ['ædɪtɪv] n aditivo

address [ə'drɛs] n endereço; (speech) discurso ♦ vt (letter) endereçar; (speak to) dirigir-se a, dirigir a palavra a; **to ~ (o.s. to)** enfocar

adept ['ædɛpt] adj: **~ at** hábil or competente em

adequate ['ædɪkwɪt] adj (enough) suficiente; (satisfactory) satisfatório

adhere [əd'hɪə*] vi: **to ~ to** aderir a; (abide by) ater-se a

adhesive [əd'hi:zɪv] n adesivo

adjective ['ædʒɛktɪv] n adjetivo

adjoining [ə'dʒɔɪnɪŋ] adj adjacente

adjourn [ə'dʒə:n] vt (session) suspender ♦ vi ser suspenso

adjust [ə'dʒʌst] vt (change) ajustar; (clothes) arrumar; (machine) regular ♦ vi: **to ~ (to)** adaptar-se (a); **adjustment** n ajuste m; (of engine) regulagem f; (of prices, wages) reajuste m; (of person) adaptação f

ad-lib [-lɪb] vi improvisar ♦ adv: **ad lib** à vontade

administer [əd'mɪnɪstə*] vt administrar; (justice) aplicar; (drug) ministrar; **administration** [ədmɪnɪs'treɪʃən] n administração f; (management) gerência; (government) governo; **administrative** [əd'mɪnɪstrətɪv] adj administrativo

admiral ['ædmərəl] n almirante m

admire [əd'maɪə*] vt (respect) respeitar; (appreciate) admirar

admission [əd'mɪʃən] n (admittance) entrada; (fee) ingresso; (confession) confissão f

admit [əd'mɪt] vt admitir; (accept) aceitar; (confess) confessar; **admit to** vt fus confessar; **admittance** n entrada; **admittedly** adv evidentemente

ado [ə'du:] n: **without (any) more ~** sem mais cerimônias

adolescent [ædəu'lɛsnt] adj, n adolescente m/f

adopt [ə'dɔpt] vt adotar; **adopted** adj adotivo; **adoption** n adoção f

adore [ə'dɔ:*] vt adorar

Adriatic (Sea) [eɪdrɪ'ætɪk-] n (mar m) Adriático

adrift [ə'drɪft] adv à deriva

adult ['ædʌlt] n adulto(-a) ♦ adj adulto; (literature, education) para adultos

adultery [ə'dʌltərɪ] n adultério

advance [əd'vɑ:ns] n avanço; (money) adiantamento ♦ adj antecipado ♦ vt (money) adiantar ♦ vi (move) avançar; (progress) progredir; **in ~** com antecedência; **to make ~s to sb** fazer propostas a alguém; **advanced** adj adiantado

advantage [əd'vɑ:ntɪdʒ] n (gen, TENNIS) vantagem f; (supremacy) supremacia; **to take ~ of** aproveitar-se de, levar vantagem de

adventure [əd'vɛntʃə*] n façanha; (excitement in life) aventura

adverb ['ædvə:b] n advérbio

adverse ['ædvə:s] adj (effect) contrário; (weather, publicity) desfavorável

advert ['ædvə:t] n abbr = **advertisement**

advertise ['ædvətaɪz] vi anunciar ♦ vt (event, job) anunciar; (product) fazer a propaganda de; **to ~ for** (staff) procurar; **advertisement** [əd'və:tɪsmənt] n (classified) anúncio; (display, TV) propaganda, anúncio; **advertising** n publicidade f

advice [əd'vaɪs] n conselhos mpl;

advise → AIDS 4

(*notification*) aviso; **piece of ~** conselho; **to take legal ~** consultar um advogado
advise [əd'vaɪz] *vt* aconselhar; (*inform*): **to ~ sb of sth** avisar alguém de algo; **to ~ sb against sth/doing sth** desaconselhar algo a alguém/aconselhar alguém a não fazer algo; **adviser** *or* **advisor** *n* conselheiro(-a); (*consultant*) consultor(a) *m/f*; **advisory** *adj* consultivo; **in an advisory capacity** na qualidade de assessor *or* consultor
advocate [*vb* 'ædvəkeɪt, *n* 'ædvəkɪt] *vt* defender; (*recommend*) advogar ♦ *n* advogado(-a); (*supporter*) defensor(a) *m/f*
Aegean [i:'dʒi:ən] *n*: **the ~ (Sea)** o (mar) Egeu
aerial ['ɛərɪəl] *n* antena ♦ *adj* aéreo
aerobics [ɛə'rəubɪks] *n* ginástica
aeroplane ['ɛərəpleɪn] (*BRIT*) *n* avião *m*
aerosol ['ɛərəsɒl] *n* aerossol *m*
aesthetic [i:s'θɛtɪk] *adj* estético
afar [ə'fɑ:*] *adv*: **from ~** de longe
affair [ə'fɛə*] *n* (*matter*) assunto; (*business*) negócio; (*question*) questão *f*; (*also*: **love ~**) caso
affect [ə'fɛkt] *vt* afetar; (*move*) comover; **affected** *adj* afetado
affection [ə'fɛkʃən] *n* afeto, afeição *f*; **affectionate** *adj* afetuoso
afflict [ə'flɪkt] *vt* afligir
affluent ['æfluənt] *adj* rico; **the affluent society** a sociedade de abundância
afford [ə'fɔ:d] *vt* (*provide*) fornecer; (*goods etc*) ter dinheiro suficiente para; (*permit o.s.*): **I can't ~ the time/to take that risk** não tenho tempo/não posso correr esse risco
afloat [ə'fləut] *adv* flutuando
afoot [ə'fut] *adv*: **there is something ~** está acontecendo algo
afraid [ə'freɪd] *adj* assustado; **to be ~ of/to** ter medo de; **I am ~ that** lamento que; **I'm ~ so/not** receio que sim/não
Africa ['æfrɪkə] *n* África; **African** *adj*, *n* africano(-a)
after ['ɑ:ftə*] *prep* depois de ♦ *adv* depois ♦ *conj* depois que; **a quarter ~ two** (*US*) duas e quinze; **what/who are you ~?** o que você quer?/quem procura?; **~ having done** tendo feito; **he was named ~ his grandfather** ele recebeu o nome do avô; **to ask ~ sb** perguntar por alguém; **~ all** afinal (de contas); **~ you!** passe primeiro!; **aftermath** *n* conseqüências *fpl*; **afternoon** *n* tarde *f*; **afters** (*inf*) *n* sobremesa; **after-sales service** (*BRIT*) *n* serviço pós-vendas; **after-shave (lotion)** *n* loção *f* após-barba; **aftersun** *n* loção *f* pós-sol; **afterwards** *adv* depois

again [ə'gɛn] *adv* (*once more*) outra vez; (*repeatedly*) de novo; **to do sth ~** voltar a fazer algo; **not ... ~!** ... de novo!; **~ and ~** repetidas vezes
against [ə'gɛnst] *prep* contra; (*compared to*) em contraste com
age [eɪdʒ] *n* idade *f*; (*period*) época ♦ *vt*, *vi* envelhecer; **he's 20 years of ~** ele tem 20 anos de idade; **to come of ~** atingir a maioridade; **it's been ~s since I saw him** faz muito tempo que eu não o vejo; **aged**[1] [eɪdʒd] *adj*: **aged 10** de 10 anos de idade; **aged**[2] ['eɪdʒɪd] *adj* idoso ♦ *npl*: **the aged** os idosos; **age group** *n* faixa etária; **age limit** *n* idade *f* mínima/máxima
agency ['eɪdʒənsɪ] *n* agência; (*government body*) órgão *m*
agenda [ə'dʒɛndə] *n* ordem *f* do dia
agent ['eɪdʒənt] *n* agente *m/f*
aggravate ['ægrəveɪt] *vt* agravar; (*annoy*) irritar
aggressive [ə'grɛsɪv] *adj* agressivo
agitate ['ædʒɪteɪt] *vt* agitar ♦ *vi*: **to ~ for** fazer agitação a favor de
AGM *n abbr* (= *annual general meeting*) AGO *f*
ago [ə'gəu] *adv*: **2 days ~** há 2 dias (atrás); **not long ~** há pouco tempo; **how long ~?** há quanto tempo?
agony ['ægənɪ] *n* (*pain*) dor *f*; **to be in ~** sofrer dores terríveis
agree [ə'gri:] *vt* combinar ♦ *vi* (*correspond*) corresponder; **to ~ (with)** concordar (com); **to ~ to sth/to do sth** consentir algo/aceitar fazer algo; **to ~ that** concordar *or* admitir que; **agreeable** *adj* agradável; (*willing*) disposto; **agreed** *adj* combinado; **agreement** *n* acordo; (*COMM*) contrato; **in agreement** de acordo
agricultural [ægrɪ'kʌltʃərəl] *adj* (*of crops*) agrícola; (*of crops and cattle*) agropecuário
agriculture ['ægrɪkʌltʃə*] *n* (*of crops*) agricultura; (*of crops and cattle*) agropecuária
aground [ə'graund] *adv*: **to run ~** encalhar
ahead [ə'hɛd] *adv* adiante; **go right** *or* **straight ~** siga em frente; **go ~!** (*fig*) vá em frente!; **~ of** na frente de
aid [eɪd] *n* ajuda; (*device*) aparelho ♦ *vt* ajudar; **in ~ of** em benefício de; **to ~ and abet** (*LAW*) ser cúmplice de
AIDS [eɪdz] *n abbr* (= *acquired immune*

aim → allow

deficiency syndrome) AIDS f (BR), SIDA f (PT)

aim [eɪm] vt: **to ~ sth (at)** apontar algo (para); (*remark*) dirigir algo (a) ♦ vi (*also:* **take ~**) apontar ♦ n (*skill*) pontaria; (*objective*) objetivo; **to ~ at** mirar; **to ~ to do** pretender fazer

ain't [eɪnt] (*inf*) = **am not**; **aren't**; **isn't**

air [ɛə*] n ar m; (*appearance*) aparência, aspeto; (*tune*) melodia ♦ vt arejar; (*grievances, ideas*) discutir ♦ cpd aéreo; **to throw sth into the ~** jogar algo para cima; **by ~** (*travel*) de avião; **on the ~** (*RADIO, TV*) no ar; **airbed** (*BRIT*) n colchão m de ar; **air conditioning** n ar condicionado; **aircraft** n inv aeronave f; **airfield** n campo de aviação; **Air Force** n Força Aérea, Aeronáutica; **air freshener** n perfumador m de ar; **airgun** n espingarda de ar comprimido; **air hostess** (*BRIT*) n aeromoça (*BR*), hospedeira (*PT*); **air letter** (*BRIT*) n aerograma m; **airline** n linha aérea; **airliner** n avião m de passageiros; **airmail** n: **by airmail** por via aérea; **air mile** n milha aérea; **airplane** (*US*) n avião m; **airport** n aeroporto; **airsick** adj: **to be airsick** enjoar (no avião); **airtight** adj hermético; **airy** adj (*room*) arejado; (*manner*) leviano

aisle [aɪl] n (*of church*) nave f; (*of theatre etc*) corredor m

ajar [ə'dʒɑː*] adj entreaberto

alarm [ə'lɑːm] n alarme m; (*anxiety*) inquietação f ♦ vt alarmar; **alarm clock** n despertador m

album ['ælbəm] n (*for stamps etc*) álbum m; (*record*) elepê m

alcohol ['ælkəhɔl] n álcool m; **alcohol-free** adj sem álcool; **alcoholic** [ælkə'hɔlɪk] adj alcoólico ♦ n alcoólatra m/f

ale [eɪl] n cerveja

alert [ə'ləːt] adj atento; (*to danger, opportunity*) alerta ♦ n alerta ♦ vt alertar; **to be on the ~** estar alerta; (*MIL*) ficar de prontidão

Algarve [æl'gɑːv] m: **the ~** o Algarve

algebra ['ældʒɪbrə] n álgebra

Algeria [æl'dʒɪərɪə] n Argélia

alias ['eɪlɪəs] adv também chamado ♦ n (*of criminal*) alcunha; (*of writer*) pseudônimo

alibi ['ælɪbaɪ] n álibi m

alien ['eɪlɪən] n estrangeiro(-a); (*from space*) alienígena m/f ♦ adj: **~ to** alheio a

alight [ə'laɪt] adj em chamas; (*eyes*) aceso; (*expression*) intento ♦ vi (*passenger*) descer (de um veículo); (*bird*) pousar

alike [ə'laɪk] adj semelhante ♦ adv similarmente, igualmente; **to look ~** parecer-se

alimony ['ælɪmənɪ] n (*payment*) pensão f alimentícia

alive [ə'laɪv] adj vivo; (*lively*) alegre

KEYWORD
---

all [ɔːl] adj (*sg*) todo(-a); (*pl*) todos(-as); **~ day/night** o dia inteiro/a noite inteira; **~ five came** todos os cinco vieram; **~ the books/food** todos os livros/toda a comida

♦ pron **1** tudo; **~ of us/the boys went** todos nós fomos/todos os meninos foram; **is that ~?** é só isso?; (*in shop*) mais alguma coisa?

2 (*in phrases*): **above ~** sobretudo; **after ~** afinal (de contas); **at ~: not at ~** (*in answer to question*) em absoluto, absolutamente não; **I'm not at ~ tired** não estou nada cansado; **anything at ~ will do** qualquer coisa serve; **~ in ~** ao todo

♦ adv todo, completamente; **~ alone** completamente só; **it's not as hard as ~ that** não é tão difícil assim; **~ the more** ainda mais; **~ the better** tanto melhor, melhor ainda; **~ but** quase; **the score is 2 ~** o escore é 2 a 2

---

allege [ə'lɛdʒ] vt alegar; **allegedly** [ə'lɛdʒɪdlɪ] adv segundo dizem

allegiance [ə'liːdʒəns] n lealdade f

allergic [ə'ləːdʒɪk] adj: **~ (to)** alérgico (a)

allergy ['ælədʒɪ] n alergia f

alleviate [ə'liːvɪeɪt] vt (*pain*) aliviar; (*difficulty*) minorar

alley ['ælɪ] n viela

alliance [ə'laɪəns] n aliança

all-in (*BRIT*) adj, adv (*charge*) tudo incluído

all-night adj (*café*) aberto toda a noite; (*party*) que dura toda a noite

allocate ['æləkeɪt] vt destinar

allot [ə'lɔt] vt: **to ~ to** designar para; **allotment** n partilha; (*garden*) lote m

all-out adj (*effort etc*) máximo ♦ adv: **all out** com toda a força

allow [ə'lau] vt permitir; (*claim, goal*) admitir; (*sum, time*) calcular; (*concede*): **to ~ that** reconhecer que; **to ~ sb to do** permitir a alguém fazer; **allow for** vt fus levar em conta; **allowance** [ə'lauəns] n ajuda de custo; (*welfare payment*) pensão f, auxílio; (*TAX*) abatimento; (*pocket money*) mesada; **to make allowances for**

levar em consideração
all right adv (well) bem; (correctly) corretamente; (as answer) está bem!
all-time adj de todos os tempos
ally [n 'ælaɪ, vb ə'laɪ] n aliado ♦ vt: **to ~ o.s. with** aliar-se com
almighty [ɔːl'maɪtɪ] adj onipotente; (row etc) a maior
almond ['ɑːmənd] n amêndoa
almost ['ɔːlməust] adv quase
alone [ə'ləun] adj só, sozinho; (unaided) sozinho ♦ adv só, somente, sozinho; **to leave sb ~** deixar alguém em paz; **to leave sth ~** não tocar em algo; **let ~ ...** sem falar em ...
along [ə'lɒŋ] prep por, ao longo de ♦ adv: **is he coming ~?** ele vem conosco?; **he was hopping/ limping ~** ele ia pulando/coxeando; **~ with** junto com; **all ~** o tempo tudo; **alongside** prep ao lado de ♦ adv encostado
aloof [ə'luːf] adj afastado, altivo ♦ adv: **to stand ~** afastar-se
aloud [ə'laud] adv em voz alta
alphabet ['ælfəbɛt] n alfabeto
Alps [ælps] npl: **the ~** os Alpes
already [ɔːl'rɛdɪ] adv já
alright ['ɔːl'raɪt] (BRIT) adv = **all right**
Alsatian [æl'seɪʃən] (BRIT) n (dog) pastor m alemão
also ['ɔːlsəu] adv também; (moreover) além disso
altar ['ɔːltə*] n altar m
alter ['ɔːltə*] vt alterar ♦ vi modificar-se
alternate [adj ɔl'tɜːnɪt, vb 'ɔltəneɪt] adj alternado; (US: alternative) alternativo ♦ vi alternar-se; **alternating** adj: **alternating current** corrente f alternada
alternative [ɔl'tɜːnətɪv] adj alternativo ♦ n alternativa; **alternatively** adv: **alternatively one could ...** por outro lado se podia ...
although [ɔːl'ðəu] conj embora; (given that) se bem que
altitude ['æltɪtjuːd] n altitude f
alto ['æltəu] n (female) contralto f; (male) alto
altogether [ɔːltə'gɛðə*] adv totalmente; (on the whole) no total
aluminium [ælju'mɪnɪəm] (US **aluminum**) n alumínio
always ['ɔːlweɪz] adv sempre
Alzheimer's disease ['æltshaɪməz-] n doença de Alzheimer
am [æm] vb see **be**
a.m. adv abbr (= ante meridiem) da manhã
amateur ['æmətə*] adj, n amador(a) m/f

amaze [ə'meɪz] vt pasmar; **to be ~d (at)** espantar-se (de or com); **amazement** n pasmo, espanto; **amazing** adj surpreendente; (fantastic) fantástico
Amazon ['æməzən] n Amazonas m
ambassador [æm'bæsədə*] n embaixador (embaixatriz) m/f
amber ['æmbə*] n âmbar m; **at ~** (BRIT: AUT) em amarelo
ambiguous [æm'bɪgjuəs] adj ambíguo
ambition [æm'bɪʃən] n ambição f; **ambitious** adj ambicioso
ambulance ['æmbjuləns] n ambulância
ambush ['æmbuʃ] n emboscada ♦ vt emboscar
amend [ə'mɛnd] vt emendar; **to make ~s (for)** compensar
amenities [ə'miːnɪtɪz] npl atrações fpl, comodidades fpl
America [ə'mɛrɪkə] n (continent) América; (USA) Estados Unidos mpl; **American** adj americano; norte-americano, estadunidense ♦ n americano(-a); norte-americano(-a)
amiable ['eɪmɪəbl] adj amável
amicable ['æmɪkəbl] adj amigável
amid(st) [ə'mɪd(st)] prep em meio a
amiss [ə'mɪs] adv: **to take sth ~** levar algo a mal; **there's something ~** aí tem coisa
ammunition [æmju'nɪʃən] n munição f
among(st) [ə'mʌŋ(st)] prep entre, no meio de
amount [ə'maunt] n quantidade f; (of money etc) quantia ♦ vi: **to ~ to** (total) montar a; (be same as) equivaler a, significar
amp(ère) ['æmp(ɛə*)] n ampère m
ample ['æmpl] adj amplo; (abundant) abundante; (enough) suficiente
amplifier ['æmplɪfaɪə*] n amplificador m
amuse [ə'mjuːz] vt divertir; (distract) distrair; **amusement** n diversão f; (pleasure) divertimento; (pastime) passatempo
an [æn, ən, n] indef art see **a**
anaemic [ə'niːmɪk] (US **anemic**) adj anêmico
anaesthetic [ænɪs'θɛtɪk] (US **anesthetic**) n anestésico
analyse ['ænəlaɪz] (US **analyze**) vt analisar; **analysis** [ə'næləsɪs] (pl **analyses**) n análise f; **analyst** ['ænəlɪst] n analista m/f; (psychoanalyst) psicanalista m/f
analyze ['ænəlaɪz] (US) vt = **analyse**
anarchist ['ænəkɪst] n anarquista m/f

anarchy ['ænəkı] n anarquia
anatomy [ə'nætəmı] n anatomia
ancestor ['ænsıstə*] n antepassado
anchor ['æŋkə*] n âncora ♦ vi (also: **to drop ~**) ancorar, fundear ♦ vt (fig): **to ~ sth to** firmar algo em; **to weigh ~** levantar âncoras
anchovy ['æntʃəvı] n enchova
ancient ['eınʃənt] adj antigo; (person, car) velho
ancillary [æn'sıləri] adj auxiliar
and [ænd] conj e; **~ so on** e assim por diante; **try ~ come** tente vir; **he talked ~ talked** ele falou sem parar; **better ~ better** cada vez melhor
Andes ['ændi:z] npl: **the ~** os Andes
anemic [ə'ni:mık] (US) n = **anaemic**
angel ['eındʒəl] n anjo
anger ['æŋɡə*] n raiva
angina [æn'dʒaınə] n angina (de peito)
angle ['æŋɡl] n ângulo; (viewpoint): **from their ~** do ponto de vista deles
Anglican ['æŋɡlıkən] adj, n anglicano(-a)
angling ['æŋɡlıŋ] n pesca à vara (BR) or à linha (PT)
Angola [æŋ'ɡəulə] n Angola (no article)
angry ['æŋɡrı] adj zangado; **to be ~ with sb/at sth** estar zangado com alguém/algo; **to get ~** zangar-se
anguish ['æŋɡwıʃ] n (physical) dor f, sofrimento; (mental) angústia
animal ['ænıməl] n animal m, bicho ♦ adj animal
animate ['ænımıt] adj animado; **animated** adj animado
aniseed ['ænısi:d] n erva-doce f, anis f
ankle ['æŋkl] n tornozelo
annex [n 'æneks, vb ə'neks] n (also: BRIT: **annexe**: building) anexo ♦ vt anexar
anniversary [ænı'və:sərı] n aniversário
announce [ə'nauns] vt anunciar; **announcement** n anúncio; (official) comunicação f; (in letter etc) aviso; **announcer** n (RADIO, TV) locutor(a) m/f
annoy [ə'nɔı] vt aborrecer; **don't get ~ed!** não se aborreça!; **annoyance** n aborrecimento; **annoying** adj irritante
annual ['ænjuəl] adj anual ♦ n (BOT) anual m; (book) anuário
annul [ə'nʌl] vt anular
anonymous [ə'nɒnıməs] adj anônimo
anorak ['ænəræk] n anoraque m (BR), anorak m (PT)
another [ə'nʌðə*] adj: **~ book** (one more) outro livro, mais um livro; (a different one) um outro livro, um livro diferente ♦ pron outro; see also **one**

anarchy → anxious

answer ['ɑ:nsə*] n resposta; (to problem) solução f ♦ vi responder ♦ vt (reply to) responder a; (problem) resolver; **in ~ to your letter** em resposta or respondendo à sua carta; **to ~ the phone** atender o telefone; **to ~ the bell** or **the door** atender à porta; **answer back** vi replicar, retrucar; **answer for** vt fus responder por, responsabilizar-se por; **answer to** vt fus (description) corresponder a; **answering machine** n secretária eletrônica
ant [ænt] n formiga
antagonism [æn'tæɡənızəm] n antagonismo
antagonize [æn'tæɡənaız] vt contrariar, hostilizar
Antarctic [ænt'ɑ:ktık] n: **the ~** o Antártico
antenatal ['æntı'neıtl] adj pré-natal
anthem ['ænθəm] n: **national ~** hino nacional
anti... [æntı] prefix anti...; **anti-aircraft** adj antiaéreo; **antibiotic** ['æntıbaı'ɔtık] adj antibiótico ♦ n antibiótico; **antibody** n anticorpo
anticipate [æn'tısıpeıt] vt prever; (expect) esperar; (look forward to) aguardar, esperar; **anticipation** n expectativa; (eagerness) entusiasmo
anticlimax [æntı'klaımæks] n desapontamento
anticlockwise [æntı'klɔkwaız] (BRIT) adv em sentido anti-horário
antics ['æntıks] npl bobices fpl; (of child) travessuras fpl
antidepressant ['æntıdı'presənt] n antidepressivo
antifreeze ['æntıfri:z] n anticongelante m
antihistamine [æntı'hıstəmi:n] n anti-histamínico
antiquated ['æntıkweıtıd] adj antiquado
antique [æn'ti:k] n antiguidade f ♦ adj antigo; **antique shop** n loja de antiguidades
antiseptic [æntı'septık] n anti-séptico
antisocial [æntı'səuʃəl] adj anti-social
antlers ['æntləz] npl esgalhos mpl, chifres mpl
anxiety [æŋ'zaıətı] n (worry) inquietude f; (MED) ansiedade f; (eagerness): **~ to do** ânsia de fazer
anxious ['æŋkʃəs] adj (worried) preocupado; (worrying) angustiante; (keen): **~ to do** ansioso para fazer; **to be ~ that** desejar que

KEYWORD

any [ˈɛnɪ] adj
1 (in questions etc) algum(a); **have you ~ butter/children?** você tem manteiga/filhos?; **if there are ~ tickets left** se houver alguns bilhetes sobrando
2 (with negative) nenhum(a); **I haven't ~ money/books** não tenho dinheiro/livros
3 (no matter which) qualquer; **choose ~ book you like** escolha qualquer livro que quiser
4 (in phrases): **in ~ case** em todo o caso; **~ day now** qualquer dia desses; **at ~ moment** a qualquer momento; **at ~ rate** de qualquer modo; **~ time** a qualquer momento; (whenever) quando quer que seja
♦ pron
1 (in questions etc) algum(a); **have you got ~?** tem algum?
2 (with negative) nenhum(a); **I haven't ~ (of them)** não tenho nenhum (deles)
3 (no matter which one(s)): **take ~ of those books (you like)** leve qualquer um desses livros (que você quiser)
♦ adv
1 (in questions etc) algo; **do you want ~ more soup/sandwiches?** quer mais sopa/sanduíches?; **are you feeling ~ better?** você está se sentindo melhor?
2 (with negative) nada; **I can't hear him ~ more** não consigo mais ouvi-lo

anybody [ˈɛnɪbɔdɪ] pron = **anyone**
anyhow [ˈɛnɪhau] adv (at any rate) de qualquer modo, de qualquer maneira; (haphazard) de qualquer jeito; **I shall go ~** eu irei de qualquer jeito; **do it ~ you like** faça do jeito que você quiser; **she leaves things just ~** ela deixa as coisas de qualquer maneira
anyone [ˈɛnɪwʌn] pron (in questions etc) alguém; (with negative) ninguém; (no matter who) quem quer que seja; **can you see ~?** você pode ver alguém?; **if ~ should phone ...** se alguém telefonar ...; **~ could do it** qualquer um(a) poderia fazer isso
anything [ˈɛnɪθɪŋ] pron (in questions etc) alguma coisa; (with negative) nada; (no matter what) qualquer coisa; **can you see ~?** você pode ver alguma coisa?
anyway [ˈɛnɪweɪ] adv (at any rate) de qualquer modo; (besides) além disso; **I shall go ~** eu irei de qualquer jeito
anywhere [ˈɛnɪwɛə*] adv (in questions etc) em algum lugar; (with negative) em parte nenhuma; (no matter where) não importa onde, onde quer que seja; **can you see him ~?** você pode vê-lo em algum lugar?; **I can't see him ~** não o vejo em parte nenhuma; **~ in the world** em qualquer lugar do mundo

apart [əˈpɑːt] adv à parte, à distância; (separately) separado; (movement): **to move ~** distanciar-se; (aside): **... ~,** ... de lado, além de ...; (in addition to) além de; **to take ~** desmontar; **~ from** com exceção de; (in addition to) além de

apartheid [əˈpɑːteɪt] n apartheid m
apartment [əˈpɑːtmənt] (US) n apartamento
ape [eɪp] n macaco ♦ vt macaquear, imitar
aperitif [əˈpɛrɪtɪv] n aperitivo
aperture [ˈæpətʃuə*] n orifício; (PHOT) abertura
APEX n abbr (= advance purchase excursion) tarifa aérea com desconto, adquirida com antecedência
apologetic [əpɔləˈdʒɛtɪk] adj cheio de desculpas
apologize [əˈpɔlədʒaɪz] vi: **to ~ (for sth to sb)** desculpar-se or pedir desculpas (por or de algo a alguém); **apology** n desculpas fpl
apostle [əˈpɔsl] n apóstolo
apostrophe [əˈpɔstrəfɪ] n apóstrofo
appalling [əˈpɔːlɪŋ] adj horrível; (ignorance) terrível
apparatus [æpəˈreɪtəs] n aparelho; (in gym) aparelhos mpl; (organization) aparato
apparent [əˈpærənt] adj aparente; (obvious) claro, patente; **apparently** adv aparentemente, pelo(s) visto(s)
appeal [əˈpiːl] vi (LAW) apelar, recorrer ♦ n (LAW) recurso, apelação f; (request) pedido; (plea) súplica; (charm) atração f; **to ~ (to sb) for sth** (request) pedir algo (a alguém); (plead) suplicar algo (a alguém); **to ~ to** atrair; **appealing** adj atraente
appear [əˈpɪə*] vi aparecer; (LAW) apresentar-se, comparecer; (publication) ser publicado; (seem) parecer; **to ~ in "Hamlet"** trabalhar em "Hamlet"; **to ~ on TV** (person, news item) sair na televisão; (programme) passar na televisão; **appearance** n aparecimento; (presence) comparecimento; (look) aparência
appendicitis [əpɛndɪˈsaɪtɪs] n apendicite f

appendix → arm

appendix [əˈpɛndɪks] (*pl* **appendices**) *n* apêndice *m*

appetite [ˈæpɪtaɪt] *n* apetite *m*; (*fig*) desejo; **appetizer** *n* (*food*) tira-gosto; (*drink*) aperitivo

applaud [əˈplɔːd] *vi* aplaudir ♦ *vt* aplaudir; (*praise*) admirar; **applause** *n* aplausos *mpl*

apple [ˈæpl] *n* maçã *f*; **apple tree** *n* macieira

appliance [əˈplaɪəns] *n* aparelho; **electrical** *or* **domestic ~s** eletrodomésticos *mpl*

applicant [ˈæplɪkənt] *n* (*for post*) candidato(-a); (*for benefit etc*) requerente *m/f*

application [æplɪˈkeɪʃən] *n* aplicação *f*; (*for a job, a grant etc*) candidatura, requerimento; (*hard work*) esforço; **application form** *n* (formulário de) requerimento

apply [əˈplaɪ] *vt* (*paint etc*) usar; (*law etc*) pôr em prática ♦ *vi*: **to ~ to** (*be suitable for*) ser aplicável a; (*be relevant to*) valer para; (*ask*) pedir; **to ~ for** (*permit, grant*) solicitar, pedir; (*job*) candidatar-se a; **to ~ o.s. to** aplicar-se a, dedicar-se a

appoint [əˈpɔɪnt] *vt* (*to post*) nomear; **appointment** *n* (*engagement*) encontro marcado, compromisso; (*at doctor's etc*) hora marcada; (*act*) nomeação *f*; (*post*) cargo; **to make an appointment (with sb)** marcar um encontro (com alguém)

appraisal [əˈpreɪzl] *n* avaliação *f*

appreciate [əˈpriːʃɪeɪt] *vt* (*like*) apreciar, estimar; (*be grateful for*) agradecer a; (*understand*) compreender ♦ *vi* (*comm*) valorizar-se; **appreciation** *n* apreciação *f*, estima; (*understanding*) compreensão *f*; (*gratitude*) agradecimento; (*comm*) valorização *f*; **appreciative** *adj* (*person*) agradecido; (*comment*) elogioso

apprehensive [æprɪˈhɛnsɪv] *adj* apreensivo, receoso

apprentice [əˈprɛntɪs] *n* aprendiz *m/f*

approach [əˈprəutʃ] *vi* aproximar-se ♦ *vt* aproximar-se de; (*ask, apply to*) dirigir-se a; (*subject, passer-by*) abordar ♦ *n* aproximação *f*; (*access*) acesso; (*to problem, situation*) enfoque *m*; **approachable** *adj* (*person*) tratável; (*place*) acessível

appropriate [*adj* əˈprəuprɪɪt, *vb* əˈprəuprɪeɪt] *adj* (*apt*) apropriado; (*relevant*) adequado ♦ *vt* apropriar-se de

approval [əˈpruːvəl] *n* aprovação *f*; **on ~** (*comm*) a contento

approve [əˈpruːv] *vt* (*publication, product*) autorizar; (*motion, decision*) aprovar; **approve of** *vt fus* aprovar

approximate [əˈprɔksɪmɪt] *adj* aproximado; **approximately** *adv* aproximadamente

apricot [ˈeɪprɪkɔt] *n* damasco

April [ˈeɪprəl] *n* abril *m*

apron [ˈeɪprən] *n* avental *m*

apt [æpt] *adj* (*suitable*) adequado; (*appropriate*) apropriado; (*likely*): **~ to do** sujeito a fazer

Aquarius [əˈkwɛərɪəs] *n* Aquário

Arab [ˈærəb] *adj*, *n* árabe *m/f*

Arabian [əˈreɪbɪən] *adj* árabe

Arabic [ˈærəbɪk] *adj* árabe; (*numerals*) arábico ♦ *n* (*LING*) árabe *m*

arbitrary [ˈɑːbɪtrərɪ] *adj* arbitrário

arbitration [ɑːbɪˈtreɪʃən] *n* arbitragem *f*

arcade [ɑːˈkeɪd] *n* arcos *mpl*; (*passage with shops*) galeria

arch [ɑːtʃ] *n* arco; (*of foot*) curvatura ♦ *vt* arquear, curvar

archaeologist [ɑːkɪˈɔlədʒɪst] (*US* **archeologist**) *n* arqueólogo(-a)

archaeology [ɑːkɪˈɔlədʒɪ] (*US* **archeology**) *n* arqueologia

archbishop [ɑːtʃˈbɪʃəp] *n* arcebispo

archeology *etc* [ɑːkɪˈɔlədʒɪ] (*US*) = **archaeology** *etc*

archery [ˈɑːtʃərɪ] *n* tiro de arco

architect [ˈɑːkɪtɛkt] *n* arquiteto(-a); **architecture** *n* arquitetura

archives [ˈɑːkaɪvz] *npl* arquivo

Arctic [ˈɑːktɪk] *adj* ártico ♦ *n*: **the ~** o Ártico

are [ɑː*] *vb see* **be**

area [ˈɛərɪə] *n* (*zone*) zona, região *f*; (*part of place*) região *f*; (*in room, of knowledge, experience*) área; (*MATH*) superfície *f*, extensão *f*; **area code** (*US*) *n* (*TEL*) código de discagem (*BR*), indicativo (*PT*)

aren't [ɑːnt] = **are not**

Argentina [ɑːdʒənˈtiːnə] *n* Argentina

arguably [ˈɑːgjuəblɪ] *adv* possivelmente

argue [ˈɑːgjuː] *vi* (*quarrel*) discutir; (*reason*) argumentar; **to ~ that** sustentar que

argument [ˈɑːgjumənt] *n* (*reasons*) argumento; (*quarrel*) briga, discussão *f*; **argumentative** [ɑːgjuˈmɛntətɪv] *adj* briguento

Aries [ˈɛərɪz] *n* Áries *m*

arise [əˈraɪz] (*pt* **arose**, *pp* **arisen**) *vi* (*emerge*) surgir

aristocrat [ˈærɪstəkræt] *n* aristocrata *m/f*

arithmetic [əˈrɪθmətɪk] *n* aritmética

ark [ɑːk] *n*: **Noah's A~** arca de Noé

arm [ɑːm] *n* braço; (*of clothing*) manga;

armaments → ask

(*of organization etc*) divisão f ♦ vt armar; **~s** npl (*weapons*) armas fpl; (HERALDRY) brasão m; **in ~** de braços dados

armaments ['ɑːməmənts] npl armamento

armchair ['ɑːmtʃeə*] n poltrona

armed [ɑːmd] adj armado

armour ['ɑːmə*] (US **armor**) n armadura

armpit ['ɑːmpɪt] n sovaco

armrest ['ɑːmrest] n braço (de poltrona)

army ['ɑːmɪ] n exército

aroma [ə'rəumə] n aroma;
aromatherapy n aromaterapia

arose [ə'rəuz] pt of **arise**

around [ə'raund] adv em volta; (*in the area*) perto ♦ prep em volta de; (*near*) perto de; (*fig: about*) cerca de

arouse [ə'rauz] vt despertar; (*anger*) provocar

arrange [ə'reɪndʒ] vt (*organize*) organizar; (*put in order*) arrumar; **to ~ to do sth** combinar em or ficar de fazer algo; **arrangement** n (*agreement*) acordo; (*order, layout*) disposição f; **arrangements** npl (*plans*) planos mpl; (*preparations*) preparativos mpl; **home deliveries by arrangement** entregas a domicílio por convênio; **I'll make all the necessary arrangements** eu vou tomar todas as providências necessárias

array [ə'reɪ] n: **~ of** variedade f de

arrears [ə'rɪəz] npl atrasos mpl; **to be in ~ with one's rent** atrasar o aluguel

arrest [ə'rest] vt prender, deter; (*sb's attention*) chamar, prender ♦ n detenção f, prisão f; **under ~** preso

arrival [ə'raɪvəl] n chegada; **new ~** recém-chegado; (*baby*) recém-nascido

arrive [ə'raɪv] vi chegar

arrogant ['ærəgənt] adj arrogante

arrow ['ærəu] n flecha; (*sign*) seta

arse [ɑːs] (BRIT: infl!) n cu m (!)

arson ['ɑːsn] n incêndio premeditado

art [ɑːt] n arte f; (*skill*) habilidade f, jeito; **A~s** npl (SCH) letras fpl

artery ['ɑːtərɪ] n (MED) artéria; (*fig*) estrada principal

art gallery n museu m de belas artes; (*small, private*) galeria de arte

arthritis [ɑː'θraɪtɪs] n artrite f

artichoke ['ɑːtɪtʃəuk] n (also: **globe ~**) alcachofra; (also: **Jerusalem ~**) topinambo

article ['ɑːtɪkl] n artigo; **~s** npl (BRIT: LAW: training) contrato de aprendizagem; **~s of clothing** peças fpl de vestuário

articulate [adj ɑː'tɪkjulɪt, vb ɑː'tɪkjuleɪt] adj (*speech*) bem articulado; (*writing*) bem escrito; (*person*) eloqüente ♦ vt expressar; **articulated lorry** (BRIT) n caminhão m (BR) or camião m (PT) articulado, jamanta

artificial [ɑːtɪ'fɪʃəl] adj artificial; (*manner*) afetado

artist ['ɑːtɪst] n artista m/f; (MUS) intérprete m/f; **artistic** [ɑː'tɪstɪk] adj artístico

art school n ≈ escola de artes

KEYWORD

as [æz, əz] conj

1 (*time*) quando; **~ the years went by** no decorrer dos anos; **he came in ~ I was leaving** ele chegou quando eu estava saindo; **~ from tomorrow** a partir de amanhã

2 (*in comparisons*) tão ... (como), tanto(s) ... (como); **~ big ~** tão grande como; **twice ~ big ~** duas vezes maior que; **~ much/many ~** tanto/tantos como; **~ much money/many books ~** tanto dinheiro quanto/tantos livros quanto; **~ soon ~** logo que, assim que

3 (*since, because*) como

4 (*referring to manner, way*) como; **do ~ you wish** faça como quiser

5 (*concerning*): **~ for or to that** quanto a isso

6: **~ if or though** como se; **he looked ~ if he was ill** ele parecia doente

♦ prep (*in the capacity of*): **he works ~ a driver** ele trabalha como motorista; **he gave it to me ~ a present** ele me deu isso de presente; *see also* **long**; **such**; **well**

---

a.s.a.p. abbr = **as soon as possible**

asbestos [æz'bestəs] n asbesto, amianto

ascend [ə'send] vt subir; (*throne*) ascender

ascertain [æsə'teɪn] vt averiguar, verificar

ash [æʃ] n cinza; (*tree, wood*) freixo

ashamed [ə'ʃeɪmd] adj envergonhado; **to be ~ of** ter vergonha de

ashore [ə'ʃɔː*] adv em terra; **to go ~** descer à terra, desembarcar

ashtray ['æʃtreɪ] n cinzeiro

Asia ['eɪʃə] n Ásia; **Asian** adj, n asiático(-a)

aside [ə'saɪd] adv à parte, de lado ♦ n aparte m

ask [ɑːsk] vt perguntar; (*invite*) convidar; **to ~ sb sth/to do sth** perguntar algo a alguém/pedir para alguém fazer algo; **to ~ (sb) a question** fazer uma pergunta (a alguém); **to ~ sb out to dinner** convidar alguém para jantar; **ask after** vt fus perguntar por; **ask for** vt fus pedir; **it's just ~ing for trouble** é procurar encrenca

asleep [ə'sli:p] adj dormindo; **to fall ~** dormir, adormecer

asparagus [əs'pærəgəs] n aspargo (BR), espargo (PT)

aspect ['æspɛkt] n aspecto; (direction in which a building etc faces) direção f

aspire [əs'paɪə*] vi: **to ~ to** aspirar a

aspirin ['æsprɪn] n aspirina

ass [æs] n jumento, burro; (inf) imbecil m/f; (US: inf!) cu m (!)

assailant [ə'seɪlənt] n assaltante m/f, atacante m/f

assassinate [ə'sæsɪneɪt] vt assassinar; **assassination** [əsæsɪ'neɪʃən] n assassinato, assassínio

assault [ə'sɔ:lt] n assalto; (MIL, fig) ataque m ♦ vt assaltar, atacar; (sexually) agredir, violar

assemble [ə'sɛmbl] vt (people) reunir; (objects) juntar; (TECH) montar ♦ vi reunir-se

assembly [ə'sɛmblɪ] n reunião f; (institution) assembléia

assent [ə'sɛnt] n aprovação f

assert [ə'sɔ:t] vt afirmar

assess [ə'sɛs] vt avaliar; (tax, damages) calcular; **assessment** n avaliação f, cálculo

asset ['æsɛt] n vantagem f, trunfo; **~s** npl (property, funds) bens mpl

assign [ə'saɪn] vt (date) fixar; **to ~ (to)** (task) designar (a); (resources) destinar (a); **assignment** n tarefa

assist [ə'sɪst] vt ajudar; **assistance** n ajuda, auxílio; **assistant** n assistente m/f, auxiliar m/f; (BRIT: also: **shop assistant**) vendedor(a) m/f

associate [adj, n ə'səuʃɪɪt, vb ə'səuʃɪeɪt] adj associado; (professor etc) adjunto ♦ n sócio(-a) ♦ vi: **to ~ with** associar-se com ♦ vt associar; **association** [əsəusɪ'eɪʃən] n associação f; (link) ligação f

assorted [ə'sɔ:tɪd] adj sortido

assortment [ə'sɔ:tmənt] n (of shapes, colours) sortimento; (of books, people) variedade f

assume [ə'sju:m] vt (suppose) supor, presumir; (responsibilities) assumir; (attitude, name) adotar, tomar;
assumption [ə'sʌmpʃən] n suposição f, presunção f

assurance [ə'ʃuərəns] n garantia; (confidence) confiança; (insurance) seguro

assure [ə'ʃuə*] vt assegurar; (guarantee) garantir

asthma ['æsmə] n asma

astonish [ə'stɔnɪʃ] vt assombrar, espantar; **astonishment** n assombro, espanto

astound [ə'staund] vt pasmar, estarrecer

astray [ə'streɪ] adv: **to go ~** extraviar-se; **to lead ~** desencaminhar

astrology [əs'trɔlədʒɪ] n astrologia

astronaut ['æstrənɔ:t] n astronauta m/f

astronomy [əs'trɔnəmɪ] n astronomia

asylum [ə'saɪləm] n (refuge) asilo; (hospital) manicômio; **asylum seeker** n requerente m/f de asilo

---
KEYWORD
---

at [æt] prep

1 (referring to position) em; (referring to direction) a; **~ the top** em cima; **~ home** em casa; **to look ~ sth** olhar para algo

2 (referring to time): **~ 4 o'clock** às quatro horas; **~ night** à noite; **~ Christmas** no Natal; **~ times** às vezes

3 (referring to rates, speed etc): **~ £1 a kilo** a uma libra o quilo; **two ~ a time** de dois em dois

4 (referring to manner): **~ a stroke** de um golpe; **~ peace** em paz

5 (referring to activity): **to be ~ work** estar no trabalho; **to play ~ cowboys** brincar de mocinho

6 (referring to cause): **to be shocked/ surprised/annoyed ~ sth** ficar chocado/ surpreso/chateado com algo; **I went ~ his suggestion** eu fui por causa da sugestão dele

---

ate [eɪt] pt of **eat**

atheist ['eɪθɪɪst] n ateu (atéia) m/f

Athens ['æθɪnz] n Atenas

athlete ['æθli:t] n atleta m/f; **athletic** [æθ'lɛtɪk] adj atlético; **athletics** n atletismo

Atlantic [ət'læntɪk] adj atlântico ♦ n: **the ~ (Ocean)** o (oceano) Atlântico

atlas ['ætləs] n atlas m inv

ATM n abbr (= automated telling machine) caixa m automática

atmosphere ['ætməsfɪə*] n atmosfera; (of place) ambiente m

atom ['ætəm] n átomo; **atomic** [ə'tɔmɪk] adj atômico; **atomizer** n atomizador m, pulverizador m

atone [ə'təun] vi: **to ~ for** (sin) expiar; (mistake) reparar

atrocious [ə'trəuʃəs] adj péssimo

attach [əˈtætʃ] vt prender; (*document*) juntar, anexar; (*importance etc*) dar; **to be ~ed to sb/sth** (*like*) ter afeição por alguém/algo

attachment [əˈtætʃmənt] n (*tool*) acessório; (*love*): **~ (to)** afeição f (por)

attack [əˈtæk] vt atacar; (*subj: criminal*) assaltar; (*task etc*) empreender ♦ n ataque m; (*on sb's life*) atentado; **heart ~** ataque cardíaco or de coração

attain [əˈteɪn] vt (*also:* **~ to**: *happiness, results*) alcançar, atingir; (: *knowledge*) obter

attempt [əˈtɛmpt] n tentativa ♦ vt tentar; **to make an ~ on sb's life** atentar contra a vida de alguém; **attempted** *adj*: **attempted theft** tentativa de roubo

attend [əˈtɛnd] vt (*lectures*) assistir a; (*school*) cursar; (*church*) ir a; (*course*) fazer; (*patient*) tratar; **attend to** vt fus (*matter*) encarregar-se de; (*needs, customer*) atender a; (*patient*) tratar de; **attendance** n comparecimento; (*people present*) assistência; **attendant** n servidor(a) m/f ♦ adj concomitante

attention [əˈtɛnʃən] n atenção f; (*care*) cuidados mpl ♦ excl (*MIL*) sentido!; **for the ~ of ...** (*ADMIN*) atenção ...

attentive [əˈtɛntɪv] adj atento; (*polite*) cortês

attic [ˈætɪk] n sótão m

attitude [ˈætɪtjuːd] n atitude f

attorney [əˈtəːnɪ] n (*US: lawyer*) advogado(-a)

attract [əˈtrækt] vt atrair, chamar; **attraction** n atração f; **attractive** adj atraente; (*idea, offer*) interessante

attribute [n ˈætrɪbjuːt, vb əˈtrɪbjuːt] n atributo ♦ vt: **to ~ sth to** atribuir algo a

aubergine [ˈəubəʒiːn] n berinjela

auction [ˈɔːkʃən] n (*also:* **sale by ~**) leilão m ♦ vt leiloar

audience [ˈɔːdɪəns] n audiência; (*at concert, theatre*) platéia; (*public*) público

audio-visual [ˈɔːdɪəʊ-] adj audiovisual

audit [ˈɔːdɪt] vt fazer a auditoria de

audition [ɔːˈdɪʃən] n audição f

August [ˈɔːgəst] n agosto

aunt [ɑːnt] n tia; **auntie** n titia; **aunty** n titia

au pair [ˈəʊˈpɛə*] n (*also:* **~ girl**) au pair f

Australia [ɔsˈtreɪlɪə] n Austrália; **Australian** adj, n australiano(-a)

Austria [ˈɔstrɪə] n Áustria; **Austrian** adj, n austríaco(-a)

authentic [ɔːˈθɛntɪk] adj autêntico

author [ˈɔːθə] n autor(a) m/f

authoritarian [ɔːθɔrɪˈtɛərɪən] adj autoritário

authoritative [ɔːˈθɔrɪtətɪv] adj (*account*) autorizado; (*manner*) autoritário

authority [ɔːˈθɔrɪtɪ] n autoridade f; (*government body*) jurisdição f; (*permission*) autorização f; **the authorities** npl (*ruling body*) as autoridades

authorize [ˈɔːθəraɪz] vt autorizar

auto [ˈɔːtəu] (*US*) n carro, automóvel m

autobiography [ɔːtəbaɪˈɔgrəfɪ] n autobiografia

autograph [ˈɔːtəgrɑːf] n autógrafo ♦ vt (*photo etc*) autografar

automatic [ɔːtəˈmætɪk] adj automático ♦ n (*gun*) pistola automática; (*washing machine*) máquina de lavar roupa automática; (*car*) carro automático

automobile [ˈɔːtəməbiːl] (*US*) n carro, automóvel m

autonomy [ɔːˈtɔnəmɪ] n autonomia

autumn [ˈɔːtəm] n outono

auxiliary [ɔːgˈzɪlɪərɪ] adj, n auxiliar m/f

available [əˈveɪləbl] adj disponível; (*time*) livre

avalanche [ˈævəlɑːnʃ] n avalanche f

Ave. abbr (= avenue) Av., Avda.

avenge [əˈvɛndʒ] vt vingar

avenue [ˈævənjuː] n avenida; (*drive*) caminho; (*means*) solução f

average [ˈævərɪdʒ] n média ♦ adj (*mean*) médio; (*ordinary*) regular ♦ vt alcançar uma média de; **on ~** em média; **average out** vi: **to ~ out at** dar uma média de

avert [əˈvəːt] vt prevenir; (*blow, one's eyes*) desviar

avocado [ævəˈkɑːdəu] n (*also: BRIT:* **~ pear**) abacate m

avoid [əˈvɔɪd] vt evitar

await [əˈweɪt] vt esperar, aguardar

awake [əˈweɪk] (*pt* **awoke** *or* **awoken**, *pp* **~d**) adj acordado ♦ vt, vi despertar, acordar; **~ to** atento a; **awakening** n despertar m

award [əˈwɔːd] n prêmio, condecoração f; (*LAW*) indenização f ♦ vt outorgar, conceder; indenizar

aware [əˈwɛə*] adj: **~ of** (*conscious*) consciente de; (*informed*) informado de or sobre; **to become ~ of** reparar em, saber de; **awareness** n consciência

away [əˈweɪ] adv fora; (*far~*) muito longe; **two kilometres ~** a dois quilômetros de distância; **the holiday was two weeks ~** faltavam duas semanas para as férias; **he's ~ for a week** está ausente uma semana; **to take ~** levar; **to work** *etc* **~**

trabalhar *etc* sem parar; **to fade ~** (*colour*) desbotar; (*enthusiasm, sound*) diminuir

awe [ɔ:] *n* temor *m* respeitoso; **awe-inspiring** ['ɔ:ɪnspaɪərɪŋ] *adj* imponente

awful ['ɔ:fəl] *adj* terrível, horrível; (*quantity*): **an ~ lot of** um monte de; **awfully** *adv* (*very*) muito

awkward ['ɔ:kwəd] *adj* (*person, movement*) desajeitado; (*shape*) incômodo; (*problem*) difícil; (*situation*) embaraçoso, delicado

awning ['ɔ:nɪŋ] *n* toldo

awoke [ə'wəʊk] *pt of* **awake**; **awoken** [ə'wəʊkən] *pp of* **awake**

axe [æks] (*us* **ax**) *n* machado ♦ *vt* (*project etc*) abandonar; (*jobs*) reduzir

axis ['æksɪs] (*pl* **axes**) *n* eixo

axle ['æksl] *n* (*also:* **~ tree**: *AUT*) eixo

Azores [ə'zɔ:z] *npl*: **the ~** os Açores

B b

B [bi:] *n* (*MUS*) si *m*

BA *n abbr* = **Bachelor of Arts**

babble ['bæbl] *vi* balbuciar; (*brook*) murmurinhar

baby ['beɪbɪ] *n* neném *m/f*, nenê *m/f*, bebê *m/f*; (*us: inf*) querido(-a); **baby carriage** (*us*) *n* carrinho de bebê; **baby food** *n* comida de bebê; **baby-sit** (*irreg*) *vi* tomar conta da(s) criança(s); **baby-sitter** *n* baby-sitter *m/f*

bachelor ['bætʃələ*] *n* solteiro; **B~ of Arts/Science ~** bacharel *m* em Letras/Ciências

back [bæk] *n* (*of person*) costas *fpl*; (*of animal*) lombo; (*of hand*) dorso; (*of car, train*) parte *f* traseira; (*of house*) fundos *mpl*; (*of chair*) encosto; (*of page*) verso; (*of book*) lombada; (*of crowd*) fundo; (*FOOTBALL*) zagueiro (*BR*), defesa *m* (*PT*) ♦ *vt* (*candidate: also:* **~ up**) apoiar; (*horse: at races*) apostar em; (*car*) recuar ♦ *vi* (*car etc: also:* **~ up**) dar marcha-ré (*BR*), fazer marcha atrás (*PT*) ♦ *cpd* (*payment*) atrasado; (*AUT: seats, wheels*) de trás ♦ *adv* (*not forward*) para trás; (*returned*): **he's ~** ele voltou; (*restitution*): **throw the ball ~** devolva a bola; (*again*): **he called ~** chamou de novo; **he ran ~** recuou correndo; **back down** *vi* desistir; **back out** *vi* (*of promise*) voltar atrás, recuar; **back up** *vt* (*support*) apoiar; (*COMPUT*) tirar um backup de; **backache** *n* dor *f* nas costas; **backbone** *n* coluna vertebral; (*fig*) esteio; **backfire** *vi* (*AUT*) engasgar; (*plan*) sair pela culatra; **background** *n* fundo; (*of events*) antecedentes *mpl*; (*basic knowledge*) bases *fpl*; (*experience*) conhecimentos *mpl*, experiência; **family background** antecedentes *mpl* familiares; **backhand** *n* (*TENNIS: also:* **backhand stroke**) revés *m*; **backing** *n* (*fig*) apoio; **backlog** *n*: **backlog of work** atrasos *mpl*; **backpack** *n* mochila; **back pay** *n* salário atrasado; **backside** (*inf*) *n* traseiro; **backstage** *adv* nos bastidores; **backstroke** *n* nado de costas; **backup** *adj* (*train, plane*) reserva *inv*; (*COMPUT*) de backup ♦ *n* (*support*) apoio; (*COMPUT: also:* **backup file**) backup *m*; **backward** *adj* (*movement*) para trás; (*person, country*) atrasado; **backwards** *adv* (*move, go*) para trás; (*read a list*) às avessas; (*fall*) de costas; **backwater** *n* (*fig*) lugar *m* atrasado; **backyard** *n* quintal *m*

bacon ['beɪkən] *n* toucinho, bacon *m*

bacteria [bæk'tɪərɪə] *npl* bactérias *fpl*

bad [bæd] *adj* mau (má), ruim; (*child*) levado; (*mistake*) grave; (*food*) estragado; **his ~ leg** sua perna machucada; **to go ~** estragar-se

badge [bædʒ] *n* (*of school etc*) emblema *m*; (*policeman's*) crachá *m*

badger ['bædʒə*] *n* texugo

badly ['bædlɪ] *adv* mal; **~ wounded** gravemente ferido; **he needs it ~** faz-lhe grande falta; **to be ~ off (for money)** estar com pouco dinheiro

badminton ['bædmɪntən] *n* badminton *m*

bad-tempered [-'tɛmpəd] *adj* mal humorado; (*temporary*) de mau humor

baffle ['bæfl] *vt* (*puzzle*) deixar perplexo, desconcertar

bag [bæg] *n* saco, bolsa; (*handbag*) bolsa; (*satchel*) sacola; (*case*) mala; **~s of ...** (*inf*: *lots of*) ... de sobra; **baggage** *n* bagagem *f*; **baggy** *adj* folgado, largo; **bagpipes** *npl* gaita de foles

bail [beɪl] *n* (*payment*) fiança; (*release*) liberdade *f* sob fiança ♦ *vt* (*prisoner: gen: grant ~ to*) libertar sob fiança; (*boat: also:* **~ out**) baldear a água de; **on ~** sob fiança; *see also* **bale** (*prisoner*) afiançar

bait [beɪt] *n* isca, engodo; (*for criminal etc*) atrativo, chamariz *m* ♦ *vt* iscar, cevar; (*person*) apoquentar

bake [beɪk] *vt* cozinhar ao forno; (*TECH: clay etc*) cozer ♦ *vi* assar; **baked beans** *npl* feijão *m* cozido com molho de tomate; **baked potato** *n* batata assada

balance → barrel

com a casca; **baker** n padeiro(-a); **bakery** n (for bread) padaria; (for cakes) confeitaria; **baking** n (act) cozimento; (batch) fornada ♦ adj (inf: hot) escaldante; **baking powder** n fermento em pó
balance ['bæləns] n equilíbrio; (scales) balança; (COMM) balanço; (remainder) resto, saldo ♦ vt equilibrar; (budget) nivelar; (account) fazer o balanço de; ~ **of trade/payments** balança comercial/balanço de pagamentos; **balanced** adj (report) objetivo; (personality, diet) ♦ equilibrado; **balance sheet** n balanço geral
balcony ['bælkənɪ] n varanda; (closed) galeria; (in theatre) balcão m
bald [bɔːld] adj calvo, careca; (tyre) careca
bale [beɪl] n (AGR) fardo; **bale out** vi (of a plane) atirar-se de pára-quedas
ball [bɔːl] n bola; (of wool, string) novelo; (dance) baile m; **to play ~ with sb** jogar bola com alguém; (fig) fazer o jogo de alguém
ballast ['bæləst] n lastro
ballerina [bælə'riːnə] n bailarina
ballet ['bæleɪ] n balé m; **ballet dancer** n bailarino(-a)
balloon [bə'luːn] n balão m
ballot ['bælət] n votação f
ballpoint (pen) ['bɔːlpɔɪnt-] n (caneta) esferográfica
balsamic vinegar [bɔl'sæmɪk-] n vinagre m balsâmico
ban [bæn] n proibição f, interdição f; (suspension) exclusão f ♦ vt proibir, interditar; excluir
banana [bə'nɑːnə] n banana
band [bænd] n (group) orquestra; (MIL) banda; (strip) faixa, cinta; **band together** vi juntar-se, associar-se
bandage ['bændɪdʒ] n atadura (BR), ligadura (PT) ♦ vt enfaixar
bandaid ['bændeɪd] ® (US) n esparadrapo
bang [bæŋ] n estalo; (of door) estrondo; (of gun, exhaust) explosão f; (blow) pancada ♦ excl bum!, bumba! ♦ vt (one's head etc) bater; (door) fechar com violência ♦ vi produzir estrondo; (door) bater; (fireworks) soltar
bangs [bæŋz] (US) npl (fringe) franja
banish ['bænɪʃ] vt banir
banister(s) ['bænɪstə(z)] n(pl) corrimão m
bank [bæŋk] n banco; (of river, lake) margem f; (of earth) rampa, ladeira ♦ vi (AVIAT) ladear-se; **bank on** vt fus contar

com, apostar em; **bank account** n conta bancária; **bank card** n cartão m de garantia de cheques; **banker** n banqueiro(-a); **banker's card** (BRIT) n = **bank card**; **Bank holiday** (BRIT) n feriado nacional; **banking** n transações fpl bancárias; **banknote** n nota (bancária); **bank rate** n taxa bancária
bankrupt ['bæŋkrʌpt] adj falido, quebrado; **to go ~** falir
bank statement n extrato bancário
banner ['bænə*] n faixa
baptism ['bæptɪzəm] n batismo
bar [bɑː*] n barra; (rod) vara; (of window etc) grade f; (fig: hindrance) obstáculo; (prohibition) impedimento; (pub) bar m; (counter: in pub) balcão m ♦ vt (road) obstruir; (person) excluir; (activity) proibir ♦ prep: **~ none** sem exceção; **behind ~s** (prisoner) atrás das grades; **the B~** (LAW) a advocacia
barbaric [bɑː'bærɪk] adj bárbaro
barbecue ['bɑːbɪkjuː] n churrasco
barbed wire ['bɑːbd-] n arame m farpado
barber ['bɑːbə*] n barbeiro, cabeleireiro
bar code n código de barras
bare [bɛə*] adj despido; (head) descoberto; (trees) sem vegetação; (minimum) básico ♦ vt mostrar; **barefoot** adj, adv descalço; **barely** adv apenas, mal
bargain ['bɑːgɪn] n negócio; (agreement) acordo; (good buy) pechincha ♦ vi (haggle) regatear; (negotiate): **to ~ (with sb)** pechinchar (com alguém); **into the ~** ainda por cima; **bargain for** vt fus: **he got more than he ~ed for** ele conseguiu mais do que pediu
barge [bɑːdʒ] n barcaça; **barge in** vi irromper
bark [bɑːk] n (of tree) casca; (of dog) latido ♦ vi latir
barley ['bɑːlɪ] n cevada
barmaid ['bɑːmeɪd] n garçonete f (BR), empregada (de bar) (PT)
barman ['bɑːmən] (irreg) n garçom m (BR), empregado (de bar) (PT)
barn [bɑːn] n celeiro
barometer [bə'rɔmɪtə*] n barômetro
baron ['bærən] n barão m; (of press, industry) magnata m; **baroness** ['bærənɪs] n baronesa
barracks ['bærəks] npl quartel m, caserna
barrage ['bærɑːʒ] n (MIL) fogo de barragem; (dam) barragem f; (fig): **a ~ of questions** uma saraivada de perguntas
barrel ['bærəl] n barril m; (of gun) cano

barren ['bærən] *adj* (*land*) árido
barricade [bærɪ'keɪd] *n* barricada
barrier ['bærɪə*] *n* barreira; (*fig: to progress etc*) obstáculo
barrister ['bærɪstə*] (BRIT) *n* advogado(-a), causídico(-a)
barrow ['bærəu] *n* (*wheel~*) carrinho (de mão)
bartender ['bɑ:tɛndə*] (US) *n* garçom *m* (BR), empregado (de bar) (PT)
barter ['bɑ:tə*] *vt*: **to ~ sth for sth** trocar algo por algo
base [beɪs] *n* base *f* ♦ *vt* (*opinion, belief*): **to ~ sth on** basear *or* fundamentar algo em ♦ *adj* (*thoughts*) sujo; **baseball** *n* beisebol *m*
basement ['beɪsmənt] *n* porão *m*
bases[1] ['beɪsɪz] *npl of* **base**
bases[2] ['beɪsi:z] *npl of* **basis**
bash [bæʃ] (*inf*) *vt* (*with fist*) dar soco *or* murro em; (*with object*) bater em
bashful ['bæʃful] *adj* tímido, envergonhado
basic ['beɪsɪk] *adj* básico; (*facilities*) mínimo; **basically** *adv* basicamente; (*really*) no fundo; **basics** *npl*: **the basics** o essencial
basin ['beɪsn] *n* (*vessel*, GEO) bacia; (*also: wash~*) pia
basis ['beɪsɪs] (*pl* **bases**) *n* base *f*; **on a part-time ~** num esquema de meio-expediente; **on a trial ~** em experiência
bask [bɑ:sk] *vi*: **to ~ in the sun** tomar sol
basket ['bɑ:skɪt] *n* cesto; (*with handle*) cesta; **basketball** *n* basquete(bol) *m*
bass [beɪs] *n* (MUS) baixo
bastard ['bɑ:stəd] *n* bastardo(-a); (*inf!*) filho-da-puta *m* (!)
bat [bæt] *n* (ZOOL) morcego; (*for ball games*) bastão *m*; (BRIT: *for table tennis*) raquete *f* ♦ *vt*: **he didn't ~ an eyelid** ele nem pestanejou
batch [bætʃ] *n* (*of bread*) fornada; (*of papers*) monte *m*
bath [bɑ:θ] *n* banho; (*bathtub*) banheira ♦ *vt* banhar; **to have a ~** tomar banho (de banheira); *see also* **baths**
bathe [beɪð] *vi* banhar-se; (US: *have a bath*) tomar um banho ♦ *vt* (*wound*) lavar; **bathing** *n* banho; **bathing costume** (US **bathing suit**) *n* (*woman's*) maiô *m* (BR), fato de banho (PT)
bathrobe ['bɑ:θrəub] *n* roupão *m* de banho
bathroom ['bɑ:θrum] *n* banheiro (BR), casa de banho (PT)
baths [bɑ:ðz] *npl* banhos *mpl* públicos

baton ['bætən] *n* (MUS) batuta; (ATHLETICS) bastão *m*; (*truncheon*) cassetete *m*
batter ['bætə*] *vt* espancar; (*subj: wind, rain*) castigar ♦ *n* massa (mole);
battered ['bætəd] *adj* (*hat, pan*) amassado, surrado
battery ['bætərɪ] *n* bateria; (*of torch*) pilha
battle ['bætl] *n* batalha; (*fig*) luta ♦ *vi* lutar; **battlefield** *n* campo de batalha; **battleship** *n* navio de guerra (BR), couraçado (PT)
bawl [bɔ:l] *vi* gritar; (*child*) berrar
bay [beɪ] *n* (GEO) baía; **to hold sb at ~** manter alguém à distância; **bay window** *n* janela saliente
bazaar [bə'zɑ:*] *n* bazar *m*
B & B *n abbr* = **bed and breakfast**
BBC *n abbr* (= *British Broadcasting Corporation*) companhia britânica de rádio e televisão
B.C. *adv abbr* (= *before Christ*) a.C.

KEYWORD
---

be [bi:] (*pt* **was** *or* **were**, *pp* **been**) *aux vb*
1 (*with present participle: forming continuous tense*) estar; **what are you doing?** o que você está fazendo (BR) *or a* fazer (PT)?; **it is raining** está chovendo (BR) *or a* chover (PT); **I've been waiting for you for hours** há horas que eu espero por você
2 (*with pp: forming passives*): **to ~ killed** ser morto; **the box had been opened** a caixa tinha sido aberta; **the thief was nowhere to ~ seen** ninguém viu o ladrão
3 (*in tag questions*): **it was fun, wasn't it?** foi divertido, não foi?; **she's back again, is she?** ela voltou novamente, é?
4 (+ *to* + *infin*): **the house is to ~ sold** a casa está à venda; **you're to ~ congratulated for all your work** você devia ser cumprimentado pelo seu trabalho; **he's not to open it** ele não pode abrir isso
♦ *vb* + *complement*
1 (*gen*): **I'm English** sou inglês; **I'm tired** estou cansado; **2 and 2 are 4** dois e dois são quatro; **~ careful!** tome cuidado!; **~ quiet!** fique quieto!, fique calado!; **~ good!** seja bonzinho!
2 (*of health*) estar; **how are you?** como está?
3 (*of age*): **how old are you?** quantos anos você tem?; **I'm twenty (years old)** tenho vinte anos
4 (*cost*) ser; **how much was the meal?** quanto foi a refeição?; **that'll ~ £5.75, please** são £5.75, por favor

beach → begin

♦ vi

1 (*exist, occur etc*) existir, haver; **the best singer that ever was** o maior cantor de todos os tempos; **is there a God?** Deus existe?; **~ that as it may ...** de qualquer forma ...; **so ~ it** que seja assim

2 (*referring to place*) estar; **I won't ~ here tomorrow** eu não estarei aqui amanhã; **Edinburgh is in Scotland** Edimburgo é *or* fica na Escócia

3 (*referring to movement*) ir; **where have you been?** onde você foi?; **I've been in the garden** estava no quintal

♦ impers vb **1** (*referring to time*) ser; **it's 8 o'clock** são 8 horas; **it's the 28th of April** é 28 de abril

2 (*referring to distance*) ficar; **it's 10 km to the village** fica a 10 km do lugarejo

3 (*referring to the weather*) estar; **it's too hot/cold** está quente/frio demais

4 (*emphatic*): **it's only me** sou eu!; **it was Maria who paid the bill** foi Maria quem pagou a conta

beach [bi:tʃ] *n* praia ♦ *vt* puxar para a terra *or* praia, encalhar
beacon ['bi:kən] *n* (*lighthouse*) farol *m*; (*marker*) baliza
bead [bi:d] *n* (*of necklace*) conta; (*of sweat*) gota
beak [bi:k] *n* bico
beaker ['bi:kə*] *n* copo com bico
beam [bi:m] *n* (ARCH) viga; (*of light*) raio ♦ *vi* (*smile*) sorrir
bean [bi:n] *n* feijão *m*; (*of coffee*) grão *m*; **runner-/broad ~** vagem *f*/fava
bear [bɛə*] (*pt* **bore**, *pp* **borne**) *n* urso ♦ *vt* (*carry, support*) arcar com; (*tolerate*) suportar ♦ *vi*: **to ~ right/left** virar à direita/à esquerda; **bear out** *vt* (*theory, suspicion*) confirmar, corroborar; **bear up** *vi* agüentar, resistir
beard [bɪəd] *n* barba; **bearded** *adj* barbado, barbudo
bearing ['bɛərɪŋ] *n* porte *m*, comportamento; (*connection*) relação *f*; **~s** *npl* (*also:* **ball ~s**) rolimã *m*; **to take a ~** fazer marcação
beast [bi:st] *n* bicho; (*inf*) fera; **beastly** *adj* horrível
beat [bi:t] (*pt* **beat**, *pp* **beaten**) *n* (*of heart*) batida; (MUS) ritmo, compasso; (*of policeman*) ronda ♦ *vt* (*hit*) bater em; (*eggs*) bater; (*defeat*) vencer, derrotar ♦ *vi* (*heart*) bater; **to ~ it** (*inf*) cair fora; **off the ~en track** fora de mão; **beat off** *vt* repelir; **beat up** *vt* (*inf: person*) espancar; (*eggs*) bater; **beating** *n* (*thrashing*) surra
beautiful ['bju:tɪful] *adj* belo, lindo, formoso; **beautifully** *adv* admiravelmente
beauty ['bju:tɪ] *n* beleza; (*person*) beldade *f*, beleza
beaver ['bi:və*] *n* castor *m*
because [bɪ'kɔz] *conj* porque; **~ of** por causa de
beckon ['bɛkən] *vt* (*also:* **~ to**) chamar com sinais, acenar para
become [bɪ'kʌm] (*irreg: like* **come**) *vi* (+ *n*) virar, fazer-se, tornar-se; (+ *adj*) tornar-se, ficar
bed [bɛd] *n* cama; (*of flowers*) canteiro; (*of coal, clay*) camada, base *f*; (*of sea, lake*) fundo; (*of river*) leito; **to go to ~** ir dormir, deitar(-se); **bed and breakfast** *n* (*place*) pensão *f*; (*terms*) cama e café da manhã (BR) *or* pequeno almoço (PT); **bedclothes** *npl* roupa de cama; **bedding** *n* roupa de cama
bedraggled [bɪ'drægld] *adj* molhado, ensopado
bed: **bedridden** *adj* acamado; **bedroom** *n* quarto, dormitório; **bedside** *n*: **at sb's bedside** à cabeceira de alguém; **bedsit** (BRIT) *n* conjugado
bedspread ['bɛdsprɛd] *n* colcha
bedtime ['bɛdtaɪm] *n* hora de ir para cama
bee [bi:] *n* abelha
beech [bi:tʃ] *n* faia
beef [bi:f] *n* carne *f* de vaca; **roast ~** rosbife *m*; **beefburger** *n* hambúrguer *m*
beehive ['bi:haɪv] *n* colméia
been [bi:n] *pp of* **be**
beer [bɪə*] *n* cerveja
beetle ['bi:tl] *n* besouro
beetroot ['bi:tru:t] (BRIT) *n* beterraba
before [bɪ'fɔ:*] *prep* (*of time*) antes de; (*of space*) diante de ♦ *conj* antes que ♦ *adv* antes, anteriormente; à frente, na dianteira; **~ going** antes de sair; **the week ~** a semana anterior; **I've never seen it ~** nunca vi isso antes; **beforehand** *adv* antes
beg [bɛg] *vi* mendigar, pedir esmola ♦ *vt* (*also:* **~ for**) mendigar; **to ~ sb to do sth** implorar a alguém para fazer algo; *see also* **pardon**
began [bɪ'gæn] *pt of* **begin**
beggar ['bɛgə*] *n* mendigo(-a)
begin [bɪ'gɪn] (*pt* **began**, *pp* **begun**) *vt, vi* começar, iniciar; **to ~ doing** *or* **to do sth** começar a fazer algo; **beginner** *n* principiante *m/f*; **beginning** *n*

início, começo
behalf [bɪˈhɑːf] *n*: **on** *or* **in** (US) **~ of** (*as representative of*) em nome de; (*for benefit of*) no interesse de
behave [bɪˈheɪv] *vi* comportar-se; (*well*: *also*: **~ o.s.**) comportar-se (bem); **behaviour** (US **behavior**) *n* comportamento
behead [bɪˈhɛd] *vt* decapitar, degolar
behind [bɪˈhaɪnd] *prep* atrás de ♦ *adv* atrás; (*move*) para trás ♦ *n* traseiro; **to be ~ (schedule) with sth** estar atrasado *or* com atraso em algo; **the scenes** nos bastidores
beige [beɪʒ] *adj* bege
Beijing [beɪˈʒɪŋ] *m* Pequim
being [ˈbiːɪŋ] *n* (*state*) existência; (*entity*) ser *m*
belated [bɪˈleɪtɪd] *adj* atrasado
belch [bɛltʃ] *vi* arrotar ♦ *vt* (*also*: **~ out**: *smoke etc*) vomitar
Belgian [ˈbɛldʒən] *adj*, *n* belga *m/f*
Belgium [ˈbɛldʒəm] *n* Bélgica
belief [bɪˈliːf] *n* (*opinion*) opinião *f*; (*trust*, *faith*) fé *f*
believe [bɪˈliːv] *vt*: **to ~ sth/sb** acreditar algo/em alguém ♦ *vi*: **to ~ in** (*God*) crer em; (*method*, *person*) acreditar em; **believer** *n* (REL) crente *m/f*, fiel *m/f*; (*in idea*) partidário(-a)
belittle [bɪˈlɪtl] *vt* diminuir, depreciar
bell [bɛl] *n* sino; (*small*, *door~*) campainha
belligerent [bɪˈlɪdʒərənt] *adj* agressivo
bellow [ˈbɛləu] *vi* mugir; (*person*) bramar
belly [ˈbɛlɪ] *n* barriga, ventre *m*
belong [bɪˈlɒŋ] *vi*: **to ~ to** pertencer a; (*club etc*) ser sócio de; **the book ~s here** o livro fica guardado aqui; **belongings** *npl* pertences *mpl*
beloved [bɪˈlʌvɪd] *adj* querido, amado
below [bɪˈləu] *prep* (*beneath*) embaixo de; (*less than*) abaixo de ♦ *adv* em baixo; **see ~** ver abaixo
belt [bɛlt] *n* cinto; (*of land*) faixa; (TECH) correia ♦ *vt* (*thrash*) surrar; **beltway** (US) *n* via circular
bemused [bɪˈmjuːzd] *adj* bestificado
bench [bɛntʃ] *n* banco; (*work ~*) bancada (de carpinteiro); (BRIT: POL) assento num Parlamento; **the B~** (LAW: *judge*) o magistrado; (: *judges*) os magistrados, o corpo de magistrados
bend [bɛnd] (*pt*, *pp* **bent**) *vt* (*leg*, *arm*) dobrar; (*pipe*) curvar ♦ *vi* dobrar-se, inclinar-se ♦ *n* curva; (*in pipe*) curvatura; **bend down** *vi* abaixar-se; **bend over** *vi* debruçar-se
beneath [bɪˈniːθ] *prep* abaixo de; (*unworthy of*) indigno de ♦ *adv* em baixo
benefactor [ˈbɛnɪfæktə*] *n* benfeitor(a) *m/f*
beneficial [bɛnɪˈfɪʃəl] *adj*: **~ (to)** benéfico (a)
benefit [ˈbɛnɪfɪt] *n* benefício, vantagem *f*; (*money*) subsídio, auxílio ♦ *vt* beneficiar ♦ *vi*: **to ~ from sth** beneficiar-se de algo
benevolent [bɪˈnɛvələnt] *adj* benévolo
benign [bɪˈnaɪn] *adj* (*person*, *smile*) afável, bondoso; (MED) benigno
bent [bɛnt] *pt*, *pp of* **bend** ♦ *n* inclinação *f* ♦ *adj*: **to be ~ on** estar empenhado em
bereaved [bɪˈriːvd] *npl*: **the ~** os enlutados
beret [ˈbɛreɪ] *n* boina
Berlin [bəːˈlɪn] *n* Berlim
berm [bəːm] (US) *n* acostamento (BR), berma (PT)
berry [ˈbɛrɪ] *n* baga
berserk [bəˈsəːk] *adj*: **to go ~** perder as estribeiras
berth [bəːθ] *n* (*bed*) beliche *m*; (*cabin*) cabine *f*; (*on train*) leito; (*for ship*) ancoradouro ♦ *vi* (*in harbour*) atracar, encostar-se; (*at anchor*) ancorar
beside [bɪˈsaɪd] *prep* (*next to*) junto de, ao lado de, ao pé de; **to be ~ o.s. (with anger)** estar fora de si; **that's ~ the point** isso não tem nada a ver
besides [bɪˈsaɪdz] *adv* além disso; (*in any case*) de qualquer jeito ♦ *prep* (*as well as*) além de
besiege [bɪˈsiːdʒ] *vt* (*town*) sitiar, pôr cerco a; (*fig*) assediar
best [bɛst] *adj* melhor ♦ *adv* (o) melhor; **the ~ part of** (*quantity*) a maior parte de; **at ~** na melhor das hipóteses; **to make the ~ of sth** tirar o maior partido possível de algo; **to do one's ~** fazer o possível; **to the ~ of my knowledge** que eu saiba; **to the ~ of my ability** o melhor que eu puder; **best before date** *n* data *f* de validade; **best man** *n* padrinho de casamento
bet [bɛt] (*pt*, *pp* **bet** *or* **~ted**) *n* aposta ♦ *vt*, *vi* apostar
betray [bɪˈtreɪ] *vt* trair; (*denounce*) delatar
better [ˈbɛtə*] *adj*, *adv* melhor ♦ *vt* melhorar; (*go beyond*) superar ♦ *n*: **to get the ~ of** vencer; **you had ~ do it** é melhor você fazer isso; **he thought ~ of it** pensou melhor, mudou de opinião; **to get ~** melhorar; **better off** *adj* mais rico; (*fig*): **you'd be better off this way** seria melhor para você assim
betting [ˈbɛtɪŋ] *n* jogo; **betting shop** (BRIT) *n* agência de apostas

between → blank

between [bɪ'twiːn] prep no meio de, entre ♦ adv no meio
beverage ['bɛvərɪdʒ] n bebida
beware [bɪ'wɛə*] vi: **to ~ (of)** precaver-se (de), ter cuidado (com); **"~ of the dog"** "cuidado com o cachorro"
bewildered [bɪ'wɪldəd] adj atordeado; (confused) confuso
beyond [bɪ'jɔnd] prep (in space) além de; (exceeding) acima de, fora de; (date) mais tarde que; (above) acima de ♦ adv além; (in time) mais longe, mais adiante; **~ doubt** fora de qualquer dúvida; **to be ~ repair** não ter conserto
bias ['baɪəs] n (prejudice) preconceito; **bias(s)ed** adj parcial
bib [bɪb] n babadouro, babador m
Bible ['baɪbl] n Bíblia
bicker ['bɪkə*] vi brigar
bicycle ['baɪsɪkl] n bicicleta
bid [bɪd] (pt **bade** or **bid**, pp **bidden** or **bid**) n oferta; (at auction) lance m; (attempt) tentativa ♦ vi fazer lance ♦ vt oferecer; **to ~ sb good day** dar bom dia a alguém
bide [baɪd] vt: **to ~ one's time** esperar o momento adequado
bifocals [baɪ'fəuklz] npl óculos mpl bifocais
big [bɪɡ] adj grande; (bulky) volumoso; **~ brother/sister** irmão/irmã mais velho/a
bigheaded ['bɪɡ'hɛdɪd] adj convencido
bike [baɪk] n bicicleta
bikini [bɪ'kiːnɪ] n biquíni m
bilingual [baɪ'lɪŋɡwəl] adj bilíngüe
bill [bɪl] n conta; (invoice) fatura; (POL) projeto de lei; (US: banknote) bilhete m, nota; (in restaurant) conta, notinha; (of bird) bico; (THEATRE) cartaz m; **to fit** or **fill the ~** (fig) servir; **billboard** n quadro para cartazes
billfold ['bɪlfəuld] (US) n carteira
billiards ['bɪlɪədz] n bilhar m
billion ['bɪlɪən] n (BRIT) trilhão m; (US) bilhão m
bin [bɪn] n caixa; (BRIT: for rubbish) lata de lixo
bind [baɪnd] (pt, pp **bound**) vt atar, amarrar; (oblige) obrigar; (book) encadernar ♦ n (inf) saco; (nuisance) chatice f
binge [bɪndʒ] (inf) n: **to go on a ~** tomar uma bebedeira
bingo ['bɪŋɡəu] n bingo
binoculars [bɪ'nɔkjuləz] npl binóculo
bio... [baɪəu] prefix bio...; **biochemistry** n bioquímica; **biography** n biografia;

biology n biologia
birch [bəːtʃ] n bétula
bird [bəːd] n ave f, pássaro m; (BRIT: inf: girl) gatinha
Biro ['baɪərəu] ® n (caneta) esferográfica
birth [bəːθ] n nascimento; **to give ~ to** dar à luz, parir; **birth certificate** n certidão f de nascimento; **birth control** n controle m de natalidade; (methods) métodos mpl anticoncepcionais; **birthday** n aniversário (BR), dia m de anos (PT) ♦ cpd de aniversário; see also **happy**
biscuit ['bɪskɪt] n (BRIT) bolacha, biscoito; (US) pão m doce
bishop ['bɪʃəp] n bispo; (CHESS) peça de jogo de xadrez
bit [bɪt] pt of **bite** ♦ n pedaço, bocado; (of horse) freio; (COMPUT) bit m; **a ~ of** (a little) um pouco de; **~ by ~** pouco a pouco
bitch [bɪtʃ] n (dog) cadela, cachorra; (inf!) cadela (!), vagabunda (!)
bite [baɪt] (pt **bit**, pp **bitten**) vt, vi morder; (insect etc) picar ♦ n (insect ~) picada; (mouthful) bocado; **to ~ one's nails** roer as unhas; **let's have a ~ (to eat)** (inf) vamos fazer uma boquinha
bitter ['bɪtə*] adj amargo; (wind, criticism) cortante, penetrante; (weather) horrível ♦ n (BRIT: beer) cerveja amarga; **bitterness** n amargor m; (anger) rancor m
black [blæk] adj preto; (humour) negro ♦ n (colour) cor f preta; (person): **B~** negro(-a), preto(-a) ♦ vt (BRIT: INDUSTRY) boicotar; **to give sb a ~ eye** esmurrar alguém e deixá-lo de olho roxo; **~ and blue** contuso, contundido; **to be in the ~** (in credit) estar com saldo credor; **blackberry** n amora silvestre; **blackbird** n melro; **blackboard** n quadro(-negro); **black coffee** n café m preto, bica (PT); **blackcurrant** n groselha negra; **blackmail** n chantagem f ♦ vt fazer chantagem a; **black market** n mercado or câmbio negro; **blackout** n blecaute m; (fainting) desmaio; (of radio signal) desvanecimento; **Black Sea** n: **the Black Sea** o mar Negro; **blacksmith** n ferreiro
bladder ['blædə*] n bexiga
blade [bleɪd] n lâmina; (of oar) pá f; **a ~ of grass** uma folha de relva
blame [bleɪm] n culpa ♦ vt: **to ~ sb for sth** culpar alguém por algo; **to be to ~** ter a culpa
bland [blænd] adj (taste) brando
blank [blæŋk] adj em branco; (look) sem

blanket → blush

expressão ♦ n (on form) espaço em branco; (cartridge) bala de festim; (of memory): **to go ~** dar um branco
blanket ['blæŋkɪt] n cobertor m
blare [blɛə*] vi (horn, radio) clangorar
blast [blɑːst] n (of wind) rajada; (of explosive) explosão f ♦ vt fazer voar; **blast-off** n (SPACE) lançamento
blatant ['bleɪtənt] adj descarado
blaze [bleɪz] n (fire) fogo; (in building etc) incêndio; (fig: of colour) esplendor m; (: of glory, publicity) explosão f ♦ vi (fire) arder; (guns) descarregar; (eyes) brilhar ♦ vt: **to ~ a trail** (fig) abrir (um) caminho
blazer ['bleɪzə*] n casaco esportivo, blazer m
bleach [bliːtʃ] n (also: **household ~**) água sanitária ♦ vt (linen) branquear
bleak [bliːk] adj (countryside) desolado; (prospect) desanimador(a), sombrio; (weather) ruim
bleed [bliːd] (pt, pp **bled**) vi sangrar
bleeper ['bliːpə*] n (of doctor) bip m
blemish ['blɛmɪʃ] n mancha; (on reputation) mácula
blend [blɛnd] n mistura ♦ vt misturar ♦ vi (colours etc: also: **~ in**) combinar-se, misturar-se; **blender** n liquidificador m
bless [blɛs] (pt, pp **~ed** or **blest**) vt abençoar; **~ you!** (after sneeze) saúde!; **blessing** n bênção f; (godsend) graça, dádiva; (approval) aprovação f
blew [bluː] pt of **blow**
blind [blaɪnd] adj cego ♦ n (for window) persiana; (: also: **Venetian ~**) veneziana ♦ vt cegar; (dazzle) deslumbrar; **the ~** npl (~ people) os cegos; **blind alley** n beco-sem-saída m; **blindfold** n venda ♦ adj, adv com os olhos vendados, às cegas ♦ vt vendar os olhos a; **blindness** n cegueira; **blind spot** n (AUT) local m pouco visível; (fig) ponto fraco
blink [blɪŋk] vi piscar
bliss [blɪs] n felicidade f
blister ['blɪstə*] n (on skin) bolha; (in paint, rubber) empola ♦ vi empolar-se
blizzard ['blɪzəd] n nevasca
bloated ['bləutɪd] adj (swollen) inchado; (full) empanturrado
blob [blɔb] n (drop) gota; (indistinct shape) ponto
block [blɔk] n (of wood) bloco; (of stone) laje f; (in pipes) entupimento; (of buildings) quarteirão m ♦ vt obstruir, bloquear; (progress) impedir; **~ of flats** (BRIT) prédio (de apartamentos); **mental ~** bloqueio; **blockade** [blɔ'keɪd] n bloqueio; **blockage** n obstrução f;

blockbuster n grande sucesso
bloke [bləuk] (BRIT: inf) n cara m (BR), gajo (PT)
blond(e) [blɔnd] adj, n louro(-a)
blood [blʌd] n sangue m; **blood donor** n doador(a) m/f de sangue; **blood group** n grupo sangüíneo;
bloodhound n sabujo; **blood poisoning** n toxemia; **blood pressure** n pressão f arterial or sangüínea;
bloodshed n matança, carnificina;
bloodshot adj (eyes) injetado;
bloodstream n corrente f sangüínea;
blood test n exame m de sangue;
bloodthirsty adj sangüinário; **blood vessel** n vaso sangüíneo; **bloody** adj sangrento; (nose) ensangüentado; (BRIT: inf!): **this bloody ...** essa droga de ..., esse maldito ...; **bloody strong/good** forte/bom pra burro; **bloody-minded** (BRIT: inf) adj espírito de porco inv
bloom [bluːm] n flor f ♦ vi florescer
blossom ['blɔsəm] n flor f ♦ vi florescer; (fig): **to ~ into** (fig) tornar-se
blot [blɔt] n borrão m; (fig) mancha ♦ vt borrar; **blot out** vt (view) tapar; (memory) apagar
blotchy ['blɔtʃɪ] adj (complexion) cheio de manchas
blotting paper ['blɔtɪŋ-] n mata-borrão m
blouse [blauz] n blusa
blow [bləu] (pt **blew**, pp **blown**) n golpe m; (punch) soco ♦ vi soprar ♦ vt (subj: wind) soprar; (instrument) tocar; (fuse) queimar; **to ~ one's nose** assoar o nariz; **blow away** vt levar, arrancar ♦ vi ser levado pelo vento; **blow down** vt derrubar; **blow off** vt levar; **blow out** vi (candle) apagar; **blow over** vi (storm, crisis) passar; **blow up** vi explodir ♦ vt explodir; (tyre) encher; (PHOT) ampliar; **blow-dry** n escova; **blow-out** n (of tyre) furo
blue [bluː] adj azul; (depressed) deprimido; **~s** n (MUS): **the ~s** o blues; **~ film/joke** filme/anedota picante; **out of the ~** (fig) de estalo, inesperadamente; **bluebell** n campainha; **bluebottle** n varejeira azul
bluff [blʌf] vi blefar ♦ n blefe m; **to call sb's ~** pagar para ver alguém
blunder ['blʌndə*] n gafe f ♦ vi cometer or fazer uma gafe
blunt [blʌnt] adj (knife) cego; (pencil) rombudo; (person) franco, direto
blur [bləː*] n borrão m ♦ vt (vision) embaçar; (distinction) reduzir, diminuir
blush [blʌʃ] vi corar, ruborizar-se ♦ n

boar → borne

rubor m, vermelhidão f
boar [bɔː*] n javali m
board [bɔːd] n tábua; (card~) quadro; (notice ~) quadro de avisos; (for chess etc) tabuleiro; (committee) junta, conselho; (in firm) diretoria, conselho administrativo; (NAUT, AVIAT): **on ~** a bordo ♦ vt embarcar em; **full ~** (BRIT) pensão f completa; **half ~** (BRIT) meia-pensão f; **~ and lodging** casa e comida; **to go by the ~** ficar abandonado, dançar (inf); **board up** vt entabuar; **boarder** n interno(-a); **boarding card** n = **boarding pass**; **boarding house** n pensão f; **boarding pass** (BRIT) n cartão m de embarque; **boarding school** n internato
boast [bəʊst] vi: **to ~ (about or of)** gabar-se (de), jactar-se (de)
boat [bəʊt] n (small) bote m; (big) navio
bob [bɔb] vi balouçar-se; **bob up** vi aparecer, surgir
bobby [ˈbɔbɪ] (BRIT: inf) n policial m/f (BR), polícia m (PT)
bobsleigh [ˈbɔbsleɪ] n bob m, trenó m duplo
bodily [ˈbɔdɪlɪ] adj corporal; (needs) material ♦ adv (lift) em peso
body [ˈbɔdɪ] n corpo; (corpse) cadáver m; (of car) carroceria; (fig: group) grupo; (: organization) organização f; (quantity) conjunto; (of wine) corpo; **body-building** n musculação f; **bodyguard** n guarda-costas m inv; **bodywork** n lataria
bog [bɔg] n pântano, atoleiro ♦ vt: **to get ~ged down** (fig) atolar-se
bogus [ˈbəʊgəs] adj falso
boil [bɔɪl] vt ferver; (CULIN) cozer, cozinhar ♦ vi ferver ♦ n (MED) furúnculo; **to come to the** (BRIT) **or a** (US) **~** começar a ferver; **boil down to** vt fus (fig) reduzir-se a; **boil over** vi transbordar; **boiled egg** n ovo cozido; **boiled potatoes** npl batatas fpl cozidas; **boiler** n caldeira; (for central heating) boiler m; **boiling point** n ponto de ebulição
boisterous [ˈbɔɪstərəs] adj (noisy) barulhento; (excitable) agitado; (crowd) turbulento
bold [bəʊld] adj corajoso; (pej) atrevido, insolente; (outline, colour) forte
Bolivia [bəˈlɪvɪə] n Bolívia
bollard [ˈbɔləd] (BRIT) n (AUT) poste m de sinalização
bolt [bəʊlt] n (lock) trinco, ferrolho; (with nut) parafuso, cavilha ♦ adv: **~ upright** direito como um fuso ♦ vt (door) fechar a ferrolho, trancar; (food) engolir às pressas ♦ vi fugir; (horse) disparar
bomb [bɔm] n bomba ♦ vt bombardear
bombshell [ˈbɔmʃɛl] n (fig) bomba
bond [bɔnd] n (binding promise) compromisso; (link) vínculo, laço; (FINANCE) obrigação f; (COMM): **in ~** (goods) retido sob caução na alfândega
bone [bəʊn] n osso; (of fish) espinha ♦ vt desossar; tirar as espinhas de
bonfire [ˈbɔnfaɪə*] n fogueira
bonnet [ˈbɔnɪt] n toucado; (BRIT: of car) capô m
bonus [ˈbəʊnəs] n (payment) bônus m; (fig) gratificação f
bony [ˈbəʊnɪ] adj ossudo; (meat) cheio de ossos; (fish) cheio de espinhas
boo [buː] vt vaiar ♦ excl ruuh!, bu!
booby trap [ˈbuːbɪ-] n armadilha explosiva
book [buk] n livro; (of stamps, tickets) talão m ♦ vt reservar; (driver) autuar; (football player) mostrar o cartão amarelo a; **~s** npl (COMM) contas fpl, contabilidade f; **bookcase** n estante f (para livros); **booking office** (BRIT) n (RAIL, THEATRE) bilheteria (BR), bilheteira (PT); **book-keeping** n escrituração f, contabilidade f; **booklet** n livrinho, brochura; **bookshop** n, **bookstore** n livraria
boom [buːm] n (noise) barulho, estrondo; (in sales) aumento rápido ♦ vi retumbar; (business) tomar surto
boon [buːn] n dádiva, benefício
boost [buːst] n estímulo ♦ vt estimular
boot [buːt] n bota; (for football) chuteira; (BRIT: of car) porta-malas m (BR), porta-bagagem m (PT) ♦ vt (COMPUT) dar carga em; **to ~ ...** (in addition) ainda por cima ...
booth [buːð] n (at fair) barraca; (telephone ~, voting ~) cabine f
booze [buːz] (inf) n bebida alcoólica
border [ˈbɔːdə*] n margem f; (for flowers) borda; (of a country) fronteira; (on cloth etc) debrum m, remate m ♦ vt (also: ~ on) limitar-se com; **border on** vt fus (fig) chegar às raias de; **borderline** n fronteira; **Borders** n: **the Borders** a região fronteiriça entre a Escócia e a Inglaterra
bore [bɔː*] pt of **bear** ♦ vt (hole) abrir; (well) cavar; (person) aborrecer ♦ n (person) chato(-a), maçante m/f; (of gun) calibre m; **to be ~d** estar entediado; **boredom** n tédio, aborrecimento; **boring** adj chato, maçante
born [bɔːn] adj: **to be ~** nascer
borne [bɔːn] pp of **bear**

borough ['bʌrə] n município
borrow ['bɔrəu] vt: **to ~ sth (from sb)** pedir algo emprestado (a alguém)
Bosnia (and) Herzegovina ['bɔznɪə (ənd)hɑːtsəgəu'viːnə] n Bósnia e Herzegovina
bosom ['buzəm] n peito
boss [bɔs] n (employer) patrão(-troa) m/f ♦ vt (also: **~ about; ~ around**) mandar em; **bossy** adj mandão(-dona)
botch [bɔtʃ] vt (also: **~ up**) estropiar, atamancar
both [bəuθ] adj, pron ambos(-as), os dois (as duas) ♦ adv: **~ A and B** tanto A como B; **~ of us went, we ~ went** nós dois fomos, ambos fomos
bother ['bɔðə*] vt (worry) preocupar; (disturb) atrapalhar ♦ vi (also: **~ o.s.**) preocupar-se ♦ n preocupação f; (nuisance) amolação f, inconveniente m
bottle ['bɔtl] n garrafa; (of perfume, medicine) frasco; (baby's) mamadeira (BR), biberão m (PT) ♦ vt engarrafar; **bottle up** vt conter, refrear; **bottle bank** n depósito de vidro para reciclagem, vidrão m (PT); **bottleneck** n (traffic) engarrafamento m, (fig) obstáculo, problema m; **bottle-opener** n abridor m (de garrafas) (BR), abre-garrafas m inv (PT)
bottom ['bɔtəm] n fundo; (buttocks) traseiro; (of page, list) pé m; (of class) nível m mais baixo ♦ adj (low) inferior, mais baixo; (last) último
bough [bau] n ramo
bought [bɔːt] pt, pp of **buy**
boulder ['bəuldə*] n pedregulho, matacão m
bounce [bauns] vi saltar, quicar; (cheque) ser devolvido ♦ vt fazer saltar ♦ n (rebound) salto; **bouncer** (inf) n leão-de-chácara m
bound [baund] pt, pp of **bind** ♦ n (leap) pulo, salto; (gen pl: limit) limite m ♦ vi (leap) pular, saltar ♦ vt (border) demarcar ♦ adj: **~ by** limitado por; **to be ~ to do sth** (obliged) ter a obrigação de fazer algo; (likely) na certa ir fazer algo; **~ for** com destino a
boundary ['baundrɪ] n limite m, fronteira
bout [baut] n (of malaria etc) ataque m; (of activity) explosão f; (BOXING etc) combate m
bow¹ [bəu] n (knot) laço; (weapon, MUS) arco
bow² [bau] n (of the body) reverência; (of the head) inclinação f; (NAUT: also: **~s**) proa ♦ vi curvar-se, fazer uma reverência; (yield): **to ~ to** or **before** ceder ante, submeter-se a
bowels ['bauəlz] npl intestinos mpl, tripas fpl; (fig) entranhas fpl
bowl [bəul] n tigela; (ball) bola ♦ vi (CRICKET) arremessar a bola
bowler ['bəulə*] n (CRICKET) lançador m (da bola); (BRIT: also: **~ hat**) chapéu-coco m
bowling ['bəulɪŋ] n (game) boliche m; **bowling alley** n boliche m; **bowling green** n gramado (BR) or relvado (PT) para jogo de bolas
bowls [bəulz] n jogo de bolas
bow tie ['bəu-] n gravata-borboleta
box [bɔks] n caixa; (THEATRE) camarote m ♦ vt encaixotar; (SPORT) boxear contra ♦ vi (SPORT) boxear; **boxer** n (person) boxeador m, pugilista m; **boxer shorts** npl samba-canção m (BR), boxers mpl (PT); **boxing** n (SPORT) boxe m, pugilismo; **Boxing Day** (BRIT) n Dia de Santo Estêvão (26 de dezembro); **box office** n bilheteria (BR), bilheteira (PT)
boy [bɔɪ] n (young) menino, garoto; (older) moço, rapaz m; (son) filho
boycott ['bɔɪkɔt] n boicote m, boicotagem f ♦ vt boicotar
boyfriend ['bɔɪfrɛnd] n namorado
BR abbr = **British Rail**
bra [brɑː] n sutiã m (BR), soutien m (PT)
brace [breɪs] n (on teeth) aparelho; (tool) arco de pua ♦ vt retesar; **~s** npl (BRIT) suspensórios mpl; **to ~ o.s.** (also fig) preparar-se
bracelet ['breɪslɪt] n pulseira
bracing ['breɪsɪŋ] adj tonificante
bracket ['brækɪt] n (TECH) suporte m; (group) classe f, categoria; (range) faixa, parêntese m ♦ vt pôr entre parênteses; (fig) agrupar
brag [bræg] vi gabar-se, contar vantagem
braid [breɪd] n (trimming) galão m; (of hair) trança
brain [breɪn] n cérebro; **~s** npl (CULIN) miolos mpl; (intelligence) inteligência, miolos; **brainwash** vt fazer uma lavagem cerebral em; **brainwave** n inspiração f, idéia luminosa or brilhante; **brainy** adj inteligente
braise [breɪz] vt assar na panela
brake [breɪk] n freio (BR), travão m (PT) ♦ vt, vi frear (BR), travar (PT)
bran [bræn] n farelo
branch [brɑːntʃ] n ramo, galho; (COMM) sucursal f, filial f; **branch out** vi (fig) diversificar suas atividades; **to ~ out into** estender suas atividades a

brand → bright

brand [brænd] n marca; (fig: type) tipo ♦ vt (cattle) marcar com ferro quente
brand-new adj novo em folha, novinho
brandy ['brændɪ] n conhaque m
brash [bræʃ] adj descarado
Brasilia [brə'zɪlɪə] n Brasília
brass [brɑːs] n latão m; **the ~** (MUS) os metais; **brass band** n banda de música
brat [bræt] (pej) n pirralho(-a), fedelho(-a), malcriado(-a)
brave [breɪv] adj valente, corajoso ♦ vt (face up to) desafiar; **bravery** n coragem f, bravura
brazen ['breɪzn] adj descarado ♦ vt: **to ~ it out** defender-se descaradamente
Brazil [brə'zɪl] n Brasil m; **Brazilian** adj, n brasileiro(-a)
breach [briːtʃ] vt abrir brecha em ♦ n (gap) brecha; (breaking): **~ of contract** inadimplência (BR), inadimplemento (PT); **~ of the peace** perturbação f da ordem pública
bread [brɛd] n pão m; **bread and butter** n pão com manteiga; (fig) ganha-pão m; **breadbin** (US **bread box**) n caixa de pão; **breadcrumbs** npl migalhas fpl; (CULIN) farinha de rosca
breadth [brɛtθ] n largura; (fig) amplitude f
breadwinner ['brɛdwɪnə*] n arrimo de família
break [breɪk] (pt **broke**, pp **broken**) vt quebrar (BR), partir (PT); (promise) quebrar; (law) violar, transgredir; (record) bater ♦ vi quebrar-se, partir-se; (storm) começar subitamente; (weather) mudar; (dawn) amanhecer; (story, news) revelar ♦ n (gap) abertura; (fracture) fratura; (rest) descanso; (interval) intervalo; (at school) recreio; (chance) oportunidade f; **to ~ the news to sb** dar a notícia a alguém; **to ~ even** sair sem ganhar nem perder; **to ~ free** or **loose** soltar-se; **to ~ open** (door etc) arrombar; **break down** vt (figures, data) analisar ♦ vi (machine, AUT) enguiçar, pifar (inf); (MED) sofrer uma crise nervosa; (person: cry) desatar a chorar; (talks) fracassar; **break in** vt (horse etc) domar ♦ vi (burglar) forçar uma entrada; (interrupt) interromper; **break into** vt fus (house) arrombar; **break off** vi (speaker) parar-se, deter-se; (branch) partir; **break out** vi (war) estourar; (prisoner) libertar-se; **to ~ out in spots/a rash** aparecer coberto de manchas/brotoejas; **break up** vi (ship) partir-se; (partnership) acabar; (marriage) desmanchar-se ♦ vt (rocks) partir; (biscuit etc) quebrar; (journey) romper; (fight) intervir em; **breakage** n quebradura; **breakdown** n (AUT) enguiço, avaria; (in communications) interrupção f; (of marriage) fracasso, término; (MED: also: **nervous breakdown**) esgotamento nervoso; (of figures) discriminação f, desdobramento
breakfast ['brɛkfəst] n café m da manhã (BR), pequeno almoço (PT)
break: break-in n roubo com arrombamento; **breakthrough** n (fig) avanço, novo progresso
breast [brɛst] n (of woman) peito, seio; (chest, meat) peito; **breast-feed** (irreg: like **feed**) vt, vi amamentar; **breast-stroke** n nado de peito
breath [brɛθ] n fôlego, respiração f; **out of ~** ofegante, sem fôlego; **Breathalyser** ['brɛθəlaɪzə*] ® n bafômetro
breathe [briːð] vt, vi respirar; **breathe in** vt, vi inspirar; **breathe out** vt, vi expirar; **breathing** n respiração f
breathless ['brɛθlɪs] adj sem fôlego
breed [briːd] (pt, pp **bred**) vt (animals) criar; (plants) multiplicar ♦ vi criar, reproduzir ♦ n raça
breeze [briːz] n brisa, aragem f; **breezy** adj (person) despreocupado, animado; (weather) ventoso
brew [bruː] vt (tea) fazer; (beer) fermentar ♦ vi (storm, fig) armar-se; **brewery** n cervejaria
bribe [braɪb] n suborno ♦ vt subornar; **bribery** n suborno
brick [brɪk] n tijolo; **bricklayer** n pedreiro
bride [braɪd] n noiva; **bridegroom** n noivo; **bridesmaid** n dama de honra
bridge [brɪdʒ] n ponte f; (NAUT) ponte de comando; (CARDS) bridge m; (of nose) cavalete m ♦ vt transpor
bridle ['braɪdl] n cabeçada, freio
brief [briːf] adj breve ♦ n (LAW) causa; (task) tarefa ♦ vt (inform) informar; **~s** npl (for men) cueca (BR), cuecas fpl (PT); (for women) calcinha (BR), cuecas fpl (PT); **briefcase** n pasta; **briefly** adv rapidamente; (say) em poucas palavras
bright [braɪt] adj claro, brilhante; (weather) resplandecente; (person: clever) inteligente; (: lively) alegre, animado; (colour) vivo; (future) promissor(a), favorável; **brighten** (also: **brighten up**) vt (room) tornar mais alegre; (event) animar, alegrar ♦ vi (weather) clarear; (person) animar-se, alegrar-se; (face) iluminar-se; (prospects) tornar-se animado or favorável

brilliance → buddy

brilliance ['brɪljəns] n brilho, claridade f
brilliant ['brɪljənt] adj brilhante; (inf: great) sensacional
brim [brɪm] n borda; (of hat) aba
brine [braɪn] n (CULIN) salmoura
bring [brɪŋ] (pt, pp **brought**) vt trazer; **bring about** vt ocasionar, produzir; **bring back** vt restabelecer; (return) devolver; **bring down** vt (price) abaixar; (government, plane) derrubar; **bring forward** vt adiantar; **bring off** vt (plan) levar a cabo; **bring out** vt (object) tirar; (meaning) salientar; (book etc) lançar; **bring round** vt fazer voltar a si; **bring up** vt (person) educar, criar; (carry up) subir; (question) introduzir; (food) vomitar
brisk [brɪsk] adj vigoroso; (tone, person) enérgico; (trade) ativo
bristle ['brɪsl] n (of animal) pêlo rijo; (of beard) pêlo de barba curta; (of brush) cerda ♦ vi (in anger) encolerizar-se
Britain ['brɪtən] n (also: **Great ~**) Grã-Bretanha
British ['brɪtɪʃ] adj britânico ♦ npl: **the ~** os britânicos; **British Isles** npl: **the British Isles** as ilhas Britânicas; **British Rail** n companhia ferroviária britânica
Briton ['brɪtən] n britânico(-a)
brittle ['brɪtl] adj quebradiço, frágil
broach [brəutʃ] vt abordar, tocar em
broad [brɔ:d] adj (street, range) amplo; (shoulders, smile) largo; (distinction) geral; (accent) carregado; **in ~ daylight** em plena luz do dia; **broadcast** (pt, pp **~cast**) n transmissão f ♦ vt, vi transmitir; **broaden** vt alargar ♦ vi alargar-se; **to broaden one's mind** abrir os horizontes; **broadly** adv em geral; **broad-minded** adj tolerante, liberal
broccoli ['brɔkəlɪ] n brócolis mpl
brochure ['brəuʃjuə*] n folheto, brochura
broke [brəuk] pt of **break** ♦ adj (inf) sem um vintém, duro; (: company): **to go ~** quebrar
broken ['brəukən] pp of **break** ♦ adj quebrado; **in ~ English** num inglês mascavado; **broken-hearted** adj com o coração partido
broker ['brəukə*] n corretor(a) m/f
brolly ['brɔlɪ] (BRIT: inf) n guarda-chuva m
bronchitis [brɔŋ'kaɪtɪs] n bronquite f
bronze [brɔnz] n bronze m
brooch [brəutʃ] n broche m
brood [bru:d] n ninhada f ♦ vi (person) cismar, remoer
broom [brum] n vassoura; (BOT) giesta-das-vassouras

Bros. abbr (COMM: = brothers) Irmãos
broth [brɔθ] n caldo
brothel ['brɔθl] n bordel m
brother ['brʌðə*] n irmão m; **brother-in-law** n cunhado
brought [brɔ:t] pt, pp of **bring**
brow [brau] n (forehead) fronte f, testa; (rare: gen: eye~) sobrancelha; (of hill) cimo, cume m
brown [braun] adj marrom (BR), castanho (PT); (hair) castanho; (tanned) bronzeado, moreno ♦ n (colour) cor f marrom (BR) or castanha (PT) ♦ vt (CULIN) dourar; **brown bread** n pão m integral; **Brownie** n (also: **Brownie Guide**) fadinha de bandeirante; **brownie** (US) n (cake) docinho de chocolate com amêndoas; **brown paper** n papel m pardo; **brown sugar** n açúcar m mascavo
browse [brauz] vi (in shop) dar uma olhada; **to ~ through a book** folhear um livro; **browser** ['brauzə*] n (COMPUT) browser m, navegador m
bruise [bru:z] n hematoma m, contusão f ♦ vt machucar
brunette [bru:'nɛt] n morena
brunt [brʌnt] n: **the ~ of** (greater part) a maior parte de
brush [brʌʃ] n escova; (for painting, shaving) pincel m; (quarrel) bate-boca m ♦ vt varrer; (groom) escovar; (also: **~ against**) tocar ao passar, roçar; **brush aside** vt afastar, não fazer caso de; **brush up** vt retocar, revisar
Brussels ['brʌslz] n Bruxelas; **Brussels sprout** n couve-de-bruxelas f
brutal ['bru:tl] adj brutal
brute [bru:t] n bruto; (person) animal m ♦ adj: **by ~ force** por força bruta
BSc n abbr = **Bachelor of Science**
BSE n abbr (= bovine spongiform encephalopathy) BSE f
bubble ['bʌbl] n bolha (BR), borbulha (PT) ♦ vi borbulhar; **bubble bath** n banho de espuma; **bubble gum** n chiclete m (de bola) (BR), pastilha elástica (PT)
buck [bʌk] n (rabbit) macho; (deer) cervo; (US: inf) dólar m ♦ vi corcovear; **to pass the ~** fazer o jogo de empurra; **buck up** vi (cheer up) animar-se, cobrar ânimo
bucket ['bʌkɪt] n balde m
buckle ['bʌkl] n fivela ♦ vt afivelar ♦ vi torcer-se, cambar-se
bud [bʌd] n broto; (of flower) botão m ♦ vi brotar, desabrochar
Buddhism ['budɪzəm] n budismo
buddy ['bʌdɪ] (US) n camarada m, companheiro

budge → burn

budge [bʌdʒ] vt mover ♦ vi mexer-se
budgerigar [ˈbʌdʒərɪgɑː*] n periquito
budget [ˈbʌdʒɪt] n orçamento ♦ vi: **to ~ for sth** incluir algo no orçamento
budgie [ˈbʌdʒɪ] n = **budgerigar**
buff [bʌf] adj (colour) cor de camurça ♦ n (inf: enthusiast) aficionado(-a)
buffalo [ˈbʌfələu] (pl ~ or ~**es**) n (BRIT) búfalo; (US: bison) bisão m
buffer [ˈbʌfə*] n pára-choque m; (COMPUT) buffer m, memória intermediária
buffet¹ [ˈbufeɪ] (BRIT) n (in station) bar m; (food) bufê m; **buffet car** (BRIT) n vagão-restaurante m
buffet² [ˈbʌfɪt] vt fustigar
bug [bʌg] n (esp US: insect) bicho; (fig: germ) micróbio; (spy device) microfone m oculto, escuta clandestina; (COMPUT: of program) erro ♦ vt (inf: annoy) apoquentar, incomodar; (room) colocar microfones em; (phone) grampear
bugle [ˈbjuːgl] n trompa, corneta
build [bɪld] (pt, pp built) n (of person) talhe m, estatura ♦ vt construir, edificar; **build up** vt acumular; **builder** n construtor(a) m/f, empreiteiro(-a); **building** n (trade) construção f; (house, structure) edifício, prédio; **building society** (BRIT) n sociedade f de crédito imobiliário, financiadora
built [bɪlt] pt, pp of **build** ♦ adj: ~-**in** embutido; **built-up area** [ˈbɪltʌp-] n zona urbanizada
bulb [bʌlb] n (BOT) bulbo; (ELEC) lâmpada
Bulgaria [bʌlˈgɛərɪə] n Bulgária
bulge [bʌldʒ] n bojo, saliência ♦ vi inchar-se; (pocket etc) fazer bojo
bulk [bʌlk] n (of building, object) volume m; (of person) corpanzil m; **in ~** (COMM) a granel; **the ~ of** a maior parte de; **bulky** adj volumoso
bull [bul] n touro; **bulldog** n buldogue m
bulldozer [ˈbuldəuzə*] n buldôzer m, escavadora
bullet [ˈbulɪt] n bala
bulletin [ˈbulɪtɪn] n noticiário; (journal) boletim m
bulletproof [ˈbulɪtpruːf] adj à prova de balas
bullfight [ˈbulfaɪt] n tourada; **bullfighter** n toureiro; **bullfighting** n tauromaquia
bullion [ˈbuljən] n ouro (or prata) em barras
bullock [ˈbulək] n boi m, novilho
bullring [ˈbulrɪŋ] n praça de touros
bull's-eye n centro do alvo, mosca (do alvo) (BR)
bully [ˈbulɪ] n fanfarrão m, valentão m ♦ vt intimidar, tiranizar
bum [bʌm] n (inf: backside) bum-bum m; (esp US: tramp) vagabundo(-a), vadio(-a)
bumblebee [ˈbʌmblbiː] n mamangaba
bump [bʌmp] n (in car) batida; (jolt) sacudida; (on head) galo; (on road) elevação f ♦ vt bater contra, dar encontrão em ♦ vi dar sacudidas; **bump into** vt fus chocar-se com or contra, colidir com; (inf: person) dar com, topar com; **bumper** n (BRIT) pára-choque m ♦ adj: **bumper crop** supersafra; **bumper cars** npl carros mpl de trombada; **bumpy** [ˈbʌmpɪ] adj (road) acidentado, cheio de altos e baixos
bun [bʌn] n pão m doce (BR), pãozinho (PT); (in hair) coque m
bunch [bʌntʃ] n (of flowers) ramo; (of keys) molho; (of bananas) cacho; (of people) grupo; ~**es** npl (in hair) cachos mpl
bundle [ˈbʌndl] n trouxa, embrulho; (of sticks) feixe m; (of papers) maço ♦ vt (also: ~ **up**) embrulhar, atar; (put): **to ~ sth/sb into** meter or enfiar algo/alguém correndo em
bungalow [ˈbʌŋgələu] n bangalô m, chalé m
bungle [ˈbʌŋgl] vt estropear, estragar
bunion [ˈbʌnjən] n joanete m
bunk [bʌŋk] n beliche m; **bunk beds** npl beliche m, cama-beliche f
bunker [ˈbʌŋkə*] n (coal store) carvoeira; (MIL) abrigo, casamata; (GOLF) bunker m
buoy [bɔɪ] n bóia; **buoy up** vt (fig) animar; **buoyant** adj flutuante; (person) alegre; (COMM: market) animado
burden [ˈbəːdn] n responsabilidade f, fardo; (load) carga ♦ vt sobrecarregar; (trouble): **to be a ~ to sb** ser um estorvo para alguém
bureau [bjuəˈrəu] (pl ~**x**) n (BRIT: desk) secretária, escrivaninha; (US: chest of drawers) cômoda; (office) escritório, agência
bureaucracy [bjuəˈrɔkrəsɪ] n burocracia
burglar [ˈbəːglə*] n ladrão m/f; **burglar alarm** n alarma de roubo; **burglary** n roubo
burial [ˈbɛrɪəl] n enterro
Burma [ˈbəːmə] n Birmânia
burn [bəːn] (pt, pp ~**ed** or **burnt**) vt queimar; (house) incendiar ♦ vi queimar-se, arder; (sting) picar ♦ n queimadura; **burn down** vt incendiar; **burner** n (on cooker, heater) bico de gás,

fogo; **burning** adj ardente; (hot: sand etc) abrasador(a); (ambition) grande
burrow ['bʌrəu] n toca, lura ♦ vi fazer uma toca, cavar; (rummage) esquadrinhar
bursary ['bə:səri] (BRIT) n (SCH) bolsa
burst [bə:st] (pt, pp **burst**) vt arrebentar; (banks) romper ♦ vi estourar; (tyre) furar ♦ n rajada; **to ~ into flames** incendiar-se de repente; **to ~ into tears** desatar a chorar; **to ~ out laughing** cair na gargalhada; **to be ~ing with** (subj: room, container) estar abarrotado de; (: person: emotion) estar tomado de; **a ~ of energy** uma explosão de energia; **burst into** vt fus (room etc) irromper em
bury ['bɛri] vt enterrar; (at funeral) sepultar; **to ~ one's head in one's hands** cobrir o rosto com as mãos; **to ~ one's head in the sand** (fig) bancar avestruz; **to ~ the hatchet** (fig) fazer as pazes
bus [bʌs] n ônibus m inv (BR), autocarro (PT)
bush [buʃ] n arbusto, mata; (scrubland) sertão m; **to beat about the ~** ser evasivo
bushy ['buʃi] adj (thick) espesso
business ['bɪznɪs] n negócio; (trading) comércio, negócios mpl; (firm) empresa; (occupation) profissão f; **to be away on ~** estar fora de negócios; **it's my ~ to ...** encarrego-me de ...; **it's none of my ~** eu não tenho nada com isto; **he means ~** fala a sério; **businesslike** adj eficiente, metódico; **businessman** (irreg) n homem m de negócios; **business trip** n viagem f de negócios; **businesswoman** (irreg) n mulher f de negócios
busker ['bʌskə*] (BRIT) n artista m/f de rua
bus: **bus station** n estação f rodoviária; **bus stop** n ponto de ônibus (BR), paragem f de autocarro (PT)
bust [bʌst] n (ANAT) busto ♦ adj (inf: broken) quebrado; **to go ~** falir
bustle ['bʌsl] n animação f, movimento ♦ vi apressar-se, andar azafamado; **bustling** adj (town) animado, movimentado
busy ['bɪzi] adj (person) ocupado, atarefado; (place) movimentado; (US: TEL) ocupado (BR), impedido (PT) ♦ vt: **to ~ o.s. with** ocupar-se em or de

KEYWORD

but [bʌt] conj
① (yet) mas, porém; **he's tired ~ Paul isn't** ele está cansado mas Paul não; **the trip was enjoyable ~ tiring** a viagem foi agradável porém cansativa
② (however) mas; **I'd love to come, ~ I'm busy** eu adoraria vir, mas estou ocupado
③ (showing disagreement, surprise etc) mas; **~ that's far too expensive!** mas isso é caro demais!

♦ prep (apart from, except) exceto, menos; **he was nothing ~ trouble** ele só deu problema; **no-one ~ him** só ele, ninguém a não ser ele; **~ for** sem, se não fosse; **(I'll do) anything ~ that** (eu faria) qualquer coisa menos isso

♦ adv (just, only) apenas; **had I ~ known** se eu soubesse; **I can ~ try** a única coisa que eu posso fazer é tentar; **all ~** quase

butcher ['butʃə*] n açougueiro (BR), homem m do talho (PT) ♦ vt (prisoners etc) chacinar, massacrar; (cattle etc for meat) abater e carnear; **butcher's (shop)** n açougue m (BR), talho (PT)
butler ['bʌtlə*] n mordomo
butt [bʌt] n (cask) tonel m; (of gun) coronha; (of cigarette) toco (BR), ponta (PT); (BRIT: fig: target) alvo ♦ vt (subj: goat) marrar; (: person) dar uma cabeçada em; **butt in** vi (interrupt) interromper
butter ['bʌtə*] n manteiga ♦ vt untar com manteiga
butterfly ['bʌtəflaɪ] n borboleta; (SWIMMING: also: **~ stroke**) nado borboleta
buttocks ['bʌtəks] npl nádegas fpl
button ['bʌtn] n botão m; (US: badge) emblema m ♦ vt (also: **~ up**) abotoar ♦ vi ter botões
buy [baɪ] (pt, pp **bought**) vt comprar ♦ n compra; **to ~ sb sth/sth from sb** comprar algo para alguém/algo a alguém; **to ~ sb a drink** pagar um drinque para alguém, **buyer** n comprador(a) m/f
buzz [bʌz] n zumbido; (inf: phone call): **to give sb a ~** dar uma ligada para alguém ♦ vi zumbir; **buzzer** n cigarra, vibrador m; **buzz word** n modismo

KEYWORD

by [baɪ] prep
① (referring to cause, agent) por, de; **killed ~ lightning** morto por um raio; **a painting ~ Picasso** um quadro de Picasso
② (referring to method, manner, means) de, com; **~ bus/car/train** de ônibus/carro/trem; **to pay ~ cheque** pagar com cheque; **~ moonlight/candlelight** sob o luar/à luz de vela; **~ saving hard, he ...** economizando muito, ele ...

bye(-bye) → calorie

3 (*via, through*) por, via; **we came ~ Dover** viemos por *or* via Dover
4 (*close to*) perto de, ao pé de; **a holiday ~ the sea** férias à beira-mar; **she sat ~ his bed** ela sentou-se ao lado de seu leito
5 (*past*) por; **she rushed ~ me** ela passou por mim correndo
6 (*not later than*): **~ 4 o'clock** antes das quatro; **~ this time tomorrow** esta mesma hora amanhã; **~ the time I got here it was too late** quando eu cheguei aqui, já era tarde demais
7 (*during*): **~ daylight** durante o dia
8 (*amount*) por; **~ the kilometre** por quilômetro
9 (*MATH, measure*) por; **it's broader ~ a metre** tem um metro a mais de largura
10 (*according to*) segundo, de acordo com; **it's all right ~ me** por mim tudo bem
11: **(all) ~ oneself** *etc* (completamente) só, sozinho; **he did it (all) ~ himself** ele fêz tudo sozinho
12: **~ the way** a propósito
♦ *adv*
1 *see* **go**; **pass** *etc*
2: **~ and ~** logo, mais tarde; **~ and large** em geral

bye(-bye) ['baɪ('baɪ)] *excl* até logo (*BR*), tchau (*BR*), adeus (*PT*)
bypass ['baɪpɑːs] *n* via secundária, desvio; (*MED*) ponte *f* de safena ♦ *vt* evitar
bystander ['baɪstændə*] *n* circunstante *m/f*; (*observer*) espectador(a) *m/f*
byte [baɪt] *n* (*COMPUT*) byte *m*

Cc

C [siː] *n* (*MUS*) dó *m*
CA *n abbr* = **chartered accountant**
cab [kæb] *n* táxi *m*; (*of truck etc*) boléia; (*of train*) cabina de maquinista
cabaret ['kæbəreɪ] *n* cabaré *m*
cabbage ['kæbɪdʒ] *n* repolho (*BR*), couve *f* (*PT*)
cabin ['kæbɪn] *n* cabana; (*on ship*) camarote *m*; (*on plane*) cabina de passageiros; **cabin cruiser** *n* lancha a motor com cabine
cabinet ['kæbɪnɪt] *n* (*POL*) gabinete *m*; (*furniture*) armário *m*; (*also:* **display ~**) armário com vitrina

cable ['keɪbl] *n* cabo; (*telegram*) cabograma *m* ♦ *vt* enviar cabograma para; **cable-car** *n* bonde *m* (*BR*), teleférico (*PT*); **cable television** *n* televisão *f* a cabo
cache [kæʃ] *n* esconderijo; **a ~ of arms** *etc* um depósito secreto de armas *etc*
cactus ['kæktəs] (*pl* **cacti**) *n* cacto
cadge [kædʒ] (*inf*) *vt* filar
café ['kæfeɪ] *n* café *m*
cage [keɪdʒ] *n* (*bird ~*) gaiola; (*for large animals*) jaula; (*of lift*) cabina
cagey ['keɪdʒɪ] (*inf*) *adj* cuidadoso, reservado, desconfiado
cagoule [kə'guːl] *n* casaco de náilon
Cairo ['kaɪərəu] *n* o Cairo
cake [keɪk] *n* (*large*) bolo; (*small*) doce *m*, bolinho; **~ of soap** sabonete *m*
calculate ['kælkjuleɪt] *vt* calcular; (*estimate*) avaliar; **calculation** *n* cálculo; **calculator** *n* calculadora, calculadora
calendar ['kæləndə*] *n* calendário; **~ month/year** mês *m*/ano civil
calf [kɑːf] (*pl* **calves**) *n* (*of cow*) bezerro, vitela; (*of other animals*) cria; (*also:* **~skin**) pele *f* or couro de bezerro; (*ANAT*) barriga-da-perna
calibre ['kælɪbə*] (*US* **caliber**) *n* (*of person*) capacidade *f*, calibre *m*
call [kɔːl] *vt* chamar; (*label*) qualificar, descrever; (*TEL*) telefonar a, ligar para; (*witness*) citar; (*meeting*) convocar ♦ *vi* chamar; (*shout*) gritar; (*TEL*) telefonar; (*visit: also:* **~ in**; **~ round**) dar um pulo ♦ *n* (*shout*) chamada; (*also:* **telephone ~**) chamada, telefonema *m*; (*of bird*) canto; **to be ~ed** chamar-se; **on ~** de plantão; **call back** *vi* (*return*) voltar, passar de novo; (*TEL*) ligar de volta; **call for** *vt fus* (*demand*) requerer, exigir; (*fetch*) ir buscar; **call off** *vt* (*cancel*) cancelar; **call on** *vt fus* (*visit*) visitar; (*appeal to*) pedir; **call out** *vi* gritar, bradar; **call up** *vt* (*MIL*) chamar às fileiras; (*TEL*) dar uma ligada; **callbox** (*BRIT*) *n* cabine *f* telefônica; **call centre** *n* (*BRIT: TEL*) central *f* de chamadas; **caller** *n* visita *m/f*; (*TEL*) chamador(a) *m/f*; **call girl** *n* call girl *f*, prostituta; **calling card** (*US*) *n* cartão *m* de visita
callous ['kæləs] *adj* cruel, insensível
calm [kɑːm] *adj* calmo; (*peaceful*) tranqüilo; (*weather*) estável ♦ *n* calma ♦ *vt* acalmar; (*fears, grief*) abrandar; **calm down** *vt* acalmar, tranqüilizar ♦ *vi* acalmar-se
Calor gas ['kælə*-] ® *n* butano
calorie ['kælərɪ] *n* caloria

calves [kɑːvz] *npl of* **calf**
Cambodia [kæmˈbəudjə] *n* Camboja
camcorder [ˈkæmkɔːdə*] *n* filmadora, máquina de filmar
came [keɪm] *pt of* **come**
camel [ˈkæməl] *n* camelo
camera [ˈkæmərə] *n* máquina fotográfica; (CINEMA, TV) câmera; **in ~** (LAW) em câmara
camouflage [ˈkæməflɑːʒ] *n* camuflagem f ♦ *vt* camuflar
camp [kæmp] *n* campo, acampamento; (MIL) acampamento; (*for prisoners*) campo; (*faction*) facção f ♦ *vi* acampar ♦ *adj* afeminado
campaign [kæmˈpeɪn] *n* (MIL, POL ETC) campanha ♦ *vi* fazer campanha
camp bed (BRIT) *n* cama de campanha
camper [ˈkæmpə*] *n* campista m/f; (*vehicle*) reboque *m*
camping [ˈkæmpɪŋ] *n* camping *m* (BR), campismo (PT); **to go ~** acampar
campsite [ˈkæmpsaɪt] *n* camping *m* (BR), parque *m* de campismo (PT)
campus [ˈkæmpəs] *n* campus *m*, cidade *f* universitária
can¹ [kæn] *n* lata ♦ *vt* enlatar

---KEYWORD---

can² [kæn] (*negative* **cannot** *or* **can't**, *pt, conditional* **could**) *aux vb*
1 (*be able to*) poder; **you ~ do it if you try** se você tentar, você consegue fazê-lo; **I'll help you all I ~** ajudarei você em tudo que eu puder; **she couldn't sleep that night** ela não conseguiu dormir aquela noite; **~ you hear me?** você está me ouvindo?
2 (*know how to*) saber; **I ~ swim** sei nadar; **~ you speak Portuguese?** você fala português?
3 (*may*) **could I have a word with you?** será que eu podia falar com você?
4 (*expressing disbelief, puzzlement*): **it CAN'T be true!** não pode ser verdade!; **what CAN he want?** o que é que ele quer?
5 (*expressing possibility, suggestion etc*): **he could be in the library** ele talvez esteja na biblioteca; **they could have forgotten** eles podiam ter esquecido

---

Canada [ˈkænədə] *n* Canadá *m*; **Canadian** [kəˈneɪdɪən] *adj, n* canadense m/f
canal [kəˈnæl] *n* canal *m*
canary [kəˈnɛərɪ] *n* canário
cancel [ˈkænsəl] *vt* cancelar; (*contract*) anular; (*cross out*) riscar, invalidar; **cancellation** [kænsəˈleɪʃən] *n* cancelamento
cancer [ˈkænsə*] *n* câncer *m* (BR), cancro (PT); **C~** (ASTROLOGY) Câncer
candid [ˈkændɪd] *adj* franco, sincero
candidate [ˈkændɪdeɪt] *n* candidato(-a)
candle [ˈkændl] *n* vela; (*in church*) círio; **candlelight** *n*: **by candlelight** à luz de vela; **candlestick** *n* (*plain*) castiçal *m*; (*bigger, ornate*) candelabro, lustre *m*
candour [ˈkændə*] (US **candor**) *n* franqueza
candy [ˈkændɪ] *n* (*also:* **sugar-~**) açúcar *m* cristalizado; (US) bala (BR), rebuçado (PT); **candy-floss** (BRIT) *n* algodão-doce *m*
cane [keɪn] *n* (BOT) cana; (*stick*) bengala ♦ *vt* (BRIT: SCH) castigar (com bengala)
canister [ˈkænɪstə*] *n* lata
cannabis [ˈkænəbɪs] *n* maconha
canned [kænd] *adj* (*food*) em lata, enlatado
cannon [ˈkænən] (*pl inv or* **~s**) *n* canhão *m*
cannot [ˈkænɔt] = **can not**
canoe [kəˈnuː] *n* canoa
can opener *n* abridor *m* de latas (BR), abre-latas *m inv* (PT)
canopy [ˈkænəpɪ] *n* dossel *m*
can't [kɑːnt] = **can not**
canteen [kænˈtiːn] *n* cantina; (BRIT: *of cutlery*) jogo (de talheres)
canter [ˈkæntə*] *vi* ir a meio galope
canvas [ˈkænvəs] *n* (*material*) lona; (*for painting*) tela; (NAUT) velas *fpl*
canvass [ˈkænvəs] *vi* (POL): **to ~ for** fazer campanha por ♦ *vt* sondar
canyon [ˈkænjən] *n* canhão *m* garganta, desfiladeiro
cap [kæp] *n* gorro; (*of pen, bottle*) tampa, (*contraceptive: also:* **Dutch ~**) diafragma *m* ♦ *vt* (*outdo*) superar; (*put limit on*) limitar
capable [ˈkeɪpəbl] *adj* (*of sth*) capaz; (*competent*) competente, hábil
capacity [kəˈpæsɪtɪ] *n* capacidade *f*; (*of stadium etc*) lotação *f*; (*role*) condição *f*, posição *f*
cape [keɪp] *n* capa; (GEO) cabo
caper [ˈkeɪpə*] *n* (CULIN: *gen:* ~s) alcaparra; (*prank*) travessura
capital [ˈkæpɪtl] *n* (*also:* **~ city**) capital *f*; (*money*) capital *m*; (*also:* **~ letter**) maiúscula; **capitalism** *n* capitalismo; **capitalist** *adj, n* capitalista m/f; **capital punishment** *n* pena de morte
Capitol [ˈkæpɪtl] *n*: **the ~** o Capitólio

Capricorn → case

Capricorn ['kæprɪkɔ:n] n Capricórnio
capsize [kæp'saɪz] vt, vi emborcar, virar
capsule ['kæpsju:l] n cápsula
captain ['kæptɪn] n capitão m
caption ['kæpʃən] n legenda
captive ['kæptɪv] adj, n cativo(-a)
capture ['kæptʃə*] vt prender, aprisionar; (person) capturar; (place) tomar; (attention) atrair, chamar ♦ n captura; (of place) tomada
car [kɑ:*] n carro, automóvel m; (RAIL) vagão m
caramel ['kærəməl] n (sweet) caramelo; (burnt sugar) caramelado
caravan ['kærəvæn] n reboque m (BR), trailer m (BR), rulote f (PT); (in desert) caravana
carbohydrate [kɑ:bəʊ'haɪdreɪt] n hidrato de carbono; (food) carboidrato
carbon ['kɑ:bən] n carbono; **carbon dioxide** [-daɪ'ɔksaɪd] n dióxido de carbono; **carbon monoxide** [-mɔn'ɔksaɪd] n monóxido de carbono
carburettor [kɑ:bju'retə*] (US **carburetor**) n carburador m
card [kɑ:d] n (also: **playing ~**) carta; (visiting ~) cartão m; (thin cardboard) cartolina; **cardboard** n cartão m, papelão m
cardiac ['kɑ:dɪæk] adj cardíaco
cardigan ['kɑ:dɪgən] n casaco de lã, cardigã m
cardinal ['kɑ:dɪnl] adj cardeal; (MATH) cardinal ♦ n (REL) cardeal m
care [kɛə*] n cuidado; (worry) preocupação f; (charge) encargo, custódia ♦ vi: **to ~ about** (person, animal) preocupar-se com; (thing, idea) ter interesse em; **~ of** (on letter) aos cuidados de; **in sb's ~** a cargo de alguém; **to take ~** (to do) ter o cuidado (de fazer); **to take ~ of** (person) cuidar de; (situation) encarregar-se de; **I don't ~** não me importa; **I couldn't ~ less** não dou a mínima; **care for** vt fus cuidar de; (like) gostar de
career [kə'rɪə*] n carreira ♦ vi (also: **~ along**) correr a toda velocidade
carefree ['kɛəfri:] adj despreocupado
careful ['kɛəful] adj (thorough) cuidadoso; (cautious) cauteloso; **(be) ~!** tenha cuidado!; **carefully** adv cuidadosamente; cautelosamente
careless ['kɛəlɪs] adj descuidado; (heedless) desatento
caress [kə'rɛs] n carícia ♦ vt acariciar
caretaker ['kɛəteɪkə*] n zelador(a) m/f

car-ferry n barca para carros (BR), barco de passagem (PT)
cargo ['kɑ:gəʊ] (pl **~es**) n carga
car hire (BRIT) n aluguel m (BR) or aluguer m (PT) de carros
Caribbean [kærɪ'bi:ən] n: **the ~ (Sea)** o Caribe
caring ['kɛərɪŋ] adj (person) bondoso; (society) humanitário
carnation [kɑ:'neɪʃən] n cravo
carnival ['kɑ:nɪvəl] n carnaval m; (US: funfair) parque m de diversões
carol ['kærəl] n: **(Christmas) ~** cântico de Natal
carp [kɑ:p] n inv (fish) carpa; **carp at** vt fus criticar
car park (BRIT) n estacionamento
carpenter ['kɑ:pɪntə*] n carpinteiro
carpet ['kɑ:pɪt] n tapete m ♦ vt atapetar
car phone n telefone m de carro
carriage ['kærɪdʒ] n carruagem f; (BRIT: RAIL) vagão m; (of goods) transporte m; (: cost) porte m; **carriageway** (BRIT) n (part of road) pista
carrier ['kærɪə*] n transportador(a) m/f; (company) empresa de transportes, transportadora; (MED) portador(a) m/f; **carrier bag** (BRIT) n saco, sacola
carrot ['kærət] n cenoura
carry ['kærɪ] vt levar; (transport) transportar; (involve: responsibilities etc) implicar ♦ vi (sound) projetar-se; **to get carried away** (fig) exagerar; **carry on** vi seguir, continuar ♦ vt prosseguir, continuar; **carry out** vt (orders) cumprir; (investigation) levar a cabo, realizar; **carrycot** (BRIT) n moisés m inv
cart [kɑ:t] n carroça, carreta ♦ vt transportar (em carroça)
carton ['kɑ:tən] n (box) caixa (de papelão); (of yogurt) pote m; (of milk) caixa; (packet) pacote m
cartoon [kɑ:'tu:n] n (drawing) desenho; (BRIT: comic strip) história em quadrinhos (BR), banda desenhada (PT); (film) desenho animado
cartridge ['kɑ:trɪdʒ] n cartucho; (of record player) cápsula
carve [kɑ:v] vt (meat) trinchar; (wood, stone) cinzelar, esculpir; (initials, design) gravar; **carve up** vt dividir, repartir; **carving** n (object) escultura; (design) talha, entalhe m; **carving knife** (irreg) n trinchante m, faca de trinchar
case [keɪs] n caso; (for spectacles etc) estojo; (LAW) causa; (BRIT: also: **suitcase**) mala; (of wine etc) caixa; **in ~ (of)** em caso (de); **in any ~** em todo o caso; **just**

in ~ (*conj*) se por acaso ♦ *adv* por via das dúvidas

cash [kæʃ] *n* dinheiro (em espécie) ♦ *vt* descontar; **to pay (in) ~** pagar em dinheiro; **~ on delivery** pagamento contra entrega; **cash card** (*BRIT*) *n* cartão *m* de saque; **cash desk** (*BRIT*) *n* caixa; **cash dispenser** *n* caixa automática *or* eletrônica

cashew [kæˈʃuː] *n* (*also:* **~ nut**) castanha de caju

cashier [kæˈʃɪə*] *n* caixa *m/f*

cash register *n* caixa registradora

casing [ˈkeɪsɪŋ] *n* invólucro

casino [kəˈsiːnəu] *n* cassino

casket [ˈkɑːskɪt] *n* cofre *m*, porta-jóias *m inv*; (*US: coffin*) caixão *m*

casserole [ˈkæsərəul] *n* panela de ir ao forno; (*food*) ensopado (*BR*) no forno, guisado (*PT*) no forno

cassette [kæˈsɛt] *n* fita-cassete *f*; **cassette player** *n* toca-fitas *m inv*; **cassette recorder** *n* gravador *m*

cast [kɑːst] (*pt, pp* **cast**) *vt* (*throw*) lançar, atirar; (*THEATRE*): **to ~ sb as Hamlet** dar a alguém o papel de Hamlet ♦ *n* (*THEATRE*) elenco; (*also: plaster ~*) gesso; **to ~ one's vote** votar; **cast off** *vi* (*NAUT*) soltar o cabo; (*KNITTING*) rematar os pontos; **cast on** *vi* montar os pontos

castaway [ˈkɑːstəwəɪ] *n* náufrago(-a)

caster sugar [ˈkɑːstə*-] (*BRIT*) *n* açúcar *m* branco refinado

cast iron *n* ferro fundido

castle [ˈkɑːsl] *n* castelo; (*CHESS*) torre *f*

castor [ˈkɑːstə*] *n* (*wheel*) rodízio; **castor oil** *n* óleo de rícino

casual [ˈkæʒjul] *adj* (*by chance*) fortuito; (*work*) eventual, (*unconcerned*) despreocupado; (*clothes*) descontraído, informal; **casually** *adv* casualmente; (*dress*) informalmente

casualty [ˈkæʒjultɪ] *n* ferido(-a); (*dead*) morto(-a); (*of situation*) vítima; (*department*) pronto-socorro

cat [kæt] *n* gato

catalogue [ˈkætəlɔg] (*US* **catalog**) *n* catálogo ♦ *vt* catalogar

catalyst [ˈkætəlɪst] *n* catalisador *m*

catapult [ˈkætəpʌlt] (*BRIT*) *n* (*sling*) atiradeira

catarrh [kəˈtɑː*] *n* catarro

catastrophe [kəˈtæstrəfɪ] *n* catástrofe *f*

catch [kætʃ] (*pt, pp* **caught**) *vt* pegar (*BR*), apanhar (*PT*); (*fish*) pescar; (*arrest*) prender, deter; (*person: by surprise*) flagrar, surpreender; (*attention*) atrair; (*hear*) ouvir; (*also:* **~ up**) alcançar ♦ *vi* (*fire*) pegar; (*in branches etc*) ficar preso, prender-se ♦ *n* (*fish*) pesca; (*game*) manha, armadilha; (*of lock*) trinco, lingüeta; **to ~ fire** pegar fogo; (*building*) incendiar-se; **to ~ sight of** avistar; **catch on** *vi* (*understand*) entender (*BR*), perceber (*PT*); (*grow popular*) pegar; **catch up** *vi* equiparar-se ♦ *vt* (*also:* **~ up with**) alcançar; **catching** *adj* (*MED*) contagioso; **catch phrase** *n* clichê *m*, slogan *m*; **catchy** *adj* que pega fácil, que gruda no ouvido

category [ˈkætɪgərɪ] *n* categoria

cater [ˈkeɪtə*] *vi* preparar comida; **cater for** *vt fus* (*needs*) atender a; (*consumers*) satisfazer; **catering** *n* serviço de bufê; (*trade*) abastecimento

caterpillar [ˈkætəpɪlə*] *n* lagarta

cathedral [kəˈθiːdrəl] *n* catedral *f*

catholic [ˈkæθəlɪk] *adj* eclético; **Catholic** *adj, n* (*REL*) católico(-a)

cattle [ˈkætl] *npl* gado

catty [ˈkætɪ] *adj* malicioso

caught [kɔːt] *pt, pp of* **catch**

cauliflower [ˈkɔlɪflauə*] *n* couve-flor *f*

cause [kɔːz] *n* causa; (*reason*) motivo, razão *f* ♦ *vt* causar, provocar

caution [ˈkɔːʃən] *n* cautela, prudência; (*warning*) aviso ♦ *vt* acautelar, avisar

cautious [ˈkɔːʃəs] *adj* cauteloso, prudente, precavido

cavalry [ˈkævəlrɪ] *n* cavalaria

cave [keɪv] *n* caverna, gruta; **cave in** *vi* ceder; **caveman** [ˈkeɪvmæn] (*irreg*) *n* troglodita *m*, homem *m* das cavernas

CB *n abbr* = **Citizens' Band (Radio)**

CBI *n abbr* (= *Confederation of British Industry*) federação de indústria

cc *abbr* (= *cubic centimetre*) cc; (*on letter etc*) = **carbon copy**

CD *n abbr* = **compact disc; compact disc player; CD-ROM** *n abbr* (= *compact disc read-only memory*) CD-ROM *m*

cease [siːs] *vt, vi* cessar; **ceasefire** *n* cessar-fogo *m*

cedar [ˈsiːdə*] *n* cedro

ceiling [ˈsiːlɪŋ] *n* (*also fig*) teto

celebrate [ˈsɛlɪbreɪt] *vt* celebrar ♦ *vi* celebrar; (*birthday, anniversary etc*) festejar; (*REL: mass*) rezar; **celebrated** *adj* célebre; **celebration** [sɛlɪˈbreɪʃən] *n* (*party*) festa

celery [ˈsɛlərɪ] *n* aipo

cell [sɛl] *n* cela; (*BIO*) célula; (*ELEC*) pilha, elemento

cellar [ˈsɛlə*] *n* porão *m*; (*for wine*) adega

cello [ˈtʃɛləu] *n* violoncelo

cellphone → chapter

cellphone ['sɛlfəun] n telefone m celular
Celt [kɛlt, sɛlt] n celta m/f; **Celtic** adj celta
cement [sə'mɛnt] n cimento; **cement mixer** n betoneira
cemetery ['sɛmɪtrɪ] n cemitério
censor ['sɛnsə*] n censor(a) m/f ♦ vt censurar; **censorship** n censura
census ['sɛnsəs] n censo
cent [sɛnt] n cêntimo; see also **per**
centenary [sɛn'tiːnərɪ] n centenário
center ['sɛntə*] (US) = **centre**
centigrade ['sɛntɪgreɪd] adj centígrado
centimetre ['sɛntɪmiːtə*] (US **centimeter**) n centímetro
central ['sɛntrəl] adj central; **Central America** n América Central; **central heating** n aquecimento central
centre ['sɛntə*] (US **center**) n centro; (of room, circle etc) meio ♦ vt centrar
century ['sɛntjurɪ] n século; **20th ~** século vinte
ceramic [sɪ'ræmɪk] adj cerâmico
cereal ['siːrɪəl] n cereal m
ceremony ['sɛrɪmənɪ] n cerimônia; (ritual) rito; **to stand on ~** fazer cerimônia
certain ['səːtən] adj (sure) seguro; (person): **a ~ Mr Smith** um certo Sr. Smith; (particular): **~ days/places** certos dias/lugares; (some): **a ~ coldness/pleasure** uma certa frieza/um certo prazer; **for ~** com certeza; **certainly** adv certamente, com certeza; **certainty** n certeza
certificate [sə'tɪfɪkɪt] n certidão f
certified mail ['səːtɪfaɪd-] (US) n correio registrado
certified public accountant ['səːtɪfaɪd-] (US) n perito-contador m
certify ['səːtɪfaɪ] vt certificar
cervical ['səːvɪkl] adj: **~ cancer** câncer m (BR) or cancro (PT) do colo do útero
cf. abbr (= compare): cf.
CFC n abbr (= chlorofluorocarbon) CFC m
ch. abbr (= chapter) cap.
chafe [tʃeɪf] vt (rub) roçar
chain [tʃeɪn] n corrente f; (of islands) grupo; (of mountains) cordilheira; (of shops) cadeia; (of events) série f ♦ vt (also: **~ up**) acorrentar; **chain-smoke** vi fumar um (cigarro) atrás do outro; **chain store** n magazine m (BR), grande armazém f (PT)
chair [tʃɛə*] n cadeira; (armchair) poltrona; (of university) cátedra; (of meeting) presidência, mesa ♦ vt (meeting) presidir; **chairlift** n teleférico;

chairman (irreg) n presidente m
chalk [tʃɔːk] n (GEO) greda; (for writing) giz m
challenge ['tʃælɪndʒ] n desafio ♦ vt desafiar; (right) disputar, contestar; **challenging** adj desafiante; (tone) de desafio
chamber ['tʃeɪmbə*] n câmara; (BRIT: LAW: gen pl) sala de audiências; **~ of commerce** câmara de comércio; **chambermaid** n arrumadeira (BR), empregada (PT)
champagne [ʃæm'peɪn] n champanhe m or f
champion ['tʃæmpɪən] n campeão(-peã) m/f; (of cause) defensor(a) m/f; **championship** n campeonato
chance [tʃɑːns] n (opportunity) oportunidade, ocasião f; (likelihood) chance f; (risk) risco ♦ vt arriscar ♦ adj fortuito, casual; **to take a ~** arriscar-se; **by ~** por acaso; **to ~ it** arriscar-se
chancellor ['tʃɑːnsələ*] n chanceler m; **C~ of the Exchequer** (BRIT) Ministro da Economia (Fazenda e Planejamento)
chandelier [ʃændə'lɪə*] n lustre m
change [tʃeɪndʒ] vt (alter) mudar; (wheel, money) trocar; (replace) substituir; (clothes, house) mudar de, trocar de; (nappy) mudar, trocar; (transform): **to ~ sb into** transformar alguém em ♦ vi mudar(-se); (change clothes) trocar-se; (trains) fazer baldeação (BR), mudar (PT); (be transformed): **to ~ into** transformar-se em ♦ n mudança; (exchange) troca; (difference) diferença; (of clothes) muda; (coins) trocado; **to ~ gear** (AUT) trocar de marcha; **to ~ one's mind** mudar de idéia; **for a ~** para variar; **changeable** adj (weather, mood) instável; **change machine** n máquina que fornece trocado; **changeover** n mudança
changing ['tʃeɪndʒɪŋ] adj variável; **changing room** (BRIT) n (in shop) cabine f de provas
channel ['tʃænl] n canal m; (of river) leito; (groove) ranhura; (fig: medium) meio, via ♦ vt canalizar; **the (English) C~** o Canal da Mancha
chant [tʃɑːnt] n canto; (REL) cântico ♦ vt cantar; (slogan) entoar
chaos ['keɪɔs] n caos m
chap [tʃæp] n (BRIT: inf: man) sujeito (BR), tipo (PT)
chapel ['tʃæpəl] n capela
chaplain ['tʃæplɪn] n capelão m
chapped [tʃæpt] adj ressecado
chapter ['tʃæptə*] n capítulo

character ['kærɪktə*] n caráter m; (in novel, film) personagem m/f; (letter) letra; **characteristic** [kærɪktə'rɪstɪk] adj característico

charcoal ['tʃɑːkəul] n carvão m de lenha; (ART) carvão m

charge [tʃɑːdʒ] n (LAW) encargo, acusação f; (fee) preço, custo; (responsibility) encargo ♦ vt (battery) carregar; (MIL) atacar; (customer) cobrar dinheiro de; (LAW): **to ~ sb (with)** acusar alguém (de) ♦ vi precipitar-se; **~s** npl: **bank ~s** taxas fpl cobradas pelo banco; **to reverse the ~s** (BRIT: TEL) ligar a cobrar; **how much do you ~?** quanto você cobra?; **to ~ an expense (up) to sb's account** pôr a despesa na conta de alguém; **to take ~ of** encarregar-se de, tomar conta de; **to be in ~ of** estar a cargo de or encarregado de; **charge card** n cartão m de crédito (emitido por uma loja)

charity ['tʃærɪtɪ] n caridade f; (organization) obra de caridade; (kindness) compaixão f; (gifts) donativo

charm [tʃɑːm] n (quality) charme m; (talisman) amuleto; (on bracelet) berloque m ♦ vt encantar, deliciar; **charming** adj encantador(a)

chart [tʃɑːt] n (graph) gráfico; (diagram) diagrama m; (map) carta de navegação ♦ vt traçar; **~s** npl (MUS) paradas fpl (de sucesso)

charter ['tʃɑːtə*] vt fretar ♦ n (document) carta, alvará m; **chartered accountant** (BRIT) n perito-contador (perita-contadora) m/f; **charter flight** n vôo charter or fretado

chase [tʃeɪs] vt perseguir; (also: **~ away**) enxotar ♦ n perseguição f, caça

chasm ['kæzəm] n abismo

chat [tʃæt] vi (also: **have a ~**) conversar, bater papo (BR), cavaquear (PT) ♦ n conversa, bate-papo m (BR), cavaqueira (PT); **chat show** (BRIT) n programa m de entrevistas

chatter ['tʃætə*] vi (person) tagarelar; (animal) emitir sons; (teeth) tiritar ♦ n tagarelice f; emissão f de sons; (of birds) chilro; **chatterbox** n tagarela m/f

chatty ['tʃætɪ] adj (style) informal; (person) conversador(a)

chauffeur ['ʃəufə*] n chofer m, motorista m/f

chauvinist ['ʃəuvɪnɪst] n chauvinista m/f; (also: **male ~**) machista m; (nationalist) chauvinista m/f

cheap [tʃiːp] adj barato; (poor quality) barato, de pouca qualidade; (behaviour) vulgar; (joke) de mau gosto ♦ adv barato; **cheaply** adv barato, por baixo preço

cheat [tʃiːt] vi trapacear; (at cards) roubar (BR), fazer batota (PT); (in exam) colar (BR), cabular (PT) ♦ vt: **to ~ sb (out of sth)** passar o conto do vigário em alguém ♦ n fraude f; (person) trapaceiro(-a)

check [tʃɛk] vt (examine) controlar; (facts) verificar; (halt) conter, impedir; (restrain) parar, refrear ♦ n controle m, inspeção f; (curb) freio; (US: bill) conta; (pattern: gen pl) xadrez m; (US) = **cheque** ♦ adj (pattern, cloth) xadrez inv; **check in** vi (in hotel) registrar-se; (in airport) apresentar-se ♦ vt (luggage) entregar; **check out** vi pagar a conta e sair; **check up** vi: **to ~ up on sth** verificar algo; **to ~ up on sb** investigar alguém; **checkers** (US) n (jogo de) damas fpl; **check-in (desk)** n check-in m; **checking account** (US) n conta corrente; **checkout** n caixa; **checkpoint** n (ponto de) controle m; **checkroom** (US) n depósito de bagagem; **checkup** n (MED) check-up m

cheek [tʃiːk] n bochecha; (impudence) folga, descaramento; **cheekbone** n maçã f do rosto; **cheeky** adj insolente, descarado

cheer [tʃɪə*] vt dar vivas a, aplaudir; (gladden) alegrar, animar ♦ vi gritar com entusiasmo ♦ n (gen pl) gritos mpl de entusiasmo; **~s** npl (of crowd) aplausos mpl; **~s!** saúde!; **cheer up** vi animar-se, alegrar-se ♦ vt alegrar, animar; **cheerful** adj alegre; **cheerio** (BRIT) excl tchau (BR), adeus (PT)

cheese [tʃiːz] n queijo; **cheeseboard** n (in restaurant) sortimento de queijos

cheetah ['tʃiːtə] n chitá m

chef [ʃɛf] n cozinheiro-chefe (cozinheira-chefe) m/f

chemical ['kɛmɪkəl] adj químico ♦ n produto químico

chemist ['kɛmɪst] n (BRIT: pharmacist) farmacêutico(-a); (scientist) químico(-a); **chemistry** n química; **chemist's (shop)** (BRIT) n farmácia

cheque [tʃɛk] (BRIT) n cheque m; **chequebook** n talão m (BR) or livro (PT) de cheques; **cheque card** (BRIT) n cartão m (de garantia) de cheques

cherish ['tʃɛrɪʃ] vt (person) tratar com carinho; (memory) lembrar (com prazer)

cherry ['tʃɛrɪ] n cereja; (also: **~ tree**) cerejeira

chess [tʃɛs] n xadrez m; **chessboard** n tabuleiro de xadrez

chest [tʃɛst] n (ANAT) peito; (box) caixa, cofre m; **~ of drawers** cômoda

chestnut → churn

chestnut ['tʃesnʌt] n castanha
chew [tʃuː] vt mastigar; **chewing gum** n chiclete m (BR), pastilha elástica (PT)
chic [ʃik] adj elegante
chick [tʃik] n pinto; (inf: girl) broto
chicken ['tʃikin] n galinha; (food) galinha, frango; (inf: coward) covarde m/f, galinha; **chicken out** (inf) vi agalinhar-se; **chickenpox** n catapora (BR), varicela (PT)
chief [tʃiːf] n (of tribe) cacique m, morubixaba m; (of organization) chefe m/f ♦ adj principal; **chiefly** adv principalmente
chilblain ['tʃilblein] n frieira
child [tʃaild] (pl **~ren**) n criança; (offspring) filho(-a); **childbirth** n parto; **childhood** n infância; **childish** adj infantil; **child minder** (BRIT) n cuidadora de crianças; **children** ['tʃildrən] npl of **child**
Chile ['tʃili] n Chile m
chill [tʃil] n frio, friagem f; (MED) resfriamento ♦ vt (CULIN) semi-congelar; (person) congelar
chilli ['tʃili] (US **chili**) n pimentão m picante
chilly ['tʃili] adj frio; (person) friorento
chime [tʃaim] n (of bell) repique m; (of clock) soar m ♦ vi repicar; soar
chimney ['tʃimni] n chaminé f
chimpanzee [tʃimpæn'ziː] n chimpanzé m
chin [tʃin] n queixo
China ['tʃainə] n China
china ['tʃainə] n porcelana; (crockery) louça fina
Chinese [tʃai'niːz] adj chinês(-esa) ♦ n inv chinês(-esa) m/f; (LING) chinês m
chip [tʃip] n (gen pl: CULIN) batata frita; (: US: also: **potato ~**) batatinha frita; (of wood) lasca; (of glass, stone) lasca, pedaço; (COMPUT: also: **micro~**) chip m ♦ vt (cup, plate) lascar; **chip in** (inf) vi interromper; (contribute) compartilhar as despesas
chiropodist [kɪ'rɔpədɪst] (BRIT) n pedicuro(-a)
chirp [tʃəːp] vi chilrar, piar
chisel ['tʃizl] n (for wood) formão m; (for stone) cinzel m
chit [tʃit] n talão m
chitchat ['tʃittʃæt] n conversa fiada
chivalry ['ʃivəlri] n cavalheirismo
chives [tʃaivz] npl cebolinha
chocolate ['tʃɔklit] n chocolate m
choice [tʃɔis] n (selection) seleção f; (option) escolha; (preference) preferência ♦ adj seleto, escolhido
choir ['kwaiə*] n coro
choke [tʃəuk] vi sufocar-se; (on food) engasgar ♦ vt estrangular; (block) obstruir ♦ n (AUT) afogador m (BR), ar m (PT)
cholesterol [kə'lestərɔl] n colesterol m
choose [tʃuːz] (pt **chose**, pp **chosen**) vt escolher; **to ~ to do** optar por fazer; **choosy** adj exigente
chop [tʃɔp] vt (wood) cortar, talhar; (CULIN: also: **~ up**) cortar em pedaços; (meat) picar ♦ n golpe m; (CULIN) costeleta; **~s** npl (inf: jaws) beiços mpl
chopper ['tʃɔpə*] n helicóptero
choppy ['tʃɔpi] adj (sea) agitado
chopsticks ['tʃɔpstiks] npl pauzinhos mpl, palitos mpl
chord [kɔːd] n (MUS) acorde m
chore [tʃɔː*] n tarefa; (routine task) trabalho de rotina
chorus ['kɔːrəs] n (group) coro; (song) coral m; (refrain) estribilho
chose [tʃəuz] pt of **choose**; **chosen** pp of **choose**
Christ [kraist] n Cristo
christen ['krisn] vt batizar; (nickname) apelidar
Christian ['kristiən] adj, n cristão(-tã) m/f; **Christianity** [kristi'æniti] n cristianismo; **Christian name** n prenome m, nome m de batismo
Christmas ['krisməs] n Natal m; **Happy** or **Merry ~!** Feliz Natal!; **Christmas card** n cartão m de Natal; **Christmas cracker** n busca-pé-surpresa m
Christmas: Christmas Day n dia m de Natal; **Christmas Eve** n véspera de Natal; **Christmas tree** n árvore f de Natal
chrome [krəum] n = **chromium**
chromium ['krəumiəm] n cromo
chronic ['krɔnik] adj crônico
chubby ['tʃʌbi] adj roliço, gorducho
chuck [tʃʌk] vt jogar (BR), deitar (PT); (BRIT: also: **~ up**, **~ in**: job) largar; (: person) acabar com; **chuck out** vt (thing) jogar (BR) or deitar (PT) fora; (person) expulsar
chuckle ['tʃʌkl] vi rir
chum [tʃʌm] n camarada m/f
chunk [tʃʌŋk] n pedaço, naco
church [tʃəːtʃ] n igreja; **churchyard** n adro, cemitério
churn [tʃəːn] n (for butter) batedeira; (also: **milk ~**) lata, vasilha; **churn out** vt produzir em série

chute [ʃu:t] n rampa; (also: **rubbish ~**) despejador m
CIA (us) n abbr (= Central Intelligence Agency) CIA f
CID (BRIT) n abbr = **Criminal Investigation Department**
cider ['saɪdə*] n sidra
cigar [sɪ'gɑ:*] n charuto
cigarette [sɪgə'rɛt] n cigarro; **cigarette case** n cigarreira
Cinderella [sɪndə'rɛlə] n Gata Borralheira
cine-camera ['sɪnɪ-] (BRIT) n câmera (cinematográfica)
cinema ['sɪnəmə] n cinema m
cinnamon ['sɪnəmən] n canela
circle ['sə:kl] n círculo; (in cinema) balcão m ♦ vi dar voltas ♦ vt (surround) rodear, cercar; (move round) dar a volta de
circuit ['sə:kɪt] n circuito; (lap) volta; (track) pista
circular ['sə:kjulə*] adj circular ♦ n (carta) circular f
circulate ['sə:kjuleɪt] vt, vi circular; **circulation** [sə:kju'leɪʃən] n circulação f; (of newspaper, book etc) tiragem f
circumstances ['sə:kəmstənsɪz] npl circunstâncias fpl; (conditions) condições fpl; (financial condition) situação f econômica
circus ['sə:kəs] n circo
CIS n abbr (= Commonwealth of Independent States) CEI f
cistern ['sɪstən] n tanque m; (in toilet) caixa d'água
citizen ['sɪtɪzn] n (of country) cidadão(-dã) m/f; (of town) habitante m/f; **citizenship** n cidadania
citrus fruit ['sɪtrəs-] n citrino
city ['sɪtɪ] n cidade f; **the C~** centro financeiro de Londres
civic ['sɪvɪk] adj cívico, municipal
civil ['sɪvɪl] adj civil; (polite) delicado, cortês; **civilian** [sɪ'vɪlɪən] adj, n civil m/f
civilized ['sɪvɪlaɪzd] adj civilizado
civil: **civil servant** n funcionário público (funcionária pública); **Civil Service** n administração f pública; **civil war** n guerra civil
claim [kleɪm] vt exigir, reclamar; (rights etc) reivindicar; (responsibility, credit) assumir; (assert): **to ~ that/to be** afirmar que/ser ♦ vi (for insurance) reclamar ♦ n reclamação f; (assertion) afirmação f; (wage ~ etc) reivindicação f
clam [klæm] n molusco
clammy ['klæmɪ] adj (hands, face) úmido e pegajoso

clamp [klæmp] n grampo ♦ vt (two things together) grampear; (put: one thing on another) prender; **clamp down on** vt fus suprimir, proibir
clan [klæn] n clã m
clap [klæp] vi bater palmas, aplaudir; **clapping** n aplausos mpl, palmas fpl
clarinet [klærɪ'nɛt] n clarinete m
clarity ['klærɪtɪ] n clareza
clash [klæʃ] n (fight) confronto; (disagreement) desavença; (of beliefs) divergência; (of colours, styles) choque m; (of dates) coincidência; (noise) estrondo ♦ vi (gangs, beliefs) chocar-se; (disagree) entrar em conflito, ter uma desavença; (colours) não combinar; (dates) coincidir; (weapons, cymbals etc) estrefritar
clasp [klɑ:sp] n fecho; (embrace) abraço ♦ vt prender; abraçar
class [klɑ:s] n classe f; (lesson) aula; (type) tipo ♦ vt classificar
classic ['klæsɪk] adj clássico ♦ n clássico; **classical** adj clássico
classified ['klæsɪfaɪd] adj secreto
classmate ['klɑ:smeɪt] n colega m/f de aula
classroom ['klɑ:srum] n sala de aula
clatter ['klætə*] n ruído, barulho; (of hooves) tropel m ♦ vi fazer barulho or ruído
clause [klɔ:z] n cláusula; (LING) oração f
claw [klɔ:] n (of animal) pata; (of bird of prey) garra; (of lobster) pinça; **claw at** vt fus arranhar; (tear) rasgar
clay [kleɪ] n argila
clean [kli:n] adj limpo; (story) inocente ♦ vt limpar; (hands etc) lavar; **clean out** vt limpar; **clean up** vt limpar, assear; **clean-cut** adj alinhado; **cleaner** n faxineiro(-a); (product) limpador m; **cleaner's** n (also: **dry cleaner's**) tinturaria; **cleaning** n limpeza; **cleanliness** ['klɛnlɪnɪs] n limpeza
cleanse [klɛnz] vt limpar; (purify) purificar; **cleanser** n (for face) creme m de limpeza
clean-shaven [-'ʃeɪvn] adj sem barba, de cara raspada
clear [klɪə*] adj claro; (footprint, photograph) nítido; (obvious) evidente; (glass, water) transparente; (road, way) limpo, livre; (conscience) tranqüilo; (skin) macio ♦ vt (space) abrir; (room) esvaziar; (LAW: suspect) absolver; (fence) saltar, transpor; (cheque) compensar ♦ vi (weather) abrir; (sky) clarear; (fog etc) dissipar-se ♦ adv: **~ of** a salvo de; **to ~ the table** tirar a mesa; **clear up** vt

clearance n remoção f; (*permission*) permissão f; **clear-cut** adj bem definido, nítido; **clearing** n (*in wood*) clareira; **clearly** adv distintamente; (*obviously*) claramente; (*coherently*) coerentemente; **clearway** (BRIT) n estrada onde não se pode estacionar

clef [klɛf] n (MUS) clave f

clementine ['klɛməntaɪn] n clementina

clench [klɛntʃ] vt apertar, cerrar; (*teeth*) trincar

clergy ['klɜːdʒɪ] n clero; **clergyman** (*irreg*) n clérigo, pastor m

clerical ['klɛrɪkəl] adj de escritório; (REL) clerical

clerk [klɑːk, (US) klɜːrk] n auxiliar m/f de escritório; (US: *sales person*) balconista m/f

clever ['klɛvə*] adj inteligente; (*deft*) hábil; (*arrangement*) engenhoso

click [klɪk] vt (*tongue*) estalar; (*heels*) bater; (COMPUT) clicar em ♦ vi (*make sound*) estalar; (COMPUT) clicar

client ['klaɪənt] n cliente m/f

cliff [klɪf] n penhasco

climate ['klaɪmɪt] n clima m

climax ['klaɪmæks] n clímax m, ponto culminante; (*sexual*) clímax

climb [klaɪm] vi subir; (*plant*) trepar; (*plane*) ganhar altitude; (*prices etc*) escalar ♦ vt (*stairs*) subir; (*tree*) trepar em; (*hill*) escalar ♦ n subida; (*of prices etc*) escalada; **climber** n alpinista m/f; (*plant*) trepadeira; **climbing** n alpinismo

clinch [klɪntʃ] vt (*deal*) fechar; (*argument*) decidir, resolver

cling [klɪŋ] (*pt, pp* **clung**) vi: **to ~ to** pegar-se a, aderir a; (*support, idea*) agarrar-se a; (*clothes*) ajustar-se a

clinic ['klɪnɪk] n clínica; **clinical** adj clínico; (*fig*) frio, impessoal

clip [klɪp] n (*for hair*) grampo (BR), gancho (PT); (*also*: **paper ~**) mola, clipe m; (TV, CINEMA) clipe ♦ vt (*cut*) aparar; (*fasten*) grampear; **clippers** npl (*for gardening*) podadeira; (*also*: **nail clippers**) alicate m de unhas; **clipping** n recorte m

cloak [kləuk] n capa, manto ♦ vt (*fig*) encobrir; **cloakroom** n vestiário; (BRIT: WC) sanitários mpl (BR), lavatórios mpl (PT)

clock [klɔk] n relógio; **clock in** or **on** (BRIT) vi assinar o ponto na entrada; **clock off** or **out** (BRIT) vi assinar o ponto na saída; **clockwise** adv em sentido horário; **clockwork** n mecanismo de relógio ♦ adj de corda

clog [klɔg] n tamanco ♦ vt entupir ♦ vi (*also*: **~ up**) entupir-se

cloister ['klɔɪstə*] n claustro

close¹ [kləus] adj (*near*): **~ (to)** próximo(a); (*friend*) íntimo; (*examination*) minucioso; (*watch*) atento; (*contest*) apertado; (*weather*) abafado ♦ adv perto; **~ to** perto de; **~ by** perto, pertinho; **~ at hand** = **~ by**; **to have a ~ shave** (*fig*) livrar-se por um triz

close² [kləuz] vt fechar; (*end*) encerrar ♦ vi fechar; (*end*) concluir-se, terminar-se ♦ n (*end*) fim m, conclusão f, terminação f; **close down** vi fechar definitivamente; **closed** adj fechado

close-knit adj muito unido

closely ['kləuslɪ] adv (*watch*) de perto; (*connected, related*) intimamente; (*resemble*) muito

closet ['klɔzɪt] n (*cupboard*) armário

close-up [kləus-] n close m, close-up m

closure ['kləuʒə*] n fechamento

clot [klɔt] n (*gen: blood ~*) coágulo; (*inf: idiot*) imbecil m/f ♦ vi coagular-se

cloth [klɔθ] n (*material*) tecido, fazenda; (*rag*) pano

clothe [kləuð] vt vestir

clothes [kləuðz] npl roupa; **clothes brush** n escova (para a roupa); **clothes line** n corda (para estender a roupa); **clothes peg** (US **clothes pin**) n pregador m

clothing ['kləuðɪŋ] n = **clothes**

cloud [klaud] n nuvem f; **cloudy** adj nublado; (*liquid*) turvo

clout [klaut] vt dar uma bofetada em

clove [kləuv] n cravo; **~ of garlic** dente m de alho

clover ['kləuvə*] n trevo

clown [klaun] n palhaço ♦ vi (*also*: **~ about**; **~ around**) fazer palhaçadas

club [klʌb] n (*society*) clube m; (*weapon*) cacete m; (*also*: **golf ~**) taco ♦ vt esbordoar ♦ vi: **to ~ together** cotizar-se; **~s** npl (CARDS) paus mpl

clue [kluː] n indício, pista; (*in crossword*) definição f; **I haven't a ~** não faço idéia

clump [klʌmp] n (*of trees etc*) grupo

clumsy ['klʌmzɪ] adj (*person*) desajeitado; (*movement*) deselegante, mal-feito; (*attempt*) inábil

clung [klʌŋ] pt, pp de **cling**

cluster ['klʌstə*] n grupo; (*of flowers*) ramo ♦ vi agrupar-se, apinhar-se

clutch [klʌtʃ] n (*grip, grasp*) garra; (AUT) embreagem f (BR), embraiagem f (PT) ♦ vt empunhar, pegar em

clutter ['klʌtə*] vt (*also*: **~ up**) abarrotar, encher desordenadamente

CND n abbr = **Campaign for Nuclear**

Disarmament

Co. abbr = **county**; (= *company*) Cia.

c/o abbr (= *care of*) a/c

coach [kəutʃ] n (*bus*) ônibus m (*BR*), autocarro (*PT*); (*horse-drawn*) carruagem f, coche m; (*of train*) vagão m; (*SPORT*) treinador(a) m/f, instrutor(a) m/f; (*tutor*) professor(a) m/f particular ♦ vt (*SPORT*) treinar; (*student*) preparar, ensinar; **coach trip** n passeio de ônibus (*BR*) or autocarro (*PT*)

coal [kəul] n carvão m

coalition [kəuə'lɪʃən] n (*POL*) coalizão f

coalman (*irreg*) n carvoeiro

coalmine n mina de carvão

coarse [kɔːs] adj grosso, áspero; (*vulgar*) grosseiro, ordinário

coast [kəust] n costa, litoral m ♦ vi (*AUT*) ir em ponto morto; **coastal** adj costeiro; **coastguard** n (*person*) m que policia a costa; (*service*) guarda costeira; **coastline** n litoral m

coat [kəut] n (*overcoat*) sobretudo; (*of animal*) pelo; (*of paint*) demão f, camada ♦ vt cobrir, revestir; **coat hanger** n cabide m; **coating** n camada

coax [kəuks] vt persuadir com meiguice

cobbles ['kɔblz] (*also*: **cobblestones**) npl pedras fpl arredondadas

cobweb ['kɔbwɛb] n teia de aranha

cocaine [kə'keɪn] n cocaína

cock [kɔk] n (*rooster*) galo; (*male bird*) macho ♦ vt (*gun*) engatilhar; **cockerel** n frango, galo pequeno

cockle ['kɔkl] n berbigão m

cockney ['kɔknɪ] n londrino(-a) (*nativo dos bairros populares do leste de Londres*)

cockpit ['kɔkpɪt] n (*in aircraft*) cabina; (*in car*) compartimento do piloto

cockroach ['kɔkrəutʃ] n barata

cocktail ['kɔkteɪl] n coquetel m (*BR*), cocktail m (*PT*); **cocktail party** n coquetel m (*BR*), cocktail (*BR*)

cocoa ['kəukəu] n cacau m; (*drink*) chocolate m

coconut ['kəukənʌt] n coco

cocoon [kə'kuːn] n casulo

COD abbr = **cash** (*BRIT*) or **collect** (*US*) **on delivery**

cod [kɔd] n inv bacalhau m

code [kəud] n cifra; (*dialling ~, post ~*) código; **~ of practice** deontologia

coercion [kəu'əːʃən] n coerção f

coffee ['kɔfɪ] n café m; **coffee bar** (*BRIT*) n café m, lanchonete f; **coffee bean** n grão m de café; **coffeepot** n cafeteira; **coffee table** n mesinha de centro

coffin ['kɔfɪn] n caixão m

coil [kɔɪl] n rolo; (*ELEC*) bobina; (*contraceptive*) DIU m ♦ vt enrolar

coin [kɔɪn] n moeda ♦ vt (*word*) cunhar, criar; **coin box** (*BRIT*) n telefone m público

coincide [kəuɪn'saɪd] vi coincidir; **coincidence** [kəu'ɪnsɪdəns] n coincidência

Coke [kəuk] ® n (*drink*) coca

coke [kəuk] n (*coal*) coque m

colander ['kɔləndə*] n coador m, passador m

cold [kəuld] adj frio ♦ n frio; (*MED*) resfriado (*BR*), constipação f (*PT*); **it's ~** está frio; **to be** or **feel ~** (*person*) estar com frio; (*object*) estar frio; **to catch ~** resfriar-se (*BR*), apanhar constipação (*PT*); **to catch a ~** apanhar um resfriado (*BR*) or uma constipação (*PT*); **in ~ blood** a sangue frio; **cold sore** n herpes m labial

coleslaw ['kəulslɔː] n salada de repolho cru

collapse [kə'læps] vi cair, tombar; (*building*) desabar; (*resistance, government*) sucumbir; (*MED*) desmaiar ♦ n desabamento, desmoronamento; (*of government*) queda; (*MED*) colapso; **collapsible** adj dobrável

collar ['kɔlə*] n (*of shirt*) colarinho; (*of coat etc*) gola; (*for dog*) coleira; (*TECH*) aro, colar m; **collarbone** n clavícula

colleague ['kɔliːg] n colega m/f

collect [kə'lɛkt] vt (*as a hobby*) colecionar; (*gather*) recolher; (*wages, debts*) cobrar; (*donations, subscriptions*) colher; (*mail*) coletar; (*BRIT*: *call for*) (ir) buscar, vir apanhar ♦ vi (*people*) reunir-se ♦ adv: **to call ~** (*US*: *TEL*) ligar a cobrar; **collection** n coleção f; (*of people*) grupo; (*of donations*) arrecadação f; (*of post, for charity*) coleta; (*of writings*) coletânea; **collector** n colecionador(a) m/f; (*of taxes etc*) cobrador(a) m/f

college ['kɔlɪdʒ] n (*of university*) faculdade f; (*of technology, agriculture*) escola de nível superior

collide [kə'laɪd] vi: **to ~ (with)** colidir (com)

collision [kə'lɪʒən] n colisão f

Colombia [kə'lɔmbɪə] n Colômbia

colon ['kəulən] n (*sign*) dois pontos; (*MED*) cólon m

colonel ['kəːnl] n coronel m

colony ['kɔlənɪ] n colônia

colour ['kʌlə*] (*US* **color**) n cor f ♦ vt colorir; (*with crayons*) colorir, pintar; (*dye*) tingir; (*fig*: *account*) falsear ♦ vi

colt → commiserate

(*blush*) corar; **~s** *npl* (*of party, club*) cores *fpl*; **in ~** (*photograph etc*) a cores; **colour in** *vt* (*drawing*) colorir; **colour-blind** *adj* daltônico; **coloured** *adj* colorido; (*person*) de cor; **colour film** *n* filme *m* a cores; **colourful** *adj* colorido; (*account*) vívido; (*personality*) vivo, animado; **colouring** ['kʌlərɪŋ] *n* colorido; (*complexion*) tez *f*; (*in food*) colorante *m*; **colour television** *n* televisão *f* a cores

colt [kəult] *n* potro

column ['kɔləm] *n* coluna; (*of smoke*) faixa; (*of people*) fila

coma ['kəumə] *n* coma

comb [kəum] *n* pente *m*; (*ornamental*) crista ♦ *vt* pentear; (*area*) vasculhar

combat ['kɔmbæt] *n* combate *m* ♦ *vt* combater

combination [kɔmbɪ'neɪʃən] *n* combinação *f*; (*of safe*) segredo

combine [*vb* kəm'baɪn, *n* 'kɔmbaɪn] *vt* combinar; (*qualities*) reunir ♦ *vi* combinar-se ♦ *n* (ECON) associação *f*

KEYWORD
---

come [kʌm] (*pt* **came**, *pp* **come**) *vi*
■ (*movement towards*) vir; **~ with me** vem comigo; **to ~ running** vir correndo
■ (*arrive*) chegar; **she's ~ here to work** ela veio aqui para trabalhar; **to ~ home** chegar em casa
■ (*reach*): **to ~ to** chegar a; **the bill came to £40** a conta deu £40; **her hair came to her waist** o cabelo dela batia na cintura
■ (*occur*): **an idea came to me** uma idéia me ocorreu
■ (*be, become*) ficar; **to ~ loose/undone** soltar-se/desfazer-se; **I've ~ to like him** passei a gostar dele

come about *vi* suceder, acontecer
come across *vt fus* (*person*) topar com; (*thing*) encontrar
come away *vi* (*leave*) ir-se embora; (*become detached*) desprender-se, soltar-se
come back *vi* (*return*) voltar
come by *vt fus* (*acquire*) conseguir
come down *vi* (*price*) baixar; (*tree*) cair; (*building*) desmoronar-se
come forward *vi* apresentar-se
come from *vt fus* (*subj*: *person*) ser de; (: *thing*) originar-se de
come in *vi* entrar; (*on deal*) participar; (*be involved*) estar envolvido em
come in for *vt fus* (*criticism*) merecer
come into *vt fus* (*money*) herdar; (*fashion*) ser; (*be involved*) estar envolvido em
come off *vi* (*button*) desprender-se, soltar-se; (*attempt*) dar certo
come on *vi* (*pupil, work, project*) avançar; (*lights, electricity*) ser ligado; **~ on!** vamos!, vai!
come out *vi* (*fact*) vir à tona; (*book*) ser publicado; (*stain, sun*) sair
come round *vi* voltar a si
come to *vi* voltar a si
come up *vi* (*sun*) nascer; (*in conversation*) surgir; (*event*) acontecer
come up against *vt fus* (*resistance, difficulties*) tropeçar com, esbarrar em
come up with *vt fus* (*idea*) propor, sugerir; (*money*) contribuir
come upon *vt fus* encontrar, achar

---

comedian [kə'miːdɪən] *n* cômico, humorista *m*
comedy ['kɔmɪdɪ] *n* comédia
comfort ['kʌmfət] *n* (*well-being*) bem-estar *m*; (*relief*) alívio ♦ *vt* consolar, confortar; **~s** *npl* (*of home etc*) conforto; **comfortable** *adj* confortável; (*financially*) tranqüilo; (*walk, climb etc*) fácil; **comfortably** *adv* confortavelmente; **comfort station** (US) *n* banheiro (BR), lavatórios *mpl* (PT)
comic ['kɔmɪk] *adj* (*also*: **~al**) cômico ♦ *n* (*person*) humorista *m/f*; (BRIT: *magazine*) revista em quadrinhos (BR), revista de banda desenhada (PT), gibi *m* (BR: *inf*)
coming ['kʌmɪŋ] *n* vinda, chegada ♦ *adj* que vem, vindouro
comma ['kɔmə] *n* vírgula
command [kə'maːnd] *n* ordem *f*, mandado; (*control*) controle *m*; (MIL: *authority*) comando; (*mastery*) domínio ♦ *vt* mandar; **commander** *n* (MIL) comandante *m/f*
commemorate [kə'mɛməreɪt] *vt* (*with monument*) comemorar; (*with celebration*) celebrar
commence [kə'mɛns] *vt*, *vi* começar, iniciar
commend [kə'mɛnd] *vt* elogiar, louvar; (*recommend*) recomendar
comment ['kɔmɛnt] *n* comentário ♦ *vi*: **to ~ (on)** comentar (sobre); **"no ~"** "sem comentário"; **commentary** ['kɔməntərɪ] *n* comentário; **commentator** ['kɔmənteɪtə*] *n* comentarista *m/f*
commerce ['kɔməːs] *n* comércio
commercial [kə'məːʃəl] *adj* comercial ♦ *n* anúncio, comercial *m*
commiserate [kə'mɪzəreɪt] *vi*: **to ~ with** comiserar-se de, condoer-se de

commission [kəˈmɪʃən] n comissão f; (order) empreitada, encomenda ♦ vt (work of art) encomendar; **out of ~** com defeito; **commissioner** n comissário(-a)

commit [kəˈmɪt] vt cometer; (resources) alocar; (to sb's care) entregar; **to ~ o.s. (to do)** comprometer-se (a fazer); **to ~ suicide** suicidar-se; **commitment** n compromisso; (political etc) engajamento; (undertaking) promessa

committee [kəˈmɪtɪ] n comitê m

commodity [kəˈmɔdɪtɪ] n mercadoria

common [ˈkɔmən] adj comum; (vulgar) vulgar ♦ n área verde aberta ao público; **C~s** npl (BRIT: POL): **the (House of) C~s** a Câmara dos Comuns; **in ~** em comum; **commonly** adv geralmente; **Common Market** n Mercado Comum; **commonplace** adj vulgar; **common sense** n bom senso; **Commonwealth** n: **the Commonwealth** a Comunidade Britânica

commotion [kəˈməuʃən] n tumulto, confusão f

communal [ˈkɔmjuːnl] adj comum

commune [n ˈkɔmjuːn, vb kəˈmjuːn] n (group) comuna ♦ vi: **to ~ with** comunicar-se com

communicate [kəˈmjuːnɪkeɪt] vt comunicar ♦ vi: **to ~ (with)** comunicar-se (com); **communication** [kəmjuːnɪˈkeɪʃən] n comunicação f; (letter, call) mensagem f; **communication cord** (BRIT) n sinal m de alarme

communion [kəˈmjuːnɪən] n (also: **Holy C~**) comunhão f

communism [ˈkɔmjunɪzəm] n comunismo; **communist** adj, n comunista m/f

community [kəˈmjuːnɪtɪ] n comunidade f; **community centre** n centro social

commutation ticket [kɔmjuˈteɪʃən-] (US) n passe m, bilhete m de assinatura

commute [kəˈmjuːt] vi viajar diariamente ♦ vt comutar; **commuter** n viajante m/f habitual

compact [adj kəmˈpækt, n ˈkɔmpækt] adj compacto ♦ n (also: **powder ~**) estojo; **compact disc** n disco laser, CD m; **compact disc player** n som cd m

companion [kəmˈpænɪən] n companheiro(-a); **companionship** n companhia, companheirismo

company [ˈkʌmpənɪ] n companhia; (COMM) sociedade f, companhia; **to keep sb ~** fazer companhia a alguém

comparative [kəmˈpærətɪv] adj (study) comparativo; (peace, safety) relativo; (stranger) meio; **comparatively** adv relativamente

compare [kəmˈpɛə*] vt comparar ♦ vi: **to ~ with** comparar-se com; **comparison** [kəmˈpærɪsn] n comparação f

compartment [kəmˈpɑːtmənt] n compartimento; (of wallet) divisão f

compass [ˈkʌmpəs] n bússola; **~es** npl compasso

compassion [kəmˈpæʃən] n compaixão f

compatible [kəmˈpætɪbl] adj compatível

compel [kəmˈpɛl] vt obrigar

compensate [ˈkɔmpənseɪt] vt indenizar ♦ vi: **to ~ for** compensar; **compensation** [kɔmpənˈseɪʃən] n compensação f; (damages) indenização f

compete [kəmˈpiːt] vi (take part) competir; (vie): **to ~ (with)** competir (com), fazer competição (com)

competent [ˈkɔmpɪtənt] adj competente

competition [kɔmpɪˈtɪʃən] n (contest) concurso; (ECON) concorrência; (rivalry) competição f

competitive [kəmˈpɛtɪtɪv] adj competitivo; (person) competidor(a)

competitor [kəmˈpɛtɪtə*] n (rival) competidor(a) m/f; (participant, ECON) concorrente m/f

complain [kəmˈpleɪn] vi queixar-se; **to ~ of** (pain) queixar-se de; **complaint** n (objection) objeção f; (criticism) queixa; (MED) achaque m, doença

complement [ˈkɔmplɪmənt] n complemento; (esp ship's crew) tripulação f ♦ vt complementar

complete [kəmˈpliːt] adj completo; (finished) acabado ♦ vt (finish: building, task) acabar; (: set, group) completar; (a form) preencher; **completely** adv completamente; **completion** n conclusão f, término; (of contract etc) realização f

complex [ˈkɔmplɛks] adj complexo ♦ n complexo; (of buildings) conjunto

complexion [kəmˈplɛkʃən] n (of face) cor f, tez f

complicate [ˈkɔmplɪkeɪt] vt complicar; **complicated** adj complicado; **complication** [kɔmplɪˈkeɪʃən] n problema m; (MED) complicação f

compliment [n ˈkɔmplɪmənt, vb ˈkɔmplɪmɛnt] n (praise) elogio ♦ vt elogiar; **~s** npl (regards) cumprimentos mpl; **to pay sb a ~** elogiar alguém; **complimentary** [kɔmplɪˈmɛntərɪ] adj lisonjeiro; (free) gratuito

comply [kəmˈplaɪ] vi: **to ~ with** cumprir

component → conference

com
component [kəm'pəunənt] *adj* componente ♦ *n (part)* peça
compose [kəm'pəuz] *vt* compor; **to be ~d of** compor-se de; **to ~ o.s.** tranqüilizar-se; **composed** *adj* calmo; **composer** *n (MUS)* compositor(a) *m/f*; **composition** [kɔmpə'zɪʃən] *n* composição *f*
compound ['kɔmpaund] *n (CHEM, LING)* composto; *(enclosure)* recinto ♦ *adj* composto
comprehend [kɔmprɪ'hɛnd] *vt* compreender
comprehensive [kɔmprɪ'hɛnsɪv] *adj* abrangente; *(INSURANCE)* total; **comprehensive (school)** *(BRIT) n* escola secundária de amplo programa
compress [*vb* kəm'prɛs, *n* 'kɔmprɛs] *vt* comprimir; *(text, information etc)* reduzir ♦ *n (MED)* compressa
comprise [kəm'praɪz] *vt (also:* **be ~d of)** compreender, constar de; *(constitute)* constituir
compromise ['kɔmprəmaɪz] *n* meio-termo ♦ *vt* comprometer ♦ *vi* chegar a um meio-termo
compulsion [kəm'pʌlʃən] *n* compulsão *f*; *(force)* coação *f*, força
compulsive [kəm'pʌlsɪv] *adj* compulsório
compulsory [kəm'pʌlsərɪ] *adj* obrigatório; *(retirement)* compulsório
computer [kəm'pju:tə*] *n* computador *m*; **computer game** *n* vídeo game *m*; **computerize** *vt* informatizar, computadorizar; **computer progra(m)mer** *n* programador(a) *m/f*; **computer program(m)ing** *n* programação *f*; **computer science** *n* informática *f*; **computing** *n* computação *f*; *(science)* informática
comrade ['kɔmrɪd] *n* camarada *m/f*
con [kɔn] *vt* enganar; *(cheat)* trapacear ♦ *n* vigarice *f*
conceal [kən'si:l] *vt* ocultar; *(information)* omitir
conceited [kən'si:tɪd] *adj* vaidoso
conceive [kən'si:v] *vt* conceber ♦ *vi* conceber, engravidar
concentrate ['kɔnsəntreɪt] *vi* concentrar-se ♦ *vt* concentrar; **concentration** *n* concentração *f*
concept ['kɔnsɛpt] *n* conceito
concern [kən'sə:n] *n (COMM)* empresa; *(anxiety)* preocupação *f* ♦ *vt* preocupar; *(involve)* envolver; *(relate to)* dizer respeito a; **to be ~ed (about)** preocupar-se (com); **concerning** *prep* sobre, a respeito de, acerca de
concert ['kɔnsət] *n* concerto; **concerted** [kən'sə:tɪd] *adj (joint)* conjunto
concession [kən'sɛʃən] *n* concessão *f*; **tax ~** redução no imposto
conclude [kən'klu:d] *vt (finish)* acabar, concluir; *(treaty etc)* firmar; *(agreement)* chegar a; *(decide)* decidir; **conclusion** [kən'klu:ʒən] *n* conclusão *f*; **conclusive** [kən'klu:sɪv] *adj* conclusivo, decisivo
concoct [kən'kɔkt] *vt (excuse)* fabricar; *(plot)* tramar; *(meal)* preparar; **concoction** *n (mixture)* mistura
concrete ['kɔnkri:t] *n* concreto *(BR)*, betão *m (PT)* ♦ *adj* concreto
concussion [kən'kʌʃən] *n (MED)* concussão *f* cerebral
condemn [kən'dɛm] *vt* denunciar; *(prisoner, building)* condenar
condensation [kɔndɛn'seɪʃən] *n* condensação *f*
condense [kən'dɛns] *vi* condensar-se ♦ *vt* condensar; **condensed milk** *n* leite *m* condensado
condition [kən'dɪʃən] *n* condição *f*; *(MED: illness)* doença ♦ *vt* condicionar; **~s** *npl (circumstances)* circunstâncias *fpl*; **on ~ that** com a condição (de) que; **conditioner** *n (for hair)* condicionador *m*; *(for fabrics)* amaciante *m*
condolences [kən'dəulənsɪz] *npl* pêsames *mpl*
condom ['kɔndɔm] *n* preservativo, camisinha, camisa-de-Venus *f*
condominium [kɔndə'mɪnɪəm] *(US) n (building)* edifício
condone [kən'dəun] *vt* admitir, aceitar
conducive [kən'dju:sɪv] *adj*: **~ to** conducente para *or* a
conduct [*n* 'kɔndʌkt, *vb* kən'dʌkt] *n* conduta, comportamento ♦ *vt (research etc)* fazer; *(heat, electricity)* conduzir; *(MUS)* reger; **to ~ o.s.** comportar-se; **conducted tour** *n* viagem *f* organizada; **conductor** *n (of orchestra)* regente *m/f*; *(on bus)* cobrador(a) *m/f*; *(US: RAIL)* revisor(a) *m/f*; *(ELEC)* condutor *m*; **conductress** *n* cobradora
cone [kəun] *n* cone *m*; *(BOT)* pinha; *(for ice-cream)* casquinha; *(on road)* cone colorido para sinalizar obras
confectionery [kən'fɛkʃənrɪ] *n (sweetmeats)* doces *mpl*; *(sweets)* balas *fpl*
confer [kən'fə:*] *vt*: **to ~ sth on** conferir algo a; *(advantage)* conceder algo a ♦ *vi* conferenciar
conference ['kɔnfərns] *n* congresso

confess [kən'fɛs] vt confessar ♦ vi (admit) admitir; **confession** n admissão f; (REL) confissão f
confetti [kən'fɛtɪ] n confete m
confide [kən'faɪd] vi: **to ~ in** confiar em, fiar-se em
confidence ['kɔnfɪdns] n confiança; (faith) fé f; (secret) confidência; **in ~** em confidência; **confidence trick** n conto do vigário; **confident** adj confiante, convicto; (positive) seguro; **confidential** [kɔnfɪ'dɛnʃəl] adj confidencial
confine [kən'faɪn] vt (shut up) encarcerar; (limit): **to ~ (to)** confinar (a); **confined** adj (space) reduzido; **confines** ['kɔnfaɪnz] npl confins mpl
confirm [kən'fə:m] vt confirmar; **confirmation** [kɔnfə'meɪʃən] n confirmação f; (REL) crisma; **confirmed** adj inveterado
confiscate ['kɔnfɪskeɪt] vt confiscar
conflict [n 'kɔnflɪkt, vb kən'flɪkt] n (disagreement) divergência; (of interests, loyalties etc) conflito; (fighting) combate m ♦ vi estar em conflito; (opinions) divergir; **conflicting** [kən'flɪktɪŋ] adj (reports) divergente; (interests) oposto
conform [kən'fɔ:m] vi conformar-se; **to ~ to** ajustar-se a, acomodar-se a
confound [kən'faund] vt confundir
confront [kən'frʌnt] vt (problems) enfrentar; (enemy, danger) defrontar-se com; **confrontation** [kɔnfrən'teɪʃən] n confrontação f
confuse [kən'fju:z] vt (perplex) desconcertar; (mix up) confundir, misturar; (complicate) complicar; **confused** adj confuso; **confusing** adj confuso; **confusion** [kən'fju:ʒən] n (mix-up) mal-entendido; (perplexity) perplexidade f; (disorder) confusão f
congeal [kən'dʒi:l] vi coagular-se
congenial [kən'dʒi:nɪəl] adj simpático, agradável
congestion [kən'dʒɛstʃən] n (MED) congestão f; (traffic) congestionamento
congratulate [kən'grætjuleɪt] vt parabenizar; **congratulations** [kəngrætju'leɪʃənz] npl parabéns mpl
congregate ['kɔŋgrɪgeɪt] vi reunir-se; **congregation** [kɔŋgrɪ'geɪʃən] n (in church) fiéis mpl
congress ['kɔŋgrɛs] n congresso; (US): **C~** Congresso; **congressman** (US) (irreg) n deputado
conjunctivitis [kəndʒʌŋktɪ'vaɪtɪs] n conjuntivite f
conjure ['kʌndʒə*] vi fazer truques; **conjure up** vt (ghost, spirit) fazer aparecer, invocar; (memories) evocar;
conjurer n mágico(-a), prestidigitador(a) m/f
con man ['kɔn-] (irreg) n vigarista m
connect [kə'nɛkt] vt (ELEC, TEL) ligar; (fig: associate) associar; (join): **to ~ sth (to)** juntar or unir algo (a) ♦ vi: **to ~ with** (train) conectar com; **to be ~ed with** estar relacionado com; **I'm trying to ~ you** (TEL) estou tentando completar a ligação; **connection** n ligação f; (ELEC, RAIL, fig) conexão f; (TEL) ligação f
conquer ['kɔŋkə*] vt conquistar; (enemy) vencer; (feelings) superar; **conquest** ['kɔŋkwɛst] n conquista
conscience ['kɔnʃəns] n consciência
conscientious [kɔnʃɪ'ɛnʃəs] adj consciencioso
conscious ['kɔnʃəs] adj consciente; (deliberate) intencional; **consciousness** n consciência; (MED): **to lose/regain consciousness** perder/recuperar os sentidos
conscript ['kɔnskrɪpt] n recruta m/f
consent [kən'sɛnt] n consentimento ♦ vi: **to ~ to** consentir em
consequence ['kɔnsɪkwəns] n conseqüência; (significance): **of ~** de importância; **consequently** adv por conseguinte
conservation [kɔnsə'veɪʃən] n conservação f; (of the environment) preservação f
conservative [kən'sə:vətɪv] adj conservador(a); (cautious) moderado; (BRIT: POL): **C~** conservador(a) ♦ n (BRIT: POL): **C~** conservador(a) m/f
conservatory [kən'sə:vətrɪ] n (MUS) conservatório; (greenhouse) estufa
conserve [kən'sə:v] vt (preserve) preservar; (supplies, energy) poupar ♦ n conserva
consider [kən'sɪdə*] vt considerar; (take into account) levar em consideração; (study) estudar, examinar; **to ~ doing sth** pensar em fazer algo
considerable [kən'sɪdərəbl] adj considerável; (sum) importante
considerate [kən'sɪdərɪt] adj atencioso; **consideration** [kənsɪdə'reɪʃən] n consideração f; (deliberation) deliberação f; (factor) fator m
considering [kən'sɪdərɪŋ] prep em vista de
consign [kən'saɪn] vt: **to ~ to** (place) relegar para; (care) confiar a; **consignment** n consignação f

consist [kənˈsɪst] vi: **to ~ of** (comprise) consistir em
consistency [kənˈsɪstənsɪ] n coerência; (thickness) consistência
consistent [kənˈsɪstənt] adj (person) coerente, estável; (idea) sólido
consolation [kɔnsəˈleɪʃən] n conforto
console [vb kənˈsəul, n ˈkɔnsəul] vt confortar ♦ n consolo
consonant [ˈkɔnsənənt] n consoante f
conspicuous [kənˈspɪkjuəs] adj conspícuo
conspiracy [kənˈspɪrəsɪ] n conspiração f, trama
constable [ˈkʌnstəbl] (BRIT) n policial m/f (BR), polícia m/f (PT); **chief ~** chefe m/f de polícia
constant [ˈkɔnstənt] adj constante
constipated [ˈkɔnstɪpeɪtəd] adj com prisão de ventre
constipation [kɔnstɪˈpeɪʃən] n prisão f de ventre
constituency [kənˈstɪtjuənsɪ] n (POL) distrito eleitoral; (people) eleitorado
constitution [kɔnstɪˈtjuːʃən] n constituição f; (health) compleição f
constraint [kənˈstreɪnt] n coação f, pressão f; (restriction) limitação f
construct [kənˈstrʌkt] vt construir; **construction** n construção f; (structure) estrutura
consul [ˈkɔnsl] n cônsul m/f; **consulate** [ˈkɔnsjulɪt] n consulado
consult [kənˈsʌlt] vt consultar; **consultant** n (MED) médico(-a)) especialista m/f, (other specialist) assessor(a) m/f, consultor(a) m/f; **consulting room** (BRIT) n consultório
consume [kənˈsjuːm] vt (eat) comer; (drink) beber; (fire etc, COMM) consumir; **consumer** n consumidor(a) m/f
consumption [kənˈsʌmpʃən] n consumação f; (buying, amount) consumo
cont. abbr = **continued**
contact [ˈkɔntækt] n contato ♦ vt entrar or pôr-se em contato com; **contact lenses** npl lentes fpl de contato
contagious [kənˈteɪdʒəs] adj contagioso; (fig: laughter etc) contagiante
contain [kənˈteɪn] vt conter; **to ~ o.s.** conter-se; **container** n recipiente m; (for shipping etc) container m, cofre m de carga
contaminate [kənˈtæmɪneɪt] vt contaminar
cont'd abbr = **continued**
contemplate [ˈkɔntəmpleɪt] vt (idea) considerar; (person etc) contemplar
contemporary [kənˈtɛmpərərɪ] adj (account) contemporâneo; (design) moderno ♦ n contemporâneo(-a)
contempt [kənˈtɛmpt] n desprezo; **~ of court** (LAW) desacato à autoridade do tribunal; **contemptuous** [kənˈtɛmptjuəs] adj desdenhoso
contend [kənˈtɛnd] vt (assert): **to ~ that** afirmar que ♦ vi: **to ~ with** (struggle) lutar com; (difficulty) enfrentar; (compete): **to ~ for** competir por; **contender** n contendor(a) m/f
content [adj, vb kənˈtɛnt, n ˈkɔntɛnt] adj (happy) contente; (satisfied) satisfeito ♦ vt contentar, satisfazer ♦ n conteúdo; (fat ~, moisture ~ etc) quantidade f; **~s** npl (of packet, book) conteúdo; **contented** adj contente, satisfeito
contest [n ˈkɔntɛst, vb kənˈtɛst] n contenda; (competition) concurso ♦ vt (legal case) defender; (POL) ser candidato a; (competition) disputar; (statement) contestar; **contestant** [kənˈtɛstənt] n competidor(a) m/f; (in fight) adversário(-a)
context [ˈkɔntɛkst] n contexto
continent [ˈkɔntɪnənt] n continente m; **the C~** (BRIT) o continente europeu; **continental** [kɔntɪˈnɛntl] adj continental; **continental quilt** (BRIT) n edredom m
contingency [kənˈtɪndʒənsɪ] n contingência
continual [kənˈtɪnjuəl] adj contínuo
continuation [kəntɪnjuˈeɪʃən] n prolongamento
continue [kənˈtɪnjuː] vi prosseguir, continuar ♦ vt continuar; (start again) recomeçar, retomar; **continuous** [kənˈtɪnjuəs] adj contínuo; **continuous stationery** (COMPUT) formulários mpl contínuos
contour [ˈkɔntuə*] n contorno; (also: **~ line**) curva de nível
contraband [ˈkɔntrəbænd] n contrabando
contraceptive [kɔntrəˈsɛptɪv] adj anticoncepcional ♦ n anticoncepcional f
contract [n ˈkɔntrækt, vb kənˈtrækt] n contrato ♦ vi (become smaller) contrair-se, encolher-se; (COMM): **to ~ to do sth** comprometer-se por contrato a fazer algo ♦ vt contrair; **contraction** [kənˈtrækʃən] n contração f
contradict [kɔntrəˈdɪkt] vt contradizer, desmentir
contraption [kənˈtræpʃən] (pej) n engenhoca, geringonça

contrary¹ ['kɔntrərɪ] adj contrário ♦ n contrário; **on the ~** muito pelo contrário; **unless you hear to the ~** salvo aviso contrário

contrary² [kən'trɛərɪ] adj teimoso

contrast [n 'kɔntrɑːst, vb kən'trɑːst] n contraste m ♦ vt comparar; **in ~ to** em contraste com, ao contrário de

contravene [kɔntrə'viːn] vt infringir

contribute [kən'trɪbjuːt] vt contribuir ♦ vi dar; **to ~ to** (charity) contribuir para; (newspaper) escrever para; (discussion) participar de; **contribution** [kɔntrɪ'bjuːʃən] n (donation) doação f; (BRIT: for social security) contribuição f; (to debate) intervenção f; (to journal) colaboração f; **contributor** [kən'trɪbjutə*] n (to appeal) contribuinte m/f; (to newspaper) colaborador(a) m/f

contrive [kən'traɪv] vi: **to ~ to do** chegar a fazer

control [kən'trəul] vt controlar; (machinery) regular; (temper) dominar ♦ n controle m; (of car) direção f (BR), condução f (PT); (check) freio, controle; **~s** npl (of vehicle) instrumentos mpl de controle; (on radio, television etc) controle n; (governmental) medidas fpl de controle; **to be in ~ of** ter o controle de; (in charge of) ser responsável por

controversial [kɔntrə'vəːʃl] adj controvertido, polêmico

controversy ['kɔntrəvəːsɪ] n controvérsia, polêmica

convalesce [kɔnvə'lɛs] vi convalescer

convector [kən'vɛktə*] n (heater) aquecedor m de convecção

convenience [kən'viːnɪəns] n (easiness) facilidade f; (suitability) conveniência; (advantage) vantagem f, conveniência; **at your ~** quando lhe convier; **all modern ~s** (also: BRIT: all mod cons) com todos os confortos

convenient [kən'viːnɪənt] adj conveniente

convent ['kɔnvənt] n convento

convention [kən'vɛnʃən] n (custom) costume m; (agreement) convenção f; (meeting) assembléia; **conventional** adj convencional

conversation [kɔnvə'seɪʃən] n conversação f, conversa

converse [n 'kɔnvəːs, vb kən'vəːs] n inverso ♦ vi conversar; **conversely** [kən'vəːslɪ] adv pelo contrário, inversamente

convert [vb kən'vəːt, n 'kɔnvəːt] vt converter ♦ n convertido(-a); **convertible** [kən'vəːtəbl] n conversível m

convey [kən'veɪ] vt transportar, levar; (thanks) expressar; (information) exprimir; **conveyor belt** n correia transportadora

convict [vb kən'vɪkt, n 'kɔnvɪkt] vt condenar ♦ n presidiário(-a); **conviction** n condenação f; (belief) convicção f; (certainty) certeza

convince [kən'vɪns] vt (assure) assegurar; (persuade) convencer; **convincing** adj convincente

convulse [kən'vʌls] vt: **to be ~d with** (laughter, pain) morrer de

cook [kuk] vt cozinhar; (meal) preparar ♦ vi cozinhar ♦ n cozinheiro(-a); **cookbook** n livro de receitas; **cooker** n fogão m; **cookery** n culinária; **cookery book** (BRIT) n = **cookbook**; **cookie** (US) n bolacha, biscoito; **cooking** n cozinha

cool [kuːl] adj fresco; (calm) calmo; (unfriendly) frio ♦ vt resfriar ♦ vi esfriar

coop [kuːp] n (for poultry) galinheiro; (for rabbits) capoeira; **coop up** vt (fig) confinar

cooperate [kəu'ɔpəreɪt] vi colaborar; (assist) ajudar; **cooperative** [kəu'ɔpərətɪv] adj cooperativo ♦ n cooperativa

coordinate [vb kəu'ɔːdɪneɪt, n kəu'ɔːdɪnət] vt coordenar ♦ n (MATH) coordenada; **~s** npl (clothes) coordenados mpl

cop [kɔp] (inf) n polícia m/f (BR), policial m/f, tira m (inf)

cope [kəup] vi: **to ~ with** poder com, arcar com; (problem) estar à altura de

copper ['kɔpə*] n (metal) cobre m; (BRIT: inf: policeman/woman) polícia m/f, policial m/f (BR); **~s** npl (coins) moedas fpl de pouco valor

copy ['kɔpɪ] n duplicata; (of book etc) exemplar m ♦ vt copiar; (imitate) imitar; **copyright** n direitos mpl autorais, copirraite m

coral ['kɔrəl] n coral m

cord [kɔːd] n corda; (ELEC) fio, cabo; (fabric) veludo cotelê

cordial ['kɔːdɪəl] adj cordial ♦ n (BRIT) bebida à base de fruta

cordon ['kɔːdn] n cordão m; **cordon off** vt isolar

corduroy ['kɔːdərɔɪ] n veludo cotelê

core [kɔː*] n centro; (of fruit) caroço; (of problem) âmago ♦ vt descaroçar

cork [kɔːk] n rolha; (tree) cortiça; **corkscrew** n saca-rolhas m inv

corn [kɔːn] n (BRIT) trigo; (US: maize) milho; (on foot) calo; **~ on the cob** (CULIN)

corned beef → country

espiga de milho
corned beef ['kɔ:nd-] n carne f de boi enlatada
corner ['kɔ:nə*] n (outside) esquina; (inside) canto; (in road) curva; (FOOTBALL, BOXING) córner m ♦ vt (trap) encurralar; (COMM) açambarcar, monopolizar ♦ vi fazer uma curva
cornet ['kɔ:nɪt] n (MUS) cornetim m; (BRIT: of ice-cream) casquinha
cornflakes ['kɔ:nfleɪks] npl flocos mpl de milho
cornflour ['kɔ:nflauə*] (BRIT) n farinha de milho, maisena ®
cornstarch ['kɔ:nstɑ:tʃ] (US) n = **cornflour**
Cornwall ['kɔ:nwəl] n Cornualha
corny ['kɔ:nɪ] (inf) adj (joke) gasto
coronary ['kɔrənərɪ] n: ~ (**thrombosis**) trombose f (coronária)
coronation [kɔrə'neɪʃən] n coroação f
coroner ['kɔrənə*] n magistrado que investiga mortes suspeitas
corporal ['kɔ:pərl] n cabo ♦ adj: ~ **punishment** castigo corporal
corporate ['kɔ:pərɪt] adj coletivo; (finance) corporativo; (image) de empresa
corporation [kɔ:pə'reɪʃən] n (of town) município, junta; (COMM) sociedade f
corps [kɔ:*, pl kɔ:z] (pl **corps**) n (MIL) unidade f; (diplomatic) corpo; **the press ~** a imprensa
corpse [kɔ:ps] n cadáver m
correct [kə'rɛkt] adj exato; (proper) correto ♦ vt corrigir; **correction** n correção f
correspond [kɔrɪs'pɔnd] vi (write): **to ~ (with)** corresponder-se (com); (be equal to): **to ~ to** corresponder a; (be in accordance): **to ~ (with)** corresponder a; **correspondence** n correspondência; **correspondent** n correspondente m/f
corridor ['kɔrɪdɔ:*] n corredor m
corrode [kə'rəud] vt corroer ♦ vi corroer-se
corrugated ['kɔrəgeɪtɪd] adj corrugado; **corrugated iron** n chapa ondulada or corrugada
corrupt [kə'rʌpt] adj corrupto; (COMPUT) corrupto, danificado ♦ vt corromper, danificar; **corruption** n corrupção f; corrupção, danificação f
Corsica ['kɔ:sɪkə] n Córsega
cosmetic [kɔz'mɛtɪk] n cosmético ♦ adj (fig) simbólico, artificial
cost [kɔst] (pt, pp **cost**) n (price) preço ♦ vt custar; **~s** npl (COMM: overheads) custos mpl; (LAW) custas fpl; **at all ~s** custe o que custar
co-star [kəu-] n co-estrela m/f
Costa Rica ['kɔstə'ri:kə] n Costa Rica
costly ['kɔstlɪ] adj caro
costume ['kɔstju:m] n traje m; (BRIT: also: **swimming ~**: woman's) maiô m (BR), fato de banho (PT); (: man's) calção m (de banho) (BR), calções mpl de banho (PT); **costume jewellery** n bijuteria
cosy ['kəuzɪ] (US **cozy**) adj aconchegante; (person) confortável
cot [kɔt] n (BRIT) cama (de criança), berço f; (US) cama de lona
cottage ['kɔtɪdʒ] n casa de campo; **cottage cheese** n ricota (BR), queijo creme (PT)
cotton ['kɔtn] n algodão m; (thread) fio, linha; **cotton on** (inf) vi: **to ~ on (to sth)** sacar (algo); **cotton candy** (US) n algodão m doce; **cotton wool** (BRIT) n algodão m (hidrófilo)
couch [kautʃ] n sofá m; (doctor's) cama; (psychiatrist's) divã m
couchette [ku:'ʃɛt] n leito
cough [kɔf] vi tossir ♦ n tosse f
could [kud] pt, conditional of **can²**
couldn't ['kudnt] = **could not**
council ['kaunsl] n conselho; **city** or **town ~** câmara municipal; **council estate** (BRIT) n conjunto habitacional; **council house** n casa popular; **councillor** n vereador(a) m/f
counsellor ['kaunsələ*] (US **counselor**) n conselheiro(-a); (US: LAW) advogado(-a)
count [kaunt] vt contar; (include) incluir ♦ vi contar ♦ n (of votes etc) contagem f; (of pollen, alcohol) nível m; (nobleman) conde m; **count on** vt fus (expect) esperar; (depend on) contar com; **countdown** n contagem f regressiva
counter ['kauntə*] n (in shop) balcão m; (in post office etc) guichê m; (in games) ficha ♦ vt contrariar ♦ adv: **~ to** ao contrário de; **counteract** vt neutralizar
counterfeit ['kauntəfɪt] n falsificação f ♦ vt falsificar ♦ adj falso, falsificado
counterfoil ['kauntəfɔɪl] n canhoto (BR), talão m (PT)
counterpart ['kauntəpɑ:t] n (of person) homólogo(-a); (of company etc) equivalente m/f
countess ['kauntɪs] n condessa
countless ['kauntlɪs] adj inumerável
country ['kʌntrɪ] n país m; (nation) nação f; (native land) terra; (as opposed to town) campo; (region) região f, terra; **country dancing** (BRIT) n dança regional;

county → crayon

country house *n* casa de campo;
countryman *n* (*national*) compatriota *m*; (*rural*) camponês *m*; **countryside** *n* campo
county ['kauntɪ] *n* condado
coup [kuː] *n* golpe *m* de mestre; (*also:* ~ **d'état**) golpe (de estado)
couple ['kʌpl] *n* (*of things, people*) par *m*; (*married* ~) casal *m*; **a ~ of** um par de; (*a few*) alguns (algumas)
coupon ['kuːpɔn] *n* cupom *m* (BR), cupão *m* (PT); (*voucher*) vale *m*
courage ['kʌrɪdʒ] *n* coragem *f*
courier ['kurɪə*] *n* correio; (*for tourists*) guia *m/f*, agente *m/f* de turismo
course [kɔːs] *n* (*direction*) direção *f*; (*process*) desenvolvimento; (*of river, SCH*) curso; (*of ship*) rumo; (*GOLF*) campo; (*part of meal*) prato; **~ of treatment** tratamento; **of ~** naturalmente; (*certainly*) certamente; **of ~!** claro!, lógico!
court [kɔːt] *n* (*royal*) corte *f*; (*LAW*) tribunal *m*; (*TENNIS etc*) quadra ♦ *vt* (*woman*) cortejar, namorar; **to take to ~** demandar, levar a julgamento
courteous ['kəːtɪəs] *adj* cortês(-esa)
courtesy ['kəːtəsɪ] *n* cortesia; **(by) ~ of** com permissão de
court-house (US) *n* palácio de justiça
court martial (*pl* **courts martial**) *n* conselho de guerra
courtroom ['kɔːtrum] *n* sala de tribunal
courtyard ['kɔːtjɑːd] *n* pátio
cousin ['kʌzn] *n* primo *m/f*; **first ~** primo irmão (prima irmã)
cove [kəuv] *n* angra, enseada
cover ['kʌvə*] *vt* cobrir; (*with lid*) tapar; (*chairs etc*) revestir; (*distance*) percorrer; (*include*) abranger; (*protect*) abrigar; (*issues*) tratar ♦ *n* (*lid*) tampa; (*for chair etc*) capa; (*for bed*) cobertor *m*; (*of book, magazine*) capa; (*shelter*) abrigo; (*INSURANCE, also of spy*) cobertura; **to take ~** abrigar-se; **under ~** (*indoors*) abrigado; **under separate ~** (*COMM*) em separado;
cover up *vi*: **to ~ up for sb** cobrir alguém; **coverage** *n* cobertura; **cover charge** *n* couvert *m*; **covering** *n* cobertura; (*of snow, dust etc*) camada; **covering letter** (US **cover letter**) *n* carta de cobertura; **cover note** *n* nota de cobertura
covert ['kəuvəːt] *adj* (*threat*) velado
cover-up *n* encobrimento (dos fatos)
covet ['kʌvɪt] *vt* cobiçar
cow [kau] *n* vaca ♦ *vt* intimidar
coward ['kauəd] *n* covarde *m/f*; **cowardice** *n* covardia; **cowardly** *adj* covarde
cowboy ['kaubɔɪ] *n* vaqueiro
coy [kɔɪ] *adj* tímido
cozy ['kəuzɪ] (US) *adj* = **cosy**
CPA (US) *n abbr* = **certified public accountant**
crab [kræb] *n* caranguejo
crack [kræk] *n* rachadura; (*gap*) brecha; (*noise*) estalo; (*drug*) crack *m* ♦ *vt* quebrar; (*nut*) partir, descascar; (*wall*) rachar; (*whip etc*) estalar; (*joke*) soltar; (*mystery*) resolver; (*code*) decifrar ♦ *adj* (*expert*) de primeira classe; **crack down on** *vt fus* (*crime*) ser linha dura com;
crack up *vi* (*PSYCH*) sofrer um colapso nervoso; **cracker** *n* (*biscuit*) biscoito; (*Christmas ~*) busca-pé-surpresa *m*
crackle ['krækl] *vi* crepitar
cradle ['kreɪdl] *n* berço
craft [krɑːft] *n* (*skill*) arte *f*; (*trade*) ofício; (*boat: pl inv*) barco; (*plane: pl inv*) avião; **craftsman** (*irreg*) *n* artífice *m*, artesão *m*; **craftsmanship** *n* qualidade *f*; **crafty** *adj* astuto, esperto
cram [kræm] *vt* (*fill*): **to ~ sth with** encher *or* abarrotar algo de; (*put*): **to ~ sth into** enfiar algo em ♦ *vi* (*for exams*) estudar na última hora
cramp [kræmp] *n* (*MED*) cãibra; **cramped** *adj* apertado, confinado
cranberry ['krænbərɪ] *n* oxicoco
crane [kreɪn] *n* (*TECH*) guindaste *m*; (*bird*) grou *m*
crank [kræŋk] *n* manivela; (*person*) excêntrico(-a)
crash [kræʃ] *n* (*noise*) estrondo; (*of car*) batida; (*of plane*) desastre *m* de avião; (*COMM*) falência, quebra; (*STOCK EXCHANGE*) craque *m* ♦ *vt* (*car*) colidir; (*plane*) espatifar ♦ *vi* bater; cair, espatifar-se; (*cars*) colidir, bater; (*COMM*) falir, quebrar; **crash course** *n* curso intensivo; **crash helmet** *n* capacete *m*; **crash landing** *n* aterrissagem *f* forçada (BR), aterragem *f* forçosa (PT)
crate [kreɪt] *n* caixote *m*; (*for bottles*) engradado
crave [kreɪv] *vt, vi*: **to ~ for** ansiar por
crawl [krɔːl] *vi* arrastar-se; (*child*) engatinhar; (*insect*) andar; (*vehicle*) arrastar-se a passo de tartaruga ♦ *n* (*SWIMMING*) crawl *m*
crayfish ['kreɪfɪʃ] *n inv* (*freshwater*) camarão-d'água-doce *m*; (*saltwater*) lagostim *m*
crayon ['kreɪən] *n* lápis *m* de cera, crayon *m*

craze → crown

craze [kreɪz] n (fashion) moda
crazy ['kreɪzɪ] adj louco, maluco, doido
creak [kriːk] vi chiar, ranger
cream [kriːm] n (of milk) nata; (artificial ~, cosmetic) creme m; (élite): **the ~ of** a fina flor de ♦ adj (colour) creme inv; **cream cake** n bolo de creme; **cream cheese** n ricota (BR), queijo creme (PT); **creamy** adj (colour) creme inv; (taste) cremoso
crease [kriːs] n (fold) dobra, vinco; (in trousers) vinco; (wrinkle) ruga ♦ vt (wrinkle) amassar, amarrotar ♦ vi amassar-se, amarrotar-se
create [kriːˈeɪt] vt criar; (produce) produzir
creature ['kriːtʃə*] n (animal) animal m, bicho; (living thing) criatura
credit ['krɛdɪt] n crédito; (merit) mérito ♦ vt (also: **give ~ to**) acreditar; (COMM) creditar; **~s** npl (CINEMA, TV) crédito; **to ~ sb with sth** (fig) atribuir algo a alguém; **to be in ~** ter fundos; **credit card** n cartão m de crédito; **creditor** n credor(a) m/f
creed [kriːd] n credo
creek [kriːk] n enseada; (US) riacho
creep [kriːp] (pt, pp **crept**) vi (animal) rastejar; (person) deslizar(-se); **creeper** n trepadeira; **creepy** adj horripilante
cremate [krɪˈmeɪt] vt cremar; **crematorium** (pl **crematoria**) n crematório
crept [krɛpt] pt, pp of **creep**
crescent ['krɛsnt] n meia-lua; (street) rua semicircular
cress [krɛs] n agrião m
crest [krɛst] n (of bird) crista; (of hill) cimo, topo; (of coat of arms) timbre m; **crestfallen** adj abatido, cabisbaixo
Crete [kriːt] n Creta
crevice ['krɛvɪs] n fenda; (gap) greta
crew [kruː] n (of ship) tripulação f; (CINEMA) equipe f; **crew-cut** n corte m à escovinha
crib [krɪb] n manjedoira, presépio; (US: cot) berço ♦ vt (inf) colar
cricket ['krɪkɪt] n (insect) grilo; (game) criquete m, cricket m
crime [kraɪm] n (no pl: illegal activities) crime m; (offence) delito; (fig) pecado, maldade f; **criminal** ['krɪmɪnl] n criminoso ♦ adj criminal; (morally wrong) imoral
crimson ['krɪmzn] adj carmesim inv
cringe [krɪndʒ] vi encolher-se
cripple ['krɪpl] n aleijado(-a) ♦ vt aleijar
crisis ['kraɪsɪs] (pl **crises**) n crise f
crisp [krɪsp] adj fresco; (bacon etc) torrado; (manner) seco; **crisps** (BRIT) npl batatinhas fpl fritas
criss-cross [krɪs-] adj (design) entrecruzado; (pattern) em xadrez; **~ pattern** (padrão m em) xadrez m
criterion [kraɪˈtɪərɪən] (pl **criteria**) n critério
critic ['krɪtɪk] n crítico(-a); **critical** adj crítico; (illness) grave; **to be critical of sth/sb** criticar algo/alguém; **critically** adv (examine) criteriosamente; (speak) criticamente; (ill) gravemente; **criticism** ['krɪtɪsɪzəm] n crítica; **criticize** ['krɪtɪsaɪz] vt criticar
croak [krəuk] vi (frog) coaxar; (bird) crocitar; (person) estar rouco
Croatia [krəuˈeɪʃə] n Croácia
crochet ['krəuʃeɪ] n crochê m
crockery ['krɔkərɪ] n louça
crocodile ['krɔkədaɪl] n crocodilo
crocus ['krəukəs] n açafrão-da-primavera m
croft [krɔft] (BRIT) n pequena chácara
crook [kruk] n (inf: criminal) vigarista m/f; (of shepherd) cajado; **crooked** ['krukɪd] adj torto; (dishonest) desonesto
crop [krɔp] n (produce) colheita; (amount produced) safra; (riding ~) chicotinho ♦ vt cortar; **crop up** vi surgir
cross [krɔs] n cruz f; (hybrid) cruzamento ♦ vt cruzar; (street etc) atravessar; (thwart) contrariar ♦ adj zangado, mal-humorado; **cross out** vt riscar; **cross over** vi atravessar; **crossbar** n (SPORT) barra transversal; **cross-examine** vt (LAW) reperguntar; **cross-eyed** adj vesgo; **crossing** n (sea passage) travessia; (also: **pedestrian crossing**) faixa (para pedestres) (BR), passadeira (PT); **cross-reference** n referência remissiva; **crossroads** n cruzamento; **cross section** n (of object) corte m transversal; (of population) grupo representativo; **crosswalk** (US) n faixa (para pedestres) (BR), passadeira (PT); **crossword** n palavras fpl cruzadas
crouch [krautʃ] vi agachar-se
crow [krəu] n (bird) corvo; (of cock) canto, cocoricó m ♦ vi (cock) cantar, cocoricar
crowbar ['krəubɑː*] n pé-de-cabra m
crowd [kraud] n multidão f ♦ vt (fill) apinhar ♦ vi (gather): **to ~ round** reunir-se; (cram): **to ~ in** apinhar-se em; **crowded** adj (full) lotado; (densely populated) superlotado
crown [kraun] n coroa; (of head, hill) topo ♦ vt coroar; (fig) rematar; **crown jewels** npl jóias fpl reais

crucial ['kru:ʃl] *adj* (*decision*) vital; (*vote*) decisivo

crucifix ['kru:sɪfɪks] *n* crucifixo

crude [kru:d] *adj* (*materials*) bruto; (*fig*: *basic*) tosco; (:: *vulgar*) grosseiro

cruel ['kruəl] *adj* cruel

cruise [kru:z] *n* cruzeiro ♦ *vi* (*ship*) fazer um cruzeiro; (*car*): **to ~ at ... km/h** ir a ... km por hora; **cruiser** *n* (*motorboat*) barco a motor; (*warship*) cruzador *m*

crumb [krʌm] *n* (*of bread*) migalha; (*of cake*) farelo

crumble ['krʌmbl] *vt* esfarelar ♦ *vi* (*building*) desmoronar-se; (*plaster, earth*) esfacelar-se; (*fig*) desintegrar-se

crumpet ['krʌmpɪt] *n* bolo leve

crumple ['krʌmpl] *vt* (*paper*) amassar; (*material*) amarrotar

crunch [krʌntʃ] *vt* (*food etc*) mastigar; (*underfoot*) esmagar ♦ *n* (*fig*): **the ~** o momento decisivo; **crunchy** *adj* crocante

crusade [kru:'seɪd] *n* (*campaign*) campanha

crush [krʌʃ] *n* (*crowd*) aglomeração *f*; (*love*): **to have a ~ on sb** ter um rabicho por alguém; (*drink*): **lemon ~** limonada ♦ *vt* (*press*) esprimer; (*squeeze*) espremer; (*paper*) amassar; (*cloth*) enrugar; (*army, opposition*) aniquilar; (*hopes*) destruir; (*person*) arrasar

crust [krʌst] *n* (*of bread*) casca; (*of snow*) crosta; (*of earth*) camada

crutch [krʌtʃ] *n* muleta

crux [krʌks] *n* ponto crucial

cry [kraɪ] *vi* chorar; (*shout*: *also*: **~ out**) gritar ♦ *n* grito; (*of bird*) pio; (*of animal*) voz *f*; **cry off** *vi* desistir

cryptic ['krɪptɪk] *adj* enigmático

crystal ['krɪstl] *n* cristal *m*; **crystal-clear** *adj* cristalino, claro

cub [kʌb] *n* filhote *m*; (*also*: **~ scout**) lobinho

Cuba ['kju:bə] *n* Cuba

cube [kju:b] *n* cubo ♦ *vt* (*MATH*) elevar ao cubo; **cubic** *adj* cúbico

cubicle ['kju:bɪkl] *n* cubículo

cuckoo ['kuku:] *n* cuco; **cuckoo clock** *n* relógio de cuco

cucumber ['kju:kʌmbə*] *n* pepino

cuddle ['kʌdl] *vt* abraçar ♦ *vi* abraçar-se

cue [kju:] *n* (*SNOOKER*) taco; (*THEATRE etc*) deixa

cuff [kʌf] *n* (*of shirt, coat etc*) punho; (*us*: *on trousers*) bainha; (*blow*) bofetada; **off the ~** de improviso; **cuff links** *npl* abotoaduras *fpl*

cul-de-sac ['kʌldəsæk] *n* beco sem saída

cull [kʌl] *vt* (*story, idea*) escolher, selecionar ♦ *n* matança seletiva

culminate ['kʌlmɪneɪt] *vi*: **to ~ in** terminar em

culprit ['kʌlprɪt] *n* culpado(-a)

cult [kʌlt] *n* culto

cultivate ['kʌltɪveɪt] *vt* cultivar; **cultivation** [kʌltɪ'veɪʃən] *n* cultivo

cultural ['kʌltʃərəl] *adj* cultural

culture ['kʌltʃə*] *n* cultura; **cultured** *adj* culto

cumbersome ['kʌmbəsəm] *adj* pesado, desajeitado; (*person*) lente, ineficiente

cunning ['kʌnɪŋ] *n* astúcia ♦ *adj* astuto, malandro; (*device, idea*) engenhoso

cup [kʌp] *n* xícara (*BR*), chávena (*PT*); (*prize, of bra*) taça

cupboard ['kʌbəd] *n* armário

curator [kjuə'reɪtə*] *n* diretor(a) *m/f*

curb [kə:b] *vt* refrear ♦ *n* freio; (*US*: *kerb*) meio-fio (*BR*), borda do passeio (*PT*)

curdle ['kə:dl] *vi* coalhar

cure [kjuə*] *vt* curar ♦ *n* (*MED*) tratamento, cura; (*solution*) remédio

curfew ['kə:fju:] *n* toque *m* de recolher

curious ['kjuərɪəs] *adj* curioso; (*nosy*) abelhudo; (*unusual*) estranho

curl [kə:l] *n* (*of hair*) cacho; (*loosely*) frisar; (:: *tightly*) encrespar ♦ *vi* (*hair*) encaracolar; **curl up** *vi* encaracolar-se; **curler** *n* rolo, bobe *m*; **curly** *adj* cacheado, crespo

currant ['kʌrnt] *n* passa de corinto; (*black~, red~*) groselha

currency ['kʌrnsɪ] *n* moeda; **to gain ~** (*fig*) consagrar-se

current ['kʌrnt] *n* corrente *f* ♦ *adj* corrente; (*present*) atual; **current account** (*BRIT*) *n* conta corrente; **current affairs** *npl* atualidades *fpl*; **currently** *adv* atualmente

curriculum [kə'rɪkjuləm] (*pl* **~s** *or* **curricula**) *n* programa *m* de estudos; **curriculum vitae** *n* curriculum vitae *m*, currículo

curry ['kʌrɪ] *n* caril *m* ♦ *vt*: **to ~ favour with** captar simpatia de

curse [kə:s] *vi* xingar (*BR*), praguejar (*PT*) ♦ *vt* (*swear at*) xingar (*BR*); (*bemoan*) amaldiçoar ♦ *n* maldição *f*; (*swearword*) palavrão *m* (*BR*), baixo calão *m* (*PT*); (*problem*) castigo

cursor ['kə:sə*] *n* (*COMPUT*) cursor *m*

curt [kə:t] *adj* seco, brusco

curtail [kə:'teɪl] *vt* (*freedom, rights*) restringir; (*visit etc*) abreviar, encurtar;

curtain → dare

(*expenses etc*) reduzir
curtain ['kɜ:tɪn] *n* cortina; (*THEATRE*) pano
curts(e)y ['kɜ:tsɪ] *vi* fazer reverência
curve [kɜ:v] *n* curva ♦ *vi* encurvar-se, torcer-se; (*road*) fazer (uma) curva
cushion ['kʊʃən] *n* almofada; (*of air*) colchão *m* ♦ *vt* amortecer
custard ['kʌstəd] *n* nata, creme *m*
custody ['kʌstədɪ] *n* custódia; **to take into ~** deter
custom ['kʌstəm] *n* (*tradition*) tradição *f*; (*convention*) costume *m*; (*habit*) hábito; (*COMM*) clientela; **customary** *adj* costumeiro; **customer** *n* cliente *m/f*; **customized** *adj* (*car etc*) feito sob encomenda
customs ['kʌstəmz] *npl* alfândega; **customs officer** *n* inspetor(a) *m/f* da alfândega, aduaneiro(-a)
cut [kʌt] (*pt, pp* **cut**) *vt* cortar; (*reduce*) reduzir ♦ *vi* cortar ♦ *n* corte *m*; (*in spending*) redução *f*; (*of garment*) talho; **cut down** *vt* (*tree*) derrubar; (*consumption*) reduzir; **cut off** *vt* (*piece, TEL*) cortar; (*person, village*) isolar; (*supply*) suspender; **cut out** *vt* (*shape*) recortar; (*activity etc*) suprimir; (*remove*) remover; **cut up** *vt* cortar em pedaços
cute [kju:t] *adj* bonitinho, gracinha
cutlery ['kʌtlərɪ] *n* talheres *mpl*
cutlet ['kʌtlɪt] *n* costeleta; (*vegetable ~, nut ~*) medalhão *m*
cut: **cut-price** (*US* **cut-rate**) *adj* a preço reduzido; **cutting** *adj* cortante ♦ *n* (*BRIT: from newspaper*) recorte *m*; (*from plant*) muda
CV *n abbr* = **curriculum vitae**
cwt *abbr* = **hundredweight**
cyanide ['saɪənaɪd] *n* cianeto
cybercafé ['saɪbəkæfeɪ] *n* cibercafé *m*
cyberspace ['saɪbəspeɪs] *n* ciberespaço
cycle ['saɪkl] *n* ciclo; (*bicycle*) bicicleta ♦ *vi* andar de bicicleta; **cycle lane** *or* **path** *n* ciclovia *f*
cycling ['saɪklɪŋ] *n* ciclismo
cyclist ['saɪklɪst] *n* ciclista *m/f*
cylinder ['sɪlɪndə*] *n* cilindro; (*of gas*) bujão *m*
cymbals ['sɪmblz] *npl* pratos *mpl*
cynic ['sɪnɪk] *n* cínico(-a); **cynical** *adj* cínico
Cyprus ['saɪprəs] *n* Chipre *f*
cyst [sɪst] *n* cisto; **cystitis** *n* cistite *f*
czar [zɑ:*] *n* czar *m*
Czech [tʃɛk] *adj* tcheco ♦ *n* tcheco(-a); (*LING*) tcheco; **Czech Republic** *n*: **the Czech Republic** a República Tcheca

D d

D [di:] *n* (*MUS*) ré *m*
dab [dæb] *vt* (*eyes, wound*) tocar (de leve); (*paint, cream*) aplicar de leve
dabble ['dæbl] *vi*: **to ~ in** interessar-se por
dad [dæd] (*inf*) *n* papai *m*
daddy ['dædɪ] *n* = **dad**
daffodil ['dæfədɪl] *n* narciso-dos-prados *m*
daft [dɑ:ft] *adj* bobo, besta
dagger ['dægə*] *n* punhal *m*, adaga
daily ['deɪlɪ] *adj* diário ♦ *n* (*paper*) jornal *m*, diário ♦ *adv* diariamente
dainty ['deɪntɪ] *adj* delicado
dairy ['dɛərɪ] *n* leiteria; **dairy products** *npl* laticínios *mpl*; **dairy store** (*US*) *n* leiteria
daisy ['deɪzɪ] *n* margarida
dam [dæm] *n* represa, barragem *f* ♦ *vt* represar
damage ['dæmɪdʒ] *n* (*harm*) prejuízo; (*dents etc*) avaria ♦ *vt* danificar; (*harm*) prejudicar; **~s** *npl* (*LAW*) indenização *f* por perdas e danos
damn [dæm] *vt* condenar; (*curse*) maldizer ♦ *n* (*inf*): **I don't give a ~** não dou a mínima, estou me lixando ♦ *adj* (*inf: also:* **~ed**) danado, maldito; **~ (it)!** (que) droga!; **damning** *adj* (*evidence*) prejudicial
damp [dæmp] *adj* úmido ♦ *n* umidade *f* ♦ *vt* (*also:* **~en**: *cloth, rag*) umedecer; (: *enthusiasm etc*) jogar água fria em
damson ['dæmzən] *n* ameixa pequena
dance [dɑ:ns] *n* dança; (*party etc*) baile *m* ♦ *vi* dançar; **dance hall** *n* salão *m* de baile; **dancer** *n* dançarino(-a); (*professional*) bailarino(-a); **dancing** *n* dança
dandelion ['dændɪlaɪən] *n* dente-de-leão *m*
dandruff ['dændrəf] *n* caspa
Dane [deɪn] *n* dinamarquês(-esa) *m/f*
danger ['deɪndʒə*] *n* perigo; (*risk*) risco; **"~!"** (*on sign*) "perigo!"; **to be in ~ of** correr o risco de; **in ~** em perigo; **dangerous** *adj* perigoso
dangle ['dæŋgl] *vt* balançar ♦ *vi* pender balançando
Danish ['deɪnɪʃ] *adj* dinamarquês(-esa) ♦ *n* (*LING*) dinamarquês *m*
dare [dɛə*] *vt*: **to ~ sb to do sth** desafiar alguém a fazer algo ♦ *vi*: **to ~ (to) do sth** atrever-se a fazer algo, ousar fazer algo; **I ~ say** (*I suppose*) acho provável que;

dark → decay

daring ['dɛərɪŋ] *adj* audacioso; (*bold*) ousado ♦ *n* coragem *f*, destemor *m*
dark [dɑːk] *adj* escuro; (*complexion*) moreno ♦ *n* escuro; **to be in the ~ about** (*fig*) estar no escuro sobre; **after ~** depois de escurecer; **darken** *vt* escurecer; (*colour*) fazer mais escuro ♦ *vi* escurecer-se; **dark glasses** *npl* óculos *mpl* escuros; **darkness** *n* escuridão *f*; **darkroom** *n* câmara escura
darling ['dɑːlɪŋ] *adj*, *n* querido(-a)
darn [dɑːn] *vt* cerzir
dart [dɑːt] *n* dardo; (*in sewing*) alinhavo ♦ *vi* precipitar-se, correr para; **to ~ away/along** ir-se/seguir precipitadamente; **darts** *n* (*game*) jogo de dardos
dash [dæʃ] *n* (*sign*) hífen *m*; (: *long*) travessão *m*; (*quantity*) pontinha ♦ *vt* arremessar; (*hopes*) frustrar ♦ *vi* correr para, ir depressa; **dash away** *vi* sair apressado; **dash off** *vi* = **dash away**
dashboard ['dæʃbɔːd] *n* painel *m* de instrumentos
data ['deɪtə] *npl* dados *mpl*; **database** *n* banco de dados; **data processing** *n* processamento de dados
date [deɪt] *n* data; (*with friend*) encontro; (*fruit*) tâmara ♦ *vt* datar; (*person*) namorar; **to ~** até agora; **out of ~** fora de moda; (*expired*) desatualizado; **up to ~** moderno; **dated** ['deɪtɪd] *adj* antiquado; **date rape** *n* estupro cometido pelo acompanhante da vítima, geralmente após encontro romântico
daub [dɔːb] *vt* borrar
daughter ['dɔːtə*] *n* filha; **daughter-in-law** (*pl* **~s-in-law**) *n* nora
daunting ['dɔːntɪŋ] *adj* desanimador(a)
dawdle ['dɔːdl] *vi* (*go slow*) vadiar
dawn [dɔːn] *n* alvorada, amanhecer *m*; (*of period, situation*) surgimento, início ♦ *vi* (*day*) amanhecer; (*fig*): **it ~ed on him that ...** começou a perceber que ...
day [deɪ] *n* dia *m*; (*working ~*) jornada, dia útil; (*heyday*) apogeu *m*; **the ~ before a** véspera; **the ~ before yesterday** anteontem; **the ~ after tomorrow** depois de amanhã; **by ~** de dia; **daybreak** *n* amanhecer *m*; **daydream** *vi* devanear; **daylight** *n* luz *f* (do dia); **day return** (BRIT) *n* bilhete *m* de ida e volta no mesmo dia; **daytime** *n* dia *m*; **day-to-day** *adj* cotidiano
daze [deɪz] *vt* (*stun*) aturdir ♦ *n*: **in a ~** aturdido
dazzle ['dæzl] *vt* (*bewitch*) deslumbrar; (*blind*) ofuscar

DC *abbr* (ELEC) = **direct current**
dead [dɛd] *adj* morto; (*numb*) dormente; (*telephone*) cortado; (ELEC) sem corrente ♦ *adv* completamente; (*exactly*) absolutamente ♦ *npl*: **the ~** os mortos; **to shoot sb ~** matar alguém a tiro; **~ tired** morto de cansado; **to stop ~** estacar; **deaden** *vt* (*blow, sound*) amortecer; (*pain*) anestesiar; **dead end** *n* beco sem saída; **deadline** *n* prazo final; **deadlock** *n* impasse *m*; **dead loss** (*inf*) *n*: **to be a dead loss** não ser de nada; **deadly** *adj* mortal, fatal; (*accuracy, insult*) devastador(a); (*weapon*) mortífero; **deadpan** *adj* sem expressão
deaf [dɛf] *adj* surdo; **deafen** *vt* ensurdecer; **deafness** *n* surdez *f*
deal [diːl] (*pt, pp* **dealt**) *n* (*agreement*) acordo ♦ *vt* (*cards, blows*) dar; **a good** *or* **great ~ (of)** bastante, muito; **deal in** *vt fus* (COMM) negociar em *or* com; **deal with** *vt fus* (*people*) tratar com; (*problem*) ocupar-se de; (*subject*) tratar de; **dealer** *n* negociante *m/f*; **dealings** *npl* transações *fpl*
dean [diːn] *n* (REL) decano; (SCH: BRIT) reitor(a) *m/f*; (: US) orientador(a) *m/f* de estudos
dear [dɪə*] *adj* querido, caro; (*expensive*) caro ♦ *n*: **my ~** meu querido (minha querida) ♦ *excl*: **~ me!** ai, meu Deus!; **D~ Sir/Madam** (*in letter*) Ilmo. Senhor (Exma. Senhora) (BR), Exmo. Senhor (Exma. Senhora) (PT); **D~ Mr/Mrs X** Caro Sr. X/Cara Sra. X; **dearly** *adv* (*love*) ternamente; (*pay*) caro
death [dɛθ] *n* morte *f*; (ADMIN) óbito; **death certificate** *n* certidão *f* de óbito; **deathly** *adj* (*colour*) pálido; (*silence*) profundo; **death penalty** *n* pena de morte
debatable [dɪ'beɪtəbl] *adj* discutível
debate [dɪ'beɪt] *n* debate *m* ♦ *vt* debater
debit ['dɛbɪt] *n* débito ♦ *vt*: **to ~ a sum to sb** *or* **to sb's account** lançar uma quantia ao débito de alguém *or* à conta de alguém
debt [dɛt] *n* dívida; (*state*) endividamento; **to be in ~** ter dívidas, estar endividado; **debtor** *n* devedor(a) *m/f*
decade ['dɛkeɪd] *n* década
decaff ['diːkæf] (*inf*) *n* descafeinado *m*
decaffeinated [dɪ'kæfɪneɪtɪd] *adj* descafeinado
decanter [dɪ'kæntə*] *n* garrafa ornamental
decay [dɪ'keɪ] *n* ruína; (*also*: **tooth ~**) cárie *f* ♦ *vi* (*rot*) apodrecer-se

deceased → deign

deceased [dɪˈsiːst] n falecido(-a)
deceit [dɪˈsiːt] n engano; (duplicity) fraude f; **deceitful** adj enganador(a)
deceive [dɪˈsiːv] vt enganar
December [dɪˈsɛmbə*] n dezembro
decent [ˈdiːsənt] adj (proper) decente; (kind, honest) honesto, amável
deception [dɪˈsɛpʃən] n engano; (deceitful act) fraude f; **deceptive** adj enganador(a)
decide [dɪˈsaɪd] vt (person) convencer; (question) resolver ♦ vi decidir; **to ~ on sth** decidir-se por algo; **decided** adj decidido; (definite) claro, definido; **decidedly** adv claramente; (emphatically) decididamente
decimal [ˈdɛsɪməl] adj, n decimal m
decision [dɪˈsɪʒən] n (choice) escolha; (act of choosing) decisão f; (decisiveness) resolução f
decisive [dɪˈsaɪsɪv] adj (action) decisivo; (person) decidido
deck [dɛk] n (NAUT) convés m; (of bus): **top ~** andar m de cima; (of cards) baralho; **record ~** toca-discos m inv; **deckchair** n cadeira de lona, espreguiçadeira
declare [dɪˈklɛə*] vt (intention) revelar; (result) divulgar; (income, at customs) declarar
decline [dɪˈklaɪn] n declínio; (lessening) diminuição f, baixa ♦ vt recusar ♦ vi diminuir
decorate [ˈdɛkəreɪt] vt (adorn) adornar; (paint) pintar; (paper) decorar com papel; **decoration** [dɛkəˈreɪʃən] n enfeite m; (act) decoração f; (medal) condecoração f; **decorator** n (painter) pintor(a) m/f
decoy [ˈdiːkɔɪ] n (person) armadilha; (object) engodo, chamariz m
decrease [n ˈdiːkriːs, vb diːˈkriːs] n: **~ (in)** diminuição f (de) ♦ vt reduzir ♦ vi diminuir
decree [dɪˈkriː] n decreto
dedicate [ˈdɛdɪkeɪt] vt dedicar; **dedication** [dɛdɪˈkeɪʃən] n dedicação f; (in book) dedicatória; (on radio) mensagem f
deduce [dɪˈdjuːs] vt deduzir
deduct [dɪˈdʌkt] vt deduzir; **deduction** n (deducting) redução f; (amount) subtração f; (deducing) dedução f
deed [diːd] n feito; (LAW) escritura, título
deep [diːp] adj profundo; (voice) baixo, grave; (breath) fundo; (colour) forte, carregado ♦ adv: **the spectators stood 20 ~** os espectadores formaram-se em 20 fileiras; **to be 4 metres ~** ter 4 metros de profundidade; **deepen** vt aprofundar ♦ vi aumentar; **deepfreeze** n congelador m, freezer m (BR); **deep-fry** vt fritar em recipiente fundo; **deeply** adv fundo; (moved) profundamente; **deep-seated** adj arraigado
deer [dɪə*] n inv veado, cervo
deface [dɪˈfeɪs] vt desfigurar
default [dɪˈfɔːlt] n (COMPUT: also: **~ value**) valor m de default; **by ~** (win) por desistência
defeat [dɪˈfiːt] n derrota; (failure) malogro ♦ vt derrotar, vencer
defect [n ˈdiːfɛkt, vb dɪˈfɛkt] n defeito ♦ vi: **to ~ to the enemy** desertar para se juntar ao inimigo; **defective** [dɪˈfɛktɪv] adj defeituoso
defence [dɪˈfɛns] (US **defense**) n defesa, justificação f; **defenceless** adj indefeso
defend [dɪˈfɛnd] vt defender; (LAW) contestar; **defendant** n acusado(-a); (in civil case) réu (ré) m/f; **defender** n defensor(a) m/f; (SPORT) defesa
defer [dɪˈfəː*] vt (postpone) adiar
defiance [dɪˈfaɪəns] n desafio, rebeldia; **in ~ of** a despeito de
defiant [dɪˈfaɪənt] adj desafiador(a)
deficiency [dɪˈfɪʃənsɪ] n (lack) deficiência, falta; (defect) defeito
deficit [ˈdɛfɪsɪt] n déficit m
define [dɪˈfaɪn] vt definir
definite [ˈdɛfɪnɪt] adj (fixed) definitivo; (clear, obvious) claro, categórico; (certain) certo; **he was ~ about it** ele foi categórico; **definitely** adv sem dúvida
deflate [diːˈfleɪt] vt esvaziar
deflect [dɪˈflɛkt] vt desviar
defraud [dɪˈfrɔːd] vt: **to ~ sb (of sth)** trapacear alguém (por causa de algo)
defrost [diːˈfrɔst] vt descongelar
defuse [diːˈfjuːz] vt tirar o estopim or a espoleta de; (situation) neutralizar
defy [dɪˈfaɪ] vt desafiar; (resist) opor-se a
degenerate [vb dɪˈdʒɛnəreɪt, adj dɪˈdʒɛnərɪt] vi degenerar ♦ adj degenerado
degree [dɪˈɡriː] n grau m; (SCH) diploma m, título; **~ in maths** formatura em matemática; **by ~s** (gradually) pouco a pouco; **to some ~, to a certain ~** até certo ponto
dehydrated [diːhaɪˈdreɪtɪd] adj desidratado; (eggs, milk) em pó
de-ice vt (windscreen) descongelar
deign [deɪn] vi: **to ~ to do** dignar-se a fazer

dejected → depend

dejected [dɪˈdʒɛktɪd] adj deprimido

delay [dɪˈleɪ] vt (*decision etc*) retardar, atrasar; (*train*) atrasar ♦ vi hesitar ♦ n demora; (*postponement*) adiamento; **to be ~ed** estar atrasado; **without ~** sem demora or atraso

delegate [n ˈdɛlɪgɪt, vb ˈdɛlɪgeɪt] n delegado(-a) ♦ vt (*person*) autorizar; (*task*) delegar

delete [dɪˈliːt] vt eliminar, riscar; (*COMPUT*) deletar

deliberate [adj dɪˈlɪbərɪt, vb dɪˈlɪbəreɪt] adj (*intentional*) intencional; (*slow*) pausado, lento ♦ vi considerar; **deliberately** [dɪˈlɪbərɪtlɪ] adv (*on purpose*) de propósito

delicacy [ˈdɛlɪkəsɪ] n delicadeza; (*of problem*) dificuldade f; (*food*) iguaria

delicate [ˈdɛlɪkɪt] adj delicado; (*health*) frágil

delicatessen [dɛlɪkəˈtɛsn] n delicatessen m

delicious [dɪˈlɪʃəs] adj delicioso; (*food*) saboroso

delight [dɪˈlaɪt] n prazer m, deleite m; (*person*) encanto; (*experience*) delícia ♦ vt encantar, deleitar; **to take (a) ~ in** deleitar-se com; **delighted** adj: **delighted (at** or **with)** encantado (com); **delightful** adj encantador(a), delicioso

delinquent [dɪˈlɪŋkwənt] adj, n delinquente m/f

delirious [dɪˈlɪrɪəs] adj delirante; **to be ~** delirar

deliver [dɪˈlɪvə*] vt (*distribute*) distribuir; (*hand over*) entregar; (*message*) comunicar; (*speech*) proferir; (*MED*) partejar; **delivery** n distribuição f; (*of speaker*) enunciação t; (*MED*) parto; **to take delivery of** receber

delude [dɪˈluːd] vt iludir, enganar

delusion [dɪˈluːʒən] n ilusão f

demand [dɪˈmɑːnd] vt exigir; (*rights*) reivindicar, reclamar ♦ n exigência; (*claim*) reivindicação f; (*ECON*) procura; **to be in ~** estar em demanda; **on ~** à vista; **demanding** adj (*boss*) exigente; (*work*) absorvente

demeanour [dɪˈmiːnə*] (*US* **demeanor**) n conduta, comportamento

demented [dɪˈmɛntɪd] adj demente, doido

demise [dɪˈmaɪz] n falecimento

demo [ˈdɛməu] (*inf*) n abbr (= *demonstration*) passeata

democracy [dɪˈmɔkrəsɪ] n democracia; **democrat** [ˈdɛməkræt] n democrata m/f; **democratic** [dɛməˈkrætɪk] adj democrático

demolish [dɪˈmɔlɪʃ] vt demolir, derrubar; (*argument*) refutar, contestar

demonstrate [ˈdɛmənstreɪt] vt demonstrar ♦ vi: **to ~ (for/against)** manifestar-se (a favor de/contra); **demonstration** [dɛmənˈstreɪʃən] n (*POL*) manifestação f; (: *march*) passeata; (*proof*) demonstração f; (*exhibition*) exibição f; **demonstrator** n manifestante m/f

demote [dɪˈməut] vt rebaixar de posto

den [dɛn] n (*of animal*) covil m; (*of thieves*) antro, esconderijo; (*room*) aposento privado, cantinho

denial [dɪˈnaɪəl] n refutação f; (*refusal*) negativa

denim [ˈdɛnɪm] n brim m, zuarte m; **~s** npl jeans m (*BR*), jeans mpl (*PT*)

Denmark [ˈdɛnmɑːk] n Dinamarca

denomination [dɪnɔmɪˈneɪʃən] n valor m, denominação f; (*REL*) confissão f, seita

denounce [dɪˈnauns] vt denunciar

dense [dɛns] adj denso, espesso; (*inf*: *stupid*) estúpido, bronco; **densely** adv: **densely populated** com grande densidade de população

density [ˈdɛnsɪtɪ] n densidade f; **single/ double ~ disk** (*COMPUT*) disco de densidade simples/dupla

dent [dɛnt] n amolgadura, depressão f ♦ vt amolgar, dentar

dental [ˈdɛntl] adj (*treatment*) dentário; (*hygiene*) dental

dentist [ˈdɛntɪst] n dentista m/f

dentures [ˈdɛntʃəz] npl dentadura

deny [dɪˈnaɪ] vt negar; (*refuse*) recusar

deodorant [diːˈəudərənt] n desodorante m (*BR*), desodorizante m (*PT*)

depart [dɪˈpɑːt] vi ir-se, partir; (*train etc*) sair; **to ~ from** (*fig*: *differ from*) afastar-se de

department [dɪˈpɑːtmənt] n (*SCH*) departamento; (*COMM*) seção f; (*POL*) repartição f; **department store** n magazine m (*BR*), grande armazém m (*PT*)

departure [dɪˈpɑːtʃə*] n partida, ida; (*of train etc*) saída; (*of employee*) saída; **a new ~** uma nova orientação; **departure lounge** n sala de embarque

depend [dɪˈpɛnd] vi: **to ~ (up)on** depender de; (*rely on*) contar com; **it ~s** depende; **~ing on the result ...** dependendo do resultado ...; **dependable** adj (*person*) de confiança, seguro; (*car*) confiável; **dependant** n

depict → detention

dependente *m/f*; **dependent** *adj*: **to be dependent (on)** depender (de), ser dependente (de) ♦ *n* = **dependant**

depict [dɪˈpɪkt] *vt* (*in picture*) retratar, representar; (*describe*) descrever

deport [dɪˈpɔːt] *vt* deportar

deposit [dɪˈpɔzɪt] *n* (COMM, GEO) depósito; (CHEM) sedimento; (*of ore, oil*) jazida; (*down payment*) sinal *m* ♦ *vt* depositar; (*luggage*) guardar; **deposit account** *n* conta de depósito a prazo

depot [ˈdɛpəʊ] *n* (*storehouse*) depósito, armazém *m*; (*for vehicles*) garagem *f*, parque *m*; (US) estação *f*

depress [dɪˈprɛs] *vt* deprimir; (*wages*) reduzir; (*press down*) apertar; **depressed** *adj* deprimido; (*area*) em depressão; **depressing** *adj* deprimente; **depression** *n* depressão *f*; (*hollow*) achatamento

deprivation [dɛprɪˈveɪʃən] *n* privação *f*

deprive [dɪˈpraɪv] *vt*: **to ~ sb of** privar alguém de; **deprived** *adj* carente

depth [dɛpθ] *n* profundidade *f*; (*of feeling*) intensidade *f*; **in the ~s of despair** no auge do desespero; **to be out of one's ~** (BRIT: *swimmer*) estar sem pé; (*fig*) estar voando

deputy [ˈdɛpjutɪ] *adj*: **~ chairman** vice-presidente(-a) *m/f* ♦ *n* (*assistant*) adjunto(-a); (POL: MP) deputado(-a); **~ head** (BRIT: SCH) diretor adjunto (diretora adjunta) *m/f*

derail [dɪˈreɪl] *vt*: **to be ~ed** descarrilhar

deranged [dɪˈreɪndʒd] *adj* (*person*) louco, transtornado

derby [ˈdəːbɪ] (US) *n* chapéu-coco

derelict [ˈdɛrɪlɪkt] *adj* abandonado

derive [dɪˈraɪv] *vt*: **to ~ (from)** obter *or* tirar (de) ♦ *vi*: **to ~ from** derivar-se de

derogatory [dɪˈrɔgətərɪ] *adj* depreciativo

descend [dɪˈsɛnd] *vt*, *vi* descer; **to ~ from** descer de; **to ~ to** descambar em; **descent** *n* descida; (*origin*) descendência

describe [dɪsˈkraɪb] *vt* descrever; **description** [dɪsˈkrɪpʃən] *n* descrição *f*; (*sort*) classe *f*, espécie *f*

desert [*n* ˈdɛzət, *vb* dɪˈzəːt] *n* deserto ♦ *vt* (*place*) desertar; (*partner, family*) abandonar ♦ *vi* (MIL) desertar; **deserter** [dɪˈzəːtə*] *n* desertor *m*; **desert island** *n* ilha deserta; **deserts** *npl*: **to get one's just deserts** receber o que merece

deserve [dɪˈzəːv] *vt* merecer; **deserving** *adj* (*person*) merecedor(a), digno; (*action, cause*) meritório

design [dɪˈzaɪn] *n* (*sketch*) desenho, esboço; (*layout, shape*) plano, projeto; (*pattern*) desenho, padrão *m*; (*art*) design *m*; (*intention*) propósito, intenção *f* ♦ *vt* (*plan*) projetar

designer [dɪˈzaɪnə*] *n* (ART) artista *m/f* gráfico(-a); (TECH) desenhista *m/f*, projetista *m/f*; (*fashion ~*) estilista *m/f*

desire [dɪˈzaɪə*] *n* anseio; (*sexual*) desejo ♦ *vt* querer, desejar, cobiçar

desk [dɛsk] *n* (*in office*) mesa, secretária; (*for pupil*) carteira *f*; (*at airport*) balcão *m*; (*in hotel*) recepção *f*; (BRIT: *in shop, restaurant*) caixa; **desktop publishing** *n* editoração *f* eletrônica

desolate [ˈdɛsəlɪt] *adj* (*place*) deserto; (*person*) desolado

despair [dɪsˈpɛə*] *n* desesperança ♦ *vi*: **to ~ of** desesperar-se de

despatch [dɪsˈpætʃ] *n*, *vt* = **dispatch**

desperate [ˈdɛspərɪt] *adj* desesperado; (*situation*) desesperador(a); (*fugitive*) violento; **to be ~ for sth/to do** estar louco por algo/para fazer; **desperately** *adv* desesperadamente; (*very*: *unhappy*) terrivelmente; (: *ill*) gravemente; **desperation** [dɛspəˈreɪʃən] *n* desespero, desesperança; **in (sheer) desperation** desesperado

despise [dɪsˈpaɪz] *vt* desprezar

despite [dɪsˈpaɪt] *prep* apesar de, a despeito de

despondent [dɪsˈpɔndənt] *adj* abatido, desanimado

dessert [dɪˈzəːt] *n* sobremesa

destination [dɛstɪˈneɪʃən] *n* destino

destined [ˈdɛstɪnd] *adj*: **to be ~ to do sth** estar destinado a fazer algo; **~ for** com destino a

destiny [ˈdɛstɪnɪ] *n* destino

destitute [ˈdɛstɪtjuːt] *adj* indigente, necessitado

destroy [dɪsˈtrɔɪ] *vt* destruir; (*animal*) sacrificar; **destruction** *n* destruição *f*

detach [dɪˈtætʃ] *vt* separar; (*unstick*) desprender; **detached** *adj* (*attitude*) imparcial, objetivo; (*house*) independente, isolado

detail [ˈdiːteɪl] *n* detalhe *m*; (*trifle*) bobagem *f* ♦ *vt* detalhar; **in ~** pormenorizado, em detalhe

detain [dɪˈteɪn] *vt* deter; (*in captivity*) prender; (*in hospital*) hospitalizar

detect [dɪˈtɛkt] *vt* perceber; (MED, POLICE) identificar; (MIL, RADAR, TECH) detectar; **detection** *n* descoberta; **detective** *n* detetive *m/f*; **detective story** *n* romance *m* policial

detention [dɪˈtɛnʃən] *n* detenção *f*,

deter → digit

prisão f; (SCH) castigo
deter [dɪˈtəː*] vt (discourage) desanimar; (dissuade) dissuadir
detergent [dɪˈtəːdʒənt] n detergente m
deteriorate [dɪˈtɪərɪəreɪt] vi deteriorar-se
determine [dɪˈtəːmɪn] vt descobrir; (limits) demarcar; **determined** adj (person) resoluto; **determined to do** decidido a fazer
detour [ˈdiːtuə*] n desvio
detract [dɪˈtrækt] vi: **to ~ from** diminuir
detrimental [detrɪˈmentl] adj: **~ (to)** prejudicial (a)
devastate [ˈdɛvəsteɪt] vt devastar; (fig): **to be ~d by** estar arrasado com
develop [dɪˈvɛləp] vt desenvolver; (PHOT) revelar; (disease) contrair; (resources) explorar ♦ vi (advance) progredir; (evolve) evoluir; (appear) aparecer; **developer** [dɪˈvɛləpə*] n empresário(-a) de imóveis; **developing country** país m em desenvolvimento; **development** [dɪˈvɛləpmənt] n desenvolvimento; (advance) progresso; (of land) urbanização f
device [dɪˈvaɪs] n aparelho, dispositivo
devil [ˈdɛvl] n diabo
devious [ˈdiːvɪəs] adj (person) malandro, esperto
devise [dɪˈvaɪz] vt (plan) criar; (machine) inventar
devoid [dɪˈvɔɪd] adj: **~ of** destituído de
devote [dɪˈvəut] vt: **to ~ sth to** dedicar algo a; **devoted** [dɪˈvəutɪd] adj (friendship) leal; (partner) fiel; **to be devoted to** estar devotado a; **the book is devoted to politics** o livro trata de política; **devotee** [dɛvəuˈtiː] n adepto(-a), entusiasta m/f; (REL) devoto(-a); **devotion** n devoção f; (to duty) dedicação f
devour [dɪˈvauə*] vt devorar
devout [dɪˈvaut] adj devoto
dew [djuː] n orvalho
diabetes [daɪəˈbiːtiːz] n diabete f
diabolical [daɪəˈbɔlɪkl] (inf) adj (dreadful) horrível
diagnosis [daɪəgˈnəusɪs] (pl **diagnoses**) n diagnóstico
diagonal [daɪˈægənl] adj diagonal ♦ n diagonal f
diagram [ˈdaɪəgræm] n diagrama m, esquema m
dial [ˈdaɪəl] n disco ♦ vt (number) discar (BR), marcar (PT)
dialect [ˈdaɪəlɛkt] n dialeto
dialling code [ˈdaɪəlɪŋ-] (US **dial code**) n código de discagem

dialling tone [ˈdaɪəlɪŋ-] (US **dial tone**) n sinal m de discagem (BR) or de marcar (PT)
dialogue [ˈdaɪəlɔg] (US **dialog**) n diálogo; (conversation) conversa
diameter [daɪˈæmɪtə*] n diâmetro
diamond [ˈdaɪəmənd] n diamante m; (shape) losango, rombo; **~s** npl (CARDS) ouros mpl
diaper [ˈdaɪəpə*] (US) n fralda
diaphragm [ˈdaɪəfræm] n diafragma m
diarrhoea [daɪəˈriːə] (US **diarrhea**) n diarréia
diary [ˈdaɪərɪ] n (daily account) diário; (engagements book) agenda
dice [daɪs] n inv dado ♦ vt (CULIN) cortar em cubos
dictate [dɪkˈteɪt] vt ditar; **dictation** n (of letter) ditado; (of orders) ordem f
dictator [dɪkˈteɪtə*] n ditador(a) m/f; **dictatorship** n ditadura
dictionary [ˈdɪkʃənrɪ] n dicionário
did [dɪd] pt of **do**
didn't [ˈdɪdnt] = **did not**
die [daɪ] vi morrer; (fig: fade) murchar; **to be dying for sth/to do sth** estar louco por algo/para fazer algo; **die away** vi (sound, light) extinguir-se lentamente; **die down** vi (fire) apagar-se; (wind) abrandar; (excitement) diminuir; **die out** vi desaparecer
diesel [ˈdiːzl] n diesel m; (also: **~ oil**) óleo diesel
diet [ˈdaɪət] n dieta; (restricted food) regime m ♦ vi (also: **be on a ~**) estar de dieta, fazer regime
differ [ˈdɪfə*] vi (be different): **to ~ from sth** ser diferente de algo, diferenciar-se de algo; (disagree): **to ~ (about)** discordar (sobre); **difference** n diferença; (disagreement) divergência; **different** adj diferente; **differentiate** [dɪfəˈrɛnʃɪeɪt] vi: **to differentiate (between)** distinguir (entre)
difficult [ˈdɪfɪkəlt] adj difícil; **difficulty** n dificuldade f
dig [dɪg] (pt, pp **dug**) vt cavar ♦ n (prod) pontada; (archaeological) excavação f; (remark) alfinetada; **to ~ one's nails into sth** cravar as unhas em algo; **dig into** vt fus (savings) gastar; **dig up** vt (plant) arrancar; (information) trazer à tona
digest [vb daɪˈdʒɛst, n ˈdaɪdʒɛst] vt (food) digerir; (facts) assimilar ♦ n sumário; **digestion** [dɪˈdʒɛstʃən] n digestão f
digit [ˈdɪdʒɪt] n (MATH) dígito; (finger) dedo; **digital** adj digital; **digital camera** n câmara digital; **digital TV** n

dignified → discharge

televisão f digital
dignified ['dɪgnɪfaɪd] adj digno
dignity ['dɪgnɪtɪ] n dignidade f
digress [daɪ'grɛs] vi: **to ~ from** afastar-se de
digs [dɪgz] (BRIT: inf) npl pensão f, alojamento
dilapidated [dɪ'læpɪdeɪtɪd] adj arruinado
dilemma [daɪ'lɛmə] n dilema m
diligent ['dɪlɪdʒənt] adj (worker) diligente; (research) cuidadoso
dilute [daɪ'lu:t] vt diluir
dim [dɪm] adj fraco; (outline) indistinto; (room) escuro; (inf: person) burro ♦ vt diminuir; (US: AUT) baixar
dime [daɪm] (US) n dez centavos
dimension [dɪ'mɛnʃən] n dimensão f; (measurement) medida; (also: **~s**: scale, size) tamanho
diminish [dɪ'mɪnɪʃ] vi diminuir
diminutive [dɪ'mɪnjutɪv] adj diminuto ♦ n (LING) diminutivo
dimple ['dɪmpl] n covinha
din [dɪn] n zoeira
dine [daɪn] vi jantar; **diner** n comensal m/f; (US: eating place) lanchonete f
dinghy ['dɪŋgɪ] n dingue m; (also: **rubber ~**) bote m; (: also: **sailing ~**) bote de borracha
dingy ['dɪndʒɪ] adj (room) sombrio, lúgubre; (clothes, curtains etc) sujo
dining car ['daɪnɪŋ-] (BRIT) n (RAIL) vagão-restaurante m
dining room ['daɪnɪŋ-] n sala de jantar
dinner ['dɪnə*] n (evening meal) jantar m; (lunch) almoço; (banquet) banquete m; **dinner jacket** n smoking m; **dinner party** n jantar m; **dinner time** n (midday) hora de almoçar; (evening) hora de jantar
dip [dɪp] n (slope) inclinação f; (in sea) mergulho; (CULIN) pasta para servir com salgadinhos ♦ vt (in water) mergulhar; (ladle) meter; (BRIT: AUT: lights) baixar ♦ vi descer subitamente
diploma [dɪ'pləumə] n diploma m
diplomat ['dɪpləmæt] n diplomata m/f
dipstick ['dɪpstɪk] (US **diprod**) n (AUT) vareta medidora
dire [daɪə*] adj terrível
direct [daɪ'rɛkt] adj direto; (route) reto; (manner) franco, sincero ♦ vt dirigir; (order): **to ~ sb to do sth** ordenar alguém para fazer algo ♦ adv direto; **can you ~ me to ...?** pode me indicar o caminho a ...?; **direction** n (way) indicação f; (TV, RADIO, CINEMA) direção f; **directions** npl (instructions) instruções fpl;

directions for use modo de usar; **directly** adv diretamente; (at once) imediatamente; **director** n diretor(a) m/f
directory [dɪ'rɛktərɪ] n (TEL) lista (telefônica); (also: COMM) anuário comercial; (COMPUT) diretório; **directory enquiries** (US **directory assistance**) n informações fpl
dirt [də:t] n sujeira (BR), sujidade (PT); **dirty** adj sujo; (joke) indecente ♦ vt sujar; **dirty trick** n golpe m baixo, sujeira
disability [dɪsə'bɪlɪtɪ] n incapacidade f
disabled [dɪs'eɪbld] adj deficiente ♦ npl: **the ~** os deficientes
disadvantage [dɪsəd'vɑ:ntɪdʒ] n desvantagem f; (prejudice) inconveniente m
disagree [dɪsə'gri:] vi (differ) diferir; (be against, think otherwise): **to ~ (with)** não concordar (com), discordar (de); **disagreeable** adj desagradável; **disagreement** n desacordo; (quarrel) desavença
disallow ['dɪsə'lau] vt (LAW) vetar, proibir
disappear [dɪsə'pɪə*] vi desaparecer, sumir; (custom etc) acabar; **disappearance** n desaparecimento, desaparição f
disappoint [dɪsə'pɔɪnt] vt decepcionar; **disappointed** adj desiludido; **disappointment** n decepção f; (cause) desapontamento
disapproval [dɪsə'pru:vəl] n desaprovação f
disapprove [dɪsə'pru:v] vi: **to ~ of** desaprovar
disarmament [dɪs'ɑ:məmənt] n desarmamento
disaster [dɪ'zɑ:stə*] n (accident) desastre m; (natural) catástrofe f
disbelief [dɪsbə'li:f] n incredulidade f
disc [dɪsk] n disco; (COMPUT) = **disk**
discard [dɪs'kɑ:d] vt (old things) desfazer-se de; (fig) descartar
discern [dɪ'sə:n] vt perceber; (identify) identificar; **discerning** adj perspicaz
discharge [vb dɪs'tʃɑ:dʒ, n 'dɪstʃɑ:dʒ] vt (duties) cumprir, desempenhar; (patient) dar alta a; (employee) despedir; (soldier) dar baixa em, dispensar; (defendant) pôr em liberdade; (waste etc) descarregar, despejar ♦ n (ELEC, CHEM) descarga; (dismissal) despedida; (of duty) desempenho; (of debt) quitação f; (from hospital) alta; (from army) baixa; (LAW) absolvição f; (MED) secreção f

discipline ['dɪsɪplɪn] n disciplina ♦ vt disciplinar; (*punish*) punir
disc jockey n (*on radio*) radialista m/f; (*in disco*) discotecário(-a)
disclose [dɪs'kləʊz] vt revelar; **disclosure** n revelação f
disco ['dɪskəʊ] n abbr discoteca
discomfort [dɪs'kʌmfət] n (*unease*) inquietação f; (*physical*) desconforto
disconcert [dɪskən'sɜːt] vt desconcertar
disconnect [dɪskə'nɛkt] vt desligar; (*pipe, tap*) desmembrar
discontent [dɪskən'tɛnt] n descontentamento; **discontented** adj descontente
discontinue [dɪskən'tɪnjuː] vt interromper; (*payments*) suspender; **"~d"** (COMM) "fora de linha"
discount [n 'dɪskaʊnt, vb dɪs'kaʊnt] n desconto ♦ vt descontar; (*idea*) ignorar
discourage [dɪs'kʌrɪdʒ] vt (*dishearten*) desanimar; (*advise against*): **to ~ sth/sb from doing** desaconselhar algo/alguém a fazer
discover [dɪs'kʌvə*] vt descobrir; (*missing person*) encontrar; (*mistake*) achar; **discovery** n descoberta
discredit [dɪs'krɛdɪt] vt desacreditar; (*claim*) desmerecer
discreet [dɪ'skriːt] adj discreto; (*careful*) cauteloso
discrepancy [dɪ'skrɛpənsɪ] n diferença
discretion [dɪ'skrɛʃən] n discrição f; **at the ~ of** ao arbítrio de
discriminate [dɪ'skrɪmɪneɪt] vi: **to ~ between** fazer distinção entre; **to ~ against** discriminar contra; **discriminating** adj criterioso; **discrimination** [dɪskrɪmɪ'neɪʃən] n (*discernment*) discernimento; (*bias*) discriminação f
discuss [dɪ'skʌs] vt discutir; (*analyse*) analisar; **discussion** n discussão f; (*debate*) debate m
disdain [dɪs'deɪn] n desdém m
disease [dɪ'ziːz] n doença
disembark [dɪsɪm'bɑːk] vt, vi desembarcar
disentangle [dɪsɪn'tæŋgl] vt desvencilhar; (*wool, wire*) desembaraçar
disfigure [dɪs'fɪgə*] vt (*person*) desfigurar; (*object*) estragar, enfear
disgrace [dɪs'greɪs] n ignomínia; (*shame*) desonra ♦ vt (*family*) envergonhar; (*name, country*) desonrar; **disgraceful** adj vergonhoso; (*behaviour*) escandaloso
disgruntled [dɪs'grʌntld] adj descontente

disguise [dɪs'gaɪz] n disfarce m ♦ vt: **to ~ (as)** disfarçar (de); **in ~** disfarçado
disgust [dɪs'gʌst] n repugnância ♦ vt repugnar a, dar nojo em; **disgusting** adj repugnante; (*unacceptable*) inaceitável
dish [dɪʃ] n prato; (*serving ~*) travessa; **to do** *or* **wash the ~es** lavar os pratos *or* a louça; **dish out** vt repartir; **dish up** vt servir; **dishcloth** n pano de prato *or* de louça
dishearten [dɪs'hɑːtn] vt desanimar
dishevelled [dɪ'ʃɛvəld] (*US* **disheveled**) adj (*hair*) despenteado; (*clothes*) desalinhado
dishonest [dɪs'ɔnɪst] adj (*person*) desonesto; (*means*) fraudulento
dishonour [dɪs'ɔnə*] (*US* **dishonor**) n desonra
dishtowel ['dɪʃtaʊəl] (*US*) n pano de prato
dishwasher ['dɪʃwɔʃə*] n máquina de lavar louça *or* pratos
disillusion [dɪsɪ'luːʒən] vt desiludir
disinfectant [dɪsɪn'fɛktənt] n desinfetante m
disintegrate [dɪs'ɪntɪgreɪt] vi desintegrar-se
disjointed [dɪs'dʒɔɪntɪd] adj desconexo
disk [dɪsk] n (COMPUT) disco; **single-/double-sided ~** disquete de face simples/dupla; **disk drive** n unidade f de disco; **diskette** [dɪs'kɛt] (*US*) n = **disk**
dislike [dɪs'laɪk] n (*feeling*) desagrado; (*gen pl: object of ~*) antipatia, aversão f ♦ vt antipatizar com, não gostar de
dislocate ['dɪsləkeɪt] vt deslocar
dislodge [dɪs'lɔdʒ] vt mover, deslocar
disloyal [dɪs'lɔɪəl] adj desleal
dismal ['dɪzml] adj (*depressing*) deprimente; (*very bad*) horrível
dismantle [dɪs'mæntl] vt desmontar, desmantelar
dismay [dɪs'meɪ] n consternação f ♦ vt consternar
dismiss [dɪs'mɪs] vt (*worker*) despedir; (*pupils*) dispensar; (*soldiers*) dar baixa a; (*LAW, possibility*) rejeitar; **dismissal** n demissão f
dismount [dɪs'maʊnt] vi (*from horse*) desmontar; (*from bicycle*) descer
disobedient [dɪsə'biːdɪənt] adj desobediente
disobey [dɪsə'beɪ] vt desobedecer a; (*rules*) transgredir
disorder [dɪs'ɔːdə*] n desordem f; (*rioting*) distúrbios mpl, tumulto; (MED) distúrbio; **disorderly** adj (*untidy*) desarrumado; (*meeting*) tumultuado;

disown → ditto

(*behaviour*) escandaloso
disown [dɪsˈəun] *vt* repudiar; (*child*) rejeitar
disparaging [dɪsˈpærɪdʒɪŋ] *adj* depreciativo
dispatch [dɪsˈpætʃ] *vt* (*send: parcel etc*) expedir; (: *messenger*) enviar ♦ *n* (*sending*) remessa, urgência; (PRESS) comunicado; (MIL) parte f
dispel [dɪsˈpel] *vt* dissipar
dispense [dɪsˈpens] *vt* (*medicine*) preparar (e vender); **dispense with** *vt fus* prescindir de; **dispenser** *n* (*device*) distribuidor *m* automático
disperse [dɪsˈpəːs] *vt* espalhar; (*crowd*) dispersar ♦ *vi* dispersar-se
displace [dɪsˈpleɪs] *vt* (*shift*) deslocar
display [dɪsˈpleɪ] *n* (*in shop*) mostra; (*exhibition*) exposição f; (COMPUT, TECH: *information*) apresentação f visual; (: *device*) display *m*; (*of feeling*) manifestação f ♦ *vt* mostrar; (*ostentatiously*) ostentar
displease [dɪsˈpliːz] *vt* (*offend*) ofender; (*annoy*) aborrecer; **displeased** *adj*: **displeased with** descontente com; (*disappointed*) aborrecido com; **displeasure** [dɪsˈplɛʒə*] *n* desgosto
disposable [dɪsˈpəuzəbl] *adj* descartável; (*income*) disponível
disposal [dɪsˈpəuzl] *n* (*of rubbish*) destruição f; (*of property etc*) venda, traspasse *m*; **at sb's ~** à disposição de alguém
disposed [dɪsˈpəuzd] *adj*: **to be ~ to do sth** estar disposto a fazer algo; **to be well ~ towards sb** estar predisposto a favor de alguém
dispose of [dɪsˈpəuz-] *vt fus* (*unwanted goods*) desfazer-se de; (*problem, task*) lidar; **disposition** [dɪspəˈzɪʃən] *n* disposição f; (*temperament*) índole f
disprove [dɪsˈpruːv] *vt* refutar
dispute [dɪsˈpjuːt] *n* (*domestic*) briga; (*also: industrial ~*) conflito, disputa ♦ *vt* (*fact, statement*) questionar; (*ownership*) contestar
disqualify [dɪsˈkwɔlɪfaɪ] *vt* (SPORT) desclassificar; **to ~ sb for sth/from doing sth** desqualificar alguém para algo/de fazer algo
disregard [dɪsrɪˈgɑːd] *vt* ignorar
disreputable [dɪsˈrɛpjutəbl] *adj* (*person*) de má fama; (*behaviour*) vergonhoso
disrupt [dɪsˈrʌpt] *vt* (*plans*) desfazer; (*conversation*) perturbar, interromper
dissect [dɪˈsɛkt] *vt* dissecar
dissent [dɪˈsent] *n* dissensão f

dissertation [dɪsəˈteɪʃən] *n* (*also*: SCH) dissertação f, tese f
dissolve [dɪˈzɔlv] *vt* dissolver ♦ *vi* dissolver-se; **to ~ in(to) tears** debulhar-se em lágrimas
distance [ˈdɪstns] *n* distância; **in the ~** ao longe
distant [ˈdɪstnt] *adj* distante; (*manner*) afastado, reservado
distaste [dɪsˈteɪst] *n* repugnância; **distasteful** *adj* repugnante
distil [dɪsˈtɪl] (US **distill**) *vt* destilar; **distillery** *n* destilaria
distinct [dɪsˈtɪŋkt] *adj* distinto; (*clear*) claro; (*unmistakable*) nítido; **as ~ from** em oposição a; **distinction** *n* diferença; (*honour*) honra; (*in exam*) distinção f
distinguish [dɪsˈtɪŋgwɪʃ] *vt* (*differentiate*) diferenciar; (*identify*) identificar; **to ~ o.s.** distinguir-se; **distinguished** *adj* (*eminent*) eminente; (*in appearance*) distinto; **distinguishing** *adj* (*feature*) distintivo
distort [dɪsˈtɔːt] *vt* distorcer
distract [dɪsˈtrækt] *vt* distrair; (*attention*) desviar; **distracted** *adj* distraído; (*anxious*) aturdido; **distraction** *n* distração f; (*confusion*) aturdimento, perplexidade f; (*amusement*) divertimento
distraught [dɪsˈtrɔːt] *adj* desesperado
distress [dɪsˈtres] *n* angústia ♦ *vt* afligir; **distressing** *adj* angustiante
distribute [dɪsˈtrɪbjuːt] *vt* distribuir; (*share out*) repartir, dividir; **distribution** [dɪstrɪˈbjuːʃən] *n* distribuição f; (*of profits*) repartição f; **distributor** *n* (AUT) distribuidor *m*; (COMM) distribuidor(a) *m/f*
district [ˈdɪstrɪkt] *n* (*of country*) região f; (*of town*) zona; (ADMIN) distrito; **district attorney** (US) *n* promotor público (promotora pública) *m/f*
distrust [dɪsˈtrʌst] *n* desconfiança ♦ *vt* desconfiar de
disturb [dɪsˈtəːb] *vt* (*disorganize*) perturbar; (*upset*) incomodar; (*interrupt*) atrapalhar; **disturbance** *n* (*upheaval*) convulsão f; (*political, violent*) distúrbio; (*of mind*) transtorno; **disturbed** *adj* perturbado; (*childhood*) infeliz; **to be emotionally disturbed** ter problemas emocionais; **disturbing** *adj* perturbador(a)
ditch [dɪtʃ] *n* fosso; (*irrigation ~*) rego ♦ *vt* (*inf: partner*) abandonar; (: *car, plan etc*) desfazer-se de
dither [ˈdɪðə*] *vi* vacilar
ditto [ˈdɪtəu] *adv* idem

dive [daɪv] n (from board) salto; (underwater) mergulho ♦ vi mergulhar; **to ~ into** (bag, drawer) enfiar a mão em; (shop, car) enfiar-se em; **diver** n mergulhador (a) m/f

diversion [daɪ'vɜːʃən] n (BRIT: AUT) desvio; (distraction) diversão f; (of funds) desvio

divert [daɪ'vɜːt] vt desviar

divide [dɪ'vaɪd] vt (MATH) dividir; (separate) separar; (share out) repartir ♦ vi dividir-se; (road) bifurcar-se; **divided highway** (US) n pista dupla

dividend ['dɪvɪdɛnd] n dividendo; (fig): **to pay ~s** valer a pena

divine [dɪ'vaɪn] adj (also fig) divino

diving ['daɪvɪŋ] n salto; (underwater) mergulho; **diving board** n trampolim m

divinity [dɪ'vɪnɪtɪ] n divindade f; (SCH) teologia

division [dɪ'vɪʒən] n divisão f; (sharing out) repartição f; (disagreement) discórdia; (FOOTBALL) grupo

divorce [dɪ'vɔːs] n divórcio ♦ vt divorciar-se de; (dissociate) dissociar; **divorced** adj divorciado; **divorcee** n divorciado(-a)

DIY n abbr = **do-it-yourself**

dizzy ['dɪzɪ] adj tonto

DJ n abbr = **disc jockey**

---KEYWORD---

do [duː] (pt **did**, pp **done**) vb aux
1 (in negative constructions): **I don't understand** eu não compreendo
2 (to form questions): **didn't you know?** você não sabia?; **what ~ you think?** o que você acha?
3 (for emphasis, in polite expressions) **she does seem rather late** ela está muito atrasada; **~ sit down/help yourself** sente-se/sirva-se; **~ take care!** tome cuidado!
4 (used to avoid repeating vb): **she swims better than I ~** ela nada melhor que eu; **~ you agree? – yes, I ~/no, I don't** você concorda? – sim, concordo/não, não concordo; **she lives in Glasgow – so ~ I** ela mora em Glasgow – eu também; **who broke it? – I did** quem quebrou isso? – (fui) eu
5 (in question tags): **you like him, don't you?** você gosta dele, não é?; **he laughed, didn't he?** ele riu, não foi?
♦ vt
1 (gen: carry out, perform etc) fazer; **what are you ~ing tonight?** o que você vai fazer hoje à noite?; **to ~ the washing-up/cooking** lavar a louça/cozinhar; **to ~ one's teeth/nails** escovar os dentes/fazer as unhas; **to ~ one's hair** (comb) pentear-se; (style) fazer um penteado; **we're ~ing Othello at school** (studying) nós estamos estudando Otelo na escola; (performing) nós vamos encenar Otelo na escola
2 (AUT etc): **the car was ~ing 100** o carro estava a 100 por hora; **we've done 200 km already** nós já **that car** ele consegue dar 100 nesse carro
♦ vi
1 (act, behave) fazer; **~ as I ~** faça como eu faço
2 (get on, fare) ir; **how ~ you ~?** como você está indo?
3 (suit) servir; **will it ~?** serve?
4 (be sufficient) bastar; **will £10 ~?** £10 dá?; **that'll ~** é suficiente; **that'll ~!** (in annoyance) basta!, chega!; **to make ~ (with)** contentar-se com ♦ n (inf: party etc) festa; **it was rather a ~** foi uma festança

do away with vt fus (kill) matar; (law etc) abolir; (withdraw) retirar

do up vt (laces) atar; (zip) fechar; (dress, skirt) abotoar; (renovate: room, house) arrumar, renovar

do with vt fus (need): **I could ~ with a drink/some help** eu bem que gostaria de tomar alguma coisa/eu bem que precisaria de uma ajuda; (be connected) ter a ver com; **what has it got to ~ with you?** o que é que isso tem a ver com você?

do without vi: **if you're late for tea then you'll ~ without** se você chegar atrasado ficará sem almoço
♦ vt fus passar sem

---

dock [dɔk] n (NAUT) doca; (LAW) banco (dos réus) ♦ vi (NAUT: enter ~) entrar no estaleiro; (SPACE) unir-se no espaço; **~s** npl docas fpl; **docker** n portuário, estivador m; **dockyard** n estaleiro

doctor ['dɔktə*] n médico(-a); (PhD etc) doutor (a) m/f ♦ vt (drink etc) falsificar

document ['dɔkjumənt] n documento; **documentary** [dɔkju'mɛntərɪ] adj documental ♦ n documentário

dodge [dɔdʒ] n (trick) trapaça ♦ vt esquivar-se de, evitar; (tax) sonegar; (blow) furtar-se a

Dodgems ['dɔdʒəmz] ® (BRIT) npl carros mpl de choque

does [dʌz] vb see **do**; **doesn't** = **does not**

dog [dɔg] n cachorro, cão m ♦ vt (subj: person) seguir; (: bad luck) perseguir; **dog-eared** adj surrado

dogged ['dɔgɪd] adj tenaz, persistente

dogsbody → dragonfly

dogsbody ['dɔgzbɔdɪ] (BRIT: inf) n faztudo m/f
doings ['du:ɪŋz] npl atividades fpl
do-it-yourself n sistema m faça-você-mesmo
dole [dəul] (BRIT) n (payment) subsídio de desemprego; **on the ~** desempregado; **dole out** vt distribuir
doll [dɔl] n boneca; (US: inf: woman) mulher f jovem e bonita
dollar ['dɔlə*] n dólar m
dolphin ['dɔlfɪn] n golfinho
dome [dəum] n (ARCH) cúpula
domestic [də'mɛstɪk] adj doméstico; (national) nacional; **domesticated** adj domesticado; (home-loving) prendado
dominate ['dɔmɪneɪt] vt dominar
domineering [dɔmɪ'nɪərɪŋ] adj dominante, mandão(-dona)
domino ['dɔmɪnəu] (pl ~es) n peça de dominó; **~es** n (game) dominó m
donate [də'neɪt] vt: **to ~ (to)** doar (para)
done [dʌn] pp of **do**
donkey ['dɔŋkɪ] n burro
donor ['dəunə*] n doador(a) m/f; **donor card** n cartão m de doador
don't [dəunt] = **do not**
doodle ['du:dl] vi rabiscar
doom [du:m] n (fate) destino ♦ vt: **to be ~ed to failure** estar destinado or fadado ao fracasso
door [dɔ:*] n porta; **doorbell** n campainha; **doorman** (irreg) n porteiro; **doormat** n capacho; **doorstep** n degrau m da porta, soleira; **doorway** n vão m da porta, entrada
dope [dəup] n (inf: person) imbecil m/f; (: drug) maconha ♦ vt (horse etc) dopar
dormitory ['dɔ:mɪtrɪ] n dormitório; (US) residência universitária
doz. abbr (= dozen) dz.
dormouse ['dɔ:maus] (pl **dormice**) n rato (de campo)
dose [dəus] n dose f
dot [dɔt] n ponto; (speck) marca pequena ♦ vt: **~ted with** salpicado de; **on the ~** em ponto
dote [dəut]: **to ~ on** vt fus adorar, idolatrar
dotted line ['dɔtɪd-] n linha pontilhada
double ['dʌbl] adj duplo ♦ adv (twice): **to cost ~ (sth)** custar o dobro (de algo) ♦ n (person) duplo(-a) ♦ vt dobrar ♦ vi dobrar; **at the ~** (BRIT), **on the ~** em passo acelerado; **double bed** n cama de casal; **double bass** n contrabaixo; **double-click** vi (COMPUT) dar um clique duplo; **doublecross** vt (trick) enganar; (betray) atraiçoar; **doubledecker** n ônibus m (BR) or autocarro (PT) de dois andares; **double room** n quarto de casal
doubt [daut] n dúvida ♦ vt duvidar; (suspect) desconfiar de; **to ~ if** or **whether** duvidar que; **doubtful** adj duvidoso; **doubtless** adv sem dúvida
dough [dəu] n massa; **doughnut** (US **donut**) n sonho (BR), bola de Berlim (PT)
dove [dʌv] n pomba
dowdy ['daudɪ] adj (clothes) desalinhado; (person) deselegante, pouco elegante
down [daun] n (feathers) penugem f ♦ adv (~wards) para baixo; (on the ground) por terra ♦ prep (towards lower level) embaixo de; (movement along) ao longo de ♦ vt (inf: drink) tomar de um gole só; **~ with X!** abaixo X!; **down-and-out** n (tramp) vagabundo(-a); **down-at-heel** adj descuidado, desmazelado; (appearance) deselegante; **downcast** adj abatido; **downfall** n queda, ruína; **downhearted** adj desanimado; **downhill** adv: **to go downhill** descer, ir morro abaixo; (fig: business) degringolar; **download** [daun'ləud] vt (COMPUT) fazer o download de, baixar; **downpour** n aguaceiro; **downright** adj (lie) patente; (refusal) categórico; **downstairs** adv (below) (lá) em baixo; (downwards) para baixo; **downstream** adv água ou rio abaixo; **down-to-earth** adj prático, realista; **downtown** adv no centro da cidade; **down under** adv na Austrália (or Nova Zelândia); **downward** adj, adv para baixo; **downwards** adv = **downward**
doze [dəuz] vi dormitar; **doze off** vi cochilar
dozen ['dʌzn] n dúzia; **a ~ books** uma dúzia de livros; **~s of** milhares de
Dr abbr (= doctor) Dr (a) m/f
drab [dræb] adj sombrio
draft [dra:ft] n (first copy) rascunho; (POL: of bill) projeto de lei; (bank ~) saque m, letra; (US: call-up) recrutamento ♦ vt (plan) esboçar; (speech, letter) rascunhar; see also **draught**
drag [dræg] vt arrastar; (river) dragar ♦ vi arrastar-se ♦ n (inf) chatice f (BR), maçada (PT); (women's clothing): **in ~** em travesti; **drag on** vi arrastar-se
dragon ['drægən] n dragão m
dragonfly ['drægənflaɪ] n libélula

drain [dreɪn] n bueiro; (*source of loss*) sorvedouro ♦ vt (*glass*) esvaziar; (*land, marshes*) drenar; (*vegetables*) coar ♦ vi (*water*) escorrer, escoar-se; **drainage** n (*act*) drenagem f; (*system*) esgoto; **drainpipe** n cano de esgoto

drama ['drɑːmə] n (*art*) teatro; (*play*) drama m; **dramatic** [drə'mætɪk] adj dramático; (*theatrical*) teatral

drank [dræŋk] pt of **drink**

drape [dreɪp] vt ornar, cobrir; **drapes** (*US*) npl cortinas fpl

drastic ['dræstɪk] adj drástico

draught [drɑːft] (*US* **draft**) n (*of air*) corrente f; (*NAUT*) calado; (*beer*) chope m; **on ~** (*beer*) de barril; **draughts** (*BRIT*) n (jogo de) damas fpl

draw [drɔː] (*pt* **drew**, *pp* **drawn**) vt desenhar; (*cart*) puxar; (*curtain*) fechar; (*gun*) sacar; (*attract*) atrair; (*money*) tirar; (: *from bank*) sacar ♦ vi empatar ♦ n empate m; (*lottery*) sorteio; **to ~ near** aproximar-se; **draw out** vt (*money*) sacar; **draw up** vi (*stop*) parar(-se) ♦ vt (*chair etc*) puxar; (*document*) redigir; **drawback** n inconveniente m, desvantagem f; **drawbridge** n ponte f levadiça; **drawer** n gaveta m; **drawing** n desenho; **drawing pin** (*BRIT*) n tachinha (*BR*), pionés m (*PT*); **drawing room** n sala de visitas

drawl [drɔːl] n fala arrastada

drawn [drɔːn] pp of **draw**

dread [drɛd] n medo, pavor m ♦ vt temer, recear, ter medo de; **dreadful** adj terrível

dream [driːm] (*pt, pp* **~ed** or **~t**) n sonho ♦ vt, vi sonhar; (*wound*) fazer curativo em ♦ vi vestir-se; **dreamy** adj sonhador(a), distraído; (*music*) sentimental

dreary ['drɪərɪ] adj (*talk, time*) monótono; (*weather*) sombrio

dregs [drɛgz] npl lia; (*of humanity*) escória, ralé f

drench [drɛntʃ] vt encharcar

dress [drɛs] n vestido; (*no pl: clothing*) traje m ♦ vt vestir; (*wound*) fazer curativo em ♦ vi vestir-se; **to get ~ed** vestir-se; **dress up** vi vestir-se com elegância; (*in fancy dress*) fantasiar-se; **dress circle** (*BRIT*) n balcão m nobre; **dresser** n (*BRIT: cupboard*) aparador m; (*US: chest of drawers*) cômoda de espelho; **dressing** n (*MED*) curativo; (*CULIN*) molho; **dressing gown** (*BRIT*) n roupão m; **dressing room** n (*woman's*) peignoir m; **dressing room** n (*THEATRE*) camarim m; (*SPORT*) vestiário; **dressing table** n penteadeira (*BR*), toucador m (*PT*); **dressmaker** n costureiro(-a); **dress rehearsal** n ensaio geral

drew [druː] pt of **draw**

dribble ['drɪbl] vi (*baby*) babar ♦ vt (*ball*) driblar

dried [draɪd] adj (*fruit, beans*) seco; (*eggs, milk*) em pó

drier ['draɪə*] n = **dryer**

drift [drɪft] n (*of current etc*) força; (*of snow*) monte m; (*meaning*) sentido ♦ vi (*boat*) derivar; (*sand, snow*) amontoar-se

drill [drɪl] n furadeira; (*of dentist*) broca; (*for mining etc*) broca, furadeira; (*MIL*) exercícios mpl militares ♦ vt furar, brocar; (*MIL*) exercitar ♦ vi (*for oil*) perfurar

drink [drɪŋk] (*pt* **drank**, *pp* **drunk**) n bebida; (*sip*) gole m ♦ vt, vi beber; **a ~ of water** um copo d'água; **drinker** n bebedor(a) m/f; **drinking water** n água potável

drip [drɪp] n gotejar m; (*one ~*) gota, pingo m; (*MED*) gota a gota m ♦ vi gotejar; (*tap*) pingar; **drip-dry** adj de lavar e vestir; **dripping** n gordura

drive [draɪv] (*pt* **drove**, *pp* **driven**) n passeio (de automóvel); (*journey*) trajeto, percurso; (*also: ~way*) entrada; (*energy*) energia, vigor m; (*campaign*) campanha; (*COMPUT: also: disk ~*) unidade f de disco ♦ vt (*car*) dirigir (*BR*), guiar (*PT*); (*push*) empurrar; (*TECH: motor*) acionar; (*nail etc*) cravar ♦ vi (*AUT: at controls*) dirigir (*BR*), guiar (*PT*); (: *travel*) ir de carro; **left-/right-hand ~** direção à esquerda/direita; **to ~ sb mad** deixar alguém louco

drivel ['drɪvl] (*inf*) n bobagem f, besteira

driver ['draɪvə*] n motorista m/f; (*RAIL*) maquinista m; **driver's license** (*US*) n carteira de motorista (*BR*), carta de condução (*PT*)

driveway ['draɪvweɪ] n entrada

driving ['draɪvɪŋ] n direção f (*BR*), condução f (*PT*); **driving instructor** n instrutor(a) m/f de auto- escola (*BR*) or de condução (*PT*); **driving licence** (*BRIT*) n carteira de motorista (*BR*), carta de condução (*PT*); **driving school** n auto-escola f; **driving test** n exame m de motorista

drizzle ['drɪzl] n chuvisco

drool [druːl] vi babar-se

droop [druːp] vi pender

drop [drɔp] n (*of water*) gota; (*lessening*) diminuição f; (*fall: distance*) declive m ♦ vt (*allow to fall*) deixar cair; (*voice, eyes, price*) baixar; (*set down from car*) deixar (saltar/descer); (*omit*) omitir ♦ vi cair;

drought → dyslexia

(wind) parar; **~s** npl (MED) gotas fpl; **drop off** vi (sleep) cochilar ♦ vt (passenger) deixar (saltar/descer); **drop out** vi (withdraw) retirar-se; **drop-out** n pessoa que abandona o trabalho, os estudos etc
drought [draut] n seca
drove [drəuv] pt of **drive**
drown [draun] vt afogar; (also: **~ out**: sound) encobrir ♦ vi afogar-se
drowsy ['drauzı] adj sonolento
drug [drʌg] n remédio, medicamento; (narcotic) droga ♦ vt drogar; **to be on ~s** estar viciado em drogas; (MED) estar sob medicação; **drug addict** n toxicômano(-a); **druggist** (US) n farmacêutico(-a); **drugstore** (US) n drogaria
drum [drʌm] n tambor m; (for oil, petrol) tambor, barril m; **~s** npl (kit) bateria; **drummer** n baterista m/f
drunk [drʌŋk] pp of **drink** ♦ adj bêbado ♦ n (also: **~ard**) bêbado(-a); **drunken** adj (laughter) de bêbado; (party) cheio de bêbado; (person) bêbado
dry [draı] adj seco; (day) sem chuva; (humour) irônico ♦ vt secar, enxugar; (tears) limpar ♦ vi secar; **dry up** vi secar completamente; **dry-cleaner's** n tinturaria ♦; **dryer** n secador m; (US: spin-dryer) secadora
DSS (BRIT) n abbr (= Department of Social Security) ≈ INAMPS m
DTP n abbr (= desktop publishing) DTP m, editoração f eletrônica
dual ['djuəl] adj dual, duplo; **dual carriageway** (BRIT) n pista dupla; **dual-purpose** adj de duplo uso
dubbed [dʌbd] adj (CINEMA) dublado
dubious ['dju:bıəs] adj duvidoso; (reputation, company) suspeitoso
duchess ['dʌtʃıs] n duquesa
duck [dʌk] n pato ♦ vi abaixar-se repentinamente; **duckling** ['dʌklıŋ] n patinho
due [dju:] adj (proper) devido; (expected) esperado ♦ n: **to give sb his** (or **her**) **~** ser justo com alguém ♦ adv: **~ north** exatamente ao norte; **~s** npl (for club, union) quota; (in harbour) direitos mpl; **in ~ course** no devido tempo; (eventually) no final; **~ to** devido a
duet [dju:'ɛt] n dueto
dug [dʌg] pt, pp of **dig**
duke [dju:k] n duque m
dull [dʌl] adj (light) sombrio; (wit) lento; (boring) enfadonho; (sound, pain) surdo; (weather) nublado, carregado ♦ vt (pain)

aliviar; (mind, senses) entorpecer
duly ['dju:lı] adv devidamente; (on time) no devido tempo
dumb [dʌm] adj mudo; (pej: stupid) estúpido; **dumbfounded** adj pasmado
dummy ['dʌmı] n (tailor's model) manequim m; (mock-up) modelo, (BRIT: for baby) chupeta ♦ adj falso
dump [dʌmp] n (also: **rubbish ~**) depósito de lixo; (inf: place) chiqueiro ♦ vt (put down) depositar, descarregar; (get rid of) desfazer-se de; (COMPUT) tirar um dump de
dumpling ['dʌmplıŋ] n bolinho cozido
dunce [dʌns] n burro, ignorante m/f
dung [dʌŋ] n estrume m
dungarees [dʌŋgə'ri:z] npl macacão m (BR), fato macaco (PT)
dungeon ['dʌndʒən] n calabouço
duplex ['dju:plɛks] (US) n casa geminada; (also: **~ apartment**) duplex m
duplicate [n 'dju:plıkət, vb 'dju:plıkeıt] n (of document) duplicata; (of key) cópia ♦ vt duplicar; (photocopy) multigrafar; (repeat) reproduzir
durable ['djuərəbl] adj durável; (clothes, metal) resistente
during ['djuərıŋ] prep durante
dusk [dʌsk] n crepúsculo, anoitecer m
dust [dʌst] n pó m, poeira ♦ vt (furniture) tirar o pó de; (cake etc): **to ~ with** polvilhar com; **dustbin** n (BRIT) lata de lixo; **duster** n pano de pó; **dustman** (BRIT) (irreg) n lixeiro, gari m (BR: inf); **dusty** adj empoeirado
Dutch [dʌtʃ] adj holandês(-esa) ♦ n (LING) holandês m ♦ adv: **let's go ~** (inf) cada um paga o seu, vamos rachar; **the ~** npl (people) os holandeses; **Dutchman** (irreg) n holandês m; **Dutchwoman** (irreg) n holandesa
duty ['dju:tı] n dever m; (tax) taxa; **on ~** de serviço; **off ~** de folga; **duty-free** adj livre de impostos
duvet ['du:veı] (BRIT) n edredom m (BR), edredão m (PT)
DVD n abbr (= digital versatile or video disc) DVD m
dwarf [dwɔ:f] (pl **dwarves**) n anão (anã) m/f ♦ vt ananicar
dwindle ['dwındl] vi diminuir
dye [daı] n tintura, tinta ♦ vt tingir
dynamite ['daınəmaıt] n dinamite f
dyslexia [dıs'lɛksıə] n dislexia

E e

E [i:] n (MUS) mi m

each [i:tʃ] adj cada inv ♦ pron cada um(a); **~ other** um ao outro; **they hate ~ other** (eles) se odeiam

eager ['i:gə*] adj ávido; **to be ~ for/to do sth** ansiar por/por fazer algo

eagle ['i:gl] n águia

ear [ɪə*] n (external) orelha; (inner, fig) ouvido; (of corn) espiga; **earache** n dor f de ouvidos; **eardrum** n tímpano

earl [ə:l] n (BRIT) conde m

earlier ['ə:lɪə*] adj mais adiantado; (edition) anterior ♦ adv mais cedo

early ['ə:lɪ] adv cedo; (before time) com antecedência ♦ adj cedo; (sooner than expected) prematuro; (reply) pronto; (Christians, settlers) primeiro; (man) primitivo; (life, work) juvenil; **in the ~ or ~ in the spring/19th century** no princípio da primavera/do século dezenove

earmark ['ɪəmɑ:k] vt: **to ~ sth for** reservar or destinar algo para

earn [ə:n] vt ganhar; (COMM: interest) render; (praise) merecer

earnest ['ə:nɪst] adj (wish) intenso; (manner) sério; **in ~** a sério

earnings ['ə:nɪŋz] npl (personal) vencimentos mpl salário, ordenado; (of company) lucro

ear: earphones npl fones mpl de ouvido; **earring** n brinco; **earshot** n: **within earshot** ao alcance do ouvido or da voz

earth [ə:θ] n terra; (BRIT: ELEC) fio terra ♦ vt (BRIT: ELEC) ligar à terra; **earthenware** n louça de barro ♦ adj de barro; **earthquake** n terremoto (BR), terramoto (PT)

ease [i:z] n facilidade f; (relaxed state) sossego; (comfort) conforto ♦ vt facilitar; (pain, tension) aliviar; (help pass): **to ~ sth in/out** meter/tirar algo com cuidado; **at ~!** (MIL) descansar!; **ease off** vi acalmar-se; (wind) baixar; (rain) moderar-se; **ease up** vi = **ease off**

easel ['i:zl] n cavalete m

easily ['i:zɪlɪ] adv facilmente, fácil (inf)

east [i:st] n leste m ♦ adj (region) leste; (wind) do leste ♦ adv para o leste; **the E~** o Oriente; (POL) o leste

Easter ['i:stə*] n Páscoa; **Easter egg** n ovo de Páscoa

easterly ['i:stəlɪ] adj (to the east) para o leste; (from the east) do leste

eastern ['i:stən] adj do leste, oriental

eastward(s) ['i:stwəd(z)] adv ao leste

easy ['i:zɪ] adj fácil; (comfortable) folgado, cômodo; (relaxed) natural, complacente; (victim, prey) desprotegido ♦ adv: **to take it** or **things ~** (not worry) levar as coisas com calma; (go slowly) ir devagar; (rest) descansar; **easy chair** n poltrona; **easy-going** adj pacato, fácil

eat [i:t] (pt **ate**, pp **eaten**) vt, vi comer; **eat away** vt corroer; **eat away at** vt fus corroer; **eat into** vt fus = **eat away at**

eavesdrop ['i:vzdrɔp] vi: **to ~ (on)** escutar às escondidas

ebb [ɛb] n refluxo ♦ vi baixar; (fig: also: **~ away**) declinar

ebony ['ɛbənɪ] n ébano

EC n abbr (= European Community) CE f

ECB n abbr (= European Central Bank) BCE m, Banco Central Europeu

eccentric [ɪk'sɛntrɪk] adj, n excêntrico(-a)

echo ['ɛkəu] (pl **~es**) n eco ♦ vt ecoar, repetir ♦ vi ressoar, repetir

eclipse [ɪ'klɪps] n eclipse m

ecology [ɪ'kɔlədʒɪ] n ecologia

e-commerce n abbr (= electronic commerce) comércio eletrônico

economic [i:kə'nɔmɪk] adj econômico; (business etc) rentável; **economical** adj econômico; **economics** n economia ♦ npl aspectos mpl econômicos

economize [ɪ'kɔnəmaɪz] vi economizar, fazer economias

economy [ɪ'kɔnəmɪ] n economia; **economy class** n (AVIAT) classe f econômica

ecstasy ['ɛkstəsɪ] n êxtase m; **ecstatic** [ɛks'tætɪk] adj extasiado

ECU [eɪkju:] n abbr (= European Currency Unit) ECU m

eczema ['ɛksɪmə] n eczema m

edge [ɛdʒ] n (of knife etc) fio; (of table, chair etc) borda; (of lake etc) margem f ♦ vt (trim) embainhar; **on ~** (fig) = **edgy**; **to ~ away from** afastar-se pouco a pouco de; **edgy** adj nervoso, inquieto

edible ['ɛdɪbl] adj comestível

Edinburgh ['ɛdɪnbərə] n Edimburgo

edit ['ɛdɪt] vt editar; (be editor of) dirigir; (cut) cortar, redigir; (COMPUT, TV) editar; (CINEMA) montar; **edition** [ɪ'dɪʃən] n edição f; **editor** n redator(a) m/f; (of newspaper) diretor(a) m/f; (of column) editor(a) m/f; (of book) organizador(a) m/f; **editorial** [ɛdɪ'tɔ:rɪəl] adj editorial

educate ['ɛdjukeɪt] vt educar

education [ɛdju'keɪʃən] n educação f; (schooling) ensino; (teaching) pedagogia; **educational** adj (policy, experience) educacional; (toy etc) educativo

eel [i:l] n enguia

eerie ['ɪərɪ] adj (strange) estranho;

effect → embody

(*mysterious*) misterioso
effect [ɪ'fɛkt] n efeito ♦ vt (*repairs*) fazer; (*savings*) efetuar; **to take ~** (*law*) entrar em vigor; (*drug*) fazer efeito; **in ~** na realidade; **effective** [ɪ'fɛktɪv] adj eficaz; (*actual*) efetivo; **effectiveness** n eficácia
efficiency [ɪ'fɪʃənsɪ] n eficiência
efficient [ɪ'fɪʃənt] adj eficiente; (*machine*) rentável
effort ['ɛfət] n esforço; **effortless** adj fácil
e.g. adv abbr (= *exempli gratia*) p. ex.
egg [ɛg] n ovo; **hard-boiled/ soft-boiled ~** ovo duro/mole; **egg on** vt incitar; **eggcup** n oveiro; **eggplant** (*esp US*) n beringela; **eggshell** n casca de ovo
ego ['iːgəu] n ego; **egotism** n egotismo m
Egypt ['iːdʒɪpt] n Egito; **Egyptian** [ɪ'dʒɪpʃən] adj, n egípcio(-a)
eiderdown ['aɪdədaun] n edredom m (*BR*), edredão m (*PT*)
eight [eɪt] num oito; **eighteen** [eɪ'tiːn] num dezoito; **eighth** [eɪtθ] num oitavo; **eighty** ['eɪtɪ] num oitenta
Eire ['ɛərə] n (República da) Irlanda
either ['aɪðə*] adj (*one or other*) um ou outro; (*each*) cada; (*both*) ambos ♦ pron: **~ (of them)** qualquer (dos dois) ♦ adv: **no, I don't ~** eu também não ♦ conj: **~ yes or no** ou sim ou não
eject [ɪ'dʒɛkt] vt expulsar
elaborate [adj ɪ'læbərɪt, vb ɪ'læbəreɪt] adj complicado ♦ vt (*expand*) expandir; (*refine*) aperfeiçoar ♦ vi: **to ~ on** acrescentar detalhes a
elastic [ɪ'læstɪk] adj elástico; (*adaptable*) flexível, adaptável ♦ n elástico; **elastic band** (*BRIT*) n elástico
elated [ɪ'leɪtɪd] adj: **to be ~** rejubilar-se
elbow ['ɛlbəu] n cotovelo
elder ['ɛldə*] adj mais velho ♦ n (*tree*) sabugueiro; (*person*) o mais velho (a mais velha); **elderly** adj idoso, de idade ♦ npl: **the elderly** as pessoas de idade, os idosos
eldest ['ɛldɪst] adj mais velho ♦ n o mais velho (a mais velha)
elect [ɪ'lɛkt] vt eleger ♦ adj: **the president ~** o presidente eleito; **to ~ to do** (*choose*) optar por fazer; **election** n (*voting*) votação f; (*installation*) eleição f; **electioneering** [ɪlɛkʃə'nɪərɪŋ] n campanha or propaganda eleitoral; **electorate** n eleitorado
electric [ɪ'lɛktrɪk] adj elétrico; **electrical** adj elétrico; **electric fire** lareira elétrica
electrician [ɪlɛk'trɪʃən] n eletricista m/f
electricity [ɪlɛk'trɪsɪtɪ] n eletricidade f
electrify [ɪ'lɛktrɪfaɪ] vt (*fence, RAIL*) eletrificar; (*audience*) eletrizar
electronic [ɪlɛk'trɔnɪk] adj eletrônico; **electronic mail** n correio eletrônico; **electronics** n eletrônica
elegant ['ɛlɪgənt] adj (*person, building*) elegante; (*idea*) refinado
element ['ɛlɪmənt] n elemento;
elementary [ɛlɪ'mɛntərɪ] adj (*gen*) elementar; (*primitive*) rudimentar; **elementary school** (*US*) n escola primária
elephant ['ɛlɪfənt] n elefante(-a) m/f
elevator ['ɛlɪveɪtə*] (*US*) n elevador m
eleven [ɪ'lɛvn] num onze; **eleventh** num décimo-primeiro
elicit [ɪ'lɪsɪt] vt: **to ~ (from)** (*information*) extrair (de); (*response, reaction*) provocar (de)
eligible ['ɛlɪdʒəbl] adj elegível, apto; **to be ~ for sth** (*job etc*) ter qualificações para algo
elm [ɛlm] n olmo
elongated ['iːlɔŋgeɪtɪd] adj alongado
elope [ɪ'ləup] vi fugir
eloquent ['ɛləkwənt] adj eloqüente
El Salvador [ɛl'sælvədɔː*] n El Salvador
else [ɛls] adv outro, mais; **something ~** outra coisa; **nobody ~ spoke** ninguém mais falou; **elsewhere** adv (*be*) em outro lugar (*BR*), noutro sítio (*PT*); (*go*) para outro lugar (*BR*), a outro sítio (*PT*)
elusive [ɪ'luːsɪv] adj esquivo; (*quality*) indescritível
e-mail ['iːmeɪl] n e-mail m, correio eletrônico ♦ vt (*person*) enviar um e-mail a
emancipate [ɪ'mænsɪpeɪt] vt libertar; (*women*) emancipar
embankment [ɪm'bæŋkmənt] n aterro; (*of river*) dique m
embark [ɪm'bɑːk] vi embarcar ♦ vt embarcar; **to ~ on** (*fig*) empreender, começar
embarrass [ɪm'bærəs] vt constranger; (*politician*) embaraçar; **embarrassed** adj descomfortável; **embarrassing** adj embaraçoso, constrangedor(a); **embarrassment** n embaraço, constrangimento
embassy ['ɛmbəsɪ] n embaixada
embellish [ɪm'bɛlɪʃ] vt embelezar; (*story*) florear
embers ['ɛmbəz] npl brasa, borralho, cinzas fpl
embezzle [ɪm'bɛzl] vt desviar
embitter [ɪm'bɪtə*] vt (*person*) amargurar; (*relations*) azedar
embody [ɪm'bɔdɪ] vt (*features*)

embrace → engage

incorporar; (*ideas*) expressar
embrace [ɪmˈbreɪs] *vt* abraçar, dar um abraço em; (*include*) abarcar, abranger ♦ *vi* abraçar-se ♦ *n* abraço
embroider [ɪmˈbrɔɪdə*] *vt* bordar; **embroidery** *n* bordado
emerald [ˈɛmərəld] *n* esmeralda
emerge [ɪˈməːdʒ] *vi* sair; (*from sleep*) acordar; (*fact, idea*) emergir
emergency [ɪˈməːdʒənsɪ] *n* emergência; **in an ~** em caso de urgência; **emergency cord** (*US*) *n* sinal *m* de alarme; **emergency exit** *n* saída de emergência; **emergency landing** *n* aterrissagem *f* forçada (*BR*), aterragem *f* forçosa (*PT*)
emigrate [ˈɛmɪgreɪt] *vi* emigrar
eminent [ˈɛmɪnənt] *adj* eminente
emit [ɪˈmɪt] *vt* (*smoke*) soltar; (*smell*) exalar; (*sound*) produzir
emotion [ɪˈməʊʃən] *n* emoção *f*; **emotional** *adj* (*needs*) emocional; (*person*) sentimental, emotivo; (*scene*) comovente; (*tone*) emocionante
emperor [ˈɛmpərə*] *n* imperador *m*
emphasis [ˈɛmfəsɪs] (*pl* **emphases**) *n* ênfase *f*
emphasize [ˈɛmfəsaɪz] *vt* (*word, point*) enfatizar, acentuar; (*feature*) salientar
emphatic [ɛmˈfætɪk] *adj* (*statement*) vigoroso, expressivo; (*person*) convincente; (*manner*) enfático
empire [ˈɛmpaɪə*] *n* império
employ [ɪmˈplɔɪ] *vt* empregar; (*tool*) utilizar; **employee** *n* empregado(-a); **employer** *n* empregador(a) *m/f*, patrão(-troa) *m/f*; **employment** *n* (*gen*) emprego; (*work*) trabalho
empress [ˈɛmprɪs] *n* imperatriz *f*
emptiness [ˈɛmptɪnɪs] *n* vazio, vácuo
empty [ˈɛmptɪ] *adj* vazio; (*house*) desocupado; (*threat*) vão (vã) ♦ *vt* esvaziar; (*place*) evacuar ♦ *vi* esvaziar-se; (*place*) ficar deserto; **empty-handed** *adj* de mãos vazias
EMU *n abbr* (= *economic and monetary union*) UEM *f*, União Econômica e Monetária
emulate [ˈɛmjuleɪt] *vt* emular com
emulsion [ɪˈmʌlʃən] *n* emulsão *f*; (*also:* ~ **paint**) tinta plástica
enable [ɪˈneɪbl] *vt*: **to ~ sb to do sth** (*allow*) permitir que alguém faça algo; (*make possible*) tornar possível que alguém faça algo
enamel [ɪˈnæməl] *n* esmalte *m*
enchant [ɪnˈtʃɑːnt] *vt* encantar; **enchanting** *adj* encantador(a)

enc(l). *abbr* (*in letters etc*) = **enclosed; enclosure**
enclose [ɪnˈkləʊz] *vt* (*land*) cercar; (*with letter*) anexar (*BR*), enviar junto (*PT*); **please find ~d** segue junto
enclosure [ɪnˈkləʊʒə*] *n* cercado
encompass [ɪnˈkʌmpəs] *vt* abranger, encerrar
encore [ɔŋˈkɔː*] *excl* bis!, outra! ♦ *n* bis *m*
encounter [ɪnˈkaʊntə*] *n* encontro ♦ *vt* encontrar, topar com; (*difficulty*) enfrentar
encourage [ɪnˈkʌrɪdʒ] *vt* (*activity*) encorajar; (*growth*) estimular; (*person*): **to ~ sb to do sth** animar alguém a fazer algo; **encouragement** *n* estímulo
encroach [ɪnˈkrəʊtʃ] *vi*: **to ~ (up)on** invadir; (*time*) ocupar
encyclop(a)edia [ɛnsaɪkləʊˈpiːdɪə] *n* enciclopédia
end [ɛnd] *n* fim *m*; (*of table, rope etc*) ponta; (*of street, town*) final *m* ♦ *vt* acabar, terminar; (*also:* **bring to an ~, put an ~ to**) acabar com, pôr fim a ♦ *vi* terminar, acabar; **in the ~** ao fim, por fim, finalmente; **on ~** na ponta; **to stand on ~** (*hair*) arrepiar-se; **for hours on ~** por horas a fio; **end up** *vi*: **to ~ up in** terminar em; (*place*) ir parar em
endanger [ɪnˈdeɪndʒə*] *vt* pôr em risco
endearing [ɪnˈdɪərɪŋ] *adj* simpático, atrativo
endeavour [ɪnˈdɛvə*] (*US* **endeavor**) *n* esforço; (*attempt*) tentativa ♦ *vi*: **to ~ to do** esforçar-se para fazer; (*try*) tentar fazer
ending [ˈɛndɪŋ] *n* fim *m*, conclusão *f*; (*of book*) desenlace *m*; (*LING*) terminação *f*
endless [ˈɛndlɪs] *adj* interminável; (*possibilities*) infinito
endorse [ɪnˈdɔːs] *vt* (*cheque*) endossar; (*approve*) aprovar; **endorsement** *n* (*BRIT: on driving licence*) descrição *f* das multas; (*approval*) aval *m*
endure [ɪnˈdjuə*] *vt* (*bear*) agüentar, suportar ♦ *vi* (*last*) durar
enemy [ˈɛnəmɪ] *adj*, *n* inimigo(-a)
energy [ˈɛnədʒɪ] *n* energia
enforce [ɪnˈfɔːs] *vt* (*LAW*) fazer cumprir
engage [ɪnˈgeɪdʒ] *vt* (*attention*) chamar; (*interest*) atrair; (*lawyer*) contratar; (*clutch*) engrenar ♦ *vi* engrenar; **to ~ in** dedicar-se a, ocupar-se com; **to ~ sb in conversation** travar conversa com alguém; **engaged** *adj* (*BRIT: phone*) ocupado (*BR*), impedido (*PT*); (*: toilet*) ocupado; (*betrothed*) noivo; **to get engaged** ficar noivo; **engaged tone**

engaging → envelope

(*BRIT*) *n* (*TEL*) sinal *m* de ocupado (*BR*) or de impedido (*PT*); **engagement** *n* encontro; (*booking*) contrato; (*to marry*) noivado; **engagement ring** *n* aliança de noivado

engaging [ɪnˈgeɪdʒɪŋ] *adj* atraente, simpático

engine [ˈɛndʒɪn] *n* (*AUT*) motor *m*; (*RAIL*) locomotiva

engineer [ɛndʒɪˈnɪə*] *n* engenheiro(-a); (*US: RAIL*) maquinista *m/f*; (*BRIT: for repairs*) técnico(-a); (*on ship*) engenheiro(-a) naval; **engineering** *n* engenharia

England [ˈɪŋglənd] *n* Inglaterra

English [ˈɪŋglɪʃ] *adj* inglês (inglesa) ♦ *n* (*LING*) inglês *m*; **the ~** *npl* (*people*) os ingleses; **English Channel** *n*: **the English Channel** o Canal da Mancha; **Englishman/woman** (*irreg*) *n* inglês (inglesa) *m/f*

engraving [ɪnˈgreɪvɪŋ] *n* gravura

engrossed [ɪnˈgrəʊst] *adj*: **~ in** absorto em

engulf [ɪnˈgʌlf] *vt* (*subj: fire, water*) engolfar, tragar; (: *panic, fear*) tomar conta de

enhance [ɪnˈhɑːns] *vt* (*gen*) ressaltar, salientar; (*enjoyment*) aumentar; (*beauty*) realçar; (*reputation*) melhorar; (*add to*) aumentar

enjoy [ɪnˈdʒɔɪ] *vt* gostar de; (*health, privilege*) desfrutar de; **to ~ o.s.** divertir-se; **enjoyable** *adj* agradável; **enjoyment** *n* prazer *m*

enlarge [ɪnˈlɑːdʒ] *vt* aumentar; (*PHOT*) ampliar ♦ *vi*: **to ~ on** (*subject*) desenvolver, estender-se sobre

enlighten [ɪnˈlaɪtn] *vt* (*inform*) informar, instruir; **enlightened** *adj* sábio; (*cultured*) culto; (*knowledgeable*) bem informado; (*tolerant*) compreensivo; **enlightenment** *n* esclarecimento; (*HISTORY*): **the Enlightenment** o Século das Luzes

enlist [ɪnˈlɪst] *vt* alistar; (*support*) conseguir, aliciar ♦ *vi* alistar-se

enmity [ˈɛnmɪtɪ] *n* inimizade *f*

enormous [ɪˈnɔːməs] *adj* enorme

enough [ɪˈnʌf] *adj*: **~ time/books** tempo suficiente/livros suficientes ♦ *pron*: **have you got ~?** você tem o suficiente? ♦ *adv*: **big ~** suficientemente grande; **~! basta!, chega!; that's ~, thanks** chega, obrigado; **I've had ~ of him** estou farto dele; **which, funnily** or **oddly ~ ...** o que, por estranho que pareça ...

enquire [ɪnˈkwaɪə*] *vt, vi* = **inquire**

enrage [ɪnˈreɪdʒ] *vt* enfurecer, enraivecer

enrol [ɪnˈrəʊl] (*US* **enroll**) *vt* inscrever; (*SCH*) matricular ♦ *vi* inscrever-se; matricular-se; **enrolment** *n* inscrição *f*; (*SCH*) matrícula

ensure [ɪnˈʃʊə*] *vt* assegurar

entail [ɪnˈteɪl] *vt* implicar

enter [ˈɛntə*] *vt* entrar em; (*club*) ficar or fazer-se sócio de; (*army*) alistar-se em; (*competition*) inscrever-se em; (*sb for a competition*) inscrever; (*write down*) completar; (*COMPUT*) entrar com ♦ *vi* entrar; **enter for** *vt fus* inscrever-se em; **enter into** *vt fus* estabelecer; (*plans*) fazer parte de; (*debate*) entrar em; (*agreement*) chegar a, firmar

enterprise [ˈɛntəpraɪz] *n* empresa; (*undertaking*) empreendimento; (*initiative*) iniciativa; **enterprising** *adj* empreendedor(a)

entertain [ɛntəˈteɪn] *vt* divertir, entreter; (*guest*) receber (em casa); (*idea*) estudar; **entertainer** *n* artista *m/f*; **entertaining** *adj* divertido; **entertainment** *n* (*amusement*) entretenimento, diversão *f*; (*show*) espetáculo

enthusiasm [ɪnˈθuːzɪæzəm] *n* entusiasmo

enthusiast [ɪnˈθuːzɪæst] *n* entusiasta *m/f*; **enthusiastic** [ɪnθuːzɪˈæstɪk] *adj* entusiasmado; **to be enthusiastic about** entusiasmar-se por

entire [ɪnˈtaɪə*] *adj* inteiro; **entirely** *adv* totalmente, completamente; **entirety** [ɪnˈtaɪərətɪ] *n*: **in its entirety** na sua totalidade

entitle [ɪnˈtaɪtl] *vt*: **to ~ sb to sth** dar a alguém direito a algo; **entitled** [ɪnˈtaɪtld] *adj* (*book etc*) intitulado; **to be entitled to do** ter direito de fazer

entrance [*n* ˈɛntrns, *vb* ɪnˈtrɑːns] *n* entrada; (*arrival*) chegada ♦ *vt* encantar, fascinar; **to gain ~ to** (*university etc*) ser admitido em; **entrance examination** *n* exame *m* de admissão; **entrance fee** *n* jóia

entrant [ˈɛntrənt] *n* participante *m/f*; (*BRIT: in exam*) candidato(-a)

entrepreneur [ɔntrəprəˈnɜː*] *n* empresário(-a)

entrust [ɪnˈtrʌst] *vt*: **to ~ sth to sb** confiar algo a alguém

entry [ˈɛntrɪ] *n* entrada; (*in competition*) participante *m/f*; (*in register*) registro, assentamento; (*in account*) lançamento; (*in dictionary*) verbete *m*; (*arrival*) chegada; **"no ~"** "entrada proibida"; (*AUT*) "contramão" (*BR*), "entrada proibida" (*PT*); **entry phone** (*BRIT*) *n* interfone *m* (*em apartamento*)

envelope [ˈɛnvələʊp] *n* envelope *m*

envious ['ɛnvɪəs] adj invejoso; (look) de inveja
environment [ɪn'vaɪərnmənt] n meio ambiente m; **environmental** [ɪnvaɪərn'mɛntl] adj ambiental; **environmentally friendly** adj (products, industry) não agressivo ao meio ambiente
envisage [ɪn'vɪzɪdʒ] vt prever
envoy ['ɛnvɔɪ] n enviado(-a)
envy ['ɛnvɪ] n inveja ♦ vt ter inveja de; **to ~ sb sth** invejar alguém por algo, cobiçar algo de alguém
epic ['ɛpɪk] n epopéia ♦ adj épico
epidemic [ɛpɪ'dɛmɪk] n epidemia
epilepsy ['ɛpɪlɛpsɪ] n epilepsia
episode ['ɛpɪsəud] n episódio
epitomize [ɪ'pɪtəmaɪz] vt epitomar, resumir
equal ['i:kwl] adj igual; (treatment) equitativo, equivalente ♦ n igual m/f ♦ vt ser igual a; **to be ~ to** (task) estar à altura de; **equality** [i:'kwɔlɪtɪ] n igualdade f; **equalize** vi igualar; (SPORT) empatar; **equally** adv igualmente; (share etc) por igual
equate [ɪ'kweɪt] vt: **to ~ sth with** equiparar algo com
equator [ɪ'kweɪtə*] n equador m
equilibrium [i:kwɪ'lɪbrɪəm] n equilíbrio
equip [ɪ'kwɪp] vt equipar; (person) prover, munir; **to be well ~ped** estar bem preparado or equipado; **equipment** n equipamento; (machines) equipamentos mpl, aparelhagem f
equivalent [ɪ'kwɪvəlnt] adj: **~ (to)** equivalente (a) ♦ n equivalente m
era ['ɪərə] n era, época
erase [ɪ'reɪz] vt apagar; **eraser** n borracha (de apagar)
erect [ɪ'rɛkt] adj (posture) ereto; (tail, ears) levantado ♦ vt erigir, levantar; (assemble) montar; **erection** n construção f; (of tent, PHYSIO) ereção f; (assembly) montagem f
ERM n abbr (= Exchange Rate Mechanism) SME m
erode [ɪ'rəud] vt (GEO) causar erosão em; (confidence) minar
erotic [ɪ'rɔtɪk] adj erótico
errand ['ɛrnd] n recado, mensagem f
erratic [ɪ'rætɪk] adj imprevisível
error ['ɛrə*] n erro
erupt [ɪ'rʌpt] vi entrar em erupção; (fig) explodir, estourar; **eruption** n erupção f; explosão f
escalate ['ɛskəleɪt] vi intensificar-se

escalator ['ɛskəleɪtə*] n escada rolante
escapade [ɛskə'peɪd] n peripécia
escape [ɪ'skeɪp] n fuga; (of gas) escapatória ♦ vi escapar; (flee) fugir, evadir-se; (leak) vazar, escapar ♦ vt fugir de; (elude): **his name ~s me** o nome dele me foge a memória; **to ~ from** (place) escapar de; (person) escapulir de
escort [n 'ɛskɔ:t, vb ɪs'kɔ:t] n acompanhante m/f; (MIL) escolta ♦ vt acompanhar
Eskimo ['ɛskɪməu] n esquimó m/f
especially [ɪ'spɛʃlɪ] adv (above all) sobretudo; (particularly) em particular
espionage ['ɛspɪəna:ʒ] n espionagem f
Esquire [ɪ'skwaɪə*] n (abbr Esq.): **J. Brown, ~** Sr. J. Brown
essay ['ɛseɪ] n ensaio
essence ['ɛsns] n essência
essential [ɪ'sɛnʃl] adj (necessary) indispensável; (basic) essencial ♦ n elemento essencial
establish [ɪ'stæblɪʃ] vt estabelecer; (facts) verificar; (proof) demonstrar; (reputation) firmar; **established** adj consagrado; (business) estabelecido; **establishment** n estabelecimento; **the Establishment** a classe dirigente
estate [ɪ'steɪt] n (land) fazenda (BR), propriedade f (PT); (LAW) herança; (POL) estado; (BRIT: also: **housing ~**) conjunto habitacional; **estate agent** (BRIT) n corretor(a) m/f de imóveis (BR), agente m/f imobiliário(-a) (PT); **estate car** (BRIT) n perua (BR), canadiana (PT)
esteem [ɪ'sti:m] n: **to hold sb in high ~** estimar muito alguém
esthetic [ɪs'θɛtɪk] (US) adj = **aesthetic**
estimate [n 'ɛstɪmət, vb 'ɛstɪmeɪt] n (assessment) avaliação f; (calculation) cálculo; (COMM) orçamento ♦ vt estimar, avaliar, calcular; **estimation** [ɛstɪ'meɪʃən] n opinião f; cálculo
etc. abbr (= et cetera) etc.
eternal [ɪ'tə:nl] adj eterno
eternity [ɪ'tə:nɪtɪ] n eternidade f
ethical ['ɛθɪkl] adj ético
ethics ['ɛθɪks] n ética ♦ npl moral f
Ethiopia [i:θɪ'əupɪə] n Etiópia
ethnic ['ɛθnɪk] adj étnico; (culture) folclórico
etiquette ['ɛtɪkɛt] n etiqueta
EU n abbr (= European Union) UE f
euro ['juərəu] n (currency) euro m
Eurocheque ['juərəutʃɛk] n eurocheque m
Europe ['juərəp] n Europa; **European**

evacuate → except

[juərə'piːən] adj, n europeu(-péia); **European Union** n: **the European Union** a União Européia

evacuate [ɪ'vækjueɪt] vt evacuar

evade [ɪ'veɪd] vt (person) evitar; (question, duties) evadir; (tax) sonegar

evaporate [ɪ'væpəreɪt] vi evaporar-se

evasion [ɪ'veɪʒən] n fuga; (of tax) sonegação f

eve [iːv] n: **on the ~ of** na véspera de

even ['iːvn] adj (level) plano; (smooth) liso; (equal) igual; (number) par ♦ adv até, mesmo; (showing surprise) até (mesmo); (introducing a comparison) ainda; **~ if** mesmo que; **~ though** mesmo que, embora; **~ more** ainda mais; **~ so** mesmo assim; **not ~** nem; **to get ~ with sb** ficar quite com alguém; **even out** vi nivelar-se

evening ['iːvnɪŋ] n (early) tarde f; (late) noite f; (event) noitada; **in the ~** à noite; **evening class** n aula noturna; **evening dress** n (man's) traje m de rigor (BR) or de cerimónia (PT); (woman's) vestido de noite

event [ɪ'vɛnt] n acontecimento; (SPORT) prova; **in the ~ of** no caso de; **eventful** adj movimentado, cheio de acontecimentos; (game etc) cheio de emoção, agitado

eventual [ɪ'vɛntʃuəl] adj final; **eventually** adv finalmente; (in time) por fim

ever ['ɛvə*] adv (always) sempre; (at any time) em qualquer momento; (in question): **why ~ not?** por que não?; **the best ~** o melhor que já se viu; **have you ~ seen it?** você alguma vez já viu isto?; **better than ~** melhor que nunca; **~ since** ♦ adv desde então ♦ conj depois que; **evergreen** n sempre-verde f; **everlasting** adj eterno, perpétuo

---KEYWORD---

every ['ɛvrɪ] adj

1 (each) cada; **~ one of them** cada um deles; **~ shop in the town was closed** todas as lojas da cidade estavam fechadas

2 (all possible) todo(-a); **I have ~ confidence in her** tenho absoluta confiança nela; **we wish you ~ success** desejamo-lhe o maior sucesso; **he's ~ bit as clever as his brother** ele é tão inteligente quanto o irmão

3 (showing recurrence) todo(-a); **~ other car had been broken into** cada dois carros foram arrombados; **she visits me ~ other/third day** ele me visita cada dois/três dias; **~ now and then** de vez em quando

---

everybody ['ɛvrɪbɔdɪ] pron todos, todo mundo (BR), toda a gente (PT)

everyday ['ɛvrɪdeɪ] adj (daily) diário; (usual) corrente; (common) comum

everyone ['ɛvrɪwʌn] pron = **everybody**

everything ['ɛvrɪθɪŋ] pron tudo

everywhere ['ɛvrɪwɛə*] adv (be) em todo lugar (BR), em toda a parte (PT); (go) a todo lugar (BR), a toda a parte (PT); (wherever): **~ you go you meet ...** aonde quer que se vá, encontra-se ...

evict [ɪ'vɪkt] vt despejar

evidence ['ɛvɪdəns] n (proof) prova(s) f (pl); (of witness) testemunho, depoimento; (indication) sinal m; **to give ~** testemunhar, prestar depoimento

evident ['ɛvɪdənt] adj evidente; **evidently** adv evidentemente; (apparently) aparentemente

evil ['iːvl] adj mau (má) ♦ n mal m, maldade f

evoke [ɪ'vəuk] vt evocar

evolution [iːvə'luːʃən] n evolução f; (development) desenvolvimento

evolve [ɪ'vɔlv] vt desenvolver ♦ vi desenvolver-se

ex- [ɛks] prefix ex-

exact [ɪg'zækt] adj exato; (person) meticuloso ♦ vt: **to ~ sth (from)** exigir algo (de); **exacting** adj exigente; (conditions) difícil; **exactly** adv exatamente; (indicating agreement) isso mesmo

exaggerate [ɪg'zædʒəreɪt] vt, vi exagerar; **exaggeration** [ɪgzædʒə'reɪʃən] n exagero

exam [ɪg'zæm] n abbr = **examination**

examination [ɪgzæmɪ'neɪʃən] n exame m; (inquiry) investigação f

examine [ɪg'zæmɪn] vt examinar; (inspect) inspecionar; **examiner** n examinador (a) m/f

example [ɪg'zɑːmpl] n exemplo; **for ~** por exemplo

exasperate [ɪg'zɑːspəreɪt] vt exasperar, irritar

excavate ['ɛkskəveɪt] vt escavar

exceed [ɪk'siːd] vt exceder; (number) ser superior a; (speed limit) ultrapassar; (limits) ir além de; (powers) exceder-se em; (hopes) superar; **exceedingly** adv extremamente

excellent ['ɛksələnt] adj excelente

except [ɪk'sɛpt] prep (also: **~ for**, **~ing**)

excerpt → expire

exceto, a não ser ♦ vt excluir; ~ **if/when** a menos que, a não ser que; **exception** n exceção f; **to take exception to** ressentir-se de

excerpt ['εksə:pt] n trecho

excess [ɪk'sεs] n excesso; **excess baggage** n excesso de bagagem; **excess fare** (BRIT) n (RAIL) sobretaxa de excesso; **excessive** adj excessivo

exchange [ɪks'tʃeɪndʒ] n troca; (of teachers, students) intercâmbio; (also: **telephone ~**) estação f telefônica (BR), central f telefónica (PT) ♦ vt: **to ~ (for)** trocar (por); **exchange rate** n (taxa de) câmbio

Exchequer [ɪks'tʃεkə*] (BRIT) n: **the ~** ≈ o Tesouro Nacional

excite [ɪk'saɪt] vt excitar; **to get ~d** entusiasmar-se; **excitement** n emoções fpl; (agitation) agitação f; **exciting** adj emocionante, empolgante

exclaim [ɪk'skleɪm] vi exclamar; **exclamation** [εksklə'meɪʃən] n exclamação f; **exclamation mark** n ponto de exclamação (BR) or de admiração (PT)

exclude [ɪk'sklu:d] vt excluir

exclusive [ɪk'sklu:sɪv] adj exclusivo; **~ of tax** sem incluir os impostos

excruciating [ɪk'skru:ʃɪeɪtɪŋ] adj doloroso, martirizante

excursion [ɪk'skə:ʃən] n excursão f

excuse [n ɪks'kju:s, vb ɪks'kju:z] n desculpa ♦ vt desculpar, perdoar; **to ~ sb from doing sth** dispensar alguém de fazer algo; **~ me!** desculpe!; **if you will ~ me ...** com a sua licença ...

ex-directory (BRIT) adj: **~ (phone) number** número que não figura na lista telefônica

execute ['εksɪkju:t] vt (plan) realizar; (order) cumprir; (person, movement) executar; **execution** n realização f; (killing) execução f

executive [ɪɡ'zεkjutɪv] adj, n executivo(-a)

exempt [ɪɡ'zεmpt] adj isento ♦ vt: **to ~ sb from** dispensar or isentar alguém de

exercise ['εksəsaɪz] n exercício ♦ vt exercer; (right) valer-se de; (dog) levar para passear; (mind) ocupar ♦ vi (also: **to take ~**) fazer exercício; **exercise book** n caderno

exert [ɪɡ'zə:t] vt exercer; **to ~ o.s.** esforçar-se, empenhar-se; **exertion** n esforço

exhale [εks'heɪl] vt expirar; (air) exalar; (smoke) emitir ♦ vi expirar

exhaust [ɪɡ'zɔ:st] n (AUTO: also: **~ pipe**) escape m, exaustor m; (fumes) escapamento (de gás) ♦ vt esgotar; **exhaustion** n exaustão f

exhibit [ɪɡ'zɪbɪt] n (ART) obra exposta; (LAW) objeto exposto ♦ vt (courage) manifestar, mostrar; (quality, emotion) demonstrar; (paintings) expor; **exhibition** [εksɪ'bɪʃən] n exposição f; (of talent etc) mostra

exhilarating [ɪɡ'zɪləreɪtɪŋ] adj estimulante, tônico

exile ['εksaɪl] n exílio; (person) exilado(-a) ♦ vt desterrar, exilar

exist [ɪɡ'zɪst] vi existir; (live) viver; **existence** n existência; vida; **existing** adj atual

exit ['εksɪt] n saída ♦ vi (COMPUT, THEATRE) sair

exonerate [ɪɡ'zɔnəreɪt] vt: **to ~ from** desobrigar de; (guilt) isentar de

exotic [ɪɡ'zɔtɪk] adj exótico

expand [ɪk'spænd] vt aumentar ♦ vi aumentar; (gas etc) expandir-se; (metal) dilatar-se

expanse [ɪk'spæns] n extensão f

expansion [ɪk'spænʃən] n (of town) desenvolvimento; (of trade) expansão f; (of population) aumento

expect [ɪk'spεkt] vt esperar; (suppose) supor; (require) exigir ♦ vi: **to be ~ing** estar grávida; **expectant mother** n gestante f; **expectation** [εkspεk'teɪʃən] n esperança; (belief) expectativa

expedient [εk'spi:dɪənt] adj conveniente, oportuno ♦ n expediente m, recurso

expedition [εkspə'dɪʃən] n expedição f

expel [ɪk'spεl] vt expelir; (from place, school) expulsar

expend [ɪk'spεnd] vt gastar; **expenditure** [ɪks'pεndɪtʃə*] n gastos mpl; (of energy) consumo

expense [ɪk'spεns] n gasto, despesa; (expenditure) despesas fpl; **~s** npl (costs) despesas fpl; **at the ~ of** à custa de; **expense account** n relatório de despesas

expensive [ɪk'spεnsɪv] adj caro

experience [ɪk'spɪərɪəns] n experiência ♦ vt (situation) enfrentar; (feeling) sentir; **experienced** adj experiente

experiment [ɪk'spεrɪmənt] n experimento, experiência ♦ vi: **to ~ (with/on)** fazer experiências (com/em)

expert ['εkspə:t] adj hábil, perito ♦ n especialista m/f; **expertise** [εkspə:'ti:z] n perícia

expire [ɪk'spaɪə*] vi expirar; (run out)

explain → face

vencer; **expiry** n expiração f, vencimento

explain [ɪk'spleɪn] vt explicar; (*clarify*) esclarecer; **explanatory** [ɪks'plænətrɪ] adj explicativo

explicit [ɪk'splɪsɪt] adj explícito

explode [ɪk'spləud] vi estourar, explodir

exploit [n 'ɛksplɔɪt, vb ɪks'plɔɪt] n façanha ♦ vt explorar; **exploitation** [ɛksplɔɪ'teɪʃən] n exploração f

explore [ɪk'splɔ:*] vt explorar; (*fig*) examinar, pesquisar; **explorer** n explorador(a) m/f

explosion [ɪk'spləuʒən] n explosão f

explosive [ɪk'spləusɪv] adj explosivo ♦ n explosivo

export [vb ɛks'pɔ:t, n 'ɛkspɔ:t] vt exportar ♦ n exportação f ♦ cpd de exportação; **exporter** n exportador(a) m/f

expose [ɪk'spəuz] vt expor; (*unmask*) desmascarar; **exposed** adj (*house etc*) desabrigado

exposure [ɪk'spəuʒə*] n exposição f; (*publicity*) publicidade f; (PHOT) revelação f; **to die from ~** (MED) morrer de frio

express [ɪk'sprɛs] adj expresso, explícito; (BRIT: *letter etc*) urgente ♦ n rápido ♦ vt exprimir, expressar; (*quantity*) representar; **expression** n expressão f; **expressly** adv expressamente; **expressway** (US) n rodovia (BR), auto-estrada (PT)

exquisite [ɛk'skwɪzɪt] adj requintado

extend [ɪk'stɛnd] vt (*visit, street*) prolongar; (*building*) aumentar; (*offer*) fazer; (*hand*) estender

extension [ɪk'stɛnʃən] n (ELEC) extensão f; (*building*) acréscimo, expansão f; (*of time*) prorrogação f; (*of rights*) ampliação f; (TEL) ramal m (BR), extensão f (PT); (*of deadline*) prolongamento, prorrogação f

extensive [ɪk'stɛnsɪv] adj extenso; (*damage*) considerável; (*coverage*) amplo; (*broad*) vasto, amplo; **extensively** adv: **he's travelled extensively** ele já viajou bastante

extent [ɪk'stɛnt] n (*breadth*) extensão f; (*of damage etc*) dimensão f; (*scope*) alcance m; **to some ~** até certo ponto

exterior [ɛk'stɪərɪə*] adj externo ♦ n exterior m; (*appearance*) aspecto

external [ɛk'stə:nl] adj externo

extinct [ɪk'stɪŋkt] adj extinto

extinguish [ɪk'stɪŋgwɪʃ] vt extinguir

extort [ɪk'stɔ:t] vt extorquir; **extortionate** adj extorsivo, excessivo

extra ['ɛkstrə] adj adicional ♦ adv adicionalmente ♦ n (*luxury*) luxo; (*surcharge*) extra m, suplemento; (CINEMA, THEATRE) figurante m/f

extract [vb ɪks'trækt, n 'ɛkstrækt] vt tirar, extrair; (*tooth*) arrancar; (*mineral*) extrair; (*money*) extorquir; (*promise*) conseguir, obter ♦ n extrato

extradite ['ɛkstrədaɪt] vt (*from country*) extraditar; (*to country*) obter a extradição de

extraordinary [ɪk'strɔ:dnrɪ] adj extraordinário; (*odd*) estranho

extravagance [ɪk'strævəgəns] n extravagância; (*no pl: spending*) esbanjamento

extravagant [ɪk'strævəgənt] adj (*lavish*) extravagante; (*wasteful*) gastador(a), esbanjador(a)

extreme [ɪk'stri:m] adj extremo ♦ n extremo; **extremely** adv muito, extremamente

extrovert ['ɛkstrəvə:t] n extrovertido(-a)

eye [aɪ] n olho; (*of needle*) buraco ♦ vt olhar, observar; **to keep an ~ on** vigiar, ficar de olho em; **eyebrow** n sobrancelha; **eyedrops** npl gotas fpl para os olhos; **eyelash** n cílio; **eyelid** n pálpebra; **eyeliner** n delineador m; **eye-opener** n revelação f, grande surpresa; **eyeshadow** n sombra de olhos; **eyesight** n vista, visão f; **eyesore** n monstruosidade f; **eye witness** n testemunha m/f ocular

F f

F [ɛf] n (MUS) fá m ♦ abbr = **Fahrenheit**

fable ['feɪbl] n fábula

fabric ['fæbrɪk] n tecido, pano

face [feɪs] n cara, rosto; (*grimace*) careta; (*of clock*) mostrador m; (*side*) superfície f; (*of building*) frente f, fachada ♦ vt (*facts*) enfrentar; (*direction*) dar para; **~ down** de bruços; (*card*) virado para baixo; **to lose ~** perder o prestígio; **to save ~** salvar as aparências; **to make** or **pull a ~** fazer careta; **in the ~ of** diante de, à vista de; **on the ~ of it** a julgar pelas aparências, à primeira vista; **face up to** vt fus enfrentar; **face cloth** (BRIT) n toalhinha de rosto; **face cream** n creme m facial; **face lift** n (operação f) plástica; (*of façade*) remodelamento; **face powder** n pó m de arroz; **face value** n (*of coin, stamp*) valor m nominal; **to take sth at face value** (*fig*) tomar algo em sentido literal

facilities → Far East

facilities [fəˈsɪlɪtɪz] *npl* facilidades *fpl*, instalações *fpl*; **credit ~** crediário
facing [ˈfeɪsɪŋ] *prep* de frente para
facsimile [fækˈsɪmɪlɪ] *n* fac-símile *m*
fact [fækt] *n* fato; **in ~** realmente, na verdade
factor [ˈfæktəˈ] *n* fator *m*
factory [ˈfæktərɪ] *n* fábrica
factual [ˈfæktjʊəl] *adj* real, fatual
faculty [ˈfækəltɪ] *n* faculdade *f*; (US) corpo docente
fad [fæd] (*inf*) *n* mania, modismo
fade [feɪd] *vi* desbotar; (*sound, hope*) desvanecer-se; (*light*) apagar-se; (*flower*) murchar
fag [fæg] (BRIT: *inf*) *n* cigarro
fail [feɪl] *vt* (*candidate*) reprovar; (*exam*) não passar em, ser reprovado em; (*subj: leader*) fracassar; (: *courage*): **his courage ~ed him** faltou-lhe coragem; (: *memory*) falhar ♦ *vi* fracassar; (*brakes*) falhar; (*health*) deteriorar; (*light*) desaparecer; **to ~ to do sth** deixar de fazer algo; (*be unable*) não conseguir fazer algo; **without ~** sem falta; **failing** *n* defeito ♦ *prep* na or à falta de; **failing that** senão; **failure** *n* fracasso; (*mechanical*) falha
faint [feɪnt] *adj* fraco; (*recollection*) vago; (*mark*) indistinto; (*smell*) leve ♦ *n* desmaio ♦ *vi* desmaiar; **to feel ~** sentir tonteira
fair [fɛəˈ] *adj* justo; (*hair*) louro; (*complexion*) branco; (*weather*) bom; (*good enough*) razoável; (*sizeable*) considerável ♦ *adv*: **to play ~** fazer jogo limpo ♦ *n* (*also*: **trade ~**) feira; (BRIT: *funfair*) parque *m* de diversões; **fairly** *adv* (*justly*) com justiça; (*quite*) bastante; **fairness** *n* justiça, (*impartiality*) imparcialidade *f*
fairy [ˈfɛərɪ] *n* fada
faith [feɪθ] *n* fé *f*; (*trust*) confiança; (*denomination*) seita; **faithful** *adj* fiel; (*account*) exato; **faithfully** *adv* fielmente; **yours faithfully** (BRIT: *in letters*) atenciosamente
fake [feɪk] *n* (*painting etc*) falsificação *f*; (*person*) impostor(a) *m/f* ♦ *adj* falso ♦ *vt* fingir; (*painting etc*) falsificar
falcon [ˈfɔːlkən] *n* falcão *m*
fall [fɔːl] (*pt* **fell**, *pp* **fallen**) *n* queda; (US: *autumn*) outono ♦ *vi* cair; (*price*) baixar; (*country*) render-se; **~s** *npl* (*waterfall*) cascata, queda d'água; **to ~ flat** cair de cara no chão; (*plan*) falhar; (*joke*) não agradar; **fall back** *vi* retroceder; **fall back on** *vt fus* recorrer a; **fall behind** *vi* ficar para trás; **fall down** *vi* (*person*) cair; (*building*) desabar; **fall for** *vt fus* (*trick*) cair em; (*person*) enamorar-se de; **fall in** *vi* ruir; (MIL) alinhar-se; **fall off** *vi* cair; (*diminish*) declinar, diminuir; **fall out** *vi* cair; (*friends etc*) brigar; **fall through** *vi* furar
fallacy [ˈfæləsɪ] *n* erro; (*misconception*) falácia
fallout [ˈfɔːlaʊt] *n* chuva radioativa
false [fɔːls] *adj* falso; **under ~ pretences** por meios fraudulentos; **false teeth** (BRIT) *npl* dentadura postiça
falter [ˈfɔːltəˈ] *vi* (*engine*) falhar; (*person*) vacilar
fame [feɪm] *n* fama
familiar [fəˈmɪlɪəˈ] *adj* (*well-known*) conhecido; (*tone*) familiar, íntimo; **to be ~ with** (*subject*) estar familiarizado com
family [ˈfæmɪlɪ] *n* família
famine [ˈfæmɪn] *n* fome *f*
famished [ˈfæmɪʃt] *adj* faminto
famous [ˈfeɪməs] *adj* famoso, célebre
fan [fæn] *n* (*hand-held*) leque *m*; (ELEC) ventilador *m*; (*person*) fã *m/f* (BR), fan *m/f* (PT) ♦ *vt* abanar; (*fire, quarrel*) atiçar; **fan out** *vi* espalhar-se
fanatic [fəˈnætɪk] *n* fanático(-a)
fan belt *n* correia do ventilador (BR) or da ventoinha (PT)
fancy [ˈfænsɪ] *n* capricho; (*imagination*) imaginação *f*; (*fantasy*) fantasia ♦ *adj* ornamental; (*clothes*) extravagante; (*food*) elaborado; (*luxury*) luxoso ♦ *vt* desejar, querer; (*imagine*) imaginar; (*think*) acreditar, achar; **to take a ~ to** tomar gosto por; **he fancies her** (*inf*) ele está a fim dela; **fancy dress** *n* fantasia
fang [fæŋ] *n* presa
fantastic [fænˈtæstɪk] *adj* fantástico
fantasy [ˈfæntəsɪ] *n* (*dream*) sonho; (*unreality*) fantasia; (*imagination*) imaginação *f*
far [fɑːˈ] *adj* (*distant*) distante ♦ *adv* muito; (*also*: **~ away, ~ off**) longe; **at the ~ side/end** do lado/extremo mais afastado; **~ better** muito melhor; **~ from** longe de; **by ~** de longe; **go as ~ as the farm** vá até a (BR) or à (PT) fazenda; **as ~ as I know** que eu saiba; **how ~?** até onde?; (*fig*) até que ponto?; **faraway** [ˈfɑːrəweɪ] *adj* remoto, distante
farce [fɑːs] *n* farsa
fare [fɛəˈ] *n* (*on trains, buses*) preço (da passagem); (*in taxi: cost*) tarifa; (*food*) comida; **half/full ~** meia/inteira passagem
Far East *n*: **the ~** o Extremo Oriente

farewell → fellow

farewell [fɛəˈwɛl] excl adeus ♦ n despedida

farm [fɑːm] n fazenda (BR), quinta (PT) ♦ vt cultivar; **farmer** n fazendeiro(-a), agricultor m; **farmhand** n lavrador(a) m/f, trabalhador(a) m/f; **farmhouse** n casa da fazenda (BR) or da quinta (PT); **farming** n agricultura; (tilling) cultura; (of animals) criação f; **farmland** n terra de cultivo; **farmyard** n curral m

far-reaching [-ˈriːtʃɪŋ] adj de grande alcance, abrangente

fart [fɑːt] (inf!) vi soltar um peido (!), peidar (!)

farther [ˈfɑːðə*] adv mais longe ♦ adj mais distante, mais afastado

farthest [ˈfɑːðɪst] superl of **far**

fascinate [ˈfæsɪneɪt] vt fascinar

fascism [ˈfæʃɪzəm] n fascismo

fashion [ˈfæʃən] n moda; (~ industry) indústria da moda; (manner) maneira ♦ vt modelar, dar feitio a; **in ~** na moda; **fashionable** adj da moda, elegante; **fashion show** n desfile m de modas

fast [fɑːst] adj rápido; (dye, colour) firme, permanente; (clock): **to be ~** estar adiantado ♦ adv rápido, rapidamente, depressa; (stuck, held) firmemente ♦ n jejum m ♦ vi jejuar; **~ asleep** dormindo profundamente

fasten [ˈfɑːsn] vt fixar, prender; (coat) fechar; (belt) apertar ♦ vi prender-se, fixar-se; **fastener** n presilha, fecho; **fastening** n = **fastener**

fast food n fast food f

fat [fæt] adj gordo; (book) grosso; (wallet) recheado; (profit) grande ♦ n gordura; (lard) banha, gordura

fatal [ˈfeɪtl] adj fatal; (injury) mortal

fate [feɪt] n destino; (of person) sorte f; **fateful** adj fatídico

father [ˈfɑːðə*] n pai m; **father-in-law** n sogro; **fatherly** adj paternal

fathom [ˈfæðəm] n braça ♦ vt compreender

fatigue [fəˈtiːg] n fadiga, cansaço

fatten [ˈfætn] vt, vi engordar

fatty [ˈfætɪ] adj (food) gorduroso ♦ n (inf) gorducho(-a)

faucet [ˈfɔːsɪt] (US) n torneira

fault [fɔːlt] n (blame) culpa; (defect) defeito; (GEO) falha; (TENNIS) falta, bola fora ♦ vt criticar; **to find ~ with** criticar, queixar-se de; **at ~** culpado; **faulty** adj defeituoso

favour [ˈfeɪvə*] (US **favor**) n favor m ♦ vt favorecer; (assist) auxiliar; **to do sb a ~** fazer favor a alguém; **to find ~ with** cair

nas boas graças de; **in ~ of** em favor de; **favourite** [ˈfeɪvrɪt] adj predileto ♦ n favorito(-a)

fawn [fɔːn] n cervo novo, cervato ♦ adj (also: **~-coloured**) castanho-claro inv ♦ vi: **to ~ (up)on** bajular

fax [fæks] n fax m, fac-símile m ♦ vt enviar por fax or fac-símile

FBI n abbr (= Federal Bureau of Investigation) FBI m

fear [fɪə*] n medo ♦ vt ter medo de, temer; **for ~ of** com medo de; **fearful** adj medonho, temível; (cowardly) medroso; (awful) terrível

feasible [ˈfiːzəbl] adj viável

feast [fiːst] n banquete m; (REL: also: **~ day**) festa ♦ vi banquetear-se

feat [fiːt] n façanha, feito

feather [ˈfɛðə*] n pena, pluma

feature [ˈfiːtʃə*] n característica; (article) reportagem f ♦ vt (subj: film) apresentar ♦ vi: **to ~ in** figurar em; **~s** npl (of face) feições fpl; **feature film** n longa-metragem m

February [ˈfɛbruərɪ] n fevereiro

fed [fɛd] pt, pp of **feed**

federal [ˈfɛdərəl] adj federal

fed up adj: **to be ~** estar (de saco) cheio (BR), estar farto (PT)

fee [fiː] n taxa (BR), propina (PT); (of school) matrícula; (of doctor, lawyer) honorários mpl

feeble [ˈfiːbl] adj fraco; (attempt) ineficaz

feed [fiːd] (pt, pp **fed**) n (of baby) alimento infantil; (of animal) ração f; (on printer) mecanismo alimentador ♦ vt alimentar; (baby) amamentar; (animal) dar de comer a; (data): **to ~ into** introduzir em; **feed on** vt fus alimentar-se de; **feedback** m reação f

feel [fiːl] (pt, pp **felt**) n sensação f; (sense) tato; (impression) impressão f ♦ vt tocar, apalpar; (anger, pain etc) sentir; (think) achar, acreditar; **to ~ hungry/cold** estar com fome/frio (BR), ter fome/frio (PT); **to ~ lonely/better** sentir-se só/melhor; **I don't ~ well** não estou me sentindo bem; **it ~s soft** é macio; **to ~ like** querer; **to ~ about** or **around** tatear; **feeling** n sensação f; (emotion) sentimento; (impression) impressão f

feet [fiːt] npl of **foot**

feign [feɪn] vt fingir

fell [fɛl] pt of **fall** ♦ vt (tree) lançar por terra, derrubar

fellow [ˈfɛləu] n camarada m/f; (inf: man) cara m (BR), tipo (PT); (of learned society) membro ♦ cpd: **~ students** colegas m/fpl

felony → filter

de curso; **fellowship** n amizade f; (grant) bolsa de estudo; (society) associação f

felony ['fɛlənɪ] n crime m

felt [fɛlt] pt, pp of **feel** ♦ n feltro; **felt-tip pen** n caneta pilot ® (BRIT) or de feltro (PT)

female ['fiːmeɪl] n (ZOOL) fêmea; (pej: woman) mulher f ♦ adj fêmeo(-a); (sex, character) feminino; (vote) das mulheres; (child) do sexo feminino

feminine ['fɛmɪnɪn] adj feminino

feminist ['fɛmɪnɪst] n feminista m/f

fence [fɛns] n cerca ♦ vt (also: ~ **in**) cercar ♦ vi esgrimir; **fencing** n (sport) esgrima

fend [fɛnd] vi: **to ~ for o.s.** defender-se, virar-se; **fend off** vt defender-se de

fender ['fɛndə*] n (of fireplace) guarda-fogo m; (on boat) defesa de embarcação; (US: AUT) pára-lama m

ferment [vb fə'mɛnt, n 'fəːmɛnt] vi fermentar ♦ n (fig) agitação f

fern [fəːn] n samambaia (BR), feto (PT)

ferocious [fə'rəuʃəs] adj feroz

ferret ['fɛrɪt] n furão m; **ferret out** vt (information) desenterrar, descobrir

ferry ['fɛrɪ] n (small) barco (de travessia); (large: also: ~**boat**) balsa ♦ vt transportar

fertile ['fəːtaɪl] adj fértil; (BIO) fecundo; **fertilizer** ['fəːtɪlaɪzə*] n adubo, fertilizante n

fester ['fɛstə*] vi inflamar-se

festival ['fɛstɪvəl] n (REL) festa; (ART, MUS) festival m

festive ['fɛstɪv] adj festivo; **the ~ season** (BRIT: Christmas) a época do Natal

festivities [fɛs'tɪvɪtɪz] npl festas fpl, festividades fpl

fetch [fɛtʃ] vt ir buscar, trazer; (sell for) alcançar

fête [feɪt] n festa

feud [fjuːd] n disputa, rixa

fever ['fiːvə*] n febre f; **feverish** adj febril

few [fjuː] adj, pron poucos(-as); **a ~ ...** alguns (algumas) ...; **fewer** ['fjuːə*] adj menos; **fewest** ['fjuːɪst] adj o menor número de

fiancé(e) [fɪ'ãːŋseɪ] n noivo(-a)

fib [fɪb] n lorota

fibre ['faɪbə*] (US **fiber**) n fibra; **fibreglass** ['faɪbəglɑːs] n fibra de vidro

fickle ['fɪkl] adj inconstante; (weather) instável

fiction ['fɪkʃən] n ficção f; **fictional** adj de ficção; **fictitious** adj fictício

fiddle ['fɪdl] n (MUS) violino; (swindle) trapaça ♦ vt (BRIT: accounts) falsificar; **fiddle with** vt fus brincar com

fidget ['fɪdʒɪt] vi estar irrequieto, mexer-se

field [fiːld] n campo; (fig) área, esfera, especialidade f; **fieldwork** n trabalho de campo

fiend [fiːnd] n demônio

fierce [fɪəs] adj feroz; (wind) violento; (heat) intenso

fiery ['faɪərɪ] adj ardente; (temperament) fogoso

fifteen [fɪf'tiːn] num quinze

fifth [fɪfθ] num quinto

fifty ['fɪftɪ] num cinqüenta; **fifty-fifty** adv: **to share** or **go fifty-fifty with sb** dividir meio a meio com alguém, rachar com alguém ♦ adj: **to have a fifty-fifty chance** ter 50% de chance

fig [fɪg] n figo

fight [faɪt] (pt, pp **fought**) n briga; (MIL) combate m; (struggle: against illness etc) luta ♦ vt lutar contra; (cancer, alcoholism) combater; (election) competir ♦ vi lutar, brigar, bater-se; **fighter** n combatente m/f; (plane) caça m; **fighting** n batalha; (brawl) briga

figment ['fɪgmənt] n: **a ~ of the imagination** um produto da imaginação

figurative ['fɪgjurətɪv] adj (expression) figurado; (style) figurativo

figure ['fɪgə*] n (DRAWING, MATH) figura, desenho; (number) número, cifra; (outline) forma; (person) personagem m ♦ vt (esp US) imaginar ♦ vi figurar; **figure out** vt compreender

file [faɪl] n (tool) lixa; (dossier) dossiê m, pasta; (folder) pasta; (COMPUT) arquivo; (row) fila, coluna ♦ vt (wood, nails) lixar; (papers) arquivar; (LAW: claim) apresentar, dar entrada em ♦ vi: **to ~ in/out** entrar/sair em fila

filing cabinet n fichário, arquivo

fill [fɪl] vt: **to ~ with** encher com; (vacancy) preencher; (need) satisfazer ♦ n: **to eat one's ~** encher-se or fartar-se de comer; **fill in** vt (form) preencher; (hole) tapar; (time) preencher; **fill up** vt encher ♦ vi (AUT) abastecer o carro

fillet ['fɪlɪt] n filete m, filé m; **fillet steak** n filé m

filling ['fɪlɪŋ] n (CULIN) recheio; (for tooth) obturação f (BR), chumbo (PT); **filling station** n posto de gasolina

film [fɪlm] n filme m; (of liquid) camada, véu m ♦ vt rodar, filmar ♦ vi filmar; **film star** n astro/estrela do cinema

filter ['fɪltə*] n filtro ♦ vt filtrar; **filter-**

filth → flag

tipped adj filtrado
filth [fɪlθ] n sujeira (BR), sujidade f (PT); **filthy** adj sujo; (language) indecente, obsceno
fin [fɪn] n barbatana
final ['faɪnl] adj final, último; (ultimate) maior; (definitive) definitivo ♦ n (SPORT) final f; **~s** npl (SCH) exames mpl finais; **finale** [fɪ'nɑːlɪ] n final m; **finalize** vt concluir, completar; **finally** adv finalmente, por fim
finance [faɪ'næns] n fundos mpl; (money management) finanças fpl ♦ vt financiar; **~s** npl (personal ~s) finanças; **financial** [faɪ'nænʃəl] adj financeiro
find [faɪnd] (pt, pp **found**) vt encontrar, achar; (discover) descobrir ♦ n achado, descoberta; **to ~ sb guilty** (LAW) declarar alguém culpado; **find out** vt descobrir; (person) desmascarar ♦ vi: **to ~ out about** (by chance) saber de; **findings** npl (LAW) veredito, decisão f; (of report) constatações fpl
fine [faɪn] adj fino; (excellent) excelente; (subtle) sutil ♦ adv muito bem ♦ n (LAW) multa ♦ vt (LAW) multar; **to be ~** (person) estar bem; (weather) estar bom; **fine arts** npl belas artes fpl
finger ['fɪŋgə*] n dedo ♦ vt manusear; **fingernail** n unha; **fingerprint** n impressão f digital; **fingertip** n ponta do dedo
finish ['fɪnɪʃ] n fim m; (SPORT) chegada; (on wood etc) acabamento ♦ vt, vi terminar, acabar; **to ~ doing sth** terminar de fazer algo; **to ~ third** chegar no terceiro lugar; **finish off** vt terminar; (kill) liquidar; **finish up** vt acabar ♦ vi ir parar; **finishing line** n linha de chegada, meta
Finland ['fɪnlənd] n Finlândia
Finn [fɪn] n finlandês(-esa) m/f; **Finnish** adj finlandês(-esa) ♦ n (LING) finlandês m
fir [fəː*] n abeto
fire ['faɪə*] n fogo; (accidental) incêndio; (gas ~, electric ~) aquecedor m ♦ vt (gun) disparar; (arrow) atirar; (interest) estimular; (dismiss) despedir ♦ vi disparar; **on ~** em chamas; **fire alarm** n alarme m de incêndio; **firearm** n arma de fogo; **fire brigade** (US **fire department**) n (corpo de) bombeiros mpl; **fire engine** n carro de bombeiro; **fire escape** n escada de incêndio; **fire extinguisher** n extintor m de incêndio; **fireman** (irreg) n bombeiro; **fireplace** n lareira; **fire station** n posto de bombeiros; **firewood** n lenha; **fireworks** npl fogos mpl de artifício

firing squad n pelotão m de fuzilamento
firm [fəːm] adj firme ♦ n firma
first [fəːst] adj primeiro ♦ adv (before others) primeiro; (listing reasons) em primeiro lugar ♦ n (in race) primeiro(-a); (AUT) primeira; (BRIT: SCH) menção f honrosa; **at ~** no início; **~ of all** antes de tudo, antes de mais nada; **first aid** n primeiros socorros mpl; **first-aid kit** n estojo de primeiros socorros; **first-class** adj de primeira classe; **first-hand** adj de primeira mão; **first lady** (US) n primeira dama; **firstly** adv primeiramente, em primeiro lugar; **first name** n primeiro nome m; **first-rate** adj de primeira categoria
fish [fɪʃ] n inv peixe m ♦ vt, vi pescar; **to go ~ing** ir pescar; **fisherman** (irreg) n pescador m; **fish fingers** (BRIT) npl filezinhos mpl de peixe; **fishing boat** n barco de pesca; **fishing line** n linha de pesca; **fishing rod** n vara (de pesca); **fishmonger's (shop)** n peixaria; **fish sticks** (US) npl = **fish fingers**; **fishy** (inf) adj (tale) suspeito
fist [fɪst] n punho
fit [fɪt] adj em (boa) forma; (suitable) adequado, apropriado ♦ vt (subj: clothes) caber em; (put in) colocar; (equip) equipar; (suit) assentar a ♦ vi (clothes) servir; (parts) ajustar-se; (in space) caber ♦ n (MED) ataque m; (of anger) acesso; **~ to** bom para; **~ for** adequado para; **by fits and starts** espasmodicamente; **fit in** vi encaixar-se; (person) dar-se bem (com todos); **fitment** n móvel m; **fitness** n (MED) saúde f, boa forma; **fitting** adj apropriado ♦ n (of dress) prova; **fittings** npl (in building) instalações fpl, acessórios mpl
five [faɪv] num cinco; **fiver** (inf) n (BRIT) nota de cinco libras; (US) nota de cinco dólares
fix [fɪks] vt (secure) fixar, colocar; (arrange) arranjar; (mend) consertar; (meal, drink) preparar ♦ n: **to be in a ~** estar em apuros; **fix up** vt (meeting) marcar; **to ~ sb up with sth** arranjar algo para alguém; **fixation** [fɪk'seɪʃən] n fixação f; **fixed** adj (prices, smile) fixo; **fixture** n (furniture) móvel m fixo; (SPORT) desafio, encontro
fizzy ['fɪzɪ] adj com gás, gasoso
flabbergasted ['flæbəgɑːstɪd] adj pasmado
flabby ['flæbɪ] adj flácido
flag [flæg] n bandeira; (for signalling) bandeirola; (~stone) laje f ♦ vi acabar-se,

flagpole → floor

descair; **flag down** vt: **to ~ sb down** fazer sinais a alguém para que pare
flagpole ['flægpəul] n mastro de bandeira
flagship ['flægʃɪp] n nau f capitânia; (fig) carro-chefe m
flair [flɛə*] n (talent) talento; (style) habilidade f
flake [fleɪk] n (of rust, paint) lasca; (of snow, soap powder) floco ♦ vi (also: **~ off**) lascar, descamar-se
flamboyant [flæm'bɔɪənt] adj (dress) espalhafatoso; (person) extravagante
flame [fleɪm] n chama
flammable ['flæməbl] adj inflamável
flan [flæn] (BRIT) n torta
flannel ['flænl] n (BRIT: also: **face ~**) toalhinha de rosto; (fabric) flanela; **~s** npl calça (BR) or calças fpl (PT) de flanela
flap [flæp] n (of pocket) aba; (of envelope) dobra ♦ vt (arms) oscilar; (wings) bater ♦ vi (sail, flag) ondular; (inf: also: **be in a ~**) estar atarantado
flare [flɛə*] n fogacho, chama; (MIL) artifício de sinalização; (in skirt etc) folga; **flare up** vi chamejar; (fig: person) encolerizar-se; (: violence) irromper
flash [flæʃ] n (of lightning) clarão m; (also: **news ~**) notícias fpl de última hora; (PHOT) flash m ♦ vt piscar; (news, message) transmitir; (look, smile) brilhar ♦ vi brilhar; (light on ambulance, eyes etc) piscar; **in a ~** num instante; **to ~ by** or **past** passar como um raio; **flashlight** n lanterna de bolso
flashy ['flæʃɪ] (pej) adj espalhafatoso
flask [flɑːsk] n frasco; (also: **vacuum ~**) garrafa térmica (BR), termo (PT)
flat [flæt] adj plano; (battery) descarregado; (tyre) vazio; (beer) choco; (denial) categórico; (MUS) abemolado; (: voice) desafinado; (rate) único; (fee) fixo ♦ n (BRIT: apartment) apartamento; (MUS) bemol m; (AUT) pneu m furado; **~ out** (work) a toque de caixa; **flatly** adv terminantemente; **flatten** vt (also: **flatten out**) aplanar; (demolish) arrasar
flatter ['flætə*] vt lisonjear; **flattering** adj lisonjeiro; (clothes etc) favorecedor(a); **flattery** n bajulação f
flaunt [flɔːnt] vt ostentar, pavonear
flavour ['fleɪvə*] (US **flavor**) n sabor m ♦ vt condimentar, aromatizar; **strawberry-~ed** com sabor de morango; **flavouring** n condimento; (synthetic) aromatizante n
flaw [flɔː] n defeito m; (in character) falha; **flawless** adj impecável
flax [flæks] n linho
flea [fliː] n pulga
fleck [flɛk] n mancha, sinal m
flee [fliː] (pt, pp **fled**) vt fugir de ♦ vi fugir
fleece [fliːs] n tosão m; (wool) lã f; (coat) velo ♦ vt (inf) espoliar
fleet [fliːt] n (of lorries etc) frota; (of ships) esquadra
fleeting ['fliːtɪŋ] adj (glimpse, happiness) fugaz; (visit) passageiro
Flemish ['flɛmɪʃ] adj flamengo
flesh [flɛʃ] n carne f; (of fruit) polpa
flew [fluː] pt of **fly**
flex [flɛks] n fio ♦ vt (muscles) flexionar; **flexible** adj flexível
flick [flɪk] n pancada leve; (with finger) peteleco, piparote m; (with whip) chicotada ♦ vt dar um peteleco; (towel) dar uma lambada; (whip) dar uma chicotada; (switch) apertar; **flick through** vt fus folhear
flicker ['flɪkə*] vi tremular; (eyelids) tremer
flight [flaɪt] n vôo m; (escape) fuga; (of steps) lance m; **flight attendant** (US) n comissário(-a) de bordo; **flight deck** n (AVIAT) cabine f do piloto; (NAUT) pista de aterrissagem (BR) or aterragem (PT)
flimsy ['flɪmzɪ] adj (thin) delgado, franzino; (shoes) ordinário; (clothes) de tecido fino; (building) barato, (weak) débil; (excuse) fraco
flinch [flɪntʃ] vi encolher-se; **to ~ from sth/from doing sth** vacilar diante de algo/em fazer algo
fling [flɪŋ] (pt, pp **flung**) vt lançar
flint [flɪnt] n pederneira; (in lighter) pedra
flippant ['flɪpənt] adj petulante, irreverente
flipper ['flɪpə*] n (of animal) nadadeira; (for swimmer) pé-de-pato, nadadeira
flirt [flɜːt] vi flertar ♦ n namorador(a) m/f, paquerador(a) m/f
float [fləut] n bóia; (in procession) carro alegórico; (sum of money) caixa ♦ vi flutuar; (swimmer) boiar
flock [flɔk] n rebanho; (of birds) bando ♦ vi: **to ~ to** afluir a
flog [flɔg] vt açoitar
flood [flʌd] n enchente f, inundação f; (of letters, imports etc) enxurrada ♦ vt inundar, alagar ♦ vi (place) alagar; (people, goods): **to ~ into** inundar; **flooding** n inundação f; **floodlight** n refletor m, holofote m
floor [flɔː*] n chão m; (storey) andar m; (of sea) fundo ♦ vt (fig: confuse) confundir, pasmar; (subj: blow) derrubar;

flop → foot

(: *question, remark*) aturdir; **ground ~** (*BRIT*) *or* **first ~** (*US*) andar térreo (*BR*), rés-do-chão (*PT*); **first ~** (*BRIT*) *or* **second ~** (*US*) primeiro andar; **floorboard** *n* tábua de assoalho; **floor show** *n* show *m*

flop [flɔp] *n* fracasso ♦ *vi* fracassar; (*into chair*) cair pesadamente

floppy ['flɔpɪ] *adj* frouxo, mole; **floppy (disk)** *n* disquete *m*

florist ['flɔrɪst] *n* florista *m/f*; **florist's (shop)** *n* floricultura

flounder ['flaundə*] (*pl* **~** *or* **~s**) *n* (*ZOOL*) linguado ♦ *vi* (*swimmer*) debater-se; (*fig: speaker*) atrapalhar-se; (: *economy*) flutuar

flour ['flauə*] *n* farinha

flourish ['flʌrɪʃ] *vi* florescer ♦ *vt* brandir, menear ♦ *n* gesto floreado

flow [fləu] *n* fluxo; (*of river, ELEC*) corrente *f*; (*of blood*) circulação *f* ♦ *vi* correr; (*traffic*) fluir; (*blood, ELEC*) circular; (*clothes, hair*) ondular; **flow chart** *n* fluxograma *m*

flower ['flauə*] *n* flor *f* ♦ *vi* florescer, florir; **flower bed** *n* canteiro; **flowerpot** *n* vaso; **flowery** *adj* (*perfume*) a base de flor; (*pattern*) florido; (*speech*) floreado

flown [fləun] *pp of* **fly**

flu [flu:] *n* gripe *f*

fluctuate ['flʌktjueɪt] *vi* flutuar; (*temperature*) variar

fluent ['flu:ənt] *adj* fluente; **he speaks ~ French, he's ~ in French** ele fala francês fluentemente

fluff [flʌf] *n* felpa, penugem *f*; **fluffy** *adj* macio, fofo; (*toy*) de pelúcia

fluid ['flu:ɪd] *adj* fluido ♦ *n* fluido

fluke [flu:k] (*inf*) *n* sorte *f*

flung [flʌŋ] *pt, pp of* **fling**

fluoride ['fluəraɪd] *n* fluoreto

flurry ['flʌrɪ] *n* (*of snow*) lufada; **~ of activity** muita atividade

flush [flʌʃ] *n* (*on face*) rubor *m*; (*fig*) resplendor *m* ♦ *vt* lavar com água ♦ *vi* ruborizar-se ♦ *adj*: **~ with** rente com; **to ~ the toilet** dar descarga; **flush out** *vt* levantar; **flushed** *adj* ruborizado, corado

flustered ['flʌstəd] *adj* atrapalhado

flute [flu:t] *n* flauta

flutter ['flʌtə*] *n* agitação *f*; (*of wings*) bater *m* ♦ *vi* esvoaçar

flux [flʌks] *n*: **in a state of ~** mudando continuamente

fly [flaɪ] (*pt* **flew**, *pp* **flown**) *n* mosca; (*on trousers: also:* **flies**) braguilha ♦ *vt* (*plane*) pilotar; (*passengers, cargo*) transportar (de avião); (*distances*) percorrer ♦ *vi* voar; (*passengers*) ir de avião; (*escape*) fugir; (*flag*) hastear-se; **fly away** *or* **off** *vi* voar;

flying *n* aviação *f* ♦ *adj*: **flying visit** visita de médico; **with flying colours** brilhantemente; **flying saucer** *n* disco voador; **flyover** (*BRIT*) *n* viaduto; **flysheet** *n* duplo teto

foal [fəul] *n* potro

foam [fəum] *n* espuma; (*also:* **~ rubber**) espuma de borracha ♦ *vi* espumar

focal point ['fəukl-] *n* foco

focus ['fəukəs] (*pl* **~es**) *n* foco ♦ *vt* enfocar ♦ *vi*: **to ~ on** enfocar, focalizar; **in/out of ~** em foco/fora de foco

foe [fəu] *n* inimigo

fog [fɔg] *n* nevoeiro; **foggy** *adj*: **it's foggy** está nevoento

foil [fɔɪl] *vt* frustrar ♦ *n* folha metálica; (*also:* **kitchen ~**) folha *or* papel *m* de alumínio; (*complement*) contraste *m*, complemento; (*FENCING*) florete *m*

fold [fəuld] *n* dobra, vinco, prega; (*of skin*) ruga; (*AGR*) redil *m*, curral *m* ♦ *vt* dobrar; (*arms*) cruzar; **fold up** *vi* dobrar; (*business*) abrir falência ♦ *vt* dobrar; **folder** *n* pasta; **folding** *adj* dobrável

folk [fəuk] *npl* gente *f* ♦ *cpd* popular, folclórico; **~s** *npl* (*family*) família, parentes *mpl*; (*parents*) pais *mpl*; **folklore** ['fəuklɔ:*] *n* folclore *m*

follow ['fɔləu] *vt* seguir; (*event, story*) acompanhar ♦ *vi* seguir; (*person, period of time*) acompanhar; (*result*) resultar; **to ~ suit** fazer o mesmo; **follow up** *vt* (*letter*) responder a; (*offer*) levar adiante; (*case*) acompanhar; **follower** *n* seguidor(a) *m/f*; **following** *adj* seguinte ♦ *n* adeptos *mpl*

folly ['fɔlɪ] *n* loucura

fond [fɔnd] *adj* carinhoso; (*hopes*) absurdo, descabido; **to be ~ of** gostar de

fondle ['fɔndl] *vt* acariciar

font [fɔnt] *n* (*REL*) pia batismal; (*TYP*) fonte *f*, família

food [fu:d] *n* comida; **food mixer** *n* batedeira; **food poisoning** *n* intoxicação *f* alimentar; **food processor** *n* multiprocessador *m* de cozinha; **foodstuffs** *npl* gêneros *mpl* alimentícios

fool [fu:l] *n* tolo(-a); (*CULIN*) puré *m* de frutas com creme ♦ *vt* enganar ♦ *vi* (*gen: ~ around*) brincar; **foolhardy** *adj* temerário; **foolish** *adj* burro; (*careless*) imprudente; **foolproof** *adj* infalível

foot [fut] (*pl* **feet**) *n* pé *m*; (*of animal*) pata; (*measure*) pé (*304 mm; 12 inches*) ♦ *vt* (*bill*) pagar; **on ~** a pé; **footage** *n* (*CINEMA: length*) ≈ metragem *f* (: *material*) seqüências *fpl*; **football** *n* bola; (*game: BRIT*) futebol *m*; (: *US*) futebol norte-americano; **football player** *n* (*BRIT: also:*

footballer) jogador m de futebol; **footbrake** n freio (BR) or travão m (PT) de pé; **footbridge** n passarela; **foothills** npl contraforte m; **foothold** n apoio para o pé; **footing** n (fig) posição f; **to lose one's footing** escorregar; **footnote** n nota ao pé da página, nota de rodapé; **footpath** n caminho, atalho; **footprint** n pegada; **footstep** n passo; **footwear** n calçados mpl

---
KEYWORD
---

for [fɔ:ʳ] prep

1 (indicating destination, direction) para; **he went ~ the paper** foi pegar o jornal; **is this ~ me?** é para mim?; **it's time ~ lunch** é hora de almoçar

2 (indicating purpose) para; **what's it ~?** para quê serve?; **to pray ~ peace** orar pela paz

3 (on behalf of, representing) por; **he works ~ the government/a local firm** ele trabalha para o governo/uma firma local; **G ~ George** G de George

4 (because of) por; **~ this reason** por esta razão; **~ fear of being criticised** com medo de ser criticado

5 (with regard to) para; **it's cold ~ July** está frio para julho

6 (in exchange for) por; **it was sold ~ £5** foi vendido por £5

7 (in favour of) a favor de; **are you ~ or against us?** você está a favor de ou contra nós?; **I'm all ~ it** concordo plenamente, tem todo o meu apoio; **vote ~ X** vote em X

8 (referring to distance): **there are roadworks ~ 5 km** há obras na estrada por 5 quilômetros; **we walked ~ miles** andamos quilômetros

9 (referring to time) **she will be away ~ a month** ela ficará fora um mês; **I have known her ~ years** eu a conheço há anos; **can you do it ~ tomorrow?** você pode fazer isso para amanhã?

10 (with infinite clause): **it is not ~ me to decide** não cabe a mim decidir; **it would be best ~ you to leave** seria melhor que você fosse embora; **there is still time ~ you to do it** ainda há tempo para você fazer isso; **~ this to be possible ...** para que isso seja possível ...

11 (in spite of) apesar de

♦ conj (since, as: rather formal) pois, porque

---

forbid [fə'bɪd] (pt **forbad(e)**, pp **forbidden**) vt proibir; **to ~ sb to do sth** proibir alguém de fazer algo;

forbidding adj (prospect) sombrio; (look) severo

force [fɔ:s] n força ♦ vt forçar; **the F~s** npl (BRIT) as Forças Armadas; **in ~** em vigor; **forceful** adj enérgico, vigoroso

forcibly ['fɔ:səblɪ] adv à força

ford [fɔ:d] n vau m

fore [fɔ:ʳ] n: **to come to the ~** salientar-se

forearm ['fɔ:rɑ:m] n antebraço

foreboding [fɔ:'bəudɪŋ] n mau presságio

forecast ['fɔ:kɑ:st] (irreg: like **cast**) n previsão f; (also: **weather ~**) previsão do tempo ♦ vt prognosticar, prever

forefinger ['fɔ:fɪŋgəʳ] n (dedo) indicador m

foregone ['fɔ:gɔn] pp of **forego** ♦ adj: **it's a ~ conclusion** é uma conclusão inevitável

foreground ['fɔ:graund] n primeiro plano

forehead ['fɔrɪd] n testa

foreign ['fɔrɪn] adj estrangeiro; (trade) exterior; (object, matter) estranho; **foreigner** n estrangeiro(-a); **foreign exchange** n câmbio; **Foreign Office** (BRIT) n Ministério das Relações Exteriores

foreman ['fɔ:mən] (irreg) n capataz m; (in construction) contramestre m

foremost ['fɔ:məust] adj principal ♦ adv: **first and ~** antes de mais nada

forensic [fə'rɛnsɪk] adj forense; **~ medicine** medicina legal

forerunner ['fɔ:rʌnəʳ] n precursor(a) m/f

foresee [fɔ:'si:] (irreg: like **see**) vt prever; **foreseeable** adj previsível

foresight ['fɔ:saɪt] n previdência

forest ['fɔrɪst] n floresta

forestry ['fɔrɪstrɪ] n silvicultura

foretaste ['fɔ:teɪst] n amostra

foretell [fɔ:'tɛl] (irreg: like **tell**) vt predizer, profetizar

forever [fə'rɛvəʳ] adv para sempre

foreword ['fɔ:wə:d] n prefácio

forfeit ['fɔ:fɪt] vt perder (direito a)

forgave [fə'geɪv] pt of **forgive**

forge [fɔ:dʒ] n ferraria ♦ vt falsificar; (metal) forjar; **forge ahead** vi avançar constantemente; **forger** n falsificador (a) m/f; **forgery** n falsificação f

forget [fə'gɛt] (pt **forgot**, pp **forgotten**) vt, vi esquecer; **forgetful** adj esquecido; **forget-me-not** n miosótis m

forgive [fə'gɪv] (pt **forgave**, pp **~n**) vt perdoar; **to ~ sb for sth** perdoar algo a alguém, perdoar alguém de algo; **forgiveness** n perdão m

fork [fɔ:k] n (for eating) garfo; (for

forlorn → free

gardening) forquilha; (*of roads etc*) bifurcação f ♦ vi bifurcar-se; **fork out** (*inf*) vt (*pay*) desembolsar, morrer em
forlorn [fəˈlɔːn] adj desolado; (*attempt*) desesperado; (*hope*) último
form [fɔːm] n forma; (*type*) tipo; (*SCH*) série f; (*questionnaire*) formulário ♦ vt formar; (*organization*) criar; **to ~ a queue** (*BRIT*) fazer fila; **in top ~** em plena forma
formal [ˈfɔːməl] adj (*offer*) oficial; (*person*) cerimonioso; (*occasion, education*) formal; (*dress*) a rigor (*BR*), de cerimônia (*PT*); (*garden*) simétrico; **formally** adv formalmente
format [ˈfɔːmæt] n formato ♦ vt (*COMPUT*) formatar
former [ˈfɔːmə*] adj anterior; (*earlier*) antigo; **the ~ ... the latter ...** aquele ... este ...; **formerly** adv anteriormente
formidable [ˈfɔːmɪdəbl] adj terrível, temível
formula [ˈfɔːmjulə] (*pl* **~s** *or* **~e**) n fórmula
forsake [fəˈseɪk] (*pt* **forsook**, *pp* **forsaken**) vt abandonar
fort [fɔːt] n forte m
forth [fɔːθ] adv para adiante; **back and ~** de cá para lá; **and so ~** e assim por diante; **forthcoming** adj próximo, que está para aparecer; (*help*) disponível; (*person*) comunicativo; **forthright** adj franco
fortify [ˈfɔːtɪfaɪ] vt (*city*) fortificar; (*person*) fortalecer
fortnight [ˈfɔːtnaɪt] (*BRIT*) n quinzena, quinze dias mpl; **fortnightly** adj quinzenal ♦ adv quinzenalmente
fortunate [ˈfɔːtʃənɪt] adj (*event*) feliz; (*person*): **to be ~** ter sorte; **it is ~ that ...** é uma sorte que ...; **fortunately** adv felizmente
fortune [ˈfɔːtʃən] n sorte f; (*wealth*) fortuna; **fortune-teller** n adivinho(-a)
forty [ˈfɔːtɪ] num quarenta
forward [ˈfɔːwəd] adj (*movement*) para a frente; (*position*) avançado; (*in time*) futuro; (*not shy*) imodesto, presunçoso ♦ n (*SPORT*) atacante m ♦ vt (*letter*) remeter; (*goods, parcel*) expedir; (*career*) promover; (*plans*) ativar; **to move ~** avançar; **forward(s)** adv para a frente
fossil [ˈfɔsl] n fóssil m
foster [ˈfɔstə*] vt adotar (por um tempo limitado); (*activity*) promover; **foster child** (*irreg*) n filho adotivo (por um tempo limitado)
fought [fɔːt] pt, pp of **fight**
foul [faul] adj horrível; (*language*) obsceno ♦ n (*SPORT*) falta ♦ vt sujar; **foul play** n (*LAW*) crime m
found [faund] pt, pp of **find** ♦ vt (*establish*) fundar; **foundation** [faunˈdeɪʃən] n (*act, organization*) fundação f; (*base*) base f; (*also:* **foundation cream**) creme m base; **foundations** npl (*of building*) alicerces mpl
founder [ˈfaundə*] n fundador(a) m/f ♦ vi naufragar
fountain [ˈfauntɪn] n chafariz m; **fountain pen** n caneta-tinteiro f
four [fɔː*] num quatro; **on all ~s** de quatro; **fourteen** num catorze; **fourth** num quarto
fowl [faul] n ave f (doméstica)
fox [fɔks] n raposa ♦ vt deixar perplexo
foyer [ˈfɔɪeɪ] n saguão m
fraction [ˈfrækʃən] n fração f
fracture [ˈfræktʃə*] n fratura ♦ vt fraturar
fragile [ˈfrædʒaɪl] adj frágil
fragment [ˈfrægmənt] n fragmento
fragrant [ˈfreɪgrənt] adj fragrante, perfumado
frail [freɪl] adj (*person*) fraco; (*structure*) frágil
frame [freɪm] n (*of building*) estrutura; (*body*) corpo; (*of picture, door*) moldura; (*of spectacles: also:* **~s**) armação f, aro ♦ vt (*picture*) emoldurar; **frame of mind** n estado de espírito; **framework** n armação f
France [frɑːns] n França
frank [fræŋk] adj franco ♦ vt (*letter*) franquear; **frankly** adv francamente; (*candidly*) abertamente
frantic [ˈfræntɪk] adj frenético; (*person*) fora de si
fraternity [frəˈtəːnɪtɪ] n (*feeling*) fraternidade f; (*club*) confraria
fraud [frɔːd] n fraude f; (*person*) impostor(a) m/f
fraught [frɔːt] adj tenso; **~ with** repleto de
fray [freɪ] n guerra ♦ vi esfiapar-se; **tempers were ~ed** estavam com os nervos em frangalhos
freak [friːk] n (*person*) anormal m/f; (*event*) anomalia
freckle [ˈfrɛkl] n sarda
free [friː] adj livre; (*seat*) desocupado; (*costing nothing*) grátis, gratuito ♦ vt pôr em liberdade; (*jammed object*) soltar; **~ (of charge)** grátis, de graça; **freedom** n liberdade f; **Freefone** ® n número de discagem gratuita; **free gift** n brinde m; **freelance** adj autônomo; **freely** adv

freeze → fruit

livremente; **free-range** adj (egg) caseiro; **freeway** (us) n auto- estrada; **free will** n livre arbítrio; **of one's own free will** por sua própria vontade

freeze [fri:z] (pt **froze**, pp **frozen**) vi gelar-se, congelar-se ♦ vt congelar ♦ n geada; (on arms, wages) congelamento; **freezer** n congelador m, freezer m (BR); **freezing** adj: **freezing (cold)** (weather) glacial; (water) gelado; **3 degrees below freezing** 3 graus abaixo de zero; **freezing point** n ponto de congelamento

freight [freɪt] n (goods) carga; (money charged) frete m; **freight train** (us) n trem m de carga

French [frentʃ] adj francês(-esa) ♦ n (LING) francês m; **the ~** npl (people) os franceses; **French bean** (BRIT) n feijão m comum; **French fried potatoes** (US **French fries**) npl batatas fpl fritas; **Frenchman** (irreg) n francês m; **Frenchwoman** (irreg) n francesa

frenzy ['frenzɪ] n frenesi m

frequent [adj 'fri:kwənt, vt frɪ'kwent] adj freqüente ♦ vt freqüentar; **frequently** adv freqüentemente, a miúdo

fresh [freʃ] adj fresco; (new) novo; (cheeky) atrevido; **freshen** vi (wind, air) tornar-se mais forte; **freshen up** vi (person) lavar-se, refrescar-se; **freshly** adv recentemente, há pouco; **freshness** n frescor m; **freshwater** adj de água doce

fret [fret] vi afligir-se

friar ['fraɪə*] n frade m

friction ['frɪkʃən] n fricção f; (between people) atrito

Friday ['fraɪdɪ] n sexta-feira f

fridge [frɪdʒ] (BRIT) n geladeira (BR), frigorífico (PT)

fried [fraɪd] adj frito; **~ egg** ovo estrelado or frito

friend [frend] n amigo(-a); **friendly** adj simpático; (match) amistoso; **friendship** n amizade f

fright [fraɪt] n terror m; (scare) pavor m; **to take ~** assustar-se; **frighten** vt assustar; **frightened** adj: **to be frightened of** ter medo de; **frightening** adj assustador(a); **frightful** adj terrível, horrível

frigid ['frɪdʒɪd] adj frígido, frio

frill [frɪl] n babado

fringe [frɪndʒ] n franja; (on shawl etc) beira, orla; (edge: of forest etc) margem f

Frisbee ® ['frɪzbɪ] n Frisbee ® m

frisk [frɪsk] vt revistar

fritter ['frɪtə*] n bolinho frito; **fritter away** vt desperdiçar

frivolous ['frɪvələs] adj frívolo; (activity) fútil

frizzy ['frɪzɪ] adj frisado

fro [frəʊ] adv see **to**

frock [frɔk] n vestido

frog [frɔg] n rã f; **frogman** (irreg) n homem-rã m

KEYWORD

from [frɔm] prep

1 (indicating starting place) de; **where do you come ~?** de onde você é?; **~ London to Glasgow** de Londres para Glasgow; **to escape ~ sth/sb** escapar de algo/alguém

2 (indicating origin etc) de; **a letter/ telephone call ~ my sister** uma carta/ um telefonema da minha irmã; **tell him ~ me that ...** diga a ele que da minha parte ...; **to drink ~ the bottle** beber na garrafa

3 (indicating time): **~ one o'clock to** or **until** or **till two** da uma hora até às duas; **~ May (on)** a partir de maio

4 (indicating distance) de; **we're still a long way ~ home** ainda estamos muito longe de casa

5 (indicating price, number etc) de; **prices range ~ £10 to £50** os preços vão de £10 a £50

6 (indicating difference) de; **he can't tell red ~ green** ele não pode diferenciar vermelho do verde

7 (because of/on the basis of): **~ what he says** pelo que ele diz; **to act ~ conviction** agir por convicção; **weak ~ hunger** fraco de fome

---

front [frʌnt] n frente f; (of vehicle) parte f dianteira; (of house, fig) fachada; (also: **sea ~**) orla marítima ♦ adj da frente; **in ~ (of)** em frente (de); **front door** n porta principal; **frontier** ['frʌntɪə*] n fronteira; **front page** n primeira página; **front room** (BRIT) n salão m, sala de estar; **front-wheel drive** n tração f dianteira

frost [frɔst] n geada; (also: **hoar~**) gelo; **frostbite** n ulceração f produzida pelo frio; **frosty** adj (window) coberto de geada; (welcome) glacial

froth [frɔθ] n espuma

frown [fraʊn] vi franzir as sobrancelhas, amarrar a cara

froze [frəʊz] pt of **freeze**

frozen ['frəʊzn] pp of **freeze**

fruit [fru:t] n inv fruta; (fig: pl **~s**) fruto; **fruitful** adj proveitoso; **fruit juice** n

frustrate → gallery

suco (BR) or sumo (PT) de frutas; **fruit machine** (BRIT) n caça-níqueis m inv (BR), máquina de jogo (PT); **fruit salad** n salada de frutas

frustrate [frʌs'treɪt] vt frustrar

fry [fraɪ] (pt, pp **fried**) vt fritar; **frying pan** n frigideira

ft. abbr = **foot**; **feet**

fudge [fʌdʒ] n (CULIN) ≈ doce m de leite

fuel [fjuəl] n (for heating) combustível m; (for propelling) carburante m; **fuel oil** n óleo combustível; **fuel tank** n depósito de combustível

fugitive ['fju:dʒɪtɪv] n fugitivo(-a)

fulfil [ful'fɪl] (US **fulfill**) vt (function) cumprir; (condition) satisfazer; (wish, desire) realizar

full [ful] adj cheio; (use, volume) máximo; (complete) completo; (information) detalhado; (price) integral; (skirt) folgado ♦ adv: ~ **well** perfeitamente; **I'm ~ (up)** estou satisfeito; ~ **employment** pleno emprego; **a ~ two hours** duas horas completas; **at ~ speed** a toda a velocidade; **in ~** integralmente; **full stop** n ponto (final); **full-time** adj, adv (work) de tempo completo or integral; **fully** adv completamente; (at least) pelo menos; **fully-fledged** adj (teacher etc) diplomado

fumble with ['fʌmbl-] vt fus atrapalhar-se com

fume [fju:m] vi fumegar; (be angry) estar com raiva; **fumes** npl gases mpl

fun [fʌn] n divertimento; **to have ~** divertir-se; **for ~** de brincadeira; **to make ~ of** fazer troça de, zombar de

function ['fʌŋkʃən] n função f; (reception, dinner) recepção f ♦ vi funcionar; **functional** adj funcional; (practical) prático

fund [fʌnd] n fundo m; (source, store) fonte f; **~s** npl (money) fundos mpl

fundamental [fʌndə'mɛntl] adj fundamental

funeral ['fju:nərəl] n (burial) enterro

funfair ['fʌnfɛə*] (BRIT) n parque m de diversões

fungus ['fʌŋgəs] (pl **fungi**) n fungo m; (mould) bolor m, mofo

funnel ['fʌnl] n funil m; (of ship) chaminé m

funny ['fʌnɪ] adj engraçado, divertido; (strange) esquisito, estranho

fur [fə:*] n pele f; (BRIT: in kettle etc) depósito, crosta

furious ['fjuərɪəs] adj furioso; (effort) incrível

furnace ['fə:nɪs] n forno

furnish ['fə:nɪʃ] vt mobiliar (BR), mobilar (PT); (supply): **to ~ sb with sth** fornecer algo a alguém; **furnishings** npl mobília

furniture ['fə:nɪtʃə*] n mobília, móveis mpl; **piece of ~** móvel m

furry ['fə:rɪ] adj peludo

further ['fə:ðə*] adj novo, adicional ♦ adv mais longe; (more) mais; (moreover) além disso ♦ vt promover; **further education** (BRIT) n educação f superior; **furthermore** adv além disso

furthest ['fə:ðɪst] superl of **far**

fury ['fjuərɪ] n fúria

fuse [fju:z] n fusível m; (for bomb etc) espoleta, mecha ♦ vt fundir; (fig) unir ♦ vi (metal) fundir-se; unir-se; **to ~ the lights** (BRIT: ELEC) queimar as luzes; **fuse box** n caixa de fusíveis

fuss [fʌs] n estardalhaço; (complaining) escândalo; **to make a ~** criar caso; **to make a ~ of sb** paparicar alguém; **fussy** adj (person) exigente; (dress, style) espalhafatoso

future ['fju:tʃə*] adj futuro ♦ n futuro; **in ~** no futuro

fuze [fju:z] (US) = **fuse**

fuzzy ['fʌzɪ] adj (PHOT) indistinto; (hair) frisado, encrespado

G g

G [dʒi:] n (MUS) sol m

G7 n abbr (= Group of 7) G7

gable ['geɪbl] n cumeeira

gadget ['gædʒɪt] n aparelho, engenhoca

Gaelic ['geɪlɪk] adj gaélico(-a) ♦ n (LING) gaélico

gag [gæg] n (on mouth) mordaça; (joke) piada ♦ vt amordaçar

gain [geɪn] n ganho; (profit) lucro ♦ vt ganhar ♦ vi (watch) adiantar-se; (benefit): **to ~ from sth** tirar proveito de algo; **to ~ on sb** aproximar-se de alguém; **to ~ 3lbs (in weight)** engordar 3 libras

gal. abbr = **gallon**

Galapagos (Islands) [gə'læpəgəs-] npl: **the ~** as ilhas Galápagos

gale [geɪl] n ventania; ~ **force 10** vento de força 10

gallant ['gælənt] adj valente; (polite) galante

gallery ['gælərɪ] n (in theatre etc) galeria; (also: **art ~**: public) museu m; (: private) galeria (de arte)

gallon → genitals

gallon ['gæln] n galão m (= 8 pints; BRIT = 4.5l; US = 3.8l)
gallop ['gæləp] n galope m ♦ vi galopar
gallows ['gæləuz] n forca
gallstone ['gɔ:lstəun] n cálculo biliar
galore [gə'lɔ:*] adv à beça
gamble ['gæmbl] n risco ♦ vt apostar ♦ vi jogar, arriscar; **gambler** n jogador(a) m/f; **gambling** n jogo
game [geɪm] n jogo; (match) partida; (esp TENNIS) jogada; (strategy) plano, esquema m; (HUNTING) caça ♦ adj (willing): **to be ~ for anything** topar qualquer parada; **big ~** caça grossa; **gamekeeper** n guarda-caça m
gammon ['gæmən] n (bacon) toucinho (defumado); (ham) presunto
gang [gæŋ] n bando, grupo; (of criminals) gangue f; (of workmen) turma ♦ vi: **to ~ up on sb** conspirar contra alguém
gangster ['gæŋstə*] n gângster m, bandido
gaol [dʒeɪl] (BRIT) n, vt = **jail**
gap [gæp] n brecha, fenda; (in trees, traffic) abertura; (in time) intervalo; (difference) diferença
gape [geɪp] vi (person) estar or ficar boquiaberto; (hole) abrir-se; **gaping** adj (hole) muito aberto
garage ['gæra:ʒ] n garagem f; (for car repairs) oficina (mecânica)
garbage ['gɑ:bɪdʒ] n (US) lixo; (inf: nonsense) disparates mpl; **garbage can** (US) n lata de lixo
garbled ['gɑ:bld] adj deturpado, destorcido
garden ['gɑ:dn] n jardim m; **~s** npl (public park) jardim público, parque m; **gardener** n jardineiro(-a); **gardening** n jardinagem f
gargle ['gɑ:gl] vi gargarejar
garish ['gɛərɪʃ] adj (colour) berrante; (light) brilhante
garland ['gɑ:lənd] n guirlanda
garlic ['gɑ:lɪk] n alho
garment ['gɑ:mənt] n peça de roupa
garrison ['gærɪsn] n guarnição f
garter ['gɑ:tə*] n liga
gas [gæs] n gás m; (US: gasoline) gasolina ♦ vt asfixiar com gás; **gas cooker** (BRIT) n fogão m a gás; **gas cylinder** n bujão m de gás; **gas fire** (BRIT) n aquecedor m a gás
gash [gæʃ] n talho; (tear) corte m ♦ vt talhar; cortar
gasket ['gæskɪt] n (AUT) junta, gaxeta
gasoline ['gæsəli:n] n (US) gasolina

gasp [gɑ:sp] n arfada ♦ vi arfar; **gasp out** vt dizer com voz entrecortada
gas station (US) n posto de gasolina
gate [geɪt] n portão m; **gatecrash** (BRIT) vt entrar de penetra em; **gateway** n portão m, passagem f
gather ['gæðə*] vt colher; (assemble) reunir; (SEWING) franzir; (understand) compreender ♦ vi reunir-se; **to ~ speed** acelerar-se; **gathering** n reunião f, assembléia
gauge [geɪdʒ] n (instrument) medidor m ♦ vt (fig: character) avaliar
gaunt [gɔ:nt] adj descarnado; (bare, stark) desolado
gauze [gɔ:z] n gaze f
gave [geɪv] pt of **give**
gay [geɪ] adj (homosexual) gay; (old-fashioned: cheerful) alegre; (colour) vistoso; (music) vivo
gaze [geɪz] n olhar m fixo ♦ vi: **to ~ at sth** fitar algo
GB abbr = **Great Britain**
GCE (BRIT) n abbr = **General Certificate of Education**
GCSE (BRIT) n abbr = **General Certificate of Secondary Education**
gear [gɪə*] n equipamento; (TECH) engrenagem f; (AUT) velocidade f, marcha (BR), mudança (PT) ♦ vt (fig: adapt): **to ~ sth to** preparar algo para; **top** (BRIT) or **high** (US)/**low ~** quarta/primeira (marcha); **in ~** engrenado; **gearbox** n caixa de mudanças (BR) or de velocidades (PT)
geese [gi:s] npl of **goose**
gel [dʒɛl] n gel m
gem [dʒɛm] n jóia, gema
Gemini ['dʒɛmɪnaɪ] n Gêminis m, Gêmeos mpl
gender ['dʒɛndə*] n gênero
general ['dʒɛnərl] n general m ♦ adj geral; **in ~** em geral; **general anaesthetic** n anestesia geral; **generally** adv geralmente; **general practitioner** n clínico(-a) geral
generate ['dʒɛnəreɪt] vt gerar; **generator** n gerador m
generous ['dʒɛnərəs] adj generoso; (measure etc) abundante
genetic engineering [dʒɪ'nɛtɪk-] n engenharia genética
Geneva [dʒɪ'ni:və] n Genebra
genial ['dʒi:nɪəl] adj cordial, simpático
genitals ['dʒɛnɪtlz] npl órgãos mpl genitais

genius → get

genius ['dʒi:nɪəs] n gênio
gentle ['dʒɛntl] adj (touch) leve, suave; (landscape) suave; (animal) manso
gentleman ['dʒɛntlmən] (irreg) n senhor m; (social position) fidalgo; (well-bred man) cavalheiro
gently ['dʒɛntlɪ] adv suavemente
gentry ['dʒɛntrɪ] n pequena nobreza
gents [dʒɛnts] n banheiro de homens (BR), casa de banho dos homens (PT)
genuine ['dʒɛnjuɪn] adj autêntico; (person) sincero
geography [dʒɪ'ɔgrəfɪ] n geografia
geology [dʒɪ'ɔlədʒɪ] n geologia
geometry [dʒɪ'ɔmətrɪ] n geometria
geranium [dʒɪ'reɪnjəm] n gerânio
geriatric [dʒɛrɪ'ætrɪk] adj geriátrico
germ [dʒə:m] n micróbio, bacilo
German ['dʒə:mən] adj alemão(-mã) ♦ n alemão(-mã) m/f; (LING) alemão m; **German measles** n rubéola
Germany ['dʒə:mənɪ] n Alemanha
gesture ['dʒɛstjə*] n gesto

KEYWORD
---

get [gɛt] (pt, pp **got**) (US: pp **gotten**) vi
1 (become, be) ficar, tornar-se; **to ~ old/tired/cold** envelhecer/cansar-se/resfriar-se; **to ~ annoyed/bored** aborrecer-se/amuar-se; **to ~ drunk** embebedar-se; **to ~ dirty** sujar-se; **to ~ killed/married** ser morto/casar-se; **when do I ~ paid?** quando eu recebo?, quando eu vou ser pago?; **it's ~ting late** está ficando tarde
2 (go): **to ~ to/from** ir para/de; **to ~ home** chegar em casa
3 (begin) começar a; **to ~ to know sb** começar a conhecer alguém; **let's ~ going** or **started** vamos lá!
♦ modal aux vb: **you've got to do it** você tem que fazê-lo algo; (have done) mandar fazer algo; **to ~ one's hair cut** cortar o cabelo; **to ~ the car going** or **to go** fazer o carro andar; **to ~ sb to do sth** convencer alguém a fazer algo; **to ~ sth/sb ready** preparar algo/arrumar alguém
2 (obtain) ter; (find) achar; (fetch) buscar; **to ~ sth for sb** arranjar algo para alguém; (fetch) ir buscar algo para alguém; **~ me Mr Jones, please** (TEL) pode chamar o Sr Jones por favor; **can I ~ you a drink?** você está servido?
3 (receive: present, letter) receber; (acquire: reputation, prize) ganhar
4 (catch) agarrar; (hit: target etc) pegar; **to ~ sb by the arm/throat** agarrar alguém pelo braço/pela garganta; **~ him!** pega ele!
5 (take, move) levar; **to ~ sth to sb** levar algo para alguém; **I can't ~ it in/out/through** não consigo enfiá-lo/tirá-lo/passá-lo; **do you think we'll ~ it through the door?** você acha que conseguiremos passar isto na porta?
6 (plane, bus etc) pegar, tomar
7 (understand) entender; (hear) ouvir; **I've got it** entendi; **I don't ~ your meaning** não entendo o que você quer dizer
8 (have, possess): **to have got** ter
get about vi (news) espalhar-se
get along vi (agree) entender-se; (depart) ir embora; (manage) = **get by**
get around = **get round**
get at vt fus (attack, criticize) atacar; (reach) alcançar; **what are you ~ting at?** o que você está querendo dizer?
get away vi (leave) partir; (escape) escapar
get away with vt fus conseguir fazer impunemente
get back vi (return) regressar, voltar ♦ vt receber de volta, recobrar
get by vi (pass) passar; (manage) virar-se
get down vi descer ♦ vt abaixar ♦ vt (object) abaixar, descer; (depress: person) deprimir
get down to vt fus (work) pôr-se a (fazer)
get in vi entrar; (train) chegar; (arrive home) voltar para casa
get into vt fus entrar em; (vehicle) subir em; (clothes) pôr, vestir, enfiar; **to ~ into bed/a rage** meter-se na cama/ficar com raiva
get off vi (from train etc) saltar (BR), descer (PT); (depart) sair; (escape) escapar ♦ vt (remove: clothes, stain) tirar; (send off) mandar ♦ vt fus (train, bus) saltar de (BR), sair de (PT)
get on vi (at exam etc): **how are you ~ting on?** como vai?; (agree): **to ~ on (with)** entender-se (com) ♦ vt fus (train etc) subir em (BR), subir para (PT); (horse) montar em
get out vi (of place, vehicle) sair ♦ vt (take out) tirar
get out of vt fus (duty etc) escapar de
get over vt fus (illness) restabelecer-se de
get round vt fus rodear; (fig: person) convencer
get through vi (TEL) completar a ligação
get through to vt fus (TEL) comunicar-se com
get together vi (people) reunir-se ♦ vt reunir

getaway → glide

get up *vi* levantar-se ♦ *vt fus* levantar
get up to *vt fus* (*reach*) chegar a; (*BRIT: prank etc*) fazer

getaway ['gɛtəweɪ] *n* fuga, escape *m*
ghastly ['gɑːstlɪ] *adj* horrível; (*building*) medonho; (*appearance*) horripilante; (*pale*) pálido
gherkin ['gəːkɪn] *n* pepino em vinagre
ghost [gəʊst] *n* fantasma *m*
giant ['dʒaɪənt] *n* gigante *m* ♦ *adj* gigantesco, gigante
gibberish ['dʒɪbərɪʃ] *n* algaravia
giblets ['dʒɪblɪts] *npl* miúdos *mpl*
Gibraltar [dʒɪ'brɔːltə*] *n* Gibraltar *m* (*no article*)
giddy ['gɪdɪ] *adj* (*dizzy*): **to be** *or* **feel ~** estar com vertigem
gift [gɪft] *n* presente *m*, dádiva; (*ability*) dom *m*, talento; **gifted** *adj* bem-dotado
gigantic [dʒaɪ'gæntɪk] *adj* gigantesco
giggle ['gɪgl] *vi* dar risadinha boba
gill [dʒɪl] *n* (*measure*) = 0.25 pints (BRIT = 0.148l, US = 0.118l)
gills [gɪlz] *npl* (*of fish*) guelras *fpl*, brânquias *fpl*
gilt [gɪlt] *adj* dourado ♦ *n* dourado
gimmick ['gɪmɪk] *n* truque *m or* macete *m* (publicitário)
gin [dʒɪn] *n* gim *m*, genebra
ginger ['dʒɪndʒə*] *n* gengibre *m*; **gingerbread** *n* (*cake*) pão *m* de gengibre; (*biscuit*) biscoito de gengibre
gipsy ['dʒɪpsɪ] *n* cigano
giraffe [dʒɪ'rɑːf] *n* girafa
girl [gəːl] *n* (*small*) menina (BR), rapariga (PT); (*young woman*) jovem *f*, moça; (*daughter*) filha; **girlfriend** *n* (*of girl*) amiga; (*of boy*) namorada
gist [dʒɪst] *n* essencial *m*

KEYWORD

give [gɪv] (*pt* gave, *pp* given) *vt*
1 (*hand over*) dar; **to ~ sb sth, ~ sth to sb** dar algo a alguém
2 (*used with n to replace a vb*): **to ~ a cry/sigh/push** *etc* dar um grito/suspiro/empurrão *etc*; **to ~ a speech/a lecture** fazer um discurso/uma palestra
3 (*tell, deliver: news, advice, message etc*) dar; **to ~ the right/wrong answer** dar a resposta certa/errada
4 (*supply, provide: opportunity, job etc*) dar; (*bestow: title, right*) conceder; **the sun ~s warmth and light** o sol fornece calor e luz
5 (*dedicate: time, one's life*) dedicar; **she gave it all her attention** ela dedicou toda sua atenção a isto
6 (*organize*): **to ~ a party/dinner** *etc* dar uma festa/jantar *etc*

♦ *vi*
1 (*also: ~ way*): *break, collapse*) dar folga; **his legs gave beneath him** suas pernas bambearam; **the roof/floor gave as I stepped on it** o telhado/chão desabou quando eu pisei nele
2 (*stretch: fabric*) dar de si

give away *vt* (*money, opportunity*) dar; (*secret, information*) revelar
give back *vt* devolver
give in *vi* (*yield*) ceder ♦ *vt* (*essay etc*) entregar
give off *vt* (*heat, smoke*) soltar
give out *vt* (*distribute*) distribuir; (*make known*) divulgar
give up *vi* (*surrender*) desistir, dar-se por vencido ♦ *vt* (*job, boyfriend, habit*) renunciar a; (*idea, hope*) abandonar; **to ~ up smoking** deixar de fumar; **to ~ o.s. up** entregar-se
give way *vi* (*yield*) ceder; (*break, collapse: rope*) arrebentar; (*: ladder*) quebrar; (BRIT: AUT) dar a preferência (BR), dar prioridade (PT)

glacier ['glæsɪə*] *n* glaciar *m*, geleira
glad [glæd] *adj* contente
gladly ['glædlɪ] *adv* com muito prazer
glamorous ['glæmərəs] *adj* encantador(a), glamouroso
glamour ['glæmə*] *n* encanto, glamour *m*
glance [glɑːns] *n* relance *m*, vista de olhos ♦ *vi*: **to ~ at** olhar (de relance); **glance off** *vt fus* (*bullet*) ricochetear de; **glancing** *adj* (*blow*) oblíquo
gland [glænd] *n* glândula
glare [glɛə*] *n* (*of anger*) olhar *m* furioso; (*of light*) luminosidade *f*; (*of publicity*) foco ♦ *vi* brilhar; **to ~ at** olhar furiosamente para; **glaring** *adj* (*mistake*) notório
glass [glɑːs] *n* vidro, cristal *m*; (*for drinking*) copo; **~es** *npl* (*spectacles*) óculos *mpl*; **glassware** *n* objetos *mpl* de cristal
glaze [gleɪz] *vt* (*door*) envidraçar; (*pottery*) vitrificar ♦ *n* verniz *m*
gleam [gliːm] *vi* brilhar
glean [gliːn] *vt* (*information*) colher
glib [glɪb] *adj* (*answer*) pronto; (*person*) labioso
glide [glaɪd] *vi* deslizar; (AVIAT, *birds*) planar; **glider** *n* (AVIAT) planador *m*; **gliding** *n* (AVIAT) vôo sem motor

glimmer → go

glimmer ['glɪmə*] n luz f trêmula; (of interest, hope) lampejo
glimpse [glɪmps] n vista rápida, vislumbre m ♦ vt vislumbrar, ver de relance
glint [glɪnt] vi cintilar
glisten ['glɪsn] vi brilhar
glitter ['glɪtə*] vi reluzir, brilhar
gloat [gləut] vi: **to ~ (over)** exultar (com)
global ['gləubl] adj mundial
globe [gləub] n globo, esfera
gloom [glu:m] n escuridão f; (sadness) tristeza; **gloomy** adj escuro; triste
glorious ['glɔ:rɪəs] adj (weather) magnífico; (future) glorioso
glory ['glɔ:rɪ] n glória
gloss [glɔs] n (shine) brilho; (also: ~ **paint**) pintura brilhante, esmalte m; **gloss over** vt fus encobrir
glossary ['glɔsərɪ] n glossário
glossy ['glɔsɪ] adj lustroso
glove [glʌv] n luva
glow [gləu] vi (shine) brilhar; (fire) arder
glower ['glauə*] vi: **to ~ at (sb)** olhar (alguém) de modo ameaçador
glucose ['glu:kəus] n glicose f
glue [glu:] n cola ♦ vt colar
glum [glʌm] adj (mood) abatido; (person, tone) triste
glut [glʌt] n abundância, fartura
glutton ['glʌtn] n glutão(-ona) m/f; **a ~ for work** um(a) trabalhador(a) incansável
GM adj abbr (= genetically modified) geneticamente modificado
gnat [næt] n mosquito
gnaw [nɔ:] vt roer

KEYWORD

go [gəu] (pt went, pp gone, pl ~es) vi
① ir; (travel, move) viajar; **a car went by** um carro passou; **he has gone to Aberdeen** ele foi para Aberdeen
② (depart) partir, ir-se
③ (attend) ir; **she went to university in Rio** ela fez universidade no Rio; **he ~es to the local church** ele freqüenta a igreja local
④ (take part in an activity) ir; **to ~ for a walk** ir passear
⑤ (work) funcionar; **the bell went just then** a campainha acabou de tocar
⑥ (become): **to ~ pale** ficar pálido
⑦ (be sold): **to ~ for £10** ser vendido por £10
⑧ (fit, suit): **to ~ with** acompanhar, combinar com
⑨ (be about to, intend to): **he's ~ing to do it** ele vai fazê-lo; **are you ~ing to come?** você vem?
⑩ (time) passar
⑪ (event, activity) ser; **how did it ~?** como foi?
⑫ (be given): **the job is to ~ to someone else** o emprego vai ser dado para outra pessoa
⑬ (break) romper-se; **the fuse went** o fusível queimou; **the leg of the chair went** a perna da cadeira quebrou
⑭ (be placed): **where does this cup ~?** onde é que põe esta xícara?; **the milk ~es in the fridge** pode guardar o leite na geladeira
♦ n
① (try): **to have a ~ (at)** tentar a sorte (com)
② (turn) vez f
③ (move): **to be on the ~** ter muito para fazer; **go about** vi (also: **~ around**: rumour) espalhar-se
♦ vt fus: **how do I ~ about this?** como é que eu faço isto?
go ahead vi (make progress) progredir; (get going) ir em frente
go along vi ir ♦ vt fus ladear; **to ~ along with** concordar com
go away vi (leave) ir-se, ir embora
go back vi (return) voltar; (go again) ir de novo
go back on vt fus (promise) faltar com
go by vi (years, time) passar ♦ vt fus (book, rule) guiar-se por
go down vi (descend) descer, baixar; (ship) afundar; (sun) pôr-se ♦ vt fus (stairs, ladder) descer
go for vt fus (fetch) ir buscar; (like) gostar de; (attack) atacar
go in vi (enter) entrar
go in for vt fus (competition) inscrever-se em; (like) gostar de
go into vt fus (enter) entrar em; (investigate) investigar; (embark on) embarcar em
go off vi (leave) ir-se; (food) estragar, apodrecer; (bomb, gun) explodir; (event) realizar-se ♦ vt fus (person, food etc) deixar de gostar de
go on vi (continue) seguir, continuar; (happen) acontecer, ocorrer
go out vi sair; (for entertainment): **are you ~ing out tonight?** você vai sair hoje à noite?; (couple): **they went out for 3 years** eles namoraram 3 anos; (fire, light) apagar-se
go over vi (ship) soçobrar ♦ vt fus (check) revisar
go round vi (news, rumour) circular
go through vt fus (town etc) atravessar;

goad → gramme

(*search through*) vascular; (*examine*) percorrer de cabo a rabo
go up *vi* subir; (*price*) aumentar
go without *vt fus* passar sem

goad [gəud] *vt* aguilhoar
go-ahead *adj* empreendedor(a) ♦ *n* luz *f* verde
goal [gəul] *n* meta, alvo; (*SPORT*) gol *m* (*BR*), golo (*PT*); **goalkeeper** *n* goleiro(-a) (*BR*), guarda-redes *m/f inv* (*PT*)
goat [gəut] *n* cabra
gobble ['gɔbl] *vt* (*also:* ~ **down**, ~ **up**) engolir rapidamente, devorar
god [gɔd] *n* deus *m*; **G~** Deus; **godchild** *n* afilhado(-a); **goddess** *n* deusa; **godfather** *n* padrinho; **godmother** *n* madrinha; **godsend** *n* dádiva do céu
goggles ['gɔglz] *npl* óculos *mpl* de proteção
going ['gəuɪŋ] *n* (*conditions*) estado do terreno ♦ *adj*: **the ~ rate** tarifa corrente *or* em vigor
gold [gəuld] *n* ouro ♦ *adj* de ouro; **golden** *adj* (*made of gold*) de ouro; (*gold in colour*) dourado; **goldfish** *n inv* peixe-dourado *m*; **gold-plated** *adj* plaquê *inv*; **goldsmith** *n* ourives *m/f inv*
golf [gɔlf] *n* golfe *m*; **golf ball** *n* bola de golfe; (*on typewriter*) esfera; **golf club** *n* clube *m* de golfe; (*stick*) taco; **golf course** *n* campo de golfe; **golfer** *n* jogador(a) *m/f*, golfista *m/f*
gone [gɔn] *pp of* **go**
gong [gɔŋ] *n* gongo
good [gud] *adj* bom (boa); (*kind*) bom, bondoso; (*well-behaved*) educado ♦ *n* bem *m*; **~s** *npl* (*COMM*) mercadorias *fpl*; **~!** bom!; **to be ~ at** ser bom em; **to be ~ for** servir para; **it's ~ for you** faz-lhe bem; **a ~ deal (of)** muito; **a ~ many** muitos; **to make ~** reparar; **it's no ~ complaining** não adianta se queixar; **for ~** para sempre, definitivamente; **~ morning/afternoon/evening!** bom dia/boa tarde/boa noite!; **~ night!** boa noite!; **goodbye** *excl* até logo (*BR*), adeus (*PT*); **to say goodbye** despedir-se; **Good Friday** *n* Sexta-Feira Santa; **good-looking** *adj* bonito; **good-natured** *adj* (*person*) de bom gênio; (*pet*) de boa índole; **goodwill** *n* boa vontade *f*
goose [gu:s] (*pl* **geese**) *n* ganso
gooseberry ['guzbərɪ] *n* groselha; **to play ~** (*BRIT*) ficar de vela
gooseflesh ['gu:sfleʃ] *n*, **goose pimples** *npl* pele *f* arrepiada

gore [gɔ:*] *vt* escornar ♦ *n* sangue *m*
gorge [gɔ:dʒ] *n* desfiladeiro ♦ *vt*: **to ~ o.s. (on)** empanturrar-se (de)
gorgeous ['gɔ:dʒəs] *adj* magnífico, maravilhoso; (*person*) lindo
gorilla [gə'rɪlə] *n* gorila *m*
gorse [gɔ:s] *n* tojo
gory ['gɔ:rɪ] *adj* sangrento
gospel ['gɔspl] *n* evangelho
gossip ['gɔsɪp] *n* (*scandal*) fofocas *fpl* (*BR*), mexericos *mpl* (*PT*); (*chat*) conversa; (*scandalmonger*) fofoqueiro(-a) (*BR*), mexeriqueiro(-a) (*PT*) ♦ *vi* (*chat*) bater (um) papo (*BR*), cavaquear (*PT*)
got [gɔt] *pt*, *pp of* **get**
gotten ['gɔtn] (*US*) *pp of* **get**
gout [gaut] *n* gota
govern ['gʌvən] *vt* governar; (*event*) controlar
governess ['gʌvənɪs] *n* governanta
government ['gʌvnmənt] *n* governo
governor ['gʌvənə*] *n* governador(a) *m/f*; (*of school, hospital, jail*) diretor(a) *m/f*
gown [gaun] *n* vestido; (*of teacher, judge*) toga
GP *n abbr* (*MED*) = **general practitioner**
grab [græb] *vt* agarrar ♦ *vi*: **to ~ at** tentar agarrar
grace [greɪs] *n* (*REL*) graça; (*gracefulness*) elegância, fineza ♦ *vt* (*honour*) honrar; (*adorn*) adornar; **5 days' ~** um prazo de 5 dias; **graceful** *adj* elegante, gracioso; **gracious** ['greɪʃəs] *adj* gracioso, afável
grade [greɪd] *n* (*quality*) classe *f*, qualidade *f*; (*degree*) grau *m*; (*US: SCH*) série *f*, classe ♦ *vt* classificar; **grade crossing** (*US*) *n* passagem *f* de nível; **grade school** (*US*) *n* escola primária
gradient ['greɪdɪənt] *n* declive *m*
gradual ['grædjuəl] *adj* gradual, gradativo; **gradually** *adv* gradualmente, pouco a pouco
graduate [*n* 'grædjuɪt, *vb* 'grædjueɪt] *n* graduado, licenciado; (*US*) diplomado do colégio ♦ *vi* formar-se, licenciar-se; **graduation** [grædju'eɪʃən] *n* formatura
graffiti [grə'fi:tɪ] *n*, *npl* pichações *fpl*
graft [gra:ft] *n* (*AGR*, *MED*) enxerto; (*BRIT: inf*) trabalho pesado; (*bribery*) suborno ♦ *vt* enxertar
grain [greɪn] *n* grão *m*; (*no pl: cereals*) cereais *mpl*; (*in wood*) veio, fibra
gram [græm] *n* grama *m*
grammar ['græmə*] *n* gramática; **grammar school** *n* (*BRIT*) ≈ liceu
grammatical [grə'mætɪkl] *adj* gramatical
gramme [græm] *n* = **gram**

grand [grænd] *adj* esplêndido; (*inf:
wonderful*) ótimo, formidável;
granddad *n* vovô *m*; **granddaughter**
n neta; **grandfather** *n* avô *m*;
grandma *n* avó *f*, vovó *f*;
grandmother *n* avó *f*; **grandpa** *n* =
grandad; **grandparents** *npl* avós *mpl*;
grand piano *n* piano de cauda;
grandson *n* neto

granite ['grænɪt] *n* granito

granny ['grænɪ] (*inf*) *n* avó *f*, vovó *f*

grant [grɑ:nt] *vt* (*concede*) conceder; (*a
request etc*) anuir a; (*admit*) admitir ♦ *n*
(*SCH*) bolsa; (*ADMIN*) subvenção *f*,
subsídio; **to take sth for ~ed** dar algo
por certo

grape [greɪp] *n* uva

grapefruit ['greɪpfru:t] (*pl inv or* **~s**) *n*
toranja, grapefruit *m* (*BR*)

graph [grɑ:f] *n* gráfico; **graphic** ['græfɪk]
adj gráfico; **graphics** *n* (*art*) artes *fpl*
gráficas ♦ *npl* (*drawings*) desenhos *mpl*

grasp [grɑ:sp] *vt* agarrar, segurar;
(*understand*) compreender, entender ♦ *n*
aperto de mão; (*understanding*)
compreensão *f*; **grasping** *adj* avaro

grass [grɑ:s] *n* grama (*BR*), relva (*PT*);
grasshopper *n* gafanhoto

grate [greɪt] *n* (*fireplace*) lareira ♦ *vi*
ranger ♦ *vt* (*CULIN*) ralar

grateful ['greɪtful] *adj* agradecido, grato

grater ['greɪtə*] *n* ralador *m*

gratitude ['grætɪtju:d] *n* agradecimento

gratuity [grə'tju:ɪtɪ] *n* gratificação *f*,
gorjeta

grave [greɪv] *n* cova, sepultura ♦ *adj*
sério; (*mistake*) grave

gravel ['grævl] *n* cascalho

gravestone ['greɪvstəun] *n* lápide *f*

graveyard ['greɪvjɑ:d] *n* cemitério

gravity ['grævɪtɪ] *n* (*PHYS*) gravidade *f*;
(*seriousness*) seriedade *f*, gravidade

gravy ['greɪvɪ] *n* molho (de carne)

gray [greɪ] (*US*) *adj* = **grey**

graze [greɪz] *vi* pastar ♦ *vt* (*touch lightly*)
roçar; (*scrape*) raspar ♦ *n* (*MED*)
esfoladura, arranhadura

grease [gri:s] *n* (*fat*) gordura; (*lubricant*)
graxa, lubrificante *m* ♦ *vt* untar,
lubrificar, engraxar; **greasy** *adj*
gordurento, gorduroso; (*skin*, *hair*)
oleoso

great [greɪt] *adj* grande; (*inf*) genial;
(*pain*, *heat*) forte; (*important*) importante;
Great Britain *n* Grã-Bretanha; **great-
grandfather** *n* bisavô *m*; **great-
grandmother** *n* bisavó *f*; **greatly** *adv*
imensamente, muito

Greece [gri:s] *n* Grécia

greed [gri:d] *n* (*also:* **~iness**) avidez *f*,
cobiça; **greedy** *adj* avarento; (*for food*)
guloso

Greek [gri:k] *adj* grego ♦ *n* grego(-a);
(*LING*) grego

green [gri:n] *adj* verde; (*inexperienced*)
inexperiente, ingênuo ♦ *n* verde *m*;
(*stretch of grass*) gramado (*BR*), relvado
(*PT*); (*on golf course*) green *m*; **~s** *npl*
(*vegetables*) verduras *fpl*; **greenery** *n*
verdura; **greengrocer** (*BRIT*) *n*
verdureiro(-a); **greenhouse** *n* estufa;
greenhouse effect *n* efeito estufa;
greenhouse gas *n* gás provocado pelo
efeito estufa

Greenland ['gri:nlənd] *n* Groenlândia

greet [gri:t] *vt* acolher; (*news*) receber;
greeting *n* acolhimento; **greeting(s)
card** *n* cartão *m* comemorativo

grenade [grə'neɪd] *n* granada

grew [gru:] *pt of* **grow**

grey [greɪ] (*US* **gray**) *adj* cinzento;
(*dismal*) sombrio; **grey-haired** *adj*
grisalho; **greyhound** *n* galgo

grid [grɪd] *n* grade *f*; (*ELEC*) rede *f*

grief [gri:f] *n* dor *f*, pesar *m*

grievance ['gri:vəns] *n* motivo de
queixa, agravo

grieve [gri:v] *vi* sofrer ♦ *vt* dar pena a,
afligir; **to ~ for** chorar por

grill [grɪl] *n* (*on cooker*) grelha; (*also:*
mixed ~) prato de grelhados ♦ *vt* (*BRIT*)
grelhar; (*inf: question*) interrogar
cerradamente

grille [grɪl] *n* grade *f*; (*AUT*) grelha

grim [grɪm] *adj* desagradável;
(*unattractive*) feio; (*stern*) severo

grimace [grɪ'meɪs] *n* careta ♦ *vi* fazer
caretas

grime [graɪm] *n* sujeira (*BR*), sujidade *f*
(*PT*)

grin [grɪn] *n* sorriso largo ♦ *vi*: **to ~ (at)**
dar um sorriso largo (para)

grind [graɪnd] (*pt*, *pp* **ground**) *vt* triturar;
(*coffee etc*) moer; (*make sharp*) afiar; (*US:
meat*) picar ♦ *n* (*work*) trabalho
(repetitivo e maçante)

grip [grɪp] *n* (*of person*) aperto de mão;
(*of animal*) força; (*handle*) punho; (*of
tyre*, *shoe*) aderência; (*holdall*) valise *f*
♦ *vt* agarrar; (*attention*) prender; **to come
to ~s with** arcar com

gripping ['grɪpɪŋ] *adj* absorvente,
emocionante

grisly ['grɪzlɪ] *adj* horrendo, medonho

gristle ['grɪsl] *n* (*on meat*) nervo

grit [grɪt] *n* areia, grão *m* de areia;

groan → gum

(*courage*) coragem f ♦ vt (*road*) pôr areia em; **to ~ one's teeth** cerrar os dentes

groan [grəun] n gemido ♦ vi gemer

grocer ['grəusə*] n dono(-a) de mercearia; **groceries** npl comestíveis mpl; **grocer's (shop)** n mercearia

groin [grɔɪn] n virilha

groom [gru:m] n cavalariço; (*also:* **bride~**) noivo ♦ vt (*horse*) tratar; (*fig*): **to ~ sb for sth** preparar alguém para algo; **well-~ed** bem-posto

groove [gru:v] n ranhura, entalhe m

grope [grəup] vi: **to ~ for** procurar às cegas

gross [grəus] adj (*flagrant*) grave; (*vulgar*) vulgar; (: *building*) de mau-gosto; (*COMM*) bruto

grotto ['grɔtəu] n gruta

grotty ['grɔtɪ] (*BRIT: inf*) adj vagabundo

ground [graund] pt, pp of **grind** ♦ n terra, chão m; (*SPORT*) campo; (*land*) terreno; (*reason: gen pl*) motivo, razão f; (*US: also:* **~wire**) (ligação f à) terra, fio-terra m ♦ vt (*plane*) manter em terra; (*US: ELEC*) ligar à terra; **~s** npl (*of coffee etc*) borra; (*gardens etc*) jardins mpl, parque m; **on the ~** no chão; **to the ~** por terra; **ground cloth** (*US*) n = **groundsheet**; **groundless** adj infundado; **groundsheet** (*BRIT*) n capa impermeável; **groundwork** n base f, preparação f

group [gru:p] n grupo; (*also:* **pop ~**) conjunto ♦ vt (*also:* **~ together**) agrupar ♦ vi (*also:* **~ together**) agrupar-se

grouse [graus] n inv (*bird*) tetraz m, galo-silvestre m ♦ vi (*complain*) queixar-se, resmungar

grove [grəuv] n arvoredo

grovel ['grɔvl] vi (*fig*): **to ~ (before)** abaixar-se (diante de)

grow [grəu] (*pt* **grew**, *pp* **grown**) vi crescer; (*increase*) aumentar; (*develop*): **to ~ (out of/from)** originar-se (de); (*become*): **to ~ rich/weak** enriquecer(-se)/enfraquecer-se ♦ vt plantar, cultivar; (*beard*) deixar crescer; **grow up** vi crescer, fazer-se homem/mulher; **grower** n cultivador(a) m/f, produtor(a) m/f; **growing** adj crescente

growl [graul] vi rosnar

grown [grəun] pp of **grow**

grown-up n adulto(-a), pessoa mais velha

growth [grəuθ] n crescimento; (*increase*) aumento; (*MED*) abcesso, tumor m

grub [grʌb] n larva, lagarta; (*inf: food*) comida, rango (*BR*)

grubby ['grʌbɪ] adj encardido

grudge [grʌdʒ] n motivo de rancor ♦ vt: **to ~ sb sth** dar algo a alguém de má vontade, invejar algo a alguém; **to bear sb a ~ for sth** guardar rancor de alguém por algo

gruelling ['gruəlɪŋ] (*US* **grueling**) adj duro, árduo

gruesome ['gru:səm] adj horrível

gruff [grʌf] adj (*voice*) rouco; (*manner*) brusco

grumble ['grʌmbl] vi resmungar, bufar

grumpy ['grʌmpɪ] adj rabugento

grunt [grʌnt] vi grunhir

G-string n tapa-sexo m

guarantee [gærən'ti:] n garantia ♦ vt garantir

guard [gɑ:d] n guarda; (*one person*) guarda m; (*BRIT: RAIL*) guarda-freio m; (*on machine*) dispositivo de segurança; (*also:* **fire-~**) guarda-fogo ♦ vt (*protect*): **to ~ (against)** proteger (contra); (*prisoner*) vigiar; **to be on one's ~** estar prevenido; **guard against** vt fus prevenir-se contra; **guarded** adj (*statement*) cauteloso; **guardian** n protetor(a) m/f; (*of minor*) tutor(a) m/f

Guatemala [gwɔtə'mɑ:lə] n Guatemala

guerrilla [gə'rɪlə] n guerrilheiro(-a)

guess [gɛs] vt, vi (*estimate*) avaliar, conjeturar; (*answer*) adivinhar; (*US*) achar, supor ♦ n suposição f, conjetura; **to take** or **have a ~** adivinhar, chutar (*inf*)

guest [gɛst] n convidado(-a); (*in hotel*) hóspede m/f; **guest-house** n pensão f; **guest room** n quarto de hóspedes

guffaw [gʌ'fɔ:] vi dar gargalhadas

guidance ['gaɪdəns] n conselhos mpl

guide [gaɪd] n (*person*) guia m/f; (*book, fig*) guia m; (*BRIT: also:* **girl ~**) escoteira ♦ vt guiar; **guidebook** n guia m; **guide dog** n cão m de guia; **guidelines** npl (*advice*) orientação f

guillotine ['gɪlətɪːn] n guilhotina

guilt [gɪlt] n culpa; **guilty** adj culpado

guinea pig ['gɪnɪ-] n porquinho-da-Índia m, cobaia; (*fig*) cobaia

guitar [gɪ'tɑ:*] n violão m

gulf [gʌlf] n golfo; (*abyss: also fig*) abismo

gull [gʌl] n gaivota

gullible ['gʌlɪbl] adj crédulo

gully ['gʌlɪ] n barranco

gulp [gʌlp] vi engolir em seco ♦ vt (*also:* **~ down**) engolir

gum [gʌm] n (*ANAT*) gengiva; (*glue*) goma; (*also:* **~ drop**) bala de goma; (*also:* **chewing-~**) chiclete m (*BR*), pastilha

gun → hamper

elástica (PT) ♦ vt colar; **gumboots** (BRIT) npl botas fpl de borracha, galochas fpl
gun [gʌn] n (gen) arma (de fogo); (revolver) revólver m; (small) pistola; (rifle) espingarda; (cannon) canhão m; **gunfire** n tiroteio; **gunman** (irreg) n pistoleiro; **gunpoint** n: **at gunpoint** sob a ameaça de uma arma; **gunpowder** n pólvora; **gunshot** n tiro (de arma de fogo)
gurgle ['gə:gl] vi (baby) balbuciar; (water) gorgolejar
gust [gʌst] n (of wind) rajada
gusto ['gʌstəu] n: **with ~** com garra
gut [gʌt] n intestino, tripa; **~s** npl (ANAT) entranhas fpl; (inf: courage) coragem f, raça (inf)
gutter ['gʌtə*] n (of roof) calha; (in street) sarjeta
guy [gaɪ] n (also: **~rope**) corda; (inf: man) cara m (BR), tipo (PT)
gym [dʒɪm] n (also: **gymnasium**) ginásio; (also: **gymnastics**) ginástica
gymnast ['dʒɪmnæst] n ginasta m/f
gymnastics [dʒɪm'næstɪks] n ginástica
gynaecologist [gaɪnɪ'kɔlədʒɪst] (US **gynecologist**) n ginecologista m/f
gypsy ['dʒɪpsɪ] n = **gipsy**

H h

haberdashery ['hæbə'dæʃərɪ] (BRIT) n armarinho
habit ['hæbɪt] n hábito, costume m; (addiction) vício; (REL) hábito
habitual [hə'bɪtjuəl] adj habitual, costumeiro; (drinker, liar) inveterado
hack [hæk] vt (cut) cortar; (chop) talhar ♦ n (pej: writer) escrevinhador(a) m/f; **hacker** n (COMPUT) pirata m (de dados de computador)
had [hæd] pt, pp of **have**
haddock ['hædək] (pl inv or **~s**) n hadoque m (BR), eglefim m (PT)
hadn't ['hædnt] = **had not**
haemorrhage ['hɛmərɪdʒ] (US **hemorrhage**) n hemorragia
haemorrhoids ['hɛmərɔɪdz] (US **hemorrhoids**) npl hemorróidas fpl
haggle ['hægl] vi pechinchar, regatear
Hague [heɪg] n: **The ~** Haia
hail [heɪl] n granizo; (of objects) chuva; (of criticism) torrente f ♦ vt (greet) cumprimentar; (taxi) chamar; (person,

event) saudar ♦ vi chover granizo; **hailstone** n pedra de granizo
hair [hɛə*] n (of human) cabelo; (of animal) pêlo; **to do one's ~** pentear-se; **hairbrush** n escova de cabelo; **haircut** n corte m de cabelo; **hairdo** n penteado; **hairdresser** n cabeleireiro(-a); **hairdresser's** n cabeleireiro; **hair dryer** n secador m de cabelo; **hair gel** n gel m para o cabelo; **hairgrip** n grampo (BR), gancho (PT); **hairnet** n rede f de cabelo; **hairpin** n grampo (BR), gancho (PT), pinça; **hair-raising** adj horripilante, de arrepiar os cabelos; **hair remover** n (creme m) depilatório; **hair spray** n laquê m (BR), laca (PT); **hairstyle** n penteado; **hairy** adj cabeludo, peludo; (inf: situation) perigoso
hake [heɪk] (pl inv or **~s**) n abrótea
half [hɑ:f] (pl **halves**) n metade f; (RAIL, bus, of beer etc) meia ♦ adj meio ♦ adv meio, pela metade; **~ a pound** meia libra; **two and a ~** dois e meio; **~ a dozen** meia-dúzia; **to cut sth in ~** cortar algo ao meio; **~ asleep/empty/closed** meio adormecido/vazio/fechado; **half-caste** ['hɑ:fkɑ:st] n mestiço(-a); **half-hearted** adj irresoluto, indiferente; **half-hour** n meia hora; **half-price** adj, adv pela metade do preço; **half term** (BRIT) n (SCH) dias de folga no meio do semestre; **half-time** n meio tempo; **halfway** adv a meio caminho; (in time) no meio
hall [hɔ:l] n (for concerts) sala; (entrance way) hall m, entrada
hallmark ['hɔ:lmɑ:k] n (also fig) marca
hallo [hə'ləu] excl = **hello**
hall of residence (BRIT) (pl **halls of residence**) n residência universitária
Hallowe'en ['hæləu'i:n] n Dia m das Bruxas (31 de outubro)
hallway ['hɔ:lweɪ] n hall m, entrada
halo ['heɪləu] n (of saint etc) auréola
halt [hɔ:lt] n parada (BR), paragem f (PT) ♦ vi parar ♦ vt deter; (process) interromper
halve [hɑ:v] vt (divide) dividir ao meio; (reduce by half) reduzir à metade
halves [hɑ:vz] npl of **half**
ham [hæm] n presunto, fiambre m (PT)
hamburger ['hæmbə:gə*] n hambúrguer m
hammer ['hæmə*] n martelo ♦ vt martelar ♦ vi (on door) bater insistentemente
hammock ['hæmək] n rede f
hamper ['hæmpə*] vt dificultar, atrapalhar ♦ n cesto

hamster ['hæmstə*] n hamster m
hand [hænd] n mão f; (of clock) ponteiro; (writing) letra; (of cards) cartas fpl; (worker) trabalhador m ♦ vt dar, passar; **to give** or **lend sb a ~** dar uma mãozinha a alguém, dar uma ajuda a alguém; **at ~** à mão, disponível; **in ~** livre; (situation) sob controle; **to be on ~** (person) estar disponível; (emergency services) estar num estado de prontidão; **on the one ~ ..., on the other ~ ...** por um lado ..., por outro (lado) ...; **hand in** vt entregar; **hand out** vt distribuir; **hand over** vt entregar; (responsibility) transferir; **handbag** n bolsa; **handbook** n manual m; **handbrake** n freio (BR) or travão m (PT) de mão; **handcuffs** npl algemas fpl; **handful** n punhado; (of people) grupo
handicap ['hændɪkæp] n (MED) incapacidade f; (disadvantage) desvantagem f; (SPORT) handicap m ♦ vt prejudicar; **mentally/physically ~ped** deficiente menta/físico
handicraft ['hændɪkrɑːft] n artesanato, trabalho manual
handiwork ['hændɪwəːk] n obra
handkerchief ['hæŋkətʃɪf] n lenço
handle ['hændl] n (of door etc) maçaneta; (of cup etc) asa; (of knife etc) cabo; (for winding) manivela ♦ vt manusear; (deal with) tratar de; (treat: people) lidar com; **"~ with care"** "cuidado – frágil"; **to fly off the ~** perder as estribeiras; **handlebar(s)** n(pl) guidom m (BR), guidão m (PT)
hand: hand-luggage n bagagem f de mão; **handmade** adj feito à mão; **handout** n (money, food) doação f; (leaflet) folheto; (at lecture) apostila; **handrail** n corrimão m; **handshake** n aperto de mão
handsome ['hænsəm] adj bonito, elegante; (profit) considerável
handwriting ['hændraɪtɪŋ] n letra, caligrafia
handy ['hændɪ] adj (close at hand) à mão; (useful) útil; (skilful) habilidoso, hábil
hang [hæŋ] (pt, pp hung) vt pendurar; (criminal: pt, pp ~ed) enforcar ♦ vi estar pendurado; (hair, drapery) cair ♦ n (inf): **to get the ~ of sth** pegar o jeito de algo; **hang about** or **around** vi vadiar, vagabundear; **hang on** vi (wait) esperar; **hang up** vt (coat) pendurar ♦ vi (TEL) desligar; **to ~ up on sb** bater o telefone na cara de alguém
hanger ['hæŋə*] n cabide m
hang-gliding n vôo livre
hangover ['hæŋəuvə*] n ressaca

hanker ['hæŋkə*] vi: **to ~ after** (long for) ansiar por
hankie ['hæŋkɪ] n abbr = **handkerchief**
hanky ['hæŋkɪ] n abbr = **handkerchief**
haphazard [hæp'hæzəd] adj desorganizado
happen ['hæpən] vi acontecer; **to ~ to do sth** fazer algo por acaso; **as it ~s ...** acontece que ...; **happening** n acontecimento, ocorrência
happily ['hæpɪlɪ] adv (luckily) felizmente; (cheerfully) alegremente
happiness ['hæpɪnɪs] n felicidade f
happy ['hæpɪ] adj feliz; (cheerful) contente; **to be ~ (with)** estar contente (com); **to be ~ to do** (willing) estar disposto a fazer; **~ birthday!** feliz aniversário; **happy-go-lucky** adj despreocupado
harass ['hærəs] vt importunar; **harassment** n perseguição f
harbour ['hɑːbə*] (US **harbor**) n porto ♦ vt (hope etc) abrigar; (hide) esconder
hard [hɑːd] adj duro; (difficult) difícil; (work) árduo; (person) severo, cruel; (facts) verdadeiro ♦ adv (work) muito, diligentemente; (think, try) seriamente; **to look ~ at** olhar firme or fixamente para; **no ~ feelings!** sem ressentimentos!; **to be ~ of hearing** ser surdo; **to be ~ done by** ser tratado injustamente; **hardback** n livro de capa dura; **hard disk** n (COMPUT) disco rígido; **harden** vt endurecer; (steel) temperar; (fig) tornar insensível ♦ vi endurecer-se
hardly ['hɑːdlɪ] adv (scarcely) apenas; (no sooner) mal; **~ ever/ anywhere** quase nunca/em lugar nenhum
hardship ['hɑːdʃɪp] n privação f
hard shoulder n acostamento m
hard up (inf) adj duro (BR), liso (PT)
hardware ['hɑːdwɛə*] n ferragens fpl; (COMPUT) hardware m
hard-working adj trabalhador(a); (student) aplicado
hardy ['hɑːdɪ] adj forte; (plant) resistente
hare [hɛə*] n lebre f
harm [hɑːm] n mal m; (damage) dano ♦ vt (person) fazer mal a, prejudicar; (thing) danificar; **out of ~'s way** a salvo; **harmful** adj prejudicial, nocivo; **harmless** adj inofensivo
harmony ['hɑːmənɪ] n harmonia
harness ['hɑːnɪs] n (for horse) arreios mpl; (for child) correia; (safety ~) correia de segurança ♦ vt (horse) arrear, pôr arreios em; (resources) aproveitar
harp [hɑːp] n harpa ♦ vi: **to ~ on about**

harrowing → head

bater sempre na mesma tecla sobre
harrowing ['hærəʊɪŋ] adj doloroso, pungente
harsh [hɑːʃ] adj (life) duro; (sound) desarmonioso; (light) forte
harvest ['hɑːvɪst] n colheita ♦ vt colher
has [hæz] vb see **have**
hash [hæʃ] n (CULIN) picadinho; (fig: mess) confusão f
hasn't ['hæznt] = **has not**
hassle ['hæsl] (inf) n complicação f
haste [heɪst] n pressa; **hasten** ['heɪsn] vt acelerar ♦ vi: **to hasten to do sth** apressar-se em fazer algo; **hastily** adv depressa; **hasty** adj apressado; (rash) precipitado
hat [hæt] n chapéu m
hatch [hætʃ] n (NAUT: also: **~way**) escotilha; (also: **service ~**) comunicação f entre a cozinha e a sala de jantar ♦ vi sair do ovo, chocar
hatchet ['hætʃɪt] n machadinha
hate [heɪt] vt odiar, detestar ♦ n ódio; **hateful** adj odioso; **hatred** ['heɪtrɪd] n ódio
haughty ['hɔːtɪ] adj soberbo, arrogante
haul [hɔːl] vt puxar ♦ n (of fish) redada; (of stolen goods etc) pilhagem f, presa; **haulage** n transporte m (rodoviário); (costs) gasto com transporte; **haulier** ['hɔːlɪə*] (BRIT) n (firm) transportadora; (person) transportador (a) m/f
haunt [hɔːnt] vt (subj: ghost) assombrar; (: problem, memory) perseguir ♦ n reduto; (~ed house) casa mal-assombrada

```
KEYWORD
```

have [hæv] (pt, pp **had**) aux vb
1 (gen) ter; **to ~ gone/eaten** ter ido/comido; **he has been kind/promoted** ele foi bondoso/promovido; **having finished** or **when he had finished, he left** quando ele terminou, foi embora
2 (in tag questions): **you've done it, ~n't you?** você fez isto, não foi?; **he hasn't done it, has he?** ele não fez isto, fez?
3 (in short questions and answers): **you've made a mistake – no I ~n't/so I ~** você fez um erro – não, eu não fiz/sim, eu fiz; **I've been there before, ~ you?** eu já estive lá, e você?

♦ modal aux vb (be obliged): **to ~ (got) to do sth** ter que fazer algo; **I ~n't got** or **I don't ~ to wear glasses** eu não preciso usar óculos

♦ vt
1 (possess) ter; **he has (got) blue eyes/dark hair** ele tem olhos azuis/cabelo escuro

2 (referring to meals etc): **to ~ breakfast** tomar café (BR), tomar o pequeno almoço (PT); **to ~ lunch/dinner** almoçar/jantar; **to ~ a drink/a cigarette** tomar um drinque/fumar um cigarro
3 (receive, obtain etc): **may I ~ your address?** pode me dar seu endereço?; **you can ~ it for 5 pounds** você pode levá-lo por 5 libras; **to ~ a baby** dar à luz (BR), ter um nenê or bebê (PT)
4 (maintain, allow): **he will ~ it that he is right** ele vai insistir que ele está certo; **I won't ~ it/this nonsense!** não vou agüentar isto/este absurdo!; **we can't ~ that** não podemos permitir isto
5: **to ~ sth done** mandar fazer algo; **to ~ one's hair cut** ir cortar o cabelo; **to ~ sb do sth** mandar alguém fazer algo
6 (experience, suffer): **to ~ a cold** estar resfriado (BR) or constipado (PT); **to ~ flu** estar com gripe; **she had her bag stolen** ela teve sua bolsa roubada; **to ~ an operation** fazer uma operação
7 (+ n: take, hold etc): **to ~ a swim/walk/bath/rest** ir nadar/passear/tomar um banho/descansar; **let's ~ a look** vamos dar uma olhada; **to ~ a party** fazer uma festa
8 (inf: dupe): **he's been had** ele comprou gato por lebre
have out vt: **to ~ it out with sb** (settle a problem) explicar-se com alguém

haven ['heɪvn] n porto; (fig) abrigo, refúgio
haven't ['hævnt] = **have not**
havoc ['hævək] n destruição f; **to play ~ with** (fig) estragar
hawk [hɔːk] n falcão m
hay [heɪ] n feno; **hay fever** n febre f do feno; **haystack** n palheiro
haywire ['heɪwaɪə*] (inf) adj: **to go ~** desorganizar-se, degringolar
hazard ['hæzəd] n perigo, risco ♦ vt aventurar, arriscar; **hazard warning lights** npl (AUT) pisca-alerta m
haze [heɪz] n névoa
hazelnut ['heɪzlnʌt] n avelã f
hazy ['heɪzɪ] adj nublado; (idea) confuso
he [hiː] pron ele; **~ who ...** quem ..., aquele que ...
head [hɛd] n cabeça; (of table) cabeceira; (of queue) frente f; (of company) chefe m/f; (of school) diretor(a) m/f ♦ vt (list) encabeçar; (group) liderar; (ball) cabecear; **~s or tails** cara ou coroa; **~ first** de cabeça; **~ over heels** de pernas para o ar; **~ over heels in love**

heal → help

apaixonadíssimo; **head for** vt fus dirigir-se a; (disaster) estar procurando; **headache** n dor f de cabeça; **heading** n título, cabeçalho; **headlamp** (BRIT) n = **headlight**; **headland** n promontório; **headlight** n farol m; **headline** n manchete f; **headlong** adv (fall) de cabeça; (rush) precipitadamente; **headmaster** n diretor m (de escola); **headmistress** n diretora (de escola); **head office** n matriz f; **head-on** adj (collision) de frente; (confrontation) direto; **headphones** npl fones mpl de ouvido; **headquarters** npl sede f; (MIL) quartel m general; **headrest** n apoio para a cabeça; **headroom** n (in car) espaço (para a cabeça); (under bridge) vão m livre; **headscarf** (irreg) n lenço de cabeça; **headstrong** adj voluntarioso, teimoso; **headway** n: **to make headway** avançar; **headwind** n vento contrário; **heady** adj emocionante; (intoxicating) estonteante

heal [hi:l] vt curar ♦ vi cicatrizar

health [hɛlθ] n saúde f; **good ~!** saúde!; **health food(s)** n(pl) alimentos mpl naturais; **healthy** adj (person) saudável; (air, walk) sadio; (economy) próspero, forte

heap [hi:p] n pilha, montão m ♦ vt: **to ~ sth with** encher algo de; **~s (of)** (inf) um monte (de); **to ~ sth on** empilhar algo em

hear [hɪə*] (pt, pp **~d** [hɜ:d]) vt ouvir; (listen to) escutar; (news) saber; **to ~ about** ouvir falar de; **to ~ from sb** ter notícias de alguém; **hearing** n (sense) audição f; (LAW) audiência; **hearing aid** n aparelho para a surdez

hearse [hɜ:s] n carro fúnebre

heart [hɑ:t] n coração m; (of problem, city) centro; **~s** npl (CARDS) copas fpl; **to lose/take ~** perder o ânimo/criar coragem; **at ~** no fundo; **by ~** (learn, know) de cor; **heart attack** n ataque m de coração; **heartbeat** n batida do coração; **heartbreaking** adj desolador(a); **heartbroken** adj: **to be heartbroken** estar inconsolável; **heartburn** n azia; **heart failure** n parada cardíaca; **heartfelt** adj sincero

hearth [hɑ:θ] n lareira

hearty ['hɑ:tɪ] adj (person) enérgetico; (laugh) animado; (appetite) bom (boa); (welcome) sincero; (dislike) absoluto

heat [hi:t] n calor m; (excitement) ardor m; (SPORT: also: **qualifying ~**) (prova) eliminatória ♦ vt esquentar; (room, house) aquecer; **heat up** vi aquecer-se,

esquentar ♦ vt esquentar; **heated** adj aquecido; (fig) acalorado; **heater** n aquecedor m

heath [hi:θ] (BRIT) n charneca

heather ['hɛðə*] n urze f

heating ['hi:tɪŋ] n aquecimento, calefação f

heatstroke ['hi:tstrəuk] n insolação f

heave [hi:v] vt (pull) puxar; (push) empurrar (com esforço); (lift) levantar (com esforço) ♦ vi (chest) palpitar; (retch) ter ânsias de vômito ♦ n puxão m; empurrão m; **to ~ a sigh** soltar um suspiro

heaven ['hɛvn] n céu m, paraíso; **heavenly** adj celestial; (REL) divino

heavily ['hɛvɪlɪ] adv pesadamente; (drink, smoke) excessivamente; (sleep, depend) profundamente

heavy ['hɛvɪ] adj pesado; (work) duro; (responsibility) grande; (rain, meal) forte; (drinker, smoker) inveterado; (weather) carregado; **heavy goods vehicle** (BRIT) n caminhão m de carga pesada; **heavyweight** n (SPORT) peso-pesado

Hebrew ['hi:bru:] adj hebreu (hebréia) ♦ n (LING) hebraico

Hebrides ['hɛbrɪdi:z] npl: **the ~** as (ilhas) Hébridas

hectic ['hɛktɪk] adj agitado

he'd [hi:d] = **he would**; **he had**

hedge [hɛdʒ] n cerca viva, sebe f ♦ vi dar evasivas ♦ vt: **to ~ one's bets** (fig) resguardar-se

hedgehog ['hɛdʒhɔg] n ouriço

heed [hi:d] vt (also: **take ~ of**) prestar atenção a

heel [hi:l] n (of shoe) salto; (of foot) calcanhar m ♦ vt (shoe) pôr salto em

hefty ['hɛftɪ] adj (person) robusto; (parcel) pesado; (profit) alto

height [haɪt] n (of person) estatura; (of building, tree) altura; (altitude) altitude f; (high ground) monte m; (fig: of power) auge m; (: of luxury) máximo; (: of stupidity) cúmulo; **heighten** vt elevar; (fig) aumentar

heir [ɛə*] n herdeiro; **heiress** n herdeira; **heirloom** n relíquia de família

held [hɛld] pt, pp of **hold**

helicopter ['hɛlɪkɔptə*] n helicóptero

hell [hɛl] n inferno; **~!** (inf) droga!

he'll [hi:l] = **he will**; **he shall**

hello [hə'ləu] excl oi! (BR), olá! (PT); (surprise) ora essa!

helm [hɛlm] n (NAUT) timão m, leme m

helmet ['hɛlmɪt] n capacete m

help [hɛlp] n ajuda; (charwoman)

hem → hint

faxineira ♦ vt ajudar; ~! socorro!; ~ **yourself** sirva-se; **he can't ~ it** não tem culpa; **helper** n ajudante m/f; **helpful** adj prestativo; (advice) útil; **helping** n porção f; **helpless** adj (incapable) incapaz; (defenceless) indefeso

hem [hɛm] n bainha ♦ vt embainhar; **hem in** vt cercar, encurralar

hemorrhage ['hɛmərɪdʒ] (US) n = **haemorrhage**

hemorrhoids ['hɛmərɔɪdz] (US) npl = **haemorrhoids**

hen [hɛn] n galinha; (female bird) fêmea

hence [hɛns] adv daí, portanto; **2 years ~** daqui a 2 anos; **henceforth** adv de agora em diante, doravante

her [hə:*] pron (direct) a; (indirect) lhe; (stressed, after prep) ela ♦ adj seu (sua), dela; see also **me; my**

heraldry ['hɛrəldrɪ] n heráldica

herb [hə:b] n erva

herd [hə:d] n rebanho

here [hɪə*] adv aqui; (at this point) nesse ponto; **~!** (present) presente!; **~ is/are** aqui está/estão; **~ she is!** aqui está ela!; **hereafter** adv daqui por diante

heresy ['hɛrəsɪ] n heresia

heritage ['hɛrɪtɪdʒ] n patrimônio

hermit ['hə:mɪt] n eremita m/f

hernia ['hə:nɪə] n hérnia

hero ['hɪərəu] (pl **~es**) n herói m; (of book, film) protagonista m

heroin ['hɛrəuɪn] n heroína

heroine ['hɛrəuɪn] n heroína; (of book, film) protagonista

heron ['hɛrən] n garça

herring ['hɛrɪŋ] (pl inv or **~s**) n arenque m

hers [hə:z] pron o seu (a sua), o(a) dela; see also **mine¹**

herself [hə:'sɛlf] pron (reflexive) se; (emphatic) ela mesma; (after prep) si (mesma); see also **oneself**

he's [hi:z] = **he is; he has**

hesitant ['hɛzɪtənt] adj hesitante, indeciso

hesitate ['hɛzɪteɪt] vi hesitar; **hesitation** [hɛzɪ'teɪʃən] n hesitação f, indecisão f

heterosexual ['hɛtərəu'sɛksjuəl] adj heterossexual

heyday ['heɪdeɪ] n: **the ~ of** o auge or apogeu de

HGV (BRIT) n abbr = **heavy goods vehicle**

hi [haɪ] excl oi!

hibernate ['haɪbəneɪt] vi hibernar

hiccough ['hɪkʌp] vi soluçar ♦ npl: **~s: to have (the) ~s** estar com soluço

hiccup ['hɪkʌp] = **hiccough**

hide [haɪd] (pt **hid**, pp **hidden**) n (skin) pele f ♦ vt esconder, ocultar; (view) obscurecer ♦ vi: **to ~ (from sb)** esconder-se or ocultar-se (de alguém)

hideous ['hɪdɪəs] adj horrível

hiding ['haɪdɪŋ] n (beating) surra; **to be in ~** (concealed) estar escondido

hierarchy ['haɪərɑ:kɪ] n hierarquia

hi-fi ['haɪfaɪ] n alta-fidelidade f; (system) som m ♦ adj de alta- fidelidade

high [haɪ] adj alto; (number) grande; (price) alto, elevado; (wind) forte; (voice) agudo; (opinion) ótimo; (principles) nobre ♦ adv alto, a grande altura; **it is 20 m ~** tem 20 m de altura; **~ in the air** nas alturas; **highbrow** adj intelectual, erudito; **highchair** n cadeira alta (para criança); **higher education** n ensino superior; **high-handed** adj despótico; **high-heeled** adj de salto alto; **high jump** n (SPORT) salto em altura; **the Highlands** npl a Alta Escócia; **highlight** n (fig) ponto alto; (in hair) mecha ♦ vt realçar, ressaltar; **highly** adv: **highly paid** muito bem pago; (a lot): **to speak/think highly of** falar elogiosamente de/pensar muito bem de; **high-pitched** adj agudo; **high-rise** adj alto; **high school** n (BRIT) escola secundária, (US) científico

high street (BRIT) n rua principal

highway ['haɪweɪ] (US) n estrada; (main road) rodovia

hijack ['haɪdʒæk] vt seqüestrar; **hijacker** n seqüestrador(a) m/f (de avião)

hike [haɪk] vi caminhar ♦ n caminhada, excursão f a pé; **hiker** n caminhante m/f, andarilho(-a)

hilarious [hɪ'lɛərɪəs] adj hilariante

hill [hɪl] n colina; (high) montanha; (slope) ladeira, rampa; **hillside** n vertente f; **hill-walking** n caminhada em montanha; **to go hill- walking** fazer trilha; **hilly** adj montanhoso

him [hɪm] pron (direct) o; (indirect) lhe; (stressed, after prep) ele; see also **me**; **himself** pron (reflexive) se; (emphatic) ele mesmo; (after prep) si (mesmo); see also **oneself**

hinder ['hɪndə*] vt retardar

hindsight ['haɪndsaɪt] n: **with ~** em retrospecto

Hindu ['hɪndu:] adj hindu

hinge [hɪndʒ] n dobradiça ♦ vi (fig): **to ~ on** depender de

hint [hɪnt] n (suggestion) insinuação f;

(*advice*) palpite *m*, dica; (*sign*) sinal *m* ♦ *vt*: **to ~ that** insinuar que ♦ *vi*: **to ~ at** fazer alusão a

hip [hɪp] *n* quadril *m*

hippopotamus [hɪpə'pɔtəməs] (*pl* **~es** *or* **hippopotami**) *n* hipopótamo

hire ['haɪə*] *vt* (*BRIT*: *car, equipment*) alugar; (*worker*) contratar ♦ *n* aluguel *m* (*BR*), aluguer *m* (*PT*); **for ~** aluga-se; (*taxi*) livre; **hire purchase** (*BRIT*) *n* compra a prazo

his [hɪz] *pron* o seu (a sua), o(a) dele ♦ *adj* seu (sua), dele; *see also* **my**; **mine¹**

hiss [hɪs] *vi* (*snake, fat*) assoviar; (*gas*) silvar; (*boo*) vaiar

historic(al) [hɪ'stɔrɪk(l)] *adj* histórico

history ['hɪstərɪ] *n* história

hit [hɪt] (*pt, pp* **hit**) *vt* bater em; (*target*) acertar, alcançar; (*car*) bater em, colidir com; (*fig: affect*) atingir ♦ *n* golpe *m*; (*success*) sucesso; **to ~ it off with sb** dar-se bem com alguém; **hit-and-run driver** *n* motorista que atropela alguém e foge da cena do acidente

hitch [hɪtʃ] *vt* (*fasten*) atar, amarrar; (*also*: **~ up**) levantar ♦ *n* (*difficulty*) dificuldade *f*; **to ~ a lift** pegar carona (*BR*), arranjar uma boleia (*PT*)

hitch-hike *vi* pegar carona (*BR*), andar à boleia (*PT*); **hitch-hiker** *n* pessoa que pega carona (*BR*) *or* anda à boleia (*PT*)

hi-tech *adj* tecnologicamente avançado ♦ *n* alta tecnologia

HIV *abbr*: **~-negative/-positive** ♦ *adj* HIV negativo/positivo

hive [haɪv] *n* colméia; **hive off** (*inf*) *vt* transferir

HMS (*BRIT*) *abbr* = **His** (*or* **Her**) **Majesty's Ship**

hoard [hɔ:d] *n* provisão *f*; (*of money*) tesouro ♦ *vt* acumular; **hoarding** (*BRIT*) *n* tapume *m*, outdoor *m*

hoarse [hɔ:s] *adj* rouco

hoax [həuks] *n* trote *m*

hob [hɔb] *n* parte de cima do fogão

hobble ['hɔbl] *vi* mancar

hobby ['hɔbɪ] *n* hobby *m*, passatempo predileto

hobo ['həubəu] (*US*) *n* vagabundo

hockey ['hɔkɪ] *n* hóquei *m*

hog [hɔg] *n* porco ♦ *vt* (*fig*) monopolizar; **to go the whole ~** ir até o fim

hoist [hɔɪst] *vt* içar

hold [həuld] (*pt, pp* **held**) *vt* segurar; (*contain*) conter; (*have*) ter; (*record etc*: *meeting*) realizar; (*detain*) deter; (*consider*): **to ~ sb responsible (for sth)** responsabilizar alguém (por algo); (*keep in certain position*): **to ~ one's head up** manter a cabeça erigida ♦ *vi* (*withstand pressure*) resistir; (*be valid*) ser válido ♦ *n* (*grasp*) pressão *f*; (: *fig*) influência, domínio; (*of ship*) porão *m*; (*of plane*) compartimento para cargo; (*control*) controle *m*; **~ the line!** (*TEL*) não desligue!; **to ~ one's own** (*fig*) virar-se, sair-se bem; **to catch** *or* **get (a) ~ of** agarrar, pegar; **hold back** *vt* reter; (*secret*) manter, guardar; **hold down** *vt* (*person*) segurar; (*job*) manter; **hold off** *vt* (*enemy*) afastar, repelir; **hold on** *vi* agarrar-se; (*wait*) esperar; **~ on!** espera aí!; (*TEL*) não desligue!; **hold on to** *vt fus* agarrar-se a; (*keep*) guardar, ficar com; **hold out** *vt* (*hand*) estender; (*hope*) ter ♦ *vi* (*resist*) resistir; **hold up** *vt* (*raise*) levantar; (*support*) apoiar; (*delay*) atrasar; (*rob*) assaltar; **holdall** (*BRIT*) *n* bolsa de viagem; **holder** *n* (*container*) recipiente *m*; (*of ticket*) portador (a) *m/f*; (*of record*) detentor (a) *m/f*; (*of office, title*) titular *m/f*; **hold-up** *n* (*in robbery*) assalto; (*delay*) demora; (*BRIT*: *in traffic*) engarrafamento

hole [həul] *n* buraco; (*small*: *in sock etc*) furo ♦ *vt* esburacar

holiday ['hɔlədɪ] *n* (*BRIT*: *vacation*) férias *fpl*; (*day off*) dia *m* de folga; (*public ~*) feriado; **on ~** de férias; **holiday camp** (*BRIT*) *n* colônia de férias; **holiday-maker** (*BRIT*) *n* pessoa (que está) de férias; **holiday resort** *n* local *m* de férias

Holland ['hɔlənd] *n* Holanda

hollow ['hɔləu] *adj* oco, vazio; (*cheeks*) côncavo; (*eyes*) fundo; (*sound*) surdo; (*laugh, claim*) falso ♦ *n* (*in ground*) cavidade *f*, depressão *f* ♦ *vt*: **to ~ out** escavar

holly ['hɔlɪ] *n* azevinho

holster ['həulstə*] *n* coldre *m*

holy ['həulɪ] *adj* sagrado; (*person*) santo, bento

homage ['hɔmɪdʒ] *n* homenagem *f*; **to pay ~ to** prestar homenagem a, homenagear

home [həum] *n* casa, lar *m*; (*country*) pátria; (*institution*) asilo ♦ *cpd* caseiro, doméstico; (*ECON, POL*) nacional, interno; (*SPORT*: *team*) de casa; (: *game*) no próprio campo ♦ *adv* (*direction*) para casa; (*right in*: *nail etc*) até o fundo; **at ~** em casa; **make yourself at ~** fique à vontade; **home address** *n* endereço residencial; **homeland** *n* terra (natal); **homeless** *adj* sem casa, desabrigado; **homely** *adj* (*simple*) simples *inv*; **home-made** *adj* caseiro; **Home Office** (*BRIT*) *n* Ministério do Interior; **home page** *n*

homoeopathic → house

(COMPUT) home page f, página inicial; **Home Secretary** (BRIT) n Ministro(-a) do Interior; **homesick** adj: **to be homesick** estar com saudades (do lar); **home town** n cidade f natal; **homework** n dever m de casa

homoeopathic [həumɪəu'pæθɪk] (US **homeopathic**) adj homeopático

homosexual [hɔməu'sɛksjuəl] adj, n homossexual m/f

Honduras [hɔn'djuərəs] n Honduras f (no article)

honest ['ɔnɪst] adj (truthful) franco; (trustworthy) honesto; (sincere) sincero; **honestly** adv honestamente; **honesty** n honestidade f, sinceridade f

honey ['hʌnɪ] n mel m; **honeycomb** n favo de mel; **honeymoon** n lua-de-mel f; (trip) viagem f de lua-de-mel

honk [hɔŋk] vi buzinar

honorary ['ɔnərərɪ] adj (unpaid) não remunerado; (duty, title) honorário

honour ['ɔnə*] (US **honor**) vt honrar ♦ n honra; **honourable** adj honrado

hood [hud] n capuz m; (of cooker) tampa; (BRIT: AUT) capota; (US: AUT) capô m

hoof [hu:f] (pl **hooves**) n casco, pata

hook [huk] n gancho; (on dress) gancho, colchete m; (for fishing) anzol m ♦ vt prender com gancho (or colchete); (fish) fisgar

hooligan ['hu:lɪgən] n desordeiro(-a), bagunceiro(-a)

hoop [hu:p] n arco

hooray [hu:'reɪ] excl = **hurrah**

hoot [hu:t] vi (AUT) buzinar; (siren) tocar; (owl) piar

hoover ['hu:və*] ® (BRIT) n aspirador m (de pó) ♦ vt passar o aspirador em

hooves [hu:vz] npl of **hoof**

hop [hɔp] vi saltar, pular; (on one foot) pular num pé só

hope [həup] vt, vi esperar ♦ n esperança; **I ~ so/not** espero que sim/não; **hopeful** adj (person) otimista, esperançoso; (situation) promissor (a); **hopefully** adv esperançosamente; **hopefully, they'll come back** é de esperar or esperamos que voltem; **hopeless** adj desesperado, irremediável; (useless) inútil

hops [hɔps] npl lúpulo

horizon [hə'raɪzn] n horizonte m; **horizontal** [hɔrɪ'zɔntl] adj horizontal

horn [hɔ:n] n corno, chifre m; (material) chifre; (MUS) trompa; (AUT) buzina

hornet ['hɔ:nɪt] n vespão m

horoscope ['hɔrəskəup] n horóscopo

horrendous [hə'rɛndəs] adj horrendo

horrible ['hɔrɪbl] adj horrível; (terrifying) terrível

horrid ['hɔrɪd] adj horrível

horrify ['hɔrɪfaɪ] vt horrorizar

horror ['hɔrə*] n horror m; **horror film** n filme m de terror

horse [hɔ:s] n cavalo; **horseback: on horseback** adj, adv a cavalo; **horse chestnut** n castanha-da-índia; **horsepower** n cavalo-vapor m; **horse-racing** n corridas fpl de cavalo, turfe m; **horseshoe** n ferradura

hose [həuz] n (also: **~pipe**) mangueira

hospitable ['hɔspɪtəbl] adj hospitaleiro

hospital ['hɔspɪtl] n hospital m

hospitality [hɔspɪ'tælɪtɪ] n hospitalidade f

host [həust] n anfitrião m; (TV, RADIO) apresentador(a) m/f; (REL) hóstia; (large number): **a ~ of** uma multidão de

hostage ['hɔstɪdʒ] n refém m/f

hostel ['hɔstl] n albergue m, abrigo; (also: **youth ~**) albergue da juventude

hostess ['həustɪs] n anfitriã f; (BRIT: air ~) aeromoça (BR), hospedeira de bordo (PT); (TV, RADIO) apresentadora

hostile ['hɔstaɪl] adj hostil

hostility [hɔ'stɪlɪtɪ] n hostilidade f

hot [hɔt] adj quente; (as opposed to only warm) muito quente; (spicy) picante; (fierce) ardente; **to be ~** (person) estar com calor; (thing, weather) estar quente

hot dog n cachorro-quente m

hotel [həu'tɛl] n hotel m

hot: hothouse n estufa; **hotplate** n (on cooker) chapa elétrica; **hot-water bottle** n bolsa de água quente

hound [haund] vt acossar, perseguir ♦ n cão m de caça, sabujo

hour ['auə*] n hora; **hourly** adj de hora em hora; (rate) por hora

house [n haus, vb hauz] n (gen, firm) casa; (POL) câmara; (THEATRE) assistência, lotação f ♦ vt (person) alojar; (collection) abrigar; **on the ~** (fig) por conta da casa; **houseboat** n casa flutuante; **household** n família; (house) casa; **housekeeper** n governanta; **housekeeping** n (work) trabalhos mpl domésticos; (money) economia doméstica; **house-warming (party)** n festa de inauguração de uma casa; **housewife** (irreg) n dona de casa; **housework** n trabalhos mpl domésticos; **housing** n (provision) alojamento; (houses) residências fpl; **housing development** (BRIT **housing estate**) n conjunto residencial

hovel ['hɔvl] n casebre m
hover ['hɔvə*] vi pairar; **hovercraft** n aerobarco

KEYWORD
---

how [hau] adv

1 (in what way) como; ~ **was the film?** que tal o filme?; ~ **are you?** como vai?

2 (to what degree) quanto; ~ **much milk/many people?** quanto de leite/quantas pessoas?; ~ **long have you been here?** quanto tempo você está aqui?; ~ **old are you?** quantos anos você tem?; ~ **tall is he?** qual é a altura dele?; ~ **lovely/awful!** que ótimo/terrível!

---

however [hau'evə*] adv de qualquer modo; (+ adj) por mais ... que; (in questions) como ♦ conj no entanto, contudo
howl [haul] vi uivar
H.P. (BRIT) n abbr = **hire purchase**
h.p. abbr (AUT: = horsepower) CV
HQ n abbr (= headquarters) QG m
HTML n abbr (= Hypertext Mark-up Language) HTML f
hub [hʌb] n cubo; (fig) centro
huddle ['hʌdl] vi: **to ~ together** aconchegar-se
hue [hju:] n cor f, matiz m
huff [hʌf] n: **in a ~** com raiva
hug [hʌg] vt abraçar; (thing) agarrar, prender
huge [hju:dʒ] adj enorme, imenso
hulk [hʌlk] n (wreck) navio velho, carcaça; (person) brutamontes m inv; (building) trambolho
hull [hʌl] n (of ship) casco
hullo [hə'ləu] excl = **hello**
hum [hʌm] vt cantarolar ♦ vi cantarolar; (insect, machine etc) zumbir
human ['hju:mən] adj humano ♦ n (also: ~ being) ser m humano
humane [hju:'meɪn] adj humano
humanitarian [hju:mænɪ'tɛərɪən] adj humanitário
humanity [hju:'mænɪtɪ] n humanidade f
humble ['hʌmbl] adj humilde ♦ vt humilhar
humid ['hju:mɪd] adj úmido
humiliate [hju:'mɪlɪeɪt] vt humilhar
humorous ['hju:mərəs] adj humorístico; (person) engraçado
humour ['hju:mə*] (US **humor**) n humorismo, senso de humor; (mood) humor m ♦ vt fazer a vontade de

hump [hʌmp] n (in ground) elevação f; (camel's) corcova, giba; (deformity) corcunda
hunch [hʌntʃ] n (premonition) pressentimento, palpite m; **hunchback** n corcunda m/f; **hunched** adj corcunda
hundred ['hʌndrəd] num cem; (before lower numbers) cento; **~s of people** centenas de pessoas; **hundredweight** n (BRIT) = 50.8 kg; 112 lb; (US) = 45.3 kg; 100 lb
hung [hʌŋ] pt, pp of **hang**
Hungary ['hʌŋgərɪ] n Hungria
hunger ['hʌŋgə*] n fome f ♦ vi: **to ~ for** (desire) desejar ardentemente
hungry ['hʌŋgrɪ] adj faminto, esfomeado; (keen): ~ **for** (fig) ávido de, ansioso por; **to be ~** estar com fome
hunt [hʌnt] vt buscar; (criminal, fugitive) perseguir; (SPORT, for food) caçar ♦ vi caçar; (search) **to ~ (for)** procurar (por) ♦ n caça, caçada; **hunter** n caçador(a) m/f; **hunting** n caça
hurdle ['hə:dl] n (SPORT) barreira; (fig) obstáculo
hurl [hə:l] vt arremessar, lançar; (abuse) gritar
hurrah [hu'rɑ:] excl oba!, viva!
hurray [hu'reɪ] excl = **hurrah**
hurricane ['hʌrɪkən] n furacão m
hurried ['hʌrɪd] adj apressado; (rushed) feito às pressas; **hurriedly** adv depressa, apressadamente
hurry ['hʌrɪ] n pressa ♦ vi (also: ~ **up**) apressar-se ♦ vt (also: ~ **up**: person) apressar; (: work) acelerar; **to be in a ~** estar com pressa
hurt [hə:t] (pt, pp **hurt**) vt machucar; (injure) ferir; (fig) magoar ♦ vi doer; **hurtful** adj (remark) que magoa, ofensivo
husband ['hʌzbənd] n marido, esposo
hush [hʌʃ] n silêncio, quietude f ♦ vt silenciar, fazer calar; **~!** silêncio!, psiu!; **hush up** vt abafar, encobrir
husk [hʌsk] n (of wheat) casca; (of maize) palha
husky ['hʌskɪ] adj rouco ♦ n cão m esquimó
hut [hʌt] n cabana, choupana; (shed) alpendre m
hutch [hʌtʃ] n coelheira
hyacinth ['haɪəsɪnθ] n jacinto
hydrant ['haɪdrənt] n (also: **fire ~**) hidrante m
hydroelectric [haɪdrəu'lɛktrɪk] adj hidroelétrico
hydrofoil ['haɪdrəfɔɪl] n hidrofoil m,

hydrogen → image

aliscafo
hydrogen ['haɪdrədʒən] *n* hidrogênio
hyena [haɪ'i:nə] *n* hiena
hygiene ['haɪdʒi:n] *n* higiene *f*
hymn [hɪm] *n* hino
hype [haɪp] (*inf*) *n* tititi *m*, falatório
hypermarket ['haɪpəmɑ:kɪt] (*BRIT*) *n* hipermercado
hyphen ['haɪfn] *n* hífen *m*
hypnotize ['hɪpnətaɪz] *vt* hipnotizar
hypocrite ['hɪpəkrɪt] *n* hipócrita *m/f*; **hypocritical** *adj* hipócrita
hysterical [hɪ'stʃrɪkl] *adj* histérico; (*funny*) hilariante; **hysterics** *npl*: **to be in** *or* **have hysterics** (*anger, panic*) ter uma crise histérica; (*laughter*) ter um ataque de riso

I i

I [aɪ] *pron* eu
ice [aɪs] *n* gelo; (*~ cream*) sorvete *m* ♦ *vt* (*cake*) cobrir com glacê ♦ *vi* (*also*: **~ over**, **~ up**) gelar; **iceberg** *n* iceberg *m*; **icebox** *n* (*US*) geladeira; (*BRIT: in fridge*) congelador *m*; (*insulated box*) geladeira portátil; **ice cream** *n* sorvete *m* (*BR*), gelado (*PT*); **ice cube** *n* pedra de gelo; **iced** *adj* (*drink*) gelado; (*cake*) glaçado; **ice hockey** *n* hóquei *m* sobre o gelo
Iceland ['aɪslənd] *n* Islândia
ice: ice lolly (*BRIT*) *n* picolé *m*; **ice rink** *n* pista de gelo, rinque *m*; **ice-skating** *n* patinação *f* no gelo
icicle ['aɪsɪkl] *n* pingente *m* de gelo
icing ['aɪsɪŋ] *n* (*CULIN*) glacê *m*; **icing sugar** (*BRIT*) *n* açúcar *m* glacê
icon ['aɪkɔn] *n* (*gen, COMPUT*) ícone *m*
icy ['aɪsɪ] *adj* gelado
I'd [aɪd] = **I would**; **I had**
idea [aɪ'dɪə] *n* idéia
ideal [aɪ'dɪəl] *n* ideal *m* ♦ *adj* ideal
identical [aɪ'dɛntɪkl] *adj* idêntico
identification [aɪdɛntɪfɪ'keɪʃən] *n* identificação *f*; **means of ~** documentos pessoais
identify [aɪ'dɛntɪfaɪ] *vt* identificar
identity [aɪ'dɛntɪtɪ] *n* identidade *f*; **identity card** *n* carteira de identidade
idiom ['ɪdɪəm] *n* expressão *f* idiomática; (*style*) idioma *m*, linguagem *f*
idiosyncrasy [ɪdɪəu'sɪŋkrəsɪ] *n* idiossincrasia
idiot ['ɪdɪət] *n* idiota *m/f*; **idiotic** [ɪdɪ'ɔtɪk] *adj* idiota

idle ['aɪdl] *adj* ocioso; (*lazy*) preguiçoso; (*unemployed*) desempregado; (*question, conversation*) fútil; (*pleasure*) descontraído ♦ *vi* (*machine*) funcionar com a transmissão desligada; **idle away** *vt*: **to ~ away the time** perder *or* desperdiçar tempo
idol ['aɪdl] *n* ídolo; **idolize** *vt* idolatrar
i.e. *abbr* (= *id est: that is*) i.e., isto é

KEYWORD
---

if [ɪf] *conj*
1 (*conditional use*) se; **~ necessary** se necessário; **~ I were you** se eu fôsse você
2 (*whenever*) quando
3 (*although*): (**even**) **~** mesmo que
4 (*whether*) se
5: **~ so/not** sendo assim/do contrário; **~ only** se pelo menos; *see also* **as**

---

ignition [ɪg'nɪʃən] *n* (*AUT*) ignição *f*; **to switch on/off the ~** ligar/desligar o motor; **ignition key** *n* (*AUT*) chave *f* de ignição
ignorant ['ɪgnərənt] *adj* ignorante; **to be ~ of** ignorar
ignore [ɪg'nɔ:*] *vt* (*person*) não fazer caso de; (*fact*) não levar em consideração, ignorar
I'll [aɪl] = **I will**; **I shall**
ill [ɪl] *adj* doente; (*harmful: effects*) nocivo ♦ *n* mal *m* ♦ *adv*: **to speak/think ~ of sb** falar/pensar mal de alguém; **to be taken ~** ficar doente; **ill-at-ease** *adj* constrangido, pouco à vontade
illegal [ɪ'li:gl] *adj* ilegal
illegible [ɪ'lɛdʒɪbl] *adj* ilegível
illegitimate [ɪlɪ'dʒɪtɪmət] *adj* ilegítimo
ill-fated *adj* malfadado
ill feeling *n* má vontade *f*, rancor *m*
illiterate [ɪ'lɪtərət] *adj* analfabeto
ill-mannered [-'mænəd] *adj* mal-educado, grosseiro
illness ['ɪlnɪs] *n* doença
ill-treat *vt* maltratar
illuminate [ɪ'lu:mɪneɪt] *vt* iluminar, clarear; **illumination** [ɪlu:mɪ'neɪʃən] *n* iluminação *f*; **illuminations** *npl* (*decorative lights*) luminárias *fpl*
illusion [ɪ'lu:ʒən] *n* ilusão *f*
illustrate ['ɪləstreɪt] *vt* ilustrar; (*point*) exemplificar; **illustration** [ɪlə'streɪʃən] *n* ilustração *f*; (*example*) exemplo; (*explanation*) esclarecimento
ill will *n* animosidade *f*
I'm [aɪm] = **I am**
image ['ɪmɪdʒ] *n* imagem *f*; **imagery** *n*

imaginary → improve

imagens *fpl*
imaginary ['ɪ'mædʒɪnərɪ] *adj* imaginário
imagination [ɪmædʒɪ'neɪʃən] *n* imaginação *f*; (*inventiveness*) inventividade *f*
imagine [ɪ'mædʒɪn] *vt* imaginar
imbalance [ɪm'bæləns] *n* desigualdade *f*
imitate ['ɪmɪteɪt] *vt* imitar; **imitation** [ɪmɪ'teɪʃən] *n* imitação *f*; (*copy*) cópia; (*mimicry*) mímica
immaculate [ɪ'mækjulət] *adj* impecável; (REL) imaculado
immaterial [ɪmə'tɪərɪəl] *adj* irrelevante
immature [ɪmə'tjuə*] *adj* imaturo; (*fruit*) verde; (*cheese*) fresco
immediate [ɪ'miːdɪət] *adj* imediato; (*pressing*) urgente, premente; (*neighbourhood, family*) próximo; **immediately** *adv* imediatamente; (*directly*) diretamente; **immediately next to** bem junto a
immense [ɪ'mɛns] *adj* imenso; (*importance*) enorme
immerse [ɪ'məːs] *vt* submergir; **to be ~d in** (*fig*) estar absorto em
immersion heater [ɪ'məːʃn-] (BRIT) *n* aquecedor *m* de imersão
immigrant ['ɪmɪgrənt] *n* imigrante *m/f*
immigration [ɪmɪ'greɪʃən] *n* imigração *f*
imminent ['ɪmɪnənt] *adj* iminente
immoral [ɪ'mɔrl] *adj* imoral
immortal [ɪ'mɔːtl] *adj* imortal
immune [ɪ'mjuːn] *adj*: **~ to** imune a, imunizado contra
impact ['ɪmpækt] *n* impacto (BR), impacte *m* (PT)
impair [ɪm'pɛə*] *vt* prejudicar
impartial [ɪm'pɑːʃl] *adj* imparcial
impassable [ɪm'pɑːsəbl] *adj* (*river*) intransponível; (*road*) intransitável
impatience [ɪm'peɪʃəns] *n* impaciência
impatient [ɪm'peɪʃənt] *adj* impaciente; **to get** *or* **grow ~** impacientar-se
impeccable [ɪm'pɛkəbl] *adj* impecável
impediment [ɪm'pɛdɪmənt] *n* obstáculo; (*also:* **speech ~**) defeito (de fala)
impending [ɪm'pɛndɪŋ] *adj* iminente, próximo
imperative [ɪm'pɛrətɪv] *adj* (*tone*) imperioso, obrigatório; (*need*) vital; (*necessary*) indispensável ♦ *n* (LING) imperativo
imperfect [ɪm'pəːfɪkt] *adj* imperfeito; (*goods etc*) defeituoso ♦ *n* (LING: *also:* **~ tense**) imperfeito
imperial [ɪm'pɪərɪəl] *adj* imperial
impersonal [ɪm'pəːsənl] *adj* impessoal

impersonate [ɪm'pəːsəneɪt] *vt* fazer-se passar por, personificar; (THEATRE) imitar
impertinent [ɪm'pəːtɪnənt] *adj* impertinente, insolente
impervious [ɪm'pəːvɪəs] *adj* (*fig*): **~ to** insensível a
impetuous [ɪm'pɛtjuəs] *adj* impetuoso, precipitado
implement [*n* 'ɪmplɪmənt, *vb* 'ɪmplɪmɛnt] *n* instrumento, ferramenta; (*for cooking*) utensílio ♦ *vt* efetivar
implicit [ɪm'plɪsɪt] *adj* implícito; (*complete*) absoluto
imply [ɪm'plaɪ] *vt* (*mean*) significar; (*hint*) dar a entender que
impolite [ɪmpə'laɪt] *adj* indelicado, mal-educado
import [*vb* ɪm'pɔːt, *n* 'ɪmpɔːt] *vt* importar ♦ *n* importação *f*; (*article*) mercadoria importada
importance [ɪm'pɔːtəns] *n* importância
important [ɪm'pɔːtənt] *adj* importante; **it's not ~** não tem importância, não importa
impose [ɪm'pəuz] *vt* impor ♦ *vi*: **to ~ on sb** abusar de alguém; **imposing** *adj* imponente; **imposition** [ɪmpə'zɪʃən] *n* (*of tax etc*) imposição *f*; **to be an imposition on sb** (*person*) abusar de alguém
impossible [ɪm'pɔsɪbl] *adj* impossível; (*situation*) inviável; (*person*) insuportável
impotent ['ɪmpətənt] *adj* impotente
impound [ɪm'paund] *vt* confiscar
impoverished [ɪm'pɔvərɪʃt] *adj* empobrecido; (*land*) esgotado
impractical [ɪm'præktɪkl] *adj* pouco prático
impress [ɪm'prɛs] *vt* impressionar; (*mark*) imprimir; **to ~ sth on sb** inculcar algo em alguém
impression [ɪm'prɛʃən] *n* impressão *f*; (*imitation*) caricatura; **to be under the ~ that** estar com a impressão de que; **impressionist** *n* (ART) impressionista *m/f*; (*entertainer*) caricaturista *m/f*
impressive [ɪm'prɛsɪv] *adj* impressionante
imprint ['ɪmprɪnt] *n* impressão *f*, marca; (PUBLISHING) nome *m* (da coleção)
imprison [ɪm'prɪzn] *vt* encarcerar
improbable [ɪm'prɔbəbl] *adj* improvável; (*story*) inverossímil (BR), inverosímil (PT)
improper [ɪm'prɔpə*] *adj* (*unsuitable*) impróprio; (*dishonest*) desonesto
improve [ɪm'pruːv] *vt* melhorar ♦ *vi* melhorar; (*pupils*) progredir; **improvement** *n* melhora; progresso

improvise → include

improvise ['ɪmprəvaɪz] *vt, vi* improvisar
impudent ['ɪmpjudnt] *adj* insolente, impudente
impulse ['ɪmpʌls] *n* impulso; **on ~** sem pensar, num impulso

---KEYWORD---

in [ɪn] *prep*

1 *(indicating place, position)* em; **~ the house/garden** na casa/no jardim; **I have it ~ my hand** eu estou assegurando isto; **~ here/there** aqui dentro/lá dentro

2 *(with place names: of town, country, region)* em; **~ London/Rio** em Londres/no Rio; **~ England/Japan/the United States** na Inglaterra/no Japão/nos Estados Unidos

3 *(indicating time: during)* em; **~ spring/autumn** na primavera/no outono; **~ 1988** em 1988; **~ May** em maio; **I'll see you ~ July** até julho; **~ the morning** de manhã; **at 4 o'clock ~ the afternoon** às 4 da tarde

4 *(indicating time: in the space of)* em; **I did it ~ 3 hours/days** fiz isto em 3 horas/dias; **~ 2 weeks** *or* **~ 2 weeks' time** daqui a 2 semanas

5 *(indicating manner etc)*: **~ a loud/soft voice** em voz alta/numa voz sauve; **written ~ pencil/ink** escrito a lápis/à caneta; **~ English/Portuguese** em inglês/português; **the boy ~ the blue shirt** o menino de camisa azul

6 *(indicating circumstances)*: **~ the sun** ao sob o sol; **~ the rain** na chuva; **a rise ~ prices** um aumento nos preços

7 *(indicating mood, state)*: **~ tears** aos prantos; **~ anger/despair** com raiva/desesperado; **~ good condition** em boas condições

8 *(with ratios, numbers)*: **1 ~ 10** 1 em 10, 1 em cada 10; **20 pence ~ the pound** vinte pênis numa libra; **they lined up ~ twos** eles se alinharam dois a dois

9 *(referring to people, works)* em

10 *(indicating profession etc)*: **to be ~ teaching/publishing** ser professor/trabalhar numa editora

11 *(after superl)*: **the best pupil ~ the class** o melhor aluno da classe; **the biggest/smallest ~ Europe** o maior/menor na Europa

12 *(with present participle)*: **~ saying this** ao dizer isto

♦ *adv*: **to be ~** *(person: at home)* estar em casa; *(: at work)* estar no trabalho; *(fashion)* estar na moda; *(ship, plane, train)*: **it's ~** chegou; **is he ~?** ele está?; **to ask sb ~** convidar alguém para entrar; **to run/limp** *etc* **~** entrar correndo/mancando *etc*

♦ *n*: **the ~s and outs** *(of proposal, situation etc)* os cantos e recantos, os pormenores

---

in. *abbr* = **inch(es)**
inability [ɪnə'bɪlɪtɪ] *n*: **~ (to do)** incapacidade *f* (de fazer)
inaccurate [ɪn'ækjurət] *adj* inexato, impreciso
inadequate [ɪn'ædɪkwət] *adj* insuficiente; *(person)* impróprio
inadvertently [ɪnəd'vɜ:tntlɪ] *adv* inadvertidamente, sem querer
inadvisable [ɪnəd'vaɪzəbl] *adj* desaconselhável, inoportuno
inane [ɪ'neɪn] *adj* tolo
inanimate [ɪn'ænɪmət] *adj* inanimado
inappropriate [ɪnə'prəuprɪət] *adj* inadequado; *(word, expression)* impróprio
inarticulate [ɪnɑː'tɪkjulət] *adj (person)* incapaz de expressar-se (bem); *(speech)* inarticulado
inasmuch as [ɪnəz'mʌtʃ-] *adv* na medida em que
inauguration [ɪ'nɔːgjureɪʃən] *n* inauguração *f*; *(of president, official)* posse *f*
inborn [ɪn'bɔːn] *adj* inato
inbred [ɪn'brɛd] *adj* inato; *(family)* de procriação consangüínea
Inc. *(US) abbr* = **incorporated**
incapable [ɪn'keɪpəbl] *adj* incapaz
incapacitate [ɪnkə'pæsɪteɪt] *vt* incapacitar
incense [*n* 'ɪnsɛns, *vb* ɪn'sɛns] *n* incenso
♦ *vt (anger)* exasperar, enraivecer
incentive [ɪn'sɛntɪv] *n* incentivo
incessant [ɪn'sɛsnt] *adj* incessante, contínuo; **incessantly** *adv* constantemente
inch [ɪntʃ] *n* polegada (= 25 mm; 12 in a foot); **to be within an ~ of** estar a um passo de; **he didn't give an ~** ele não cedeu nem um milímetro; **inch forward** *vi* avançar palmo a palmo
incident ['ɪnsɪdnt] *n* incidente *m*, evento
incidental [ɪnsɪ'dɛntl] *adj* adicional; **~ to** relacionado com; **incidentally** *adv (by the way)* a propósito
inclination [ɪnklɪ'neɪʃən] *n (tendency)* tendência; *(disposition)* inclinação *f*
incline [*n* 'ɪnklaɪn, *vb* ɪn'klaɪn] *n* inclinação *f*, ladeira ♦ *vt* curvar, inclinar
♦ *vi* inclinar-se; **to be ~d to** tender a, ser propenso a
include [ɪn'kluːd] *vt* incluir

including → inebriated

including [ɪnˈkluːdɪŋ] prep inclusive
inclusive [ɪnˈkluːsɪv] adj incluído, incluso; ~ **of** incluindo
income [ˈɪŋkʌm] n (earnings) renda, rendimentos mpl; (unearned) renda; **income tax** n imposto de renda (BR), imposto complementar (PT)
incoming [ˈɪnkʌmɪŋ] adj (flight) de chegada; (mail) de entrada; (government) novo; (tide) enchente
incompetent [ɪnˈkɔmpɪtənt] adj incompetente
incomplete [ɪnkəmˈpliːt] adj incompleto; (unfinished) por terminar
inconsiderate [ɪnkənˈsɪdərət] adj sem consideração
inconsistent [ɪnkənˈsɪstnt] adj inconsistente; ~ **with** incompatível com
inconspicuous [ɪnkənˈspɪkjuəs] adj modesto, discreto
inconvenience [ɪnkənˈviːnjəns] n (quality) inconveniência; (problem) inconveniente m ♦ vt incomodar
inconvenient [ɪnkənˈviːnjənt] adj inconveniente, incômodo; (time, place) inoportuno
incorporate [ɪnˈkɔːpəreɪt] vt incorporar; (contain) compreender
incorrect [ɪnkəˈrɛkt] adj incorreto
increase [n ˈɪnkriːs, vb ɪnˈkriːs] n aumento ♦ vi, vt aumentar; **increasing** adj crescente, em aumento; **increasingly** adv (more intensely) progressivamente; (more often) cada vez mais
incredible [ɪnˈkrɛdɪbl] adj inacreditável; (enormous) incrível
incubator [ˈɪnkjuːbeɪtə*] n incubadora
incur [ɪnˈkəː*] vt incorrer em; (expenses) contrair
indebted [ɪnˈdɛtɪd] adj: **to be ~ to sb** estar em dívida com alguém, dever obrigação a alguém
indecent [ɪnˈdiːsnt] adj indecente
indecisive [ɪndɪˈsaɪsɪv] adj indeciso
indeed [ɪnˈdiːd] adv de fato; (certainly) certamente; (furthermore) aliás; **yes ~!** claro que sim!
indefinitely [ɪnˈdɛfɪnɪtlɪ] adv indefinidamente
independence [ɪndɪˈpɛndns] n independência; **Independence Day** n Dia m da Independência
independent [ɪndɪˈpɛndnt] adj independente; (inquiry) imparcial
index [ˈɪndɛks] (pl **~es**) n (in book) índice m; (in library etc) catálogo; (pl: **indices**: ratio, sign) índice m, expoente m; **index finger** n dedo indicador; **index-linked** (US **indexed**) adj vinculado ao índice (do custo de vida)
India [ˈɪndɪə] n Índia; **Indian** adj, n (from India) indiano(-a); (American, Brazilian) índio(-a); **Red Indian** índio(-a) pele vermelha; **Indian Ocean** n: **the Indian Ocean** o oceano Índico
indicate [ˈɪndɪkeɪt] vt (show) sugerir; (point to, mention) indicar; **indication** [ɪndɪˈkeɪʃən] n indício, sinal m; **indicative** [ɪnˈdɪkətɪv] adj: **indicative of** sintomático de ♦ n (LING) indicativo; **indicator** n indicador m; (AUT) pisca-pisca m
indices [ˈɪndɪsiːz] npl of **index**
indifferent [ɪnˈdɪfrənt] adj indiferente; (quality) medíocre
indigenous [ɪnˈdɪdʒɪnəs] adj indígena, nativo
indigestion [ɪndɪˈdʒɛstʃən] n indigestão f
indignant [ɪnˈdɪɡnənt] adj: **to be ~ about sth/with sb** estar indignado com algo/alguém, indignar-se de algo/alguém
indignity [ɪnˈdɪɡnɪtɪ] n indignidade f
indirect [ɪndɪˈrɛkt] adj indireto
indiscreet [ɪndɪˈskriːt] adj indiscreto
indiscriminate [ɪndɪˈskrɪmɪnət] adj indiscriminado
indisputable [ɪndɪˈspjuːtəbl] adj incontestável
individual [ɪndɪˈvɪdjuəl] n indivíduo ♦ adj individual; (personal) pessoal; (characteristic) particular
Indonesia [ɪndəˈniːzɪə] n Indonésia
indoor [ˈɪndɔː*] adj (inner) interno, interior; (inside) dentro de casa; (plant) para dentro de casa; (swimming pool) coberto; (games, sport) de salão; **indoors** adv em lugar fechado
induce [ɪnˈdjuːs] vt (MED) induzir; (bring about) causar, produzir
indulge [ɪnˈdʌldʒ] vt (desire) satisfazer; (whim) condescender com; (person) comprazer; (child) fazer a vontade de ♦ vi: **to ~ in** entregar-se a, satisfazer-se com; **indulgence** n (of desire) satisfação f; (leniency) indulgência, tolerância; **indulgent** adj indulgente
industrial [ɪnˈdʌstrɪəl] adj industrial; **industrial action** n greve f
industrious [ɪnˈdʌstrɪəs] adj trabalhador(a); (student) aplicado
industry [ˈɪndəstrɪ] n indústria; (diligence) aplicação f, diligência
inebriated [ɪˈniːbrɪeɪtɪd] adj embriagado, bêbado

inedible → inland

inedible [ɪnˈɛdɪbl] adj não-comestível
ineffective [ɪnɪˈfɛktɪv] adj ineficaz
ineffectual [ɪnɪˈfɛktʃuəl] adj = **ineffective**
inefficient [ɪnɪˈfɪʃənt] adj ineficiente
inequality [ɪnɪˈkwɔlɪtɪ] n desigualdade f
inescapable [ɪnɪˈskeɪpəbl] adj inevitável
inevitable [ɪnˈɛvɪtəbl] adj inevitável; **inevitably** adv inevitavelmente
inexpensive [ɪnɪkˈspɛnsɪv] adj barato, econômico
inexperienced [ɪnɪkˈspɪərɪənst] adj inexperiente
infallible [ɪnˈfælɪbl] adj infalível
infamous [ˈɪnfəməs] adj infame, abominável
infancy [ˈɪnfənsɪ] n infância
infant [ˈɪnfənt] n (baby) bebê m; (young child) criança
infant school (BRIT) n pré-escola
infatuated [ɪnˈfætjueɪtɪd] adj: ~ with apaixonado por
infatuation [ɪnfætjuˈeɪʃən] n gamação f, paixão f louca
infect [ɪnˈfɛkt] vt (person) contagiar; (food) contaminar; **infection** n infecção f; **infectious** adj contagioso; (fig) infeccioso
infer [ɪnˈfəːʳ] vt deduzir, inferir
inferior [ɪnˈfɪərɪəʳ] adj inferior; (goods) de qualidade inferior ♦ n inferior m/f; (in rank) subalterno(-a); **inferiority** [ɪnfɪərɪˈɔrətɪ] n inferioridade f
infertile [ɪnˈfəːtaɪl] adj infértil; (person, animal) estéril
infinite [ˈɪnfɪnɪt] adj infinito
infinitive [ɪnˈfɪnɪtɪv] n infinitivo
infinity [ɪnˈfɪnɪtɪ] n (also MATH) infinito; (an ~) infinidade f
infirmary [ɪnˈfəːmərɪ] n enfermaria, hospital m
inflamed [ɪnˈfleɪmd] adj inflamado
inflammable [ɪnˈflæməbl] adj inflamável
inflammation [ɪnfləˈmeɪʃən] n inflamação f
inflatable [ɪnˈfleɪtəbl] adj inflável
inflate [ɪnˈfleɪt] vt (tyre, balloon) inflar, encher; (price) inflar; **inflation** n (ECON) inflação f
inflict [ɪnˈflɪkt] vt: **to ~ on** infligir em
influence [ˈɪnfluəns] n influência ♦ vt influir em, influenciar; **under the ~ of alcohol** sob o efeito do álcool; **influential** [ɪnfluˈɛnʃl] adj influente
influenza [ɪnfluˈɛnzə] n gripe f
infomercial [ˈɪnfəuməːʃl] (US) n (for product) infomercial m

inform [ɪnˈfɔːm] vt informar ♦ vi: **to ~ on sb** delatar alguém
informal [ɪnˈfɔːml] adj informal; (visit, discussion) extra-oficial; **informality** [ɪnfɔːˈmælɪtɪ] n informalidade f
information [ɪnfəˈmeɪʃən] n informação f, informações fpl; (knowledge) conhecimento; **a piece of ~** uma informação; **information desk** n balcão m de informações
informative [ɪnˈfɔːmətɪv] adj informativo
informer [ɪnˈfɔːməʳ] n informante m/f
infringe [ɪnˈfrɪndʒ] vt infringir, transgredir ♦ vi: **to ~ on** violar
infuriating [ɪnˈfjuərɪeɪtɪŋ] adj de dar raiva, enfurecedor(a)
ingenious [ɪnˈdʒiːnjəs] adj engenhoso; **ingenuity** [ɪndʒɪˈnjuːɪtɪ] n engenho, habilidade f
ingot [ˈɪŋgət] n lingote m
ingratiate [ɪnˈɡreɪʃɪeɪt] vt: **to ~ o.s. with** cair nas (boas) graças de
ingredient [ɪnˈɡriːdɪənt] n ingrediente m; (of situation) fator m
inhabit [ɪnˈhæbɪt] vt habitar; **inhabitant** n habitante m/f
inhale [ɪnˈheɪl] vt inalar ♦ vi (in smoking) tragar
inherent [ɪnˈhɪərənt] adj: ~ **in** or **to** inerente a
inherit [ɪnˈhɛrɪt] vt herdar; **inheritance** n herança
inhibit [ɪnˈhɪbɪt] vt inibir; **inhibition** [ɪnhɪˈbɪʃən] n inibição f
inhuman [ɪnˈhjuːmən] adj inumano, desumano
initial [ɪˈnɪʃl] adj inicial ♦ n inicial f ♦ vt marcar com iniciais; **~s** npl (of name) iniciais fpl; **initially** adv inicialmente, no início
initiate [ɪˈnɪʃɪeɪt] vt (start) iniciar, começar; (person) iniciar; **to ~ sb into a secret** revelar um segredo a alguém
initiative [ɪˈnɪʃətɪv] n iniciativa
inject [ɪnˈdʒɛkt] vt (liquid, fig: money) injetar; (person) dar uma injeção em; **injection** n injeção f
injure [ˈɪndʒəʳ] vt ferir; (reputation etc) prejudicar; (feelings) ofender; **injured** adj ferido; (feelings) ofendido, magoado; **injury** n ferida
injustice [ɪnˈdʒʌstɪs] n injustiça
ink [ɪŋk] n tinta
inkling [ˈɪŋklɪŋ] n vaga idéia
inlaid [ˈɪnleɪd] adj (with gems) incrustado; (table etc) marchetado
inland [adj ˈɪnlənd, adv ɪnˈlænd] adj interior, interno ♦ adv para o interior;

inmate → insurance

Inland Revenue (BRIT) n ≈ fisco, receita federal (BR)
inmate ['ınmeıt] n (in prison) presidiário(-a); (in asylum) internado(-a)
inn [ın] n hospedaria, taberna
innate [ı'neıt] adj inato
inner ['ınə*] adj (place) interno; (feeling) interior; **inner city** n aglomeração f urbana, metrópole f
innings ['ınıŋz] n (SPORT) turno
innocent ['ınəsnt] adj inocente
innocuous [ı'nɔkjuəs] adj inócuo
innuendo [ınju'ɛndəu] (pl ~es) n insinuação f, indireta
innumerable [ı'nju:mrəbl] adj incontável
in-patient n paciente m/f interno(-a)
input ['ınput] n entrada; (resources) investimento
inquest ['ınkwɛst] n inquérito judicial
inquire [ın'kwaıə*] vi pedir informação ♦ vt perguntar; **inquire about** vt fus pedir informações sobre; **inquire into** vt fus investigar, indagar; **inquiry** n pergunta; (LAW) investigação f, inquérito
inquisitive [ın'kwızıtıv] adj curioso, perguntador(a)
ins. abbr = **inches**
insane [ın'seın] adj louco, doido; (MED) demente, insano; **insanity** [ın'sænıtı] n loucura; insanidade f, demência
inscription [ın'skrıpʃən] n inscrição f; (in book) dedicatória
inscrutable [ın'skru:təbl] adj inescrutável, impenetrável
insect ['ınsɛkt] n inseto; **insecticide** [ın'sɛktısaıd] n inseticida m
insecure [ınsı'kjuə*] adj inseguro
insensitive [ın'sɛnsıtıv] adj insensível
insert [ın'sə:t] vt (between things) intercalar; (into sth) introduzir, inserir
inshore [ın'ʃɔ:*] adj perto da costa, costeiro ♦ adv (be) perto da costa; (move) em direção à costa
inside ['ın'saıd] n interior m ♦ adj interior, interno ♦ adv (be) dentro; (go) para dentro ♦ prep dentro de; (of time): ~ **10 minutes** em menos de 10 minutos; **~s** npl (inf) entranhas fpl; **inside out** adv às avessas; (know) muito bem; **to turn sth inside out** virar algo pelo avesso
insight ['ınsaıt] n insight m
insignificant [ınsıg'nıfıknt] adj insignificante
insincere [ınsın'sıə*] adj insincero
insinuate [ın'sınjueıt] vt insinuar
insist [ın'sıst] vi insistir; **to ~ on doing** insistir em fazer; **to ~ that** insistir que; (claim) cismar que; **insistent** adj insistente, pertinaz; (continual) persistente
insomnia [ın'sɔmnıə] n insônia
inspect [ın'spɛkt] vt inspecionar; (building) vistoriar; (BRIT: tickets) fiscalizar; (troops) passar revista em; **inspection** n inspeção f; vistoria; fiscalização f; **inspector** n inspetor (a) m/f; (BRIT: on buses, trains) fiscal m
inspire [ın'spaıə*] vt inspirar
install [ın'stɔ:l] vt instalar; (official) nomear; **installation** [ınstə'leıʃən] n instalação f
instalment [ın'stɔ:lmənt] (US **installment**) n (of money) prestação f; (of story) fascículo; (of TV serial etc) capítulo; **in ~s** (pay) a prestações; (receive) em várias vezes
instance ['ınstəns] n exemplo; **for ~** por exemplo; **in the first ~** em primeiro lugar
instant ['ınstənt] n instante m, momento ♦ adj imediato; (coffee) instantâneo; **instantly** adv imediatamente
instead [ın'stɛd] adv em vez disso; **~ of** em vez de, em lugar de
instigate ['ınstıgeıt] vt fomentar
instil [ın'stıl] vt: **to ~ sth (into)** infundir or incutir algo (em)
instinct ['ınstıŋkt] n instinto
institute ['ınstıtju:t] n instituto; (professional body) associação f ♦ vt (inquiry) começar, iniciar; (proceedings) instituir, estabelecer
institution [ınstı'tju:ʃən] n instituição f; (organization) instituto; (MED: home) asilo; (asylum) manicômio; (custom) costume m
instruct [ın'strʌkt] vt: **to ~ sb in sth** instruir alguém em or sobre algo; **to ~ sb to do sth** dar instruções a alguém para fazer algo; **instruction** n (teaching) instrução f; **instructions** npl (orders) ordens fpl; **instructions (for use)** modo de usar; **instructor** n instrutor(a) m/f
instrument ['ınstrumənt] n instrumento
insufficient [ınsə'fıʃənt] adj insuficiente
insular ['ınsjulə*] adj (outlook) estreito; (person) de mente limitada
insulate ['ınsjuleıt] vt isolar; (protect) segregar; **insulation** [ınsju'leıʃən] n isolamento
insulin ['ınsjulın] n insulina
insult [n 'ınsʌlt, vb ın'sʌlt] n ofensa ♦ vt insultar, ofender
insurance [ın'ʃuərəns] n seguro; **fire/life**

insure → intranet

~ seguro contra incêndio/de vida
insure [ɪnˈʃuə*] vt segurar
intact [ɪnˈtækt] adj intacto, íntegro; (*unharmed*) ileso, são e salvo
intake [ˈɪnteɪk] n (*of food*) quantidade f ingerida; (*BRIT: SCH*): **an ~ of 200 a year** 200 matriculados por ano
integral [ˈɪntɪgrəl] adj (*part*) integrante, essencial
integrate [ˈɪntɪgreɪt] vt integrar ♦ vi integrar-se
intellect [ˈɪntəlɛkt] n intelecto; **intellectual** [ɪntəˈlɛktjuəl] adj, n intelectual m/f
intelligence [ɪnˈtɛlɪdʒəns] n inteligência; (*MIL etc*) informações fpl
intelligent [ɪnˈtɛlɪdʒənt] adj inteligente
intend [ɪnˈtɛnd] vt (*gift etc*): **to ~ sth for** destinar algo a; **to ~ to do sth** tencionar or pretender fazer algo; (*plan*) planejar fazer algo
intense [ɪnˈtɛns] adj intenso; (*person*) muito emotivo
intensive [ɪnˈtɛnsɪv] adj intensivo; **intensive care unit** n unidade f de tratamento intensivo
intent [ɪnˈtɛnt] n intenção f ♦ adj: **to be ~ on doing sth** estar resolvido a fazer algo; **to all ~s and purposes** para todos os efeitos
intention [ɪnˈtɛnʃən] n intenção f, propósito; **intentional** adj intencional, propositado; **intentionally** adv de propósito
intently [ɪnˈtɛntlɪ] adv atentamente
interact [ɪntərˈækt] vi interagir; **interactive** adj interactivo
interchange [ˈɪntətʃeɪndʒ] n intercâmbio; (*exchange*) troca, permuta; (*on motorway*) trevo; **interchangeable** adj permutável
intercom [ˈɪntəkɔm] n interfone m
intercourse [ˈɪntəkɔːs] n: **sexual ~** relações fpl sexuais
interest [ˈɪntrɪst] n interesse m; (*COMM: sum*) juros mpl; (: *in company*) participação f ♦ vt interessar; **to be ~ed in** interessar-se por, estar interessado em; **interesting** adj interessante
interface [ˈɪntəfeɪs] n (*COMPUT*) interface f
interfere [ɪntəˈfɪə*] vi: **to ~ in** interferir or intrometer-se em; **to ~ with** (*objects*) mexer em; (*hinder*) impedir; (*plans*) interferir em
interference [ɪntəˈfɪərəns] n intromissão f; (*RADIO, TV*) interferência
interior [ɪnˈtɪərɪə*] n interior m ♦ adj interno; (*ministry*) do interior

interjection [ɪntəˈdʒɛkʃən] n interrupção f; (*LING*) interjeição f, exclamação f
interlude [ˈɪntəluːd] n interlúdio; (*rest*) descanso; (*THEATRE*) intervalo
intermediate [ɪntəˈmiːdɪət] adj intermediário
intermission [ɪntəˈmɪʃən] n intervalo
intern [vb ɪnˈtəːn, n ˈɪntəːn] vt internar ♦ n (*US*) médico-interno (médica-interna)
internal [ɪnˈtəːnl] adj interno; **internally** adv: **"not to be taken internally"** "uso externo"; **Internal Revenue Service** (*US*) n Receita Federal (*BR*), Direcção f Geral das Contribuições e Impostos (*PT*)
international [ɪntəˈnæʃənl] adj internacional ♦ n (*BRIT: SPORT: game*) jogo internacional
Internet [ˈɪntənɛt] n: **the ~** a Internet; **Internet café** n cibercafé m; **Internet Service Provider** n provedor m de acesso à Internet
interpret [ɪnˈtəːprɪt] vt interpretar; (*translate*) traduzir ♦ vi interpretar; **interpreter** n intérprete m/f
interrelated [ɪntərɪˈleɪtɪd] adj inter-relacionado
interrogate [ɪnˈtɛrəugeɪt] vt interrogar; **interrogation** [ɪntɛrəuˈgeɪʃən] n interrogatório
interrupt [ɪntəˈrʌpt] vt, vi interromper; **interruption** n interrupção f
intersect [ɪntəˈsɛkt] vi (*roads*) cruzar-se; **intersection** n cruzamento
interval [ˈɪntəvl] n intervalo
intervene [ɪntəˈviːn] vi intervir; (*event*) ocorrer; (*time*) decorrer; **intervention** n intervenção f
interview [ˈɪntəvjuː] n entrevista ♦ vt entrevistar; **interviewer** n entrevistador(a) m/f
intestine [ɪnˈtɛstɪn] n intestino
intimacy [ˈɪntɪməsɪ] n intimidade f
intimate [adj ˈɪntɪmət, vb ˈɪntɪmeɪt] adj íntimo; (*knowledge*) profundo ♦ vt insinuar, sugerir
into [ˈɪntu] prep em; **she burst ~ tears** ela desatou a chorar; **come ~ the house** venha para dentro; **research ~ cancer** pesquisa sobre o câncer; **he worked late ~ the night** ele trabalhou até altas horas; **he was shocked ~ silence** ele ficou mudo de choque; **~ 3 pieces/French** em 3 pedaços/para o francês
intolerant [ɪnˈtɔlərənt] adj: **~ (of)** intolerante (com or para com)
intoxicated [ɪnˈtɔksɪkeɪtɪd] adj embriagado
intranet [ˈɪntrənɛt] n intranet f

intricate → it

intricate ['ɪntrɪkət] *adj* complexo, complicado
intrigue [ɪn'triːg] *n* intriga ♦ *vt* intrigar; *(fascinate)* fascinar; **intriguing** *adj* curioso
introduce [ɪntrə'djuːs] *vt* introduzir; **to ~ sb (to sb)** apresentar alguém (a alguém); **to ~ sb to** *(pastime, technique)* iniciar alguém em; **introduction** *n* introdução *f*; *(of person)* apresentação *f*; **introductory** *adj* introdutório
intrude [ɪn'truːd] *vi*: **to ~ (on)** intrometer-se (em); **intruder** *n* intruso(-a)
inundate ['ɪnʌndeɪt] *vt*: **to ~ with** inundar de
invade [ɪn'veɪd] *vt* invadir
invalid [*n* 'ɪnvəlɪd, *adj* ɪn'vælɪd] *n* inválido(-a) ♦ *adj* inválido, nulo
invaluable [ɪn'væljuəbl] *adj* valioso, inestimável
invariably [ɪn'vɛərɪəblɪ] *adv* invariavelmente
invent [ɪn'vɛnt] *vt* inventar; **invention** *n* invenção *f*; *(inventiveness)* engenho; *(lie)* ficção *f*, mentira; **inventor** *n* inventor(a) *m/f*
inventory ['ɪnvəntrɪ] *n* inventário
invert [ɪn'vɜːt] *vt* inverter; **inverted commas** *(BRIT)* *npl* aspas *fpl*
invest [ɪn'vɛst] *vt* investir ♦ *vi*: **to ~ in** investir em; *(acquire)* comprar
investigate [ɪn'vɛstɪgeɪt] *vt* investigar; **investigation** [ɪnvɛstɪ'geɪʃən] *n* investigação *f*
investment [ɪn'vɛstmənt] *n* investimento
invigorating [ɪn'vɪgəreɪtɪŋ] *adj* revigorante
invisible [ɪn'vɪzɪbl] *adj* invisível
invitation [ɪnvɪ'teɪʃən] *n* convite *m*
invite [ɪn'vaɪt] *vt* convidar; *(opinions etc)* incitar; **inviting** *adj* convidativo
invoice ['ɪnvɔɪs] *n* fatura ♦ *vt* faturar
involuntary [ɪn'vɔləntrɪ] *adj* involuntário
involve [ɪn'vɔlv] *vt* implicar; *(require)* exigir; *(concern)* envolver; **to ~ sb (in)** envolver alguém (em); **involved** *adj* (*complex*) complexo; **to be involved in** estar envolvido em; **involvement** *n* envolvimento
inward ['ɪnwəd] *adj* (*movement*) interior, interno; (*thought, feeling*) íntimo; **inward(s)** *adv* para dentro
iodine ['aɪəudiːn] *n* iodo
iota [aɪ'əutə] *n* (*fig*) pouquinho, tiquinho
IOU *n abbr* (= I owe you) vale *m*
IQ *n abbr* (= intelligence quotient) QI *m*
IRA *n abbr* (= Irish Republican Army) IRA *m*

Iran [ɪ'rɑːn] *n* Irã *m* (*BR*), Irão *m* (*PT*)
Iraq [ɪ'rɑːk] *n* Iraque *m*
irate [aɪ'reɪt] *adj* irado, enfurecido
Ireland ['aɪələnd] *n* Irlanda
iris ['aɪrɪs] (*pl* ~es) *n* íris *f*
Irish ['aɪrɪʃ] *adj* irlandês(-esa) ♦ *npl*: **the ~** os irlandeses; **Irishman** (*irreg*) *n* irlandês *m*; **Irish Sea** *n*: **the Irish Sea** o mar da Irlanda; **Irishwoman** (*irreg*) *n* irlandesa
iron ['aɪən] *n* ferro; *(for clothes)* ferro de passar roupa ♦ *adj* de ferro ♦ *vt* (*clothes*) passar; **iron out** *vt* (*problem*) resolver
ironic(al) [aɪ'rɔnɪk(l)] *adj* irônico
ironing ['aɪənɪŋ] *n* (*activity*) passar *m* roupa; (*clothes*) roupa passada; **ironing board** *n* tábua de passar roupa
irony ['aɪrənɪ] *n* ironia
irrational [ɪ'ræʃənl] *adj* irracional
irregular [ɪ'rɛgjulə*] *adj* irregular; (*surface*) desigual
irrelevant [ɪ'rɛləvənt] *adj* irrelevante
irresistible [ɪrɪ'zɪstɪbl] *adj* irresistível
irrespective [ɪrɪ'spɛktɪv]: **~ of** *prep* independente de, sem considerar
irresponsible [ɪrɪ'spɔnsɪbl] *adj* irresponsável
irrigation [ɪrɪ'geɪʃən] *n* irrigação *f*
irritate ['ɪrɪteɪt] *vt* irritar; **irritating** *adj* irritante; **irritation** [ɪrɪ'teɪʃən] *n* irritação *f*
IRS (*US*) *n abbr* = **Internal Revenue Service**
is [ɪz] *vb see* **be**
ISDN *n abbr* (= Integrated Services Digital Network) RDSI *f*, ISDN *f*
Islam ['ɪzlɑːm] *n* islamismo
island ['aɪlənd] *n* ilha; **islander** *n* ilhéu (ilhoa) *m/f*
isle [aɪl] *n* ilhota, ilha
isn't ['ɪznt] = **is not**
isolate ['aɪsəleɪt] *vt* isolar; **isolated** *adj* isolado; **isolation** [aɪsə'leɪʃən] *n* isolamento
ISP *n abbr* = **Internet Service Provider**
Israel ['ɪzreɪl] *n* Israel *m* (*no article*); **Israeli** [ɪz'reɪlɪ] *adj*, *n* israelense *m/f*
issue ['ɪʃjuː] *n* questão *f*, tema *m*; (*of book*) edição *f*; (*of stamps*) emissão *f* ♦ *vt* (*statement*) fazer; (*rations, equipment*) distribuir; (*orders*) dar; **at ~** em debate; **to take ~ with sb (over sth)** discordar de alguém (sobre algo); **to make an ~ of sth** criar caso com algo

---KEYWORD---

it [ɪt] *pron*
1 (*specific: subject*) ele (ela); (*: direct object*) o (a); (*: indirect object*) lhe; **~'s on**

Italian → Jewish

the table está em cima da mesa; **I can't find ~** não consigo achá-lo; **give ~ to me** dê-mo; **about/from ~** sobre/de isto; **did you go to ~?** (party, concert etc) você foi? ▪ (impers) isto, isso; (after prep) ele, ela; **~'s raining** está chovendo (BR) or a chover (PT); **~'s six o'clock/the 10th of August** são seis horas/hoje é (dia) 10 de agosto; **who is ~? - ~'s me** quem é? – sou eu

Italian [ɪˈtæljən] adj italiano ♦ n italiano (-a); (LING) italiano
italics [ɪˈtælɪks] npl itálico
Italy [ˈɪtəlɪ] n Itália
itch [ɪtʃ] n comichão f, coceira ♦ vi (person) estar com or sentir comichão or coceira; (part of body) comichar, coçar; **I'm itching to do sth** estou louco para fazer algo; **itchy** adj que coça; **to be itchy = to itch**
it'd [ˈɪtd] = **it would; it had**
item [ˈaɪtəm] n item m; (on agenda) assunto; (in programme) número; (also: **news ~**) notícia; **itemize** vt detalhar, especificar
itinerary [aɪˈtɪnərəri] n itinerário
it'll [ˈɪtl] = **it will; it shall**
its [ɪts] adj seu (sua), dele (dela) ♦ pron o seu (a sua), o dele (a dela)
it's [ɪts] = **it is; it has**
itself [ɪtˈsɛlf] pron (reflexive) si mesmo(-a); (emphatic) ele mesmo (ela mesma)
ITV (BRIT) n abbr (= Independent Television) canal de televisão comercial
IUD n abbr (= intra-uterine device) DIU m
I've [aɪv] = **I have**
ivory [ˈaɪvərɪ] n marfim m
ivy [ˈaɪvɪ] n hera

J j

jab [dʒæb] vt cutucar ♦ n cotovelada, murro; (MED: inf) injeção f; **to ~ sth into sth** cravar algo em algo
jack [dʒæk] n (AUT) macaco; (CARDS) valete m; **jack up** vt (AUT) levantar com macaco
jackal [ˈdʒækl] n chacal m
jacket [ˈdʒækɪt] n jaqueta, casaco curto, forro; (of book) sobrecapa; **jacket potato** n batata assada com a casca
jack-knife vi: **the lorry ~d** o reboque do caminhão deu uma guinada
jackpot [ˈdʒækpɔt] n bolada, sorte f grande
jaded [ˈdʒeɪdɪd] adj (tired) cansado; (fed-up) aborrecido, amolado
jagged [ˈdʒægɪd] adj dentado, denteado
jail [dʒeɪl] n prisão f, cadeia ♦ vt encarcerar
jam [dʒæm] n geléia; (also: **traffic ~**) engarrafamento; (inf) apuro ♦ vt obstruir, atravancar; (mechanism) emperrar; (RADIO) bloquear, interferir ♦ vi (mechanism, drawer etc) emperrar; **to ~ sth into sth** forçar algo dentro de algo
Jamaica [dʒəˈmeɪkə] n Jamaica
janitor [ˈdʒænɪtə*] n zelador m
January [ˈdʒænjuərɪ] n janeiro
Japan [dʒəˈpæn] n Japão m; **Japanese** [dʒæpəˈniːz] adj japonês(-esa) ♦ n inv japonês(-esa) m/f; (LING) japonês m
jar [dʒɑː*] n jarro ♦ vi (sound) ranger, chiar; (colours) destoar
jargon [ˈdʒɑːgən] n jargão m
jaundice [ˈdʒɔːndɪs] n icterícia
javelin [ˈdʒævlɪn] n dardo de arremesso
jaw [dʒɔː] n mandíbula, maxilar m
jaywalker [ˈdʒeɪwɔːkə*] n pedestre m/f imprudente (BR), peão m imprudente (PT)
jazz [dʒæz] n jazz m; **jazz up** vt animar, avivar
jealous [ˈdʒɛləs] adj ciumento; **jealousy** n ciúmes mpl
jeans [dʒiːnz] npl jeans m(pl PT)
jeer [dʒɪə*] vi: **to ~ (at)** zombar (de)
jelly [ˈdʒɛlɪ] n gelatina; (jam) geléia; **jellyfish** [ˈdʒɛlɪfɪʃ] n inv água-viva
jeopardy [ˈdʒɛpədɪ] n: **to be in ~** estar em perigo, estar correndo risco
jerk [dʒəːk] n solavanco, sacudida; (wrench) puxão m; (inf: idiot) babaca m ♦ vt sacudir ♦ vi dar um solavanco
jersey [ˈdʒəːzɪ] n suéter m or f (BR), camisola (PT); (fabric) jérsei m, malha
Jesus [ˈdʒiːzəs] n Jesus m
jet [dʒɛt] n (of gas, liquid) jato; (AVIAT) avião m a jato; (stone) azeviche m; **jet engine** n motor m a jato; **jet lag** n cansaço devido à diferença de fuso horário
jettison [ˈdʒɛtɪsn] vt alijar
jetty [ˈdʒɛtɪ] n quebra-mar m, cais m
Jew [dʒuː] n judeu(-dia) m/f
jewel [ˈdʒuːəl] n jóia; **jeweller** (US **jeweler**) n joalheiro(-a); **jeweller's (shop)** n joalheria; **jewellery** (US **jewelry**) n jóias fpl
Jewess [ˈdʒuːɪs] n (offensive) judia
Jewish [ˈdʒuːɪʃ] adj judeu (judia)

jiffy ['dʒɪfɪ] (*inf*) *n*: **in a ~** num instante
jigsaw ['dʒɪgsɔː] *n* (*also*: **~ puzzle**) quebra-cabeça *m*
jilt [dʒɪlt] *vt* dar o fora em
jingle ['dʒɪŋgl] *n* (*for advert*) música de propaganda ♦ *vi* tilintar, retinir
jinx [dʒɪŋks] (*inf*) *n* caipora, pé *m* frio
job [dʒɔb] *n* trabalho; (*task*) tarefa; (*duty*) dever *m*; (*post*) emprego; **it's not my ~** não faz parte das minhas funções; **it's a good ~ that ...** ainda bem que ...; **just the ~!** justo o que queria!; **jobless** *adj* desempregado
jockey ['dʒɔkɪ] *n* jóquei *m* ♦ *vi*: **to ~ for position** manobrar para conseguir uma posição
jog [dʒɔg] *vt* empurrar, sacudir ♦ *vi* fazer jogging *or* cooper; **jog along** *vi* ir levando; **jogging** *n* jogging *m*
join [dʒɔɪn] *vt* (*things*) juntar, unir; (*queue*) entrar em; (*become member of*) associar-se a; (*meet*) encontrar-se com; (*accompany*) juntar-se a ♦ *vi* (*roads, rivers*) confluir ♦ *n* junção *f*; **join in** *vi* participar ♦ *vt fus* participar em; **join up** *vi* unir-se; (*MIL*) alistar-se
joint [dʒɔɪnt] *n* (*TECH*) junta, união *f*; (*wood*) encaixe *m*; (*ANAT*) articulação *f*; (*BRIT*: *CULIN*) quarto *m*; (*inf*: *place*) espelunca; (: *of marijuana*) baseado ♦ *adj* comum; (*combined*) conjunto; (*committee*) misto
joke [dʒəuk] *n* piada; (*also*: **practical ~**) brincadeira, peça ♦ *vi* brincar; **to play a ~ on** pregar uma peça em; **joker** *n* (*CARDS*) curingão *m*
jolly ['dʒɔlɪ] *adj* (*merry*) alegre; (*enjoyable*) divertido ♦ *adv* (*BRIT*: *inf*) muito, extremamente
jolt [dʒəult] *n* (*shake*) sacudida, solavanco; (*shock*) susto ♦ *vt* sacudir; (*emotionally*) abalar
Jordan ['dʒɔːdən] *n* Jordânia; (*river*) Jordão *m*
jostle ['dʒɔsl] *vt* acotovelar, empurrar
jot [dʒɔt] *n*: **not one ~** nem um pouquinho; **jot down** *vt* anotar; **jotter** (*BRIT*) *n* bloco (de anotações)
journal ['dʒəːnl] *n* jornal *m*; (*magazine*) revista; (*diary*) diário; **journalism** *n* jornalismo; **journalist** *n* jornalista *m/f*
journey ['dʒəːnɪ] *n* viagem *f*; (*distance covered*) trajeto
joy [dʒɔɪ] *n* alegria; **joyful** *adj* alegre; **joystick** *n* (*AVIAT*) manche *m*, alavanca de controle; (*COMPUT*) joystick *m*
Jr *abbr* = **junior**
judge [dʒʌdʒ] *n* juiz (juíza *m/f*); (*in competition*) árbitro; (*fig*: *expert*) especialista *m/f*, conhecedor(a) *m/f* ♦ *vt* julgar; (*competition*) arbitrar; (*estimate*) avaliar; (*consider*) considerar; **judg(e)ment** *n* juízo; (*opinion*) opinião *f*; (*discernment*) discernimento
judo ['dʒuːdəu] *n* judô *m*
jug [dʒʌg] *n* jarro
juggernaut ['dʒʌgənɔːt] (*BRIT*) *n* (*huge truck*) jamanta
juggle ['dʒʌgl] *vi* fazer malabarismos; **juggler** *n* malabarista *m/f*
juice [dʒuːs] *n* suco (*BR*), sumo (*PT*); **juicy** *adj* suculento
jukebox ['dʒuːkbɔks] *n* juke-box *m*
July [dʒuːˈlaɪ] *n* julho
jumble ['dʒʌmbl] *n* confusão *f*, mixórdia ♦ *vt* (*also*: **~ up**: *mix up*) misturar; **jumble sale** *n* (*BRIT*) bazar *m*
jumbo (jet) ['dʒʌmbəu-] *n* avião *m* jumbo
jump [dʒʌmp] *vi* saltar, pular; (*start*) sobressaltar-se; (*increase*) disparar ♦ *vt* pular, saltar ♦ *n* pulo, salto; (*increase*) alta; (*fence*) obstáculo; **to ~ the queue** (*BRIT*) furar a fila (*BR*), pôr-se à frente (*PT*)
jumper ['dʒʌmpə*] *n* (*BRIT*: *pullover*) suéter *m* (*BR*), camisola (*PT*); (*US*: *pinafore dress*) avental *m*; **jumper cables** (*US*) *npl* = **jump leads**
jump leads (*BRIT*) *npl* cabos *mpl* para ligar a bateria
jumpy ['dʒʌmpɪ] *adj* nervoso
Jun. *abbr* = **junior**
junction ['dʒʌŋkʃən] (*BRIT*) *n* (*of roads*) cruzamento; (*RAIL*) entroncamento
June [dʒuːn] *n* junho
jungle ['dʒʌŋgl] *n* selva, mato
junior ['dʒuːnɪə*] *adj* (*in age*) mais novo *ou* moço; (*position*) subalterno ♦ *n* jovem *m/f*
junk [dʒʌŋk] *n* (*cheap goods*) tranqueira, velharias *fpl*; (*rubbish*) lixo; **junk food** *n* comida pronta de baixo valor nutritivo; **junk mail** *n* correspondência não-solicitada; **junk shop** *n* loja de objetos usados
Junr *abbr* = **junior**
jury ['dʒuərɪ] *n* júri *m*
just [dʒʌst] *adj* justo ♦ *adv* (*exactly*) justamente, exatamente; (*only*) apenas, somente; **he's ~ done it/left** ele acabou (*BR*) *or* acaba (*PT*) de fazê-lo/ir; **~ right** perfeito; **~ two o'clock** duas (horas) em ponto; **she's ~ as clever as you** ela é tão inteligente como você; **it's ~ as well that ...** ainda bem que ...; **~ as he was leaving** no momento em que ele saía; **~ before/enough** justo antes/o suficiente;

justice → kit

~ **here** bem aqui; **he ~ missed** falhou por pouco; **~ listen** escute aqui!
justice ['dʒʌstɪs] n justiça; (US: judge) juiz (juíza) m/f; **to do ~ to** (fig) apreciar devidamente
justify ['dʒʌstɪfaɪ] vt justificar
jut [dʒʌt] vi (also: **~ out**) sobressair
juvenile ['dʒuːvənaɪl] adj juvenil; (court) de menores; (books) para adolescentes; (humour, mentality) infantil ♦ n menor m/f de idade

K k

K abbr (= kilobyte) K ♦ n abbr (= one thousand) mil
kangaroo [kæŋɡə'ruː] n canguru m
karate [kə'rɑːtɪ] n karatê m
kebab [kə'bæb] n churrasquinho, espetinho
keen [kiːn] adj (interest, desire) grande, vivo; (eye, intelligence) penetrante; (competition) acirrado, intenso; (edge) afiado; (eager) entusiasmado; **to be ~ to do** or **on doing sth** sentir muita vontade de fazer algo; **to be ~ on sth/sb** gostar de algo/alguém
keep [kiːp] (pt, pp **kept**) vt guardar, ficar com; (house etc) cuidar; (detain) deter; (shop etc) tomar conta de; (preserve) conservar; (accounts, family) manter; (promise) cumprir; (chickens, bees etc) criar; (prevent): **to ~ sb from doing sth** impedir alguém de fazer algo ♦ vi (food) conservar-se; (remain) ficar ♦ n (of castle) torre f de menagem; (food etc): **to earn one's ~** ganhar a vida; (inf): **for ~s** para sempre; **to ~ doing sth** continuar fazendo algo; **to ~ sb happy** manter alguém satisfeito; **to ~ a place tidy** manter um lugar limpo; **keep on** vi: **to ~ on doing** continuar fazendo; **to ~ on** (**about sth**) falar sem parar sobre algo; **keep out** vt impedir de entrar; **"~ out"** "entrada proibida"; **keep up** vt manter ♦ vi não atrasar-se, acompanhar; **to ~ up with** (pace) acompanhar; (level) manterse ao nível de; **keeper** n guarda m, guardião(-diã) m/f; **keep fit** n ginástica
kennel ['kɛnl] n casa de cachorro; **~s** n (establishment) canil m
kerb [kəːb] (BRIT) n meio-fio (BR), borda do passeio (PT)
kernel ['kəːnl] n amêndoa; (fig) cerne m
kettle ['kɛtl] n chaleira
key [kiː] n chave f; (MUS) clave f; (of piano, typewriter) tecla ♦ cpd (issue etc) chave ♦ vt (also: **~ in**) colocar; **keyboard** n teclado; **keyhole** n buraco da fechadura; **keyring** n chaveiro
khaki ['kɑːkɪ] adj cáqui
kick [kɪk] vt dar um pontapé em; (ball) chutar; (inf: habit) conseguir superar ♦ vi (horse) dar coices ♦ n (from person) pontapé m; (from animal) coice m, patada; (to ball) chute m; (inf: thrill): **he does it for ~s** faz isso para curtir; **kick off** vi (SPORT) dar o chute inicial
kid [kɪd] n (inf: child) criança; (animal) cabrito; (leather) pelica ♦ vi (inf) brincar
kidnap ['kɪdnæp] vt seqüestrar; **kidnapper** n seqüestrador(a) m/f; **kidnapping** n seqüestro
kidney ['kɪdnɪ] n rim m
kill [kɪl] vt matar; (murder) assassinar ♦ n ato de matar; **killer** n assassino(-a); **killing** n assassinato; **to make a killing** (inf) faturar uma boa nota; **killjoy** n desmancha-prazeres m inv
kiln [kɪln] n forno
kilo ['kiːləu] n quilo; **kilobyte** n quilobyte m; **kilogram(me)** n quilograma m; **kilometre** (US **kilometer**) n quilômetro; **kilowatt** n quilowatt m
kilt [kɪlt] n saiote m escocês
kin [kɪn] n see **next**
kind [kaɪnd] adj (friendly) gentil; (generous) generoso; (good) bom (boa), bondoso, amável; (voice) suave ♦ n espécie f, classe f; (species) gênero; **in ~** (COMM) em espécie
kindergarten ['kɪndəɡɑːtn] n jardim m de infância
kind-hearted adj de bom coração, bondoso
kindly ['kaɪndlɪ] adj bom (boa), bondoso; (gentle) gentil, carinhoso ♦ adv bondosamente, amavelmente; **will you ~ ...** você pode fazer o favor de ...
kindness ['kaɪndnɪs] n bondade f, gentileza
king [kɪŋ] n rei m; **kingdom** n reino; **kingfisher** n martim-pescador m; **king-size(d)** adj tamanho grande
kiosk ['kiːɔsk] n banca (BR), quiosque m (PT); (BRIT: TEL) cabine f
kipper ['kɪpə*] n arenque defumado
kiss [kɪs] n beijo ♦ vt beijar; **to ~ (each other)** beijar-se; **kiss of life** (BRIT) n respiração f artificial
kit [kɪt] n (for sport etc) kit m; (equipment) equipamento; (tools) caixa de ferramentas; (for assembly) kit m para montar

kitchen ['kɪtʃɪn] n cozinha; **kitchen sink** n pia (de cozinha)
kite [kaɪt] n (toy) papagaio, pipa
kitten ['kɪtn] n gatinho
kitty ['kɪtɪ] n fundo comum, vaquinha
km abbr (= kilometre) km
knack [næk] n jeito
knapsack ['næpsæk] n mochila
knead [niːd] vt amassar
knee [niː] n joelho; **kneecap** n rótula
kneel [niːl] (pt, pp **knelt**) vi (also: ~ **down**) ajoelhar-se
knew [njuː] pt of **know**
knickers ['nɪkəz] (BRIT) npl calcinha (BR), cuecas fpl (PT)
knife [naɪf] (pl **knives**) n faca ♦ vt esfaquear
knight [naɪt] n cavaleiro; (CHESS) cavalo; **knighthood** (BRIT) n (title): **to get a knighthood** receber o título de Sir
knit [nɪt] vt tricotar; (brows) franzir ♦ vi tricotar (BR), fazer malha (PT); (bones) consolidar-se; **knitting** n tricô m; **knitting needle** n agulha de tricô (BR) or de malha (PT); **knitwear** n roupa de malha
knives [naɪvz] npl of **knife**
knob [nɔb] n (of door) maçaneta; (of stick) castão m; (on TV etc) botão m
knock [nɔk] vt bater em; (bump into) colidir com; (inf) criticar, malhar ♦ n pancada, golpe m; (on door) batida ♦ vi: **to ~ at** or **on the door** bater à porta; **knock down** vt derrubar; (pedestrian) atropelar; **knock off** vi (inf: finish) terminar ♦ vt (inf: steal) abafar; (from price): **to ~ off £10** fazer um desconto de £10; **knock out** vt pôr nocaute, nocautear; (defeat) eliminar; **knock over** vt derrubar; (pedestrian) atropelar; **knocker** n aldrava
knot [nɔt] n nó m ♦ vt dar nó em
know [nəʊ] (pt **knew**, pp **known**) vt saber; (person, author, place) conhecer; **to ~ how to swim** saber nadar; **to ~ about** or **of sth** saber de algo; **know-how** n know-how m, experiência; **knowingly** adv de propósito; (spitefully) maliciosamente
knowledge ['nɔlɪdʒ] n conhecimento; (learning) saber m, conhecimentos mpl; **knowledgeable** adj entendido, versado
knuckle ['nʌkl] n nó m
Koran [kɔ'rɑːn] n: **the ~** o Alcorão
Korea [kə'rɪə] n Coréia
kosher ['kəʊʃə*] adj kosher inv
Kosovo ['kɔsəvəʊ] n Kosovo m

L l

L (BRIT) abbr (AUT) of **learner**
lab [læb] n abbr = **laboratory**
label ['leɪbl] n etiqueta, rótulo ♦ vt etiquetar, rotular
labor etc ['leɪbə*] (US) = **labour** etc
laboratory [lə'bɔrətərɪ] n laboratório
labour ['leɪbə*] (US **labor**) n trabalho; (workforce) mão-de-obra f; (MED): **to be in ~** estar em trabalho de parto ♦ vi trabalhar ♦ vt insistir em; **the Labour Party** (BRIT) o Partido Trabalhista; **labourer** n operário; **farm labourer** trabalhador m rural, peão m
lace [leɪs] n renda; (of shoe etc) cadarço ♦ vt (shoe) amarrar
lack [læk] n falta ♦ vt (money, confidence) faltar; (intelligence) carecer de; **through** or **for ~ of** por falta de; **to be ~ing** faltar; **to be ~ing in** carecer de
lacquer ['lækə*] n laca; (hair ~) fixador m
lad [læd] n menino, rapaz m, moço
ladder ['lædə*] n escada f de mão; (BRIT: in tights) defeito (em forma de escada)
laden ['leɪdn] adj: ~ **(with)** carregado (de)
ladle ['leɪdl] n concha (de sopa)
lady ['leɪdɪ] n senhora; (distinguished, noble) dama; (in address): **ladies and gentlemen ...** senhoras e senhores ...; **young ~** senhorita; **"ladies' (toilets)"** "senhoras"; **ladybird** (US **ladybug**) n joaninha; **ladylike** adj elegante, refinado
lag [læg] n atraso, retardamento ♦ vi (also: ~ **behind**) ficar para trás ♦ vt (pipes) revestir com isolante térmico
lager ['lɑːgə*] n cerveja leve e clara
lagoon [lə'guːn] n lagoa
laid [leɪd] pt, pp of **lay**; **laid-back** (inf) adj descontraído; **laid up** adj: **to be laid up with flu** ficar de cama com gripe
lain [leɪn] pp of **lie**
lake [leɪk] n lago
lamb [læm] n cordeiro
lame [leɪm] adj coxo, manco; (excuse, argument) pouco convincente, fraco
lament [lə'mɛnt] n lamento, queixa ♦ vt lamentar-se de
laminated ['læmɪneɪtɪd] adj laminado
lamp [læmp] n lâmpada; **lamppost** (BRIT) n poste m; **lampshade** n abajur m, quebra-luz m

lance → lavish

lance [lɑːns] n lança ♦ vt (MED) lancetar
land [lænd] n terra; (country) país m; (piece of ~) terreno; (estate) terras fpl, propriedades fpl ♦ vi (from ship) desembarcar; (AVIAT) pousar, aterrissar (BR), aterrar (PT); (fig: arrive) cair, terminar ♦ vt desembarcar; **to ~ sb with sth** (inf) sobrecarregar alguém com algo; **land up** vi ir parar; **landing** n (AVIAT) pouso, aterrissagem f (BR), aterragem f (PT); (of staircase) patamar m; **landing strip** n pista de aterrissagem (BR) or de aterragem (PT); **landlady** n senhoria; (of pub) dona, proprietária; **landlord** n senhorio, locador m; (of pub) dono, proprietário; **landmark** n lugar m conhecido; (fig) marco; **landowner** n latifundiário(-a)
landscape ['lændskeɪp] n paisagem f
landslide ['lændslaɪd] n (GEO) desmoronamento, desabamento; (fig: POL) vitória esmagadora
lane [leɪn] n caminho, estrada estreita; (AUT) pista; (in race) raia
language ['læŋgwɪdʒ] n língua; (way one speaks) linguagem f; **bad ~** palavrões mpl; **language laboratory** n laboratório de línguas
lank [læŋk] adj (hair) liso
lanky ['læŋkɪ] adj magricela
lantern ['læntn] n lanterna
lap [læp] n (of track) volta; (of person) colo ♦ vt (also: **~ up**) lamber ♦ vi (waves) marulhar; **lap up** vt (fig) receber com sofreguidão
lapel [lə'pɛl] n lapela
Lapland ['læplænd] n Lapônia
lapse [læps] n lapso; (bad behaviour) deslize m ♦ vi (law) prescrever; **to ~ into bad habits** adquirir maus hábitos
laptop (computer) ['læptɔp-] n laptop m
lard [lɑːd] n banha de porco
larder ['lɑːdə*] n despensa
large [lɑːdʒ] adj grande; **at ~** (free) em liberdade; (generally) em geral; **largely** adv em grande parte; (introducing reason) principalmente; **large-scale** adj (map) em grande escala; (fig) importante, de grande alcance
lark [lɑːk] n (bird) cotovia; (joke) brincadeira, peça; **lark about** vi divertir-se, brincar
laryngitis [lærɪn'dʒaɪtɪs] n laringite f
laser ['leɪzə*] n laser m; **laser printer** n impressora a laser
lash [læʃ] n (blow) chicotada; (also: **eye~**) pestana, cílio ♦ vt chicotear, açoitar; (subj: rain, wind) castigar; (tie) atar; **lash out** vi: **to ~ out at sb** atacar alguém violentamente; (criticize) atacar alguém verbalmente
lass [læs] (BRIT) n moça
lasso [læ'suː] n laço
last [lɑːst] adj último; (final) derradeiro ♦ adv em último lugar ♦ vi durar; (continue) continuar; **~ night/week** ontem à noite/na semana passada; **at ~** finalmente; **~ but one** penúltimo; **lasting** adj duradouro; **lastly** adv por fim, por último; (finally) finalmente; **last-minute** adj de última hora
latch [lætʃ] n trinco, fecho, tranca
late [leɪt] adj (not on time) atrasado; (far on in day etc) tardio; (former) antigo, ex-, anterior; (dead) falecido ♦ adv tarde; (behind time, schedule) atrasado; **of ~** recentemente; **in ~ May** no final de maio; **latecomer** n retardatário(-a); **lately** adv ultimamente
later ['leɪtə*] adj (date etc) posterior; (version etc) mais recente ♦ adv mais tarde, depois; **~ on** mais tarde
latest ['leɪtɪst] adj último; **at the ~** no mais tardar
lathe [leɪð] n torno
lather ['lɑːðə*] n espuma (de sabão) ♦ vt ensaboar
Latin ['lætɪn] n (LING) latim m ♦ adj latino; **Latin America** n América Latina; **Latin American** adj, n latino-americano(-a)
latitude ['lætɪtjuːd] n latitude f
latter ['lætə*] adj último; (of two) segundo ♦ n: **the ~** o último, este
laugh [lɑːf] n riso, risada ♦ vi rir, dar risada (or gargalhada); **(to do sth) for a ~** (fazer algo) só de curtição; **laugh at** vt fus rir de; **laugh off** vt disfarçar sorrindo; **laughable** adj ridículo, absurdo; **laughter** n riso, risada
launch [lɔːntʃ] n (boat) lancha; (COMM, of rocket etc) lançamento ♦ vt lançar; **launch into** vt fus lançar-se a
launderette [lɔːndə'rɛt] (BRIT) n lavanderia automática
Laundromat ['lɔːndrəmæt] ® (US) n = **launderette**
laundry [lɔːndrɪ] n lavanderia; (clothes) roupa para lavar
laurel ['lɔrl] n loureiro
lava ['lɑːvə] n lava
lavatory ['lævətərɪ] n privada (BR), casa de banho (PT)
lavender ['lævəndə*] n lavanda
lavish ['lævɪʃ] adj (amount) generoso; (person): **~ with** pródigo em, generoso

law → ledge

com ♦ vt: **to ~ sth on sb** encher or cobrir alguém de algo
law [lɔ:] n lei f; (*rule*) regra; (*SCH*) direito; **law-abiding** adj obediente à lei; **law and order** n a ordem pública; **law court** n tribunal m de justiça; **lawful** adj legal, lícito
lawn [lɔ:n] n gramado (*BR*), relvado (*PT*); **lawnmower** n cortador m de grama (*BR*) or de relva (*PT*); **lawn tennis** n tênis m de gramado (*BR*) or de relvado (*PT*)
law school (*US*) n faculdade f de direito
lawsuit ['lɔ:su:t] n ação f judicial, processo
lawyer ['lɔ:jə*] n advogado(-a); (*for sales, wills etc*) notário(-a), tabelião(-liã) m/f
lax [læks] adj (*discipline*) relaxado; (*person*) negligente
laxative ['læksətɪv] n laxante m
lay [leɪ] (*pt, pp* **laid**) pt of **lie** ♦ adj leigo ♦ vt colocar; (*eggs, table*) pôr; **lay aside** or **by** vt pôr de lado; **lay down** vt depositar; (*rules etc*) impor, estabelecer; **to ~ down the law** (*pej*) impor regras; **to ~ down one's life** sacrificar voluntariamente a vida; **lay off** vt (*workers*) demitir; **lay on** vt (*meal etc*) prover; **lay out** vt (*spread out*) dispor em ordem; **layabout** (*inf*) n vadio(-a), preguiçoso(-a); **lay-by** (*BRIT*) n acostamento
layer ['leɪə*] n camada
layman ['leɪmən] (*irreg*) n leigo
layout ['leɪaʊt] n (*of garden, building*) desenho; (*of writing*) leiaute m
laze [leɪz] vi (*also:* **~ about**) vadiar
lazy ['leɪzɪ] adj preguiçoso; (*movement*) lento
lb. abbr = **pound** (*weight*)
lead¹ [li:d] (*pt, pp* **led**) n (*front position*) dianteira; (*SPORT*) liderança; (*fig*) vantagem f; (*clue*) pista; (*ELEC*) fio; (*for dog*) correia; (*in play, film*) papel m principal ♦ vt levar; (*be leader of*) chefiar; (*start, guide: activity*) encabeçar ♦ vi encabeçar; **to be in the ~** (*SPORT: in race*) estar na frente; (: *in match*) estar ganhando; **to ~ the way** assumir a direção; **lead away** vt levar; **lead back** vt levar de volta; **lead on** vt (*tease*) provocar; **lead to** vt fus levar a, conduzir a; **lead up to** vt fus conduzir a
lead² [lɛd] n chumbo; (*in pencil*) grafite f
leader ['li:də*] n líder m/f; **leadership** n liderança; (*quality*) poder m de liderança
lead-free [lɛd-] adj sem chumbo
leading ['li:dɪŋ] adj principal; (*role*) de destaque; (*first, front*) primeiro, dianteiro

lead singer [li:d-] n cantor(a) m/f
leaf [li:f] (*pl* **leaves**) n folha ♦ vi: **to ~ through** (*book*) folhear; **to turn over a new ~** mudar de vida, partir para outra (*inf*)
leaflet ['li:flɪt] n folheto
league [li:g] n liga; **to be in ~ with** estar de comum acordo com
leak [li:k] n (*of liquid, gas*) escape m, vazamento; (*hole*) buraco, rombo; (*in roof*) goteira; (*fig: of information*) vazamento ♦ vi (*ship*) fazer água; (*shoe*) deixar entrar água; (*roof*) gotejar; (*pipe, container, liquid*) vazar; (*gas*) escapar ♦ vt (*news*) vazar
lean [li:n] (*pt, pp* **~ed** or **~t**) adj magro ♦ vt: **to ~ sth on** encostar or apoiar algo em ♦ vi inclinar-se; **to ~ against** encostar-se or apoiar-se contra; **to ~ on** encostar-se or apoiar-se em; **lean forward/back** vi inclinar-se para frente/ para trás; **lean out** vi inclinar-se; **lean over** vi debruçar-se ♦ vt fus debruçar-se sobre
leap [li:p] (*pt, pp* **~ed** or **~t**) n salto, pulo ♦ vi saltar; **leap year** n ano bissexto
learn [lə:n] (*pt, pp* **~ed** or **~t**) vt aprender; (*by heart*) decorar ♦ vi aprender; **to ~ about sth** (*SCH: hear, read*) saber de algo; **learned** ['lə:nɪd] adj erudito; **learner** n principiante m/f; (*BRIT: also:* **learner driver**) aprendiz m/f de motorista
lease [li:s] n arrendamento ♦ vt arrendar
leash [li:ʃ] n correia
least [li:st] adj: **the ~ +** n o(a) menor; (*smallest amount of*) a menor quantidade de ♦ adv: **the ~ +** adj o(a) menos; **at ~** pelo menos; **not in the ~** de maneira nenhuma
leather ['lɛðə*] n couro
leave [li:v] (*pt, pp* **left**) vt deixar; (*go away from*) abandonar ♦ vi ir-se, sair; (*train*) sair ♦ n licença; **to ~ sth to sb** deixar algo para alguém; **to be left** sobrar; **leave behind** vt deixar para trás; (*forget*) esquecer; **leave out** vt omitir
leaves [li:vz] npl of **leaf**
Lebanon ['lɛbənən] n Líbano
lecherous ['lɛtʃərəs] (*pej*) adj lascivo
lecture ['lɛktʃə*] n conferência, palestra; (*SCH*) aula ♦ vi dar aulas, lecionar ♦ vt (*scold*) passar um sermão em; **lecturer** (*BRIT*) n (*at university*) professor(a) m/f
led [lɛd] pt, pp of **lead¹**
ledge [lɛdʒ] n (*of window*) peitoril m; (*of mountain*) saliência, proeminência

ledger → librarian

ledger ['lɛdʒə*] n livro-razão m, razão m
leech [li:tʃ] n sanguessuga
leek [li:k] n alho-poró m
leeway ['li:weɪ] n (fig): **to have some ~** ter certa liberdade de ação
left [lɛft] pt, pp of **leave** ♦ adj esquerdo ♦ n esquerda ♦ adv à esquerda; **on the ~** à esquerda; **to the ~** para a esquerda; **the Left** (POL) a Esquerda; **left-handed** adj canhoto; **left-hand side** n lado esquerdo; **left-luggage (office)** (BRIT) n depósito de bagagem; **leftovers** npl sobras fpl; **left-wing** adj (POL) de esquerda, esquerdista
leg [lɛg] n perna; (of animal) pata; (CULIN: of meat) perna; (of journey) etapa; **lst/2nd ~** (SPORT) primeiro/segundo turno
legacy ['lɛgəsɪ] n legado; (fig) herança
legal ['li:gl] adj legal
legend ['lɛdʒənd] n lenda; (person) mito
leggings ['lɛgɪŋz] npl legging f
legislation [lɛdʒɪs'leɪʃən] n legislação f
legislature ['lɛdʒɪslətʃə*] n legislatura
legitimate [lɪ'dʒɪtɪmət] adj legítimo
leg-room n espaço para as pernas
leisure ['lɛʒə*] n lazer m; **at ~** desocupado, livre
lemon ['lɛmən] n limão(-galego) m; **lemonade** [lɛmə'neɪd] n limonada; **lemon tea** n chá m de limão
lend [lɛnd] (pt, pp lent) vt emprestar
length [lɛŋθ] n comprimento, extensão f; (amount of time) duração f; **at ~** (at last) finalmente, afinal; (lengthily) por extenso; **lengthen** vt encompridar, alongar ♦ vi encompridar-se; **lengthways** adv longitudinalmente, ao comprido; **lengthy** adj comprido, longo; (meeting) prolongado
lenient ['li:nɪənt] adj indulgente
lens [lɛnz] n (of spectacles) lente f; (of camera) objetiva
Lent [lɛnt] n Quaresma
lent [lɛnt] pt, pp of **lend**
lentil ['lɛntl] n lentilha
Leo ['li:əu] n Leão m
leotard ['li:əta:d] n collant m
leprosy ['lɛprəsɪ] n lepra
lesbian ['lɛzbɪən] n lésbica
less [lɛs] adj, pron, adv menos ♦ prep: **~ tax/10% discount** menos imposto/10% de desconto; **~ than ever** menos do que nunca; **~ and ~** cada vez menos; **the ~ he works ...** quanto menos trabalha ...
lessen ['lɛsn] vi diminuir, minguar ♦ vt diminuir, reduzir
lesser ['lɛsə*] adj menor; **to a ~ extent** nem tanto
lesson ['lɛsn] n aula; (example, warning) lição f; **to teach sb a ~** (fig) dar uma lição em alguém
let [lɛt] (pt, pp let) vt (allow) deixar; (BRIT: lease) alugar; **to ~ sb know sth** avisar alguém de algo; **~'s go!** vamos!; **"to ~"** "aluga-se"; **let down** vt (tyre) esvaziar; (disappoint) desapontar; **let go** vt, vi soltar; **let in** vt deixar entrar; (visitor etc) fazer entrar; **let off** vt (culprit) perdoar; (firework etc) soltar; **let on** vi revelar; **let out** vt deixar sair; (scream) soltar; **let up** vi cessar, afrouxar
lethal ['li:θl] adj letal
letter ['lɛtə*] n (of alphabet) letra; (correspondence) carta; **letter bomb** n carta-bomba; **letterbox** (BRIT) n caixa do correio; **lettering** n letras fpl
lettuce ['lɛtɪs] n alface f
leukaemia [lu:'ki:mɪə] (US **leukemia**) n leucemia
level ['lɛvl] adj (flat) plano ♦ adv: **to draw ~ with** alcançar ♦ n nível m; (height) altura ♦ vt aplanar; **to be ~ with** estar no mesmo nível que; **on the ~** em nível; (fig: honest) sincero; **"A" levels** (BRIT) npl ≈ vestibular m; **"O" levels** npl exames optativos feitos após o término do 10 Grau; **level off** or **out** vi (prices etc) estabilizar-se; **level crossing** (BRIT) n passagem f de nível; **level-headed** adj sensato
lever ['li:və*] n alavanca; (fig) estratagema m; **leverage** n força de uma alavanca; (fig: influence) influência
lewd [lu:d] adj obsceno, lascivo
liability [laɪə'bɪlətɪ] n responsabilidade f; (handicap) desvantagem f; **liabilities** npl (COMM) exigibilidades fpl, obrigações fpl
liable ['laɪəbl] adj (subject): **~ to** sujeito a; (responsible): **~ for** responsável por; (likely): **~ to do** capaz de fazer
liaise [li:'eɪz] vi: **to ~ (with)** cooperar (com)
liaison [li:'eɪzɔn] n (coordination) ligação f; (affair) relação f amorosa
liar ['laɪə*] n mentiroso(-a)
libel ['laɪbl] n difamação f ♦ vt caluniar, difamar
liberal ['lɪbərl] adj liberal; (generous) generoso
liberation [lɪbə'reɪʃən] n liberação f, libertação f
liberty ['lɪbətɪ] n liberdade f; (criminal): **to be at ~** estar livre; **to be at ~ to do** ser livre de fazer
Libra ['li:brə] n Libra, Balança
librarian [laɪ'brɛərɪən] n bibliotecário(-a)

library ['laɪbrərɪ] n biblioteca
Libya ['lɪbɪə] n Líbia
lice [laɪs] npl of **louse**
licence ['laɪsns] (US **license**) n (gen, COMM) licença; (AUT) carta de motorista (BR), carta de condução (PT)
license ['laɪsns] n (US) = **licence** ♦ vt autorizar, dar licença a; **licensed** adj (car) autorizado oficialmente; (for alcohol) autorizado para vender bebidas alcoólicas; **license plate** (US) n (AUT) placa (de identificação) (do carro)
lick [lɪk] vt lamber; (inf: defeat) arrasar, surrar; **to ~ one's lips** (also fig) lamber os beiços
lid [lɪd] n tampa; (eye~) pálpebra
lie [laɪ] (pt **lay**, pp **lain**) vi (act) deitar-se; (state) estar deitado; (object: be situated) estar, encontrar-se; (fig: problem, cause) residir; (in race, league) ocupar; (tell ~s: pt, pp **~d**) mentir ♦ n mentira; **to ~ low** (fig) esconder-se; **lie about** or **around** vi (things) estar espalhado; (people) vadiar; **lie-in** (BRIT) n: **to have a lie-in** dormir até tarde
lieutenant [lɛf'tɛnənt, (US) lu:'tɛnənt] n (MIL) tenente m
life [laɪf] (pl **lives**) n vida; **to come to ~** animar-se; **lifebelt** (BRIT) n cinto salva-vidas; **lifeboat** n barco salva-vidas; **lifeguard** n (guarda m/f) salva-vidas m/f inv; **life jacket** n colete m salva-vidas; **lifeless** adj sem vida; **lifelike** adj natural; (realistic) realista; **lifelong** adj que dura toda a vida; **life preserver** (US) n = **lifebelt**; **life jacket**; **life sentence** n pena de prisão perpétua; **life-size(d)** adj de tamanho natural; **life-span** n vida, duração f; **life style** n estilo de vida; **lifetime** n vida
lift [lɪft] vt levantar ♦ vi (fog) dispersar-se, dissipar-se ♦ n (BRIT: elevator) elevador m; **to give sb a ~** (BRIT) dar uma carona para alguém (BR), dar uma boleia a alguém (PT); **lift-off** n decolagem f
light [laɪt] (pt, pp **lit**) n luz f; (AUT: headlight) farol m; (: rear ~) luz traseira; (for cigarette etc): **have you got a ~?** tem fogo? ♦ vt acender; (room) iluminar ♦ adj (colour, room) claro; (not heavy, fig) leve; (rain, traffic) fraco; (movement) delicado; **~s** npl (AUT) sinal m de trânsito; **to come to ~** vir à tona; **in the ~ of** à luz de; **light up** vi iluminar-se ♦ vt iluminar; **light bulb** n lâmpada; **lighten** vt tornar mais leve; **lighter** n (also: **cigarette lighter**) isqueiro, acendedor m; **light-hearted** adj alegre, despreocupado; **lighthouse** n farol m; **lighting** n iluminação f; **lightly** adv ligeiramente; **to get off lightly** conseguir se safar, livrar a cara (inf)
lightning ['laɪtnɪŋ] n relâmpago, raio
light pen n caneta leitora
lightweight ['laɪtweɪt] adj (suit) leve; (BOXING) peso-leve
like [laɪk] vt gostar de ♦ prep como; (such as) tal qual ♦ adj parecido, semelhante ♦ n: **the ~** coisas fpl parecidas; **his ~s and dislikes** seus gostos e aversões; **I would ~, I'd ~** (eu) gostaria de; **to be** or **look ~ sb/sth** parecer-se com alguém/ algo, parecer alguém/algo; **do it ~ this** faça isso assim; **it is nothing ~ ...** não se parece nada com ...; **likeable** adj simpático, agradável
likelihood ['laɪklɪhud] n probabilidade f
likely ['laɪklɪ] adj provável; **he's ~ to leave** é provável que ele se vá; **not ~!** (inf) nem morto!
likeness ['laɪknɪs] n semelhança; **that's a good ~** tem uma grande semelhança
likewise ['laɪkwaɪz] adv igualmente; **to do ~** fazer o mesmo
liking ['laɪkɪŋ] n afeição f, simpatia; **to be to sb's ~** ser ao gosto de alguém
lilac ['laɪlək] n lilás m
lily ['lɪlɪ] n lírio, açucena
limb [lɪm] n membro
limbo ['lɪmbəu] n: **to be in ~** (fig) viver na expectativa
lime [laɪm] n (tree) limeira; (fruit) limão m; (also: **~ juice**) suco (BR) or sumo (PT) de limão; (GEO) cal f
limelight ['laɪmlaɪt] n: **to be in the ~** ser o centro das atenções
limerick ['lɪmərɪk] n quintilha humorística
limestone ['laɪmstəun] n pedra calcária
limit ['lɪmɪt] n limite m ♦ vt limitar; **limited** adj limitado; **to be limited to** limitar-se a
limp [lɪmp] n: **to have a ~** mancar, ser coxo ♦ vi mancar ♦ adj frouxo
limpet ['lɪmpɪt] n lapa
line [laɪn] n linha; (rope) corda; (wire) fio; (row) fila, fileira; (on face) ruga ♦ vt (road, room) encarreirar; (container, clothing) forrar; **to ~ the streets** ladear as ruas; **in ~ with** de acordo com; **line up** vi enfileirar-se ♦ vt enfileirar; (set up, have ready) preparar, arranjar
lined [laɪnd] adj (face) enrugado; (paper) pautado
linen ['lɪnɪn] n artigos de cama e mesa; (cloth) linho
liner ['laɪnə*] n navio de linha regular;

linesman → lodge

(*also:* **bin ~**) saco para lata de lixo
linesman ['laɪnzmən] (*irreg*) n (SPORT) juiz m de linha
linger ['lɪŋgə*] vi demorar-se, retardar-se; (*smell, tradition*) persistir
linguistics [lɪŋˈgwɪstɪks] n lingüística
lining ['laɪnɪŋ] n forro; (ANAT) parede f
link [lɪŋk] n (*of a chain*) elo; (*connection*) conexão f ♦ vt vincular, unir; (*associate*): **to ~ with** *or* **to** unir a; **~s** npl (GOLF) campo de golfe; **link up** vt acoplar ♦ vi unir-se
lion ['laɪən] n leão m; **lioness** n leoa
lip [lɪp] n lábio; **lipread** (*irreg*) vi ler os lábios; **lip salve** n pomada para os lábios; **lipstick** n batom m
liqueur [lɪˈkjuə*] n licor m
liquid ['lɪkwɪd] adj líquido ♦ n líquido
liquidize ['lɪkwɪdaɪz] (BRIT) vt (CULIN) liqüidificar, passar no liqüidificador; **liquidizer** (BRIT) n liqüidificador m
liquor ['lɪkə*] n licor m, bebida alcoólica
liquor store (US) n loja que vende bebidas alcoólicas
Lisbon ['lɪzbən] n Lisboa
lisp [lɪsp] n ceceio ♦ vi cecear, falar com a língua presa
list [lɪst] n lista ♦ vt (*write down*) fazer uma lista *or* relação de; (*enumerate*) enumerar
listen ['lɪsn] vi escutar, ouvir; **to ~ to** escutar; **listener** n ouvinte m/f
lit [lɪt] pt, pp of **light**
liter ['li:tə*] (US) n = **litre**
literacy ['lɪtərəsɪ] n capacidade f de ler e escrever, alfabetização f
literal ['lɪtərl] adj literal
literary ['lɪtərərɪ] adj literário
literate ['lɪtərət] adj alfabetizado, instruído; (*educated*) culto, letrado
literature ['lɪtərɪtʃə*] n literatura; (*brochures etc*) folhetos mpl
litre ['li:tə*] (US **liter**) n litro
litter ['lɪtə*] n (*rubbish*) lixo; (*young animals*) ninhada; **litter bin** (BRIT) n lata de lixo
little ['lɪtl] adj (*small*) pequeno; (*not much*) pouco ♦ *often translated by suffix: eg:* **~ house** casinha ♦ adv pouco; **a ~** um pouco (de); **for a ~ while** por um instante; **as ~ as possible** o menos possível; **~ by ~** pouco a pouco
live [vb lɪv, adj laɪv] vi viver; (*reside*) morar ♦ adj vivo; (*wire*) eletrizado; (*broadcast*) ao vivo; (*shell*) carregado; **~ ammunition** munição de guerra; **live down** vt redimir; **live on** vt fus viver de,

alimentar-se de; **to ~ on £50 a week** viver com £50 por semana; **live together** vi viver juntos; **live up to** vt fus (*fulfil*) cumprir
livelihood ['laɪvlɪhud] n meio de vida, subsistência
lively ['laɪvlɪ] adj vivo
liven up ['laɪvn-] vt animar ♦ vi animar-se
liver ['lɪvə*] n fígado
lives [laɪvz] npl of **life**
livestock ['laɪvstɔk] n gado
livid ['lɪvɪd] adj lívido; (*inf: furious*) furioso
living ['lɪvɪŋ] adj vivo ♦ n: **to earn** *or* **make a ~** ganhar a vida; **living room** n sala de estar
lizard ['lɪzəd] n lagarto
load [ləud] n carga; (*weight*) peso ♦ vt (*gen*, COMPUT) carregar; **a ~ of, ~s of** (*fig*) um monte de, uma porção de; **loaded** adj (*question*) intencionado; (*inf: rich*) cheio da nota; (*vehicle*): **to be loaded with** estar carregado de
loaf [ləuf] (pl **loaves**) n pão-de-forma m
loan [ləun] n empréstimo ♦ vt emprestar; **on ~** emprestado
loath [ləuθ] adj: **to be ~ to do sth** estar pouco inclinado a fazer algo, relutar em fazer algo
loathe [ləuð] vt detestar, odiar
loaves [ləuvz] npl of **loaf**
lobby ['lɔbɪ] n vestíbulo, saguão m; (POL: *pressure group*) grupo de pressão, lobby m ♦ vt pressionar
lobster ['lɔbstə*] n lagostim m; (*large*) lagosta
local ['ləukl] adj local ♦ n (*pub*) bar m (local); **the ~s** npl (~ *inhabitants*) os moradores locais; **local anaesthetic** n anestesia local
locate [ləuˈkeɪt] vt (*find*) localizar, situar; (*situate*): **to be ~d in** estar localizado em
location [ləuˈkeɪʃən] n local m, posição f; **on ~** (CINEMA) em externas
loch [lɔx] n lago
lock [lɔk] n (*of door, box*) fechadura; (*of canal*) eclusa; (*of hair*) anel m, mecha ♦ vt (*with key*) trancar ♦ vi (*door etc*) fechar-se à chave; (*wheels*) travar-se; **lock in** vt trancar dentro; **lock out** vt trancar do lado de fora; **lock up** vt (*criminal, mental patient*) prender; (*house*) trancar ♦ vi fechar tudo
locker ['lɔkə*] n compartimento com chave
locket ['lɔkɪt] n medalhão m
locksmith ['lɔksmɪθ] n serralheiro(-a)
lodge [lɔdʒ] n casa do guarda, guarita; (*hunting*) pavilhão m de caça ♦ vi

(*person*): **to ~ (with)** alojar-se (na casa de) ♦ *vt* (*complaint*) apresentar; **lodger** *n* inquilino(-a), hóspede *m/f*
lodgings ['lɔdʒɪŋz] *npl* quarto (mobiliado)
loft [lɔft] *n* sótão *m*
lofty ['lɔftɪ] *adj* (*haughty*) altivo, arrogante; (*sentiments, aims*) nobre
log [lɔg] *n* (*of wood*) tora; (*book*) = **logbook** ♦ *vt* registrar
logbook ['lɔgbuk] *n* (NAUT) diário de bordo; (AVIAT) diário de vôo; (*of car*) documentação *f* (do carro)
logic ['lɔdʒɪk] *n* lógica; **logical** *adj* lógico
loin [lɔɪn] *n* (CULIN) (carne *f* de) lombo
loiter ['lɔɪtəʳ] *vi* perder tempo
lollipop ['lɔlɪpɔp] *n* pirulito (BR), chupa-chupa *m* (PT)
London ['lʌndən] *n* Londres; **Londoner** *n* londrino(-a)
lone [ləʊn] *adj* (*person*) solitário; (*thing*) único
loneliness ['ləʊnlɪnɪs] *n* solidão *f*, isolamento
lonely ['ləʊnlɪ] *adj* (*person*) só; (*place*) solitário, isolado
long [lɔŋ] *adj* longo; (*road, hair, table*) comprido ♦ *adv* muito tempo ♦ *vi*: **to ~ for sth** ansiar or suspirar por algo; **how ~ is the street?** qual é a extensão da rua?; **how ~ is the lesson?** quanto dura a lição?; **all night ~** a noite inteira; **he no ~er comes** ele não vem mais; **~ before/after** muito antes/depois; **before ~** (+ *future*) dentro de pouco; (+ *past*) pouco tempo depois; **at ~ last** por fim, no final; **so** or **as ~ as** contanto que; **long-distance** *adj* (*travel*) de longa distância; (*call*) interurbano; **longhand** *n* escrita usual; **longing** *n* desejo, anseio
longitude ['lɔŋgɪtjuːd] *n* longitude *f*
long: long jump *n* salto em distância; **long-range** *adj* de longo alcance; (*forecast*) a longo prazo; **long-sighted** *adj* presbita; **long-standing** *adj* de muito tempo; **long-suffering** *adj* paciente, resignado; **long-term** *adj* a longo prazo; **long wave** *n* (RADIO) onda longa; **long-winded** *adj* prolixo, cansativo
loo [luː] *n* (BRIT: *inf*) *n* banheiro (BR), casa de banho (PT)
look [luk] *vi* olhar; (*seem*) parecer; (*building etc*): **to ~ south/(out) onto the sea** dar para o sul/o mar ♦ *n* olhar *m*; (*glance*) olhada, vista de olhos; (*appearance*) aparência, aspecto; **~s** *npl* (*good ~s*) físico, aparência; **~ (here)!**

(*annoyance*) escuta aqui!; **~!** (*surprise*) olhal; **look after** *vt fus* cuidar de; (*deal with*) lidar com; **look at** *vt fus* olhar (para); (*read quickly*) ler rapidamente; (*consider*) considerar; **look back** *vi*: **to ~ back on** (*remember*) recordar, rever; **look down on** *vt fus* (*fig*) desdenhar, desprezar; **look for** *vt fus* procurar; **look forward to** *vt fus* aguardar com prazer, ansiar por; (*in letter*): **we ~ forward to hearing from you** no aguardo de suas notícias; **look into** *vt fus* investigar; **look on** *vi* assistir; **look out** *vi* (*beware*): **to ~ out (for)** tomar cuidado (com); **look out for** *vt fus* (*await*) esperar; **look round** *vi* virar a cabeça, voltar-se; **look through** *vt fus* (*papers, book*) examinar; **look to** *vt fus* (*rely on*) contar com; **look up** *vi* levantar os olhos; (*improve*) melhorar ♦ *vt* (*word*) procurar
loop [luːp] *n* laço ♦ *vt*: **to ~ sth round sth** prender algo em torno de algo
loose [luːs] *adj* solto; (*not tight*) frouxo ♦ *n*: **to be on the ~** estar solto; **loose change** *n* trocado; **loosely** *adv* frouxamente, folgadamente; **loosen** *vt* (*free*) soltar; (*slacken*) afrouxar
loot [luːt] *n* saque *m*, despojo ♦ *vt* saquear, pilhar
lopsided [lɔp'saɪdɪd] *adj* torto
lord [lɔːd] *n* senhor *m*; **L~ Smith** Lord Smith; **the L~** (REL) o Senhor; **good L~!** Deus meu!; **the (House of) L~s** (BRIT) a Câmara dos Lordes
lorry ['lɔrɪ] (BRIT) *n* caminhão *m* (BR), camião *m* (PT); **lorry driver** (BRIT) *n* caminhoneiro (BR), camionista *m/f* (PT)
lose [luːz] (*pt, pp* **lost**) *vt, vi* perder; **to ~ (time)** (*clock*) atrasar-se; **loser** *n* perdedor(a) *m/f*, (*inf: failure*) derrotado(-a), fracassado(-a)
loss [lɔs] *n* perda; (COMM): **to make a ~** sair com prejuízo; **heavy ~es** (MIL) grandes perdas; **to be at a ~** estar perplexo
lost [lɔst] *pt, pp of* **lose** ♦ *adj* perdido; **~ and found** (US) (seção *f* de) perdidos e achados *mpl*; **lost property** (BRIT) *n* (objetos *mpl*) perdidos e achados *mpl*
lot [lɔt] *n* (*set of things*) porção *f*; (*at auctions*) lote *m*; **the ~** tudo, todos(-as); **a ~** muito, bastante; **a ~ of, ~s of** muito(s); **I read a ~** leio bastante; **to draw ~s** tirar à sorte
lotion ['ləʊʃən] *n* loção *f*
lottery ['lɔtərɪ] *n* loteria
loud [laʊd] *adj* (*voice*) alto; (*shout*) forte; (*noise*) barulhento; (*support,*

lounge → lyrics

condemnation) veemente; (*gaudy*) berrante ♦ *adv* alto; **out ~** em voz alta; **loudly** *adv* ruidosamente; (*aloud*) em voz alta; **loudspeaker** *n* alto-falante *m*

lounge [laundʒ] *n* sala *f* de estar; (*of airport*) salão *m*; (BRIT: *also*: **~ bar**) bar *m* social ♦ *vi* recostar-se, espreguiçar-se; **lounge about** *vi* ficar à-toa; **lounge around** *vi* = **lounge about**; **lounge suit** (BRIT) *n* terno (BR), fato (PT)

louse [laus] (*pl* **lice**) *n* piolho

lousy ['lauzi] (*inf*) *adj* ruim, péssimo; (*ill*): **to feel ~** sentir-se mal

lout [laut] *n* rústico, grosseiro

lovable ['lʌvəbl] *adj* adorável, simpático

love [lʌv] *n* amor *m* ♦ *vt* amar; (*care for*) gostar; (*activity*): **to ~ to do** gostar (muito); **~ (from) Anne** (*on letter*) um abraço *or* um beijo, Anne; **I ~ coffee** adoro o café; **"15 ~"** (TENNIS) "15 a zero"; **to be in ~ with** estar apaixonado por; **to fall in ~ with** apaixonar-se por; **to make ~** fazer amor; **love affair** *n* aventura (amorosa), caso (de amor); **love life** *n* vida sentimental

lovely ['lʌvlɪ] *adj* encantador(a), delicioso; (*beautiful*) lindo, belo; (*holiday*) muito agradável, maravilhoso

lover ['lʌvə*] *n* amante *m/f*

loving ['lʌvɪŋ] *adj* carinhoso, afetuoso; (*actions*) dedicado

low [ləu] *adj* baixo; (*depressed*) deprimido; (*ill*) doente ♦ *adv* baixo ♦ *n* (METEOROLOGY) área de baixa pressão; **to be ~ on** (*supplies*) ter pouco; **to reach a new** *or* **an all-time ~** cair para o seu nível mais baixo; **low-alcohol** *adj* de baixo teor alcoólico; **low-calorie** *adj* de baixas calorias; **low-cut** *adj* (*dress*) decotado; **lower** *adj* mais baixo; (*less important*) inferior ♦ *vt* abaixar; (*reduce*) reduzir, diminuir; **low-fat** *adj* magro; **lowlands** *npl* planície *f*; **lowly** *adj* humilde

loyal ['lɔɪəl] *adj* leal; **loyalty** *n* lealdade *f*; **loyalty card** *n* (BRIT) cartão *m* de fidelidade

lozenge ['lɔzɪndʒ] *n* (MED) pastilha

LP *n* *abbr* (= *long-playing record*) elepê *m* (BR), LP *m* (PT)

L-plates ['ɛlpleɪts] (BRIT) *npl* placas *fpl* de aprendiz de motorista

Ltd (BRIT) *abbr* (= *limited (liability) company*) SA

lubricate ['lu:brɪkeɪt] *vt* lubrificar

luck [lʌk] *n* sorte *f*; **bad ~** azar *m*; **good ~!** boa sorte!; **bad** *or* **hard** *or* **tough ~!** que azar!; **luckily** *adv* por sorte, felizmente; **lucky** *adj* (*person*) sortudo; (*situation*) afortunado; (*object*) de sorte

ludicrous ['lu:dɪkrəs] *adj* ridículo

lug [lʌg] (*inf*) *vt* arrastar

luggage ['lʌgɪdʒ] *n* bagagem *f*; **luggage rack** *n* porta-bagagem *m*, bagageiro

lukewarm ['lu:kwɔ:m] *adj* morno, tépido; (*fig*) indiferente

lull [lʌl] *n* pausa, interrupção *f* ♦ *vt*: **to ~ sb to sleep** acalentar alguém; **to be ~ed into a false sense of security** ser acalmado com uma falsa sensação de segurança

lullaby ['lʌləbaɪ] *n* canção *f* de ninar

lumber ['lʌmbə*] *n* (*junk*) trastes *mpl* velhos; (*wood*) madeira serrada, tábua ♦ *vt*: **to ~ sb with sth/sb** empurrar algo/alguém para cima de alguém; **lumberjack** *n* madeireiro, lenhador *m*

luminous ['lu:mɪnəs] *adj* luminoso

lump [lʌmp] *n* torrão *m*; (*fragment*) pedaço; (*on body*) galo, caroço; (*also*: **sugar ~**) cubo de açúcar ♦ *vt*: **to ~ together** amontoar; **a ~ sum** uma quantia global; **lumpy** *adj* encaroçado

lunatic ['lu:nətɪk] *adj* louco(-a)

lunch [lʌntʃ] *n* almoço

luncheon ['lʌntʃən] *n* almoço formal; **luncheon meat** *n* bolo de carne

lung [lʌŋ] *n* pulmão *m*

lunge [lʌndʒ] *vi* (*also*: **~ forward**) dar estocada *or* bote; **to ~ at** arremeter-se contra

lurch [lə:tʃ] *vi* balançar ♦ *n* solavanco; **to leave sb in the ~** deixar alguém em apuros, deixar alguém na mão (*inf*)

lure [luə*] *n* isca ♦ *vt* atrair, seduzir

lurid ['luərɪd] *adj* horrível

lurk [lə:k] *vi* (*hide*) esconder-se; (*wait*) estar à espreita

luscious ['lʌʃəs] *adj* (*person, thing*) atraente; (*food*) delicioso

lush [lʌʃ] *adj* exuberante

lust [lʌst] *n* luxúria; (*greed*) cobiça; **lust after** *or* **for** *vt fus* cobiçar

Luxembourg ['lʌksəmbə:g] *n* Luxemburgo

luxurious [lʌg'zjuərɪəs] *adj* luxuoso

luxury ['lʌkʃərɪ] *n* luxo ♦ *cpd* de luxo

lying ['laɪɪŋ] *n* mentira(s) *f* (*pl*) ♦ *adj* mentiroso, falso

lyrical ['lɪrɪkəl] *adj* lírico

lyrics ['lɪrɪks] *npl* (*of song*) letra

M m

m *abbr* (= *metre*) m; (= *mile*) mil.; = **million**

M.A. *abbr* (*SCH*) = **Master of Arts**

mac [mæk] (*BRIT*) *n* capa impermeável

Macao [mə'kau] *n* Macau

macaroni [mækə'rəunɪ] *n* macarrão *m*

machine [mə'ʃiːn] *n* máquina ♦ *vt* (*dress etc*) costurar à máquina; (*TECH*) usinar; **machine gun** *n* metralhadora; **machinery** *n* maquinaria; (*fig*) máquina

mackerel ['mækrl] *n inv* cavala

mackintosh ['mækɪntɔʃ] (*BRIT*) *n* capa impermeável

mad [mæd] *adj* louco; (*foolish*) tolo; (*angry*) furioso, brabo; (*keen*): **to be ~ about** ser louco por

madam ['mædəm] *n* senhora, madame *f*

madden ['mædn] *vt* exasperar

made [meɪd] *pt*, *pp of* **make**

Madeira [mə'dɪərə] *n* (*GEO*) Madeira; (*wine*) vinho Madeira *m*

made-to-measure (*BRIT*) *adj* feito sob medida

madly ['mædlɪ] *adv* loucamente; **~ in love** louco de amor

madman ['mædmən] (*irreg*) *n* louco

madness ['mædnɪs] *n* loucura; (*foolishness*) tolice *f*

magazine [mægə'ziːn] *n* (*PRESS*) revista; (*RADIO*, *TV*) programa *m* de atualidades

maggot ['mægət] *n* larva de inseto

magic ['mædʒɪk] *n* magia, mágica ♦ *adj* mágico; **magical** *adj* mágico; **magician** [mə'dʒɪʃən] *n* mago(-a); (*entertainer*) mágico(-a)

magistrate ['mædʒɪstreɪt] *n* magistrado(-a), juiz (juíza) *m/f*

magnet ['mægnɪt] *n* ímã *m*; **magnetic** [mæg'netɪk] *adj* magnético

magnificent [mæg'nɪfɪsnt] *adj* magnífico

magnify ['mægnɪfaɪ] *vt* aumentar; **magnifying glass** *n* lupa, lente *f* de aumento

magnitude ['mægnɪtjuːd] *n* magnitude *f*

magpie ['mægpaɪ] *n* pega

mahogany [mə'hɔgənɪ] *n* mogno, acaju *m*

maid [meɪd] *n* empregada; **old ~** (*pej*) solteirona

maiden name *n* nome *m* de solteira

mail [meɪl] *n* correio; (*letters*) cartas *fpl* ♦ *vt* pôr no correio; **mailbox** (*US*) *n* caixa do correio; **mailing list** *n* lista de clientes, mailing list *m*; **mail order** *n* pedido por reembolso postal

maim [meɪm] *vt* mutilar, aleijar

main [meɪn] *adj* principal ♦ *n* (*pipe*) cano or esgoto principal; **the ~s** *npl* (*ELEC*, *gas*, *water*) a rede; **in the ~** na maior parte; **mainframe** *n* (*COMPUT*) mainframe *m*; **mainland** *n*: **the mainland** o continente; **mainly** *adv* principalmente; **main road** *n* estrada principal; **mainstay** *n* (*fig*) esteio; **mainstream** *n* corrente *f* principal

maintain [meɪn'teɪn] *vt* manter; (*keep up*) conservar (em bom estado); (*affirm*) sustentar, afirmar; **maintenance** ['meɪntənəns] *n* manutenção *f*; (*alimony*) alimentos *mpl*, pensão *f* alimentícia

maize [meɪz] *n* milho

majestic [mə'dʒestɪk] *adj* majestoso

majesty ['mædʒɪstɪ] *n* majestade *f*

major ['meɪdʒə*] *n* (*MIL*) major *m* ♦ *adj* (*main*) principal; (*considerable*) importante; (*MUS*) maior

Majorca [mə'jɔːkə] *n* Maiorca

majority [mə'dʒɔrɪtɪ] *n* maioria

make [meɪk] (*pt*, *pp* **made**) *vt* fazer; (*manufacture*) fabricar, produzir; (*cause to be*): **to ~ sb sad** entristecer alguém, fazer alguém ficar triste; (*force*): **to ~ sb do sth** fazer com que alguém faça algo; (*equal*): **2 and 2 ~ 4** dois e dois são quatro ♦ *n* marca; **to ~ a profit/loss** ter um lucro/uma perda; **to ~ it** (*arrive*) chegar; (*succeed*) ter sucesso; **what time do you ~ it?** que horas você tem?; **to ~ do with** contentar-se com; **make for** *vt fus* (*place*) dirigir-se a; **make out** *vt* (*decipher*) decifrar; (*understand*) compreender; (*see*) divisar, avistar; (*cheque*) preencher; **make up** *vt* (*constitute*) constituir; (*invent*) inventar; (*parcel*) embrulhar ♦ *vi* reconciliar-se; (*with cosmetics*) maquilar-se (*BR*), maquilhar-se (*PT*); **make up for** *vt fus* compensar; **make-believe** *n*: **a world of make-believe** um mundo de faz-de-conta; **maker** *n* (*of film etc*) criador *m*; (*manufacturer*) fabricante *m/f*

makeshift *adj* provisório; **make-up** *n* maquilagem *f* (*BR*), maquilhagem *f* (*PT*)

malaria [mə'lɛərɪə] *n* malária

Malaysia [mə'leɪzɪə] *n* Malaísia (*BR*), Malásia (*PT*)

male [meɪl] *n* macho ♦ *adj* masculino; (*child sex*) do sexo masculino

malevolent [mə'lɛvələnt] *adj* malévolo

malfunction [mæl'fʌŋkʃən] *n* funcionamento defeituoso

malice ['mælɪs] *n* (*ill will*) malícia; (*rancour*) rancor *m*; **malicious** [mə'lɪʃəs] *adj* malevolente

malignant → mark

malignant [məˈlɪgnənt] *adj* (MED) maligno

mall [mɔ:l] *n* (also: **shopping ~**) shopping *m*

mallet [ˈmælɪt] *n* maço, marreta

malt [mɔ:lt] *n* malte *m*

Malta [ˈmɔ:ltə] *n* Malta

mammal [ˈmæml] *n* mamífero

mammoth [ˈmæməθ] *n* mamute *m* ♦ *adj* gigantesco, imenso

man [mæn] (*pl* **men**) *n* homem *m* ♦ *vt* (NAUT) tripular; (MIL) guarnecer; (*machine*) operar; **an old ~** um velho; **~ and wife** marido e mulher

manage [ˈmænɪdʒ] *vi* arranjar-se, virar-se ♦ *vt* (*be in charge of*) dirigir, administrar; (*business*) gerenciar; (*ship, person*) controlar; **manageable** *adj* manejável; (*task etc*) viável; **management** *n* administração *f*, direção *f*, gerência *f*; **manager** *n* gerente *m/f*; (SPORT) técnico (-a); **manageress** [mænɪdʒəˈrɛs] *n* gerente *f*; **managerial** [mænɪˈdʒɪərɪəl] *adj* administrativo, gerencial; **managing director** *n* diretor(a) *m/f* geral, diretor-gerente (diretora-gerente) *m/f*

mandarin [ˈmændərɪn] *n* (*fruit*) tangerina; (*person*) mandarim *m*

mandatory [ˈmændətərɪ] *adj* obrigatório

mane [meɪn] *n* (*of horse*) crina; (*of lion*) juba

maneuver [məˈnu:və*] (US) = **manoeuvre**

mangle [ˈmæŋgl] *vt* mutilar, estropiar

mango [ˈmæŋgəu] (*pl* **~es**) *n* manga

mangy [ˈmeɪndʒɪ] *adj* sarnento, esfarrapado

manhandle [ˈmænhændl] *vt* maltratar

manhole [ˈmænhəul] *n* poço de inspeção

manhood [ˈmænhud] *n* (*age*) idade *f* adulta; (*masculinity*) virilidade *f*

man-hour *n* hora-homem *f*

manhunt [ˈmænhʌnt] *n* caça ao homem

mania [ˈmeɪnɪə] *n* mania; **maniac** [ˈmeɪnɪæk] *n* maníaco(-a); (*fig*) louco(-a)

manic [ˈmænɪk] *adj* maníaco

manicure [ˈmænɪkjuə*] *n* manicure *f* (BR), manicura (PT)

manifest [ˈmænɪfɛst] *vt* manifestar, mostrar ♦ *adj* manifesto, evidente

manipulate [məˈnɪpjuleɪt] *vt* manipular

mankind [mænˈkaɪnd] *n* humanidade *f*, raça humana

man-made *adj* sintético, artificial

manner [ˈmænə*] *n* modo, maneira; (*behaviour*) conduta, comportamento; (*type*): **all ~ of things** todos os tipos de coisa; **~s** *npl* (*conduct*) boas maneiras *fpl*, educação *f*; **bad ~s** falta de educação; **all ~ of** todo tipo de; **mannerism** *n* maneirismo, hábito

manoeuvre [məˈnu:və*] (US **maneuver**) *vt* manobrar; (*manipulate*) manipular ♦ *vi* manobrar ♦ *n* manobra

manor [ˈmænə*] *n* (also: **~ house**) casa senhorial, solar *m*

manpower [ˈmænpauə*] *n* potencial *m* humano, mão-de-obra *f*

mansion [ˈmænʃən] *n* mansão *f*, palacete *m*

manslaughter [ˈmænslɔ:tə*] *n* homicídio involuntário

mantelpiece [ˈmæntlpi:s] *n* consolo da lareira

manual [ˈmænjuəl] *adj* manual ♦ *n* manual *m*

manufacture [mænjuˈfæktʃə*] *vt* manufaturar, fabricar ♦ *n* fabricação *f*; **manufacturer** *n* fabricante *m/f*

manure [məˈnjuə*] *n* estrume *m*, adubo

manuscript [ˈmænjuskrɪpt] *n* manuscrito

many [ˈmɛnɪ] *adj, pron* muitos(-as); **a great ~** muitíssimos; **~ a time** muitas vezes

map [mæp] *n* mapa *m*; **map out** *vt* traçar

maple [ˈmeɪpl] *n* bordo

mar [mɑ:*] *vt* estragar

marathon [ˈmærəθən] *n* maratona

marble [ˈmɑ:bl] *n* mármore *m*; (*toy*) bola de gude

March [mɑ:tʃ] *n* março

march [mɑ:tʃ] *vi* marchar; (*demonstrators*) desfilar ♦ *n* marcha; passeata

mare [mɛə*] *n* égua

margarine [mɑ:dʒəˈri:n] *n* margarina

margin [ˈmɑ:dʒɪn] *n* margem *f*; **marginal** *adj* marginal; **marginal seat** (POL) cadeira ganha por pequena maioria

marigold [ˈmærɪgəuld] *n* malmequer *m*

marijuana [mærɪˈwɑ:nə] *n* maconha

marine [məˈri:n] *adj* marinho; (*engineer*) naval ♦ *n* fuzileiro naval

marital [ˈmærɪtl] *adj* matrimonial, marital; **~ status** estado civil

marjoram [ˈmɑ:dʒərəm] *n* manjerona

mark [mɑ:k] *n* marca, sinal *m*; (*imprint*) impressão *f*; (*stain*) mancha; (BRIT: SCH) nota; (*currency*) marco ♦ *vt* marcar; (*stain*) manchar; (*indicate*) indicar; (*commemorate*) comemorar; (BRIT: SCH) dar nota em; (: *correct*) corrigir; **to ~ time** marcar passo; **marker** *n* (*sign*) marcador *m*, marca; (*bookmark*) marcador

market → maximum

market ['mɑ:kɪt] n mercado ♦ vt (COMM) comercializar; **market garden** (BRIT) n horta; **marketing** n marketing m; **marketplace** n mercado; **market research** n pesquisa de mercado
marksman ['mɑ:ksmən] (irreg) n bom atirador m
marmalade ['mɑ:məleɪd] n geléia de laranja
maroon [mə'ru:n] vt: **to be ~ed** ficar abandonado (numa ilha) ♦ adj de cor castanho-avermelhado, vinho inv
marquee [mɑ:'ki:] n toldo, tenda
marriage ['mærɪdʒ] n casamento
married ['mærɪd] adj casado; (life, love) conjugal
marrow ['mærəʊ] n medula; (vegetable) abóbora
marry ['mærɪ] vt casar(-se) com; (subj: father, priest etc) casar, unir ♦ vi (also: **get married**) casar(-se)
Mars [mɑ:z] n Marte m
marsh [mɑ:ʃ] n pântano; (salt ~) marisma
marshal ['mɑ:ʃl] n (MIL: also: **field ~**) marechal m; (at sports meeting etc) oficial m ♦ vt (thoughts, support) organizar; (soldiers) formar
martyr ['mɑ:tə*] n mártir m/f
marvel ['mɑ:vl] n maravilha ♦ vi: **to ~ (at)** maravilhar-se (de or com); **marvellous** (US **marvelous**) adj maravilhoso
Marxist ['mɑ:ksɪst] adj, n marxista m/f
marzipan ['mɑ:zɪpæn] n maçapão m
mascara [mæs'kɑ:rə] n rímel ® m
masculine ['mæskjulɪn] adj masculino
mash [mæʃ] vt (CULIN) fazer um purê de; (crush) amassar; **mashed potatoes** n purê m de batatas
mask [mɑ:sk] n máscara ♦ vt (face) encobrir; (feelings) esconder, ocultar
mason ['meɪsn] n (also: **stone ~**) pedreiro(-a) (also: **free~**) maçom m; **masonry** n alvenaria
mass [mæs] n quantidade f; (people) multidão f; (PHYS) massa; (REL) missa; (great quantity) montão m ♦ cpd de massa ♦ vi reunir-se; (MIL) concentrar-se; **the ~es** npl (ordinary people) as massas; **~es of** (inf) montes de
massacre ['mæsəkə*] n massacre m, carnificina
massage ['mæsɑ:ʒ] n massagem f
massive ['mæsɪv] adj (large) enorme; (support) massivo
mass media npl meios mpl de comunicação de massa, mídia
mass production n produção f em massa, fabricação f em série
mast [mɑ:st] n (NAUT) mastro m; (RADIO etc) antena
master ['mɑ:stə*] n mestre m; (fig: of situation) dono; (in secondary school) professor m; (title for boys): **M~ X** o menino X ♦ vt controlar; (learn) conhecer a fundo; **masterly** adj magistral; **mastermind** n (fig) cabeça ♦ vt dirigir, planejar; **Master of Arts/Science** (degree) mestrado; **masterpiece** n obra-prima
mat [mæt] n esteira; (also: **door~**) capacho; (also: **table~**) descanso
match [mætʃ] n fósforo; (game) jogo, partida; (equal) igual m/f ♦ vt (also: **~ up**) casar, emparelhar; (go well with) combinar com; (equal) igualar; (correspond to) corresponder a ♦ vi combinar; (couple) formar um bom casal; **matchbox** n caixa de fósforos; **matching** adj que combina (com)
mate [meɪt] n (inf) colega m/f; (assistant) ajudante m/f; (animal) macho/fêmea; (in merchant navy) imediato ♦ vi acasalar-se
material [mə'tɪərɪəl] n (substance) matéria; (equipment) material m; (cloth) pano, tecido; (data) dados mpl ♦ adj material; **~s** npl (equipment) material
maternal [mə'tə:nl] adj maternal
maternity [mə'tə:nɪtɪ] n maternidade f
mathematical [mæθə'mætɪkl] adj matemático
mathematics [mæθə'mætɪks] n matemática
maths [mæθs] (US **math**) n matemática
matrimony ['mætrɪmənɪ] n matrimônio, casamento
matron ['meɪtrən] n (in hospital) enfermeira-chefe f; (in school) inspetora
matted ['mætɪd] adj emaranhado
matter ['mætə*] n questão f, assunto; (PHYS) matéria; (substance) substância; (reading ~ etc) material m; (MED: pus) pus m ♦ vi importar; **~s** npl (affairs) questões fpl; **it doesn't ~** não importa; (I don't mind) tanto faz; **what's the ~?** o que (é que) há?, qual é o problema?; **no ~ what** aconteça o que acontecer; **as a ~ of course** por rotina; **as a ~ of fact** na realidade, de fato; **matter-of-fact** adj prosaico, prático
mattress ['mætrɪs] n colchão m
mature [mə'tjuə*] adj maduro; (cheese, wine) amadurecido ♦ vi amadurecer
maul [mɔ:l] vt machucar, maltratar
mauve [məʊv] adj cor de malva inv
maximum ['mæksɪməm] (pl **maxima** or

May → member

~s adj máximo ♦ n máximo
May [meɪ] n maio
may [meɪ] (pt, conditional **might**) aux vb (indicating possibility): **he ~ come** pode ser que ele venha, é capaz de vir; (be allowed to): **~ I smoke?** posso fumar?; (wishes): **~ God bless you!** que Deus lhe abençoe
maybe ['meɪbi:] adv talvez; **~ not** talvez não
mayhem ['meɪhɛm] n caos m
mayonnaise [meɪə'neɪz] n maionese f
mayor [mɛə*] n prefeito (BR), presidente m do município (PT); **mayoress** n prefeita (BR), presidenta do município (PT)
maze [meɪz] n labirinto
me [mi:] pron me; (stressed, after prep) mim; **he heard ~** ele me ouviu; **it's ~** sou eu; **he gave ~ the money** ele deu o dinheiro para mim; **give it to ~** dê-mo; **with ~** comigo; **without ~** sem mim
meadow ['mɛdəʊ] n prado, campina
meagre ['mi:gə*] (us **meager**) adj escasso
meal [mi:l] n refeição f; (flour) farinha; **mealtime** n hora da refeição
mean [mi:n] (pt, pp **~t**) adj (with money) sovina, avarento, pão-duro inv (BR); (unkind) mesquinho; (shabby) malcuidado, dilapidado; (average) médio ♦ vt (signify) significar, querer dizer; (refer to): **I thought you ~t her** eu pensei que você estivesse se referindo a ela; (intend): **to ~ to do sth** pretender or tencionar fazer algo ♦ n meio, meio termo; **~s** npl (way, money) meios; **by ~s of** por meio de, mediante; **by all ~s!** claro que sim!, pois não; **do you ~ it?** você está falando sério?
meaning ['mi:nɪŋ] n sentido, significado; **meaningful** adj significativo; (relationship) sério; **meaningless** adj sem sentido
meant [mɛnt] pt, pp of **mean**
meantime ['mi:ntaɪm] adv (also: **in the ~**) entretanto, enquanto isso
meanwhile ['mi:nwaɪl] adv = **meantime**
measles ['mi:zlz] n sarampo
measure ['mɛʒə*] vt, vi medir ♦ n medida; (ruler: also: **tape ~**) fita métrica; **measurements** npl (size) medidas fpl
meat [mi:t] n carne f; **cold ~s** (BRIT) frios; **meatball** n almôndega
Mecca ['mɛkə] n Meca; (fig): **a ~ (for)** a meca (de)
mechanic [mɪ'kænɪk] n mecânico; **mechanical** adj mecânico
mechanism ['mɛkənɪzəm] n mecanismo
medal ['mɛdl] n medalha; **medallion** [mɪ'dælɪən] n medalhão m; **medallist** (us **medalist**) n (SPORT) ganhador(a) m/f
meddle ['mɛdl] vi: **to ~ in** meter-se em, intrometer-se em; **to ~ with sth** mexer em algo
media ['mi:dɪə] npl meios mpl de comunicação, mídia
mediaeval [mɛdɪ'i:vl] adj = **medieval**
mediate ['mi:dɪeɪt] vi mediar
Medicaid ['mɛdɪkeɪd] (us) n programa de ajuda médica
medical ['mɛdɪkl] adj médico ♦ n (examination) exame m médico
Medicare ['mɛdɪkɛə*] (us) n sistema federal de seguro saúde
medication [mɛdɪ'keɪʃən] n medicação f
medicine ['mɛdsɪn] n medicina; (drug) remédio, medicamento
medieval [mɛdɪ'i:vl] adj medieval
mediocre [mi:dɪ'əʊkə*] adj medíocre
meditate ['mɛdɪteɪt] vi meditar
Mediterranean [mɛdɪtə'reɪnɪən] adj mediterrâneo; **the ~ (Sea)** o (mar) Mediterrâneo
medium ['mi:dɪəm] (pl **media** or **~s**) adj médio ♦ n (means) meio; (pl **~s**: person) médium m/f
medley ['mɛdlɪ] n mistura; (MUS) potpourri m
meek [mi:k] adj manso, dócil
meet [mi:t] (pt, pp **met**) vt encontrar; (accidentally) topar com, dar de cara com; (by arrangement) encontrar-se com, ir ao encontro de; (for the first time) conhecer; (go and fetch) ir buscar; (opponent, problem) enfrentar; (obligations) cumprir; (need) satisfazer ♦ vi encontrar-se; (for talks) reunir-se; (join) unir-se; (get to know) conhecer-se; **meet with** vt fus reunir-se com; (difficulty) encontrar; **meeting** n encontro; (session: of club etc) reunião f; (assembly) assembléia; (SPORT) corrida
megabyte ['mɛgəbaɪt] n (COMPUT) megabyte m
megaphone ['mɛgəfəʊn] n megafone m
melancholy ['mɛlənkəlɪ] n melancolia ♦ adj melancólico
melody ['mɛlədɪ] n melodia
melon ['mɛlən] n melão m
melt [mɛlt] vi (metal) fundir-se; (snow) derreter ♦ vt derreter; **melt down** vt fundir; **meltdown** n fusão f
member ['mɛmbə*] n membro(-a); (of club) sócio(-a); (ANAT) membro; **M~ of**

memento → middle

Parliament (BRIT) deputado(-a); **membership** n (state) adesão f; (members) número de sócios; **membership card** n carteira de sócio
memento [mə'mɛntəu] n lembrança
memo ['mɛməu] n memorando, nota
memoirs ['mɛmwɑː:z] npl memórias fpl
memorandum [mɛmə'rændəm] (pl **memoranda**) n memorando
memorial [mɪ'mɔːrɪəl] n monumento comemorativo ♦ adj comemorativo
memorize ['mɛməraɪz] vt decorar, aprender de cor
memory ['mɛmərɪ] n memória; (recollection) lembrança
men [mɛn] npl of **man**
menace ['mɛnəs] n ameaça; (nuisance) droga ♦ vt ameaçar
mend [mɛnd] vt consertar, reparar; (darn) remendar ♦ n: **to be on the ~** estar melhorando
menial ['miːnɪəl] adj (often pej) humilde, subalterno
meningitis [mɛnɪn'dʒaɪtɪs] n meningite f
menopause ['mɛnəupɔːz] n menopausa
menstruation [mɛnstru'eɪʃən] n menstruação f
mental ['mɛntl] adj mental; **mentality** [mɛn'tælɪtɪ] n mentalidade f
mention ['mɛnʃən] n menção f ♦ vt (speak of) falar de; **don't ~ it!** não tem de quê!, de nada!
menu ['mɛnjuː] n (set ~, COMPUT) menu m; (printed) cardápio (BR), ementa (PT)
MEP n abbr = **Member of the European Parliament**
mercenary ['məːsɪnərɪ] adj mercenário ♦ n mercenário
merchandise ['məːtʃəndaɪz] n mercadorias fpl
merchant ['məːtʃənt] n comerciante m/f
merciful ['məːsɪful] adj (person) misericordioso, humano; (release) afortunado
merciless ['məːsɪlɪs] adj desumano, inclemente
mercury ['məːkjurɪ] n mercúrio
mercy ['məːsɪ] n piedade f; (REL) misericórdia; **at the ~ of** à mercê de
mere [mɪə*] adj mero, simples inv; **merely** adv simplesmente, somente, apenas
merge [məːdʒ] vt unir ♦ vi unir-se; (COMM) fundir-se; **merger** n fusão f
meringue [mə'ræŋ] n suspiro, merengue m

merit ['mɛrɪt] n mérito; (advantage) vantagem f ♦ vt merecer
mermaid ['məːmeɪd] n sereia
merry ['mɛrɪ] adj alegre; **M~ Christmas!** Feliz Natal!; **merry-go-round** n carrossel m
mesh [mɛʃ] n malha
mesmerize ['mɛzməraɪz] vt hipnotizar
mess [mɛs] n confusão f; (in room) bagunça; (MIL) rancho; **to be in a ~** ser uma bagunça, estar numa bagunça; **mess about** (inf) vi perder tempo; (pass the time) vadiar; **mess with** (inf) vt fus mexer com; **mess around** (inf) vi = **mess about**; **mess around with** (inf) vt fus = **mess about with**; **mess up** vt (spoil) estragar; (dirty) sujar
message ['mɛsɪdʒ] n recado, mensagem f
messenger ['mɛsɪndʒə*] n mensageiro (-a)
Messrs ['mɛsəz] abbr (on letters: = messieurs) Srs
messy ['mɛsɪ] adj (dirty) sujo; (untidy) desarrumado
met [mɛt] pt, pp of **meet**
metal ['mɛtl] n metal m
meteorology [miːtɪə'rɔlədʒɪ] n meteorologia
meter ['miːtə*] n (instrument) medidor m; (also: **parking ~**) parcômetro; (US: unit) = **metre**
method ['mɛθəd] n método; **methodical** [mɪ'θɔdɪkl] adj metódico
metre ['miːtə*] (US **meter**) n metro
metric ['mɛtrɪk] adj métrico
metropolitan [mɛtrə'pɔlɪtən] adj metropolitano
Mexico ['mɛksɪkəu] n México
miaow [miː'au] vi miar
mice [maɪs] npl of **mouse**
micro... [maɪkrəu] prefix micro...; **microchip** n microchip m; **microphone** n microfone m; **microscope** n microscópio; **microwave** n (also: **microwave oven**) forno microondas
mid [mɪd] adj: **~ May/afternoon** meados de maio (meio da tarde); **in ~ air** em pleno ar; **midday** n meio-dia m
middle ['mɪdl] n meio; (waist) cintura ♦ adj meio; (quantity, size) médio, mediano; **middle-aged** adj de meia-idade; **Middle Ages** npl: **the Middle Ages** a Idade Média; **middle class** n: **the middle class(es)** a classe média ♦ adj (also: **middle-class**) de classe

midge → minority

média; **Middle East** n: **the Middle East** o Oriente Médio; **middleman** n intermediário; **middle name** n segundo nome m

midge [mɪdʒ] n mosquito

midget ['mɪdʒɪt] n anão (anã) m/f

Midlands ['mɪdləndz] npl região central da Inglaterra

midnight ['mɪdnaɪt] n meia-noite f

midriff ['mɪdrɪf] n barriga

midst [mɪdst] n: **in the ~ of** no meio de, entre

midsummer [mɪd'sʌmə*] n: **a ~ day** um dia em pleno verão

midway [mɪd'weɪ] adj, adv: **~ (between)** no meio do caminho (entre)

midweek [mɪd'wi:k] adv no meio da semana

midwife ['mɪdwaɪf] (pl **midwives**) n parteira

might [maɪt] see **may** ♦ n poder m, força; **mighty** adj poderoso, forte

migraine ['mi:greɪn] n enxaqueca

migrant ['maɪɡrənt] adj migratório; (worker) emigrante

migrate [maɪ'ɡreɪt] vi emigrar; (birds) arribar

mike [maɪk] n abbr = **microphone**

mild [maɪld] adj (character) pacífico; (climate) temperado; (taste) suave; (illness) leve, benigno; (interest) pequeno

mile [maɪl] n milha (1609 m); **mileage** n número de milhas; (AUT) ~ quilometragem f

milestone ['maɪlstəun] n marco miliário

militant ['mɪlɪtnt] adj, n militante m/f

military ['mɪlɪtərɪ] adj militar

milk [mɪlk] n leite m ♦ vt (cow) ordenhar; (fig) explorar, chupar; **milk chocolate** n chocolate m de leite; **milkman** (irreg) n leiteiro; **milk shake** n milk-shake m, leite m batido com sorvete; **milky** adj leitoso; **Milky Way** n Via Láctea

mill [mɪl] n (wind~ etc) moinho; (coffee ~) moedor m de café; (factory) moinho, engenho ♦ vt moer ♦ vi (also: ~ about) aglomerar-se, remoinhar

millimetre (US **millimeter**) n milímetro

million ['mɪljən] n milhão m; **a ~ times** um milhão de vezes; **millionaire** n milionário(-a)

mime [maɪm] n mimo; (actor) mímico(-a), comediante m/f ♦ vt imitar ♦ vi fazer mímica

mimic ['mɪmɪk] n mímico(-a), imitador(a) m/f ♦ vt imitar, parodiar

min. abbr (= minute, minimum) min.

mince [mɪns] vt moer ♦ vi (in walking) andar com afetação ♦ n (BRIT: CULIN) carne f moída; **mincemeat** n recheio de sebo e frutas picadas; (US: meat) carne f moída; **mince pie** n pastel com recheio de sebo e frutas picadas

mind [maɪnd] n mente f; (intellect) intelecto; (opinion): **to my ~** a meu ver; (sanity): **to be out of one's ~** estar fora de si ♦ vt (attend to, look after) tomar conta de, cuidar de; (be careful of) ter cuidado com; (object to): **I don't ~ the noise** o barulho não me incomoda; **it is on my ~** não me sai da cabeça; **to keep or bear sth in ~** levar algo em consideração, não esquecer-se de algo; **to make up one's ~** decidir-se; **I don't ~** (it doesn't worry me) eu nem ligo; (it's all the same to me) para mim tanto faz; **~ you, ...** se bem que ...; **never ~!** não faz mal!, não importa!; (don't worry) não se preocupe!; "**~ the step**" "cuidado com o degrau"; **mindless** adj (violence) insensato; (job) monótono

mine[1] [maɪn] pron (o) meu m, (a) minha f; **a friend of ~** um amigo meu

mine[2] [maɪn] n mina ♦ vt (coal) extrair, explorar; (ship, beach) minar

miner ['maɪnə*] n mineiro

mineral ['mɪnərəl] adj mineral ♦ n mineral m; **~s** npl (BRIT: soft drinks) refrigerantes mpl; **mineral water** n água mineral

mingle ['mɪŋɡl] vi: **to ~ with** misturar-se com

miniature ['mɪnətʃə*] adj em miniatura ♦ n miniatura

minibus ['mɪnɪbʌs] n microônibus m

MiniDisc ['mɪnɪdɪsk] ® n MiniDisc ® m

minimal ['mɪnɪml] adj mínimo

minimum ['mɪnɪməm] (pl **minima**) adj mínimo ♦ n mínimo

mining ['maɪnɪŋ] n exploração f de minas

miniskirt ['mɪnɪskə:t] n minissaia

minister ['mɪnɪstə*] n (BRIT: POL) ministro (-a); (REL) pastor m ♦ vi: **to ~ to sb** prestar assistência a alguém; **to ~ to sb's needs** atender às necessidades de alguém

ministry ['mɪnɪstrɪ] n (BRIT: POL) ministério; (REL): **to go into the ~** ingressar no sacerdócio

mink [mɪŋk] n marta

minor ['maɪnə*] adj menor; (unimportant) de pouca importância; (MUS) menor ♦ n (LAW) menor m/f de idade

minority [maɪ'nɔrɪtɪ] n minoria

mint → misunderstand

mint [mɪnt] n (*plant*) hortelã f; (*sweet*) bala de hortelã ♦ vt (*coins*) cunhar; **the (Royal) M~** (*BRIT*) *or* **the (US) M~** (*US*) ≈ a Casa da Moeda; **in ~ condition** em perfeito estado

minus ['maɪnəs] n (*also:* **~ sign**) sinal m de subtração ♦ prep menos

minute¹ [maɪ'njuːt] adj miúdo, diminuto; (*search*) minucioso

minute² ['mɪnɪt] n minuto; **~s** npl (*of meeting*) atas fpl; **at the last ~** no último momento

miracle ['mɪrəkl] n milagre m

mirage ['mɪrɑːʒ] n miragem f

mirror ['mɪrə*] n espelho; (*in car*) retrovisor m

mirth [mɜːθ] n risada

misadventure [mɪsəd'vɛntʃə*] n desgraça, infortúnio

misappropriate [mɪsə'prəuprɪeɪt] vt desviar

misbehave [mɪsbɪ'heɪv] vi comportar-se mal

miscarriage ['mɪskærɪdʒ] n (*MED*) aborto (espontâneo); (*failure*): **~ of justice** erro judicial

miscellaneous [mɪsɪ'leɪnɪəs] adj (*items, expenses*) diverso; (*selection*) variado

mischief ['mɪstʃɪf] n (*naughtiness*) travessura; (*fun*) diabrura; (*maliciousness*) malícia; **mischievous** ['mɪstʃɪvəs] adj (*naughty*) travesso; (*playful*) traquino

misconception [mɪskən'sɛpʃən] n concepção f errada, conceito errado

misconduct [mɪs'kɔndʌkt] n comportamento impróprio; **professional ~** má conduta profissional

misdemeanour [mɪsdɪ'miːnə*] (*US* **misdemeanor**) n má ação f, contravenção f

miser ['maɪzə*] n avaro(-a), sovina m/f

miserable ['mɪzərəbl] adj triste; (*wretched*) miserável; (*weather, person*) deprimente; (*contemptible: offer*) desprezível; (*: failure*) humilhante

miserly ['maɪzəlɪ] adj avarento, mesquinho

misery ['mɪzərɪ] n (*unhappiness*) tristeza; (*wretchedness*) miséria

misfire [mɪs'faɪə*] vi falhar

misfit ['mɪsfɪt] n inadaptado(-a), deslocado(-a)

misfortune [mɪs'fɔːtʃən] n desgraça, infortúnio

misgiving(s) [mɪs'gɪvɪŋ(z)] n(pl) mau pressentimento; **to have ~s about sth** ter desconfianças em relação a algo

misguided [mɪs'gaɪdɪd] adj enganado

mishandle [mɪs'hændl] vt manejar mal

mishap ['mɪshæp] n desgraça, contratempo

misinform [mɪsɪn'fɔːm] vt informar mal

misinterpret [mɪsɪn'tə:prɪt] vt interpretar mal

misjudge [mɪs'dʒʌdʒ] vt fazer um juízo errado de, julgar mal

mislay [mɪs'leɪ] (*irreg*) vt extraviar, perder

mislead [mɪs'liːd] (*irreg*) vt induzir em erro, enganar; **misleading** adj enganoso, errôneo

mismanage [mɪs'mænɪdʒ] vt administrar mal; (*situation*) tratar de modo ineficiente

misplace [mɪs'pleɪs] vt extraviar, perder

misprint ['mɪsprɪnt] n erro tipográfico

Miss [mɪs] n Senhorita (*BR*), a menina (*PT*)

miss [mɪs] vt (*train, class, opportunity*) perder; (*fail to hit*) errar, não acertar em; (*fail to see*): **you can't ~ it** e impossível não ver; (*regret the absence of*): **I ~ him** sinto a falta dele ♦ vi falhar ♦ n (*shot*) tiro perdido *or* errado; **miss out** (*BRIT*) vt omitir

misshapen [mɪs'ʃeɪpən] adj disforme

missile ['mɪsaɪl] n míssil m; (*object thrown*) projétil m

missing ['mɪsɪŋ] adj (*pupil*) ausente; (*thing*) perdido; (*removed*) que está faltando; (*MIL*) desaparecido; **to be ~** estar desaparecido; **to go ~** desaparecer

mission ['mɪʃən] n missão f; (*official representatives*) delegação f

mist [mɪst] n (*light*) neblina; (*heavy*) névoa; (*at sea*) bruma ♦ vi (*eyes: also:* **~ over**) enevoar-se; (*BRIT: also:* **~ over, ~ up**: *windows*) embaçar

mistake [mɪs'teɪk] (*irreg*) n erro, engano ♦ vt entender *or* interpretar mal; **by ~** por engano; **to make a ~** fazer um erro; **to ~ A for B** confundir A com B; **mistaken** pp of **mistake** ♦ adj errado; **to be mistaken** enganar-se, equivocar-se

mister ['mɪstə*] (*inf*) n senhor m; see **Mr**

mistletoe ['mɪsltəu] n visco

mistook [mɪs'tuk] pt of **mistake**

mistress ['mɪstrɪs] n (*lover*) amante f; (*of house*) dona (da casa); (*BRIT: in school*) professora, mestra; (*of situation*) dona; see **Mrs**

mistrust [mɪs'trʌst] vt desconfiar de

misty ['mɪstɪ] adj (*day*) nublado; (*glasses etc*) embaçado

misunderstand [mɪsʌndə'stænd] (*irreg*) vt, vi entender *or* interpretar mal; **misunderstanding** n mal-entendido; (*disagreement*) desentendimento

misuse → morale

misuse [n mɪsˈjuːs, vb mɪsˈjuːz] n uso impróprio; (of power) abuso; (of funds) desvio ♦ vt abusar de; desviar
mitigate [ˈmɪtɪgeɪt] vt mitigar, atenuar
mix [mɪks] vt misturar; (combine) combinar ♦ vi (people) entrosar-se ♦ n mistura; (combination) combinação f; **mix up** vt (confuse: things) misturar; (: people) confundir; **mixed** adj misto; **mixed-up** adj confuso; **mixer** n (for food) batedeira; (person) pessoa sociável; **mixture** n mistura; (MED) preparado; **mix-up** n trapalhada, confusão f
mm abbr (= millimetre) mm
moan [məun] n gemido ♦ vi gemer; (inf: complain): **to ~ (about)** queixar-se (de), bufar (sobre) (inf)
moat [məut] n fosso
mob [mɔb] n multidão f ♦ vt cercar
mobile [ˈməubaɪl] adj móvel ♦ n móvel m; **mobile phone** n telefone m celular
mock [mɔk] vt ridicularizar; (laugh at) zombar de, gozar de ♦ adj falso, fingido; (exam etc) simulado; **mockery** n zombaria; **to make a mockery of** ridicularizar
mode [məud] n modo; (of transport) meio
model [ˈmɔdl] n modelo; (ARCH) maquete; (person: for fashion, ART) modelo m/f ♦ adj exemplar ♦ vt modelar ♦ vi servir de modelo; (in fashion) trabalhar como modelo; **to ~ o.s. on** mirar-se em
modem [ˈməudem] n modem m
moderate [adj ˈmɔdərət, vb ˈmɔdəreɪt] adj moderado ♦ vi moderar-se, acalmar-se ♦ vt moderar
modern [ˈmɔdən] adj moderno; **modernize** vt modernizar, atualizar
modest [ˈmɔdɪst] adj modesto; **modesty** n modéstia
modify [ˈmɔdɪfaɪ] vt modificar
moist [mɔɪst] adj úmido (BR), húmido (PT), molhado; **moisten** vt umedecer (BR), humedecer (PT); **moisture** n umidade f (BR), humidade f (PT); **moisturizer** n creme m hidratante
molar [ˈməulə*] n molar m
mold [məuld] (US) n, vt = **mould**
mole [məul] n (animal) toupeira; (spot) sinal m, lunar m; (spy) espião(-piã) m/f
molest [məuˈlest] vt molestar; (attack sexually) atacar sexualmente
mollycoddle [ˈmɔlɪkɔdl] vt mimar
molt [məult] (US) vi = **moult**
molten [ˈməultən] adj fundido; (lava) liquefeito
mom [mɔm] (US) n = **mum**
moment [ˈməumənt] n momento; **at the ~** neste momento; **momentary** adj momentâneo; **momentous** [məuˈmentəs] adj importantíssimo
momentum [məuˈmentəm] n momento; (fig) ímpeto; **to gather ~** ganhar ímpeto
mommy [ˈmɔmɪ] (US) n = **mummy**
Monaco [ˈmɔnəkəu] n Mônaco (no article)
monarch [ˈmɔnək] n monarca m/f; **monarchy** n monarquia
monastery [ˈmɔnəstərɪ] n mosteiro, convento
Monday [ˈmʌndɪ] n segunda-feira
monetary [ˈmʌnɪtərɪ] adj monetário
money [ˈmʌnɪ] n dinheiro; (currency) moeda; **to make ~** ganhar dinheiro; **money order** n vale m (postal)
mongrel [ˈmʌŋgrəl] n (dog) vira-lata m
monitor [ˈmɔnɪtə*] n (TV, COMPUT) terminal m (de vídeo) ♦ vt (heartbeat, pulse) controlar; (broadcasts, progress) monitorar
monk [mʌŋk] n monge m
monkey [ˈmʌŋkɪ] n macaco
monopoly [məˈnɔpəlɪ] n monopólio
monotonous [məˈnɔtənəs] adj monótono
monsoon [mɔnˈsuːn] n monção f
monster [ˈmɔnstə*] n monstro
monstrous [ˈmɔnstrəs] adj (huge) descomunal; (atrocious) monstruoso
month [mʌnθ] n mês m; **monthly** adj mensal ♦ adv mensalmente
monument [ˈmɔnjumənt] n monumento
mood [muːd] n humor m; (of crowd) atmosfera; **to be in a good/bad ~** estar de bom/mau humor; **moody** adj (variable) caprichoso, de veneta; (sullen) rabugento
moon [muːn] n lua; **moonlight** n luar m ♦ vi ter dois empregos, ter um bico; **moonlit** adj: **a moonlit night** uma noite de lua
moor [muə*] n charneca ♦ vt (ship) amarrar ♦ vi fundear, atracar
moorland [ˈmuələnd] n charneca
moose [muːs] n inv alce m
mop [mɔp] n esfregão m; (for dishes) esponja com cabeça; (of hair) grenha ♦ vt esfregar; **mop up** vt limpar
mope [məup] vi estar or andar deprimido or desanimado
moped [ˈməuped] n moto f pequena (BR), motorizada (PT)
moral [ˈmɔrl] adj moral ♦ n moral f; **~s** npl (principles) moralidade f, costumes mpl
morale [mɔˈrɑːl] n moral f, estado de espírito

morality [mə'rælɪtɪ] n moralidade f; (correctness) retidão f, probidade f

---KEYWORD---

more [mɔː*] adj
1 (greater in number etc) mais; **~ people/work/letters than we expected** mais pessoas/trabalho/cartas do que esperávamos
2 (additional) mais; **do you want (some) ~ tea?** você quer mais chá?; **I have no** or **I don't have any ~ money** não tenho mais dinheiro
♦ pron 1 (greater amount) mais; **~ than 10** mais de 10; **it cost ~ than we expected** custou mais do que esperávamos
2 (further or additional amount) mais; **is there any ~?** tem ainda mais?; **there's no ~** não tem mais
♦ adv mais; **~ dangerous/difficult** etc **than** mais perigoso/difícil etc do que; **~ easily (than)** mais fácil (do que); **~ and ~** cada vez mais; **~ or less** mais ou menos; **~ than ever** mais do que nunca

---

moreover [mɔː'rəʊvə*] adv além do mais, além disso

morning ['mɔːnɪŋ] n manhã f; (early ~) madrugada ♦ cpd da manhã; **in the ~** de manhã; **7 o'clock in the ~** (as) 7 da manhã; **morning sickness** n náusea matinal

Morocco [mə'rɔkəʊ] n Marrocos m

moron ['mɔːrɔn] (inf) n débil mental m/f, idiota m/f

Morse [mɔːs] n (also: **~ code**) código Morse

morsel ['mɔːsl] n (of food) bocado

mortar ['mɔːtə*] n (cannon) morteiro; (CONSTR) argamassa; (dish) pilão m, almofariz m

mortgage ['mɔːɡɪdʒ] n hipoteca ♦ vt hipotecar

mortuary ['mɔːtjʊərɪ] n necrotério

mosaic [məʊ'zeɪɪk] n mosaico

Moscow ['mɔskəʊ] n Moscou (BR), Moscovo (PT)

Moslem ['mɔzləm] adj, n = **Muslim**

mosque [mɔsk] n mesquita

mosquito [mɔs'kiːtəʊ] (pl **~es**) n mosquito

moss [mɔs] n musgo

---KEYWORD---

most [məʊst] adj
1 (almost all: people, things etc) a maior parte de, a maioria de; **~ people** a maioria das pessoas
2 (largest, greatest: interest) máximo; (money): **who has (the) ~ money?** quem é que tem mais dinheiro?; **he derived the ~ pleasure from her visit** ele teve o maior prazer em recebê-la
♦ pron (greatest quantity, number) a maior parte, a maioria; **~ of it/them** a maioria dele/deles; **~ of the money** a maior parte do dinheiro; **do the ~ you can** faça o máximo que você puder; **I saw the ~** vi mais; **to make the ~ of sth** aproveitar algo ao máximo; **at the (very) ~** quando muito, no máximo
♦ adv (+ vb) o mais; (+ adj): **the ~ intelligent/expensive** etc o mais inteligente/caro etc; (+ adv: carefully, easily etc) o mais; (very: polite, interesting etc) muito; **a ~ interesting book** um livro interessantíssimo

---

mostly ['məʊstlɪ] adv principalmente, na maior parte

MOT (BRIT) n abbr (= Ministry of Transport): **the ~ (test)** vistoria anual dos veículos automotores

motel [məʊ'tɛl] n motel m

moth [mɔθ] n mariposa; (clothes ~) traça

mother ['mʌðə*] n mãe f ♦ adj materno ♦ vt (care for) cuidar de (como uma mãe); **motherhood** n maternidade f; **mother-in-law** n sogra; **motherly** adj maternal; **mother-of-pearl** n madrepérola; **mother-to-be** n futura mamãe f; **mother tongue** n língua materna

motion ['məʊʃən] n movimento; (gesture) gesto, sinal m; (at meeting) moção f ♦ vt, vi: **to ~ (to) sb to do sth** fazer sinal a alguém para que faça algo; **motionless** adj imóvel; **motion picture** n filme m (cinematográfico)

motivated ['məʊtɪveɪtɪd] adj: **~ (by)** motivado (por)

motive ['məʊtɪv] n motivo

motor ['məʊtə*] n motor m; (BRIT: inf: vehicle) carro, automóvel m ♦ cpd (industry) de automóvel; **motorbike** n moto(cicleta) f, motoca (inf); **motorboat** n barco a motor; **motorcar** (BRIT) n carro, automóvel m; **motorcycle** n motocicleta; **motorist** n motorista m/f; **motor racing** (BRIT) n corrida de carros, automobilismo; **motorway** (BRIT) n rodovia (BR), autoestrada (PT)

mottled → muddle

mottled ['mɔtld] *adj* mosqueado, em furta-cores
motto ['mɔtəu] (*pl* **~es**) *n* lema *m*
mould [məuld] (*us* **mold**) *n* molde *m*; (*mildew*) mofo, bolor *m* ♦ *vt* moldar; (*fig*) moldar; **mouldy** *adj* mofado
moult [məult] (*us* **molt**) *vi* mudar (de penas *etc*)
mound [maund] *n* (*of earth*) monte *m*; (*of blankets, leaves etc*) pilha, montanha
mount [maunt] *n* monte *m* ♦ *vt* (*horse etc*) montar em, subir a; (*stairs*) subir; (*exhibition*) montar; (*picture*) emoldurar ♦ *vi* (*increase*) aumentar; **mount up** *vi* aumentar
mountain ['mauntɪn] *n* montanha ♦ *cpd* de montanha; **mountain bike** *n* mountain bike *f*; **mountaineer** [mauntɪ'nɪə*] *n* alpinista *m/f*, montanhista *m/f*; **mountaineering** *n* alpinismo; **mountainous** *adj* montanhoso; **mountainside** *n* lado da montanha
mourn [mɔ:n] *vt* chorar, lamentar ♦ *vi*: **to ~ for** chorar *or* lamentar a morte de; **mourning** *n* luto; **in mourning** de luto
mouse [maus] (*pl* **mice**) *n* camundongo (*BR*), rato (*PT*); (*COMPUT*) mouse *m*; **mouse mat** *or* **pad** *n* (*COMPUT*) mouse pad *m*; **mousetrap** *n* ratoeira
mousse [mu:s] *n* musse *f*; (*for hair*) mousse *f*
moustache [məs'tɑ:ʃ] (*us* **mustache**) *n* bigode *m*
mousy ['mausɪ] *adj* pardacento
mouth [mauθ] *n* boca; (*of cave, hole*) entrada; (*of river*) desembocadura; **mouthful** *n* bocado; **mouth organ** *n* gaita; **mouthwash** *n* colutório; **mouth-watering** *adj* de dar água na boca
movable ['mu:vəbl] *adj* móvel
move [mu:v] *n* movimento; (*in game*) lance *m*, jogada; (: *turn to play*) turno, vez *f*; (*of house, job*) mudança ♦ *vt* (*change position of*) mudar; (: *in game*) jogar; (*emotionally*) comover; (*POL: resolution etc*) propor ♦ *vi* mexer-se, mover-se; (*traffic*) circular; (*also:* **~ house**) mudar-se; (*develop: situation*) desenvolver; **to ~ sb to do sth** convencer alguém a fazer algo; **to get a ~ on** apressar-se; **move about** *or* **around** *vi* (*fidget*) mexer-se; (*travel*) deslocar-se; **move along** *vi* avançar; **move away** *vi* afastar-se; **move back** *vi* voltar; **move forward** *vi* avançar; **move in** *vi* (*to a house*) instalar-se (numa casa); **move on** *vi* ir andando; **move out** *vi* sair (de uma casa); **move over** *vi* afastar-se; **move up** *vi* ser promovido
movement ['mu:vmənt] *n* movimento; (*gesture*) gesto; (*of goods*) transporte *m*; (*in attitude*) mudança
movie ['mu:vɪ] *n* filme *m*; **to go to the ~s** ir ao cinema
moving ['mu:vɪŋ] *adj* (*emotional*) comovente; (*that moves*) móvel
mow [məu] (*pt* **~ed**, *pp* **~ed** *or* **~n**) *vt* (*grass*) cortar; (*corn*) ceifar; **mow down** *vt* (*massacre*) chacinar; **mower** *n* ceifeira; (*also:* **lawnmower**) cortador *m* de grama (*BR*) *or* de relva (*PT*)
Mozambique [məuzəm'bi:k] *n* Moçambique *m* (*no article*)
MP *n abbr* = **Member of Parliament**
mph *abbr* = **miles per hour** (60 mph = 96 km/h)
Mr ['mɪstə*] *n*: **~ Smith** (o) Sr. Smith
Mrs ['mɪsɪz] *n*: **~ Smith** (a) Sra. Smith
Ms [mɪz] *n* (= *Miss or Mrs*) título utilizado em lugar de 'Mrs' ou 'Miss'
MSc *n abbr* = **Master of Science**

KEYWORD
---

much [mʌtʃ] *adj* muito; **how ~ money/ time do you need?** quanto dinheiro/ tempo você precisa?; **he's done so ~ work for the charity** ele trabalhou muito para a obra de caridade; **as ~ as** tanto como

♦ *pron* muito; **~ has been gained from our discussions** nossas discussões foram muito proveitosas; **how ~ does it cost? – too ~** quanto custa isso? – caro demais

♦ *adv*

1 (*greatly*) muito; **thank you very ~** muito obrigado(-a); **we are very ~ looking forward to your visit** estamos aguardando a sua visita com muito ansiedade; **he is very ~ the gentleman/ politician** ele é muito cavalheiro/ político; **as ~ as** tanto como; **as ~ as you** tanto quanto você

2 (*by far*) de longe; **I'm ~ better now** estou bem melhor agora

3 (*almost*) quase; **how are you feeling? – ~ the same** como você está (se sentindo)? – do mesmo jeito

---

muck [mʌk] *n* (*dirt*) sujeira (*BR*), sujidade *f* (*PT*); **muck about** *or* **around** (*inf*) *vi* fazer besteiras; **muck up** (*inf*) *vt* estragar
mud [mʌd] *n* lama
muddle ['mʌdl] *n* confusão *f*, bagunça; (*mix-up*) trapalhada ♦ *vt* (*also:* **~ up**: *person, story*) confundir; (: *things*)

misturar; **muddle through** vi virar-se
muddy ['mʌdɪ] adj (road) lamacento
mudguard ['mʌdgɑːd] n pára-lama m
muesli ['mjuːzlɪ] n muesli m
muffin ['mʌfɪn] n bolinho redondo e chato
muffle ['mʌfl] vt (sound) abafar; (against cold) agasalhar; **muffled** adj abafado, surdo; **muffler** (US) n (AUT) silencioso (BR), panela de escape (PT)
mug [mʌg] n (cup) caneca; (: for beer) caneco, canecão; (inf: face) careta; (: fool) bobo(-a) ♦ vt (assault) assaltar; **mugging** n assalto
muggy ['mʌgɪ] adj abafado
mule [mjuːl] n mula
multimedia [mʌltɪ'miːdɪə] adj multimídia
multiple ['mʌltɪpl] adj múltiplo ♦ n múltiplo; **multiple sclerosis** [-sklɪ'rəusɪs] n esclerose f múltipla
multiply ['mʌltɪplaɪ] vt multiplicar ♦ vi multiplicar-se
multistorey ['mʌltɪ'stɔːrɪ] (BRIT) adj de vários andares
mum [mʌm] n (BRIT: inf) mamãe f ♦ adj: **to keep ~** ficar calado
mumble ['mʌmbl] vt, vi resmungar, murmurar
mummy ['mʌmɪ] n (BRIT: mother) mamãe f; (embalmed) múmia
mumps [mʌmps] n caxumba
mundane [mʌn'deɪn] adj banal, mundano
municipal [mjuː'nɪsɪpl] adj municipal
murder ['məːdə*] n assassinato ♦ vt assassinar; **murderer** n assassino
murky ['məːkɪ] adj escuro; (water) turvo
murmur ['məːmə*] n murmúrio ♦ vt, vi murmurar
muscle ['mʌsl] n músculo; (fig: strength) força (muscular); **muscle in** vi imiscuir-se, impor-se; **muscular** adj muscular; (person) musculoso
museum [mjuː'zɪəm] n museu m
mushroom ['mʌʃrum] n cogumelo ♦ vi crescer da noite para o dia, pipocar
music ['mjuːzɪk] n música; **musical** adj musical; (harmonious) melodioso ♦ n musical m; **musician** [mjuː'zɪʃən] n músico(-a)
Muslim ['mʌzlɪm] adj, n muçulmano(-a)
mussel ['mʌsl] n mexilhão m
must [mʌst] aux vb (obligation): **I ~ do it** tenho que or devo fazer isso; (probability): **he ~ be there by now** ele já deve estar lá; (suggestion, invitation): **you ~ come and see me soon** você tem que

vir me ver em breve; (indicating sth unwelcome): **why ~ he behave so badly?** por que ele tem que se comportar tão mal? ♦ n necessidade f; **it's a ~** é imprescindível
mustache ['mʌstæʃ] (US) n = **moustache**
mustard ['mʌstəd] n mostarda
muster ['mʌstə*] vt (support) reunir; (energy) juntar; (MIL) formar
mustn't ['mʌsnt] = **must not**
mute [mjuːt] adj mudo
mutiny ['mjuːtɪnɪ] n motim m, rebelião f
mutter ['mʌtə*] vt, vi resmungar, murmurar
mutton ['mʌtn] n carne f de carneiro
mutual ['mjuːtʃuəl] adj mútuo; (shared) comum
muzzle ['mʌzl] n (of animal) focinho; (guard: for dog) focinheira; (of gun) boca ♦ vt pôr focinheira em
my [maɪ] adj meu (minha); **this is ~ house/car/brother** esta é a minha casa/meu carro/meu irmão; **I've washed ~ hair/cut ~ finger** lavei meu cabelo/cortei meu dedo
myself [maɪ'sɛlf] pron (reflexive) me; (emphatic) eu mesmo; (after prep) mim mesmo; see also **oneself**
mysterious [mɪs'tɪərɪəs] adj misterioso
mystery ['mɪstərɪ] n mistério
mystify ['mɪstɪfaɪ] vt mistificar
myth [mɪθ] n mito; **mythology** [mɪ'θɔlədʒɪ] n mitologia

N n

n/a abbr = **not applicable**
nag [næg] vt ralhar, apoquentar; **nagging** adj (doubt) persistente; (pain) contínuo
nail [neɪl] n (human) unha; (metal) prego ♦ vt pregar; **to ~ sb down to a date/price** conseguir que alguém se defina sobre a data/o preço; **nailbrush** n escova de unhas; **nailfile** n lixa de unhas; **nail polish** n esmalte m (BR) or verniz m (PT) de unhas; **nail polish remover** n removedor m de esmalte (BR) or verniz (PT); **nail scissors** npl tesourinha de unhas; **nail varnish** (BRIT) n = **nail polish**
naïve [naɪ'iːv] adj ingênuo
naked ['neɪkɪd] adj nu (nua)
name [neɪm] n nome m; (surname) sobrenome m; (reputation) reputação f, fama ♦ vt (child) pôr nome em;

nanny → needlework

(*criminal*) apontar; (*price*) fixar; (*date*) marcar; **what's your ~?** qual é o seu nome?, como (você) se chama?; **by ~** de nome; **in the ~ of** em nome de; **namely** adv a saber, isto é; **namesake** n xará m/f (BR), homónimo(-a) (PT)

nanny ['nænɪ] n babá f

nap [næp] n (*sleep*) soneca ♦ vi: **to be caught ~ping** ser pego de surpresa

nape [neɪp] n: **~ of the neck** nuca

napkin ['næpkɪn] n (*also*: **table ~**) guardanapo

nappy ['næpɪ] (BRIT) n fralda; **nappy rash** n assadura

narcotic [nɑːˈkɔtɪk] adj narcótico ♦ n narcótico

narrative ['nærətɪv] n narrativa

narrow ['nærəu] adj estreito; (*fig*: *majority*) pequeno; (: *ideas*) tacanho ♦ vi (*road*) estreitar-se; (*difference*) diminuir; **to have a ~ escape** escapar por um triz; **to ~ sth down to** restringir or reduzir algo a; **narrowly** adv (*miss*) por pouco; **narrow-minded** adj de visão limitada

nasty ['nɑːstɪ] adj (*remark*) desagradável; (: *person*) mau, ruim; (*malicious*) maldoso; (*rude*) grosseiro, obsceno; (*taste, smell*) repugnante, asqueroso; (*wound etc*) grave, sério

nation ['neɪʃən] n nação f

national ['næʃənl] adj, n nacional m/f; **national anthem** n hino nacional; **National Health Service** (BRIT) n ≈ Instituto Nacional de Assistência Médica e Previdência Social, ≈ INAMPS m; **nationality** [næʃəˈnælɪtɪ] n nacionalidade f; **nationalize** vt nacionalizar; **nationally** adv (*nationwide*) de âmbito nacional; (*as a nation*) nacionalmente, como nação; **national park** n parque m nacional

nationwide ['neɪʃənwaɪd] adj de âmbito or a nível nacional ♦ adv em todo o país

native ['neɪtɪv] n natural m/f, nativo(-a); (*in colonies*) indígena m/f, nativo(-a) ♦ adj (*indigenous*) indígena; (*of one's birth*) natal; (*language*) materno; (*innate*) inato, natural; **a ~ speaker of Portuguese** uma pessoa de língua (materna) portuguesa

NATO ['neɪtəu] n abbr (= *North Atlantic Treaty Organization*) OTAN f

natural ['nætʃrəl] adj natural; **naturally** adv naturalmente; (*of course*) claro, evidentemente

nature ['neɪtʃə*] n natureza f; (*character*) caráter m, índole f

naught [nɔːt] n = **nought**

naughty ['nɔːtɪ] adj travesso, levado

nausea ['nɔːsɪə] n náusea

naval ['neɪvl] adj naval

nave [neɪv] n nave f

navel ['neɪvl] n umbigo

navigate ['nævɪgeɪt] vi navegar; (AUT) ler o mapa; **navigation** [nævɪˈgeɪʃən] n (*action*) navegação f; (*science*) náutica

navvy ['nævɪ] (BRIT) n trabalhador m braçal, cavouqueiro

navy ['neɪvɪ] n marinha (de guerra); **navy(-blue)** adj azul-marinho inv

Nazi ['nɑːtsɪ] n nazista m/f (BR), nazi m/f (PT)

NB abbr (= *nota bene*) NB

near [nɪə*] adj (*place*) vizinho; (*time*) próximo; (*relation*) íntimo ♦ adv perto ♦ prep (*also*: **~ to**: *space*) perto de; (: *time*) perto de, quase ♦ vt aproximar-se de; **nearby** [nɪəˈbaɪ] adj próximo, vizinho ♦ adv à mão, perto; **nearly** adv quase; **I nearly fell** quase que caí; **nearside** n (AUT: *right-hand drive*) lado esquerdo, (: *left-hand drive*) lado direito ♦ adj esquerdo, direito; **near-sighted** adj míope

neat [niːt] adj (*place*) arrumado, em ordem; (*person*) asseado, arrumado; (*work*) organizado; (*plan*) engenhoso, bem bolado; (*spirits*) puro; **neatly** adv caprichosamente, com capricho; (*skilfully*) habilmente

necessarily ['nɛsɪsrɪlɪ] adv necessariamente

necessary ['nɛsɪsrɪ] adj necessário

necessity [nɪˈsɛsɪtɪ] n (*thing needed*) necessidade f, requisito; (*compelling circumstances*) necessidade f; **necessities** npl (*essentials*) artigos mpl de primeira necessidade

neck [nɛk] n (ANAT) pescoço; (*of garment*) gola; (*of bottle*) gargalo ♦ vi (*inf*) ficar de agarramento; **~ and ~** emparelhados

necklace ['nɛklɪs] n colar m

neckline ['nɛklaɪn] n decote m

necktie ['nɛktaɪ] (*esp US*) n gravata

need [niːd] n (*lack*) falta, carência; (*necessity*) necessidade f; (*thing*) requisito, necessidade f ♦ vt precisar de; **I ~ to do it** preciso fazê-lo

needle ['niːdl] n agulha ♦ vt (*inf*) provocar, alfinetar

needless ['niːdlɪs] adj inútil, desnecessário; **~ to say ...** desnecessário dizer que ...

needlework ['niːdlwəːk] n (*item(s)*) trabalho de agulha; (*activity*) costura

needn't ['ni:dnt] = **need not**
needy ['ni:dɪ] adj necessitado, carente
negative ['nɛgətɪv] adj negativo ♦ n (PHOT) negativo; (LING) negativa
neglect [nɪ'glɛkt] vt (one's duty) negligenciar, não cumprir com; (child) descuidar, esquecer-se de ♦ n (of child) descuido, desatenção f; (of house etc) abandono; (of duty) negligência
negotiate [nɪ'gəuʃɪeɪt] vi: **to ~ (with)** negociar (com) ♦ vt (treaty, transaction) negociar; (obstacle) contornar; (bend in road) fazer; **negotiation** [nɪgəuʃɪ'eɪʃən] n negociação f
neigh [neɪ] vi relinchar
neighbour ['neɪbə*] (US **neighbor**) n vizinho(-a); **neighbourhood** n (place) vizinhança, bairro; (people) vizinhos mpl; **neighbouring** adj vizinho; **neighbourly** adj amistoso, prestativo
neither ['naɪðə*] conj: **I didn't move and ~ did he** não me movi nem ele ♦ adj, pron nenhum (dos dois), nem um nem outro ♦ adv: **~ good nor bad** nem bom nem mau; **~ story is true** nenhuma das estórias é verdade
neon ['ni:ɔn] n neônio, néon m; **neon light** n luz f de neônio
nephew ['nɛvju:] n sobrinho
nerve [nə:v] n (ANAT) nervo; (courage) coragem f; (impudence) descaramento, atrevimento; **to have a fit of ~s** ter uma crise nervosa; **nerve-racking** adj angustiante
nervous ['nə:vəs] adj (ANAT) nervoso; (anxious) apreensivo; (timid) tímido, acanhado; **nervous breakdown** n crise f nervosa
nest [nɛst] vi aninhar-se ♦ n (of bird) ninho; (of wasp) vespeiro
net [nɛt] n rede f; (fabric) filó m; (fig) sistema m ♦ adj (COMM) líquido ♦ vt pegar na rede; (money: subj: person) faturar; (: deal, sale) render; **the N~** (the Internet) a Rede; **netball** n espécie de basquetebol
Netherlands ['nɛðələndz] npl: **the ~** os Países Baixos
nett [nɛt] adj = **net**
nettle ['nɛtl] n urtiga
network ['nɛtwə:k] n rede f
neurotic [njuə'rɔtɪk] adj, n neurótico(-a)
neuter ['nju:tə*] adj neutro ♦ vt (cat etc) castrar, capar
neutral ['nju:trəl] adj neutro ♦ n (AUT) ponto morto
never ['nɛvə*] adv nunca; see also **mind**; **never-ending** adj sem fim,

interminável; **nevertheless** adv todavia, contudo
new [nju:] adj novo; **newborn** adj recém-nascido; **newcomer** n recém-chegado(-a), novato(-a); **new-found** adj (friend) novo; (enthusiasm) recente; **newly** adv recém, novamente; **newly-weds** npl recém-casados mpl
news [nju:z] n notícias fpl; (RADIO, TV) noticiário; **a piece of ~** uma notícia; **newsagent** (BRIT) n jornaleiro(-a); **newscaster** n locutor(a) m/f; **news flash** n notícia de última hora; **newsletter** n boletim m informativo; **newspaper** n jornal m; **newsreader** n = **newscaster**; **newsreel** n jornal m cinematográfico, atualidades fpl
newt [nju:t] n tritão m
New Year n ano novo; **New Year's Day** n dia m de ano novo; **New Year's Eve** n véspera de ano novo
New Zealand [-'zi:lənd] n Nova Zelândia; **New Zealander** n neozelandês(-esa) m/f
next [nɛkst] adj (in space) próximo, vizinho; (in time) seguinte, próximo ♦ adv depois; depois, logo; **~ time** na próxima vez; **~ year** o ano que vem; **~ to** ao lado de; **~ to nothing** quase nada; **next door** adv na casa do lado ♦ adj vizinho; **next-of-kin** n parentes mpl mais próximos
NHS n abbr = **National Health Service**
nib [nɪb] n ponta or bico da pena
nibble ['nɪbl] vt mordiscar, beliscar
Nicaragua [nɪkə'rægjuə] n Nicarágua
nice [naɪs] adj (likeable) simpático; (kind) amável, atencioso; (pleasant) agradável; (attractive) bonito; **nicely** adv agradavelmente, bem
nick [nɪk] n (wound) corte m; (cut, indentation) entalhe m, incisão f ♦ vt (inf: steal) furtar, arrochar; **in the ~ of time** na hora H, no momento exato
nickel ['nɪkl] n níquel m; (US) moeda de 5 centavos
nickname ['nɪkneɪm] n apelido (BR), alcunha (PT) ♦ vt apelidar de (BR), alcunhar de (PT)
niece [ni:s] n sobrinha
Nigeria [naɪ'dʒɪərɪə] n Nigéria
niggling ['nɪglɪŋ] adj (trifling) insignificante, mesquinho; (annoying) irritante
night [naɪt] n noite f; **at** or **by ~** à or de noite; **the ~ before last** anteontem à noite; **nightcap** n bebida tomada antes de dormir; **nightclub** n boate f;

nightingale → not

nightdress n camisola (BR), camisa de noite (PT); **nightfall** n anoitecer m; **nightgown** n = **nightdress**; **nightie** ['naɪtɪ] n = **nightdress**
nightingale ['naɪtɪŋɡeɪl] n rouxinol m
nightlife ['naɪtlaɪf] n vida noturna
nightly ['naɪtlɪ] adj noturno, de noite
♦ adv todas as noites, cada noite
nightmare ['naɪtmɛə*] n pesadelo
night-time n noite f
nil [nɪl] n nada; (BRIT: SPORT) zero
Nile [naɪl] n: **the ~** o Nilo
nimble ['nɪmbl] adj (agile) ágil, ligeiro; (skilful) hábil, esperto
nine [naɪn] num nove; **nineteen** ['naɪn'tiːn] num dezenove (BR), dezanove (PT); **ninety** ['naɪntɪ] num noventa; **ninth** [naɪnθ] num nono
nip [nɪp] vt (pinch) beliscar; (bite) morder
nipple ['nɪpl] n (ANAT) bico do seio, mamilo
nitrogen ['naɪtrədʒən] n nitrogênio

KEYWORD
---

no [nəu] (pl **~es**) adv (opposite of "yes") não; **are you coming? – ~ (I'm not)** você vem? – não (eu não)
♦ adj (not any) nenhum(a), não ... algum(a); **I have ~ more money/time/books** não tenho mais dinheiro/tempo/livros; **"~ entry"** "entrada proibida"; **"~ smoking"** "é proibido fumar"
♦ n não m, negativa

---

nobility [nəu'bɪlɪtɪ] n nobreza
noble ['nəubl] adj (person) nobre; (title) de nobreza
nobody ['nəubədɪ] pron ninguém
nod [nɔd] vi (greeting) cumprimentar com a cabeça; (in agreement) acenar (que sim) com a cabeça; (doze) cochilar, dormitar ♦ vt: **to ~ one's head** inclinar a cabeça ♦ n inclinação f da cabeça; **nod off** vi cochilar
noise [nɔɪz] n barulho; **noisy** adj barulhento
nominate ['nɔmɪneɪt] vt (propose) propor; (appoint) nomear; **nominee** [nɔmɪ'niː] n pessoa nomeada, candidato(-a)
non-alcoholic [nɔn-] adj sem álcool
nondescript ['nɔndɪskrɪpt] adj qualquer; (pej) medíocre
none [nʌn] pron (person) ninguém; (thing) nenhum(a), nada; **~ of you** nenhum de vocês; **I've ~ left** não tenho mais

nonentity [nɔ'nɛntɪtɪ] n nulidade f, zero à esquerda m
nonetheless [nʌnðə'lɛs] adv no entanto, apesar disso, contudo
non-existent [nɔnɪɡ'zɪstənt] adj inexistente
non-fiction [nɔn-] n literatura de não-ficção
nonplussed [nɔn'plʌst] adj perplexo, pasmado
nonsense ['nɔnsəns] n disparate m, besteira, absurdo; **~!** bobagem!, que nada!
non [nɔn-]: **non-smoker** n não-fumante m/f; **non-stick** adj tefal®, não-aderente; **non-stop** adj ininterrupto; (RAIL) direto; (AVIAT) sem escala ♦ adv sem parar
noodles ['nuːdlz] npl talharim m
noon [nuːn] n meio-dia m
no-one pron = **nobody**
noose [nuːs] n laço corrediço; (hangman's) corda da forca
nor [nɔː*] conj = **neither** ♦ adv see **neither**
norm [nɔːm] n (convention) norma; (requirement) regra
normal ['nɔːml] adj normal
north [nɔːθ] n norte m ♦ adj do norte, setentrional ♦ adv ao or para o norte; **North America** n América do Norte; **north-east** n nordeste m; **northerly** ['nɔːðəlɪ] adj norte; **northern** ['nɔːðən] adj do norte, setentrional; **Northern Ireland** n Irlanda do Norte; **North Pole** n: **the North Pole** o Pólo Norte; **North Sea** n: **the North Sea** o Mar do Norte; **northward(s)** adv em direção norte; **north-west** n noroeste m
Norway ['nɔːweɪ] n Noruega; **Norwegian** [nɔː'wiːdʒən] adj norueguês(-esa) ♦ n norueguês(-esa) m/f; (LING) norueguês m
nose [nəuz] n (ANAT) nariz m; (ZOOL) focinho; (sense of smell: of person) olfato; (: of animal) faro; **nose about** vi bisbilhotar; **nose around** vi = **nose about**; **nosebleed** n hemorragia nasal; **nose-dive** n (deliberate) vôo picado; (involuntary) parafuso; **nosey** (inf) adj = **nosy**
nostalgia [nɔs'tældʒɪə] n nostalgia
nostril ['nɔstrɪl] n narina
nosy ['nəuzɪ] (inf) adj intrometido, abelhudo
not [nɔt] adv não; **he is ~** or **isn't here** ele não está aqui; **it's too late, isn't it?** é muito tarde, não?; **he asked me ~ to do**

notably → obey

it ele me pediu para não fazer isto; **~ yet/now** ainda/agora não; *see also* **all; only**

notably ['nəutəblɪ] *adv* (*particularly*) particularmente; (*markedly*) notavelmente

notch [nɔtʃ] *n* (*in wood*) entalhe *m*; (*in blade*) corte *m*

note [nəut] *n* (*MUS, bank-~*) nota; (*letter*) nota, bilhete *m*; (*record*) nota, anotação *f*; (*tone*) tom *m* ♦ *vt* (*observe*) observar, reparar em; (*also:* **~ down**) anotar, tomar nota de; **notebook** *n* caderno; **notepad** *n* bloco de anotações; **notepaper** *n* papel *m* de carta

nothing ['nʌθɪŋ] *n* nada; (*zero*) zero; **he does ~** ele não faz nada; **~ new/much** nada de novo/quase nada; **for ~** de graça, grátis; (*in vain*) em vão, por nada

notice ['nəutɪs] *n* (*sign*) aviso, anúncio; (*warning*) aviso; (*dismissal*) demissão *f*; (*of leaving*) aviso prévio; (*period of time*) prazo ♦ *vt* reparar em, notar; **at short ~** de repente, em cima da hora; **until further ~** até nova ordem; **to hand in one's ~** demitir, pedir a demissão; **to take ~ of** prestar atenção a, fazer caso de; **to bring sth to sb's ~** levar algo ao conhecimento de alguém; **noticeable** *adj* evidente, visível; **notice board** (*BRIT*) *n* quadro de avisos

notify ['nəutɪfaɪ] *vt*: **to ~ sb of sth** avisar alguém de algo

notion ['nəuʃən] *n* noção *f*, idéia

nought [nɔːt] *n* zero

noun [naun] *n* substantivo

nourish ['nʌrɪʃ] *vt* nutrir, alimentar; (*fig*) fomentar, alentar; **nourishing** *adj* nutritivo, alimentício; **nourishment** *n* alimento, nutrimento

novel ['nɔvl] *n* romance *m* ♦ *adj* novo, recente; **novelist** *n* romancista *m/f*; **novelty** *n* novidade *f*

November [nəu'vɛmbə*] *n* novembro

now [nau] *adv* agora; (*these days*) atualmente, hoje em dia ♦ *conj*: **~ (that)** agora que; **right ~** agora mesmo; **by ~** já; **just ~** atualmente; **~ and then, ~ and again** de vez em quando; **from ~ on** de agora em diante; **nowadays** *adv* hoje em dia

nowhere ['nəuwɛə*] *adv* (*go*) a lugar nenhum; (*be*) em nenhum lugar

nozzle ['nɔzl] *n* bocal *m*

nuclear ['njuːklɪə*] *adj* nuclear

nucleus ['njuːklɪəs] (*pl* **nuclei**) *n* núcleo

nude [njuːd] *adj* nu (nua) ♦ *n* (*ART*) nu *m*; **in the ~** nu, pelado

nudge [nʌdʒ] *vt* acotovelar, cutucar (*BR*)

nudist ['njuːdɪst] *n* nudista *m/f*

nuisance ['njuːsns] *n* amolação *f*, aborrecimento; (*person*) chato; **what a ~!** que saco! (*BR*), que chatice! (*PT*)

numb [nʌm] *adj*: **~ with cold** duro de frio; **~ with fear** paralisado de medo

number ['nʌmbə*] *n* número; (*numeral*) algarismo ♦ *vt* (*pages etc*) numerar; (*amount to*) montar a; **a ~ of** vários, muitos; **to be ~ed among** figurar entre; **they were ten in ~** eram em número de dez; **number plate** (*BRIT*) *n* placa (do carro)

numeral ['njuːmərəl] *n* algarismo

numerical [njuːˈmɛrɪkl] *adj* numérico

numerous ['njuːmərəs] *adj* numeroso

nun [nʌn] *n* freira

nurse [nəːs] *n* enfermeiro(-a) (*also:* **~maid**) ama-seca, babá *f* ♦ *vt* (*patient*) cuidar de, tratar de

nursery ['nəːsərɪ] *n* (*institution*) creche *f*; (*room*) quarto das crianças; (*for plants*) viveiro; **nursery rhyme** *n* poesia infantil; **nursery school** *n* escola maternal

nursing ['nəːsɪŋ] *n* (*profession*) enfermagem *f*; (*care*) cuidado, assistência; **nursing home** *n* sanatório, clínica de repouso

nut [nʌt] *n* (*TECH*) porca; (*BOT*) noz *f*; **nutcrackers** *npl* quebra-nozes *m inv*

nutmeg ['nʌtmɛɡ] *n* noz-moscada

nutritious [njuːˈtrɪʃəs] *adj* nutritivo

nuts [nʌts] (*inf*) *adj*: **he's ~** ele é doido

nutshell ['nʌtʃɛl] *n* casca de noz; **in a ~** (*fig*) em poucas palavras

nylon ['naɪlɔn] *n* náilon *m* (*BR*), nylon *m* (*PT*) ♦ *adj* de náilon

O o

oak [əuk] *n* carvalho ♦ *adj* de carvalho

OAP (*BRIT*) *n abbr* = **old-age pensioner**

oar [ɔː*] *n* remo

oasis [əuˈeɪsɪs] (*pl* **oases**) *n* oásis *m inv*

oath [əuθ] *n* juramento; (*swear word*) palavrão *m*

oatmeal ['əutmiːl] *n* farinha *or* mingau *m* de aveia

oats [əuts] *n* aveia

obedient [əˈbiːdɪənt] *adj* obediente

obey [əˈbeɪ] *vt* obedecer a; (*instructions, regulations*) cumprir

obituary [əˈbɪtjuərɪ] n necrológio
object [n ˈɔbdʒɪkt, vb əbˈdʒɛkt] n objeto; (*purpose*) objetivo ♦ vi: **to ~ to** (*attitude*) desaprovar, objetar a; (*proposal*) opor-se a; **I ~!** protesto!; **he ~ed that ...** ele objetou que ...; **expense is no ~** o preço não é problema; **objection** [əbˈdʒɛkʃən] n objeção f; **I have no objection to ...** não tenho nada contra ...; **objectionable** adj desagradável; (*conduct*) censurável; **objective** n objetivo
obligation [ɔblɪˈgeɪʃən] n obrigação f; **without ~** sem compromisso
obligatory [əˈblɪgətərɪ] adj obrigatório
oblige [əˈblaɪdʒ] vt (*do a favour for*) obsequiar, fazer um favor a; (*force*) obrigar, forçar; **to be ~d to sb for doing sth** ficar agradecido por alguém fazer algo; **obliging** adj prestativo
oblique [əˈbliːk] adj oblíquo; (*allusion*) indireto
oblivion [əˈblɪvɪən] n esquecimento; **oblivious** adj: **oblivious of** inconsciente de, esquecido de
oblong [ˈɔblɔŋ] adj oblongo, retangular ♦ n retângulo
obnoxious [əbˈnɔkʃəs] adj odioso, detestável; (*smell*) enjoativo
oboe [ˈəubəu] n oboé m
obscene [əbˈsiːn] adj obsceno
obscure [əbˈskjuə*] adj obscuro, desconhecido; (*difficult to understand*) pouco claro ♦ vt ocultar, escurecer; (*hide*: sun etc) esconder
observant [əbˈzɜːvnt] adj observador(a)
observation [ɔbzəˈveɪʃən] n observação f; (MED) exame m
observatory [əbˈzɜːvətrɪ] n observatório
observe [əbˈzɜːv] vt observar; (*rule*) cumprir; **observer** n observador(a) m/f
obsess [əbˈsɛs] vt obsedar, obcecar
obsolete [ˈɔbsəliːt] adj obsoleto
obstacle [ˈɔbstəkl] n obstáculo; (*hindrance*) estorvo, impedimento
obstinate [ˈɔbstɪnɪt] adj obstinado
obstruct [əbˈstrʌkt] vt obstruir; (*block*: hinder) estorvar
obtain [əbˈteɪn] vt obter; (*achieve*) conseguir
obvious [ˈɔbvɪəs] adj óbvio; **obviously** adv evidentemente; **obviously not!** (é) claro que não!
occasion [əˈkeɪʒən] n ocasião f; (*event*) acontecimento; **occasional** adj de vez em quando; **occasionally** adv de vez em quando
occupation [ɔkjuˈpeɪʃən] n ocupação f; (*job*) profissão f
occupier [ˈɔkjupaɪə*] n inquilino(-a)
occupy [ˈɔkjupaɪ] vt ocupar; (*house*) morar em; **to ~ o.s. in doing** ocupar-se de fazer
occur [əˈkəː*] vi ocorrer; (*phenomenon*) acontecer; **to ~ to sb** ocorrer a alguém; **occurrence** n ocorrência, acontecimento; (*existence*) existência
ocean [ˈəuʃən] n oceano
o'clock [əˈklɔk] adv: **it is 5 ~** são cinco horas
OCR n abbr = **optical character reader**; **optical character recognition**
October [ɔkˈtəubə*] n outubro
octopus [ˈɔktəpəs] n polvo
odd [ɔd] adj (*strange*) estranho, esquisito; (*number*) ímpar; (*sock etc*) desemparelhado; **60-~** 60 e tantos; **at ~ times** às vezes, de vez em quando; **to be the ~ one out** ficar sobrando, ser a exceção; **odd jobs** npl biscates mpl, bicos mpl; **oddly** adv curiosamente; *see also* **enough**; **odds** npl (*in betting*) pontos mpl de vantagem; **it makes no odds** dá no mesmo; **at odds** brigados(-as), de mal
odour [ˈəudə*] (*us* **odor**) n odor m, cheiro; (*unpleasant*) fedor m

---
KEYWORD

of [ɔv, əv] prep
1 (*gen*) de; **a friend ~ ours** um amigo nosso; **a boy ~ 10** um menino de 10 anos; **that was very kind ~ you** foi muito gentil da sua parte
2 (*expressing quantity, amount, dates etc*) de; **how much ~ this do you need?** de quanto você precisa?; **3 ~ them** 3 deles; **3 ~ us went** 3 de nós foram; **the 5th ~ July** dia 5 de julho
3 (*from, out of*) de; **made ~ wood** feito de madeira

KEYWORD

off [ɔf] adv
1 (*distance, time*): **it's a long way ~** fica bem longe; **the game is 3 days ~** o jogo é daqui a 3 dias
2 (*departure*): **I'm ~** estou de partida; **to go ~ to Paris/Italy** ir para Paris/a Itália; **I must be ~** devo ir-me
3 (*removal*): **to take ~ one's hat/coat/clothes** tirar o chapéu/o casaco/a roupa; **the button came ~** o botão caiu; **10% ~** (COMM) 10% de abatimento *or* desconto
4 (*not at work*): **to have a day ~** tirar um dia de folga; (: *sick*): **to be ~ sick** estar ausente por motivo de saúde

♦ adj

1 (not turned on: machine, water, gas) desligado; (: light) apagado; (: tap) fechado

2 (cancelled) cancelado

3 (BRIT: not fresh: food) passado; (: milk) talhado, anulado

4: **on the ~ chance** (just in case) ao acaso; **today I had an ~ day** (not as good as usual) hoje não foi o meu dia

♦ prep

1 (indicating motion, removal etc) de; **the button came ~ my coat** o botão do meu casaco caiu

2 (distant from) de; **5 km ~ (the road)** a 5 km (da estrada); **~ the coast** em frente à costa

3: **to be ~ meat** (no longer eat it) não comer mais carne; (no longer like it) enjoar de carne

---

offal ['ɔfl] n (CULIN) sobras fpl, restos mpl
off-colour (BRIT) adj (ill) indisposto
offence [ə'fɛns] (US **offense**) n (crime) delito; **to take ~ at** ofender-se com, melindrar-se com
offend [ə'fɛnd] vt ofender; **offender** n delinqüente m/f
offensive [ə'fɛnsɪv] adj (weapon, remark) ofensivo; (smell etc) repugnante ♦ n (MIL) ofensiva
offer ['ɔfə*] n oferta; (proposal) proposta ♦ vt oferecer; (opportunity) proporcionar; **"on ~"** (COMM) "em oferta"
off-hand [ɔf'hænd] adj informal ♦ adv de improviso
office ['ɔfɪs] n (place) escritório; (room) gabinete m; (position) cargo, função f; **to take ~** tomar posse; **doctor's ~** (US) consultório; **office block** (US **office building**) n conjunto de escritórios
officer ['ɔfɪsə*] n (MIL etc) oficial m/f; (of organization) diretor(a) m/f; (also: **police ~**) agente m/f policial or de polícia
office worker n empregado(-a) or funcionário(-a) de escritório
official [ə'fɪʃl] adj oficial ♦ n oficial m/f; (civil servant) funcionário público (funcionária pública)
officious [ə'fɪʃəs] adj intrometido
off: **off-licence** (BRIT) n loja de bebidas alcoólicas; **off line** adj, adv (COMPUT) fora de linha; **off-peak** adj (heating etc) de período de pouco consumo; (ticket, train) de período de pouco movimento; **off-putting** (BRIT) adj desconcertante; **off-season** adj, adv fora de estação or temporada

offset ['ɔfsɛt] (irreg) vt compensar, contrabalançar
offshore [ɔf'ʃɔ:*] adj (breeze) de terra; (fishing) costeiro; **~ oilfield** campo petrolífero ao largo
offside ['ɔf'saɪd] adj (SPORT) impedido; (AUT) do lado do motorista
offspring ['ɔfsprɪŋ] n descendência, prole f
offstage [ɔf'steɪdʒ] adv nos bastidores
often ['ɔfn] adv muitas vezes, freqüentemente; **how ~ do you go?** quantas vezes você vai?
oil [ɔɪl] n (CULIN) azeite m; (petroleum) petróleo; (for heating) óleo ♦ vt (machine) lubrificar; **oil painting** n pintura a óleo; **oil rig** n torre f de perfuração; **oil slick** n mancha negra; **oil tanker** n (ship) petroleiro; (truck) carro-tanque m de petróleo; **oil well** n poço petrolífero; **oily** adj oleoso; (food) gorduroso
ointment ['ɔɪntmənt] n pomada
O.K. ['əu'keɪ] excl está bem, está bom, tá (bem or bom) (inf) ♦ adj bom; (correct) certo ♦ vt aprovar
okay ['əu'keɪ] = **O.K.**
old [əuld] adj velho; (former) antigo, anterior; **how ~ are you?** quantos anos você tem?; **he's 10 years ~** ele tem 10 anos; **~er brother** irmão mais velho; **old age** n velhice f; **old-age pensioner** (BRIT) n aposentado(-a) (BR), reformado(-a) (PT); **old-fashioned** adj fora de moda; (person) antiquado; (values) absoleto, retrógrado
olive ['ɔlɪv] n (fruit) azeitona; (tree) oliveira ♦ adj (also: **~-green**) verde-oliva inv; **olive oil** n azeite m de oliva
Olympic [əu'lɪmpɪk] adj olímpico
omelet(te) ['ɔmlɪt] n omelete f (BR), omeleta (PT)
omen ['əumən] n presságio, agouro
ominous ['ɔmɪnəs] adj preocupante
omit [əu'mɪt] vt omitir

KEYWORD

---

on [ɔn] prep

1 (indicating position) sobre, em (cima de); **~ the wall** na parede; **~ the left** à esquerda

2 (indicating means, method, condition etc): **~ foot** a pé; **~ the train/plane** no trem/avião; **~ the telephone/radio** no telefone/rádio; **~ television** na televisão; **to be ~ drugs** (addicted) ser viciado em drogas; (MED) estar sob medicação; **to be ~ holiday** estar de férias

3 (referring to time): **~ Friday** na sexta-

feira; **a week ~ Friday** sem ser esta sexta-feira, a outra; **~ arrival** ao chegar; **~ seeing this** ao ver isto
4 (*about, concerning*) sobre
♦ *adv*
1 (*referring to dress, covering*): **to have one's coat ~** estar de casaco; **what's she got ~?** o que ela está usando?; **she put her boots ~** ela calçou as botas; **he put his gloves/hat ~** ele colocou as luvas/o chapéu; **screw the lid ~ tightly** atarraxar bem a tampa
2 (*further, continuously*): **to walk/drive ~** continuar andando/dirigindo; **to go ~** continuar (em frente); **to read ~** continuar a ler
♦ *adj*
1 (*functioning, in operation: machine*) em funcionamento; (*light*) aceso; (*radio*) ligado; (*tap*) aberto; (*brakes: of car etc*): **to be ~** estar freado; (*meeting*): **is the meeting still ~?** (*in progress*) a reunião ainda está sendo realizada?; (*not cancelled*) ainda vai haver reunião?; **there's a good film ~ at the cinema** tem um bom filme passando no cinema
2: **that's not ~!** (*inf: of behaviour*) isso não se faz!

once [wʌns] *adv* uma vez; (*formerly*) outrora ♦ *conj* depois que; **~ he had left/it was done** depois que ele saiu/foi feito; **at ~** imediatamente; (*simultaneously*) de uma vez, ao mesmo tempo; **~ more** mais uma vez; **~ and for all** uma vez por todas; **~ upon a time** era uma vez
oncoming [ˈɔnkʌmɪŋ] *adj* (*traffic*) que vem de frente

---KEYWORD---

one [wʌn] *num* um(a); **~ hundred and ten** cento e dez; **~ by ~** um por um
♦ *adj*
1 (*sole*) único; **the ~ book which ...** o único livro que ...
2 (*same*) mesmo; **they came in the ~ car** eles vieram no mesmo carro
♦ *pron*
1 um(a); **this ~** este (esta); **that ~** esse (essa), aquele (aquela); **I've got ~/a red ~** eu tenho um/um vermelho
2: **~ another** um ao outro; **do you two ever see ~ another?** vocês dois se vêem de vez em quando?
3 (*impers*): **~ never knows** nunca se sabe; **to cut ~'s finger** cortar o dedo; **~ needs to eat** é preciso comer

oneself [wʌnˈsɛlf] *pron* (*reflexive*) se; (*after prep, emphatic*) si (mesmo(-a)); **by ~** sozinho(-a); **to hurt ~** ferir-se; **to keep sth for ~** guardar algo para si mesmo; **to talk to ~** falar consigo mesmo
one: **one-sided** *adj* (*argument*) parcial; **one-way** *adj* (*street, traffic*) de mão única (BR), de sentido único (PT)
ongoing [ˈɔngəuɪŋ] *adj* (*project*) em andamento; (*situation*) existente
onion [ˈʌnjən] *n* cebola
on line *adj* (COMPUT) on-line, em linha
♦ *adv* em linha
onlooker [ˈɔnlukə*] *n* espectador(a) *m/f*
only [ˈəunlɪ] *adv* somente, apenas ♦ *adj* único, só ♦ *conj* só que, porém; **an ~ child** um filho único; **not ~ ... but also ...** não só ... mas também ...
onset [ˈɔnsɛt] *n* começo
onshore [ˈɔnʃɔ:*] *adj* (*wind*) do mar
onslaught [ˈɔnslɔ:t] *n* investida, arremetida
onto [ˈɔntu] *prep* = **on to**
onward(s) [ˈɔnwəd(z)] *adv* (*move*) para diante, para a frente; **from this time ~** de (ag)ora em diante
ooze [u:z] *vi* ressumar, filtrar-se
opaque [əuˈpeɪk] *adj* opaco, fosco
OPEC [ˈəupɛk] *n abbr* (= *Organization of Petroleum-Exporting Countries*) OPEP *f*
open [ˈəupn] *adj* aberto; (*car*) descoberto; (*road*) livre; (*fig: frank*) aberto, franco; (*meeting*) aberto, sem restrições ♦ *vt* abrir ♦ *vi* abrir(-se); (*book etc*) começar; **in the ~ (air)** ao ar livre; **open on to** *vt fus* (*subj: room, door*) dar para; **open up** *vt* abrir; (*blocked road*) desobstruir ♦ *vi* (COMM) abrir;
opening *adj* de abertura ♦ *n* abertura; (*start*) início; (*opportunity*) oportunidade f; **openly** *adv* abertamente; **open-minded** *adj* aberto, imparcial; **open-necked** *adj* aberto no colo; **open-plan** *adj* sem paredes divisórias
opera [ˈɔpərə] *n* ópera
operate [ˈɔpəreɪt] *vt* fazer funcionar, pôr em funcionamento ♦ *vi* funcionar; (MED): **to ~ on sb** operar alguém
operation [ɔpəˈreɪʃən] *n* operação f; (*of machine*) funcionamento *m*; **to be in ~** (*system*) estar em vigor
operator [ˈɔpəreɪtə*] *n* (*of machine*) operador(a) *m/f*, manipulador(a) *m/f*; (TEL) telefonista *m/f*
opinion [əˈpɪnɪən] *n* opinião *f*; **in my ~** na minha opinião, a meu ver; **opinionated** *adj* opinioso

opponent [ə'pəunənt] n oponente m/f; (MIL, SPORT) adversário(-a)
opportunity [ɔpə'tju:nɪtɪ] n oportunidade f; **to take the ~ of doing** aproveitar a oportunidade para fazer
oppose [ə'pəuz] vt opor-se a; **to be ~d to sth** opor-se a algo, estar contra algo; **as ~d to** em oposição a
opposing [ə'pəuzɪŋ] adj oposto, contrário
opposite ['ɔpəzɪt] adj oposto; (house etc) em frente ♦ adv (lá) em frente ♦ prep em frente de, defronte de ♦ n oposto, contrário
opposition [ɔpə'zɪʃən] n oposição f
opt [ɔpt] vi: **to ~ for** optar por; **to ~ to do** optar por fazer; **opt out**: **to ~ out of doing sth** optar por não fazer algo
optician [ɔp'tɪʃən] n oculista m/f
optimist ['ɔptɪmɪst] n otimista m/f; **optimistic** [ɔptɪ'mɪstɪk] adj otimista
option ['ɔpʃən] n opção f; **optional** adj opcional, facultativo
or [ɔ:*] conj ou; (with negative): **he hasn't seen ~ heard anything** ele não viu nem ouviu nada; **~ else** senão
oral ['ɔ:rəl] adj oral ♦ n (exame m) oral f
orange ['ɔrɪndʒ] n (fruit) laranja ♦ adj cor de laranja inv, alaranjado
orbit ['ɔ:bɪt] n órbita ♦ vt orbitar
orchard ['ɔ:tʃəd] n pomar m
orchestra ['ɔ:kɪstrə] n orquestra; (US: seating) platéia
orchid ['ɔ:kɪd] n orquídea
ordeal [ɔ:'di:l] n experiência penosa, provação f
order ['ɔ:də*] n ordem f; (COMM) encomenda; (good ~) bom estado ♦ vt (also: **put in ~**) pôr em ordem, arrumar; (in restaurant) pedir; (COMM) encomendar; (command) mandar, ordenar; **in (working) ~** em bom estado; **in ~ to do/that** para fazer/que (+ sub); **on ~** (COMM) encomendado; **out of ~** com defeito, enguiçado; **order form** n impresso para encomendas; **orderly** n (MIL) ordenança m; (MED) servente m/f ♦ adj (room) arrumado, ordenado; (person) metódico
ordinary ['ɔ:dnrɪ] adj comum, usual; (pej) ordinário, medíocre; **out of the ~** fora do comum, extraordinário
ore [ɔ:*] n minério
organ ['ɔ:gən] n órgão m; **organic** [ɔ:'gænɪk] adj orgânico
organization [ɔ:gənaɪ'zeɪʃən] n organização f
organize ['ɔ:gənaɪz] vt organizar

orgasm ['ɔ:gæzəm] n orgasmo
Orient ['ɔ:rɪənt] n: **the ~** o Oriente; **oriental** [ɔ:rɪ'entl] adj, n oriental m/f
origin ['ɔrɪdʒɪn] n origem f
original [ə'rɪdʒɪnl] adj original ♦ n original m
originate [ə'rɪdʒɪneɪt] vi: **to ~ from** originar-se de, surgir de; **to ~ in** ter origem em
Orkneys ['ɔ:knɪz] npl: **the ~** (also: **the Orkney Islands**) as ilhas Órcadas
ornament ['ɔ:nəmənt] n ornamento; (on dress) enfeite m; **ornamental** [ɔ:nə'mentl] adj decorativo, ornamental
ornate [ɔ:'neɪt] adj enfeitado, requintado
orphan ['ɔ:fn] n órfão (órfã) m/f
orthopaedic [ɔ:θə'pi:dɪk] (US **orthopedic**) adj ortopédico
ostentatious [ɔstɛn'teɪʃəs] adj pomposo, espalhafatoso; (person) ostentoso
ostrich ['ɔstrɪtʃ] n avestruz m/f
other ['ʌðə*] adj outro ♦ pron: **the ~ (one)** o outro (a outra) ♦ adv (usually in negatives): **~ than** (apart from) a não ser; (anything but) exceto; **~s** (~ people) outros; **otherwise** adv (in a different way) de outra maneira; (apart from that) do contrário, caso contrário ♦ conj (if not) senão
otter ['ɔtə*] n lontra
ouch [autʃ] excl ai!
ought [ɔ:t] (pt ought) aux vb: **I ~ to do it** eu deveria fazê-lo; **he ~ to win** (probability) ele deve ganhar
ounce [auns] n onça (= 28.35g)
our ['auə*] adj nosso; see also **my**; **ours** pron (o) nosso ((a) nossa) etc; see also **mine**[1]; **ourselves** [auə'sɛlvz] pron pl (reflexive, after prep) nós; (emphatic) nós mesmos(-as); see also **oneself**
oust [aust] vt expulsar

KEYWORD

out [aut] adv
1 (not in) fora; **(to stand) ~ in the rain/snow** (estar em pé) na chuva/neve; **~ loud** em voz alta
2 (not at home, absent) fora (de casa); **Mr Green is ~ at the moment** Sr. Green não está no momento; **to have a day/night ~** passar o dia fora/sair à noite
3 (indicating distance): **the boat was 10 km ~** o barco estava a 10 km da costa
4 (SPORT): **the ball is/has gone ~** a bola caiu fora; **~!** (TENNIS etc) fora!
♦ adj
1: **to be ~** (unconscious) estar inconsciente; (~ of game) estar fora; (~ of

out-and-out → ovary

fashion) estar fora de moda
2 (*have appeared*: *news, secret*) do conhecimento público; (: *flowers*): **the flowers are ~** as flores desabrocham
3 (*extinguished*: *light, fire*) apagado; **before the week was ~** (*finished*) antes da semana acabar
4: **to be ~ to do sth** (*intend*) pretender fazer algo; **to be ~ in one's calculations** (*wrong*) enganar-se nos cálculos
♦ *prep*: **~ of**
1 (*outside, beyond*): **~ of** fora de; **to go ~ of the house** sair da casa; **to look ~ of the window** olhar pela janela
2 (*cause, motive*) por
3 (*origin*): **to drink sth ~ of a cup** beber algo na xícara
4 (*from among*): **1 ~ of every 3** 1 entre 3
5 (*without*) sem; **to be ~ of milk/sugar/petrol** etc não ter leite/açúcar/gasolina etc

---

out-and-out *adj* (*liar etc*) completo, rematado
outback ['autbæk] *n* (*in Australia*): **the ~** o interior
outbreak ['autbreik] *n* (*of war*) deflagração *f*; (*of disease*) surto; (*of violence etc*) explosão *f*
outburst ['autbə:st] *n* explosão *f*
outcast ['autkɑ:st] *n* pária *m/f*
outcome ['autkʌm] *n* resultado
outcry ['autkraɪ] *n* clamor *m* (de protesto)
outdated [aut'deɪtɪd] *adj* antiquado, fora de moda
outdo [aut'du:] (*irreg*) *vt* ultrapassar, exceder
outdoor [aut'dɔ:*] *adj* ao ar livre; (*clothes*) de sair; **outdoors** *adv* ao ar livre
outer ['autə*] *adj* exterior, externo; **outer space** *n* espaço (exterior)
outfit ['autfɪt] *n* roupa, traje *m*
outgoing ['autɡəʊɪŋ] *adj* de saída; (*character*) extrovertido, sociável; **outgoings** (*BRIT*) *npl* despesas *fpl*
outgrow [aut'ɡrəʊ] (*irreg*) *vt*: **he has ~n his clothes** a roupa ficou pequena para ele
outing ['autɪŋ] *n* excursão *f*
outlaw ['autlɔ:] *n* fora-da-lei *m/f* ♦ *vt* (*person*) declarar fora da lei; (*practice*) declarar ilegal
outlay ['autleɪ] *n* despesas *fpl*
outlet ['autlɛt] *n* saída, escape *m*; (*of pipe*) desagüe *m*, escoadouro; (*US: ELEC*) tomada; (*also*: **retail ~**) posto de venda
outline ['autlaɪn] *n* (*shape*) contorno, perfil *m*; (*of plan*) traçado; (*sketch*) esboço, linhas *fpl* gerais ♦ *vt* (*theory, plan*) traçar, delinear
outlive [aut'lɪv] *vt* sobreviver a
outlook ['autluk] *n* (*attitude*) ponto de vista; (*fig*: *prospects*) perspectiva; (: *for weather*) previsão *f*
outnumber [aut'nʌmbə*] *vt* exceder em número
out-of-date *adj* (*passport, ticket*) sem validade; (*clothes*) fora de moda
out-of-the-way *adj* remoto, afastado
outpatient ['autpeɪʃənt] *n* paciente *m/f* externo(-a) *or* de ambulatório
outpost ['autpəust] *n* posto avançado
output ['autput] *n* (volume *m* de) produção *f*; (COMPUT) saída ♦ *vt* (COMPUT) liberar
outrage ['autreɪdʒ] *n* escândalo; (*atrocity*) atrocidade *f* ♦ *vt* ultrajar; **outrageous** [aut'reɪdʒəs] *adj* ultrajante, escandaloso
outright [*adv* aut'raɪt, *adj* 'autraɪt] *adv* (*kill, win*) completamente; (*ask, refuse*) abertamente ♦ *adj* completo; franco
outset ['autsɛt] *n* início, princípio
outside [aut'saɪd] *n* exterior *m* ♦ *adj* exterior, externo ♦ *adv* (lá) fora ♦ *prep* fora de; (*beyond*) além (dos limites) de; **at the ~** (*fig*) no máximo; **outsider** *n* (*stranger*) estranho(-a), forasteiro(-a)
outsize ['autsaɪz] *adj* (*clothes*) de tamanho extra-grande *or* especial
outskirts ['autskə:ts] *npl* arredores *mpl*, subúrbios *mpl*
outspoken [aut'spəukən] *adj* franco, sem rodeios
outstanding [aut'stændɪŋ] *adj* excepcional; (*work, debt*) pendente
outstay [aut'steɪ] *vt*: **to ~ one's welcome** abusar da hospitalidade (demorando mais tempo)
outstretched [aut'strɛtʃt] *adj* (*hand*) estendido
outstrip [aut'strɪp] *vt* ultrapassar
outward ['autwəd] *adj* externo; (*journey*) de ida
outweigh [aut'weɪ] *vt* ter mais valor do que
outwit [aut'wɪt] *vt* passar a perna em
oval ['əuvl] *adj* ovalado ♦ *n* oval *m*
ovary ['əuvərɪ] *n* ovário

oven ['ʌvn] n forno

KEYWORD
---

over ['əuvə*] adv
1 (across: walk, jump, fly etc) por cima; **to cross ~ to the other side of the road** atravessar para o outro lado da rua; **~ here** por aqui, cá; **~ there** por ali, lá; **to ask sb ~** (to one's home) convidar alguém
2: **to fall ~** cair; **to knock ~** derrubar; **to turn ~** virar; **to bend ~** curvar-se, debruçar-se
3 (finished): **to be ~** estar acabado
4 (excessively: clever, rich, fat etc) muito, demais; **she's not ~ intelligent** ela não é superdotada
5 (remaining: money, food etc): **there are 3 ~** tem 3 sobrando/sobraram 3
6: **all ~** (everywhere) por todos os lados; **~ and ~** (again) repetidamente
♦ prep
1 (on top of) sobre; (above) acima de
2 (on the other side of) no outro lado de; **he jumped ~ the wall** ele pulou o muro
3 (more than) mais de; **~ and above** além de
4 (during) durante

---

overall [adj, n 'əuvərɔ:l, adv əuvər'ɔ:l] adj (length) total; (study) global ♦ adv (view) globalmente; (measure, paint) totalmente ♦ n (also: **~s**) macacão m (BR), (fato) macaco (PT)
overawe [əuvər'ɔ:] vt intimidar
overboard ['əuvəbɔ:d] adv (NAUT) ao mar
overcast ['əuvəka:st] adj nublado, fechado
overcharge [əuvə'tʃa:dʒ] vt: **to ~ sb** cobrar em excesso a alguém
overcoat ['əuvəkəut] n sobretudo
overcome [əuvə'kʌm] (irreg) vt vencer, dominar; (difficulty) superar
overcrowded [əuvə'kraudɪd] adj superlotado
overdo [əuvə'du:] (irreg) vt exagerar; (overcook) cozinhar demais; **to ~ it** (work too hard) exceder-se
overdose ['əuvədəus] n overdose f, dose f excessiva
overdraft ['əuvədra:ft] n saldo negativo
overdrawn [əuvə'drɔ:n] adj (account) sem fundos, a descoberto
overdue [əuvə'dju:] adj atrasado; (change) tardio
overestimate [əuvər'estɪmeɪt] vt sobrestimar

overflow [vb əuvə'fləu, n 'əuvəfləu] vi transbordar ♦ n (also: **~ pipe**) tubo de descarga, ladrão m
overgrown [əuvə'grəun] adj (garden) coberto de vegetação
overhaul [vb əuvə'hɔ:l, n 'əuvəhɔ:l] vt revisar ♦ n revisão f
overhead [adv əuvə'hɛd, adj, n 'əuvəhɛd] adv por cima, em cima; (in the sky) no céu ♦ adj (lighting) superior; (railway) suspenso ♦ n (US) = **~s**; **~s** npl (expenses) despesas fpl gerais
overhear [əuvə'hɪə*] (irreg) vt ouvir por acaso
overheat [əuvə'hi:t] vi (engine) aquecer demais
overjoyed [əuvə'dʒɔɪd] adj: **to be ~ (at)** estar muito alegre (com)
overland ['əuvəlænd] adj, adv por terra
overlap [əuvə'læp] vi (edges) sobrepor-se em parte; (fig) coincidir
overleaf [əuvə'li:f] adv no verso
overload [əuvə'ləud] vt sobrecarregar
overlook [əuvə'luk] vt (have view on) dar para; (miss) omitir; (forgive) fazer vista grossa a
overnight [adv əuvə'naɪt, adj 'əuvənaɪt] adv durante a noite; (fig) da noite para o dia ♦ adj de uma (or de) noite; **to stay ~** passar a noite, pernoitar
overpass ['əuvəpa:s] (esp US) n viaduto
overpower [əuvə'pauə*] vt dominar, subjugar; (fig) assolar
overrate [əuvə'reɪt] vt sobrestimar, supervalorizar
override [əuvə'raɪd] (irreg) vt (order, objection) não fazer caso de, ignorar
overrule [əuvə'ru:l] vt (decision) anular; (claim) indeferir
overrun [əuvə'rʌn] (irreg) vt (country etc) invadir; (time limit) ultrapassar, exceder
overseas [əuvə'si:z] adv (abroad) no estrangeiro, no exterior ♦ adj (trade) exterior; (visitor) estrangeiro
overshadow [əuvə'ʃædəu] vt ofuscar
oversight ['əuvəsaɪt] n descuido
oversleep [əuvə'sli:p] (irreg) vi dormir além da hora
overt [əu'və:t] adj aberto, indissimulado
overtake [əuvə'teɪk] (irreg) vt ultrapassar
overthrow [əuvə'θrəu] (irreg) vt (government) derrubar
overtime ['əuvətaɪm] n horas fpl extras
overtone ['əuvətəun] n (fig: also: **~s**) implicação f, tom m
overture ['əuvətʃuə*] n (MUS) abertura;

overturn → pamper

(*fig*) proposta, oferta
overturn [əuvə'tɜ:n] vt virar; (*system*) derrubar; (*decision*) anular ♦ vi (*car etc*) capotar
overweight [əuvə'weɪt] adj gordo demais, com excesso de peso
overwhelm [əuvə'wɛlm] vt esmagar, assolar; **overwhelming** adj (*victory, defeat*) esmagador(a); (*heat*) sufocante; (*desire*) irresistível
overwrought [əuvə'rɔ:t] adj extenuado, superexcitado
owe [əu] vt: **to ~ sb sth, to ~ sth to sb** dever algo a alguém; **owing to** prep devido a, por causa de
owl [aul] n coruja
own [əun] adj próprio ♦ vt possuir, ter; **a room of my ~** meu próprio quarto; **to get one's ~ back** ir à forra; **on one's ~** sozinho; **own up** vi: **to ~ up to sth** confessar algo; **owner** n dono(-a), proprietário(-a); **ownership** n posse f
ox [ɔks] (*pl* **~en**) n boi m
oxtail ['ɔksteɪl] n: **~ soup** sopa de rabada
oxygen ['ɔksɪdʒən] n oxigênio
oyster ['ɔɪstə*] n ostra
oz. abbr = **ounce(s)**
ozone ['əuzəun] n ozônio; **ozone-friendly** adj (*products*) que não destrói a camada de ozônio; **ozone layer** n camada de ozônio

P p

p [pi:] abbr (= *page*) p; (*BRIT*) = **penny; pence**
PA n abbr = **personal assistant; public address system**
p.a. abbr (= *per annum*) p.a.
pace [peɪs] n passo; (*speed*) velocidade f ♦ vi: **to ~ up and down** andar de um lado para o outro; **to keep ~ with** acompanhar o passo de; **pacemaker** n (*MED*) marcapasso m
Pacific [pə'sɪfɪk] n: **the ~ (Ocean)** o (Oceano) Pacífico
pack [pæk] n pacote m, embrulho; (*US: of cigarettes*) maço; (*of hounds*) matilha; (*of thieves*) bando, quadrilha; (*of cards*) baralho; (*back-*) mochila ♦ vt encher; (*in suitcase*) arrumar (na mala); (*cram*): **to ~ into** entupir de, entulhar com; **to ~ (one's bags)** fazer as malas; **to ~ sb off** despedir alguém; **~ it in!** pára com isso!
package ['pækɪdʒ] n pacote m; (*bulky*) embrulho, fardo; (*also:* **~ deal**) acordo global, pacote; **package tour** (*BRIT*) n excursão f organizada
packed lunch [pækt-] (*BRIT*) n merenda
packet ['pækɪt] n pacote m; (*of cigarettes*) maço; (*of washing powder etc*) caixa
packing ['pækɪŋ] n embalagem f; (*act*) empacotamento
pad [pæd] n (*of paper*) bloco; (*to prevent friction*) acolchoado; (*inf: home*) casa ♦ vt acolchoar, enchumaçar
paddle ['pædl] n remo curto; (*US: for table tennis*) raquete f ♦ vt remar ♦ vi patinhar; **paddling pool** (*BRIT*) n lago de recreação
paddock ['pædək] n cercado; (*at race course*) paddock m
padlock ['pædlɔk] n cadeado
pagan ['peɪgən] adj, n pagão (pagã) m/f
page [peɪdʒ] n página; (*also:* **~ boy**) mensageiro ♦ vt mandar chamar
pager ['peɪdʒə*] n bip m
paid [peɪd] pt, pp of **pay** ♦ adj (*work*) remunerado; (*holiday*) pago; (*official*) assalariado; **to put ~ to** (*BRIT*) acabar com
pail [peɪl] n balde m
pain [peɪn] n dor f; **to be in ~** sofrer or sentir dor; **to take ~s to do sth** dar-se ao trabalho de fazer algo; **painful** adj doloroso; (*laborious*) penoso; (*unpleasant*) desagradável; **painfully** adv (*fig*) terrivelmente; **painkiller** n analgésico; **painless** adj sem dor, indolor; **painstaking** ['peɪnzteɪkɪŋ] adj (*work*) esmerado; (*person*) meticuloso
paint [peɪnt] n pintura ♦ vt pintar; **paintbrush** n (*artist's*) pincel m; (*decorator's*) broxa; **painter** n (*artist*) pintor(a) m/f; (*decorator*) pintor(a) de paredes; **painting** n pintura; (*picture*) tela, quadro; **paintwork** n pintura
pair [pɛə*] n par m; **a ~ of scissors** uma tesoura; **a ~ of trousers** uma calça (*BR*), umas calças (*PT*)
pajamas [pɪ'dʒɑ:məz] (*US*) npl pijama m
Pakistan [pɑ:kɪ'stɑ:n] n Paquistão m; **Pakistani** adj, n paquistanês(-esa) m/f
pal [pæl] (*inf*) n camarada m/f, colega m/f
palace ['pæləs] n palácio
pale [peɪl] adj pálido; (*colour*) claro; (*light*) fraco ♦ vi empalidecer ♦ n: **to be beyond the ~** passar dos limites
Palestine ['pælɪstaɪn] n Palestina; **Palestinian** [pælɪs'tɪnɪən] adj, n palestino(-a)
palm [pɑ:m] n (*of hand*) palma; (*also:* **~ tree**) palmeira ♦ vt: **to ~ sth off on sb** (*inf*) impingir algo a alguém
pamper ['pæmpə*] vt paparicar, mimar

pamphlet → participate

pamphlet ['pæmflət] n panfleto
pan [pæn] n (also: **sauce~**) panela (BR), caçarola (PT); (also: **frying ~**) frigideira
Panama ['pænəmɑː] n Panamá m
pancake ['pænkeɪk] n panqueca
panda ['pændə] n panda m/f
pane [peɪn] n vidraça, vidro
panel ['pænl] n (of wood, RADIO, TV) painel m; **panelling** (US **paneling**) n painéis mpl
pang [pæŋ] n: a ~ **of regret** uma sensação de pesar; **~s of hunger** fome aguda
panic ['pænɪk] n pânico ♦ vi entrar em pânico; **panicky** adj (person) assustadiço, apavorado; **panic-stricken** adj tomado de pânico
pansy ['pænzɪ] n (BOT) amor-perfeito; (inf: pej) bicha (BR), maricas m (PT)
pant [pænt] vi arquejar, ofegar
panther ['pænθə*] n pantera
panties ['pæntɪz] npl calcinha (BR), cuecas fpl (PT)
pantihose ['pæntɪhəuz] (US) n meia-calça (BR), collants mpl (PT)
pantomime ['pæntəmaɪm] (BRIT) n pantomima
pantry ['pæntrɪ] n despensa
pants [pænts] npl (BRIT: underwear: woman's) calcinha (BR), cuecas fpl (PT); (: man's) cueca (BR), cuecas (PT); (US: trousers) calça (BR), calças fpl (PT)
paper ['peɪpə*] n papel m; (also: **news~**) jornal m; (also: **wall~**) papel de parede; (study, article) artigo, dissertação f; (exam) exame m, prova ♦ adj de papel ♦ vt (room) revestir (com papel de parede); **~s** npl (also: **identity ~s**) documentos mpl; **paperback** n livro de capa mole; **paper bag** n saco de papel; **paper clip** n clipe m; **paper hankie** n lenço de papel; **paperweight** n pesa-papéis m inv; **paperwork** n trabalho burocrático; (pej) papelada
par [pɑː*] n paridade f, igualdade f; (GOLF) média f; **on a ~ with** em pé de igualdade com
parachute ['pærəʃuːt] n pára-quedas m inv
parade [pə'reɪd] n desfile m ♦ vt (show off) exibir ♦ vi (MIL) passar revista
paradise ['pærədaɪs] n paraíso
paraffin ['pærəfɪn] (BRIT) n: **~ (oil)** querosene m
paragraph ['pærəgrɑːf] n parágrafo
Paraguay ['pærəgwaɪ] n Paraguai m
parallel ['pærəlɛl] adj (lines etc) paralelo; (fig) correspondente ♦ n paralela; correspondência
paralyse ['pærəlaɪz] (BRIT) vt paralisar
paralysis [pə'rælɪsɪs] (pl **paralyses**) n paralisia
paralyze ['pærəlaɪz] (US) vt = **paralyse**
paranoid ['pærənɔɪd] adj paranóico
parasol ['pærəsɔl] n guarda-sol m, sombrinha
paratrooper ['pærətruːpə*] n pára-quedista m/f
parcel ['pɑːsl] n pacote m ♦ vt (also: **~ up**) embrulhar, empacotar
pardon ['pɑːdn] n (LAW) indulto ♦ vt perdoar; **~ me!, I beg your ~** (apologizing) desculpe(-me); **(I beg your) ~?** (BRIT), **~ me?** (US) (not hearing) como?, como disse?
parent ['pɛərənt] n (father) pai m; (mother) mãe f; **~s** npl (mother and father) pais mpl
Paris ['pærɪs] n Paris
parish ['pærɪʃ] n paróquia, freguesia
park [pɑːk] n parque m ♦ vt, vi estacionar
parking ['pɑːkɪŋ] n estacionamento; "**no ~**" "estacionamento proibido"; **parking lot** (US) n (parque m de) estacionamento; **parking meter** n parquímetro; **parking ticket** n multa por estacionamento proibido
parliament ['pɑːləmənt] (BRIT) n parlamento
parlour ['pɑːlə*] (US **parlor**) n sala de visitas, salão m, saleta
parochial [pə'rəukɪəl] (pej) adj provinciano
parole [pə'rəul] n: **on ~** em liberdade condicional, sob promessa
parrot ['pærət] n papagaio
parsley ['pɑːslɪ] n salsa
parsnip ['pɑːsnɪp] n cherivia, pastinaga
parson ['pɑːsn] n padre m, clérigo; (in Church of England) pastor m
part [pɑːt] n parte f; (of machine) peça; (THEATRE etc) papel m; (of serial) capítulo; (US: in hair) risca, repartido ♦ adv = **partly** ♦ vt dividir; (hair) repartir ♦ vi (people) separar-se; (crowd) dispersar-se; **to take ~ in** participar de, tomar parte em; **to take sb's ~** defender alguém; **for my ~** pela minha parte; **for the most ~** na maior parte; **to take sth in good ~** não se ofender com algo; **part with** vt fus ceder, entregar; (money) pagar; **part exchange** (BRIT) n: **in part exchange** como parte do pagamento
partial ['pɑːʃl] adj parcial; **to be ~ to** gostar de, ser apreciador(a) de
participate [pɑː'tɪsɪpeɪt] vi: **to ~ in**

particle → pause 134

participar de; **participation** [pɑːtɪsɪˈpeɪʃən] n participação f
particle [ˈpɑːtɪkl] n partícula; (of dust) grão m
particular [pəˈtɪkjʊlə*] adj (special) especial; (specific) específico; (fussy) exigente, minucioso; **in ~** em particular; **particularly** adv em particular, especialmente; **particulars** npl detalhes mpl; (personal details) dados mpl pessoais
parting [ˈpɑːtɪŋ] n (act) separação f; (farewell) despedida; (BRIT: in hair) risca, repartido ♦ adj de despedida
partition [pɑːˈtɪʃən] n (POL) divisão f; (wall) tabique m, divisória
partly [ˈpɑːtlɪ] adv em parte
partner [ˈpɑːtnə*] n (COMM) sócio(-a); (SPORT) parceiro(-a); (at dance) par m; (spouse) cônjuge m/f; **partnership** n associação f, parceria; (COMM) sociedade f
partridge [ˈpɑːtrɪdʒ] n perdiz f
part-time adj, adv de meio expediente
party [ˈpɑːtɪ] n (POL) partido; (celebration) festa; (group) grupo; (LAW) parte f interessada, litigante m/f ♦ cpd (POL) do partido, partidário
pass [pɑːs] vt passar; (exam) passar em; (place) passar por; (overtake) ultrapassar; (approve) aprovar ♦ vi passar; (SCH) ser aprovado, passar ♦ n (permit) passe m; (membership card) carteira; (in mountains) desfiladeiro; (SPORT) passe m; (SCH): **to get a ~ in** ser aprovado em; **to make a ~ at sb** tomar liberdade com alguém; **pass away** vi falecer; **pass by** vi passar ♦ vt passar por cima de; **pass for** vt fus passar por; **pass on** vt (news, illness) transmitir; (object) passar para; **pass out** vi desmaiar; **pass up** vt deixar passar; **passable** adj (road) transitável; (work) aceitável
passage [ˈpæsɪdʒ] n (also: ~way: indoors) corredor m; (: outdoors) passagem f; (ANAT) via; (act of passing) trânsito; (in book) passagem, trecho; (by boat) travessia
passenger [ˈpæsɪndʒə*] n passageiro(-a)
passer-by [ˈpɑːsə*-] n (pl **passers-by**) n transeunte m/f
passing [ˈpɑːsɪŋ] adj (fleeting) passageiro, fugaz; **in ~** de passagem
passion [ˈpæʃən] n paixão f; **passionate** adj apaixonado
passive [ˈpæsɪv] adj passivo
passport [ˈpɑːspɔːt] n passaporte m
password [ˈpɑːswəːd] n senha, contra-senha
past [pɑːst] prep (in front of) por; (beyond) mais além de; (later than)

depois de ♦ adj passado; (president etc) ex-, anterior ♦ n passado; **he's ~ forty** ele tem mais de quarenta anos; **ten/quarter ~ four** quatro e dez/quinze; **for the ~ few/3 days** nos últimos/3 dias
pasta [ˈpæstə] n massa
paste [peɪst] n pasta; (glue) grude m, cola ♦ vt grudar; **tomato ~** massa de tomate
pasteurized [ˈpæstəraɪzd] adj pasteurizado
pastille [ˈpæstl] n pastilha
pastime [ˈpɑːstaɪm] n passatempo
pastry [ˈpeɪstrɪ] n massa; (cake) bolo
pasture [ˈpɑːstʃə*] n pasto
pasty [n ˈpæstɪ, adj ˈpeɪstɪ] n empadão m de carne ♦ adj (complexion) pálido
pat [pæt] vt dar palmadinhas em; (dog etc) fazer festa em
patch [pætʃ] n retalho; (eye ~) tapa-olho m, tampão m; (area) área pequena; (mend) remendo ♦ vt remendar; **(to go through) a bad ~** (passar por) um mau pedaço; **patch up** vt consertar provisoriamente; (quarrel) resolver; **patchy** adj (colour) desigual; (information) incompleto
pâté [ˈpæteɪ] n patê m
patent [ˈpeɪtnt] n patente f ♦ vt patentear ♦ adj patente, evidente; **patent leather** n verniz m
paternal [pəˈtəːnl] adj paternal; (relation) paterno
path [pɑːθ] n caminho; (trail, track) trilha, senda; (trajectory) trajetória
pathetic [pəˈθetɪk] adj (pitiful) patético, digno de pena; (very bad) péssimo
pathway [ˈpɑːθweɪ] n caminho, trilha
patience [ˈpeɪʃns] n paciência
patient [ˈpeɪʃnt] adj, n paciente m/f
patio [ˈpætɪəu] n pátio
patrol [pəˈtrəul] n patrulha ♦ vt patrulhar; **patrol car** n carro de patrulha; **patrolman** (US: irreg) n guarda m, policial m (BR), polícia m (PT)
patron [ˈpeɪtrən] n (customer) cliente m/f, freguês(-esa) m/f; (of charity) benfeitor(a) m/f; **~ of the arts** mecenas m; **patronize** [ˈpætrənaɪz] vt (pej) tratar com ar de superioridade; (shop) ser cliente de; (business, artist) patrocinar
patter [ˈpætə*] n (of rain) tamborilada; (of feet) passos miúdos mpl; (sales talk) jargão m profissional ♦ vi correr dando passinhos; (rain) tamborilar
pattern [ˈpætən] n (SEWING) molde m; (design) desenho
pauper [ˈpɔːpə*] n pobre m/f
pause [pɔːz] n pausa ♦ vi fazer uma

pausa
pave [peɪv] *vt* pavimentar; **to ~ the way for** preparar o terreno para
pavement ['peɪvmənt] (*BRIT*) *n* calçada (*BR*), passeio (*PT*)
pavilion [pə'vɪlɪən] *n* (*SPORT*) barraca
paving ['peɪvɪŋ] *n* pavimento, calçamento; **paving stone** *n* laje *f*, paralelepípedo
paw [pɔ:] *n* pata; (*of cat*) garra
pawn [pɔ:n] *n* (*CHESS*) peão *m*; (*fig*) títere *m* ♦ *vt* empenhar; **pawnbroker** *n* agiota *m/f*
pay [peɪ] (*pt, pp* **paid**) *n* salário; (*of manual worker*) paga ♦ *vt* pagar; (*debt*) liquidar, saldar; (*visit*) fazer ♦ *vi* valer a pena, render; **to ~ attention (to)** prestar atenção (a); **to ~ one's respects to sb** fazer uma visita de cortesia a alguém; **pay back** *vt* (*money*) devolver; (*person*) pagar; **pay for** *vt fus* pagar a; (*fig*) recompensar; **pay in** *vt* depositar; **pay off** *vt* (*debts*) saldar, liquidar; (*creditor*) pagar, reembolsar ♦ *vi* (*plan*) valer a pena; **pay up** *vt* pagar; **payable** *adj* pagável; (*cheque*): **payable to** nominal em favor de; **payee** [peɪ'i:] *n* beneficiário(-a); **payment** *n* pagamento; **monthly payment** pagamento mensual; **pay packet** (*BRIT*) *n* envelope *m* de pagamento; **pay phone** *n* telefone *m* público; **payroll** *n* folha de pagamento; **pay television** *n* televisão *f* por assinatura
PC *n abbr* (= *personal computer*) PC *m*
pc *abbr* = **per cent**
pea [pi:] *n* ervilha
peace [pi:s] *n* paz *f*; (*calm*) tranqüilidade *f*, quietude *f*; **peaceful** *adj* (*person*) tranqüilo, pacífico; (*place, time*) tranqüilo, sossegado
peach [pi:tʃ] *n* pêssego
peacock ['pi:kɔk] *n* pavão *m*
peak [pi:k] *n* (*of mountain: top*) cume *m*; (*of cap*) pala, viseira; (*fig*) apogeu *m*
peanut ['pi:nʌt] *n* amendoim *m*; **peanut butter** *n* manteiga de amendoim
pear [pɛə*] *n* pêra
pearl [pə:l] *n* pérola
peasant ['pɛznt] *n* camponês(-esa) *m/f*
peat [pi:t] *n* turfa
pebble ['pɛbl] *n* seixo, calhau *m*
peck [pɛk] *vt* (*also*: **~ at**) bicar, dar bicadas em ♦ *n* bicada; (*kiss*) beijoca; **peckish** (*BRIT: inf*) *adj*: **I feel peckish** estou a fim de comer alguma coisa
peculiar [prˈkju:lɪə*] *adj* (*strange*) estranho, esquisito; (*belonging to*): **~ to** próprio de
pedal ['pɛdl] *n* pedal *m* ♦ *vi* pedalar
pedestrian [prˈdɛstrɪən] *n* pedestre *m/f* (*BR*), peão *m* (*PT*) ♦ *adj* (*fig*) prosaico; **pedestrian crossing** (*BRIT*) *n* passagem *f* para pedestres (*BR*), passadeira (*PT*)
pedigree ['pɛdɪgri:] *n* raça; (*fig*) genealogia ♦ *cpd* (*animal*) de raça
pee [pi:] (*inf*) *vi* fazer xixi, mijar
peek [pi:k] *vi*: **to ~ at** espiar, espreitar
peel [pi:l] *n* casca ♦ *vt* descascar ♦ *vi* (*paint, skin*) descascar; (*wallpaper*) desprender-se
peep [pi:p] *n* (*BRIT: look*) espiadela; (*sound*) pio ♦ *vi* espreitar; **peep out** (*BRIT*) *vi* mostrar-se, surgir; **peephole** *n* vigia, olho mágico
peer [pɪə*] *vi*: **to ~ at** perscrutar, fitar ♦ *n* (*noble*) par *m/f*; (*equal*) igual *m/f*; (*contemporary*) contemporâneo(-a)
peg [pɛg] *n* (*for coat etc*) cabide *m*; (*BRIT: also*: **clothes ~**) pregador *m*
pelican ['pɛlɪkən] *n* pelicano
pellet ['pɛlɪt] *n* bolinha; (*for shotgun*) pelota de chumbo
pelt [pɛlt] *vt*: **to ~ sb with sth** atirar algo em alguém ♦ *vi* (*rain: also*: **~ down**) chover a cântaros; (*inf: run*) correr ♦ *n* pele *f* (não curtida)
pelvis ['pɛlvɪs] *n* pelvis *f*, bacia
pen [pɛn] *n* caneta; (*for sheep etc*) redil *m*, cercado
penal ['pi:nl] *adj* penal; **penalize** ['pi:nəlaɪz] *vt* impor penalidade a; (*SPORT*) penalizar
penalty ['pɛnltɪ] *n* pena, penalidade *f*; (*fine*) multa; (*SPORT*) punição *f*
pence [pɛns] (*BRIT*) *npl of* **penny**
pencil ['pɛnsl] *n* lápis *m*; **pencil case** *n* lapiseira, porta-lápis *m inv*; **pencil sharpener** *n* apontador *m* (de lápis) (*BR*), apara-lápis *m inv* (*PT*)
pendant ['pɛndnt] *n* pingente *m*
pending ['pɛndɪŋ] *prep, adj* pendente
penetrate ['pɛnɪtreɪt] *vt* penetrar
penfriend ['pɛnfrɛnd] (*BRIT*) *n* amigo(-a) por correspondência, correspondente *m/f*
penguin ['pɛŋgwɪn] *n* pingüim *m*
peninsula [pəˈnɪnsjulə] *n* península
penis ['pi:nɪs] *n* pênis *m*
penitentiary [pɛnɪˈtɛnʃərɪ] (*US*) *n* penitenciária, presídio
penknife ['pɛnnaɪf] (*irreg*) *n* canivete *m*
penniless ['pɛnɪlɪs] *adj* sem dinheiro, sem um tostão
penny ['pɛnɪ] (*pl* **pennies** *or* (*BRIT*) **pence**)

penpal → petition

n pêni *m*; (*US*) cêntimo
penpal ['penpæl] *n* amigo(-a) por correspondência, correspondente *m/f*
pension ['penʃən] *n* pensão *f*; (*old-age ~*) aposentadoria, pensão do governo; **pensioner** (*BRIT*) *n* aposentado(-a) (*BR*), reformado(-a) (*PT*)
Pentagon ['pentəgən] *n*: **the ~** o Pentágono
penthouse ['penthaus] *n* cobertura
pent-up [pent-] *adj* reprimido
people ['piːpl] *npl* gente *f*, pessoas *fpl*; (*inhabitants*) habitantes *m/fpl*; (*citizens*) povo; **the ~** o povo ♦ *n* povo; **several ~ came** vieram várias pessoas; **~ say that ...** dizem que ...
pepper ['pepə*] *n* pimenta; (*vegetable*) pimentão *m* ♦ *vt* apimentar; (*fig*): **to ~ with** salpicar de; **peppermint** *n* (*sweet*) bala de hortelã
peptalk ['peptɔːk] (*inf*) *n* conversa para levantar o espírito
per [pəː*] *prep* por
perceive [pəˈsiːv] *vt* perceber; (*notice*) notar; (*realize*) compreender
per cent *n* por cento
percentage [pəˈsentɪdʒ] *n* porcentagem *f*, percentagem *f*
perceptive [pəˈseptɪv] *adj* perceptivo
perch [pəːtʃ] (*pl* ~**es**) *n* (*for bird*) poleiro; (*pl: inv or* ~**es**: *fish*) perca ♦ *vi*: **to ~ (on)** (*bird*) empoleirar-se (em); (*person*) encarapitar-se (em)
percolator ['pəːkəleɪtə*] *n* (*also:* **coffee ~**) cafeteira de filtro
perfect [*adj, n* 'pəːfɪkt, *vb* pəˈfekt] *adj* perfeito; (*utter*) completo ♦ *n* (*also:* ~ **tense**) perfeito ♦ *vt* aperfeiçoar; **perfectly** *adv* perfeitamente
perform [pəˈfɔːm] *vt* (*carry out*) realizar, fazer; (*piece of music*) interpretar ♦ *vi* (*well, badly*) interpretar; **performance** *n* desempenho *m*; (*of play, by artist*) atuação *f*; (*of car*) performance *f*; **performer** *n* (*actor*) artista *m/f*, ator (atriz) *m/f*; (*MUS*) intérprete *m/f*
perfume ['pəːfjuːm] *n* perfume *m*
perhaps [pəˈhæps] *adv* talvez
peril ['perɪl] *n* perigo, risco
perimeter [pəˈrɪmɪtə*] *n* perímetro
period ['pɪərɪəd] *n* período; (*SCH*) aula; (*full stop*) ponto final; (*MED*) menstruação *f*, regra ♦ *adj* (*costume, furniture*) da época; **periodic(al)** [pɪərɪˈɔdɪk(l)] *adj* periódico; **periodical** [pɪərɪˈɔdɪkl] *n* periódico
peripheral [pəˈrɪfərəl] *adj* periférico ♦ *n* (*COMPUT*) periférico

perish ['perɪʃ] *vi* perecer; (*decay*) deteriorar-se
perjury ['pəːdʒərɪ] *n* (*LAW*) perjúrio, falso testemunho
perk [pəːk] (*inf*) *n* mordomia, regalia; **perk up** *vi* (*cheer up*) animar-se
perm [pəːm] *n* permanente *f*
permanent ['pəːmənənt] *adj* permanente
permission [pəˈmɪʃən] *n* permissão *f*; (*authorization*) autorização *f*
permit [*n* 'pəːmɪt, *vb* pəˈmɪt] *n* licença; (*to enter*) passe *m* ♦ *vt* permitir; (*authorize*) autorizar
perplex [pəˈpleks] *vt* deixar perplexo
persecute ['pəːsɪkjuːt] *vt* importunar
persevere [pəːsɪˈvɪə*] *vi* perseverar
Persian ['pəːʃən] *adj* persa ♦ *n* (*LING*) persa *m*; **the ~ Gulf** o golfo Pérsico
persist [pəˈsɪst] *vi*: **to ~ (in)** persistir (em); **persistent** [pəˈsɪstənt] *adj* persistente; (*determined*) teimoso
person ['pəːsn] *n* pessoa; **in ~** em pessoa; **personal** *adj* pessoal; (*private*) particular; (*visit*) em pessoa, pessoal; **personal assistant** *n* secretário(-a) particular; **personal computer** *n* computador *m* pessoal; **personality** [pəːsəˈnælɪtɪ] *n* personalidade *f*; **personal organizer** *n* agenda; **personal stereo** *n* Walkman ® *m*
personnel [pəːsəˈnel] *n* pessoal *m*
perspective [pəˈspektɪv] *n* perspectiva
Perspex ['pəːspeks] ® (*BRIT*) *n* Blindex ® *m*
perspiration [pəːspɪˈreɪʃən] *n* transpiração *f*
persuade [pəˈsweɪd] *vt*: **to ~ sb to do sth** persuadir alguém a fazer algo
Peru [pəˈruː] *n* Peru *m*
pervert [*n* 'pəːvəːt, *vb* pəˈvəːt] *n* pervertido(-a) ♦ *vt* perverter, corromper; (*truth*) distorcer
pessimist ['pesɪmɪst] *n* pessimista *m/f*; **pessimistic** [pesɪˈmɪstɪk] *adj* pessimista
pest [pest] *n* (*insect*) inseto nocivo; (*fig*) peste *f*
pester ['pestə*] *vt* incomodar
pet [pet] *n* animal *m* de estimação ♦ *cpd* predileto ♦ *vt* acariciar ♦ *vi* (*inf*) acariciar-se; **teacher's ~** (*favourite*) preferido(-a) do professor
petal ['petl] *n* pétala
peter out ['piːtə*-] *vi* (*conversation*) esgotar-se; (*road etc*) acabar-se
petite [pəˈtiːt] *adj* delicado, mignon
petition [pəˈtɪʃən] *n* petição *f*; (*list of signatures*) abaixo-assinado

petrified → pigeon

petrified ['pɛtrɪfaɪd] adj (fig) petrificado, paralisado
petrol ['pɛtrəl] (BRIT) n gasolina; **two-/four-star ~** gasolina de duas/quatro estrelas
petroleum [pə'trəʊlɪəm] n petróleo
petrol: petrol pump (BRIT) n bomba de gasolina; **petrol station** (BRIT) n posto (BR) or bomba (PT) de gasolina; **petrol tank** (BRIT) n tanque m de gasolina
petticoat ['pɛtɪkəʊt] n anágua
petty ['pɛtɪ] adj (mean) mesquinho; (unimportant) insignificante; **petty cash** n fundo para despesas miúdas, caixa pequena, fundo de caixa
pew [pju:] n banco (de igreja)
pewter ['pju:tə*] n peltre m
phantom ['fæntəm] n fantasma m
pharmacy ['fɑ:məsɪ] n farmácia
phase [feɪz] n fase f ♦ vt: **to ~ in/out** introduzir/retirar por etapas
PhD n abbr = **Doctor of Philosophy**
pheasant ['fɛznt] n faisão m
phenomenon [fə'nɔmɪnən] (pl **phenomena**) n fenômeno
philosophical [fɪlə'sɔfɪkl] adj filosófico; (fig) calmo, sereno
philosophy [fɪ'lɔsəfɪ] n filosofia
phobia ['fəʊbjə] n fobia
phone [fəʊn] n telefone m ♦ vt telefonar para, ligar para; **to be on the ~** ter telefone; (be calling) estar no telefone; **phone back** vt, vi ligar de volta; **phone up** vt telefonar para ♦ vi telefonar; **phone book** n lista telefônica; **phone box** (BRIT) n cabine f telefônica; **phone call** n telefonema m, ligada; **phone card** n cartão para uso em telefone público; **phone-in** (BRIT) n (RADIO) programa com participação dos ouvintes; (TV) programa com participação dos espectadores; **phone number** n (número de) telefone m
phonetics [fə'nɛtɪks] n fonética
phoney ['fəʊnɪ] adj falso; (person) fingido
photo ['fəʊtəʊ] n foto f
photo... ['fəʊtəʊ] prefix foto...; **photocopier** n fotocopiadora f; **photocopy** n fotocópia, xerox ® m ♦ vt fotocopiar, xerocar
photograph ['fəʊtəgrɑ:f] n fotografia ♦ vt fotografar; **photographer** [fə'tɔgrəfə*] n fotógrafo(-a); **photography** [fə'tɔgrəfɪ] n fotografia
phrase [freɪz] n frase f ♦ vt expressar; **phrase book** n livro de expressões idiomáticas (para turistas)
physical ['fɪzɪkl] adj físico

physician [fɪ'zɪʃən] n médico(-a)
physics ['fɪzɪks] n física
physiotherapy [fɪzɪəʊ'θɛrəpɪ] n fisioterapia
physique [fɪ'zi:k] n físico
pianist ['pi:ənɪst] n pianista m/f
piano [pɪ'ænəʊ] n piano
pick [pɪk] n (tool: also: **~-axe**) picareta ♦ vt (select) escolher, selecionar; (gather) colher; (remove) tirar; (lock) forçar; **take your ~** escolha o que quiser; **the ~ of** o melhor de; **to ~ one's nose** colocar o dedo no nariz; **to ~ one's teeth** palitar os dentes; **to ~ a quarrel with sb** comprar uma briga com alguém; **pick at** vt fus (food) beliscar; **pick on** vt fus (person: criticize) criticar; (: treat badly) azucrinar, aporrinhar; **pick out** vt escolher; (distinguish) distinguir; **pick up** vi (improve) melhorar ♦ vt (from floor, AUT) apanhar; (POLICE) prender; (collect) buscar; (for sexual encounter) paquerar; (learn) aprender; (RADIO) pegar; **to ~ up speed** acelerar; **to ~ o.s. up** levantar-se
picket ['pɪkɪt] n (in strike) piquete m ♦ vt formar piquete em frente de
pickle ['pɪkl] n (also: **~s**: as condiment) picles mpl; (fig: mess) apuro ♦ vt (in vinegar) conservar em vinagre; (in salt) conservar em sal e água
pickpocket ['pɪkpɔkɪt] n batedor(a) m/f de carteira (BR), carteirista m/f (PT)
picnic ['pɪknɪk] n piquenique m
picture ['pɪktʃə*] n quadro; (painting) pintura; (drawing) desenho; (etching) água-forte f; (photograph) foto(grafia) f; (TV) imagem f; (film) filme m; (fig: description) descrição f; (: situation) conjuntura ♦ vt imaginar-se; **the ~s** npl (BRIT: inf) o cinema; **picture book** n livro de figuras
pie [paɪ] n (vegetable) pastelão m; (fruit) torta; (meat) empadão m
piece [pi:s] n pedaço; (portion) fatia; (item): **a ~ of clothing/furniture/advice** uma roupa/um móvel/um conselho ♦ vt: **to ~ together** juntar; **to take to ~s** desmontar; **piecemeal** adv pouco a pouco; **piecework** n trabalho por empreitada or peça
pie chart n gráfico de setores
pier [pɪə*] n cais m; (jetty) embarcadouro, molhe m
pierce [pɪəs] vt furar, perfurar
pig [pɪg] n porco; (fig) porcalhão(-lhona) m/f; (pej: unkind person) grosseiro(-a); (: greedy person) ganancioso(-a)
pigeon ['pɪdʒən] n pombo; **pigeonhole**

piggy bank → plain

n escaninho
piggy bank ['pɪgɪ-] *n* cofre em forma de porquinho
pigskin ['pɪgskɪn] *n* couro de porco
pigsty ['pɪgstaɪ] *n* chiqueiro
pigtail ['pɪgteɪl] *n* rabo-de-cavalo, trança
pike [paɪk] *n* (*pl inv or* **~s**) (*fish*) lúcio
pilchard ['pɪltʃəd] *n* sardinha
pile [paɪl] *n* (*heap*) monte *m*; (*of carpet*) pêlo; (*of cloth*) lado felpudo ♦ *vt* (*also:* **~ up**) empilhar ♦ *vi* (*also:* **~ up**: *objects*) empilhar-se; (: *problems, work*) acumular-se; **pile into** *vt fus* (*car*) apinhar-se
piles [paɪlz] *npl* hemorróidas *fpl*
pile-up *n* (*AUT*) engavetamento
pilgrim ['pɪlgrɪm] *n* peregrino(-a)
pill [pɪl] *n* pílula; **the ~** a pílula
pillar ['pɪlə*] *n* pilar *m*; **pillar box** (*BRIT*) *n* caixa coletora (do correio) (*BR*), marco do correio (*PT*)
pillion ['pɪljən] *n*: **to ride ~** andar na garupa
pillow ['pɪləʊ] *n* travesseiro (*BR*), almofada (*PT*); **pillowcase** *n* fronha
pilot ['paɪlət] *n* piloto(-a) ♦ *cpd* (*scheme etc*) piloto *inv* ♦ *vt* pilotar; **pilot light** *n* piloto
pimp [pɪmp] *n* cafetão *m* (*BR*), cáften *m* (*PT*)
pimple ['pɪmpl] *n* espinha
PIN [pɪn] *n abbr* (= *personal identification number*) número de identificação pessoal, senha
pin [pɪn] *n* alfinete *m* ♦ *vt* alfinetar; **~s and needles** comichão *f*, sensação *f* de formigamento; **to ~ sth on sb** (*fig*) culpar alguém de algo; **pin down** *vt* (*fig*): **to ~ sb down** conseguir que alguém se defina *or* tome atitude
pinafore ['pɪnəfɔ:*] *n* (*also:* **~ dress**) avental *m*
pincers ['pɪnsəz] *npl* pinça, tenaz *f*
pinch [pɪntʃ] *n* (*of salt etc*) pitada ♦ *vt* beliscar; (*inf: steal*) afanar; **at a ~** em último caso
pincushion ['pɪnkʊʃən] *n* alfineteira
pine [paɪn] *n* pinho ♦ *vi*: **to ~ for** ansiar por; **pine away** *vi* consumir-se, definhar
pineapple ['paɪnæpl] *n* abacaxi *m* (*BR*), ananás *m* (*PT*)
ping-pong ['pɪŋpɔŋ] ® *n* pingue-pongue *m*
pink [pɪŋk] *adj* cor de rosa *inv* ♦ *n* (*colour*) cor *f* de rosa; (*BOT*) cravo, cravina
PIN number ['pɪn-] *n* = **PIN**
pinpoint ['pɪnpɔɪnt] *vt* (*discover*) descobrir; (*explain*) identificar; (*locate*) localizar com precisão
pint [paɪnt] *n* quartilho (*BRIT*: = 568*cc*; *US*: = 473*cc*)
pioneer [paɪə'nɪə*] *n* pioneiro(-a)
pious ['paɪəs] *adj* pio, devoto
pip [pɪp] *n* (*seed*) caroço, semente *f*; **the ~s** *npl* (*BRIT*: *time signal on radio*) ≈ o toque de seis segundos
pipe [paɪp] *n* cano; (*for smoking*) cachimbo ♦ *vt* canalizar, encanar; **~s** *npl* (*also:* **bag~s**) gaita de foles; **pipe down** (*inf*) *vi* calar o bico, meter a viola no saco; **pipeline** *n* (*for oil*) oleoduto; (*for gas*) gaseoduto
piping ['paɪpɪŋ] *adv*: **~ hot** chiando de quente
pirate ['paɪərət] *n* pirata *m* ♦ *vt* piratear
Pisces ['paɪsi:z] *n* Pisces *m*, Peixes *mpl*
piss [pɪs] (*inf!*) *vi* mijar; **pissed** (*inf!*) *adj* (*drunk*) bêbado, de porre
pistol ['pɪstl] *n* pistola
piston ['pɪstən] *n* pistão *m*, êmbolo
pit [pɪt] *n* cova, fossa; (*quarry, hole in surface of sth*) buraco; (*also:* **coal ~**) mina de carvão ♦ *vt*: **to ~ one's wits against sb** competir em conhecimento *or* inteligência contra alguém; **~s** *npl* (*AUT*) box *m*
pitch [pɪtʃ] *n* (*MUS*) tom *m*; (*fig: degree*) intensidade *f*; (*BRIT: SPORT*) campo; (*tar*) piche *m*, breu *m* ♦ *vt* (*throw*) arremessar, lançar; (*tent*) armar ♦ *vi* (*fall forwards*) cair (para frente); **pitch-black** *adj* escuro como o breu
pitfall ['pɪtfɔ:l] *n* perigo (imprevisto), armadilha
pitiful ['pɪtɪful] *adj* comovente, tocante
pittance ['pɪtns] *n* ninharia, miséria
pity ['pɪtɪ] *n* compaixão *f*, piedade *f* ♦ *vt* ter pena de, compadecer-se de
pizza ['pi:tsə] *n* pizza
placard ['plækɑ:d] *n* placar *m*; (*in march etc*) cartaz *m*
placate [plə'keɪt] *vt* apaziguar, aplacar
place [pleɪs] *n* lugar *m*; (*position*) posição *f*; (*post*) posto; (*role*) papel *m*; (*home*): **at/to his ~** na/para a casa dele ♦ *vt* pôr, colocar; (*identify*) identificar, situar; **to take ~** realizar-se; (*occur*) ocorrer; **out of ~** (*not suitable*) fora de lugar, deslocado; **in the first ~** em primeiro lugar; **to change ~s with sb** trocar de lugar com alguém; **to be ~d** (*in race, exam*) classificar-se
plague [pleɪg] *n* (*MED*) peste *f*; (*fig*) praga ♦ *vt* atormentar, importunar
plaice [pleɪs] *n inv* solha
plain [pleɪn] *adj* (*unpatterned*) liso; (*clear*)

plaintiff → plough

claro, evidente; (*simple*) simples *inv*, despretensioso; (*not handsome*) sem atrativos ♦ *adv* claramente, com franqueza ♦ *n* planície *f*, campina; **plain chocolate** *n* chocolate *m* amargo; **plain-clothes** *adj* (*police officer*) à paisana; **plainly** *adv* claramente, obviamente; (*hear, see*) facilmente; (*state*) francamente

plaintiff ['pleɪntɪf] *n* querelante *m/f*, queixoso(-a)

plait [plæt] *n* trança, dobra

plan [plæn] *n* plano; (*scheme*) projeto; (*schedule*) programa *m* ♦ *vt* planejar (*BR*), planear (*PT*) ♦ *vi* fazer planos; **to ~ to do** pretender fazer

plane [pleɪn] *n* (*AVIAT*) avião *m*; (*also:* **~ tree**) plátano *m*; (*fig: level*) nível *m*; (*tool*) plaina; (*MATH*) plano

planet ['plænɪt] *n* planeta *m*

plank [plæŋk] *n* tábua

planning ['plænɪŋ] *n* planejamento (*BR*), planeamento (*PT*); **family ~** planejamento *or* planeamento familiar

plant [plɑːnt] *n* planta; (*machinery*) maquinaria; (*factory*) usina, fábrica ♦ *vt* plantar; (*field*) semear; (*bomb*) colocar, pôr

plaster ['plɑːstə*] *n* (*for walls*) reboco; (*also:* **~ of Paris**) gesso; (*BRIT: also:* **sticking ~**) esparadrapo, band-aid *m* ♦ *vt* rebocar; (*cover*): **to ~ with** encher *or* cobrir de; **plastered** (*inf*) *adj* bêbado, de porre

plastic ['plæstɪk] *n* plástico ♦ *adj* de plástico; **plastic bag** *n* sacola de plástico

plastic surgery *n* cirurgia plástica

plate [pleɪt] *n* prato, chapa; (*dental*) chapa; (*in book*) gravura; **gold/silver ~** placa de ouro/prata

plateau ['plætəu] (*pl* **~s** *or* **~x**) *n* planalto

platform ['plætfɔːm] *n* (*RAIL*) plataforma (*BR*), cais *m* (*PT*); (*at meeting*) tribuna; (*raised structure: for landing etc*) plataforma; (*BRIT: of bus*) plataforma; (*POL*) programa *m* partidário

platinum ['plætɪnəm] *n* platina

plausible ['plɔːzɪbl] *adj* plausível; (*person*) convincente

play [pleɪ] *n* (*THEATRE*) obra, peça ♦ *vt* jogar; (*team*) jogar contra; (*music*) tocar; (*role*) fazer o papel de ♦ *vi* (*music*) tocar; (*frolic*) brincar; **to ~ safe** não se arriscar, não correr riscos; **play down** *vt* minimizar; **play up** *vi* (*person*) dar trabalho; (*TV, car*) estar com defeito; **playboy** *n* playboy *m*; **player** *n* jogador(a) *m/f*; (*THEATRE*) ator (atriz) *m/f*;

(*MUS*) músico(-a); **playful** *adj* brincalhão(-lhona); **playground** *n* (*in park*) playground *m*; (*in school*) pátio de recreio; **playgroup** *n* espécie de jardim de infância; **playing card** *n* carta de baralho; **playing field** *n* campo de esportes (*BR*) *or* jogos (*PT*); **playmate** *n* colega *m/f*, camarada *m/f*; **playpen** *n* cercado para crianças; **plaything** *n* brinquedo; (*fig*) joguete *m*; **playtime** *n* (*SCH*) recreio; **playwright** *n* dramaturgo(-a)

plc *abbr* = **public limited company**

plea [pliː] *n* (*request*) apelo, petição *f*; (*LAW*) defesa

plead [pliːd] *vt* (*LAW*) defender, advogar; (*give as excuse*) alegar ♦ *vi* (*LAW*) declarar-se; (*beg*): **to ~ with sb** suplicar *or* rogar a alguém

pleasant ['plɛznt] *adj* agradável; (*person*) simpático

please [pliːz] *excl* por favor ♦ *vt* agradar a, dar prazer a ♦ *vi* agradar, dar prazer; (*think fit*): **do as you ~** faça o que *or* como quiser; **~ yourself!** (*inf*) como você quiser!, você que sabe!; **pleased** *adj* (*happy*): **pleased (with)** satisfeito (com); **pleased to meet you** prazer (em conhecê-lo); **pleasing** *adj* agradável

pleasure ['plɛʒə*] *n* prazer *m*; **"it's a ~"** "não tem de quê"

pleat [pliːt] *n* prega

pledge [plɛdʒ] *n* (*promise*) promessa ♦ *vt* prometer; **to ~ support for sb** empenhar-se a apoiar alguém

plentiful ['plɛntɪful] *adj* abundante

plenty ['plɛntɪ] *n*: **~ of** (*food, money*) bastante; (*jobs, people*) muitos(-as)

pliable ['plaɪəbl] *adj* flexível; (*fig: person*) adaptável, moldável

pliers ['plaɪəz] *npl* alicate *m*

plimsolls ['plɪmsəlz] (*BRIT*) *npl* tênis *mpl*

plod [plɔd] *vi* caminhar pesadamente; (*fig*) trabalhar laboriosamente

plonk [plɔŋk] (*inf*) *n* (*BRIT: wine*) zurrapa ♦ *vt*: **to ~ sth down** deixar cair algo (pesadamente)

plot [plɔt] *n* (*scheme*) conspiração *f*, complô *m*; (*of story, play*) enredo, trama; (*of land*) lote *m* ♦ *vt* (*conspire*) tramar, planejar (*BR*), planear (*PT*); (*AVIAT, NAUT, MATH*) plotar ♦ *vi* conspirar; **a vegetable ~** (*BRIT*) uma horta

plough [plau] (*US* **plow**) *n* arado ♦ *vt* arar; **to ~ money into** investir dinheiro em; **plough through** *vt fus* abrir caminho por; **ploughman's lunch** (*BRIT*) *n* lanche de pão, queijo e picles

ploy → police

ploy [plɔɪ] n estratagema m
pluck [plʌk] vt (fruit) colher; (musical instrument) dedilhar; (bird) depenar ♦ n coragem f, puxão m; **to ~ one's eyebrows** fazer as sobrancelhas; **to ~ up courage** criar coragem
plug [plʌg] n (ELEC) tomada (BR), ficha (PT); (in sink) tampa; (AUT: also: **spark(ing) ~**) vela (de ignição) ♦ vt (hole) tapar; (inf: advertise) fazer propaganda de; **plug in** vt (ELEC) ligar
plum [plʌm] n (fruit) ameixa ♦ cpd (inf): **a ~ job** um emprego jóia
plumber ['plʌmə*] n bombeiro(-a) (BR), encanador(a) (BR), canalizador(a) m/f (PT)
plumbing ['plʌmɪŋ] n (trade) ofício de encanador; (piping) encanamento
plummet ['plʌmɪt] vi: **to ~ (down)** (bird, aircraft) cair rapidamente; (price) baixar rapidamente
plump [plʌmp] adj roliço, rechonchudo ♦ vi: **to ~ for** (inf: choose) escolher, optar por; **plump up** vt (cushion) afofar
plunder ['plʌndə*] n pilhagem f; (loot) despojo ♦ vt pilhar, espoliar
plunge [plʌndʒ] n (dive) salto; (fig) queda ♦ vt (hand, knife) enfiar, meter ♦ vi (fall, fig) cair; (dive) mergulhar; **to take the ~** topar a parada
plural ['pluərl] adj plural ♦ n plural m
plus [plʌs] n (also: **~ sign**) sinal m de adição ♦ prep mais; **ten/twenty ~** dez/vinte e tantos
plush [plʌʃ] adj suntuoso
ply [plaɪ] n (of wool) fio ♦ vt (a trade) exercer ♦ vi (ship) ir e vir; **to ~ sb with drink/questions** bombardear alguém com bebidas/perguntas; **plywood** n madeira compensada
PM (BRIT) n abbr = **Prime Minister**
p.m. adv abbr (= post meridiem) da tarde, da noite
PMT n abbr (= premenstrual tension) TPM f, tensão f pré-menstrual
pneumatic drill [njuː'mætɪk-] n perfuratriz f
poach [pəutʃ] vt (COOK: fish) escaldar; (: eggs) fazer pochê (BR), escalfar (PT); (steal) furtar ♦ vi caçar (or pescar) em propriedade alheia
PO Box n abbr (= Post Office Box) caixa postal
pocket ['pɔkɪt] n bolso; (fig: small area) pedaço ♦ vt meter no bolso; (steal) embolsar; **to be out of ~** (BRIT) perder, ter prejuízo; **pocketbook** (US) n carteira; **pocket knife** (irreg) n canivete m;

pocket money n dinheiro para despesas miúdas; (for child) mesada
pod [pɔd] n vagem f
podgy ['pɔdʒɪ] (inf) adj gorducho, rechonchudo
podiatrist [pɔ'diːətrɪst] (US) n pedicuro(-a)
poem ['pəuɪm] n poema m
poet ['pəuɪt] n poeta (poetisa) m/f; **poetic** [pəu'ɛtɪk] adj poético; **poetry** ['pəuɪtrɪ] n poesia
point [pɔɪnt] n ponto; (of needle etc) ponta; (purpose) finalidade f; (significant part) ponto principal; (position) lugar m, posição f; (moment) momento; (stage) estágio; (ELEC: also: **power ~**) tomada; (also: **decimal ~**): **2 ~ 3 (2.3)** dois vírgula três ♦ vt mostrar; (gun etc): **to ~ sth at sb** apontar algo para alguém ♦ vi: **to ~ at** apontar para; **~s** npl (AUT) platinado, contato; (RAIL) agulhas fpl; **to be on the ~ of doing sth** estar prestes a or a ponto de fazer algo; **to make a ~ of** fazer questão de, insistir em; **to get the ~** perceber; **to miss the ~** compreender mal; **to come to the ~** ir ao assunto; **there's no ~ (in doing)** não há razão (para fazer); **point out** vt (in debate etc) ressaltar; **point to** vt fus (fig) indicar; **point-blank** adv categoricamente; (also: **at point-blank range**) à queima-roupa; **pointed** adj (stick etc) pontudo; (remark) mordaz; **pointer** n (on chart) indicador m; (on machine) ponteiro; (fig) dica; **pointless** adj (useless) inútil; (senseless) sem sentido; **point of view** n ponto de vista
poise [pɔɪz] n (composure) elegância; (calmness) serenidade f
poison ['pɔɪzn] n veneno ♦ vt envenenar; **poisonous** adj venenoso; (fumes etc) tóxico
poke [pəuk] vt cutucar; (put): **to ~ sth in (to)** enfiar or meter algo em; **poke about** vi escarafunchar
poker ['pəukə*] n atiçador m (de brasas); (CARDS) pôquer m
Poland ['pəulənd] n Polônia
polar ['pəulə*] adj polar; **polar bear** n urso polar
Pole [pəul] n polonês(-esa) m/f
pole [pəul] n vara; (GEO) pólo; (telegraph ~) poste m; (flag~) mastro; **pole bean** (US) n feijão-trepador m; **pole vault** n salto com vara
police [pə'liːs] n polícia ♦ vt policiar; **police car** n rádio-patrulha f; **policeman** (irreg) n policial m (BR), polícia m (PT); **police station** n

delegacia (de polícia) (*BR*), esquadra (*PT*); **policewoman** (*irreg*) n policial f (feminina) (*BR*), mulher f polícia (*PT*)

policy ['pɔlɪsɪ] n política; (*also:* **insurance** ~) apólice f

polio ['pəulɪəu] n polio(mielite) f

Polish ['pəulɪʃ] adj polonês(-esa) ♦ n (*LING*) polonês m

polish ['pɔlɪʃ] n (*for shoes*) graxa; (*for floor*) cera (para encerar); (*shine*) brilho; (*fig*) refinamento, requinte m ♦ vt (*shoes*) engraxar; (*make shiny*) lustrar, dar brilho a; **polish off** vt (*work*) dar os arremates a; (*food*) raspar

polite [pə'laɪt] adj educado; **politeness** n gentileza, cortesia

political [pə'lɪtɪkl] adj político

politician [pɔlɪ'tɪʃən] n político(-a)

politics ['pɔlɪtɪks] n, npl política

poll [pəul] n (*votes*) votação f; (*also:* **opinion** ~) pesquisa, sondagem f ♦ vt (*votes*) receber, obter

pollen ['pɔlən] n pólen m

polling day ['pəulɪŋ-] (*BRIT*) n dia m de eleição

pollute [pə'luːt] vt poluir; **pollution** n poluição f

polo-necked ['pəuləunɛkt] adj de gola rulê

polyester [pɔlɪ'ɛstə*] n poliéster m

polystyrene [pɔlɪ'staɪriːn] n isopor ® m

polythene ['pɔlɪθiːn] n politeno

pomegranate ['pɔmɪɡrænɪt] n romã f

pond [pɔnd] n (*natural*) lago pequeno; (*artificial*) tanque m

ponder ['pɔndə*] vt, vi ponderar, meditar (sobre)

pony ['pəunɪ] n pônei m; **ponytail** n rabo-de-cavalo; **pony trekking** (*BRIT*) n excursão f em pônei

poodle ['puːdl] n cão-d'água m

pool [puːl] n (*puddle*) poça, charco; (*pond*) lago; (*also:* **swimming** ~) piscina; (*fig: of light*) feixe m; (: *of liquid*) poça; (*SPORT*) sinuca ♦ vt juntar; ~**s** npl (*football* ~*s*) loteria esportiva (*BR*), totobola (*PT*); **typing** (*BRIT*) or **secretary** (*US*) ~ seção f de datilografia

poor [puə*] adj pobre; (*bad*) inferior, mau ♦ npl: **the** ~ os pobres; ~ **in** (*resources etc*) deficiente em; **poorly** adj adoentado, indisposto ♦ adv mal

pop [pɔp] n (*sound*) estalo, estouro; (*MUS*) pop m; (*US: inf: father*) papai m; (*inf: fizzy drink*) bebida gasosa ♦ vt: **to ~ sth into/onto** etc (*put*) pôr em/sobre etc ♦ vi estourar; (*cork*) saltar; **pop in** vi dar um pulo; **pop out** vi dar uma saída; **pop up** vi surgir, aparecer inesperadamente; **popcorn** n pipoca

pope [pəup] n papa m

poplar ['pɔplə*] n álamo, choupo

poppy ['pɔpɪ] n papoula

popsicle ['pɔpsɪkl] ® (*US*) n picolé m

popular ['pɔpjulə*] adj popular; (*person*) querido

population [pɔpju'leɪʃən] n população f

porcelain ['pɔːslɪn] n porcelana

porch [pɔːtʃ] n pórtico; (*US: verandah*) varanda

porcupine ['pɔːkjupaɪn] n porco-espinho

pore [pɔː*] n poro ♦ vi: **to ~ over** examinar minuciosamente

pork [pɔːk] n carne f de porco

pornography [pɔː'nɔɡrəfɪ] n pornografia

porpoise ['pɔːpəs] n golfinho, boto

porridge ['pɔrɪdʒ] n mingau m (de aveia)

port [pɔːt] n (*harbour*) porto; (*NAUT: left side*) bombordo; (*wine*) vinho do Porto; ~ **of call** porto de escala

portable ['pɔːtəbl] adj portátil

porter ['pɔːtə*] n (*for luggage*) carregador m; (*doorkeeper*) porteiro

portfolio [pɔːt'fəulɪəu] n (*case*) pasta; (*POL*) pasta ministerial; (*FINANCE*) carteira de ações ou títulos; (*of artist*) pasta, portfolió

porthole ['pɔːθəul] n vigia

portion ['pɔːʃən] n porção f, quinhão m; (*of food*) ração f

portrait ['pɔːtreɪt] n retrato

portray [pɔː'treɪ] vt retratar; (*act*) interpretar

Portugal ['pɔːtjuɡl] n Portugal m (*no article*)

Portuguese [pɔːtju'ɡiːz] adj português (-esa) ♦ n inv português(-esa) m/f; (*LING*) português m

pose [pəuz] n postura, pose f ♦ vi (*pretend*): **to ~ as** fazer-se passar por ♦ vt (*question*) fazer; (*problem*) causar; **to ~ for** (*painting*) posar para

posh [pɔʃ] (*inf*) adj fino, chique; (*upper-class*) de classe alta

position [pə'zɪʃən] n posição f; (*job*) cargo; (*situation*) situação f ♦ vt colocar, situar

positive ['pɔzɪtɪv] adj positivo; (*certain*) certo; (*definite*) definitivo

possess [pə'zɛs] vt possuir; **possession** n posse f, possessão f; **possessions** npl (*belongings*) pertences mpl; **to take possession of sth** tomar posse de algo

possibility [pɔsɪ'bɪlɪtɪ] n possibilidade f; (*of sth happening*) probabilidade f

possible → praise

possible ['pɔsɪbl] adj possível; **possibly** adv pode ser, talvez; (surprise): **what could they possibly want with me?** o que eles podem querer comigo?; (emphasizing effort): **they did everything they possibly could** eles fizeram tudo o que podiam; **I cannot possibly come** estou impossibilitado de vir

post [pəust] n (BRIT: mail) correio; (job) cargo, posto; (pole) poste m; (MIL) nomeação f ♦ vt (BRIT: send by ~) pôr no correio; (: appoint): **to ~ to** destinar a; **postage** n porte m, franquia; **postal order** n vale m postal; **postbox** (BRIT) n caixa de correio; **postcard** n cartão m postal; **postcode** (BRIT) n código postal, ~ CEP m (BR)

poster ['pəustə*] n cartaz m; (as decoration) pôster m

postman ['pəustmən] (irreg) n carteiro

postmark ['pəustma:k] n carimbo do correio

postmortem [pəust'mɔ:təm] n autópsia

post office n (building) agência do correio, correio; (organization) ~ Empresa Nacional dos Correios e Telégrafos (BR), ~ Correios, Telégrafos e Telefones (PT)

postpone [pəs'pəun] vt adiar

posture ['pɔstʃə*] n postura; (fig) atitude f

postwar [pəust'wɔ:*] adj de após-guerra

pot [pɔt] n (for cooking) panela; (for flowers) vaso; (container, tea~, coffee~) pote m; (inf: marijuana) maconha ♦ vt (plant) plantar em vaso; **to go to ~** (inf) arruinar-se, degringolar

potato [pə'teɪtəu] (pl **~es**) n batata; **potato peeler** n descascador m de batatas

potent ['pəutnt] adj poderoso; (drink) forte; (man) potente

potential [pə'tɛnʃl] adj potencial ♦ n potencial m

pothole ['pɔthəul] n (in road) buraco; (BRIT: underground) caldeirão m, cova; **potholing** (BRIT) n: **to go potholing** dedicar-se à espeleologia

potluck [pɔt'lʌk] n: **to take ~** contentar-se com o que houver

potter ['pɔtə*] n (artistic) ceramista m/f; (artisan) oleiro(-a) ♦ vi (BRIT): **to ~ around, ~ about** ocupar-se com pequenos trabalhos; **pottery** n cerâmica; (factory) olaria

potty ['pɔtɪ] adj (inf: mad) maluco, doido ♦ n penico

pouch [pautʃ] n (ZOOL) bolsa; (for tobacco) tabaqueira

poultry ['pəultrɪ] n aves fpl domésticas; (meat) carne f de aves domésticas

pounce [pauns] vi: **to ~ on** lançar-se sobre; (person) agarrar em; (fig: mistake etc) apontar

pound [paund] n libra (weight = 453g, 16 ounces; money = 100 pence) ♦ vt (beat) socar, esmurrar; (crush) triturar ♦ vi (heart) bater

pour [pɔ:*] vt despejar; (drink) servir ♦ vi correr, jorrar; **pour away** vt esvaziar, decantar; **pour in** vi (people) entrar numa enxurrada; (information) chegar numa enxurrada; **pour off** vt esvaziar, decantar; **pour out** vi (people) sair aos borbotões ♦ vt (drink) servir; (fig) extravasar; **pouring** ['pɔ:rɪŋ] adj: **pouring rain** chuva torrencial

pout [paut] vi fazer beicinho or biquinho

poverty ['pɔvətɪ] n pobreza, miséria

powder ['paudə*] n pó m; (face ~) pó-de-arroz m ♦ vt (face) empoar, passar pó em; **powdered milk** n leite m em pó; **powder room** n toucador m, banheiro de senhoras

power ['pauə*] n poder m; (of explosion, engine) força, potência; (ability) poder, poderio; (electricity) força; **to be in ~** estar no poder; **power cut** (BRIT) n corte m de energia, blecaute m (BR); **powerful** adj poderoso; (engine) potente; (body) vigoroso; (blow) violento; (argument) convincente; (emotion) intenso; **powerless** adj impotente; **power point** (BRIT) n tomada; **power station** n central f elétrica

pp abbr (= per procurationem) p.p.; = **pages**

PR n abbr = **public relations**

practical ['præktɪkl] adj prático; **practical joke** n brincadeira, peça

practice ['præktɪs] n (habit, REL) costume m, hábito; (exercise) prática; (of profession) exercício; (training) treinamento (BR), consultório; (LAW) escritório ♦ vt, vi (US) = **practise**; **in ~** na prática; **out of ~** destreinado

practise ['præktɪs] (US **practice**) vt praticar; (profession) exercer; (sport) treinar ♦ vi (doctor) ter consultório; (lawyer) ter escritório; (train) treinar, praticar

practitioner [præk'tɪʃənə*] n (MED) médico(-a)

prairie ['prɛərɪ] n campina, pradaria

praise [preɪz] n louvor m; (admiration) elogio ♦ vt elogiar, louvar; **praiseworthy** adj louvável, digno de

elogio
pram [præm] (BRIT) n carrinho de bebê
prance [prɑːns] vi: **to ~ about/up and down** etc (horse) curvetear, fazer cabriolas; (person) andar espalhafatosamente
prank [præŋk] n travessura, peça
prawn [prɔːn] n pitu m; (small) camarão m
pray [preɪ] vi: **to ~ for/that** rezar por/para que; **prayer** [prɛə*] n (activity) reza; (words) oração f, prece f
preach [priːtʃ] vt pregar ♦ vi pregar; (pej) catequizar
precede [prɪˈsiːd] vt preceder
precedent [ˈprɛsɪdənt] n precedente m
preceding [prɪˈsiːdɪŋ] adj anterior
precinct [ˈpriːsɪŋkt] n (US: district) distrito policial; **~s** npl (of large building) arredores mpl; **pedestrian ~** (BRIT) zona para pedestres (BR) or peões (PT); **shopping ~** (BRIT) zona comercial
precious [ˈprɛʃəs] adj precioso
precipitate [prɪˈsɪpɪteɪt] vt precipitar, acelerar
precise [prɪˈsaɪs] adj exato, preciso; (plans) detalhado
precocious [prɪˈkəʊʃəs] adj precoce
predecessor [ˈpriːdɪsɛsə*] n predecessor(a) m/f, antepassado(-a)
predicament [prɪˈdɪkəmənt] n situação f difícil, apuro
predict [prɪˈdɪkt] vt prever, predizer, prognosticar; **predictable** adj previsível
predominantly [prɪˈdɔmɪnəntlɪ] adv predominantemente, na maioria
preen [priːn] vt: **to ~ itself** (bird) limpar e alisar as penas (com o bico); **to ~ o.s.** enfeitar-se, envaidecer-se
prefab [ˈpriːfæb] n casa pré-fabricada
preface [ˈprɛfəs] n prefácio
prefect [ˈpriːfɛkt] n (BRIT: SCH) monitor(a) m/f, tutor(a) m/f; (in Brazil) prefeito(-a)
prefer [prɪˈfəː*] vt preferir; **preferably** [ˈprɛfrəblɪ] adv de preferência; **preferential** [prɛfəˈrɛnʃəl] adj: **preferential treatment** preferência
prefix [ˈpriːfɪks] n prefixo
pregnancy [ˈprɛgnənsɪ] n gravidez f; (animal) prenhez f
pregnant [ˈprɛgnənt] adj grávida; (animal) prenha
prehistoric [priːhɪsˈtɔrɪk] adj pré-histórico
prejudice [ˈprɛdʒudɪs] n preconceito; **prejudiced** adj cheio de preconceitos; **to be prejudiced against sb/sth** estar com prevenção contra alguém/algo
premarital [priːˈmærɪtl] adj pré-nupcial
premature [ˈprɛmətʃuə*] adj prematuro
première [ˈprɛmɪɛə*] n estréia
premise [ˈprɛmɪs] n premissa; **~s** npl (of business, institution) local m
premium [ˈpriːmɪəm] n prêmio; **to be at a ~** ser caro
premonition [prɛməˈnɪʃən] n presságio, pressentimento
preoccupied [priːˈɔkjupaɪd] adj preocupado
prepaid [priːˈpeɪd] adj com porte pago
preparation [prɛpəˈreɪʃən] n preparação f; **~s** npl (arrangements) preparativos mpl
preparatory [prɪˈpærətərɪ] adj preparatório
prepare [prɪˈpɛə*] vt preparar ♦ vi: **to ~ for** preparar-se or aprontar-se para; **~d to** disposto a; **~d for** pronto para
preposition [prɛpəˈzɪʃən] n preposição f
preposterous [prɪˈpɔstərəs] adj absurdo, disparatado
prerequisite [priːˈrɛkwɪzɪt] n pré-requisito, condição f prévia
prescribe [prɪˈskraɪb] vt prescrever; (MED) receitar
prescription [prɪˈskrɪpʃən] n receita
presence [ˈprɛzns] n presença; (spirit) espectro
present [adj, n ˈprɛznt, vb prɪˈzɛnt] adj presente; (current) atual ♦ n presente m; (actuality): **the ~** o presente ♦ vt (give): **to ~ sth to sb, to ~ sb with sth** entregar algo a alguém; (information, programme, threat) apresentar; (describe) descrever; **at ~** no momento, agora; **to give sb a ~** presentear alguém; **presentation** [prɛznˈteɪʃən] n apresentação f; (ceremony) entrega; (of plan etc) exposição f; **present-day** adj atual, de hoje; **presenter** n apresentador(a) m/f; **presently** adv (after) logo após; (soon) logo, em breve; (now) atualmente
preservative [prɪˈzəːvətɪv] n conservante m
preserve [prɪˈzəːv] vt (situation) conservar, manter; (building, manuscript) preservar; (food) pôr em conserva ♦ n (often pl: jam) geléia; (: fruit) compota, conserva
president [ˈprɛzɪdənt] n presidente(-a) m/f; **presidential** [prɛzɪˈdɛnʃl] adj presidencial
press [prɛs] n (printer's) imprensa, prelo; (newspapers) imprensa; (of switch) pressão f ♦ vt apertar; (clothes: iron) passar; (put pressure on: person) assediar;

pressure → probability

(insist): **to ~ sth on sb** insistir para que alguém aceite algo ♦ vi (squeeze) apertar; (pressurize): **to ~ for** pressionar por; **we are ~ed for time/money** estamos com pouco tempo/dinheiro; **press on** vi continuar; **pressing** adj urgente; **press stud** (BRIT) n botão m de pressão; **press-up** (BRIT) n flexão f
pressure ['prɛʃə*] n pressão f; **to put ~ on sb (to do sth)** pressionar alguém (a fazer algo); **pressure cooker** n panela de pressão
prestige [prɛs'tiːʒ] n prestígio
presume [prɪ'zjuːm] vt supor
pretence [prɪ'tɛns] (US **pretense**) n pretensão f; **under false ~s** por meios fraudulentos
pretend [prɪ'tɛnd] vt, vi fingir
pretense [prɪ'tɛns] (US) n = **pretence**
pretty ['prɪtɪ] adj bonito ♦ adv (quite) bastante
prevail [prɪ'veɪl] vi triunfar; (be current) imperar
prevalent ['prɛvələnt] adj (common) predominante
prevent [prɪ'vɛnt] vt impedir
preview ['priːvjuː] n pré-estréia
previous ['priːvɪəs] adj (earlier) anterior; **previously** adv (before) previamente; (in the past) anteriormente
prewar [priː'wɔː*] adj anterior à guerra
prey [preɪ] n presa ♦ vi: **to ~ on** (feed on) alimentar-se de; **it was ~ing on his mind** preocupava-o, atormentava-o
price [praɪs] n preço ♦ vt fixar o preço de; **priceless** adj inestimável; (inf: amusing) impagável
prick [prɪk] n picada ♦ vt picar; (make hole in) furar; **to ~ up one's ears** aguçar os ouvidos
prickle ['prɪkl] n (sensation) comichão f, ardência; (BOT) espinho; **prickly** adj espinhoso; **prickly heat** n brotoeja
pride [praɪd] n orgulho; (pej) soberba ♦ vt: **to ~ o.s. on** orgulhar-se de
priest [priːst] n (Christian) padre m; (non-Christian) sacerdote m
prim [prɪm] (pej) adj (formal) empertigado; (affected) afetado; (easily shocked) pudico
primarily ['praɪmərɪlɪ] adv principalmente
primary ['praɪmərɪ] adj primário; (first in importance) principal ♦ n (US: election) eleição f prévia; **primary school** (BRIT) n escola primária
prime [praɪm] adj primeiro, principal; (excellent) de primeira ♦ vt (wood) imprimar; (fig) aprontar, preparar ♦ n: **in the ~ of life** na primavera da vida; **~ example** exemplo típico; **prime minister** n primeiro-ministro (primeira-ministra)
primeval [praɪ'miːvl] adj primitivo
primitive ['prɪmɪtɪv] adj primitivo; (crude) rudimentar
primrose ['prɪmrəuz] n prímula, primavera
prince [prɪns] n príncipe m
princess [prɪn'sɛs] n princesa
principal ['prɪnsɪpl] adj principal ♦ n (of school, college) diretor(a) m/f
principle ['prɪnsɪpl] n princípio; **in ~** em princípio; **on ~** por princípio
print [prɪnt] n (letters) letra de forma; (fabric) estampado; (ART) estampa, gravura; (PHOT) cópia; (foot~) pegada; (finger~) impressão f digital ♦ vt imprimir; (write in capitals) escrever em letra de imprensa; **out of ~** esgotado; **printed matter** n impressos mpl; **printer** n (person) impressor(a) m/f; (firm) gráfica; (machine) impressora; **printing** n (art) imprensa; (act) impressão f; **printout** n (COMPUT) cópia impressa
prior ['praɪə*] adj anterior, prévio; (more important) prioritário; **~ to doing** antes de fazer
priority [praɪ'ɔrɪtɪ] n prioridade f
prise [praɪz] vt: **to ~ open** arrombar
prison ['prɪzn] n prisão f ♦ cpd carcerário; **prisoner** n (in prison) preso(-a); (under arrest) detido(-a)
privacy ['prɪvəsɪ] n isolamento, solidão f, privacidade f
private ['praɪvɪt] adj privado; (personal) particular; (confidential) confidencial, reservado; (personal: belongings) pessoal; (: thoughts, plans) secreto, íntimo; (place) isolado; (quiet: person) reservado; (intimate) íntimo ♦ n soldado raso; **"~"** (on envelope) "confidencial"; (on door) "privativo"; **in ~** em particular; **privatize** vt privatizar
privet ['prɪvɪt] n alfena
privilege ['prɪvɪlɪdʒ] n privilégio
privy ['prɪvɪ] adj: **to be ~ to** estar inteirado de
prize [praɪz] n prêmio ♦ adj de primeira classe ♦ vt valorizar; **prizewinner** n premiado(-a)
pro [prəu] n (SPORT) profissional m/f ♦ prep a favor de; **the ~s and cons** os prós e os contras
probability [prɔbə'bɪlɪtɪ] n probabilidade f

probable ['prɔbəbl] adj provável; (*plausible*) verossímil
probation [prə'beɪʃən] n: **on ~** (*employee*) em estágio probatório; (*LAW*) em liberdade condicional
probe [prəub] n (*MED, SPACE*) sonda; (*enquiry*) pesquisa ♦ vt investigar, esquadrinhar
problem ['prɔbləm] n problema m
procedure [prə'siːdʒə*] n procedimento; (*method*) método, processo
proceed [prə'siːd] vi (*do afterwards*): **to ~ to do sth** passar a fazer algo; (*continue*): **to ~ (with)** continuar or prosseguir (com); (*activity*) continuar; (*go*) ir em direção a, dirigir-se a; **proceedings** npl evento, acontecimento; (*LAW*) processo; **proceeds** ['prəusiːdz] npl produto, proventos mpl
process ['prəusɛs] n processo ♦ vt processar; **procession** [prə'sɛʃən] n desfile m, procissão f; **funeral procession** cortejo fúnebre
proclaim [prə'kleɪm] vt anunciar
procure [prə'kjuə*] vt obter
prod [prɔd] vt empurrar; (*with finger, stick*) cutucar ♦ n empurrão m; cotovelada; espetada
prodigal ['prɔdɪgl] adj pródigo
prodigy ['prɔdɪdʒɪ] n prodígio
produce [n 'prɔdjuːs, vb prə'djuːs] n (*AGR*) produtos mpl agrícolas ♦ vt produzir; (*cause*) provocar; (*evidence, argument*) apresentar, mostrar; (*show*) apresentar, exibir; (*THEATRE*) pôr em cena or em cartaz; **producer** n (*THEATRE*) diretor(a) m/f; (*AGR, CINEMA, of record*) produtor(a) m/f; (*country*) produtor m
product ['prɔdʌkt] n produto
production [prə'dʌkʃən] n produção f; (*of electricity*) geração f; (*THEATRE*) encenação f; **production line** n linha de produção or de montagem
profession [prə'fɛʃən] n profissão f; (*people*) classe f; **professional** n profissional m/f ♦ adj profissional; (*work*) de profissional
professor [prə'fɛsə*] n (*BRIT*) catedrático(-a); (*US, CANADA*) professor(a) m/f
profile ['prəufaɪl] n perfil m
profit ['prɔfɪt] n (*COMM*) lucro ♦ vi: **to ~ by** or **from** (*benefit*) aproveitar-se de, tirar proveito de; **profitable** adj (*ECON*) lucrativo, rendoso
profound [prə'faund] adj profundo
programme ['prəugræm] (*US* **program**) n programa m ♦ vt programar;

probable → prop

programming (*US* **programing**) n (*COMPUT*) programação f
progress [n 'prəugrɛs, vb prə'grɛs] n progresso ♦ vi progredir, avançar; **in ~** em andamento; **progressive** [prə'grɛsɪv] adj progressivo; (*person*) progressista
prohibit [prə'hɪbɪt] vt proibir
project [n 'prɔdʒɛkt, vb prə'dʒɛkt] n projeto; (*SCH: research*) pesquisa ♦ vt projetar; (*figure*) estimar ♦ vi (*stick out*) ressaltar, sobressair
projection [prə'dʒɛkʃən] n projeção f; (*overhang*) saliência
projector [prə'dʒɛktə*] n projetor m
prolong [prə'lɔŋ] vt prolongar
prom [prɔm] n abbr = **promenade**; **promenade concert**
promenade [prɔmə'nɑːd] n (*by sea*) passeio (à orla marítima); (*US: ball*) baile m de estudantes; **promenade concert** (*BRIT*) n concerto (de música clássica)
prominent ['prɔmɪnənt] adj (*standing out*) proeminente; (*important*) eminente, notório
promise ['prɔmɪs] n promessa; (*hope*) esperança ♦ vt, vi prometer; **promising** adj promissor(a), prometedor(a)
promote [prə'məut] vt promover; (*product*) promover, fazer propaganda de; **promoter** n (*of sporting event*) patrocinador(a) m/f; (*of cause etc*) partidário(-a); **promotion** n promoção f
prompt [prɔmpt] adj pronto, rápido ♦ adv (*exactly*) em ponto, pontualmente ♦ n (*COMPUT*) sinal m de orientação, prompt m ♦ vt (*urge*) incitar, impelir; (*cause*) provocar, ocasionar; **to ~ sb to do sth** induzir alguém a fazer algo; **promptly** adv imediatamente; (*exactly*) pontualmente
prone [prəun] adj (*lying*) de bruços; **~ to** propenso a, predisposto a
pronoun ['prəunaun] n pronome m
pronounce [prə'nauns] vt pronunciar; (*verdict, opinion*) declarar
pronunciation [prənʌnsɪ'eɪʃən] n pronúncia
proof [pruːf] n prova ♦ adj: **~ against** à prova de
prop [prɔp] n suporte m, escora; (*fig*) amparo, apoio ♦ vt (*also:* **~ up**) apoiar, escorar; (*lean*) **to ~ sth against** apoiar algo contra

propaganda → public

propaganda [prɔpə'gændə] n propaganda

propel [prə'pɛl] vt propelir, propulsionar; (fig) impelir; **propeller** n hélice f

proper ['prɔpə*] adj (correct) correto; (socially acceptable) respeitável, digno; (authentic) genuíno, autêntico; (referring to place): **the village ~** a cidadezinha propriamente dita; **properly** adv (eat, study) bem; (behave) decentemente

property ['prɔpəti] n propriedade f; (goods) posses fpl, bens mpl; (buildings) imóveis mpl

prophesy ['prɔfɪsaɪ] vt profetizar

prophet ['prɔfɪt] n profeta m/f

proportion [prə'pɔːʃən] n proporção f; **proportional** adj proporcional; **proportionate** adj proporcionado

proposal [prə'pəuzl] n proposta; (of marriage) pedido

propose [prə'pəuz] vt propor; (toast) erguer ♦ vi propor casamento; **to ~ to do** propor-se fazer

proposition [prɔpə'zɪʃən] n proposta, proposição f; (offer) oferta

proprietor [prə'praɪətə*] n proprietário(-a), dono(-a)

prose [prəuz] n prosa

prosecute ['prɔsɪkjuːt] vt processar; **prosecution** [prɔsɪ'kjuːʃən] n acusação f; (accusing side) autor m da demanda

prospect [n 'prɔspɛkt, vb prə'spɛkt] n (chance) probabilidade f; (outlook) perspectiva ♦ vi: **to ~ (for)** prospectar (por); **~s** npl (for work etc) perspectivas fpl

prospectus [prə'spɛktəs] n prospecto, programa m

prostitute ['prɔstɪtjuːt] n prostituta; **male ~** prostituto

protect [prə'tɛkt] vt proteger; **protection** n proteção f; **protective** adj protetor(a)

protein ['prəutiːn] n proteína

protest [n 'prəutɛst, vb prə'tɛst] n protesto ♦ vi protestar ♦ vt insistir

Protestant ['prɔtɪstənt] adj, n protestante m/f

protester [prə'tɛstə*] n manifestante m/f

protrude [prə'truːd] vi projetar-se

proud [praud] adj orgulhoso; (pej) vaidoso, soberbo

prove [pruːv] vt comprovar ♦ vi: **to ~ (to be) correct** etc vir a ser correto etc; **to ~ o.s.** pôr-se à prova

proverb ['prɔvəːb] n provérbio

provide [prə'vaɪd] vt fornecer, proporcionar; **to ~ sb with sth** fornecer alguém de algo, fornecer algo a alguém; **provide for** vt fus (person) prover à subsistência de; **provided (that)** conj contanto que (+ sub), sob condição de (que) (+ sub)

providing [prə'vaɪdɪŋ] conj: **~ (that)** contanto que (+ sub)

province ['prɔvɪns] n província; (fig) esfera; **provincial** [prə'vɪnʃəl] adj provincial; (pej) provinciano

provision [prə'vɪʒən] n (supplying) abastecimento; (in contract) cláusula, condição f; **~s** npl (food) mantimentos mpl; **provisional** adj provisório, interino; (agreement, licence) provisório

proviso [prə'vaɪzəu] n condição f

provocative [prə'vɔkətɪv] adj provocante; (sexually) excitante

provoke [prə'vəuk] vt provocar; (cause) causar

prowl [praul] vi (also: **~ about, ~ around**) rondar, andar à espreita ♦ n: **on the ~** de ronda, rondando; **prowler** n tarado(-a)

proxy ['prɔksɪ] n: **by ~** por procuração

prudent ['pruːdənt] adj prudente

prune [pruːn] n ameixa seca ♦ vt podar

pry [praɪ] vi: **to ~ (into)** intrometer-se (em)

PS n abbr (= postscript) PS m

pseudonym ['sjuːdənɪm] n pseudônimo

psychiatrist [saɪ'kaɪətrɪst] n psiquiatra m/f

psychic ['saɪkɪk] adj psíquico; (also: **~al**: person) sensível a forças psíquicas

psychoanalyst [saɪkəu'ænəlɪst] n psicanalista m/f

psychologist [saɪ'kɔlədʒɪst] n psicólogo(-a)

psychology [saɪ'kɔlədʒɪ] n psicologia

PTO abbr (= please turn over) v.v., vire

pub [pʌb] n abbr (= public house) pub m, bar m, botequim m

public ['pʌblɪk] adj público ♦ n público; **in ~** em público; **to make ~** tornar público; **public address system** n sistema m (de reforço) de som

publican ['pʌblɪkən] n dono(-a) de pub

public: public convenience (BRIT) n banheiro público; **public holiday** n feriado, dia m feriado; **public house** (BRIT) n pub m, bar m, taberna

publicity [pʌb'lɪsɪtɪ] n publicidade f

publicize ['pʌblɪsaɪz] vt divulgar

public: public relations relações fpl públicas; **public school** n (BRIT) escola particular; (US) escola pública; **public transport** (US **public transportation**)

n transporte *m* coletivo
publish ['pʌblɪʃ] *vt* publicar; **publisher** *n* editor(a) *m/f*; *(company)* editora; **publishing** *n* a indústria editorial
pudding ['pudɪŋ] *n* (BRIT: *dessert*) sobremesa; *(cake)* pudim *m*, doce *m*; **black** (BRIT) or **blood** (US) ~ morcela
puddle ['pʌdl] *n* poça
puff [pʌf] *n* sopro; *(of cigarette)* baforada; *(of air, smoke)* lufada ♦ *vt*: **to ~ one's pipe** tirar baforadas do cachimbo ♦ *vi* *(pant)* arquejar; **puff out** *vt* *(cheeks)* encher; **puff pastry** (US **puff paste**) *n* massa folhada; **puffy** *adj* inchado
pull [pul] *n* *(tug)*: **to give sth a ~** dar um puxão em algo ♦ *vt* puxar; *(trigger)* apertar; *(curtain, blind)* fechar ♦ *vi* puxar, dar um puxão; **to ~ to pieces** picar em pedacinhos; **to ~ one's punches** não usar toda a força; **to ~ one's weight** fazer a sua parte; **to ~ o.s. together** recompor-se; **to ~ sb's leg** *(fig)* brincar com alguém, sacanear alguém *(inf)*; **pull apart** *vt* *(break)* romper; **pull down** *vt* *(building)* demolir, derrubar; **pull in** *vi* (AUT: *at the kerb*) encostar; (RAIL) chegar (na plataforma); **pull off** *vt* tirar; *(fig: deal etc)* acertar; **pull out** *vi* (AUT: *from kerb*) sair; (RAIL) partir ♦ *vt* tirar, arrancar; **pull over** *vi* (AUT) encostar; **pull through** *vi* (MED) sobreviver; **pull up** *vi* *(stop)* deter-se, parar ♦ *vt* levantar; *(uproot)* desarraigar, arrancar
pulley ['pulɪ] *n* roldana
pullover ['puləuvə*] *n* pulôver *m*
pulp [pʌlp] *n* *(of fruit)* polpa
pulsate [pʌl'seɪt] *vi* pulsar, palpitar
pulse [pʌls] *n* (ANAT) pulso; *(of music, engine)* cadência; (BOT) legume *m*
pump [pʌmp] *n* bomba; *(shoe)* sapatilha (de dança) ♦ *vt* bombear; **pump up** *vt* encher
pumpkin ['pʌmpkɪn] *n* abóbora
pun [pʌn] *n* jogo de palavras, trocadilho
punch [pʌntʃ] *n* *(blow)* soco, murro; *(tool)* punção *m*; *(drink)* ponche *m* ♦ *vt* *(hit)*: **to ~ sb/sth** esmurrar or socar alguém/algo; **punchline** *n* remate *m*
punctual ['pʌŋktjuəl] *adj* pontual
puncture ['pʌŋktʃə*] *n* furo ♦ *vt* furar
pungent ['pʌndʒənt] *adj* acre
punish ['pʌnɪʃ] *vt* punir, castigar; **punishment** *n* castigo, punição *f*
punk [pʌŋk] *n* *(also:* ~ **rocker)** punk *m/f*; *(also:* ~ **rock)** punk *m*; (US: *inf: hoodlum*) pinta-brava *m*
punt [pʌnt] *n* *(boat)* chalana
puny ['pju:nɪ] *adj* débil, fraco

pupil ['pju:pl] *n* aluno(-a); *(of eye)* pupila
puppet ['pʌpɪt] *n* marionete *f*, títere *m*; *(fig)* fantoche *m*
puppy ['pʌpɪ] *n* cachorro, cachorrinho (BR)
purchase ['pɜ:tʃɪs] *n* compra ♦ *vt* comprar
pure [pjuə*] *adj* puro
purge [pɜ:dʒ] *n* (POL) expurgo
purple ['pɜ:pl] *adj* roxo, purpúreo
purpose ['pɜ:pəs] *n* propósito, objetivo; **on ~** de propósito; **purposeful** *adj* decidido, resoluto
purr [pɜ:*] *vi* ronronar
purse [pɜ:s] *n* (BRIT) carteira; (US) bolsa ♦ *vt* enrugar, franzir
purser ['pɜ:sə*] *n* (NAUT) comissário de bordo
pursue [pə'sju:] *vt* perseguir; *(fig: activity)* exercer; *(: interest, plan)* dedicar-se a; *(: result)* lutar por
pursuit [pə'sju:t] *n* caça; *(fig)* busca; *(pastime)* passatempo
push [puʃ] *n* empurrão *m*; *(of button)* aperto ♦ *vt* empurrar; *(button)* apertar; *(promote)* promover ♦ *vi* apertar; *(press)* apertar; *(fig)*: **to ~ for** reivindicar; **push aside** *vt* afastar com a mão; **push off** *(inf)* *vi* dar o fora; **push on** *vi* prosseguir; **push through** *vi* abrir caminho ♦ *vt* *(measure)* forçar a aceitação de; **push up** *vt* forçar a alta de; **pushchair** (BRIT) *n* carrinho; **pusher** *n* *(also: drug pusher)* traficante *m/f* or passador(a) *m/f* de drogas; **push-up** (US) *n* flexão *f*; **pushy** *(pej)* *adj* intrometido, agressivo
pussy(cat) ['pusɪ(kæt)] *(inf)* *n* gatinho
put [put] *(pt, pp put)* *vt* pôr, colocar; *(~ into)* meter; *(person: in institution etc)* internar; *(say)* dizer, expressar; *(case)* expor; *(question)* fazer; *(estimate)* avaliar, calcular; *(write, type etc)* colocar; **put about** *vt* *(rumour)* espalhar; **put across** *vt* *(ideas)* comunicar; **put away** *vt* guardar; **put back** *vt* *(replace)* repor; *(postpone)* adiar; *(delay)* atrasar; **put by** *vt* *(money etc)* poupar, pôr de lado; **put down** *vt* pôr em; *(animal)* sacrificar; *(in writing)* anotar, inscrever; *(revolt etc)* sufocar; *(attribute: case, view)*: **to ~ sth down to** atribuir algo a; **put forward** *vt* apresentar, propor; **put in** *vt* *(application, complaint)* apresentar; *(time, effort)* investir, gastar; **put off** *vt* adiar, protelar; *(discourage)* desencorajar; **put on** *vt* *(clothes, make-up, dinner)* pôr; *(light)* acender; *(play)* encenar; *(weight)* ganhar; *(brake)* aplicar; *(record, video,*

putty → quiet

kettle) ligar; (*accent, manner*) assumir; **put out** vt (*take out*) colocar fora; (*fire, cigarette, light*) apagar; (*one's hand*) estender; (*inf: person*): **to be ~ out** estar aborrecido; **put through** vt (*call*) transferir; (*plan*) ser aprovado; **put up** vt (*raise*) levantar, erguer; (*hang*) prender; (*build*) construir, edificar; (*tent*) armar; (*increase*) aumentar; (*accommodate*) hospedar; **put up with** vt fus suportar, agüentar

putty ['pʌtɪ] n massa de vidraceiro, betume m

puzzle ['pʌzl] n charada; (*jigsaw*) quebra-cabeça m; (*also:* **crossword ~**) palavras cruzadas fpl; (*mystery*) mistério ♦ vt desconcertar, confundir ♦ vi: **to ~ over sth** tentar entender algo; **puzzling** adj intrigante, confuso

pyjamas [pɪˈdʒɑːməz] (*US* **pajamas**) npl pijama m or f

pylon ['paɪlən] n pilono, poste m

pyramid ['pɪrəmɪd] n pirâmide f

Pyrenees [pɪrəˈniːz] npl: **the ~** os Pirineus

Q q

quack [kwæk] n grasnido; (*pej: doctor*) curandeiro(-a), charlatão(-tã) m/f

quadrangle ['kwɔdræŋgl] n pátio quadrangular

quaint [kweɪnt] adj (*ideas*) curioso, esquisito; (*village etc*) pitoresco

quake [kweɪk] vi (*with fear*) tremer ♦ n abbr = **earthquake**

qualification [kwɔlɪfɪˈkeɪʃən] n (*skill, quality*) qualificação f; (*reservation*) restrição f, ressalva; (*modification*) modificação f; (*often pl: degree, training*) título, qualificação

qualified ['kwɔlɪfaɪd] adj (*trained*) habilitado, qualificado; (*professionally*) diplomado; (*fit*): **~ to** apto para, capaz de; (*limited*) limitado

qualify ['kwɔlɪfaɪ] vt (*modify*) modificar ♦ vi: **to ~ (as)** (*pass examination(s)*) formar-se *or* diplomar-se (em); **to ~ (for)** reunir os requisitos (para)

quality ['kwɔlɪtɪ] n qualidade f

quantity ['kwɔntɪtɪ] n quantidade f

quarantine ['kwɔrəntiːn] n quarentena

quarrel ['kwɔrl] n (*argument*) discussão f ♦ vi: **to ~ (with)** brigar (com)

quarry ['kwɔrɪ] n (*for stone*) pedreira; (*animal*) presa, caça

quart [kwɔːt] n quarto de galão (*1.136 l*)

quarter ['kwɔːtə*] n quarto, quarta parte f; (*of year*) trimestre m; (*district*) bairro; (*US: 25 cents*) (moeda de) 25 centavos mpl de dólar ♦ vt dividir em quatro; (*MIL: lodge*) aquartelar; **~s** npl (*MIL*) quartel m; (*living ~s*) alojamento; **a ~ of an hour** um quarto de hora; **quarter final** n quarta de final; **quarterly** adj trimestral ♦ adv trimestralmente

quaver ['kweɪvə*] n (*BRIT: MUS*) colcheia ♦ vi tremer

quay [kiː] n (*also:* **~side**) cais m

queasy ['kwiːzɪ] adj (*sickly*) enjoado

queen [kwiːn] n rainha; (*also:* **~ bee**) abelha-mestra, rainha; (*CARDS etc*) dama; **queen mother** n rainha-mãe f

queer [kwɪə*] adj (*odd*) esquisito, estranho ♦ n (*inf: homosexual*) bicha m (*BR*), maricas m inv (*PT*)

quench [kwɛntʃ] vt: **to ~ one's thirst** matar a sede

query ['kwɪərɪ] n pergunta ♦ vt questionar

quest [kwɛst] n busca

question ['kwɛstʃən] n pergunta; (*doubt*) dúvida; (*issue*) questão f; (*in text*) problema m ♦ vt (*doubt*) duvidar; (*interrogate*) interrogar, inquirir; **beyond ~** sem dúvida; **out of the ~** fora de cogitação, impossível; **questionable** adj discutível; (*doubtful*) duvidoso; **question mark** n ponto de interrogação; **questionnaire** [kwɛstʃəˈnɛə*] n questionário

queue [kjuː] (*BRIT*) n fila (*BR*), bicha (*PT*) ♦ vi (*also:* **~ up**) fazer fila (*BR*) or bicha (*PT*)

quibble ['kwɪbl] vi: **to ~ about** or **over/with** tergiversar sobre/com

quick [kwɪk] adj rápido; (*agile*) ágil; (*mind*) sagaz, despachado ♦ n: **to cut sb to the ~** ferir alguém; **be ~!** ande depressa!, vai rápido!; **quicken** vt apressar ♦ vi apressar-se; **quickly** adv rapidamente, depressa; **quicksand** n areia movediça; **quick-witted** adj perspicaz, vivo

quid [kwɪd] (*BRIT: inf*) n inv libra

quiet ['kwaɪət] adj (*voice, music*) baixo; (*peaceful: place*) tranqüilo; (*person: calm*) calmo; (*not noisy: place*) silencioso; (: *person*) calado; (*silent*) silencioso; (*ceremony*) discreto ♦ n (*peacefulness*) sossego; (*silence*) quietude f ♦ vt, vi (*US*) = **~en; quieten** (*also:* **quieten down**) vi (*grow calm*) acalmar-se; (*grow silent*) calar-se ♦ vt tranqüilizar; fazer calar; **quietly** adv silenciosamente; (*talk*) baixo

quilt [kwɪlt] n acolchoado, colcha; **(continental) ~** (BRIT) edredom m (BR), edredão m (PT)
quip [kwɪp] n escárnio, dito espirituoso
quirk [kwə:k] n peculiaridade f
quit [kwɪt] (pt, pp **quit** or **~ted**) vt (smoking etc) parar; (job) deixar; (premises) desocupar ♦ vi desistir; (resign) demitir-se, deixar o emprego
quite [kwaɪt] adv (rather) bastante; (entirely) completamente, totalmente; **that's not ~ big enough** não é suficientemente grande; **~ a few of them** um bom número deles; **~ (so)!** exatamente!, isso mesmo!
quiver ['kwɪvə*] vi estremecer
quiz [kwɪz] n concurso (de cultura geral) ♦ vt interrogar; **quizzical** adj zombeteiro
quota ['kwəutə] n cota, quota
quotation [kwəu'teɪʃən] n citação f; (estimate) orçamento; **quotation marks** npl aspas fpl
quote [kwəut] n citação f; (estimate) orçamento ♦ vt citar; (price) propor; (figure, example) citar, dar; **~s** npl aspas fpl

R r

rabbi ['ræbaɪ] n rabino
rabbit ['ræbɪt] n coelho
rabble ['ræbl] (pej) n povinho, ralé f
rabies ['reɪbi:z] n raiva
RAC (BRIT) n abbr (= Royal Automobile Club) ~ TCB (BR), ~ ACP m (PT)
raccoon [rə'ku:n] n mão-pelada m, guaxinim m
race [reɪs] n corrida; (species) raça ♦ vt (horse) fazer correr ♦ vi (compete) competir; (run) correr; (pulse) bater rapidamente; **race car** (US) n = **racing car**; **racecourse** n hipódromo; **racehorse** n cavalo de corridas; **racetrack** n pista de corridas; (for cars) autódromo
racing ['reɪsɪŋ] n corrida; **racing car** (BRIT) n carro de corrida; **racing driver** (BRIT) n piloto(-a) de corrida
racism ['reɪsɪzəm] n racismo; **racist** (pej) adj, n racista m/f
rack [ræk] n (also: **luggage ~**) bagageiro; (shelf) estante f; (also: **roof ~**) xalmas fpl, porta-bagagem m; (dish ~) secador m de prato ♦ vt: **~ed by** (pain, anxiety) tomado por; **to ~ one's brains** quebrar a cabeça

racket ['rækɪt] n (for tennis) raquete f (BR), raqueta (PT); (noise) barulheira, zoeira; (swindle) negócio ilegal, fraude f
racquet ['rækɪt] n raquete f (BR), raqueta (PT)
racy ['reɪsɪ] adj ousado, picante
radiant ['reɪdɪənt] adj radiante, brilhante
radiate ['reɪdɪeɪt] vt irradiar ♦ vi difundir-se, estender-se
radiation [reɪdɪ'eɪʃən] n radiação f
radiator ['reɪdɪeɪtə*] n radiador m
radical ['rædɪkl] adj radical
radii ['reɪdɪaɪ] npl of **radius**
radio ['reɪdɪəu] n rádio ♦ vt: **to ~ sb** comunicar-se por rádio com alguém
radio... [reɪdɪəu] prefix radio...; **radioactive** ['reɪdɪəu'æktɪv] adj radioativo; **radio station** n emissora, estação f de rádio
radish ['rædɪʃ] n rabanete m
radius ['reɪdɪəs] (pl **radii**) n raio
RAF (BRIT) n abbr = **Royal Air Force**
raffle ['ræfl] n rifa
raft [rɑ:ft] n balsa
rafter ['rɑ:ftə*] n viga, caibro
rag [ræg] n trapo; (torn cloth) farrapo; (pej: newspaper) jornaleco; (UNIVERSITY) atividades estudantis beneficentes; **~s** npl (torn clothes) trapos mpl, farrapos mpl; **rag doll** n boneca de trapo
rage [reɪdʒ] n (fury) raiva, furor m ♦ vi (person) estar furioso; (storm) assolar; (debate) continuar calorosamente; **it's all the ~** é a última moda
ragged ['rægɪd] adj (edge) irregular, desigual; (clothes) puído, gasto; (appearance) esfarrapado, andrajoso
raid [reɪd] n (MIL) incursão f; (criminal) assalto; (attack) ataque m; (by police) batida ♦ vt invadir, atacar; assaltar; atacar; fazer uma batida em
rail [reɪl] n (on stair) corrimão m; (on bridge) parapeito, anteparo; (of ship) amurada; **~s** npl (for train) trilhos mpl; **by ~** de trem (BR), por caminho de ferro (PT); **railing(s)** n(pl) grade f; **railroad** (US) n = **railway**; **railway** n estrada (BR) or caminho (PT) de ferro; **railway line** (BRIT) n linha de trem (BR) or de comboio (PT); **railway station** (BRIT) n estação f ferroviária (BR) or de caminho de ferro (PT)
rain [reɪn] n chuva ♦ vi chover; **it's ~ing** está chovendo (BR), está a chover (PT); **rainbow** n arco-íris m inv; **raincoat** n impermeável m, capa de chuva; **raindrop** n gota de chuva; **rainfall** n chuva; (measurement) pluviosidade f;

rainforest n floresta tropical; **rainy** adj chuvoso; **a rainy day** um dia de chuva

raise [reɪz] n aumento ♦ vt (lift) levantar; (salary, production) aumentar; (morale, standards) melhorar; (doubts) suscitar, despertar; (cattle, family) criar; (crop) cultivar, plantar; (army) recrutar, alistar; (funds) angariar, (loan) levantar, obter; **to ~ one's voice** levantar a voz

raisin ['reɪzn] n passa, uva seca

rake [reɪk] n ancinho ♦ vt (garden) revolver or limpar com o ancinho; (with machine gun) varrer

rally ['rælɪ] n (POL etc) comício; (AUT) rally m, rali m; (TENNIS) rebatida ♦ vt reunir ♦ vi reorganizar-se; (sick person, Stock Exchange) recuperar-se; **rally round** vt fus dar apoio a

RAM [ræm] n abbr (COMPUT) (= random access memory) RAM f

ram [ræm] n carneiro ♦ vt (push) cravar; (crash into) colidir com

ramble ['ræmbl] n caminhada, excursão f a pé ♦ vi caminhar; (talk: also: ~ **on**) divagar; **rambler** n caminhante m/f; (BOT) roseira trepadeira; **rambling** adj (speech) desconexo, incoerente; (house) cheio de recantos; (plant) rastejante

ramp [ræmp] n (incline) rampa; **on/off ~** (US: AUT) entrada (para a rodovia)/saída da rodovia

rampage [ræm'peɪdʒ] n: **to be on the ~** alvoroçar-se

ramshackle ['ræmʃækl] adj caindo aos pedaços

ran [ræn] pt of **run**

ranch [rɑːntʃ] n rancho, fazenda, estância; **rancher** n rancheiro(-a), fazendeiro(-a)

rancid ['rænsɪd] adj rançoso, râncio

rancour ['ræŋkə*] (US **rancor**) n rancor m

random ['rændəm] adj ao acaso, casual, fortuito; (COMPUT, MATH) aleatório ♦ n: **at ~** a esmo, aleatoriamente

randy ['rændɪ] (BRIT: inf) adj de fogo

rang [ræŋ] pt of **ring**

range [reɪndʒ] n (of mountains) cadeia, cordilheira; (of missile) alcance m; (of voice) extensão f; (series) série f; (of products) gama, sortimento; (MIL: also: **shooting ~**) estande m; (also: **kitchen ~**) fogão m ♦ vt (place) colocar; (arrange) arrumar, ordenar ♦ vi: **to ~ over** (extend) estender-se por; **to ~ from ... to ...** variar de ... a ..., oscilar entre ... e ...

rank [ræŋk] n (row) fila, fileira; (MIL) posto; (status) categoria, posição f; (BRIT: also: **taxi ~**) ponto de táxi ♦ vi: **to ~ among** figurar entre ♦ adj fétido, malcheiroso; **the ~ and file** (fig) a gente comum

ransack ['rænsæk] vt (search) revistar; (plunder) saquear, pilhar

ransom ['rænsəm] n resgate m; **to hold sb to ~** (fig) encostar alguém contra a parede

rant [rænt] vi arengar

rap [ræp] vt bater de leve ♦ n: ~ **(music)** rap m

rape [reɪp] n estupro; (BOT) colza ♦ vt violentar, estuprar

rapid ['ræpɪd] adj rápido; **rapids** npl (GEO) cachoeira

rapist ['reɪpɪst] n estuprador m

rapport [ræ'pɔː*] n harmonia, afinidade f

rare [rɛə*] adj raro; (CULIN: steak) mal passado

rascal ['rɑːskl] n maroto, malandro

rash [ræʃ] adj impetuoso, precipitado ♦ n (MED) exantema m, erupção f cutânea; (of events) série f, torrente f

rasher ['ræʃə*] n fatia fina

raspberry ['rɑːzbərɪ] n framboesa

rat [ræt] n rato (BR), ratazana (PT)

rate [reɪt] n (ratio) razão f; (price) preço, taxa; (: of hotel) diária; (of interest, change) taxa; (speed) velocidade f ♦ vt (value) taxar; (estimate) avaliar; **~s** npl (BRIT) imposto predial e territorial; (fees) pagamento; **to ~ sb/sth as** considerar alguém/algo como

rather ['rɑːðə*] adv (somewhat) um tanto, meio; (to some extent) até certo ponto; (more accurately): **or ~** ou melhor; **it's ~ expensive** (quite) é meio caro; (too) é caro demais; **there's ~ a lot** há bastante or muito; **I would ~ go** preferiria or preferia ir

ratio ['reɪʃɪəu] n razão f, proporção f

ration ['ræʃən] n ração f ♦ vt racionar; **~s** npl (MIL) mantimentos mpl, víveres mpl

rational ['ræʃənl] adj lógico; (person) sensato, razoável; **rationale** [ræʃə'nɑːl] n razão f fundamental

rat race n: **the ~** a competição acirrada na vida moderna

rattle ['rætl] n (of door) batida; (of train etc) chocalhada; (of coins) chocalhar m; (object: for baby) chocalho ♦ vi (small objects) tamborilar; (vehicle): **to ~ along** mover-se ruidosamente ♦ vt sacudir, fazer bater; (unnerve) perturbar; **rattlesnake** n cascavel f

raucous ['rɔːkəs] adj espalhafatoso, banelhento

rave [reɪv] vi (in anger) encolerizar-se; (MED) delirar; (with enthusiasm): **to ~ about** vibrar com

raven ['reɪvən] n corvo

ravenous ['rævənəs] adj morto de fome, esfomeado

ravine [rə'viːn] n ravina, barranco

raving ['reɪvɪŋ] adj: **~ lunatic** doido(-a) varrido(-a)

ravishing ['rævɪʃɪŋ] adj encantador(a)

raw [rɔː] adj (uncooked) cru(a); (not processed) bruto; (sore) vivo; (inexperienced) inexperiente, novato; (weather) muito frio; **raw material** n matéria-prima

ray [reɪ] n raio; **~ of hope** fio de esperança

razor ['reɪzə*] n (open) navalha; (safety ~) aparelho de barbear; (electric) aparelho de barbear elétrico; **razor blade** n gilete m (BR), lâmina de barbear (PT)

Rd abbr = **road**

re [riː] prep referente a

reach [riːtʃ] n alcance m; (of river etc) extensão f ♦ vt alcançar; (arrive at: place) chegar em; (: agreement) chegar a; (by telephone) conseguir falar com ♦ vi (stretch out) esticar-se; **within ~** ao alcance (da mão); **out of ~** fora de alcance; **reach out** vt (hand) esticar ♦ vi: **to ~ out for sth** estender or esticar a mão para pegar (em) algo

react [riː'ækt] vi reagir; **reaction** n reação f; **~ions** npl (reflexes) reflexos mpl

reactor [riː'æktə*] n (also: **nuclear ~**) reator m nuclear

read [riːd, pt, pp rɛd] (pt, pp **read**) vi ler ♦ vt ler; (understand) compreender; (study) estudar; **read out** vt ler em voz alta; **reader** n leitor(a) m/f; (book) livro de leituras; (BRIT: at university) professor(a) m/f adjunto(-a)

readily ['rɛdɪlɪ] adv (willingly) de boa vontade; (easily) facilmente; (quickly) sem demora, prontamente

reading ['riːdɪŋ] n leitura f; (on instrument) indicação f, registro (BR), registo (PT)

ready ['rɛdɪ] adj pronto, preparado; (willing) disposto; (available) disponível ♦ n: **at the ~** (MIL) pronto para atirar; **to get ~** vi preparar-se ♦ vt preparar; **ready-made** adj (já) feito; (clothes) pronto; **ready-to-wear** adj pronto, prêt à porter inv

real [rɪəl] adj real; (genuine) verdadeiro, autêntico; **in ~ terms** em termos reais; **real estate** n bens mpl imobiliários or de raiz; **realistic** [rɪə'lɪstɪk] adj realista

reality [riː'ælɪtɪ] n realidade f

realization [rɪəlaɪ'zeɪʃən] n (fulfilment) realização f; (understanding) compreensão f; (COMM) conversão f em dinheiro, realização

realize ['rɪəlaɪz] vt (understand) perceber; (fulfil, COMM) realizar

really ['rɪəlɪ] adv (for emphasis) realmente; (actually): **what ~ happened?** o que aconteceu na verdade?; **~?** (interest) é mesmo?; (surprise) verdade!; **~!** (annoyance) realmente!

realm [rɛlm] n reino m, (fig) esfera, domínio

realtor ['rɪəltə*] (US) n corretor(a) m/f de imóveis (BR), agente m/f imobiliário(-a) (PT)

reap [riːp] vt segar, ceifar; (fig) colher

reappear [riːə'pɪə*] vi reaparecer

rear [rɪə*] adj traseiro, de trás ♦ n traseira ♦ vt criar ♦ vi (also: **~ up**) empinar-se

reason ['riːzn] n (cause) razão f; (ability) raciocínio; (sense) bom-senso ♦ vi: **to ~ with sb** argumentar com alguém, persuadir alguém; **it stands to ~ that** é razoável or lógico que; **reasonable** adj (fair) razoável; (sensible) sensato; **reasonably** adv razoavelmente, sensatamente; **reasoning** n raciocínio

reassurance [riːə'ʃuərəns] n garantia

reassure [riːə'ʃuə*] vt tranqüilizar; **to ~ sb of** reafirmar a confiança de alguém acerca de

rebate ['riːbeɪt] n devolução f

rebel [n 'rɛbl, vb rɪ'bɛl] n rebelde m/f ♦ vi rebelar-se; **rebellious** [rɪ'bɛljəs] adj insurreto; (behaviour) rebelde

rebound [vb rɪ'baund, n 'riːbaund] vi (ball) ressaltar ♦ n: **on the ~** ressalto; (person): **she married him on the ~** ela casou com ele logo após o rompimento do casamento (or relacionamento) anterior

rebuff [rɪ'bʌf] n repulsa, recusa

rebuke [rɪ'bjuːk] vt repreender

recall [vb rɪ'kɔːl, n 'riːkɔːl] vt recordar, lembrar; (parliament) reunir de volta; (ambassador) chamar de volta ♦ n (memory) recordação f, lembrança; (of ambassador) chamada (de volta)

recap ['riːkæp] vt sintetizar ♦ vi recapitular

recd. abbr = **received**

receding [rɪ'siːdɪŋ] adj (chin) metido or puxado para dentro; (hair) que está escasseando nas têmporas

receipt [rɪ'siːt] n recibo; (act) recebimento (BR), recepção f (PT); **~s** npl (COMM) receitas fpl

receive → redundancy

receive [rɪ'siːv] vt receber; (*guest*) acolher; (*wound, criticism*) sofrer; **receiver** n (*TEL*) fone m (*BR*), auscultador m (*PT*); (*RADIO, TV*) receptor m; (*of stolen goods*) receptador(a) m/f; (*COMM*) curador (a) m/f síndico(-a) de massa falida

recent ['riːsnt] adj recente; **recently** adv recentemente; (*in recent times*) ultimamente

reception [rɪ'sɛpʃən] n recepção f; (*welcome*) acolhida; **reception desk** n (mesa de) recepção f; **receptionist** n recepcionista m/f

recess [rɪ'sɛs] n (*in room*) recesso, vão m; (*secret place*) esconderijo; (*POL etc: holiday*) férias fpl

recession [rɪ'sɛʃən] n recessão f

recipe ['rɛsɪpɪ] n receita

recipient [rɪ'sɪpɪənt] n recipiente m/f, recebedor(a) m/f; (*of letter*) destinatário(-a)

recite [rɪ'saɪt] vt recitar

reckless ['rɛkləs] adj (*driver*) imprudente; (*speed*) imprudente, excessivo; (*spending*) irresponsável

reckon ['rɛkən] vt (*calculate*) calcular, contar; (*think*): **I ~ that ...** acho que ...; **reckon on** vt fus contar com

reclaim [rɪ'kleɪm] vt (*demand back*) reivindicar; (*land: from sea*) aterrar; (*waste materials*) reaproveitar

recline [rɪ'klaɪn] vi reclinar-se; **reclining** adj (*seat*) reclinável

recognition [rɛkəg'nɪʃən] n reconhecimento

recognize ['rɛkəgnaɪz] vt reconhecer

recoil [vb rɪ'kɔɪl, n 'riːkɔɪl] vi (*person*): **to ~ from doing sth** recusar-se a fazer algo ♦ n (*of gun*) coice m

recollect [rɛkə'lɛkt] vt lembrar, recordar; **recollection** n (*memory*) recordação f; (*remembering*) lembrança

recommend [rɛkə'mɛnd] vt recomendar

reconcile ['rɛkənsaɪl] vt reconciliar; (*facts*) conciliar, harmonizar; **to ~ o.s. to sth** resignar-se a or conformar-se com algo

reconsider [riːkən'sɪdə*] vt reconsiderar

reconstruct [riːkən'strʌkt] vt reconstruir; (*event*) reconstituir

record [n, adj 'rɛkɔːd, vb rɪ'kɔːd] n (*MUS*) disco; (*of meeting etc*) ata, minuta; (*COMPUT, of attendance*) registro (*BR*), registo (*PT*); (*written*) história; (*also*: **criminal ~**) antecedentes mpl; (*SPORT*) recorde m ♦ vt (*write down*) anotar; (*temperature, speed*) registrar (*BR*), registar (*PT*); (*MUS: song etc*) gravar ♦ adj: **in ~ time** num tempo recorde; **off the ~** ♦ adj confidencial ♦ adv confidencialmente; **recorder** n (*MUS*) flauta; **recording** n (*MUS*) gravação f; **record player** n toca-discos m inv (*BR*), gira-discos m inv (*PT*)

re-count ['riːkaunt] n (*POL: of votes*) nova contagem f, recontagem f

recoup [rɪ'kuːp] vt: **to ~ one's losses** recuperar-se dos prejuízos

recover [rɪ'kʌvə*] vt recuperar ♦ vi (*from illness*) recuperar-se; (*from shock*) refazer-se; **recovery** n recuperação f; (*MED*) recuperação, melhora

recreation [rɛkrɪ'eɪʃən] n recreio; **recreational** adj recreativo

recruit [rɪ'kruːt] n recruta m/f; (*in company*) novato(-a) ♦ vt recrutar

rectangle ['rɛktæŋgl] n retângulo

rector ['rɛktə*] n (*REL*) pároco

recuperate [rɪ'kuːpəreɪt] vi recuperar-se

recur [rɪ'kəː*] vi repetir-se, ocorrer outra vez; (*symptoms*) reaparecer; **recurrent** adj repetido, periódico

recycle [riː'saɪkl] vt reciclar; **recycling** n reciclagem f

red [rɛd] n vermelho; (*POL: pej*) vermelho (-a) ♦ adj vermelho; (*hair*) ruivo; (*wine*) tinto; **to be in the ~** não ter fundos; **Red Cross** n Cruz f Vermelha; **redden** vt avermelhar ♦ vi corar, ruborizar-se

redeem [rɪ'diːm] vt (*REL*) redimir; (*sth in pawn*) tirar do prego; (*loan, fig: situation*) salvar; **redeeming** adj: **redeeming feature** lado bom or que salva

red: **red-haired** adj ruivo; **red-handed** adj: **to be caught red-handed** ser apanhado em flagrante, ser flagrado; **redhead** n ruivo(-a); **red herring** n (*fig*) pista falsa; **red-hot** adj incandescente

redirect [riːdaɪ'rɛkt] vt (*mail*) endereçar de novo

red-light district n zona (de meretrício)

redo [riː'duː] (*irreg*) vt refazer

redress [rɪ'drɛs] n compensação f ♦ vt retificar

Red Sea n: **the ~** o mar Vermelho

redskin ['rɛdskɪn] n pele-vermelha m/f

red tape n (*fig*) papelada, burocracia

reduce [rɪ'djuːs] vt reduzir; (*lower*) rebaixar; "**~ speed now**" (*AUT*) "diminua a velocidade"; **to ~ sb to** (*silence, begging*) levar alguém a; (*tears*) reduzir alguém a; **reduction** [rɪ'dʌkʃən] n redução f; (*of price*) abatimento

redundancy [rɪ'dʌndənsɪ] (*BRIT*) n (*dismissal*) demissão f; (*unemployment*)

redundant → regulate

desemprego
redundant [rɪ'dʌndnt] *adj* (*BRIT*: *worker*) desempregado; (*detail, object*) redundante, supérfluo; **to be made ~** ficar desempregado *or* sem trabalho
reed [ri:d] *n* (*BOT*) junco; (*MUS*: *of clarinet etc*) palheta
reef [ri:f] *n* (*at sea*) recife *m*
reek [ri:k] *vi*: **to ~ (of)** cheirar (a), feder (a)
reel [ri:l] *n* carretel *m*, bobina; (*of film*) rolo, filme *m*; (*on fishing-rod*) carretilha; (*dance*) dança típica da Escócia ♦ *vi* (*sway*) cambalear, oscilar; **reel in** *vt* puxar enrolando a linha
ref [rɛf] (*inf*) *n abbr* = **referee**
refectory [rɪ'fɛktərɪ] *n* refeitório
refer [rɪ'fə:*] *vt* (*matter, problem*): **to ~ sth to** submeter algo à apreciação de; (*person, patient*): **to ~ sb to** encaminhar alguém a ♦ *vi*: **to ~ to** referir-se *or* aludir a; (*consult*) recorrer a
referee [rɛfə'ri:] *n* árbitro(-a); (*BRIT*: *for job application*) referência ♦ *vt* apitar
reference ['rɛfrəns] *n* referência; (*mention*) menção *f*; **with ~ to** com relação a; (*COMM*: *in letter*) com referência a; **reference book** *n* livro de consulta
refill [*vb* ri:'fɪl, *n* 'ri:fɪl] *vt* reencher; (*lighter etc*) reabastecer ♦ *n* (*for pen*) carga nova
refine [rɪ'faɪn] *vt* refinar; **refined** *adj* refinado, culto
reflect [rɪ'flɛkt] *vt* refletir ♦ *vi* (*think*) refletir, meditar; **it ~s badly/well on him** isso repercute mal/bem para ele; **reflection** *n* reflexo; (*thought, act*) reflexão *f*; (*criticism*): **reflection on** crítica de; **on reflection** pensando bem
reflex ['ri:flɛks] *adj* reflexo ♦ *n* reflexo; **reflexive** [rɪ'flɛksɪv] *adj* (*LING*) reflexivo
reform [rɪ'fɔ:m] *n* reforma ♦ *vt* reformar; **reformatory** [rɪ'fɔ:mətərɪ] (*US*) *n* reformatório
refrain [rɪ'freɪn] *vi*: **to ~ from doing** abster-se de fazer ♦ *n* estribilho, refrão *m*
refresh [rɪ'frɛʃ] *vt* refrescar; **refresher course** (*BRIT*) *n* curso de reciclagem; **refreshing** *adj* refrescante; (*sleep*) repousante; **refreshments** *npl* bebidas *fpl* (não-alcoólicas) e guloseimas
refrigerator [rɪ'frɪdʒəreɪtə*] *n* refrigerador *m*, geladeira (*BR*), frigorífico (*PT*)
refuel [ri:'fjuəl] *vi* reabastecer
refuge ['rɛfju:dʒ] *n* refúgio; **to take ~ in** refugiar-se em
refugee [rɛfju'dʒi:] *n* refugiado(-a)

refund [*n* 'ri:fʌnd, *vb* rɪ'fʌnd] *n* reembolso ♦ *vt* devolver, reembolsar
refurbish [ri:'fə:bɪʃ] *vt* renovar
refusal [rɪ'fju:zəl] *n* recusa, negativa; **first ~** primeira opção
refuse[1] ['rɪ'fju:z] *vt* recusar; (*order*) recusar-se a ♦ *vi* recusar-se, negar-se; (*horse*) recusar-se a pular a cerca
refuse[2] ['rɛfju:s] *n* refugo, lixo
regain [rɪ'geɪn] *vt* recuperar, recobrar
regal ['ri:gl] *adj* real, régio
regard [rɪ'gɑ:d] *n* (*gaze*) olhar *m* firme; (*attention*) atenção *f*; (*esteem*) estima, consideração *f* ♦ *vt* (*consider*) considerar; **to give one's ~s to** dar lembranças a; **"with kindest ~s"** "cordialmente"; **as ~s, with ~ to** com relação a, com respeito a, quanto a; **regarding** *prep* com relação a; **regardless** *adv* apesar de tudo; **regardless of** apesar de
régime [reɪ'ʒi:m] *n* regime *m*
regiment ['rɛdʒɪmənt] *n* regimento
region ['ri:dʒən] *n* região *f*; **in the ~ of** (*fig*) por volta de, ao redor de; **regional** *adj* regional
register ['rɛdʒɪstə*] *n* registro (*BR*), registo (*PT*); (*SCH*) chamada ♦ *vt* registrar (*BR*), registar (*PT*); (*subj*: *instrument*) marcar, indicar ♦ *vi* (*at hotel*) registrar-se (*BR*), registar-se (*PT*); (*for work*) candidatar-se; (*as student*) inscrever-se; (*make impression*) causar impressão; **registered** *adj* (*letter, parcel*) registrado (*BR*), registado (*PT*)
registrar ['rɛdʒɪstrɑ:*] *n* oficial *m/f* de registro (*BR*) *or* registo (*PT*), escrivão(-vã) *m/f*; (*in college*) funcionário(-a) administrativo(-a) sênior; (*in hospital*) médico(-a) sênior
registration [rɛdʒɪs'treɪʃən] *n* (*act*) registro (*BR*), registo (*PT*); (*AUT*: *also*: **~ number**) número da placa
registry ['rɛdʒɪstrɪ] *n* registro (*BR*), registo (*PT*), cartório; **registry office** (*BRIT*) *n* registro (*BR*) *or* registo (*PT*) civil, cartório; **to get married in a ~ office** casar-se no civil
regret [rɪ'grɛt] *n* desgosto, pesar *m* ♦ *vt* lamentar; (*repent of*) arrepender-se de; **regretfully** *adv* com pesar, pesarosamente
regular ['rɛgjulə*] *adj* regular; (*frequent*) freqüente; (*usual*) habitual; (*soldier*) de linha ♦ *n* habitual *m/f*; **regularly** *adv* regularmente; (*shaped*) simetricamente; (*often*) freqüentemente
regulate ['rɛgjuleɪt] *vt* (*speed*) regular; (*spending*) controlar; (*TECH*) regular,

rehearsal → remembrance

ajustar; **regulation** [rɛgju'leɪʃən] n (*rule*) regra, regulamento; (*adjustment*) ajuste m

rehearsal [rɪ'həːsəl] n ensaio

rehearse [rɪ'həːs] vt ensaiar

reign [reɪn] n reinado; (*fig*) domínio ♦ vi reinar; imperar

reimburse [riːɪm'bəːs] vt reembolsar

rein [reɪn] n (*for horse*) rédea

reindeer ['reɪndɪə*] n inv rena

reinforce [riːɪn'fɔːs] vt reforçar; **reinforcements** npl (*MIL*) reforços mpl

reinstate [riːɪn'steɪt] vt (*worker*) readmitir; (*tax, law*) reintroduzir

reject [n 'riːdʒɛkt, vb rɪ'dʒɛkt] n (*COMM*) artigo defeituoso ♦ vt rejeitar; (*offer of help*) recusar; (*goods*) refugar; **rejection** n rejeição f; recusa

rejoice [rɪ'dʒɔɪs] vi: **to ~ at** *or* **over** regozijar-se *or* alegrar-se de

relapse [rɪ'læps] n (*MED*) recaída

relate [rɪ'leɪt] vt (*tell*) contar, relatar; (*connect*): **to ~ sth to** relacionar algo com ♦ vi: **to ~ to** relacionar-se com; **~d to** ligado a, relacionado a; **relating: relating to** prep relativo a, acerca de

relation [rɪ'leɪʃən] n (*person*) parente m/f; (*link*) relação f; **~s** npl (*dealings*) relações fpl; (*relatives*) parentes mpl; **relationship** n relacionamento; (*between two things*) relação f; (*also:* **family relationship**) parentesco

relative ['rɛlətɪv] n parente m/f ♦ adj relativo; **relatively** adv relativamente

relax [rɪ'læks] vi (*unwind*) descontrair-se; (*muscle*) relaxar-se ♦ vt (*grip*) afrouxar; (*control*) relaxar; (*mind, person*) descansar; **relaxation** [riːlæk'seɪʃən] n (*rest*) descanso; (*of muscle, control*) relaxamento; (*of grip*) afrouxamento; (*recreation*) lazer m; **relaxed** adj relaxado; (*tranquil*) descontraído

relay [n 'riːleɪ, vb rɪ'leɪ] n (*race*) (corrida de) revezamento ♦ vt (*message*) retransmitir

release [rɪ'liːs] n (*from prison*) libertação f; (*from obligation*) liberação f; (*of gas*) escape m; (*of water*) despejo; (*of film, book etc*) lançamento ♦ vt (*prisoner*) pôr em liberdade; (*book, film*) lançar; (*report, news*) publicar; (*gas etc*) soltar; (*free: from wreckage etc*) soltar; (*TECH: catch, spring etc*) desengatar, desapertar

relegate ['rɛləgeɪt] vt relegar; (*SPORT*): **to be ~d** ser rebaixado

relent [rɪ'lɛnt] vi (*yield*) ceder; **relentless** adj (*unceasing*) contínuo; (*determined*) implacável

relevant ['rɛləvənt] adj pertinente; **~ to** relacionado com

reliable [rɪ'laɪəbl] adj (*person, firm: digno*) de confiança, confiável, sério; (*method, machine*) seguro; (*news*) fidedigno; **reliably** adv: **to be reliably informed that ...** saber através de fonte segura que ...

relic ['rɛlɪk] n (*REL*) relíquia; (*of the past*) vestígio

relief [rɪ'liːf] n alívio; (*help, supplies*) ajuda, socorro; (*ART, GEO*) relevo

relieve [rɪ'liːv] vt (*pain, fear*) aliviar; (*bring help to*) ajudar, socorrer; (*take over from: gen*) substituir, revezar; (:*guard*) render; **to ~ sb of sth** (*load*) tirar algo de alguém; (*duties*) destituir alguém de algo; **to ~ o.s.** fazer as necessidades

religion [rɪ'lɪdʒən] n religião f; **religious** adj religioso

relinquish [rɪ'lɪŋkwɪʃ] vt abandonar; (*plan, habit*) renunciar a

relish ['rɛlɪʃ] n (*CULIN*) condimento, tempero; (*enjoyment*) entusiasmo ♦ vt (*food etc*) saborear; (*thought*) ver com satisfação

reluctant [rɪ'lʌktənt] adj relutante; **reluctantly** adv relutantemente, de má vontade

rely on [rɪ'laɪ-] vt fus confiar em, contar com; (*be dependent on*) depender de

remain [rɪ'meɪn] vi (*survive*) sobreviver; (*stay*) ficar, permanecer; (*be left*) sobrar; (*continue*) continuar; **remainder** n resto, restante m; **remaining** adj restante; **remains** npl (*of body*) restos mpl; (*of meal*) sobras fpl; (*of building*) ruínas fpl

remand [rɪ'mɑːnd] n: **on ~** sob prisão preventiva ♦ vt: **to be ~ed in custody** continuar sob prisão preventiva, manter sob custódia

remark [rɪ'mɑːk] n observação f, comentário ♦ vt comentar; **remarkable** adj (*outstanding*) extraordinário

remarry [riː'mærɪ] vi casar-se de novo

remedial [rɪ'miːdɪəl] adj de reforço; (*exercise*) terapêutico

remedy ['rɛmədɪ] n: **~ (for)** remédio (contra *or* a) ♦ vt remediar

remember [rɪ'mɛmbə*] vt lembrar-se de, lembrar; (*bear in mind*) ter em mente; (*send greetings*): **~ me to her** dê lembranças a ela

remembrance [rɪ'mɛmbrəns] n (*memory*) memória; (*souvenir*) lembrança, recordação f; **Remembrance Day** *or*

Sunday n Dia m do Armistício
remind [rɪ'maɪnd] vt: **to ~ sb to do sth** lembrar a alguém que tem de fazer algo; **to ~ sb of sth** lembrar algo a alguém, lembrar alguém de algo; **reminder** n lembrança; (letter) carta de advertência
reminisce [rɛmɪ'nɪs] vi relembrar velhas histórias; **reminiscent** adj: **to be reminiscent of sth** lembrar algo
remit [rɪ'mɪt] vt remeter, enviar, mandar; **remittance** n remessa
remnant ['rɛmnənt] n resto; (of cloth) retalho; **~s** npl (COMM) retalhos mpl
remorse [rɪ'mɔːs] n remorso; **remorseful** adj arrependido
remote [rɪ'məut] adj remoto; (person) reservado, afastado; **remote control** n controle m remoto; **remotely** adv remotamente; (slightly) levemente
removal [rɪ'muːvəl] n (taking away) remoção f; (BRIT: from house) mudança; (from office: sacking) afastamento, demissão f; (MED) extração f; **removal van** (BRIT) n caminhão m (BR) or camião m (PT) de mudanças
remove [rɪ'muːv] vt tirar, retirar; (clothing) tirar; (stain) remover; (employee) afastar, demitir; (name from list, obstacle) eliminar, remover; (doubt, abuse) afastar; (MED) extrair
render ['rɛndə*] vt (thanks) trazer; (service) prestar; (make) fazer, tornar
rendezvous ['rɔndɪvuː] n encontro; (place) ponto de encontro
renew [rɪ'njuː] vt retomar, recomeçar; (loan etc) prorrogar; (negotiations) reatar; **renewal** n (of contract) renovação f; (resumption) retomada
renounce [rɪ'nauns] vt renunciar a
renovate ['rɛnəveɪt] vt renovar; (house) reformar
renown [rɪ'naun] n renome m; **renowned** adj renomado, famoso
rent [rɛnt] n aluguel m (BR), aluguer m (PT) ♦ vt (also: **~ out**) alugar; **rental** n (for television, car) aluguel m (BR), aluguer m (PT)
rep [rɛp] n abbr (COMM) = **representative**
repair [rɪ'pɛə*] n reparação f, conserto ♦ vt consertar; **in good/bad ~** em bom/mau estado; **repair kit** n caixa de ferramentas
repay [riː'peɪ] (irreg) vt (money) reembolsar, restituir; (person) pagar de volta; (debt) saldar, liquidar; (sb's efforts) corresponder, retribuir; (favour) retribuir; **repayment** n reembolso; (of debt) pagamento
repeal [rɪ'piːl] n (of law) revogação f ♦ vt revogar
repeat [rɪ'piːt] n (RADIO, TV) repetição f ♦ vt repetir; (COMM: order) renovar ♦ vi repetir-se
repel [rɪ'pɛl] vt repelir; (disgust) repugnar; **repellent** adj repugnante ♦ n: **insect repellent** repelente m de insetos
repent [rɪ'pɛnt] vi arrepender-se; **repentance** n arrependimento
repetitive [rɪ'pɛtɪtɪv] adj repetitivo
replace [rɪ'pleɪs] vt (put back) repor, devolver; (take the place of) substituir; **replacement** n (substitution) substituição f; (substitute) substituto(-a)
replay ['riːpleɪ] n (of match) partida decisiva; (TV: also: **action ~**) replay m
replenish [rɪ'plɛnɪʃ] vt (glass) reencher; (stock etc) completar, prover
replica ['rɛplɪkə] n réplica, cópia, reprodução f
reply [rɪ'plaɪ] n resposta ♦ vi responder
report [rɪ'pɔːt] n relatório; (PRESS etc) reportagem f; (BRIT: also: **school ~**) boletim m escolar; (of gun) estampido, detonação f ♦ vt informar sobre; (PRESS etc) fazer uma reportagem sobre; (bring to notice) comunicar, anunciar ♦ vi (make a report): **to ~ (on)** apresentar um relatório (sobre); (present o.s.): **to ~ (to sb)** apresentar-se (a alguém); (be responsible to): **to ~ to sb** obedecer as ordens de alguém; **report card** (US, SCOTTISH) n boletim m escolar; **reportedly** adv: **she is reportedly living in Spain** dizem que ela mora na Espanha; **reporter** n repórter m/f
represent [rɛprɪ'zɛnt] vt representar; (constitute) constituir; (COMM) ser representante de; **representation** [rɛprɪzɛn'teɪʃən] n representação f; (picture, statue) representação, retrato; (petition) petição f; **~ations** npl (protest) reclamação f, protesto; **representative** [rɛprɪ'zɛntətɪv] n representante m/f; (US: POL) deputado(-a) ♦ adj: **representative (of)** representativo (de)
repress [rɪ'prɛs] vt reprimir; **repression** n repressão f
reprisal [rɪ'praɪzl] n represália
reproach [rɪ'prəutʃ] n repreensão f, censura ♦ vt: **to ~ sb for sth** repreender alguém por algo; **reproachful** adj repreensivo, acusatório
reproduce [riːprə'djuːs] vt reproduzir ♦ vi reproduzir-se
reproof [rɪ'pruːf] n reprovação f, repreensão f

reptile → restrain

reptile ['rɛptail] n réptil m
republic [rɪ'pʌblɪk] n república; **republican** adj, n republicano(-a); (US: POL): **Republican** membro(-a) do Partido Republicano
reputable ['rɛpjutəbl] adj (make etc) bem conceituado, de confiança; (person) honrado, respeitável
reputation [rɛpju'teɪʃən] n reputação f
reputedly [rɪ'pju:tɪdlɪ] adv segundo se diz, supostamente
request [rɪ'kwɛst] n pedido; (formal) petição f ♦ vt: **to ~ sth of** or **from sb** pedir algo a alguém; (formally) solicitar algo a alguém; **request stop** (BRIT) n (for bus) parada não obrigatória
require [rɪ'kwaɪə*] vt (need: subj: person) precisar de, necessitar; (: thing, situation) requerer, exigir; (want) pedir; (order): **to ~ sb to do sth/sth of sb** exigir que alguém faça algo/algo de alguém; **requirement** n (need) necessidade f; (want) pedido
rescue ['rɛskju:] n salvamento, resgate m ♦ vt: **to ~ (from)** resgatar (de); (save, fig) salvar (de); **rescue party** n grupo or expedição f de resgate
research [rɪ'sə:tʃ] n pesquisa ♦ vt pesquisar
resemblance [rɪ'zɛmbləns] n semelhança
resemble [rɪ'zɛmbl] vt parecer-se com
resent [rɪ'zɛnt] vt (attitude) ressentir-se de; (person) estar ressentido com; **resentful** adj ressentido
reservation [rɛzə'veɪʃən] n reserva
reserve [rɪ'zə:v] n reserva; (SPORT) suplente m/f, reserva m/f (BR) ♦ vt reservar; **~s** npl (MIL) (tropas fpl da) reserva; (COMM) reserva; **in ~** de reserva; **reserved** adj reservado
residence ['rɛzɪdəns] n residência; (formal: home) domicílio; **residence permit** (BRIT) n autorização f de residência
resident ['rɛzɪdənt] n (of country, town) habitante m/f; (in hotel) hóspede m/f ♦ adj (population) permanente; (doctor) interno, residente; **residential** [rɛzɪ'dɛnʃəl] adj residencial
residue ['rɛzɪdju:] n resto
resign [rɪ'zaɪn] vt renunciar a, demitir-se de ♦ vi: **to ~ (from)** demitir-se (de); **to ~ o.s. to** resignar-se a; **resignation** [rɛzɪg'neɪʃən] n demissão f; (state of mind) resignação f; **resigned** adj resignado
resilient [rɪ'zɪlɪənt] adj (person) forte; (material) resistente
resist [rɪ'zɪst] vt resistir a
resolution [rɛzə'lu:ʃən] n resolução f; (of problem) solução f
resolve [rɪ'zɔlv] n resolução f ♦ vt resolver ♦ vi: **to ~ to do** resolver-se a fazer
resort [rɪ'zɔ:t] n local m turístico, estação f de veraneio; (recourse) recurso ♦ vi: **to ~ to** recorrer a; **in the last ~** em último caso, em última instância
resounding [rɪ'zaundɪŋ] adj retumbante
resource [rɪ'sɔ:s] n (raw material) recurso natural; **~s** npl (coal, money, energy) recursos mpl; **resourceful** adj engenhoso, habilidoso
respect [rɪs'pɛkt] n respeito ♦ vt respeitar; **~s** npl (greetings) cumprimentos mpl; **respectable** adj respeitável; (large) considerável; (result, player) razoável; **respectful** adj respeitoso
respond [rɪs'pɔnd] vi (answer) responder; (react) reagir; **response** n resposta; reação f
responsibility [rɪspɔnsɪ'bɪlɪtɪ] n responsabilidade f; (duty) dever m
responsible [rɪs'pɔnsɪbl] adj sério, responsável; (job) de responsabilidade; (liable): **~ (for)** responsável (por)
responsive [rɪs'pɔnsɪv] adj receptivo
rest [rɛst] n descanso, repouso; (pause) pausa, intervalo; (support) apoio; (remainder) resto; (MUS) pausa ♦ vi descansar; (stop) parar; (be supported): **to ~ on** apoiar-se em ♦ vt descansar; (lean): **to ~ sth on/against** apoiar algo em or sobre/contra; **the ~ of them** os outros; **it ~s with him to do it** cabe a ele fazê-lo
restaurant ['rɛstərɔŋ] n restaurante m; **restaurant car** (BRIT) n vagão-restaurante m
restful ['rɛstful] adj tranqüilo, repousante
restive ['rɛstɪv] adj inquieto, impaciente; (horse) rebelão(-ona), teimoso
restless ['rɛstlɪs] adj desassossegado, irrequieto
restore [rɪ'stɔ:*] vt (building, order) restaurar; (sth stolen) restituir; (health) restabelecer
restrain [rɪs'treɪn] vt (feeling) reprimir; (growth, inflation) refrear; (person): **to ~ (from doing)** impedir (de fazer); **restrained** adj (style) moderado, comedido; (person) comedido; **restraint** n (restriction) restrição f; (moderation) moderação f,

comedimento; (of style) sobriedade f
restrict [rɪsˈtrɪkt] vt restringir, limitar; (people, animals) confinar; (activities) limitar; **restriction** n restrição f, limitação f
rest room (US) n banheiro (BR), lavabo (PT)
result [rɪˈzʌlt] n resultado ♦ vi: **to ~ in** resultar em; **as a ~ of** como resultado or conseqüência de
resume [rɪˈzjuːm] vt (work, journey) retomar, recomeçar ♦ vi recomeçar
résumé [ˈreɪzjuːmeɪ] n (summary) resumo; (US: curriculum vitae) curriculum vitae m, currículo
resurrection [rɛzəˈrɛkʃən] n ressurreição f
resuscitate [rɪˈsʌsɪteɪt] vt (MED) ressuscitar, reanimar
retail [ˈriːteɪl] adj a varejo (BR), a retalho (PT) ♦ adv a varejo (BR), a retalho (PT); **retailer** n varejista m/f (BR), retalhista m/f (PT)
retain [rɪˈteɪn] vt (keep) reter, conservar; **retainer** n (fee) adiantamento
retaliate [rɪˈtælɪeɪt] vi: **to ~ (against)** revidar (contra); **retaliation** [rɪtælɪˈeɪʃən] n represálias fpl, vingança
retch [rɛtʃ] vi fazer esforço para vomitar
retire [rɪˈtaɪə*] vi aposentar-se; (withdraw) retirar-se; (go to bed) deitar-se; **retired** adj aposentado (BR), reformado (PT); **retirement** n aposentadoria (BR), reforma (PT); **retiring** adj de saída; (shy) acanhado, retraído
retort [rɪˈtɔːt] vi replicar, retrucar
retrace [riːˈtreɪs] vt: **to ~ one's steps** voltar sobre (os) seus passos, refazer o mesmo caminho
retract [rɪˈtrækt] vt (statement) retirar, retratar; (claws) encolher; (undercarriage, aerial) recolher
retrain [riːˈtreɪn] vt reciclar
retreat [rɪˈtriːt] n (place) retiro; (act) retirada ♦ vi retirar-se
retrieval [rɪˈtriːvəl] n recuperação f
retrieve [rɪˈtriːv] vt (sth lost) reaver, recuperar; (situation, honour) salvar; (error, loss) reparar
retrospect [ˈrɛtrəspɛkt] n: **in ~** retrospectivamente, em retrospecto; **retrospective** [rɛtrəˈspɛktɪv] adj retrospectivo; (law) retroativo
return [rɪˈtəːn] n regresso, volta f; (of sth stolen etc) devolução f; (FINANCE: from land, shares) rendimento ♦ cpd (journey) de volta; (BRIT: ticket) de ida e volta; (match) de revanche ♦ vi voltar,

restrict → revive

regressar; (symptoms) voltar; (regain): **to ~ to** (consciousness) recobrar; (power) retornar a ♦ vt devolver; (favour etc) retribuir; (verdict) proferir, anunciar; (POL: candidate) eleger; **~s** npl (COMM) receita; **in ~ (for)** em troca (de); **many happy ~s (of the day)!** parabéns!; **by ~ (of post)** por volta do correio
reunion [riːˈjuːnɪən] n (family) reunião f; (two people, class) reencontro
reunite [riːjuːˈnaɪt] vt reunir; (reconcile) reconciliar
rev [rɛv] n abbr (AUT: = revolution) revolução f ♦ vt (also: **~ up**) aumentar a velocidade de
revamp [riːˈvæmp] vt dar um jeito em
reveal [rɪˈviːl] vt revelar; (make visible) mostrar; **revealing** adj revelador(a)
revel [ˈrɛvl] vi: **to ~ in sth/in doing sth** deleitar-se com algo/em fazer algo
revenge [rɪˈvɛndʒ] n vingança, desforra; **to take ~ on** vingar-se de
revenue [ˈrɛvənjuː] n receita, renda
reverberate [rɪˈvəːbəreɪt] vi (sound) ressoar, repercutir, ecoar; (fig) repercutir
reversal [rɪˈvəːsl] n (of order) reversão f; (of direction) mudança em sentido contrário; (of decision) revogação f; (of roles) inversão f
reverse [rɪˈvəːs] n (opposite) contrário; (of cloth) avesso; (of coin) reverso; (of paper) dorso; (AUT: also: **~ gear**) marcha à ré (BR), marcha atrás (PT); (setback) revés m, derrota ♦ adj (order) inverso, oposto; (direction) contrário; (process) inverso ♦ vt inverter; (position) mudar; (process, decision) revogar; (car) dar marcha-re em ♦ vi (BRIT: AUT) dar (marcha à) ré (BR), fazer marcha atrás (PT); **reverse-charge call** (BRIT) n (TEL) ligação f a cobrar
revert [rɪˈvəːt] vi: **to ~ to** voltar a; (LAW) reverter a
review [rɪˈvjuː] n (magazine, MIL) revista; (of book, film) crítica, resenha; (examination) recapitulação f, exame m ♦ vt rever, examinar; (MIL) passar em revista; (book, film) fazer a crítica or resenha de
revise [rɪˈvaɪz] vt (manuscript) corrigir; (opinion, procedure) alterar; (price) revisar; **revision** [rɪˈvɪʒən] n correção f; (for exam) revisão f
revival [rɪˈvaɪvəl] n (recovery) restabelecimento f; (of interest) renascença, renascimento f; (THEATRE) reestréia; (of faith) despertar m
revive [rɪˈvaɪv] vt (person) reanimar, ressuscitar; (economy) recuperar; (custom) restabelecer, restaurar; (hope, courage)

revolt → ring

despertar; (play) reapresentar ♦ vi (person: from faint) voltar a si, recuperar os sentidos; (: from ill-health) recuperar-se; (activity, economy) reativar; (hope, interest) renascer

revolt [rɪ'vəult] n revolta, rebelião f, insurreição f ♦ vi revoltar-se ♦ vt causar aversão a, repugnar; **revolting** adj revoltante, repulsivo

revolution [rɛvə'luːʃən] n revolução f; (of wheel, earth) rotação f

revolve [rɪ'vɔlv] vi girar

revolver [rɪ'vɔlvə*] n revólver m

revolving [rɪ'vɔlvɪŋ] adj giratório

revulsion [rɪ'vʌlʃən] n aversão f, repugnância

reward [rɪ'wɔːd] n recompensa ♦ vt: **to ~ (for)** recompensar or premiar (por); **rewarding** adj (fig) gratificante, compensador(a)

rewind [riː'waɪnd] (irreg) vt (tape) voltar para trás

rewire [riː'waɪə*] vt (house) renovar a instalação elétrica de

rheumatism ['ruːmətɪzəm] n reumatismo

rhinoceros [raɪ'nɔsərəs] n rinoceronte m

rhubarb ['ruːbɑːb] n ruibarbo

rhyme [raɪm] n rima; (verse) verso(s) m (pl) rimado(s), poesia

rhythm ['rɪðm] n ritmo

rib [rɪb] n (ANAT) costela ♦ vt (mock) zombar de, encarnar em

ribbon ['rɪbən] n fita; **in ~s** (torn) em tirinhas, esfarrapado

rice [raɪs] n arroz m; **rice pudding** n arroz m doce

rich [rɪtʃ] adj rico; (clothes) valioso; (soil) fértil; (food) suculento, forte; (colour) intenso; (voice) suave, cheio ♦ npl: **the ~** os ricos; **~es** npl (wealth) riquezas fpl

rickets ['rɪkɪts] n raquitismo

rid [rɪd] (pt, pp **rid**) vt: **to ~ sb of sth** livrar alguém de algo; **to get ~ of** livrar-se de; (sth no longer required) desfazer-se de

riddle ['rɪdl] n (conundrum) adivinhação f; (mystery) enigma m, charada ♦ vt: **to be ~d with** estar cheio de

ride [raɪd] (pt **rode**, pp **ridden**) n (gen) passeio; (on horse) passeio a cavalo; (distance covered) percurso, trajeto ♦ vi (as sport) montar; (go somewhere: on horse, bicycle) ir (a cavalo, de bicicleta); (journey: on bicycle, motorcycle, bus) viajar ♦ vt (a horse) montar a; (bicycle, motorcycle) andar de; (distance) percorrer; **to ~ at anchor** (NAUT) estar ancorado; **to take sb for a ~** (fig) enganar alguém; **rider** n (on horse:

158

male) cavaleiro; (: female) amazona; (on bicycle) ciclista m/f; (on motorcycle) motociclista m/f

ridge [rɪdʒ] n (of hill) cume m, topo; (of roof) cumeeira; (wrinkle) ruga

ridicule ['rɪdɪkjuːl] n escárnio, zombaria, mofa ♦ vt ridicularizar, zombar de; **ridiculous** adj ridículo

riding ['raɪdɪŋ] n equitação f

rife [raɪf] adj: **to be ~** ser comum; **to be ~ with** estar repleto de, abundar em

rifle ['raɪfl] n rifle m, fuzil m ♦ vt saquear; **rifle through** vt fus vasculhar

rift [rɪft] n fenda, fratura; (in clouds) brecha; (fig: between friends) desentendimento; (: in party) rompimento, divergência

rig [rɪg] n (also: **oil ~**) torre f de perfuração ♦ vt adulterar or falsificar os resultados de; **rig out** (BRIT) vt: **to ~ out as/in** ataviar or vestir como/com; **rig up** vt instalar, montar, improvisar

right [raɪt] adj certo, correto; (suitable) adequado, conveniente; (: decision) certo; (just) justo; (morally good) bom; (not left) direito ♦ n (entitlement) direito; (not left) direita ♦ adv bem, corretamente; (fairly) justamente; (not on the left) à direita; (exactly): **~ now** agora mesmo ♦ vt colocar em pé; (correct) corrigir, indireitar ♦ excl bom!; **to be ~** (person) ter razão; (answer, clock) estar certo; **by ~s** por direito; **on the ~** à direita; **to be in the ~** ter razão; **~ away** imediatamente, logo, já; **~ in the middle** bem no meio; **righteous** ['raɪtʃəs] adj justo, honrado; (anger) justificado; **rightful** adj (heir) legítimo; (place) justo, legítimo; **right-handed** adj destro; **right-hand man** n braço direito; **right-hand side** n lado direito; **rightly** adv (with reason) com razão; **right of way** n prioridade f de passagem; (AUT) preferência; **right-wing** adj de direita

rigid ['rɪdʒɪd] adj rígido; (principle) inflexível

rim [rɪm] n borda, beira; (of spectacles, wheel) aro

rind [raɪnd] n (of bacon) pele f; (of lemon etc) casca; (of cheese) crosta, casca

ring [rɪŋ] (pt **rang**, pp **rung**) n (of metal) aro; (on finger) anel m; (of people, objects) círculo, grupo; (for boxing) ringue m; (of circus) pista, picadeiro; (bull-) picadeiro, arena; (of light, smoke) círculo; (of small bell) toque m; (of large bell) badalada, repique m ♦ vi (on telephone) telefonar; (bell) tocar; (also: **~ out**) soar; (ears) zumbir ♦ vt (BRIT: TEL) telefonar a, ligar

para; (bell etc) badalar; (doorbell) tocar; **to give sb a ~** (BRIT: TEL) dar uma ligada or ligar para alguém; **ring back** (BRIT) vi (TEL) telefonar or ligar de volta ♦ vt telefonar or ligar de volta para; **ring off** (BRIT) vi (TEL) desligar; **ring up** (BRIT) vt (TEL) telefonar a, ligar para; **ringing** ['rɪŋɪŋ] n (of telephone) toque m; (of bell) repicar m; (in ears) zumbido; **ringing tone** (BRIT) n (TEL) sinal m de chamada; **ringleader** n cabeça m/f, cérebro
ringlets ['rɪŋlɪts] npl caracóis mpl, anéis mpl
ring road (BRIT) n estrada periférica or perimetral
rink [rɪŋk] n (also: **ice ~**) pista de patinação, rinque m
rinse [rɪns] n enxaguada ♦ vt enxaguar; (also: **~ out**: mouth) bochechar
riot ['raɪət] n distúrbio, motim m, desordem f; (of colour) festival m, profusão f ♦ vi provocar distúrbios, amotinar-se; **to run ~** desenfrear-se; **riotous** adj (crowd) desordeiro; (behaviour) turbulento; (party) tumultuado, barulhento
rip [rɪp] n rasgão m ♦ vt rasgar ♦ vi rasgar-se
ripe [raɪp] adj maduro; **ripen** vt, vi amadurecer
ripple ['rɪpl] n ondulação f, encrespação f; (of laughter etc) onda ♦ vi encrespar-se
rise [raɪz] (pt rose, pp risen) n elevação f, ladeira; (hill) colina, rampa; (in wages: BRIT) aumento; (in prices, temperature) subida; (to power etc) ascensão f ♦ vi levantar-se, erguer-se; (prices, waters) subir; (sun) nascer; (from bed etc) levantar(-se); (also: **~ up**: building) erguer-se; (: rebel) sublevar-se; (in rank) ascender, subir; **to give ~ to** ocasionar, dar origem a; **to ~ to the occasion** mostrar-se à altura da situação; **rising** adj (prices) em alta; (number) crescente, cada vez maior; (tide) montante; (sun, moon) nascente
risk [rɪsk] n risco, perigo; (INSURANCE) risco ♦ vt pôr em risco; (chance) arriscar, aventurar; **to take** or **run the ~ of doing** correr o risco de fazer; **at ~** em perigo; **at one's own ~** por sua própria conta e risco; **risky** adj perigoso
rite [raɪt] n rito; **last ~s** últimos sacramentos
ritual ['rɪtjuəl] adj ritual ♦ n ritual m; (of initiation) rito
rival ['raɪvl] adj, n rival m/f; (in business) concorrente m/f ♦ vt competir com; **rivalry** ['raɪvlrɪ] n rivalidade f

ringlets → rodent

river ['rɪvə*] n rio ♦ cpd (port, traffic) fluvial; **up/down ~** rio acima/abaixo; **riverbank** n margem f (do rio); **riverbed** n leito (do rio)
rivet ['rɪvɪt] n rebite m, cravo ♦ vt (fig) fixar
road [rəud] n via; (motorway etc) estrada (de rodagem); (in town) rua ♦ cpd rodoviário; **roadblock** n barricada; **roadhog** n dono da estrada; **road map** n mapa m rodoviário; **road rage** n conduta agressiva dos motoristas no trânsito; **roadside** n beira da estrada; **roadsign** n placa de sinalização; **roadway** n pista, estrada; **road works** npl obras fpl (na estrada); **roadworthy** adj em bom estado de conservação e segurança
roam [rəum] vi vagar, perambular, errar
roar [rɔ:*] n (of animal) rugido, urro; (of crowd) bramido; (of vehicle, storm) estrondo; (of laughter) barulho ♦ vi (animal, engine) rugir; (person, crowd) bradar; **to ~ with laughter** dar gargalhadas
roast [rəust] n carne f assada, assado ♦ vt assar; (coffee) torrar; **roast beef** n rosbife m
rob [rɔb] vt roubar; (bank) assaltar; **to ~ sb of sth** roubar algo de alguém; (fig: deprive) despojar alguém de algo; **robber** n ladrão (ladra) m/f; **robbery** n roubo
robe [rəub] n toga, beca; (also: **bath ~**) roupão m (de banho)
robin ['rɔbɪn] n pisco-de-peito-ruivo (BR), pintarroxo (PT)
robot ['rəubɔt] n robô m
robust [rəu'bʌst] adj robusto, forte; (appetite) sadio; (economy) forte
rock [rɔk] n rocha; (boulder) penhasco, rochedo; (US: small stone) cascalho; (BRIT: sweet) pirulito ♦ vt (swing gently: cradle) balançar, oscilar; (: child) embalar, acalentar; (shake) sacudir ♦ vi (object) balançar-se; (person) embalar-se; **on the ~s** (drink) com gelo; (marriage etc) arruinado, em dificuldades; **rock and roll** n rock-and-roll m; **rock-bottom** adj (fig) mínimo, ínfimo; **rockery** n jardim de plantas rasteiras entre pedras
rocket ['rɔkɪt] n foguete m
rocky ['rɔkɪ] adj rochoso, bambo, instável; (marriage) instável
rod [rɔd] n vara, varinha; (also: **fishing ~**) vara de pescar
rode [rəud] pt of **ride**
rodent ['rəudnt] n roedor m

rodeo → round

rodeo ['rəʊdɪəʊ] (US) n rodeio
roe [rəʊ] n (also: ~ **deer**) corça, cerva; (of fish): **hard/soft** ~ ova/esperma m de peixe
rogue [rəʊg] n velhaco, maroto
role [rəʊl] n papel m
roll [rəʊl] n rolo; (of banknotes) maço; (also: **bread** ~) pãozinho; (register) rol m, lista; (of drums etc) rufar m ♦ vt rolar; (also: ~ **up**: string) enrolar; (: sleeves) arregaçar; (cigarette) enrolar; (eyes) virar; (also: ~ **out**: pastry) esticar; (lawn, road etc) aplanar ♦ vi rolar; (drum) rufar; (vehicle: also: ~ **along**) rodar; (ship) balançar, jogar; **roll about** or **around** vi ficar rolando; **roll by** vi (time) passar; **roll in** vi (mail, cash) chegar em grande quantidade; **roll over** vi dar uma volta; **roll up** vi (inf) pintar, chegar, aparecer ♦ vt enrolar; **roll call** n chamada, toque m de chamada; **roller** n (in machine) rolo, cilindro; (wheel) roda, roldana; (for lawn, road) rolo compressor; (for hair) rolo; **Rollerblades** ® ['rəʊləbleɪdz] n patins mpl em linha; **roller coaster** n montanha-russa; **roller skates** npl patins mpl de roda
rolling pin ['rəʊlɪŋ-] n rolo de pastel
ROM [rɒm] n abbr (COMPUT: = read-only memory) ROM m
Roman ['rəʊmən] adj, n romano(-a); **Roman Catholic** adj, n católico(-a) (romano(-a))
romance [rə'mæns] n aventura amorosa, romance m; (book) história de amor; (charm) romantismo
Romania [ru:'meɪnɪə] n Romênia; **Romanian** adj romeno ♦ n romeno(-a); (LING) romeno
romantic [rə'mæntɪk] adj romântico
Rome [rəʊm] n Roma
romp [rɒmp] n brincadeira, travessura ♦ vi (also: ~ **about**) brincar ruidosamente
rompers ['rɒmpəz] npl macacão m de bebê
roof [ru:f] n (of house) telhado; (of car) capota, teto ♦ vt telhar, cobrir com telhas; **the ~ of the mouth** o céu da boca; **roof rack** n (AUT) bagageiro
rook [rʊk] n (bird) gralha; (CHESS) torre f
room [ru:m] n (in house) quarto, aposento; (also: **bed~**) quarto, dormitório; (in school etc) sala; (space) espaço, lugar m; (scope: for improvement etc) espaço; **~s** npl (lodging) alojamento; **"~s to let"** (BRIT), **"~s for rent"** (US) "alugam-se quartos or apartamentos"; **roommate** n companheiro(-a) de quarto; **room service** n serviço de quarto; **roomy** adj espaçoso; (garment) folgado
rooster ['ru:stə*] n galo
root [ru:t] n raiz f; (fig) origem f ♦ vi enraizar, arraigar; **~s** npl (family origins) raízes fpl; **root about** vi (fig): **to ~ about in** (drawer) vasculhar; (house) esquadrinhar; **root for** vt fus torcer por; **root out** vt extirpar
rope [rəʊp] n corda; (NAUT) cabo ♦ vt (tie) amarrar; (climbers: also: ~ **together**) amarrar or atar com uma corda; (area: also: ~ **off**) isolar; **to know the ~s** (fig) estar por dentro (do assunto); **rope in** vt (fig): **to ~ sb in** persuadir alguém a tomar parte
rosary ['rəʊzərɪ] n rosário
rose [rəʊz] pt of **rise** ♦ n rosa; (also: **~bush**) roseira; (on watering can) crivo
rosé ['rəʊzeɪ] n rosado, rosé m
rosemary ['rəʊzmərɪ] n alecrim m
rosy ['rəʊzɪ] adj rosado, rosáceo; (cheeks) rosado; (situation) cor-de-rosa inv; **a ~ future** um futuro promissor
rot [rɒt] n (decay) putrefação f, podridão f; (fig: pej) besteira ♦ vt, vi apodrecer
rota ['rəʊtə] n lista de tarefas, escala de serviço
rotate [rəʊ'teɪt] vt fazer girar, dar voltas em; (jobs) alternar, revezar ♦ vi girar, dar voltas; **rotating** adj rotativo
rotten ['rɒtn] adj podre; (wood) carcomido; (fig) corrupto; (inf: bad) péssimo; **to feel ~** (ill) sentir-se podre
rough [rʌf] adj (skin, surface) áspero; (terrain) acidentado; (road) desigual; (voice) áspero, rouco; (person, manner: violent) violento; (: brusque) violento; (weather) tempestuoso; (treatment) brutal, mau (má); (sea) agitado; (district) violento; (plan) preliminar; (work) grosseiro; (guess) aproximado ♦ n (GOLF): **in the ~** na grama crescida; **to sleep ~** (BRIT) dormir na rua; **roughage** n fibras fpl; **rough copy** n rascunho; **rough draft** n rascunho; **roughly** adv bruscamente; (make) toscamente; (approximately) aproximadamente
roulette [ru:'lɛt] n roleta
Roumania etc [ru:'meɪnɪə] n = **Romania** etc
round [raʊnd] adj redondo ♦ n (BRIT: of toast) rodela; (of policeman) ronda; (of milkman) trajeto; (of doctor) visitas fpl; (game: of cards etc) partida; (of ammunition) cartucho; (BOXING) rounde m, assalto; (of talks) ciclo ♦ vt virar, dobrar ♦ prep (surrounding): **~ his neck/**

the table em volta de seu pescoço/ao redor da mesa; (*in a circular movement*): **to move ~ the room/~ the world** mover-se pelo quarto/dar a volta ao mundo; (*in various directions*) por; (*approximately*): **~ about** aproximadamente ♦ *adv*: **all ~** por todos os lados; **the long way ~** o caminho mais comprido; **all the year ~** durante todo o ano; **it's just ~ the corner** (*fig*) está pertinho; **~ the clock** ininterrupto; **to go ~ the back** passar por detrás; **to go ~ a house** visitar uma casa; **enough to go ~** suficiente para todos; **a ~ of applause** uma salva de palmas; **a ~ of drinks** uma rodada de bebidas; **~ of sandwiches** sanduíche *m* (*BR*), sandes *f inv* (*PT*); **round off** *vt* terminar, completar; **round up** *vt* (*cattle*) encurralar; (*people*) reunir; (*price, figure*) arredondar; (**ROUNDABOUT**) **roundabout** *n* (*BRIT: AUT*) rotatória; (: *at fair*) carrossel *m* ♦ *adj* indireto; **round trip** *n* viagem *f* de ida e volta

rouse [rauz] *vt* (*wake up*) despertar, acordar; (*stir up*) suscitar; **rousing** *adj* emocionante, vibrante

route [ru:t] *n* caminho, rota; (*of bus*) trajeto; (*of shipping*) rumo, rota; (*of procession*) rota

routine [ru:'ti:n] *adj* (*work*) rotineiro; (*procedure*) de rotina ♦ *n* rotina; (*THEATRE*) número

row¹ [rəu] *n* (*line*) fila, fileira; (*in theatre, boat*) fileira; (*KNITTING*) carreira, fileira ♦ *vi, vt* remar; **in a ~** (*fig*) a fio, seguido

row² [rau] *n* barulho, balbúrdia; (*dispute*) discussão *f*, briga; (*scolding*) repreensão *f* ♦ *vi* brigar

rowboat ['rəubəut] (*US*) *n* barco a remo

rowdy ['raudɪ] *adj* (*person: noisy*) barulhento; (*occasion*) tumultuado

rowing ['rəuɪŋ] *n* remo; **rowing boat** (*BRIT*) *n* barco a remo

royal ['rɔɪəl] *adj* real

Royal Air Force (*BRIT*) *n* força aérea britânica

royalty *n* família real, realeza; (*payment: to author*) direitos *mpl* autorais

rpm *abbr* (= *revolutions per minute*) rpm

RSVP *abbr* (= *répondez s'il vous plaît*) ER

Rt Hon. (*BRIT*) *abbr* (= *Right Honourable*) título honorífico de conselheiro do estado ou juiz

rub [rʌb] *vt* friccionar; (*part of body*) esfregar ♦ *n*: **to give sth a ~** dar uma esfregada em algo; **to ~ sb up** (*BRIT*) or **~ sb** (*US*) **the wrong way** irritar alguém; **rub off** *vi* sair esfregando; **rub off on** *vt fus* transmitir-se para, influir sobre;

rub out *vt* apagar

rubber ['rʌbə*] *n* borracha; (*BRIT: eraser*) borracha; **rubber band** *n* elástico, tira elástica

rubbish ['rʌbɪʃ] *n* (*waste*) refugio; (*from household, in street*) lixo; (*junk*) coisas *fpl* sem valor; (*fig: pej: nonsense*) disparates *mpl*, asneiras *fpl*; **rubbish bin** (*BRIT*) *n* lata de lixo; **rubbish dump** *n* (*in town*) depósito (de lixo)

rubble ['rʌbl] *n* (*debris*) entulho; (*CONSTR*) escombros *mpl*

ruby ['ru:bɪ] *n* rubi *m*

rucksack ['rʌksæk] *n* mochila

rudder ['rʌdə*] *n* leme *m*; (*of plane*) leme de direção

rude [ru:d] *adj* (*person*) grosso, mal-educado; (*word, manners*) grosseiro; (*shocking*) obsceno, chocante

rug [rʌg] *n* tapete *m*; (*BRIT: for knees*) manta (de viagem)

rugby ['rʌgbɪ] *n* (*also:* **~ football**) rúgbi *m* (*BR*), râguebi *m* (*PT*)

rugged ['rʌgɪd] *adj* (*landscape*) acidentado, irregular; (*features*) marcado; (*character*) severo, austero

ruin ['ru:ɪn] *n* ruína; (*of plans*) destruição *f*; (*downfall*) queda; (*bankruptcy*) bancarrota ♦ *vt* destruir; (*future, person*) arruinar; (*spoil*) estragar; **~s** *npl* (*of building*) ruínas *fpl*

rule [ru:l] *n* (*norm*) regra; (*regulation*) regulamento; (*government*) governo, domínio; (*ruler*) régua ♦ *vt* governar ♦ *vi* governar; (*monarch*) reger; (*LAW*): **to ~ in favour of/against** decidir oficialmente a favor de/contra; **as a ~** por via de regra, geralmente; **rule out** *vt* excluir; **ruler** *n* (*sovereign*) soberano(-a); (*for measuring*) régua; **ruling** *adj* (*party*) dominante; (*class*) dirigente ♦ *n* (*LAW*) parecer *m*, decisão *f*

rum [rʌm] *n* rum *m*

Rumania *etc* [ru:'meɪnɪə] *n* = **Romania** *etc*

rumble ['rʌmbl] *n* ruído surdo, barulho; (*of thunder*) estrondo, ribombo ♦ *vi* ribombar, ressoar; (*stomach*) roncar; (*pipe*) fazer barulho; (*thunder*) ribombar

rummage ['rʌmɪdʒ] *vi* vasculhar

rumour ['ru:mə*] (*US* **rumor**) *n* rumor *m*, boato ♦ *vt*: **it is ~ed that ...** corre o boato de que ...

rump steak [rʌmp-] *n* alcatra

rumpus ['rʌmpəs] *n* barulho, confusão *f*, zorra

run [rʌn] (*pt* **ran**, *pp* **run**) *n* corrida; (*in* *car*) passeio (de carro); (*distance travelled*) trajeto, percurso; (*journey*) viagem f; (*series*) série f; (THEATRE) temporada; (SKI) pista; (*in stockings*) fio puxado ♦ vt (*race*) correr; (*operate: business*) dirigir; (: *competition, course*) organizar; (: *hotel, house*) administrar; (*water*) deixar correr; (*bath*) encher; (PRESS: *feature*) publicar; (COMPUT) rodar; (*hand, finger*) passar ♦ vi correr; (*work: machine*) funcionar; (*bus, train: operate*) circular; (: *travel*) ir; (*continue: play*) continuar em cartaz; (: *contract*) ser válido; (*river, bath*) fluir, correr; (*colours*) desbotar; (*in election*) candidatar-se; (*nose*) escorrer; **there was a ~ on** houve muita procura de; **in the long ~** no final das contas, mais cedo ou mais tarde; **on the ~** em fuga, foragido; **run about** or **around** vi correr por todos os lados; **run across** vt fus encontrar por acaso, topar com, dar com; **run away** vi fugir; **run down** vt (AUT) atropelar; (*production*) reduzir; (*criticize*) criticar; **to be ~ down** estar enfraquecido or exausto; **run in** (BRIT) vt (*car*) rodar; **run into** vt fus (*meet: person*) dar com, topar com; (: *trouble*) esbarrar em; (*collide with*) bater em; **run off** vi fugir; **run out** vi (*person*) sair correndo; (*liquid*) escorrer, esgotar-se; (*lease, passport*) caducar, vencer; (*money*) acabar; **run out of** vt fus ficar sem; **run over** vt (AUT) atropelar ♦ vt fus (*revise*) recapitular; **run through** vt fus (*instructions, play*) recapitular; **run up** vt (*debt*) acumular ♦ vi: **to ~ up against** esbarrar em; **runaway** adj (*horse*) desembestado; (*truck*) desgovernado; (*person*) fugitivo

rung [rʌŋ] pp of **ring** ♦ n (*of ladder*) degrau m

runner ['rʌnə*] n (*in race*) corredor(a) m/f; (*horse*) corredor m; (*on sledge*) patim m, lâmina; (*for drawer*) corrediça; **runner bean** (BRIT) n (BOT) vagem f (BR), feijão m verde (PT); **runner-up** n segundo(-a) colocado(-a)

running ['rʌnɪŋ] n (*sport*) corrida; (*of business*) direção f ♦ adj (*water*) corrente; (*commentary*) contínuo, seguido; **6 days ~** 6 dias seguidos or consecutivos; **to be in/out of the ~ for sth** disputar algo/estar fora da disputa por algo

runny ['rʌnɪ] adj aguado; (*egg*) mole; **to have a ~ nose** estar com coriza, estar com o nariz escorrendo

runt [rʌnt] n (*animal*) nanico; (*pej: person*) anão (anã) m/f

run-up n: **~ to sth** (*election etc*) período que antecede algo

runway ['rʌnweɪ] n (AVIAT) pista (de decolagem or de pouso)

rupture ['rʌptʃə*] n (MED) hérnia

rural ['ruərl] adj rural

rush [rʌʃ] n (*hurry*) pressa; (COMM) grande procura or demanda; (BOT) junco; (*current*) torrente f; (*of emotion*) ímpeto ♦ vt apressar ♦ vi apressar-se, precipitar-se; **rush hour** n rush m (BR), hora de ponta (PT)

rusk [rʌsk] n rosca

Russia ['rʌʃə] n Rússia; **Russian** adj russo ♦ n russo(-a); (LING) russo

rust [rʌst] n ferrugem f ♦ vi enferrujar

rustle ['rʌsl] vi sussurrar ♦ vt (*paper*) farfalhar; (US: *cattle*) roubar, afanar

rustproof ['rʌstpruːf] adj inoxidável, à prova de ferrugem

rusty ['rʌstɪ] adj enferrujado

rut [rʌt] n sulco; (ZOOL) cio; **to be in a ~** ser escravo da rotina

ruthless ['ruːθlɪs] adj implacável, sem piedade

rye [raɪ] n centeio

S s

Sabbath ['sæbəθ] n (*Christian*) domingo; (*Jewish*) sábado

sabotage ['sæbətɑːʒ] n sabotagem f ♦ vt sabotar

saccharin(e) ['sækərɪn] n sacarina

sachet ['sæʃeɪ] n sachê m

sack [sæk] n (*bag*) saco, saca ♦ vt (*dismiss*) despedir; (*plunder*) saquear; **to get the ~** ser demitido; **sacking** n (*dismissal*) demissão f; (*material*) aniagem f

sacred ['seɪkrɪd] adj sagrado

sacrifice ['sækrɪfaɪs] n sacrifício ♦ vt sacrificar

sad [sæd] adj triste; (*deplorable*) deplorável, triste

saddle ['sædl] n sela; (*of cycle*) selim m ♦ vt selar; **to ~ sb with sth** (*inf: task, bill*) pôr algo nas costas de alguém; (: *responsibility*) sobrecarregar alguém com algo; **saddlebag** n alforje m

sadistic [sə'dɪstɪk] adj sádico

sadly ['sædlɪ] adv tristemente; (*regrettably*) infelizmente; (*mistaken, neglected*) gravemente; **~ lacking (in)** muito carente (de)

sadness ['sædnɪs] n tristeza

sae *abbr* = **stamped addressed envelope**

safe [seɪf] *adj* seguro; (*out of danger*) fora de perigo; (*unharmed*) ileso, incólume ♦ *n* cofre *m*, caixa-forte *f*; **~ from** protegido de; **~ and sound** são e salvo; **(just) to be on the ~ side** por via das dúvidas; **safeguard** *n* salvaguarda, proteção *f* ♦ *vt* proteger, defender; **safekeeping** *n* custódia, proteção *f*; **safely** *adv* com segurança, a salvo; (*without mishap*) sem perigo

safety ['seɪftɪ] *n* segurança; **safety belt** *n* cinto de segurança; **safety pin** *n* alfinete *m* de segurança

sag [sæg] *vi* (*breasts*) cair; (*roof*) afundar; (*hem*) desmanchar

sage [seɪdʒ] *n* salva; (*man*) sábio

Sagittarius [sædʒɪ'tɛərɪəs] *n* Sagitário

Sahara [sə'hɑːrə] *n*: **the ~ (Desert)** o Saara

said [sɛd] *pt, pp of* **say**

sail [seɪl] *n* (*on boat*) vela; (*trip*): **to go for a ~** dar um passeio de barco a vela ♦ *vt* (*boat*) governar ♦ *vi* (*travel*: *ship*) navegar, velejar; (: *passenger*) ir de barco; (*SPORT*) velejar; (*set off*) zarpar; **they ~ed into Rio de Janeiro** entraram no porto do Rio de Janeiro; **sail through** *vt fus* (*fig*) fazer com facilidade; **sailboat** (*US*) *n* barco a vela; **sailing** *n* (*SPORT*) navegação *f* a vela, vela; **to go sailing** ir velejar; **sailing boat** *n* barco a vela; **sailing ship** *n* veleiro

sailor ['seɪlə*] *n* marinheiro, marujo

saint [seɪnt] *n* santo(-a)

sake [seɪk] *n*: **for the ~ of** por (causa de), em consideração a; **for sb's/sth's ~** pelo bem de alguém/algo

salad ['sæləd] *n* salada; **salad cream** (*BRIT*) *n* maionese *f*; **salad dressing** *n* tempero *or* molho da salada

salami [sə'lɑːmɪ] *n* salame *m*

salary ['sælərɪ] *n* salário

sale [seɪl] *n* venda; (*at reduced prices*) liquidação *f*, saldo; (*auction*) leilão *m*; **~s** *npl* (*total amount sold*) vendas *fpl*; **"for ~"** "vende-se"; **on ~** à venda; **on ~ or return** em consignação; **sales assistant** (*US* **sales clerk**) *n* vendedor(a) *m/f*; **salesman/woman** (*irreg*) *n* vendedor(a) *m/f*; (*representative*) vendedor(a) *m/f* viajante

salmon ['sæmən] *n inv* salmão *m*

salon ['sælɔn] *n* (*hairdressing ~*) salão *m* (de cabeleireiro); (*beauty ~*) salão (de beleza)

saloon [sə'luːn] *n* (*US*) bar *m*, botequim *m*; (*BRIT*: *AUT*) sedã *m*; (*ship's lounge*) salão *m*

salt [sɔːlt] *n* sal *m* ♦ *vt* salgar; **salt cellar** *n* saleiro; **saltwater** *adj* de água salgada; **salty** *adj* salgado

salute [sə'luːt] *n* (*greeting*) saudação *f*; (*of guns*) salva; (*MIL*) continência ♦ *vt* saudar; (*MIL*) fazer continência a

salvage ['sælvɪdʒ] *n* (*saving*) salvamento, recuperação *f*; (*things saved*) salvados *mpl* ♦ *vt* salvar

salvation [sæl'veɪʃən] *n* salvação *f*

same [seɪm] *adj* mesmo ♦ *pron*: **the ~** o mesmo (a mesma); **the ~ book as** o mesmo livro que; **all** *or* **just the ~** apesar de tudo, mesmo assim; **the ~ to you!** igualmente!

sample ['sɑːmpl] *n* amostra ♦ *vt* (*food, wine*) provar, experimentar

sanction ['sæŋkʃən] *n* sanção *f* ♦ *vt* sancionar

sanctity ['sæŋktɪtɪ] *n* santidade *f*

sanctuary ['sæŋktjuərɪ] *n* (*holy place*) santuário; (*refuge*) refúgio, asilo; (*for animals*) reserva

sand [sænd] *n* areia; (*beach*: *also*: **~s**) praia ♦ *vt* (*also*: **~ down**) lixar

sandal ['sændl] *n* sandália

sand: **sandbox** (*US*) *n* caixa de areia; **sandcastle** *n* castelo de areia; **sandpaper** *n* lixa; **sandpit** *n* (*for children*) caixa de areia; **sandstone** *n* arenito, grés *m*

sandwich ['sændwɪtʃ] *n* sanduíche *m* (*BR*), sandes *f inv* (*PT*) ♦ *vt*: **~ed between** encaixado entre

sandy ['sændɪ] *adj* arenoso; (*colour*) vermelho amarelado

sane [seɪn] *adj* são (sã) do juízo; (*sensible*) ajuizado, sensato

sang [sæŋ] *pt of* **sing**

sanitary ['sænɪtərɪ] *adj* (*system, arrangements*) sanitário; (*clean*) higiênico; **sanitary towel** (*US* **sanitary napkin**) *n* toalha higiênica *or* absorvente

sanitation [sænɪ'teɪʃən] *n* (*in house*) instalações *fpl* sanitárias; (*in town*) saneamento; **sanitation department** (*US*) *n* comissão *f* de limpeza urbana

sanity ['sænɪtɪ] *n* sanidade *f*, equilíbrio mental; (*common sense*) juízo, sensatez *f*

sank [sæŋk] *pt of* **sink**

Santa Claus [sæntə'klɔːz] *n* Papai Noel *m*

sap [sæp] *n* (*of plants*) seiva ♦ *vt* (*strength*) esgotar, minar

sapling ['sæplɪŋ] *n* árvore *f* nova

sapphire → scatter

sapphire ['sæfaɪə*] n safira
sarcasm ['sɑːkæzm] n sarcasmo
sardine [sɑːˈdiːn] n sardinha
Sardinia [sɑːˈdɪnɪə] n Sardenha
sash [sæʃ] n faixa, banda
sat [sæt] pt, pp of **sit**
satchel ['sætʃl] n sacola
satellite ['sætəlaɪt] n satélite m;
satellite dish n antena parabólica;
satellite television n televisão f via satélite
satin ['sætɪn] n cetim m ♦ adj acetinado
satire ['sætaɪə*] n sátira
satisfaction [sætɪsˈfækʃən] n satisfação f; (refund, apology etc) compensação f; **satisfactory** adj satisfatório
satisfy ['sætɪsfaɪ] vt satisfazer; (convince) convencer, persuadir; **satisfying** adj satisfatório
Saturday ['sætədɪ] n sábado
sauce [sɔːs] n molho; (sweet) calda; **saucepan** n panela (BR), caçarola (PT)
saucer ['sɔːsə*] n pires m inv
Saudi ['saudɪ]: **~ Arabia** n Arábia Saudita; **Saudi (Arabian)** adj saudita
sauna ['sɔːnə] n sauna
saunter ['sɔːntə*] vi: **to ~ over/along** andar devagar para/por; **to ~ into** entrar devagar em
sausage ['sɔsɪdʒ] n salsicha, lingüiça; (cold meat) frios mpl; **sausage roll** n folheado de salsicha
savage ['sævɪdʒ] adj (cruel, fierce) cruel, feroz; (primitive) selvagem ♦ n selvagem m/f
save [seɪv] vt (rescue, COMPUT) salvar; (money) poupar, economizar; (time) ganhar; (SPORT) impedir; (avoid: trouble) evitar; (keep: seat) guardar ♦ vi (also: **~ up**) poupar ♦ n (SPORT) salvamento ♦ prep salvo, exceto
saving ['seɪvɪŋ] n (on price etc) economia ♦ adj: **the ~ grace of** o único mérito de; **~s** npl (money) economias fpl; **savings account** n (caderneta de) poupança
saviour ['seɪvjə*] (US **savior**) n salvador(a) m/f
savour ['seɪvə*] (US **savor**) vt saborear; (experience) apreciar; **savoury** adj (dish: not sweet) salgado
saw [sɔː] (pt **~ed**, pp **~ed** or **~n**) pt of **see** ♦ n (tool) serra ♦ vt serrar; **sawdust** n serragem f, pó m de serra; **sawn-off shotgun** (BRIT) n espingarda de cano serrado
saxophone ['sæksəfəun] n saxofone m
say [seɪ] (pt, pp said) n: **to have one's ~** exprimir sua opinião, vender seu peixe (inf) ♦ vt dizer, falar; **to have a** or **some ~ in sth** opinar sobre algo, ter que ver com algo; **could you ~ that again?** poderia repetir?; **that is to ~** ou seja; **saying** n ditado, provérbio
scab [skæb] n casca, crosta (de ferida); (pej) fura-greve m/f inv
scaffold ['skæfəuld] n (for execution) cadafalso, patíbulo; **scaffolding** n andaime m
scald [skɔːld] n escaldadura ♦ vt escaldar, queimar
scale [skeɪl] n escala; (of fish) escama; (of salaries, fees etc) tabela ♦ vt (mountain) escalar; **~s** npl (for weighing) balança; **~ of charges** tarifa, lista de preços; **scale down** vt reduzir
scallop ['skɔləp] n (ZOOL) vieira, venera; (SEWING) barra, arremate m
scalp [skælp] n couro cabeludo ♦ vt escalpar
scampi ['skæmpɪ] npl camarões mpl fritos
scan [skæn] vt (examine) esquadrinhar, perscrutar; (glance at quickly) passar uma vista de olhos por; (TV, RADAR) explorar ♦ n (MED) exame m
scandal ['skændl] n escândalo; (gossip) fofocas fpl; (fig: disgrace) vergonha
Scandinavian [skændɪˈneɪvɪən] adj escandinavo
scanner ['skænə*] n (MED, COMPUT) scanner m
scant [skænt] adj escasso, insuficiente;
scanty ['skæntɪ] adj (meal) insuficiente, pobre; (underwear) sumário
scapegoat ['skeɪpgəut] n bode m expiatório
scar [skɑː*] n cicatriz f ♦ vt marcar (com uma cicatriz)
scarce [skɛəs] adj escasso, raro; **to make o.s. ~** (inf) dar o fora, cair fora; **scarcely** adv mal, quase não; (barely) apenas
scare [skɛə*] n susto; (panic) pânico ♦ vt assustar; **to ~ sb stiff** deixar alguém morrendo de medo; **bomb ~** alarme de bomba; **scare away** vt espantar; **scare off** vt = **scare away**; **scarecrow** n espantalho; **scared** adj: **to be scared** estar assustado or com medo
scarf [skɑːf] (pl **~s** or **scarves**) n cachecol m; (square) lenço (de cabeça)
scarlet ['skɑːlɪt] adj escarlate; **scarlet fever** n escarlatina
scary ['skɛərɪ] (inf) adj assustador(a)
scathing ['skeɪðɪŋ] adj mordaz
scatter ['skætə*] vt espalhar; (put to flight) dispersar ♦ vi espalhar-se;

scatterbrained (inf) adj esquecido
scene [si:n] n (THEATRE, fig) cena; (of crime, accident) cenário; (sight) vista, panorama m; (fuss) escândalo; **scenery** ['si:nərɪ] n (THEATRE) cenário; (landscape) paisagem f; **scenic** adj pitoresco
scent [sɛnt] n perfume m; (smell) aroma; (track, fig) pista, rastro
schedule ['ʃɛdju:l, (US) 'skɛdju:l] n (of trains) horário; (of events) programa m; (list) lista ♦ vt (timetable) planejar; (visit) marcar (a hora de); **on ~** na hora, sem atraso; **to be ahead of/behind ~** estar adiantado/atrasado
scheme [ski:m] n (plan) maquinação f; (pension ~) projeto; (arrangement) arranjo ♦ vi conspirar
scholar ['skɔlə*] n aluno(-a), estudante m/f; (learned person) sábio(-a), erudito(-a); **scholarship** n erudição f; (grant) bolsa de estudos
school [sku:l] n escola; (secondary ~) colégio; (US: university) universidade f ♦ cpd escolar; **schoolboy** n aluno; **schoolchildren** npl alunos mpl; **schoolgirl** n aluna; **schooling** n educação f, ensino; **schoolmaster** n professor m; **schoolmistress** n professora; **schoolteacher** n professor(a) m/f
science ['saɪəns] n ciência; **science fiction** n ficção f científica; **scientific** [saɪən'tɪfɪk] adj científico; **scientist** n cientista m/f
scissors ['sɪzəz] npl tesoura; **a pair of ~** uma tesoura
scoff [skɔf] vt (BRIT: inf: eat) engolir ♦ vi: **to ~ (at)** (mock) zombar (de)
scold [skəuld] vt ralhar
scone [skɔn] n bolinho de trigo
scoop [sku:p] n colherona; (for flour etc) pá f; (PRESS) furo (jornalístico); **scoop out** vt escavar; **scoop up** vt recolher
scooter ['sku:tə*] n (also: motor ~) lambreta; (toy) patinete m
scope [skəup] n liberdade f de ação; (of undertaking) âmbito; (of person) competência; (opportunity) oportunidade f
scorch [skɔ:tʃ] vt (clothes) chamuscar; (earth, grass) secar, queimar
score [skɔ:*] n (points etc) escore m, contagem f; (MUS) partitura f; (twenty) vintena ♦ vt (goal, point) fazer; (mark) marcar, entalhar; (success) alcançar ♦ vi (in game) marcar; (FOOTBALL) marcar or fazer um gol; (keep score) marcar o escore; **on that ~** a esse respeito, por esse motivo; **~s of** (fig) um monte de; **to ~ 6 out of 10** conseguir um escore de 6 num total de 10; **score out** vt riscar; **scoreboard** n marcador m, placar m
scorn [skɔ:n] n desprezo ♦ vt desprezar, rejeitar
Scorpio ['skɔ:pɪəu] n Escorpião m
Scot [skɔt] n escocês(-esa) m/f
Scotch [skɔtʃ] n uísque m (BR) or whisky m (PT) escocês
Scotland ['skɔtlənd] n Escócia; **Scots** adj escocês(-esa); **Scotsman** (irreg) n escocês m; **Scotswoman** (irreg) n escocesa; **Scottish** adj escocês(-esa)
scoundrel ['skaundrəl] n canalha m/f, patife m
scour ['skauə*] vt (search) esquadrinhar, procurar em
scout [skaut] n (MIL) explorador m, batedor m; (also: **boy ~**) escoteiro; **girl ~** (US) escoteira; **scout around** vi explorar
scowl [skaul] vi franzir a testa; **to ~ at sb** olhar de cara feia para alguém
scrabble ['skræbl] vi (claw): **to ~ at** arranhar ♦ n: **S~** ® mexe-mexe m; **to ~ (around) for sth** (search) tatear procurando algo
scram [skræm] (inf) vi dar o fora, safar-se
scramble ['skræmbl] n (climb) escalada (difícil); (struggle) luta ♦ vi: **to ~ out/ through** conseguir sair com dificuldade; **to ~ for** lutar por; **scrambled eggs** npl ovos mpl mexidos
scrap [skræp] n (of paper) pedacinho; (of material) fragmento; (fig: of truth) mínimo; (fight) rixa, luta; (also: **~ iron**) ferro velho, sucata ♦ vt sucatar, jogar no ferro velho; (fig) descartar, abolir ♦ vi brigar; **~s** npl (leftovers) sobras fpl, restos mpl; **scrapbook** n álbum m de recortes
scrape [skreɪp] n (fig): **to get into a ~** meter-se numa enrascada ♦ vt raspar; (~ against: hand, car) arranhar, roçar ♦ vi: **to ~ through** (in exam) passar raspando; **scrape together** vt (money) juntar com dificuldade
scrap: **scrapheap** n (fig): **on the scrapheap** rejeitado, jogado fora; **scrap paper** n papel m de rascunho
scratch [skrætʃ] n arranhão m; (from claw) arranhadura ♦ cpd: **~ team** time m improvisado, escrete m ♦ vt (rub) coçar; (with claw, nail) arranhar, unhar; (damage) arranhar ♦ vi coçar(-se); **to start from ~** partir do zero; **to be up to ~** estar à altura (das circunstâncias)
scrawl [skrɔ:l] n garrancho, garatujas fpl ♦ vi garatujar, rabiscar

scream [skri:m] n grito ♦ vi gritar
screech [skri:tʃ] vi guinchar
screen [skri:n] n (CINEMA, TV, COMPUT) tela (BR), écran m (PT); (movable) biombo; (fig) cortina ♦ vt (conceal) esconder, tapar; (from the wind etc) proteger; (film) projetar; (candidates etc) examinar; **screenplay** n roteiro; **screensaver** n protetor m de tela
screw [skru:] n parafuso ♦ vt aparafusar; (also: ~ **in**) apertar, atarraxar; **to ~ up one's eyes** franzir os olhos; **screw up** vt (paper etc) amassar; **screwdriver** n chave f de fenda or de parafuso
scribble ['skrɪbl] n garrancho ♦ vt escrevinhar ♦ vi rabiscar
script [skrɪpt] n (CINEMA etc) roteiro, script m; (writing) escrita, caligrafia
Scripture(s) ['skrɪptʃə(z)] n(pl) Sagrada Escritura
scroll [skrəul] n rolo de pergaminho
scrounge [skraundʒ] (inf) vt filar ♦ n: **to be on the ~** viver às custas de alguém (or dos outros etc)
scrub [skrʌb] n mato, cerrado ♦ vt esfregar; (inf) cancelar, eliminar
scruff [skrʌf] n: **by the ~ of the neck** pelo cangote
scruffy ['skrʌfɪ] adj desmazelado
scruple ['skru:pl] n escrúpulo
scrutiny ['skru:tɪnɪ] n escrutínio, exame m cuidadoso
scuff [skʌf] vt desgastar
scuffle ['skʌfl] n tumulto
sculptor ['skʌlptə*] n escultor(a) m/f
sculpture ['skʌlptʃə*] n escultura
scum [skʌm] n (on liquid) espuma; (pej: people) ralé f, gentinha
scurry ['skʌrɪ] vi sair correndo; **scurry off** vi sair correndo, dar no pé
scythe [saɪð] n segadeira, foice f grande
SDP (BRIT) n abbr = **Social Democratic Party**
sea [si:] n mar m ♦ cpd do mar, marino; **on the ~** (boat) no mar; (town) junto ao mar; **to go by ~** viajar por mar; **out to** or **at ~** em alto mar; **to be all at ~** (fig) estar confuso or desorientado; **seafood** n mariscos mpl; **seafront** n orla marítima; **seagoing** adj (ship) de longo curso; **seagull** n gaivota
seal [si:l] n (animal) foca; (stamp) selo ♦ vt fechar; **seal off** vt fechar
sea level n nível m do mar
sea lion n leão-marinho m
seam [si:m] n costura; (where edges meet) junta; (of coal) veio, filão m

seaman ['si:mən] (irreg) n marinheiro
search [sə:tʃ] n busca, procura; (COMPUT) procura; (inspection) exame m, investigação f ♦ vt (look in) procurar em; (examine) examinar; (person) revistar ♦ vi: **to ~ for** procurar; **in ~ of** à procura de; **search through** vt fus dar busca em; **search engine** n (on Internet) ferramenta f de busca; **searching** adj penetrante, perscrutador(a); **searchlight** n holofote m; **search party** n equipe f de salvamento
sea: **seashore** n praia, beira-mar f, litoral m; **seasick** adj: **to be seasick** enjoar; **seaside** n praia; **seaside resort** n balneário
season ['si:zn] n (of year) estação f; (sporting etc) temporada; (of films etc) série f ♦ vt (food) temperar; **to be in/out of ~** (fruit) estar na época/fora de época; **seasoned** adj (fig: traveller) experiente; **season ticket** n bilhete m de temporada
seat [si:t] n (in bus, train: place) assento; (chair) cadeira; (POL) lugar m, cadeira; (buttocks) traseiro, nádegas fpl; (of trousers) fundilhos mpl ♦ vt sentar; (have room for) ter capacidade para; **to be ~ed** estar sentado; **seat belt** n cinto de segurança
sea: **sea water** n água do mar; **seaweed** n alga marinha; **seaworthy** adj em condições de navegar, resistente
sec. abbr (= second) seg
secluded [sɪ'klu:dɪd] adj (place) afastado; (life) solitário
second¹ [sɪ'kɔnd] (BRIT) vt (employee) transferir temporariamente
second² ['sɛkənd] adj segundo ♦ adv (in race etc) em segundo lugar ♦ n segundo; (AUT: also: ~ **gear**) segunda; (COMM) artigo defeituoso; (BRIT: SCH: degree) qualificação boa mas sem distinção ♦ vt (motion) apoiar, secundar; **secondary** adj secundário; **secondary school** n escola secundária, colégio; **second-class** adv em segunda classe; **secondhand** adj de (BR) or em (PT) segunda mão, usado; **second hand** n (on clock) ponteiro de segundos; **secondly** adv em segundo lugar; **second-rate** adj de segunda categoria; **second thoughts** (US **second thought**) npl: **to have second thoughts (about doing sth)** pensar duas vezes (antes de fazer algo); **on second thoughts** pensando bem
secrecy ['si:krəsɪ] n sigilo
secret ['si:krɪt] adj secreto ♦ n segredo

secretary ['sɛkrətərı] n secretário(-a); (BRIT: POL): **S~ of State** Ministro(-a) de Estado

secretive ['si:krətıv] adj sigiloso, reservado

section ['sɛkʃən] n seção f; (part) parte f, porção f; (of document) parágrafo, artigo; (of opinion) setor m; **cross-~** corte m transversal

sector ['sɛktə*] n setor m

secular ['sɛkjulə*] adj (priest) secular; (music, society) leigo

secure [sı'kjuə*] adj (safe) seguro; (firmly fixed) firme, rígido ♦ vt (fix) prender; (get) conseguir, obter; **security** n segurança f; (for loan) fiança, garantia; **security guard** n guarda m

sedate [sı'deıt] adj calmo ♦ vt sedar, tratar com calmantes; **sedative** n calmante m, sedativo

seduce [sı'dju:s] vt seduzir; **seductive** adj sedutor(a)

see [si:] (pt saw, pp ~n) vt ver; (understand) entender; (accompany): **to ~ sb to the door** acompanhar or levar alguém até a porta ♦ vi ver; (find out) achar ♦ n sé f, sede f; **to ~ that** (ensure) assegurar que; **~ you soon!** até logo!; **see about** vt fus tratar de; **see off** vt despedir-se de; **see through** vt fus enxergar através de ♦ vt levar a cabo; **see to** vt fus providenciar

seed [si:d] n semente f; (sperm) esperma m; (fig: gen pl) germe m; (TENNIS) pré-selecionado(-a); **to go to ~** produzir sementes; (fig) deteriorar-se; **seedling** n planta brotada da semente, muda; **seedy** adj (shabby: place) mal-cuidado; (: person) maltrapilho

seeing ['si:ıŋ] conj: **~ (that)** visto (que), considerando (que)

seek [si:k] (pt, pp sought) vt procurar; (post) solicitar

seem [si:m] vi parecer; **there ~s to be ...** parece que há ...

seen [si:n] pp of **see**

seep [si:p] vi filtrar-se, penetrar

seesaw ['si:sɔ:] n gangorra, balanço

seethe [si:ð] vi ferver; **to ~ with anger** estar danado (da vida)

see-through adj transparente

segment ['sɛgmənt] n segmento; (of orange) gomo

seize [si:z] vt agarrar, pegar; (power, hostage) apoderar-se de, confiscar; (territory) tomar posse de; (opportunity) aproveitar; **seize up** vi (TECH) gripar; **seize (up)on** vt fus valer-se de; **seizure** n (MED) ataque m, acesso; (LAW, of power) confisco, embargo

seldom ['sɛldəm] adv raramente

select [sı'lɛkt] adj seleto, fino ♦ vt escolher, selecionar; (SPORT) selecionar, escalar; **selection** n seleção f, escolha; (COMM) sortimento

self [sɛlf] (pl selves) pron see **herself**; **himself**; **itself**; **myself**; **oneself**; **ourselves**; **themselves**; **yourself** ♦ n: **the ~** o eu

self... [sɛlf] prefix: **self-assured** adj seguro de si; **self-catering** (BRIT) adj (flat) com cozinha; (holiday) em casa alugada; **self- centred** (US **self-centered**) adj egocêntrico; **self-confidence** n autoconfiança, confiança em si; **self-conscious** adj inibido, constrangido; **self-control** n autocontrole m, autodomínio; **self-defence** (US **self-defense**) n legítima defesa, autodefesa; **in self-defence** em legítima defesa; **self-discipline** n autodisciplina; **self-employed** adj autônomo; **self-evident** adj patente; **self-interest** n egoísmo; **selfish** adj egoísta; **selfless** adj desinteressado; **self-pity** n pena de si mesmo; **self-respect** n amor m próprio; **self-righteous** adj farisaico, santarrão (-rona); **self-sacrifice** n abnegação f, altruísmo; **self-satisfied** adj satisfeito consigo mesmo; **self-service** adj de auto-serviço; **self-sufficient** adj auto-suficiente; **self-tanning** adj autobronzeador; **self-taught** adj autodidata

sell [sɛl] (pt, pp sold) vt vender; (fig): **to ~ sb an idea** convencer alguém de uma idéia ♦ vi vender-se; **to ~ at** or **for £10** vender a or por £10; **sell off** vt liquidar; **sell out** vi vender todo o estoque ♦ vt: **the tickets are all sold out** todos os ingressos já foram vendidos; **sell-by date** n vencimento; **seller** n vendedor(a) m/f; **selling price** n preço de venda

sellotape ['sɛləuteıp] ® (BRIT) n fita adesiva, durex ® m (BR)

selves [sɛlvz] pl of **self**

semi... [sɛmı] prefix semi..., meio...; **semicircle** n semicírculo; **semicolon** n ponto e vírgula; **semidetached (house)** (BRIT) n (casa) geminada; **semifinal** n semifinal f

seminar ['sɛmına:*] n seminário

semiskilled [sɛmı'skıld] adj (work, worker) semi-especializado

semi-skimmed milk [sɛmı'skımd-] n

leite m semidesnatado
senate ['sɛnɪt] n senado; **senator** n senador(a) m/f
send [sɛnd] (pt, pp **sent**) vt mandar, enviar; (dispatch) expedir, remeter; (transmit) transmitir; **send away** vt (letter, goods) expedir, mandar; (unwelcome visitor) mandar embora; **send away for** vt fus encomendar, pedir pelo correio; **send back** vt devolver, mandar de volta; **send for** vt fus mandar buscar; (by post) encomendar, pedir pelo correio; **send off** vt (goods) despachar, expedir; (BRIT: SPORT: player) expulsar; **send out** vt (invitation) distribuir; (signal) emitir; **send up** vt (person, price) fazer subir; (BRIT: parody) parodiar; **sender** n remetente m/f; **send-off** n: **a good send-off** uma boa despedida
senior ['si:nɪə*] adj (older) mais velho or idoso; (on staff) mais antigo; (of higher rank) superior; **senior citizen** n idoso(-a); **seniority** [si:nɪ'ɔrɪtɪ] n (in service) status m
sensation [sɛn'seɪʃən] n sensação f; **sensational** adj sensacional; (headlines, result) sensacionalista
sense [sɛns] n sentido; (feeling) sensação f; (good ~) bom senso ♦ vt sentir, perceber; **it makes ~** faz sentido; **senseless** adj insensato, estúpido; (unconscious) sem sentidos, inconsciente; **sensible** adj sensato, de bom senso; (reasonable: price) razoável; (: advice, decision) sensato
sensitive ['sɛnsɪtɪv] adj sensível; (fig: touchy) suscetível
sensual ['sɛnsjʊəl] adj sensual
sensuous ['sɛnsjʊəs] adj sensual
sent [sɛnt] pt, pp of **send**
sentence ['sɛntəns] n (LING) frase f, oração f; (LAW) sentença ♦ vt: **to ~ sb to death/to 5 years** condenar alguém à morte/a 5 anos de prisão
sentiment ['sɛntɪmənt] n sentimento; (opinion: also pl) opinião f; **sentimental** [sɛntɪ'mɛntl] adj sentimental
separate [adj 'sɛprɪt, vb 'sɛpəreɪt] adj separado; (distinct) diferente ♦ vt separar; (part) dividir ♦ vi separar-se; **separately** adv separadamente
September [sɛp'tɛmbə*] n setembro
septic ['sɛptɪk] adj sético; (wound) infeccionado
sequel ['si:kwl] n conseqüência, resultado; (of film, story) continuação f
sequence ['si:kwəns] n série f, seqüência; (CINEMA) série

sequin ['si:kwɪn] n lantejoula, paetê m
serene [sɪ'ri:n] adj sereno, tranqüilo
sergeant ['sɑ:dʒənt] n sargento
serial ['sɪərɪəl] n seriado; **serial number** n número de série
series ['sɪərɪz] n inv série f
serious ['sɪərɪəs] adj sério; (matter) importante; (illness) grave; **seriously** adv a sério, com seriedade; (hurt) gravemente
sermon ['sə:mən] n sermão m
serrated [sɪ'reɪtɪd] adj serrado, dentado
servant ['sə:vənt] n empregado(-a); (fig) servidor(a) m/f
serve [sə:v] vt servir; (customer) atender; (subj: train) passar por; (apprenticeship) fazer; (prison term) cumprir ♦ vi (at table) servir-se; (TENNIS) sacar; (be useful): **to ~ as/for/to do** servir como/para/para fazer ♦ n (TENNIS) saque m; **it ~s him right** é bem feito para ele; **serve out** vt (food) servir; **serve up** vt = **serve out**
service ['sə:vɪs] n serviço; (REL) culto; (AUT) revisão f; (TENNIS) saque m; (also: **dinner ~**) aparelho de jantar ♦ vt (car, washing machine) fazer a revisão de, revisar; **the S~s** npl (army, navy etc) as Forças Armadas; **to be of ~ to sb** ser útil a alguém; **service area** n (on motorway) posto de gasolina com bar, restaurante etc; **service charge** (BRIT) n serviço; **serviceman** (irreg) n militar m; **service station** n posto de gasolina (BR), estação f de serviço (PT)
serviette [sə:vɪ'ɛt] (BRIT) n guardanapo
session ['sɛʃən] n sessão f; **to be in ~** estar reunido em sessão
set [sɛt] (pt, pp **set**) n (of things) jogo; (radio ~, TV ~) aparelho; (of utensils) bateria de cozinha; (of cutlery) talher m; (of books) coleção f; (of people) grupo; (TENNIS) set m; (THEATRE, CINEMA) cenário; (HAIRDRESSING) penteado; (MATH) conjunto ♦ adj fixo; (ready) pronto ♦ vt pôr, colocar; (table) pôr; (price) fixar; (rules etc) estabelecer, decidir; (record) estabelecer; (time) marcar; (adjust) ajustar; (task, exam) passar ♦ vi (sun) pôr-se; (jam, jelly, concrete) endurecer, solidificar-se; **to be ~ on doing sth** estar decidido a fazer algo; **to ~ to music** musicar, pôr música em; **to ~ on fire** botar fogo em, incendiar; **to ~ free** libertar; **to ~ sth going** pôr algo em movimento; **set about** vt fus começar com; **set aside** vt deixar de lado; **set back** vt (cost): **it ~ me back £5** me custou um prejuízo de £5; (in time): **to ~ sb back (by)** atrasar alguém (em); **set off**

settee → sharp

vi partir, ir indo ♦ *vt* (*bomb*) fazer explodir; (*alarm*) disparar; (*chain of events*) iniciar; (*show up well*) ressaltar; **set out** *vi* partir ♦ *vt* (*arrange*) colocar, dispor; (*state*) expor, explicar; **to ~ out to do sth** pretender fazer algo; **set up** *vt* fundar, estabelecer; **setback** *n* revés *m*, contratempo; **set menu** *n* refeição *f* a preço fixo

settee [sɛˈtiː] *n* sofá *m*

setting [ˈsɛtɪŋ] *n* (*background*) cenário; (*position*) posição *f*; (*of sun*) pôr(-do-sol) *m*; (*of jewel*) engaste *m*

settle [ˈsɛtl] *vt* (*argument, matter*) resolver, esclarecer; (*accounts*) ajustar, liquidar; (MED: *calm*) acalmar, tranqüilizar ♦ *vi* (*dust etc*) assentar; (*calm down: children*) acalmar-se; (*also:* ~ **down**) instalar-se, estabilizar-se; **to ~ for sth** concordar em aceitar algo; **to ~ on sth** optar por algo; **settle in** *vi* instalar-se; **settle up** *vi*: **to ~ up with sb** ajustar as contas com alguém; **settlement** *n* (*payment*) liquidação *f*; (*agreement*) acordo, convênio; (*village etc*) povoado, povoação *f*; **settler** *n* colono(-a), colonizador(a) *m/f*

setup [ˈsɛtʌp] *n* (*organization*) organização *f*; (*situation*) situação *f*

seven [ˈsɛvn] *num* sete; **seventeen** *num* dezessete; **seventh** *num* sétimo; **seventy** *num* setenta

sever [ˈsɛvəʳ] *vt* cortar; (*relations*) romper

several [ˈsɛvərl] *adj*, *pron* vários(-as); **~ of us** vários de nós

severe [sɪˈvɪəʳ] *adj* severo; (*serious*) grave; (*hard*) duro; (*pain*) intenso; (*dress*) austero

sew [səu] (*pt* **~ed**, *pp* **sewn**) *vt* coser, costurar; **sew up** *vt* coser, costurar

sewage [ˈsuːɪdʒ] *n* detritos *mpl*

sewer [ˈsuːəʳ] *n* (cano do) esgoto, bueiro

sewing [ˈsəuɪŋ] *n* costura; **sewing machine** *n* máquina de costura

sewn [səun] *pp of* **sew**

sex [sɛks] *n* sexo; **sexist** *adj* sexista

sexual [ˈsɛksjuəl] *adj* sexual

sexy [ˈsɛksɪ] *adj* sexy

shabby [ˈʃæbɪ] *adj* (*person*) esfarrapado, maltrapilho; (*clothes*) usado, surrado; (*behaviour*) indigno

shack [ʃæk] *n* choupana, barraca

shade [ʃeɪd] *n* sombra; (*for lamp*) quebra-luz *m*; (*of colour*) tom *m*, tonalidade *f*; (*small quantity*): **a ~ (more/too large)** um pouquinho (mais/grande) ♦ *vt* dar sombra a; (*eyes*) sombrear; **in the ~** à sombra

shadow [ˈʃædəu] *n* sombra ♦ *vt* (*follow*) seguir de perto (sem ser visto)

shady [ˈʃeɪdɪ] *adj* à sombra; (*fig: dishonest: person*) suspeito, duvidoso; (: *deal*) desonesto

shaft [ʃɑːft] *n* (*of arrow, spear*) haste *f*; (AUT, TECH) eixo, manivela; (*of mine, of lift*) poço; (*of light*) raio

shaggy [ˈʃægɪ] *adj* desgrenhado

shake [ʃeɪk] (*pt* **shook**, *pp* **shaken**) *vt* sacudir; (*building, confidence*) abalar; (*surprise*) surpreender ♦ *vi* tremer; **to ~ hands with sb** apertar a mão de alguém; **to ~ one's head** (*in refusal etc*) dizer não com a cabeça; (*in dismay*) sacudir a cabeça; **shake off** *vt* sacudir; (*fig*) livrar-se de; **shake up** *vt* sacudir; (*fig*) reorganizar; **shaky** *adj* (*hand, voice*) trêmulo; (*table*) instável; (*building*) abalado

shall [ʃæl] *aux vb*: **I ~ go** irei; **~ I open the door?** posso abrir a porta?; **I'll get some, ~ I?** eu vou pegar alguns, está bem?

shallow [ˈʃæləu] *adj* raso; (*breathing*) fraco; (*fig*) superficial

sham [ʃæm] *n* fraude *f*, fingimento ♦ *vt* fingir, simular

shambles [ˈʃæmblz] *n* confusão *f*

shame [ʃeɪm] *n* vergonha ♦ *vt* envergonhar; **it is a ~ (that/to do)** é (uma) pena (que/fazer); **what a ~!** que pena!; **shameful** *adj* vergonhoso; **shameless** *adj* sem vergonha, descarado

shampoo [ʃæmˈpuː] *n* xampu *m* (BR), champô *m* (PT) ♦ *vt* lavar o cabelo (com xampu *or* champô)

shandy [ˈʃændɪ] *n* mistura de cerveja com refresco gaseificado

shan't [ʃɑːnt] = **shall not**

shanty town [ˈʃæntɪ-] *n* favela

shape [ʃeɪp] *n* forma ♦ *vt* (*form*) moldar; (*sb's ideas*) formar; (*sb's life*) definir, determinar; **to take ~** tomar forma; **shape up** *vi* (*events*) desenrolar-se; (*person*) tomar jeito; **shapeless** *adj* informe, sem forma definida; **shapely** *adj* escultural

share [ʃɛəʳ] *n* parte *f*; (*contribution*) cota; (COMM) ação *f* ♦ *vt* dividir; (*have in common*) compartilhar; **share out** *vi* distribuir; **shareholder** *n* acionista *m/f*

shark [ʃɑːk] *n* tubarão *m*

sharp [ʃɑːp] *adj* (*razor, knife*) afiado; (*point, features*) pontiagudo; (*outline*) definido, bem marcado; (*pain, voice*) agudo; (*taste*) acre; (MUS) desafinado; (*contrast*) marcado; (*quick-witted*)

shatter → shoe

perspicaz; (*dishonest*) desonesto ♦ *n* (*MUS*) sustenido ♦ *adv*: **at 2 o'clock ~** às 2 (horas) em ponto; **sharpen** *vt* afiar; (*pencil*) apontar, fazer a ponta de; (*fig*) aguçar; **sharpener** *n* (*also*: **pencil sharpener**) apontador *m* (*BR*), aparalápis *m inv* (*PT*); **sharply** *adv* (*abruptly*) bruscamente; (*clearly*) claramente; (*harshly*) severamente

shatter ['ʃætə*] *vt* despedaçar, estilhaçar; (*fig: ruin*) destruir, acabar com; (: *upset*) arrasar ♦ *vi* despedaçar-se, estilhaçar-se

shave [ʃeɪv] *vt* barbear, fazer a barba de ♦ *vi* fazer a barba, barbear-se ♦ *n*: **to have a ~** fazer a barba; **shaver** *n* (*also*: **electric shaver**) barbeador *m* elétrico; **shaving** *n* (*action*) barbeação *f*; **shavings** *npl* (*of wood*) aparas *fpl*; **shaving brush** *n* pincel *m* de barba; **shaving cream** *n* creme *m* de barbear; **shaving foam** *n* espuma de barbear

shawl [ʃɔːl] *n* xale *m*

she [ʃiː] *pron* ela ♦ *prefix*: **~-elephant** *etc* elefante *etc* fêmea

sheaf [ʃiːf] (*pl* **sheaves**) *n* (*of corn*) gavela; (*of papers*) maço

shear [ʃɪə*] (*pt* **~ed**, *pp* **shorn**) *vt* (*sheep*) tosquiar, tosar; **shear off** *vi* cisalhar; **shears** *npl* (*for hedge*) tesoura de jardim

sheath [ʃiːθ] *n* bainha; (*contraceptive*) camisa-de-vênus *f*, camisinha

shed [ʃɛd] (*pt*, *pp* **shed**) *n* alpendre *m*, galpão *m* ♦ *vt* (*skin*) mudar; (*load*) perder; (*tears*, *blood*) derramar; (*workers*) despedir

she'd [ʃiːd] = **she had**; **she would**

sheen [ʃiːn] *n* brilho

sheep [ʃiːp] *n inv* ovelha; **sheepdog** *n* cão *m* pastor; **sheepskin** *n* pele *f* de carneiro, pelego

sheer [ʃɪə*] *adj* (*utter*) puro, completo; (*steep*) íngreme, empinado; (*almost transparent*) fino, translúcido ♦ *adv* a pique

sheet [ʃiːt] *n* (*on bed*) lençol *m*; (*of paper*) folha; (*of glass*, *metal*) lâmina, chapa; (*of ice*) camada

sheik(h) [ʃeɪk] *n* xeque *m*

shelf [ʃɛlf] (*pl* **shelves**) *n* prateleira

shell [ʃɛl] *n* (*on beach*) concha; (*of egg*, *nut etc*) casca; (*explosive*) obus *m*; (*of building*) armação *f*, esqueleto ♦ *vt* (*peas*) descascar; (*MIL*) bombardear

she'll [ʃiːl] = **she will**; **she shall**

shellfish ['ʃɛlfɪʃ] *n inv* crustáceo; (*pl: as food*) frutos *mpl* do mar, mariscos *mpl*

shell suit *n* conjunto de náilon para jogging

shelter ['ʃɛltə*] *n* (*building*) abrigo; (*protection*) refúgio ♦ *vt* (*protect*) proteger; (*give lodging to*) abrigar ♦ *vi* abrigar-se, refugiar-se

shelve [ʃɛlv] *vt* (*fig*) pôr de lado, engavetar; **shelves** *npl of* **shelf**

shepherd ['ʃɛpəd] *n* pastor *m* ♦ *vt* guiar, conduzir; **shepherd's pie** (*BRIT*) *n* empadão *m* de carne e batata

sheriff ['ʃɛrɪf] (*US*) *n* xerife *m*

sherry ['ʃɛrɪ] *n* (vinho de) Xerez *m*

she's [ʃiːz] = **she is**; **she has**

Shetland ['ʃɛtlənd] *n* (*also*: **the ~s**, **the ~ Isles**) as ilhas Shetland

shield [ʃiːld] *n* escudo; (*SPORT*) escudo, brasão *m*; (*protection*) proteção *f* ♦ *vt*: **to ~ (from)** proteger (contra)

shift [ʃɪft] *n* mudança; (*of work*) turno; (*of workers*) turma ♦ *vt* transferir; (*remove*) tirar ♦ *vi* mudar; **shifty** *adj* esperto, trapaceiro; (*eyes*) velhaco, maroto

shimmer ['ʃɪmə*] *vi* cintilar, tremeluzir

shin [ʃɪn] *n* canela (da perna)

shine [ʃaɪn] (*pt*, *pp* **shone**) *n* brilho, lustre *m* ♦ *vi* brilhar ♦ *vt* (*glasses*) polir; (*shoes*: *pt*, *pp* ~d) lustrar; **to ~ a torch on sth** apontar uma lanterna para algo

shingles ['ʃɪŋglz] *n* (*MED*) herpes-zoster *m*

shiny ['ʃaɪnɪ] *adj* brilhante, lustroso

ship [ʃɪp] *n* barco ♦ *vt* (*goods*) embarcar; (*send*) transportar *or* mandar (por via marítima); **shipment** *n* carregamento; **shipping** *n* (*ships*) navios *mpl*; (*cargo*) transporte *m* de mercadorias (por via marítima); (*traffic*) navegação *f*; **shipwreck** *n* (*event*) malogro; (*ship*) naufrágio ♦ *vt*: **to be shipwrecked** naufragar; **shipyard** *n* estaleiro

shirt [ʃəːt] *n* (*man's*) camisa; (*woman's*) blusa; **in ~ sleeves** em manga de camisa

shit [ʃɪt] (*inf!*) *excl* merda (!)

shiver ['ʃɪvə*] *n* tremor *m*, arrepio ♦ *vi* tremer, estremecer, tiritar

shoal [ʃəul] *n* (*of fish*) cardume *m*; (*fig: also*: **~s**) bando, multidão *f*

shock [ʃɔk] *n* (*impact*) choque *m*; (*ELEC*) descarga; (*emotional*) comoção *f*, abalo; (*start*) susto, sobressalto; (*MED*) trauma *m* ♦ *vt* dar um susto em, chocar; (*offend*) escandalizar; **shock absorber** *n* amortecedor *m*; **shocking** *adj* chocante, lamentável; (*outrageous*) revoltante, chocante

shoddy ['ʃɔdɪ] *adj* de má qualidade

shoe [ʃuː] (*pt*, *pp* **shod**) *n* sapato; (*for horse*) ferradura ♦ *vt* (*horse*) ferrar; **shoelace** *n* cadarço, cordão *m* (de sapato); **shoe polish** *n* graxa de sapato;

shoeshop n sapataria
shone [ʃɔn] pt, pp of **shine**
shook [ʃuk] pt of **shake**
shoot [ʃuːt] (pt, pp **shot**) n (on branch, seedling) broto ♦ vt disparar; (kill) matar à bala, balear; (wound) ferir à bala, balear; (execute) fuzilar; (film) filmar, rodar ♦ vi: **to ~ (at)** atirar (em); (FOOTBALL) chutar; **shoot down** vt (plane) derrubar, abater; **shoot in/out** vi entrar/sair correndo; **shoot up** vi (fig) subir vertiginosamente; **shooting star** n estrela cadente
shop [ʃɔp] n loja; (workshop) oficina ♦ vi (also: **go ~ping**) ir fazer compras; **shop assistant** (BRIT) n vendedor(a) m/f; **shopkeeper** n lojista m/f; **shoplifting** n furto (em lojas); **shopper** n comprador(a) m/f; **shopping** n (goods) compras fpl; **shopping bag** n bolsa (de compras); **shopping centre** (US **shopping center**) n shopping (center) m; **shop window** n vitrine f (BR), montra (PT)
shore [ʃɔː*] n (of sea) costa, praia; (of lake) margem f ♦ vt: **to ~ (up)** reforçar, escorar; **on ~** em terra
shorn [ʃɔːn] pp of **shear**
short [ʃɔːt] adj curto; (in time) breve, de curta duração; (person) baixo; (curt) seco, brusco; (insufficient) insuficiente, em falta; **to be ~ of sth** estar em falta de algo; **in ~** em resumo; **~ of doing ...** a não ser fazer ...; **everything ~ of ...** tudo a não ser ...; **it is ~ for** é a abreviatura de; **to cut ~** (speech, visit) encurtar; **to fall ~ of** não ser à altura de; **to run ~ of sth** ficar sem algo; **to stop ~** parar de repente; **to stop ~ of** chegar quase a; **shortage** n escassez f, falta; **shortbread** n biscoito amanteigado; **short circuit** n curto-circuito ♦ vt provocar um curto-circuito ♦ vi entrar em curto-circuito; **shortcoming** n defeito, imperfeição f, falha; **short(crust) pastry** (BRIT) n massa amanteigada; **shortcut** n atalho; **shorten** vt encurtar; (visit) abreviar; **shorthand** (BRIT) n estenografia; **short list** (BRIT) n lista dos candidatos escolhidos; **shortly** adv em breve, dentro em pouco; **shorts** npl: **(a pair of) shorts** um calção (BR), um short (BR), uns calções (PT); **short-sighted** (BRIT) adj míope; (fig) imprevidente; **short-staffed** adj com falta de pessoal; **short story** n conto; **short-tempered** adj irritadiço; **short-term** adj a curto prazo; **short wave** n (RADIO) onda curta

shot [ʃɔt] pt, pp of **shoot** ♦ n (of gun) tiro; (pellets) chumbo; (try, FOOTBALL) tentativa; (injection) injeção f; (PHOT) fotografia; **to be a good/bad ~** (person) ter boa/má pontaria; **like a ~** como um relâmpago, de repente; **shotgun** n espingarda
should [ʃud] aux vb: **I ~ go now** devo ir embora agora; **he ~ be there now** ele já deve ter chegado; **I ~ go if I were you** se eu fosse você eu iria; **I ~ like to** eu gostaria de
shoulder [ˈʃəuldə*] n ombro ♦ vt (fig) arcar com; **shoulder blade** n omoplata m
shouldn't [ˈʃudnt] = **should not**
shout [ʃaut] n grito ♦ vt gritar ♦ vi (also: **~ out**) gritar, berrar; **shout down** vt fazer calar com gritos; **shouting** n gritaria, berreiro
shove [ʃʌv] vt empurrar; (inf: put): **to ~ sth in** botar algo em; **shove off** (inf) vi dar o fora
shovel [ˈʃʌvl] n pá f; (mechanical) escavadeira ♦ vt cavar com pá
show [ʃəu] (pt **~ed**, pp **~n**) n (of emotion) demonstração f; (semblance) aparência; (exhibition) exibição f; (THEATRE) espetáculo, representação f; (CINEMA) sessão f ♦ vt mostrar; (courage etc) demonstrar, dar prova de; (exhibit) exibir, expor; (depict) ilustrar; (film) exibir ♦ vi mostrar-se; (appear) aparecer; **to be on ~** estar em exposição; **show in** vt mandar entrar; **show off** vi (pej) mostrar-se, exibir-se ♦ vt (display) exibir, mostrar; **show out** vt levar até a porta; **show up** vi (stand out) destacar-se; (inf: turn up) aparecer, pintar ♦ vt descobrir; **show business** n o mundo do espetáculo; **showdown** n confrontação f
shower [ˈʃauə*] n (rain) pancada de chuva; (of stones etc) chuva, enxurrada; (also: **~ bath**) chuveiro ♦ vi tomar banho (de chuveiro) ♦ vt: **to ~ sb with** (gifts etc) cumular alguém de; **to have** or **take a ~** tomar banho (de chuveiro)
showing [ˈʃəuɪŋ] n (of film) projeção f, exibição f
show jumping [-ˈdʒʌmpɪŋ] n hipismo
shown [ʃəun] pp of **show**
show: **show-off** (inf) n (person) exibicionista m/f, faroleiro(-a); **showpiece** n (of exhibition etc) obra mais importante; **showroom** n sala de exposição
shrank [ʃræŋk] pt of **shrink**
shred [ʃred] n (gen pl) tira, pedaço ♦ vt rasgar em tiras, retalhar; (CULIN) desfiar, picar

shrewd → silver

shrewd [ʃruːd] *adj* perspicaz
shriek [ʃriːk] *n* grito ♦ *vi* gritar, berrar
shrill [ʃrɪl] *adj* agudo, estridente
shrimp [ʃrɪmp] *n* camarão *m*
shrine [ʃraɪn] *n* santuário
shrink [ʃrɪŋk] (*pt* **shrank**, *pp* **shrunk**) *vi* encolher; (*be reduced*) reduzir-se; (*also:* ~ **away**) encolher-se ♦ *vt* (*cloth*) fazer encolher (-se) ♦ *n* (*inf: pej*) psicanalista *m/f*; **to ~ from doing sth** não se atrever a fazer algo
shrivel [ˈʃrɪvl] *vt* (*also:* ~ **up**: *dry*) secar; (: *crease*) enrugar ♦ *vi* secar-se, enrugar-se, murchar
Shrove Tuesday [ʃrəʊv-] *n* terça-feira gorda
shrub [ʃrʌb] *n* arbusto; **shrubbery** *n* arbustos *mpl*
shrug [ʃrʌɡ] *n* encolhimento dos ombros ♦ *vt, vi:* **to ~ (one's shoulders)** encolher os ombros, dar de ombros (BR); **shrug off** *vt* negar a importância de
shrunk [ʃrʌŋk] *pp of* **shrink**
shudder [ˈʃʌdə*] *n* estremecimento, tremor *m* ♦ *vi* estremecer, tremer de medo
shuffle [ˈʃʌfl] *vt* (*cards*) embaralhar ♦ *vi:* **to ~ (one's feet)** arrastar os pés
shun [ʃʌn] *vt* evitar, afastar-se de
shut [ʃʌt] (*pt, pp* **shut**) *vt* fechar ♦ *vi* fechar(-se); **shut down** *vt, vi* fechar; **shut off** *vt* cortar, interromper; **shut up** *vi* (*inf: keep quiet*) calar-se, calar a boca ♦ *vt* (*close*) fechar; (*silence*) calar;
shutter *n* veneziana; (PHOT) obturador *m*
shuttle [ˈʃʌtl] *n* (*plane: also:* ~ **service**) ponte *f* aérea; (*space* ~) ônibus *m* espacial
shuttlecock [ˈʃʌtlkɔk] *n* peteca
shy [ʃaɪ] *adj* tímido; (*reserved*) reservado
sick [sɪk] *adj* (*ill*) doente; (*nauseated*) enjoado; (*humour*) negro; (*vomiting*): **to be ~** vomitar; **to feel ~** estar enjoado; **to be ~ of** (*fig*) estar cheio or farto de; **sickbay** *n* enfermaria; **sicken** *vt* (*disgust*) enojar, repugnar; **sickening** *adj* (*fig*) repugnante
sickle [ˈsɪkl] *n* foice *f*
sick: sick leave *n* licença por doença; **sickly** *adj* doentio; (*causing nausea*) nauseante; **sickness** *n* doença, indisposição *f*; (*vomiting*) náusea, enjôo
side [saɪd] *n* lado, (*of body*) flanco; (*of lake*) margem *f*; (*aspect*) aspecto; (*team*) time *m* (BR), equipa *f* (PT); (*of hill*) declive *m* ♦ *cpd* (*door, entrance*) lateral ♦ *vi:* **to ~ with sb** tomar o partido de alguém; **by**

the ~ of ao lado de; **~ by ~** lado a lado, juntos; **from ~ to ~** para lá e para cá; **to take ~s with** pôr-se ao lado de;
sideboard *n* aparador *m*; **sideboards** *npl* (BRIT) = **sideburns**; **sideburns** *npl* suíças *fpl*, costeletas *fpl*; **side effect** *n* efeito colateral; **sidelight** *n* (AUT) luz *f* lateral; **sideshow** *n* (*stall*) barraca;
sidestep *vt* evitar; **sidetrack** *vt* (*fig*) desviar (do seu propósito); **sidewalk** (US) *n* calçada; **sideways** *adv* de lado
siege [siːdʒ] *n* sítio, assédio
sieve [sɪv] *n* peneira ♦ *vt* peneirar
sift [sɪft] *vt* peneirar; (*fig*) esquadrinhar, analisar minuciosamente
sigh [saɪ] *n* suspiro ♦ *vi* suspirar
sight [saɪt] *n* (*faculty*) vista, visão *f*; (*spectacle*) espetáculo ♦ *vt* avistar; **in ~** à vista; **on ~** (*shoot*) no local; **out of ~** longe dos olhos; **sightseeing** *n* turismo; **to go sightseeing** fazer turismo, passear
sign [saɪn] *n* (*with hand*) sinal *m*, aceno; (*indication*) indício; (*notice*) letreiro, tabuleta; (*written*) signo ♦ *vt* assinar; **to ~ sth over to sb** assinar a transferência de algo para alguém; **sign on** *vi* (MIL) alistar-se; (BRIT: *as unemployed*) cadastrar-se para receber auxílio-desemprego; (*for course*) inscrever-se ♦ *vt* (MIL) alistar; (*employee*) efetivar; **sign up** *vi* (MIL) alistar-se; (*for course*) inscrever-se ♦ *vt* recrutar
signal [ˈsɪɡnl] *n* sinal *m*, aviso ♦ *vi* (*also:* AUT) sinalizar, dar sinal ♦ *vt* (*person*) fazer sinais para; (*message*) transmitir
signature [ˈsɪɡnətʃə*] *n* assinatura; **signature tune** *n* tema *m* (de abertura)
significance [sɪɡˈnɪfɪkəns] *n* importância; **significant** *adj* significativo; (*important*) importante
sign language *n* mímica, linguagem *f* através de sinais
silence [ˈsaɪləns] *n* silêncio ♦ *vt* silenciar, impor silêncio a; **silencer** *n* (*on gun*) silenciador *m*; (BRIT: AUT) silencioso
silent [ˈsaɪlənt] *adj* silencioso; (*not speaking*) calado; (*film*) mudo; **to remain ~** manter-se em silêncio
silhouette [sɪluːˈet] *n* silhueta
silicon chip [ˈsɪlɪkən-] *n* placa or chip *m* de silício
silk [sɪlk] *n* seda ♦ *adj* de seda; **silky** *adj* sedoso
silly [ˈsɪlɪ] *adj* (*person*) bobo, idiota, imbecil; (*idea*) absurdo, ridículo
silt [sɪlt] *n* sedimento, aluvião *m*
silver [ˈsɪlvə*] *n* prata; (*money*) moedas *fpl*; (*also:* **~ware**) prataria ♦ *adj* de prata;

similar → skill

silver-plated adj prateado, banhado a prata; **silvery** adj prateado
similar ['sɪmɪlə*] adj: ~ **to** parecido com, semelhante a
simmer ['sɪmə*] vi cozer em fogo lento, ferver lentamente
simple ['sɪmpl] adj simples inv; (foolish) ingênuo; **simply** adv de maneira simples; (merely) simplesmente
simultaneous [sɪməl'teɪnɪəs] adj simultâneo
sin [sɪn] n pecado ♦ vi pecar
since [sɪns] adv desde então, depois ♦ prep desde ♦ conj (time) desde que; (because) porque, visto que, já que; **~ then** desde então; **(ever) ~** desde que
sincere [sɪn'sɪə*] adj sincero; **sincerely** adv: **yours sincerely** (at end of letter) atenciosamente; **sincerity** [sɪn'sɛrɪtɪ] n sinceridade f
sing [sɪŋ] (pt **sang**, pp **sung**) vt, vi cantar
Singapore [sɪŋgə'pɔ:*] n Cingapura (no article)
singe [sɪndʒ] vt chamuscar
singer ['sɪŋə*] n cantor(a) m/f
singing ['sɪŋɪŋ] n canto; (songs) canções fpl
single ['sɪŋgl] adj único, só; (unmarried) solteiro; (not double) simples inv ♦ n (BRIT: also: **~ ticket**) passagem f de ida; (record) compacto; **single out** vt (choose) escolher; (distinguish) distinguir; **single file** n: **in single file** em fila indiana; **single-handed** adv sem ajuda, sozinho; **single-minded** adj determinado; **single room** n quarto individual; **singly** adv separadamente
singular ['sɪŋgjulə*] adj (odd) esquisito; (outstanding) extraordinário, excepcional; (LING) singular ♦ n (LING) singular m
sinister ['sɪnɪstə*] adj sinistro
sink [sɪŋk] (pt **sank**, pp **sunk**) n pia ♦ vt (ship) afundar; (foundations) escavar ♦ vi afundar-se; (heart) partir; (spirits) ficar deprimido; (also: **~ back, ~ down**) cair or mergulhar gradativamente; **to ~ sth into** enterrar algo em; **sink in** vi (fig) penetrar
sinner ['sɪnə*] n pecador(a) m/f
sinus ['saɪnəs] n (ANAT) seio paranasal
sip [sɪp] n gole m ♦ vt sorver, beberichar
siphon ['saɪfən] n sifão m; **siphon off** vt extrair com sifão; (funds) desviar
sir [sə*] n senhor m; **S~ John Smith** Sir John Smith; **yes, ~** sim, senhor
siren ['saɪərn] n sirena
sirloin ['sə:lɔɪn] n lombo de vaca

sissy ['sɪsɪ] (inf) n fresco
sister ['sɪstə*] n irmã f; (BRIT: nurse) enfermeira-chefe f; (nun) freira; **sister-in-law** n cunhada
sit [sɪt] (pt, pp **sat**) vi sentar-se; (be sitting) estar sentado; (assembly) reunir-se; (for painter) posar ♦ vt (exam) prestar; **sit down** vi sentar-se; **sit in on** vt fus assistir a; **sit up** vi (after lying) levantar-se; (straight) endireitar-se; (not go to bed) aguardar acordado, velar
sitcom ['sɪtkɔm] n abbr (= situation comedy) comédia de costumes
site [saɪt] n local m, sítio m; (also: **building ~**) lote m (de terreno) ♦ vt situar, localizar
sit-in n (demonstration) ocupação de um local como forma de protesto, manifestação f pacífica
sitting ['sɪtɪŋ] n (in canteen) turno; **sitting room** n sala de estar
situation [sɪtju'eɪʃən] n situação f; (job) posição f; (location) local m; **"~s vacant"** (BRIT) "empregos oferecem-se"
six [sɪks] num seis; **sixteen** num dezesseis; **sixth** num sexto; **sixty** num sessenta
size [saɪz] n tamanho m; (extent) extensão f; (of clothing) tamanho, medida; (of shoes) número; **size up** vt avaliar, formar uma opinião sobre; **sizeable** adj considerável, importante
sizzle ['sɪzl] vi chiar
skate [skeɪt] n patim m; (fish: pl inv) arraia ♦ vi patinar; **skateboard** n skate m, patim-tábua m; **skating** n patinação f; **skating rink** n rinque m de patinação
skeleton ['skɛlɪtn] n esqueleto m; (TECH) armação f; (outline) esquema m, esboço
sketch [skɛtʃ] n (drawing) desenho; (outline) esboço, croqui m; (THEATRE) quadro, esquete m ♦ vt desenhar, esboçar; (ideas: also: **~ out**) esboçar; **sketchbook** n caderno de rascunho; **sketchy** adj incompleto, superficial
skewer ['skjuːə*] n espetinho
ski [skiː] n esqui m ♦ vi esquiar; **ski boot** n bota de esquiar
skid [skɪd] n derrapagem f ♦ vi deslizar; (AUT) derrapar
ski: skier n esquiador(a) m/f; **skiing** n esqui m
skilful ['skɪlful] (US **skillful**) adj habilidoso, jeitoso
ski lift n ski lift m
skill [skɪl] n habilidade f, perícia; (for work) técnica; **skilled** adj hábil, perito; (worker) especializado, qualificado;

skim → slip

skillful (US) adj = **skilful**
skim [skɪm] vt (milk) desnatar; (glide over) roçar ♦ vi: **to ~ through** (book) folhear; **skimmed milk** n leite m desnatado
skimpy ['skɪmpɪ] adj (meagre) escasso, insuficiente; (skirt) sumário
skin [skɪn] n pele f; (of fruit, vegetable) casca ♦ vt (fruit etc) descascar; (animal) tirar a pele de; **skin-deep** adj superficial; **skin diving** n caça-submarina; **skinny** adj magro, descarnado; **skintight** adj justo, grudado (no corpo)
skip [skɪp] n salto, pulo; (BRIT: container) balde m ♦ vi saltar; (with rope) pular corda ♦ vt (pass over) omitir, saltar; (miss) deixar de
skipper ['skɪpə*] n capitão m
skipping rope ['skɪpɪŋ-] (BRIT) n corda (de pular)
skirt [skə:t] n saia ♦ vt orlar, circundar; **skirting board** (BRIT) n rodapé m
ski suit n traje m de esqui
skittle ['skɪtl] n pau m; **~s** n (game) (jogo de) boliche m (BR), jogo da bola (PT)
skive [skaɪv] (BRIT: inf) vi evitar trabalhar
skull [skʌl] n caveira; (ANAT) crânio
skunk [skʌŋk] n gambá m
sky [skaɪ] n céu m; **skylight** n clarabóia, escotilha; **skyscraper** n arranha-céu m
slab [slæb] n (stone) bloco; (flat) laje f; (of cake) fatia grossa
slack [slæk] adj (loose) frouxo; (slow) lerdo; (careless) descuidoso, desmazelado; **slacks** npl (trousers) calça (BR), calças fpl (PT)
slam [slæm] vt (door) bater or fechar (com violência); (throw) atirar violentamente; (criticize) malhar, criticar ♦ vi fechar-se (com violência)
slander ['slɑ:ndə*] n calúnia, difamação f
slang [slæŋ] n gíria; (jargon) jargão m
slant [slɑ:nt] n declive m, inclinação f; (fig) ponto de vista; **slanted, slanting** adj inclinado; (eyes) puxado
slap [slæp] n tapa m or f ♦ vt dar um(a) tapa em; (paint etc): **to ~ sth on sth** passar algo em algo descuidadamente ♦ adv diretamente, exatamente; **slapstick** n (comédia-)pastelão m
slash [slæʃ] vt cortar, talhar; (fig: prices) cortar
slate [sleɪt] n ardósia ♦ vt (fig: criticize) criticar duramente, arrasar
slaughter ['slɔ:tə*] n (of animals) matança; (of people) carnificina ♦ vt abater; matar, massacrar; **slaughterhouse** n matadouro

slave [sleɪv] n escravo(-a) ♦ vi (also: ~ **away**) trabalhar como escravo; **slavery** n escravidão f
slay [sleɪ] (pt **slew**, pp **slain**) vt (literary) matar
sleazy ['sli:zɪ] adj sórdido
sledge [slɛdʒ] n trenó m; **sledgehammer** n marreta, malho
sleek [sli:k] adj (hair, fur) macio, lustroso; (car, boat) aerodinâmico
sleep [sli:p] (pt, pp **slept**) n sono ♦ vi dormir; **to go to ~** dormir, adormecer; **sleep around** vi ser promíscuo sexualmente; **sleep in** vi (oversleep) dormir demais; **sleeper** n (RAIL: train) vagão-leitos m (BR), carruagem-camas f (PT); **sleeping bag** n saco de dormir; **sleeping car** n vagão-leitos m (BR), carruagem-camas f (PT); **sleeping partner** (BRIT) n (COMM) sócio comanditário; **sleeping pill** n pílula para dormir; **sleepless** adj: **a sleepless night** uma noite em claro; **sleepy** adj sonolento; (fig) morto
sleet [sli:t] n chuva com neve or granizo
sleeve [sli:v] n manga; (of record) capa
sleigh [sleɪ] n trenó m
slender ['slɛndə*] adj esbelto, delgado; (means) escasso, insuficiente
slept [slɛpt] pt, pp of **sleep**
slice [slaɪs] n (of meat, bread) fatia; (of lemon) rodela; (utensil) pá f or espátula de bolo ♦ vt cortar em fatias
slick [slɪk] adj (skilful) jeitoso, ágil, engenhoso; (clever) esperto, astuto ♦ n (also: **oil ~**) mancha de óleo
slide [slaɪd] (pt, pp **slid**) n deslizamento, escorregão m; (in playground) escorregador m; (PHOT) slide m; (BRIT: also: **hair ~**) passador m ♦ vt deslizar ♦ vi escorregar; **sliding** adj (door) corrediço
slight [slaɪt] adj (slim) fraco, franzino; (frail) delicado; (small) pequeno; (trivial) insignificante ♦ n desfeita, desconsideração f; **not in the ~est** em absoluto, de maneira alguma; **slightly** adv ligeiramente, um pouco
slim [slɪm] adj esbelto, delgado; (chance) pequeno ♦ vi emagrecer
slime [slaɪm] n lodo, limo, lama
slimming ['slɪmɪŋ] n emagrecimento
sling [slɪŋ] (pt, pp **slung**) n tipóia; (for baby) bebêbag m; (MED) tipóia; (weapon) estilingue m, funda ♦ vt atirar, arremessar, lançar
slip [slɪp] n (fall) escorregão m; (mistake) erro, lapso; (underskirt) combinação f; (of paper) tira ♦ vt deslizar ♦ vi (slide)

slipper → smoulder

deslizar; (*lose balance*) escorregar; (*decline*) decair; (*move smoothly*): **to ~ into/out of** entrar furtivamente em/sair furtivamente de; **to ~ sth on/off** enfiar/tirar algo; **to give sb the ~** esgueirar-se de alguém; **a ~ of the tongue** um lapso da língua; **slip away** *vi* escapulir; **slip in** *vt* meter ♦ *vi* (*errors*) surgir; **slip out** *vi* (*go out*) sair (um momento); **slip up** *vi* cometer um erro

slipper ['slɪpə*] *n* chinelo

slippery ['slɪpərɪ] *adj* escorregadio

slip-up *n* equívoco, mancada

slit [slɪt] (*pt, pp* **slit**) *n* fenda; (*cut*) corte *m* ♦ *vt* (*cut*) rachar, cortar; (*open*) abrir

slither ['slɪðə*] *vi* escorregar, deslizar

sliver ['slɪvə*] *n* (*of glass, wood*) lasca; (*of cheese etc*) fatia fina

slob [slɔb] (*inf*) *n* (*in manners*) porco(-a); (*in appearance*) maltrapilho(-a)

slog [slɔg] (BRIT) *vi* mourejar ♦ *n*: **it was a ~** deu um trabalho louco

slogan ['sləugən] *n* lema *m*, slogan *m*

slope [sləup] *n* ladeira; (*side of mountain*) encosta, vertente *f*; (*ski ~*) pista; (*slant*) inclinação *f*, declive *m* ♦ *vi*: **to ~ down** estar em declive; **to ~ up** inclinar-se; **sloping** *adj* inclinado, em declive; (*handwriting*) torto

sloppy ['slɔpɪ] *adj* (*work*) descuidado; (*appearance*) relaxado

slot [slɔt] *n* (*in machine*) fenda ♦ *vt*: **to ~ into** encaixar em

slouch [slautʃ] *vi* ter má postura

slovenly ['slʌvənlɪ] *adj* (*dirty*) desalinhado, sujo; (*careless*) desmazelado

slow [sləu] *adj* lento; (*not clever*) bronco, de raciocínio lento; (*watch*): **to be ~** atrasar ♦ *adv* lentamente, devagar ♦ *vt, vi* ir (mais) devagar; **"~"** (*road sign*) "devagar"; **slowly** *adv* lentamente, devagar; **slow motion** *n*: **in slow motion** em câmara lenta

sludge [slʌdʒ] *n* lama, lodo

slug [slʌg] *n* lesma; **sluggish** *adj* vagaroso; (*business*) lento

sluice [slu:s] *n* (*gate*) comporta, eclusa; (*channel*) canal *m*

slum [slʌm] *n* (*area*) favela; (*house*) cortiço, barraco

slump [slʌmp] *n* (*economic*) depressão *f*; (COMM) baixa, queda ♦ *vi* (*person*) cair; (*prices*) baixar repentinamente

slung [slʌŋ] *pt, pp of* **sling**

slur [slə:*] *n* calúnia ♦ *vt* pronunciar indistintamente

slush [slʌʃ] *n* neve *f* meio derretida

slut [slʌt] (*pej*) *n* mulher *f* desmazelada

sly [slaɪ] *adj* (*person*) astuto; (*smile, remark*) malicioso, velhaco

smack [smæk] *n* palmada ♦ *vt* bater; (*child*) dar uma palmada em; (*on face*) dar um tabefe em ♦ *vi*: **to ~ of** cheirar a, saber a

small [smɔ:l] *adj* pequeno; **small change** *n* trocado; **small hours** *npl*: **in the small hours** na madrugada, lá pelas tantas (*inf*); **smallpox** *n* varíola; **small talk** *n* conversa fiada

smart [smɑ:t] *adj* elegante; (*clever*) inteligente, astuto; (*quick*) vivo, esperto ♦ *vi* sofrer; **smart card** *n* smart card *m*, cartão *m* inteligente; **smarten up** *vi* arrumar-se ♦ *vt* arrumar

smash [smæʃ] *n* (*also*: **~-up**) colisão *f*, choque *m*; (*~ hit*) sucesso de bilheteria ♦ *vt* (*break*) escangalhar, despedaçar; (*car etc*) bater com; (SPORT: *record*) quebrar ♦ *vi* despedaçar-se; (*against wall etc*) espatifar-se; **smashing** (*inf*) *adj* excelente

smattering ['smætərɪŋ] *n*: **a ~ of** um conhecimento superficial de

smear [smɪə*] *n* mancha, nódoa; (MED) esfregaço ♦ *vt* untar; (*to make dirty*) lambuzar

smell [smɛl] (*pt, pp* **smelt** *or* **~ed**) *n* cheiro; (*sense*) olfato ♦ *vt* cheirar ♦ *vi* (*food etc*) cheirar; (*pej*) cheirar mal; **to ~ of** cheirar a; **smelly** (*pej*) *adj* fedorento, malcheiroso

smile [smaɪl] *n* sorriso ♦ *vi* sorrir

smirk [smə:k] (*pej*) *n* sorriso falso *or* afetado

smock [smɔk] *n* guarda-pó *m*; (*children's*) avental *m*

smog [smɔg] *n* nevoeiro com fumaça (BR) *or* fumo (PT)

smoke [sməuk] *n* fumaça (BR), fumo (PT) ♦ *vi* fumar; (*chimney*) fumegar ♦ *vt* (*cigarettes*) fumar; **smoked** *adj* (*bacon*) defumado; (*glass*) fumée; **smoker** *n* (*person*) fumante *m/f*; (RAIL) vagão *m* para fumantes; **smokescreen** *n* cortina de fumaça; **smoking** *n*: **"no smoking"** (*sign*) "proibido fumar"; **smoky** *adj* enfumaçado; (*taste*) defumado

smolder ['sməuldə*] (US) *vi* = **smoulder**

smooth [smu:ð] *adj* liso, macio; (*sauce*) cremoso; (*sea*) tranqüilo, calmo; (*flavour, movement*) suave; (*person*: *pej*) meloso ♦ *vt* (*also*: **~ out**) alisar; (: *difficulties*) aplainar

smother ['smʌðə*] *vt* (*fire*) abafar; (*person*) sufocar; (*emotions*) reprimir

smoulder ['sməuldə*] (US **smolder**) *vi* arder sem chamas; (*fig*) estar latente

smudge [smʌdʒ] n mancha ♦ vt manchar, sujar

smug [smʌg] (pej) adj convencido

smuggle ['smʌgl] vt contrabandear; **smuggler** n contrabandista m/f; **smuggling** n contrabando

smutty ['smʌti] adj (fig) obsceno, indecente

snack [snæk] n lanche m (BR), merenda (PT); **snack bar** n lanchonete f (BR), snackbar m (PT)

snag [snæg] n dificuldade f, obstáculo

snail [sneɪl] n caracol m

snake [sneɪk] n cobra

snap [snæp] n (sound) estalo; (photograph) foto f ♦ adj repentino ♦ vt quebrar; (fingers) estalar ♦ vi quebrar; (fig: person) retrucar asperamente; **to ~ shut** fechar com um estalo; **snap at** vt fus (subj: dog) tentar morder; **snap off** vt (break) partir; **snap up** vt arrebatar, comprar rapidamente; **snappy** (inf) adj rápido; (slogan) vigoroso; **make it snappy!** faça rápido!; **snapshot** n foto f (instantânea)

snare [snɛə*] n armadilha, laço

snarl [snɑ:l] vi grunhir

snatch [snætʃ] n (small piece) trecho ♦ vt agarrar; (fig: look) roubar

sneak [sni:k] (pt ~ed or (US) snuck) vi: **to ~ in/out** entrar/sair furtivamente ♦ n (inf) dedo-duro; **to ~ up on sb** chegar de mausinho perto de alguém; **sneakers** npl tênis m (BR), sapatos mpl de treino (PT)

sneer [snɪə*] vi rir-se com desdém; (mock): **to ~ at** zombar de, desprezar

sneeze [sni:z] n espirro ♦ vi espirrar

sniff [snɪf] n fungada; (of dog) farejada; (of person) fungadela ♦ vi fungar ♦ vt fungar, farejar; (glue, drug) cheirar

snigger ['snɪgə*] vi rir-se com dissimulação

snip [snɪp] n tesourada; (BRIT: inf) pechincha ♦ vt cortar com tesoura

sniper ['snaɪpə*] n franco- atirador(a) m/f

snob [snɔb] n esnobe m/f; **snobbish** adj esnobe

snooker ['snu:kə*] n sinuca

snoop [snu:p] vi: **to ~ about** bisbilhotar

snooze [snu:z] n soneca ♦ vi tirar uma soneca, dormitar

snore [snɔ:*] vi roncar ♦ n ronco

snorkel ['snɔ:kl] n tubo snorkel

snort [snɔ:t] n bufo, bufido ♦ vi bufar

snout [snaut] n focinho

snow [snəu] n neve f ♦ vi nevar; **snowball** n bola de neve ♦ vi (fig) aumentar (como bola de neve); **snowbound** adj bloqueado pela neve; **snowdrift** n monte m de neve (formado pelo vento); **snowdrop** n campainha branca; **snowfall** n nevada; **snowflake** n floco de neve; **snowman** (irreg) n boneco de neve; **snowplough** (US **snowplow**) n máquina limpa-neve, removedor m de neve; **snowstorm** n nevasca, tempestade f de neve

snub [snʌb] vt desdenhar, menosprezar ♦ n repulsa

snug [snʌg] adj (sheltered) abrigado, protegido; (fitted) justo, cômodo

snuggle ['snʌgl] vi: **to ~ up to sb** aconchegar-se or aninhar-se a alguém

┌─ KEYWORD ─────────────────┐

so [səu] adv
1 (thus, likewise) assim, deste modo; **saying he walked away** falou isto e foi embora; **if ~** se for assim, se assim é; **I didn't do it – you did ~** não fiz isso – você fez!; **~ do I, ~ am I** etc eu também; **~ it is!** é verdade!; **I hope/think ~** espero/acho que sim; **~ far** até aqui
2 (in comparisons etc: to such a degree) tão; **~ big/quickly (that)** tão grande/ rápido (que)
3: **~ much** adj, adv tanto; **I've got ~ much work** tenho tanto trabalho; **~ many** tantos(-as); **there are ~ many people to see** tem tanta gente para ver
4 (phrases): **10 or ~** 10 mais ou menos; **~ long!** (inf: goodbye) tchau!
♦ conj
1 (expressing purpose): **~ as to do** para fazer; **we hurried ~ as not to be late** nós apressamos para não chegarmos atrasados; **~ (that)** para que, a fim de que
2 (result) de modo que; **he didn't arrive, ~ I left** como ele não chegou, eu fui embora; **~ I was right after all** então eu estava certo no final das contas

└────────────────────────────┘

soak [səuk] vt embeber, ensopar; (put in water) pôr de molho ♦ vi estar de molho, impregnar-se; **soak in** vi infiltrar; **soak up** vt absorver

soap [səup] n sabão m; **soap opera** n novela; **soap powder** n sabão m em pó; **soapy** adj ensaboado

soar [sɔ:*] vi (on wings) elevar-se em vôo; (rocket, temperature) subir; (building etc) levantar-se; (price, production) disparar

sob [sɔb] n soluço ♦ vi soluçar

sober ['səubə*] adj (serious) sério; (not

so-called → soot

drunk) sóbrio; (*colour, style*) discreto; **sober up** *vi* ficar sóbrio
so-called [-kɔːld] *adj* chamado
soccer ['sɔkə*] *n* futebol *m*
social ['səuʃl] *adj* social ♦ *n* reunião *f* social; **socialism** *n* socialismo; **socialist** *adj, n* socialista *m/f*; **socialize** *vi*: **to socialize (with)** socializar (com); **social security** (BRIT) *n* previdência social; **social work** *n* assistência social, serviço social; **social worker** *n* assistente *m/f* social
society [sə'saɪətɪ] *n* sociedade *f*; (*club*) associação *f*; (*also:* **high ~**) alta sociedade
sociology [səusɪ'ɔlədʒɪ] *n* sociologia
sock [sɔk] *n* meia (BR), peúga (PT)
socket ['sɔkɪt] *n* bocal *m*, encaixe *m*; (BRIT: ELEC) tomada
soda ['səudə] *n* (CHEM) soda; (*also:* **~ water**) água com gás; (US: *also:* **~ pop**) soda
sofa ['səufə] *n* sofá *m*
soft [sɔft] *adj* mole; (*voice, music, light*) suave; (*kind*) meigo, bondoso; **soft drink** *n* refrigerante *m*; **soften** *vt* amolecer, amaciar; (*effect*) abrandar; (*expression*) suavizar ♦ *vi* amolecer-se; (*voice, expression*) suavizar-se; **softly** *adv* suavemente; (*gently*) delicadamente; **softness** *n* maciez *f*; (*gentleness*) suavidade *f*; **software** *n* (COMPUT) software *m*
soggy ['sɔgɪ] *adj* ensopado, encharcado
soil [sɔɪl] *n* terra, solo; (*territory*) território ♦ *vt* sujar, manchar
solar ['səulə*] *adj* solar
sold [səuld] *pt, pp of* **sell** ♦ *adj*: **~ out** (COMM) esgotado
solder ['səuldə*] *vt* soldar ♦ *n* solda
soldier ['səuldʒə*] *n* soldado; (*army man*) militar *m*
sole [səul] *n* (*of foot, shoe*) sola; (*fish: pl inv*) solha, linguado ♦ *adj* único
solemn ['sɔləm] *adj* solene
solicitor [sə'lɪsɪtə*] (BRIT) *n* (*for wills etc*) tabelião(-lioa) *m/f*; (*in court*) ≈ advogado(-a)
solid ['sɔlɪd] *adj* sólido; (*gold etc*) maciço; (*person*) sério ♦ *n* sólido; **~s** *npl* (*food*) comida sólida
solitary ['sɔlɪtərɪ] *adj* solitário, só; (*walk*) só; (*isolated*) isolado, retirado; (*single*) único
solo ['səuləu] *n, adv* solo; **soloist** *n* solista *m/f*
solution [sə'luːʃən] *n* solução *f*
solve [sɔlv] *vt* resolver, solucionar

solvent ['sɔlvənt] *adj* (COMM) solvente ♦ *n* (CHEM) solvente *m*

KEYWORD
---

some [sʌm] *adj*
1 (*a certain number or amount*): **~ tea/water/biscuits** um pouco de chá/água/uns biscoitos; **~ children came** algumas crianças vieram
2 (*certain: in contrasts*) algum(a); **~ people say that ...** algumas pessoas dizem que ...
3 (*unspecified*) um pouco de; **~ woman was asking for you** uma mulher estava perguntando por você; **~ day** um dia
♦ *pron*
1 (*a certain number*) alguns (algumas); **I've got ~** (*books etc*) tenho alguns; **~ went for a taxi and ~ walked** alguns foram pegar um táxi e outros foram andando
2 (*a certain amount*) um pouco; **I've got ~** (*milk etc*) tenho um pouco
♦ *adv*: **~ 10 people** umas 10 pessoas

---

some: **somebody** ['sʌmbədɪ] *pron* = **someone**; **somehow** ['sʌmhau] *adv* de alguma maneira; (*for some reason*) por uma razão ou outra; **someone** ['sʌmwʌn] *pron* alguém; **someplace** ['sʌmpleɪs] (US) *adv* = **somewhere**
somersault ['sʌməsɔːlt] *n* (*deliberate*) salto-mortal; (*accidental*) cambalhota ♦ *vi* dar um salto-mortal (*or* uma cambalhota)
something ['sʌmθɪŋ] *pron* alguma coisa, algo (BR)
sometime ['sʌmtaɪm] *adv* (*in future*) algum dia, em outra oportunidade; (*in past*): **~ last month** durante o mês passado
sometimes ['sʌmtaɪmz] *adv* às vezes, de vez em quando
somewhat ['sʌmwɔt] *adv* um tanto
somewhere ['sʌmwɛə*] *adv* (*be*) em algum lugar; (*go*) para algum lugar; **~ else** em outro lugar; para outro lugar
son [sʌn] *n* filho
song [sɔŋ] *n* canção *f*; (*of bird*) canto
son-in-law ['sʌnɪnlɔː] *n* genro
soon [suːn] *adv* logo, brevemente; (*a short time after*) logo após; (*early*) cedo; **~ afterwards** pouco depois; *see also* **as**; **sooner** *adv* antes, mais cedo; (*preference*): **I would sooner do that** preferia fazer isso; **sooner or later** mais cedo ou mais tarde
soot [sut] *n* fuligem *f*

soothe [su:ð] vt acalmar, sossegar; (pain) aliviar, suavizar
sophomore ['sɔfəmɔ:*] (US) n segundanista m/f
sopping ['sɔpɪŋ] adj: ~ **(wet)** encharcado
soppy ['sɔpɪ] (pej) adj piegas inv
soprano [sə'prɑ:nəu] n soprano m/f
sorcerer ['sɔ:sərə*] n feiticeiro
sore [sɔ:*] adj dolorido ♦ n chaga, ferida;
sorely ['sɔ:lɪ] adv: **I am sorely tempted (to)** estou muito tentado (a)
sorrow ['sɔrəu] n tristeza, mágoa, dor f; **~s** npl (causes of grief) tristezas fpl
sorry ['sɔrɪ] adj (regretful) arrependido; (condition, excuse) lamentável; **~!** desculpe!, perdão!, sinto muito!; **to feel ~ for sb** sentir pena de alguém
sort [sɔ:t] n tipo ♦ vt (also: ~ **out**: papers) classificar; (: problems) solucionar, resolver
SOS n S.O.S. m
so-so adv mais ou menos, regular
sought [sɔ:t] pt, pp of **seek**
soul [səul] n alma; (person) criatura;
soulful ['səulful] adj emocional, sentimental
sound [saund] adj (healthy) saudável, sadio; (safe, not damaged) sólido, completo; (secure) seguro; (reliable) confiável; (sensible) sensato ♦ adv: **~ asleep** dormindo profundamente ♦ n (noise) som m, ruído, barulho; (volume: on TV etc) volume m; (GEO) estreito, braço (de mar) ♦ vt (alarm) soar ♦ vi soar, tocar; (fig: seem) parecer; **to ~ like** parecer; **sound out** vi sondar; **sound barrier** n barreira do som; **sound effects** npl efeitos mpl sonoros;
soundly adv (sleep) profundamente; (beat) completamente; **soundproof** adj à prova de som; **soundtrack** n trilha sonora
soup [su:p] n sopa; **in the ~** (fig) numa encrenca; **soupspoon** n colher f de sopa
sour ['sauə*] adj azedo, ácido; (milk) talhado; (fig) mal-humorado, rabugento; **it's ~ grapes!** (fig) é despeito!
source [sɔ:s] n fonte f
south [sauθ] n sul m ♦ adj do sul, meridional ♦ adv ao or para o sul;
South Africa n África do Sul; **South African** adj, n sul- african(-a); **South America** n América do Sul; **South American** adj, n sul-americano(-a);
south-east n sudeste m; **southerly** ['sʌðəlɪ] adj para o sul; (from the south) do sul; **southern** ['sʌðən] adj (to the south) para o sul, em direção do sul; (from the south) do sul, sulista; **the southern hemisphere** o Hemisfério Sul;
South Pole n Pólo Sul; **southward(s)** adv para o sul; **south-west** n sudoeste m
souvenir [su:və'nɪə*] n lembrança
sovereign ['sɔvrɪn] n soberano(-a)
soviet ['səuvɪət] adj soviético; **the S~ Union** a União Soviética
sow¹ [sau] n porca
sow² [səu] (pt **~ed**, pp **~n**) vt semear; (fig: spread) disseminar, espalhar
soya ['sɔɪə] (US **soy**) n: **~ bean** semente f de soja; **~ sauce** molho de soja
spa [spɑ:] n (town) estância hidromineral; (US: also: **health ~**) estância balnear
space [speɪs] n (gen) espaço; (room) lugar m; (cpd) espacial ♦ vt (also: **~ out**) espaçar; **spacecraft** n nave f espacial; **spaceman** (irreg) n astronauta m, cosmonauta m; **spaceship** n = **spacecraft**; **spacious** ['speɪʃəs] adj espaçoso
spade [speɪd] n pá f; **~s** npl (CARDS) espadas fpl
Spain [speɪn] n Espanha
span [spæn] n (also: **wing~**) envergadura; (of arch) vão m; (in time) lapso, espaço ♦ vt estender-se sobre, atravessar; (fig) abarcar
Spaniard ['spænjəd] n espanhol(a) m/f
Spanish ['spænɪʃ] adj espanhol(a) ♦ n (LING) espanhol m, castelhano; **the ~** npl os espanhóis
spank [spæŋk] vt bater, dar palmadas em
spanner ['spænə*] (BRIT) n chave f inglesa
spare [spɛə*] adj vago, desocupado; (surplus) de sobra, a mais ♦ n = **~ part** ♦ vt dispensar, passar sem; (make available) dispor de; (refrain from hurting) perdoar, poupar; **to ~** de sobra; **spare part** n peça sobressalente; **spare time** n tempo livre; **spare wheel** n estepe m; **sparingly** adv frugalmente, com moderação
spark [spɑ:k] n chispa, faísca; (fig) centelha
sparkle ['spɑ:kl] n cintilação f, brilho ♦ vi (shine) brilhar, faiscar; **sparkling** adj (mineral water) gasoso; (wine) espumante; (conversation) animado; (performance) brilhante
sparrow ['spærəu] n pardal m
sparse [spɑ:s] adj escasso; (hair) ralo
spasm ['spæzəm] n (MED) espasmo
spastic ['spæstɪk] n espástico(-a)
spat [spæt] pt, pp of **spit**

speak → split

speak [spi:k] (pt **spoke**, pp **spoken**) vt (language) falar; (truth) dizer ♦ vi falar; (make a speech) discursar; **~ up!** fale alto!; **speaker** n (in public) orador(a) m/f; (also: **loudspeaker**) alto-falante m; (POL): **the Speaker** o Presidente da Câmara
spear [spɪə*] n lança ♦ vt lancear, arpoar
spec [spɛk] (inf) n: **on ~** por acaso
special ['spɛʃl] adj especial; (edition etc) extra; (delivery) rápido; **specialist** n especialista m/f; **speciality** [spɛʃɪ'ælɪtɪ] n especialidade f; **specialize** vi: **to specialize (in)** especializar-se (em); **specially** adv especialmente; **specialty** ['spɛʃəltɪ] (esp us) n = **speciality**
species ['spi:ʃi:z] n inv espécie f
specific [spə'sɪfɪk] adj específico; **specification** [spɛsɪfɪ'keɪʃən] n especificação f; (requirement) requinto; **specifications** npl (TECH) ficha técnica
specimen ['spɛsɪmən] n espécime m, amostra; (for testing, MED) espécime
speck [spɛk] n mancha, pinta
speckled ['spɛkld] adj pintado
specs [spɛks] (inf) npl óculos mpl
spectacle ['spɛktəkl] n espetáculo; **~s** npl (glasses) óculos mpl; **spectacular** [spɛk'tækjulə*] adj espetacular ♦ n (CINEMA etc) superprodução f
spectator [spɛk'teɪtə*] n espectador(a) m/f
spectrum ['spɛktrəm] (pl **spectra**) n espectro
speech [spi:tʃ] n (faculty, THEATRE) fala; (formal talk) discurso; **speechless** adj estupefato, emudecido
speed [spi:d] n velocidade f; (rate) rapidez f; (haste) pressa; (promptness) prontidão f; **at full** or **top ~** a toda a velocidade; **speed up** (pt, pp **speeded up**) vt, vi acelerar; **speedboat** n lancha; **speedily** adv depressa, rapidamente; **speeding** n (AUT) excesso de velocidade; **speed limit** n limite m de velocidade, velocidade f máxima; **speedometer** [spɪ'dɔmɪtə*] n velocímetro; **speedway** n (SPORT: also: **speedway racing**) corrida de motocicleta; **speedy** adj veloz, rápido; (prompt) pronto, imediato
spell [spɛl] (pt, pp **~ed**, (BRIT) **spelt**) n (also: **magic ~**) encanto, feitiço; (period of time) período, temporada ♦ vt (also: **~ out**) soletrar; (fig) pressagiar, ser sinal de; **to cast a ~ on sb** enfeitiçar alguém; **he can't ~** não sabe escrever bem, comete erros de ortografia; **spellbound** adj enfeitiçado, fascinado; **spelling** n ortografia
spend [spɛnd] (pt, pp **spent**) vt (money) gastar; (time) passar
sperm [spə:m] n esperma m
sphere [sfɪə*] n esfera
spice [spaɪs] n especiaria ♦ vt condimentar
spicy ['spaɪsɪ] adj condimentado
spider ['spaɪdə*] n aranha
spike [spaɪk] n (point) ponta, espigão m; (BOT) espiga
spill [spɪl] (pt, pp **spilt** or **~ed**) vt entornar, derramar ♦ vi derramar-se; **spill over** vi transbordar
spin [spɪn] (pt **spun** or **span**, pp **spun**) n (AVIAT) parafuso; (trip in car) volta or passeio de carro; (ball): **to put ~ on** fazer rolar ♦ vt (wool etc) fiar, tecer ♦ vi girar, rodar; (make thread) tecer; **spin out** vt prolongar; (money) fazer render
spinach ['spɪnɪtʃ] n espinafre m
spinal cord ['spaɪnl-] n espinha dorsal
spin-dryer (BRIT) n secadora
spine [spaɪn] n espinha dorsal; (thorn) espinho; **spineless** adj (fig) fraco, covarde
spinster ['spɪnstə*] n solteira
spiral ['spaɪərl] n espiral f ♦ vi (prices) disparar; **spiral staircase** n escada em caracol
spire ['spaɪə*] n flecha, agulha
spirit ['spɪrɪt] n (soul) alma; (ghost) fantasma m; (courage) coragem f, ânimo; (frame of mind) estado de espírito; (sense) sentido; **~s** npl (drink) álcool m; **in good ~s** alegre, de bom humor; **spirited** adj animado, espirituoso; **spiritual** adj espiritual ♦ n (also: **Negro spiritual**) canto religioso dos negros
spit [spɪt] (pt, pp **spat**) n (for roasting) espeto; (saliva) saliva ♦ vi cuspir; (sound) escarrar; (rain) chuviscar
spite [spaɪt] n rancor m, ressentimento ♦ vt contrariar; **in ~ of** apesar de, a despeito de; **spiteful** adj maldoso, malévolo
splash [splæʃ] n (sound) borrifo, respingo; (of colour) mancha ♦ vt: **to ~ (with)** salpicar (de) ♦ vi (also: **~ about**) borrifar, respingar
spleen [spli:n] n (ANAT) baço
splendid ['splɛndɪd] adj esplêndido; (impressive) impressionante
splint [splɪnt] n tala
splinter ['splɪntə*] n (of wood, glass) lasca; (in finger) farpa ♦ vi lascar-se, estilhaçar-se, despedaçar-se
split [splɪt] (pt, pp **split**) n fenda, brecha; (fig: division) rompimento; (: difference) diferença; (POL) divisão f ♦ vt partir,

spoil → squalid

fender; *(party, work)* dividir; *(profits)* repartir ♦ vi *(divide)* dividir-se, repartir-se; **split up** vi *(couple)* separar-se, acabar; *(meeting)* terminar
spoil [spɔɪl] *(pt, pp* ~**t** *or* ~**ed)** vt *(damage)* danificar; *(mar)* estragar, arruinar; *(child)* mimar; **spoils** npl desejo, saque *m*; **spoilsport** *(pej)* n desmancha-prazeres *m/f inv*
spoke [spəʊk] *pt of* **speak** ♦ n raio
spoken ['spəʊkn] *pp of* **speak**
spokesman ['spəʊksmən] *(irreg)* n porta-voz *m*
spokeswoman ['spəʊkswʊmən] *(irreg)* n porta-voz *f*
sponge [spʌndʒ] n esponja; *(cake)* pão-de-ló *m* ♦ vt lavar com esponja ♦ vi: **to ~ on sb** viver às custas de alguém; **sponge bag** *(BRIT)* n bolsa de toalete
sponsor ['spɔnsə*] n patrocinador(a) *m/f* ♦ vt patrocinar; apadrinhar; fiar; *(applicant, proposal)* apoiar, defender; **sponsorship** n patrocínio
spontaneous [spɔn'teɪnɪəs] *adj* espontâneo
spooky ['spu:kɪ] *(inf) adj* arrepiante
spoon vt [spu:n] n colher *f*; **spoon-feed** *(irreg)* vt dar de comer com colher; *(fig)* dar tudo mastigado a; **spoonful** n colherada
sport [spɔ:t] n esporte *m (BR)*, desporto *(PT)*; *(person)* bom perdedor (boa perdedora) *m/f* ♦ vt *(wear)* exibir; **sporting** *adj* esportivo *(BR)*, desportivo *(PT)*; *(generous)* nobre; **to give sb a sporting chance** dar uma grande chance a alguém; **sport jacket** *(US)* n = **sports jacket**; **sports car** n carro esporte *(BR)*, carro de sport *(PT)*; **sports jacket** *(BRIT)* n casaco esportivo *(BR)* or desportivo *(PT)*; **sportsman** *(irreg)* n esportista *m (BR)*, desportista *m (PT)*; **sportsmanship** n espírito esportivo *(BR)* or desportivo *(PT)*; **sportswear** n roupa esportiva *(BR)* or desportiva *(PT)* or esporte; **sportswoman** *(irreg)* n esportista *(BR)*, desportista *(PT)*; **sporty** *adj* esportivo *(BR)*, desportivo *(PT)*
spot [spɔt] n *(mark)* marca; *(place)* lugar *m*, local *m*; *(dot: on pattern)* mancha, ponto; *(on skin)* espinha; *(RADIO, TV)* hora; *(small amount)*: **a ~ of** um pouquinho de ♦ vt notar; **on the ~** na hora; *(there)* ali mesmo; *(in difficulty)* em apuros; **spot check** n fiscalização *f* de surpresa; **spotless** *adj* sem mancha, imaculado; **spotlight** n holofote *m*, refletor *m*; **spotted** *adj* com bolinhas; **spotty** *adj* cheio de espinhas

spouse [spauz] n cônjuge *m/f*
spout [spaut] n *(of jug)* bico; *(of pipe)* cano ♦ vi jorrar
sprain [spreɪn] n distensão *f*, torcedura ♦ vt torcer
sprang [spræŋ] *pt of* **spring**
sprawl [sprɔ:l] vi esparramar-se
spray [spreɪ] n borrifo; *(container)* spray *m*, atomizador *m*; *(garden ~)* vaporizador *m*; *(of flowers)* ramalhete *m* ♦ vt pulverizar; *(crops)* borrifar, regar
spread [sprɛd] *(pt, pp* **spread**) n extensão *f*; *(distribution)* expansão *f*, difusão *f*; *(CULIN)* pasta; *(inf: food)* banquete *m* ♦ vt espalhar; *(butter)* untar, passar; *(wings, sails)* abrir, desdobrar; *(workload, wealth)* distribuir; *(scatter)* disseminar ♦ vi *(news, stain)* espalhar-se; *(disease)* alastrar-se; **spread out** vi dispersar-se; **spread-eagled** *adj* estirado; **spreadsheet** n *(COMPUT)* planilha
spree [spri:] *n*: **to go on a ~** cair na farra
sprightly ['spraɪtlɪ] *adj* ativo, ágil
spring [sprɪŋ] *(pt* **sprang**, *pp* **sprung**) n salto, pulo; *(coiled metal)* mola; *(season)* primavera; *(of water)* fonte *f*; **spring up** vi aparecer de repente; **springboard** n trampolim *m*; **spring-cleaning** n limpeza total, faxina (geral); **springtime** n primavera
sprinkle ['sprɪŋkl] vt *(liquid)* salpicar; *(salt, sugar)* borrifar; **to ~ water on, ~ with water** salpicar de água
sprint [sprɪnt] n corrida de pequena distância ♦ vi correr a toda velocidade; **sprinter** n corredor(a) *m/f*
sprout [spraut] vi brotar, germinar; **sprouts** npl *(also:* **Brussels ~s**) couves-de-Bruxelas *fpl*
sprung [sprʌŋ] *pp of* **spring**
spun [spʌn] *pt, pp of* **spin**
spur [spə:*] n espora; *(fig)* estímulo ♦ vt *(also:* **~ on**) incitar, estimular; **on the ~ of the moment** de improviso, de repente
spurn [spə:n] vt desdenhar, desprezar
spurt [spə:t] n *(of energy)* acesso; *(of blood etc)* jorro ♦ vi jorrar
spy [spaɪ] n espião (espiã) *m/f* ♦ *vi*: **to ~ on** espiar, espionar ♦ vt enxergar, avistar; **spying** n espionagem *f*
sq. *abbr (MATH etc)* = **square**
squabble ['skwɔbl] vi brigar, discutir
squad [skwɔd] n *(MIL, POLICE)* pelotão *m*, esquadra; *(FOOTBALL)* seleção *f*
squadron ['skwɔdrən] n *(MIL)* esquadrão *m*; *(AVIAT)* esquadrilha; *(NAUT)* esquadra
squalid ['skwɔlɪd] *adj (conditions)*

squall → stand

esquálido; (*story etc*) sórdido
squall [skwɔːl] n (*storm*) tempestade f; (*wind*) pé m (de vento), rajada
squalor ['skwɔləʳ] n sordidez f
squander ['skwɔndəʳ] vt esbanjar, dissipar; (*chances*) desperdiçar
square [skwɛəʳ] n quadrado, quadra; (*in town*) praça; (*inf: person*) quadrado(-a), careta m/f ♦ adj quadrado; (*inf: ideas, tastes*) careta, antiquado ♦ vt (*arrange*) ajustar, acertar; (MATH) elevar ao quadrado; (*reconcile*) conciliar; **all ~** igual, quite; **a ~ meal** uma refeição substancial; **2 metres ~** um quadrado de 2 metros de lado; **2 ~ metres** 2 metros quadrados; **squarely** adv diretamente; (*fully*) em cheio
squash [skwɔʃ] n (BRIT: *drink*): **lemon/orange ~** limonada/laranjada concentrada; (SPORT) squash m; (US: *vegetable*) abóbora ♦ vt esmagar
squat [skwɔt] adj atarracado ♦ vi (*also:* **~ down**) agachar-se, acocorar-se; **squatter** n posseiro(-a)
squeak [skwiːk] vi (*door*) ranger; (*mouse*) guinchar
squeal [skwiːl] vi guinchar, gritar agudamente
squeamish ['skwiːmɪʃ] adj melindroso, delicado
squeeze [skwiːz] n (*gen, of hand*) aperto; (ECON) arrocho ♦ vt comprimir, socar; (*hand, arm*) apertar; **squeeze out** vt espremer; (*fig*) extorquir
squelch [skwɛltʃ] vi fazer ruído de passos na lama
squid [skwɪd] (*pl inv or* **~s**) n lula
squiggle ['skwɪgl] n garatuja
squint [skwɪnt] vi olhar or ser vesgo ♦ n (MED) estrabismo
squirm [skwəːm] vi retorcer-se
squirrel ['skwɪrəl] n esquilo
squirt [skwəːt] vi, vt jorrar, esguichar
Sr abbr = **senior**
St abbr (= saint) S.; = **street**
stab [stæb] n (*with knife etc*) punhalada; (*of pain*) pontada; (*inf: try*): **to have a ~ at (doing) sth** tentar (fazer) algo ♦ vt apunhalar
stable ['steɪbl] adj estável ♦ n estábulo, cavalariça
stack [stæk] n montão m, pilha ♦ vt amontoar, empilhar
stadium ['steɪdɪəm] (*pl* **stadia** *or* **~s**) n estádio
staff [stɑːf] n (*work force*) pessoal m, quadro; (BRIT: SCH: *also:* **teaching ~**) corpo docente ♦ vt prover de pessoal
stag [stæg] n veado, cervo

stage [steɪdʒ] n palco, cena; (*point*) etapa, fase f; (*platform*) plataforma, estrado; (*profession*): **the ~** o palco, o teatro ♦ vt pôr em cena, representar; (*demonstration*) montar, organizar; **in ~s** por etapas; **stagecoach** n diligência
stagger ['stægəʳ] vi cambalear ♦ vt (*amaze*) surpreender, chocar; (*hours, holidays*) escalonar; **staggering** adj (*amazing*) surpreendente, chocante
stag party n despedida de solteiro
staid [steɪd] adj sério, sóbrio
stain [steɪn] n mancha; (*colouring*) tinta, tintura ♦ vt manchar; (*wood*) tingir; **stained glass window** n janela com vitral; **stain remover** n tira-manchas m
stair [stɛəʳ] n (*step*) degrau m; **~s** npl (*flight of steps*) escada; **staircase** n escadaria, escada; **stairway** n = **staircase**
stake [steɪk] n estaca, poste m; (COMM: *interest*) interesse m, participação f; (BETTING: *gen pl*) aposta ♦ vt apostar; (*claim*) reivindicar; **to be at ~** estar em jogo
stale [steɪl] adj (*bread*) dormido; (*food*) estragado; (*air*) viciado; (*smell*) mofado; (*beer*) velho
stalk [stɔːk] n talo, haste f ♦ vt caçar de tocaia; **to ~ in/out** entrar/sair silenciosamente; **to ~ off** andar com arrogância
stall [stɔːl] n (BRIT: *in market*) barraca; (*in stable*) baia ♦ vt (AUT) fazer morrer; (*fig: delay*) impedir, atrasar ♦ vi morrer; esquivar-se, ganhar tempo; **~s** npl (BRIT: *in cinema, theatre*) platéia
stallion ['stælɪən] n garanhão m
stamina ['stæmɪnə] n resistência
stammer ['stæməʳ] n gagueira ♦ vi gaguejar, balbuciar
stamp [stæmp] n selo; (*rubber ~*) carimbo, timbre m; (*mark, also fig*) marca, impressão f ♦ vi (*also:* **~ one's foot**) bater com o pé ♦ vt (*letter*) selar; (*mark*) marcar; (*with rubber ~*) carimbar; **stamp collecting** n filatelia
stampede [stæm'piːd] n debandada, estouro (da boiada)
stance [stæns] n postura, posição f
stand [stænd] (*pt, pp* **stood**) n posição f, postura; (*for taxis*) ponto; (*also:* **hall ~**) pedestal m; (*also:* **music ~**) estante f; (SPORT) tribuna, palanque m; (*stall*) barraca ♦ vi (*be*) estar, encontrar-se; (*be on foot*) estar em pé; (*rise*) levantar-se; (*remain: decision, offer*) estar de pé; (*in election*) candidatar-se ♦ vt (*place*) pôr, colocar; (*tolerate*) agüentar, suportar;

standard → steady

(*cost*) pagar; **to make a ~** resistir; (*fig*) ater-se a um princípio; **to ~ for parliament** (*BRIT*) apresentar-se como candidato ao parlamento; **stand by** *vi* estar a postos ♦ *vt fus* (*opinion*) aferrar-se a; (*person*) ficar ao lado de; **stand down** *vi* retirar-se; **stand for** *vt fus* (*signify*) significar; (*represent*) representar; (*tolerate*) tolerar, permitir; **stand in for** *vt fus* substituir; **stand out** *vi* (*be prominent*) destacar-se; **stand up** *vi* levantar-se; **stand up for** *vt fus* defender; **stand up to** *vt fus* enfrentar

standard ['stændəd] *n* padrão *m*, critério; (*flag*) estandarte *m*; (*level*) nível *m* ♦ *adj* padronizado, regular, normal; **~s** *npl* (*morals*) valores *mpl* morais; **standard lamp** (*BRIT*) *n* abajur *m* de pé; **standard of living** *n* padrão *m* de vida (*BR*), nível *m* de vida (*PT*)

stand-by *adj* de reserva ♦ *n*: **to be on ~** estar de sobreaviso *or* de prontidão; **stand-by ticket** *n* bilhete *m* de stand-by

stand-in *n* suplente *m/f*

standing ['stændɪŋ] *adj* (*on foot*) em pé; (*permanent*) permanente ♦ *n* posição *f*, reputação *f*; **of many years' ~** de muitos anos; **standing joke** *n* piada conhecida; **standing order** (*BRIT*) *n* instrução *f* permanente

standpoint ['stændpɔɪnt] *n* ponto de vista

standstill ['stændstɪl] *n*: **at a ~** paralisado, parado; **to come to a ~** (*car*) parar; (*factory, traffic*) ficar paralisado

stank [stæŋk] *pt* of **stink**

staple ['steɪpl] *n* (*for papers*) grampo ♦ *adj* (*food etc*) básico ♦ *vt* grampear; **stapler** *n* grampeador *m*

star [stɑː*] *n* estrela; (*celebrity*) astro/estrela ♦ *vi*: **to ~ in** ser a estrela em, estrelar ♦ *vt* (*CINEMA*) ser estrelado por; **the ~s** *npl* (*horoscope*) o horóscopo

starboard ['stɑːbəd] *n* estibordo

starch [stɑːtʃ] *n* (*in food*) amido, fécula; (*for clothes*) goma

stardom ['stɑːdəm] *n* estrelato

stare [stɛə*] *n* olhar *m* fixo ♦ *vi*: **to ~ at** olhar fixamente, fitar

starfish ['stɑːfɪʃ] *n inv* estrela-do-mar *f*

stark [stɑːk] *adj* severo, áspero ♦ *adv*: **~ naked** completamente nu, em pêlo

starling ['stɑːlɪŋ] *n* estorninho

starry ['stɑːrɪ] *adj* estrelado; **starry-eyed** *adj* (*innocent*) deslumbrado

start [stɑːt] *n* princípio, começo; (*departure*) partida; (*sudden movement*) sobressalto, susto; (*advantage*) vantagem *f* ♦ *vt* começar, iniciar; (*cause*) causar; (*found*) fundar; (*engine*) ligar ♦ *vi* começar, iniciar; (*with fright*) sobressaltar-se, assustar-se; (*train etc*) sair; **start off** *vi* começar, principiar; (*leave*) sair, pôr-se a caminho; **start up** *vi* começar; (*car*) pegar, pôr-se em marcha ♦ *vt* começar; (*car*) ligar; **starter** *n* (*AUT*) arranque *m*; (*SPORT: official*) juiz (juíza) *m/f* da partida; (*BRIT: CULIN*) entrada; **starting point** *n* ponto de partida

startle ['stɑːtl] *vt* assustar, aterrar; **startling** *adj* surpreendente

starvation [stɑː'veɪʃən] *n* fome *f*

starve ['stɑːv] *vi* passar fome; (*to death*) morrer de fome ♦ *vt* fazer passar fome; (*fig*) privar

state [steɪt] *n* estado ♦ *vt* afirmar, declarar; **the S~s** *npl* (*GEO*) os Estados Unidos; **to be in a ~** estar agitado; **stately** *adj* majestoso, imponente; **statement** *n* declaração *f*; **statesman** (*irreg*) *n* estadista *m*

static ['stætɪk] *n* (*RADIO, TV*) interferência ♦ *adj* estático

station ['steɪʃən] *n* estação *f*; (*POLICE*) delegacia; (*RADIO*) emissora ♦ *vt* colocar

stationary ['steɪʃnərɪ] *adj* estacionário

stationer ['steɪʃənə*] *n* dono de papelaria; **stationer's (shop)** *n* papelaria; **stationery** *n* artigos *mpl* de papelaria

station wagon (*US*) *n* perua (*BR*), canadiana (*PT*)

statistic [stə'tɪstɪk] *n* estatística; **statistics** [stə'tɪstɪks] *n* (*science*) estatística

statue ['stætjuː] *n* estátua

status ['steɪtəs] *n* posição *f*; (*classification*) categoria; (*importance*) status *m*

statute ['stætjuːt] *n* estatuto, lei *f*

staunch [stɔːntʃ] *adj* fiel

stay [steɪ] *n* estadia, estada ♦ *vi* ficar; (*as guest*) hospedar-se; (*spend some time*) demorar-se; **to ~ put** não se mexer; **to ~ the night** pernoitar; **stay behind** *vi* ficar atrás; **stay in** *vi* ficar em casa; **stay on** *vi* ficar; **stay out** *vi* ficar fora de casa; **stay up** *vi* (*at night*) velar, ficar acordado

steadfast ['stɛdfɑːst] *adj* firme, estável, resoluto

steadily ['stɛdɪlɪ] *adv* (*firmly*) firmemente, (*unceasingly*) sem parar, constantemente; (*walk*) regularmente

steady ['stɛdɪ] *adj* (*job, boyfriend*) constante; (*speed*) fixo; (*regular*) regular;

(*person, character*) sensato; (*calm*) calmo, sereno ♦ *vt* (*stabilize*) estabilizar; (*nerves*) acalmar

steak [steɪk] *n* filé *m*; (*beef*) bife *m*

steal [stiːl] (*pt* **stole**, *pp* **stolen**) *vt* roubar ♦ *vi* mover-se furtivamente

steam [stiːm] *n* vapor *m* ♦ *vt* (*CULIN*) cozinhar no vapor ♦ *vi* fumegar; **steam engine** *n* máquina a vapor; **steamer** *n* vapor *m*, navio (a vapor); **steamy** *adj* vaporoso; (*room*) cheio de vapor, úmido (*BR*), húmido (*PT*); (*heat, atmosphere*) vaporoso

steel [stiːl] *n* aço ♦ *adj* de aço

steep [stiːp] *adj* íngreme; (*increase*) acentuado; (*price*) exorbitante ♦ *vt* (*food*) colocar de molho; (*cloth*) ensopar, encharcar

steeple ['stiːpl] *n* campanário, torre *f*

steer [stɪə*] *vt* (*person*) guiar; (*vehicle*) dirigir ♦ *vi* conduzir; **steering** *n* (*AUT*) direção *f*; **steering wheel** *n* volante *m*

stem [stɛm] *n* (*of plant*) caule *m*, haste *f*; (*of glass*) pé *m* ♦ *vt* deter, reter; (*blood*) estancar; **stem from** *vt fus* originar-se de

stench [stɛntʃ] (*pej*) *n* fedor *m*

stencil ['stɛnsl] *n* (*pattern, design*) estêncil *m*; (*lettering*) gabarito de letra ♦ *vt* imprimir com estêncil

stenographer [stɛ'nɔgrəfə*] (*US*) *n* estenógrafo(-a)

step [stɛp] *n* passo *m*; (*stair*) degrau *m* ♦ *vi*: **to ~ forward** dar um passo à frente/atrás; **~s** *npl* (*BRIT*) = **~ladder**; **to be in ~ (with)** (*fig*) manter a paridade (com); **to be out of ~ (with)** (*fig*) estar em disparidade (com); **step down** *vi* renunciar; **step on** *vt fus* pisar; **step up** *vt* aumentar; **stepbrother** *n* meio-irmão *m*; **stepdaughter** *n* enteada; **stepfather** *n* padrasto; **stepladder** (*BRIT*) *n* escada portátil *or* de abrir; **stepmother** *n* madrasta; **stepsister** *n* meia-irmã *f*; **stepson** *n* enteado

stereo ['stɛrɪəu] *n* estéreo; (*record player*) (aparelho de) som *m* ♦ *adj* (*also*: **~phonic**) estereofônico

sterile ['stɛraɪl] *adj* esterelizado; (*barren*) estéril; **sterilize** ['stɛrɪlaɪz] *vt* esterilizar

sterling ['stəːlɪŋ] *adj* esterlino; (*silver*) de lei ♦ *n* (*currency*) libra esterlina; **one pound ~** uma libra esterlina

stern [stəːn] *adj* severo, austero ♦ *n* (*NAUT*) popa, ré *f*

stew [stjuː] *n* guisado, ensopado ♦ *vt* guisar, ensopar; (*fruit*) cozinhar

steward ['stjuːəd] *n* (*AVIAT*) comissário de bordo; **stewardess** *n* aeromoça (*BR*), hospedeira de bordo (*PT*)

stick [stɪk] (*pt*, *pp* **stuck**) *n* pau *m*; (*as weapon*) cacete *m*; (*walking ~*) bengala, cajado ♦ *vt* (*glue*) colar; (*thrust*): **to ~ sth into** cravar *or* enfiar algo em; (*inf*: *put*) meter; (: *tolerate*) agüentar, suportar ♦ *vi* (*become attached*) colar-se; (*be unmoveable*) emperrar; (*in mind etc*) gravar-se; **stick out** *vi* estar saliente, projetar-se; **stick up** *vi* estar saliente, projetar-se; **stick up for** *vt fus* defender; **sticker** *n* adesivo; **sticking plaster** *n* esparadrapo

sticky ['stɪkɪ] *adj* pegajoso; (*label*) adesivo; (*fig*) delicado

stiff [stɪf] *adj* (*strong*) forte; (*hard*) duro; (*difficult*) difícil; (*moving with difficulty*: *person*) teso; (: *door, zip*) empenado; (*formal*) formal ♦ *adv* (*bored, worried*) extremamente; **stiffen** *vi* enrijecer-se; (*grow stronger*) fortalecer-se

stifle ['staɪfl] *vt* sufocar, abafar; (*opposition*) sufocar

stigma ['stɪgmə] *n* estigma *m*

stiletto [stɪ'lɛtəu] (*BRIT*) *n* (*also*: **~ heel**) salto alto e fino

still [stɪl] *adj* parado ♦ *adv* (*up to this time*) ainda; (*even, yet*) ainda; (*nonetheless*) entretanto, contudo; **stillborn** *adj* nascido morto, natimorto; **still life** *n* natureza morta

stilted ['stɪltɪd] *adj* afetado

stimulate ['stɪmjuleɪt] *vt* estimular

stimulus ['stɪmjuləs] (*pl* **stimuli**) *n* estímulo, incentivo

sting [stɪŋ] (*pt*, *pp* **stung**) *n* (*wound*) picada; (*pain*) ardência; (*of insect*) ferrão *m* ♦ *vt* arguilhar ♦ *vi* (*insect, animal*) picar; (*eyes, ointment*) queimar

stingy ['stɪndʒɪ] (*pej*) *adj* pão-duro, sovina

stink [stɪŋk] (*pt* **stank**, *pp* **stunk**) *n* fedor *m*, catinga ♦ *vi* feder, cheirar mal; **stinking** (*inf*) *adj* (*fig*) maldito

stint [stɪnt] *n* tarefa, parte *f* ♦ *vi*: **to ~ on** ser parco com

stir [stəː*] *n* (*fig*) comoção *f*, rebuliço ♦ *vt* mexer; (*fig*) comover ♦ *vi* mover-se, remexer-se; **stir up** *vt* excitar; (*trouble*) provocar

stirrup ['stɪrəp] *n* estribo

stitch [stɪtʃ] *n* (*SEWING, KNITTING, MED*) ponto; (*pain*) pontada ♦ *vt* costurar; (*MED*) dar pontos em, suturar

stoat [stəut] *n* arminho

stock [stɔk] *n* suprimento; (*COMM*: *reserves*) estoque *m*, provisão *f*;

(: *selection*) sortimento; (*AGR*) gado; (*CULIN*) caldo; (*lineage*) estirpe f, linhagem f; (*FINANCE*) valores mpl, títulos mpl ♦ adj (*reply etc*) de sempre, costumeiro ♦ vt ter em estoque, estocar; **in/out of ~** em estoque/esgotado; **to take ~ of** (*fig*) fazer um balanço de; **~s and shares** valores e títulos mobiliários; **stock up** vi: **to ~ up (with)** abastecer-se (de); **stockbroker** n corretor(a) m/f de valores or da Bolsa; **stock cube** (*BRIT*) n cubo de caldo; **stock exchange** n Bolsa de Valores

stocking ['stɔkɪŋ] n meia

stock: **stock market** (*BRIT*) n Bolsa, mercado de valores; **stockpile** n reservas fpl, estocagem f ♦ vt acumular reservas de, estocar; **stocktaking** (*BRIT*) n (*COMM*) inventário

stocky ['stɔkɪ] adj (*strong*) robusto; (*short*) atarracado

stodgy ['stɔdʒɪ] adj pesado

stoke [stəuk] vt atiçar, alimentar

stole [stəul] pt of **steal** ♦ n estola

stolen ['stəuln] pp of **steal**

stomach ['stʌmək] n (*ANAT*) estômago; (*belly*) barriga, ventre ♦ vt suportar, tolerar; **stomach ache** n dor f de estômago

stone [stəun] n pedra; (*pebble*) pedrinha; (*in fruit*) caroço; (*MED*) pedra, cálculo; (*BRIT: weight*) = 6.348kg; 14 pounds ♦ adj de pedra ♦ vt apedrejar; (*fruit*) tirar o(s) caroço(s) de; **stone-cold** adj gelado; **stone-deaf** adj surdo como uma porta; **stonework** n cantaria

stood [stud] pt, pp of **stand**

stool [stu:l] n tamborete m, banco

stoop [stu:p] vi (*also*: **have a ~**) ser corcunda; (*also*: **~ down**) debruçar-se, curvar-se

stop [stɔp] n parada, interrupção f; (*for bus etc*) parada (*BR*), ponto (*BR*), paragem f (*PT*) (*also*: **full ~**) ponto ♦ vt parar, deter; (*break off*) interromper; (*cheque*) sustar, suspender; (*also*: **put a ~ to**) impedir ♦ vi parar, deter-se; (*watch, noise*) parar; (*end*) acabar; **to ~ doing sth** deixar de fazer algo; **stop dead** vi parar de repente; **stop off** vi dar uma parada; **stop up** vt tapar; **stopover** n parada rápida; (*AVIAT*) escala; **stopper** n tampa, rolha; **stopwatch** n cronômetro

storage ['stɔ:rɪdʒ] n armazenagem f

store [stɔ:*] n (*stock*) suprimento; (*depot*) armazém m; (*reserve*) estoque m; (*BRIT: large shop*) loja de departamentos; (*US: shop*) loja ♦ vt armazenar; **~s** npl (*provisions*) víveres mpl, provisões fpl; **who knows what is in ~ for us?** quem sabe o que nos espera?; **store up** vt acumular; **storeroom** n depósito, almoxarifado

storey ['stɔ:rɪ] (*US* **story**) n andar m

stork [stɔ:k] n cegonha

storm [stɔ:m] n tempestade f; (*fig*) tumulto ♦ vi (*fig*) enfurecer-se ♦ vt tomar de assalto, assaltar; **stormy** adj tempestuoso

story ['stɔ:rɪ] n história, estória; (*lie*) mentira; (*US*) = **storey**; **storybook** n livro de contos

stout [staut] adj sólido, forte; (*fat*) gordo, corpulento; (*resolute*) decidido, resoluto ♦ n cerveja preta

stove [stəuv] n (*for cooking*) fogão m; (*for heating*) estufa, fogareiro

stow [stəu] vt guardar; **stowaway** n passageiro(-a) clandestino(-a)

straddle ['strædl] vt cavalgar

straggle ['strægl] vi (*houses*) espalhar-se desordenadamente; (*people*) vagar, perambular

straight [streɪt] adj reto; (*back*) esticado; (*hair*) liso; (*honest*) honesto; (*simple*) simples inv ♦ adv reto; (*drink*) puro; **to put** or **get sth ~** esclarecer algo; **~ away, ~ off** imediatamente; **straighten** vt arrumar; **straighten out** vt endireitar; (*fig*) esclarecer; **to straighten things out** arrumar as coisas; **straightforward** adj (*simple*) simples inv, direto; (*honest*) honesto, franco

strain [streɪn] n tensão f; (*TECH*) esforço; (*MED: back ~*) distensão f; (: *tension*) luxação f; (*breed*) raça, estirpe f ♦ vt forçar, torcer, distender; (*stretch*) puxar, estirar; (*CULIN*) coar; **~s** npl (*MUS*) acordes mpl; **strained** adj distendido; (*laugh*) forçado; (*relations*) tenso; **strainer** n coador m; (*sieve*) peneira

strait [streɪt] n estreito; **~s** npl (*fig*): **to be in dire ~s** estar em apuros; **straitjacket** n camisa-de-força

strand [strænd] n (*of thread, hair*) fio; (*of rope*) tira; **stranded** adj preso

strange [streɪndʒ] adj (*not known*) desconhecido; (*odd*) estranho, esquisito; **strangely** adv estranhamente; **stranger** n desconhecido(-a); (*from another area*) forasteiro(-a)

strangle ['stræŋgl] vt estrangular; (*fig*) sufocar

strap [stræp] n correia; (*of slip, dress*) alça

strategic [strə'ti:dʒɪk] adj estratégico

strategy ['strætɪdʒɪ] n estratégia

straw [strɔ:] n palha; (*drinking ~*) canudo; **that's the last ~!** essa foi a última gota!

strawberry ['strɔ:bəri] n morango
stray [strei] adj (animal) extraviado; (bullet) perdido; (scattered) espalhado ♦ vi perder-se
streak [stri:k] n listra, traço; (in hair) mecha ♦ vt listrar ♦ vi: **to ~ past** passar como um raio
stream [stri:m] n riacho, córrego; (of people, vehicles) fluxo; (of smoke) rastro; (of questions etc) torrente f ♦ vt (SCH) classificar ♦ vi correr, fluir; **to ~ in/out** entrar/sair em massa
streamer ['stri:mə*] n serpentina; (pennant) flâmula
streamlined ['stri:mlaind] adj aerodinâmico
street [stri:t] n rua; **streetcar** (US) n bonde m (BR), eléctrico (PT); **street lamp** n poste m de iluminação; **street plan** n mapa m; **streetwise** (inf) adj malandro
strength [strɛŋθ] n força; (of girder etc) firmeza, resistência; (fig) poder m; **strengthen** vt fortificar; (fig) fortalecer
strenuous ['strɛnjuəs] adj enérgico; (determined) tenaz
stress [strɛs] n pressão f; (mental strain) tensão f, stress m; (emphasis) ênfase f; (TECH) tensão ♦ vt realçar, dar ênfase a; (syllable) acentuar
stretch [strɛtʃ] n (of sand etc) trecho, extensão f ♦ vi espreguiçar-se; (extend): **to ~ to** or **as far as** estender-se até ♦ vt estirar, esticar; (fig: subj: job, task) exigir o máximo de; **stretch out** vi esticar-se ♦ vt (arm etc) esticar; (spread) estirar
stretcher ['strɛtʃə*] n maca, padiola
strewn [stru:n] adj: **~ with** coberto or cheio de
stricken ['strikən] adj (wounded) ferido; (devastated) arrasado; (ill) acometido; **~ with** tomado por
strict [strikt] adj (person) severo, rigoroso; (meaning) exato, estrito
stride [straid] (pt **strode**, pp **stridden** ['stridən]) n passo largo ♦ vi andar a passos largos
strife [straif] n conflito
strike [straik] (pt, pp **struck**) n greve f; (of oil etc) descoberta; (attack) ataque m ♦ vt bater em; (fig): **the thought** or **it ~s me that ...** me ocorre que ...; (oil etc) descobrir; (deal) fechar, acertar ♦ vi estar em greve; (attack: soldiers, illness) atacar; (: disaster) assolar; (clock) bater; **on ~** em greve; **to ~ a match** acender um fósforo; **strike down** vt derrubar; **strike up** vt (MUS) começar a tocar; (conversation, friendship) travar; **striker** n grevista m/f; (SPORT) atacante m/f; **striking** adj impressionante
string [striŋ] (pt, pp **strung**) n (cord) barbante m (BR), cordel m (PT); (of beads) cordão m; (of onions) réstia; (MUS) corda ♦ vt: **to ~ out** esticar; **the ~s** npl (MUS) os instrumentos de corda; **to ~ together** (words) unir; (ideas) concatenar; **to get a job by pulling ~s** (fig) usar pistolão; **string(ed) instrument** n (MUS) instrumento de corda
stringent ['strindʒənt] adj rigoroso
strip [strip] n tira; (of land) faixa; (of metal) lâmina, tira ♦ vt despir; (also: **~ down**: machine) desmontar ♦ vi despir-se; **strip cartoon** n história em quadrinhos (BR), banda desenhada (PT)
stripe [straip] n listra; (MIL) galão m; **striped** adj listrado, com listras
strive [straiv] (pt **strove**, pp **~n** ['strivən]) vi: **to ~ for sth/to do sth** esforçar-se por or batalhar para algo/para fazer algo
strode [strəud] pt of **stride**
stroke [strəuk] n (blow) golpe m; (MED) derrame m cerebral; (of paintbrush) pincelada; (SWIMMING: style) nado ♦ vt acariciar, afagar; **at a ~** de repente, de golpe
stroll [strəul] n volta, passeio ♦ vi passear, dar uma volta; **stroller** (US) n carrinho (de criança)
strong [strɔŋ] adj forte; (imagination) fértil; (personality) forte, dominante; (nerves) de aço; **they are 50 ~** são 50; **stronghold** n fortaleza; (fig) baluarte m; **strongly** adv firmemente; (defend) vigorosamente; (believe) profundamente
strove [strəuv] pt of **strive**
struck [strʌk] pt, pp of **strike**
structure ['strʌktʃə*] n estrutura; (building) construção f
struggle ['strʌgl] n luta, contenda ♦ vi (fight) lutar; (try hard) batalhar
strum [strʌm] vt (guitar) dedilhar
strung [strʌŋ] pt, pp of **string**
strut [strʌt] n escora, suporte m ♦ vi pavonear-se, empertigar-se
stub [stʌb] n (of ticket etc) canhoto; (of cigarette) toco, ponta; **to ~ one's toe** dar uma topada; **stub out** vt apagar
stubble ['stʌbl] n restolho; (on chin) barba por fazer
stubborn ['stʌbən] adj teimoso, cabeçudo, obstinado
stuck [stʌk] pt, pp of **stick** ♦ adj (jammed) emperrado; **stuck-up** adj convencido, metido, esnobe
stud [stʌd] n (shirt ~) botão m; (earring)

student → succeed

tarraxa, rosca; (of boot) cravo; (also: ~ **farm**) fazenda de cavalos; (also: ~ **horse**) garanhão m ♦ vt (fig): **~ded with** salpicado de

student ['stju:dənt] n estudante m/f ♦ adj estudantil; **student driver** (US) n aprendiz m/f

studio ['stju:dɪəu] n estúdio; (sculptor's) ateliê m

studious ['stju:dɪəs] adj estudioso, aplicado; (careful) cuidadoso; **studiously** adv (carefully) com esmero

study ['stʌdɪ] n estudo; (room) sala de leitura or estudo ♦ vt estudar; (examine) examinar, investigar ♦ vi estudar; **studies** npl (subjects) estudos mpl, matérias fpl

stuff [stʌf] n (substance) troço; (things) troços mpl, coisas fpl ♦ vt (CULIN) rechear; (animals) empalhar; (inf: push) enfiar; **~ed toy** n brinquedo de pelúcia; **stuffing** n recheio; **stuffy** adj (room) abafado, mal ventilado; (person) rabugento, melindroso

stumble ['stʌmbl] vi tropeçar; **to ~ across** or **on** (fig) topar com; **stumbling block** n pedra no caminho

stump [stʌmp] n (of tree) toco; (of limb) coto ♦ vt: **to be ~ed** ficar perplexo

stun [stʌn] vt (subj: blow) aturdir; (: news) pasmar

stung [stʌŋ] pt, pp of **sting**

stunk [stʌŋk] pp of **stink**

stunning ['stʌnɪŋ] adj (news) atordoante; (appearance) maravilhoso

stunt [stʌnt] n façanha sensacional; (publicity ~) truque m publicitário; **stuntman** ['stʌntmæn] (irreg) n dublê m

stupendous [stju:'pɛndəs] adj monumental

stupid ['stju:pɪd] adj estúpido, idiota

sturdy ['stə:dɪ] adj (person) robusto, firme; (thing) sólido

stutter ['stʌtə*] n gagueira, gaguez f ♦ vi gaguejar

sty [staɪ] n (for pigs) chiqueiro

stye [staɪ] n (MED) terçol m

style [staɪl] n estilo; (elegance) elegância; **stylish** adj elegante, chique

suave [swɑ:v] adj suave, melífluo

subconscious [sʌb'kɔnʃəs] adj do subconsciente

subdue [səb'dju:] vt subjugar; (passions) dominar; **subdued** adj (light) tênue; (person) desanimado

subject [n 'sʌbdʒɪkt, vb səb'dʒɛkt] n (of king) súdito(-a); (theme) assunto; (SCH) matéria; (LING) sujeito ♦ vt: **to ~ sb to sth** submeter alguém a algo; **to be ~ to** estar sujeito a; **subjective** [səb'dʒɛktɪv] adj subjetivo; **subject matter** n assunto; (content) conteúdo

sublet [sʌb'lɛt] vt sublocar, subalugar

submarine ['sʌbməri:n] n submarino

submerge [səb'mə:dʒ] vt submergir ♦ vi submergir-se

submission [səb'mɪʃən] n submissão f; (to committee) petição f; (of plan) apresentação f, exposição f

submit [səb'mɪt] vt submeter ♦ vi submeter-se

subnormal [sʌb'nɔ:məl] adj (temperature) abaixo do normal

subordinate [sə'bɔ:dɪnət] adj, n subordinado(-a)

subscribe [səb'skraɪb] vi subscrever; **to ~ to** (opinion) concordar com; (fund) contribuir para; (newspaper) assinar; **subscription** [səb'skrɪpʃən] n assinatura

subsequent ['sʌbsɪkwənt] adj subseqüente, posterior; **subsequently** adv posteriormente, depois

subside [səb'saɪd] vi (feeling, wind) acalmar-se; (flood) baixar; **subsidence** [səb'saɪdns] n (in road etc) afundamento da superfície

subsidiary [səb'sɪdɪərɪ] adj secundário ♦ n (also: ~ **company**) subsidiária

subsidize ['sʌbsɪdaɪz] vt subsidiar

subsidy ['sʌbsɪdɪ] n subsídio

substance ['sʌbstəns] n substância

substantial [səb'stænʃl] adj (solid) sólido; (reward, meal) substancial; **substantially** adv consideravelmente; (in essence) substancialmente

substitute ['sʌbstɪtju:t] n substituto(-a); (person) suplente m/f ♦ vt: **to ~ A for B** substituir B por A

subterranean [sʌbtə'reɪnɪən] adj subterrâneo

subtitle ['sʌbtaɪtl] n (CINEMA) legenda

subtle ['sʌtl] adj sutil

subtotal [sʌb'təutl] n total m parcial, subtotal m

subtract [səb'trækt] vt subtrair, deduzir

suburb ['sʌbə:b] n subúrbio; **suburban** [sə'bə:bən] adj suburbano; (train etc) de subúrbio; **suburbia** [sə'bə:bɪə] n os subúrbios

subway ['sʌbweɪ] n (BRIT) passagem f subterrânea; (US) metrô m (BR), metro(-politano (PT)

succeed [sək'si:d] vi (person) ser bem sucedido, ter êxito; (plan) sair bem ♦ vt suceder a; **to ~ in doing** conseguir fazer; **succeeding** adj sucessivo, posterior

success → superintendent

success [sək'sɛs] n êxito; (hit, person) sucesso; **successful** adj (venture) bem sucedido; (writer) de sucesso, bem sucedido; **to be successful (in doing)** conseguir (fazer); **successfully** adv com sucesso, com êxito

succession [sək'sɛʃən] n sucessão f, série f; (to throne) sucessão

such [sʌtʃ] adj tal, semelhante; (of that kind: sg): ~ **a book** um livro parecido, tal livro; (: pl): ~ **books** tais livros; (so much): ~ **courage** tanta coragem ♦ adv tão; ~ **a long trip** uma viagem tão longa; ~ **a lot of** tanto; ~ **as** tal como; **as** ~ como tal; **such-and-such** adj tal e qual

suck [sʌk] vt chupar; (breast) mamar; **sucker** n (ZOOL) ventosa; (inf) trouxa m/f, otário(-a)

sudden ['sʌdn] adj (rapid) repentino, súbito; (unexpected) imprevisto; **all of a** ~ inesperadamente; **suddenly** adv inesperadamente

sue [su:] vt processar

suede [sweɪd] n camurça

suet ['suɪt] n sebo

suffer ['sʌfə*] vt sofrer; (bear) agüentar, suportar ♦ vi sofrer, padecer; **to ~ from** sofrer de, estar com; **sufferer** n: **a ~er from** (MED) uma pessoa que sofre de; **suffering** n sofrimento

sufficient [sə'fɪʃənt] adj suficiente, bastante; **sufficiently** adv suficientemente

suffocate ['sʌfəkeɪt] vi sufocar(-se), asfixiar(-se)

sugar ['ʃugə*] n açúcar m ♦ vt pôr açúcar em, açucarar; **sugar cane** n cana-de-açúcar f

suggest [sə'dʒɛst] vt sugerir; (indicate) indicar; **suggestion** n sugestão f; indicação f

suicide ['suɪsaɪd] n suicídio; (person) suicida m/f; see also **commit**

suit [su:t] n (man's) terno (BR), fato (PT); (woman's) conjunto; (LAW) processo; (CARDS) naipe m ♦ vt convir a; (clothes) ficar bem a; (adapt): **to ~ sth to** adaptar or acomodar algo a; **they are well ~ed** fazem um bom par; **suitable** adj conveniente; (appropriate) apropriado; **suitably** adv (dressed) apropriadamente; (impressed) bem

suitcase ['su:tkeɪs] n mala

suite [swi:t] n (of rooms) conjunto de salas; (MUS) suite f; (furniture) conjunto

suitor ['su:tə*] n pretendente m

sulfur ['sʌlfə*] (US) n = **sulphur**

sulk [sʌlk] vi ficar emburrado, fazer beicinho or biquinho (inf); **sulky** adj emburrado

sullen ['sʌlən] adj rabugento; (silence) pesado

sulphur ['sʌlfə*] (US **sulfur**) n enxofre m

sultana [sʌl'tɑ:nə] n passa branca

sultry ['sʌltrɪ] adj abafado

sum [sʌm] n soma; (calculation) cálculo; **sum up** vt, vi resumir

summarize ['sʌməraɪz] vt resumir

summary ['sʌmərɪ] n resumo

summer ['sʌmə*] n verão m ♦ adj de verão; **in** ~ no verão; **summertime** n (season) verão m

summit ['sʌmɪt] n topo, cume m; (also: ~ **conference**) (conferência de) cúpula

summon ['sʌmən] vt (person) mandar chamar; (meeting) convocar; (LAW: witness) convocar; **summon up** vt concentrar

sun [sʌn] n sol m; **sunbathe** vi tomar sol; **sunblock** n bloqueador m solar; **sunburn** n queimadura do sol; **sunburned** adj = **sunburnt**; **sunburnt** adj bronzeado; (painfully) queimado

Sunday ['sʌndɪ] n domingo; **Sunday school** n escola dominical

sundial ['sʌndaɪəl] n relógio de sol

sundown ['sʌndaun] n pôr m do sol

sundries ['sʌndrɪz] npl gêneros mpl diversos

sundry ['sʌndrɪ] adj vários, diversos; **all and** ~ todos

sunflower ['sʌnflauə*] n girassol m

sung [sʌŋ] pp of **sing**

sunglasses ['sʌnglɑ:sɪz] npl óculos mpl de sol

sunk [sʌŋk] pp of **sink**

sun: sunlight n (luz f do) sol m; **sunlit** adj ensolarado, iluminado pelo sol; **sunny** adj cheio de sol; (day) ensolarado, de sol; **sunrise** n nascer m do sol; **sun roof** n (AUT) teto solar; **sunscreen** n protetor m solar; **sunset** n pôr m do sol; **sunshade** n pára-sol m; **sunshine** n (luz f do) sol m; **sunstroke** n insolação f; **suntan** n bronzeado; **suntan lotion** n loção f de bronzear

super ['su:pə*] (inf) adj bacana (BR), muito giro (PT)

superannuation [su:pərænju'eɪʃən] n pensão f de aposentadoria

superb [su:'pə:b] adj excelente

supercilious [su:pə'sɪlɪəs] adj arrogante, desdenhoso; (haughty) altivo

superintendent [su:pərɪn'tɛndənt] n superintendente m/f; (POLICE) chefe m/f

superior → sustain

de polícia
superior [su'pɪərɪə*] adj superior; (smug) desdenhoso ♦ n superior m
supermarket ['su:pəmɑ:kɪt] n supermercado
supernatural [su:pə'nætʃərəl] adj sobrenatural ♦ n: **the ~** o sobrenatural
superpower ['su:pəpauə*] n (POL) superpotência
superstitious [su:pə'stɪʃəs] adj supersticioso
supervise ['su:pəvaɪz] vt supervisar, supervisionar; **supervision** [su:pə'vɪʒən] n supervisão f; **supervisor** n supervisor(a) m/f; (academic) orientador(a) m/f
supper ['sʌpə*] n jantar m; (late evening) ceia
supple ['sʌpl] adj flexível
supplement [n 'sʌplɪmənt, vb sʌplɪ'mɛnt] n suplemento ♦ vt suprir, completar; **supplementary** [sʌplɪ'mɛntərɪ] adj suplementar
supplier [sə'plaɪə*] n abastecedor(a) m/f, fornecedor(a) m/f
supply [sə'plaɪ] vt (provide): **to ~ sth (to sb)** fornecer algo (para alguém); (equip): **to ~ (with)** suprir (de) ♦ n fornecimento, provisão f; (stock) estoque m; (supplying) abastecimento; **supplies** npl (food) víveres mpl; (MIL) apetrechos mpl
support [sə'pɔ:t] n (moral, financial etc) apoio m; (TECH) suporte m ♦ vt apoiar; (financially) manter; (TECH: hold up) sustentar; (theory etc) defender; **supporter** n (POL etc) partidário(-a); (SPORT) torcedor(a) m/f
suppose [sə'pauz] vt supor; (imagine) imaginar; (duty): **to be ~d to do sth** dever fazer algo; **supposedly** [sə'pauzɪdlɪ] adv supostamente, pretensamente; **supposing** conj caso, supondo-se que
suppress [sə'prɛs] vt (information) suprimir; (feelings, revolt) reprimir; (yawn) conter
supreme [su'pri:m] adj supremo
surcharge ['sə:tʃɑ:dʒ] n sobretaxa
sure [ʃuə*] adj seguro; (definite) certo; (aim) certeiro; **to make ~ of sth/that** assegurar-se de algo/que; **~!** claro que sim!; **~ enough** efetivamente; **surely** adv (certainly: US: also: **sure**) certamente
surf [sə:f] n (waves) ondas fpl, arrebentação f
surface ['sə:fɪs] n superfície f ♦ vt (road) revestir ♦ vi vir à superfície or à tona; (fig: news, feeling) vir à tona; **surface**

mail n correio comum
surfboard ['sə:fbɔ:d] n prancha de surfe
surfing ['sə:fɪŋ] n surfe m
surge [sə:dʒ] n onda ♦ vi (sea) encapelar-se; (people, vehicles) precipitar-se; (feeling) aumentar repentinamente
surgeon ['sə:dʒən] n cirurgião(-giã) m/f
surgery ['sə:dʒərɪ] n cirurgia; (BRIT: room) consultório; (: also: **~ hours**) horas fpl de consulta
surgical ['sə:dʒɪkl] adj cirúrgico; **surgical spirit** (BRIT) n álcool m
surname ['sə:neɪm] n sobrenome m (BR), apelido (PT)
surplus ['sə:pləs] n excedente m; (COMM) superávit m ♦ adj excedente, de sobra
surprise [sə'praɪz] n surpresa ♦ vt surpreender; **surprising** adj surpreendente
surrender [sə'rɛndə*] n rendição f, entrega ♦ vi render-se, entregar-se
surrogate ['sʌrəgɪt] n (BRIT) substituto(-a)
surround [sə'raund] vt circundar, rodear; (MIL etc) cercar; **surrounding** adj circundante, adjacente; **surroundings** npl arredores mpl, cercanias fpl
surveillance [sə:'veɪləns] n vigilância
survey [n 'sə:veɪ, vb sə:'veɪ] n inspeção f; (of habits etc) pesquisa; (of land) levantamento; (of house) inspeção f ♦ vt observar, contemplar; (land) fazer um levantamento de; **surveyor** n (of land) agrimensor(a) m/f; (of building) inspetor(a) m/f
survival [sə'vaɪvl] n sobrevivência; (relic) remanescente m
survive [sə'vaɪv] vi sobreviver; (custom etc) perdurar ♦ vt sobreviver a; **survivor** n sobrevivente m/f
susceptible [sə'sɛptəbl] adj: **~ (to)** (injury) suscetível or sensível (a); (flattery, pressure) vulnerável (a)
suspect [adj, n 'sʌspɛkt, vb səs'pɛkt] adj, n suspeito(-a) ♦ vt suspeitar, desconfiar
suspend [səs'pɛnd] vt suspender; **suspenders** npl (BRIT) ligas fpl; (US) suspensórios mpl
suspense [səs'pɛns] n incerteza, ansiedade f; (in film etc) suspense m; **to keep sb in ~** manter alguém em suspense or na expectativa
suspension [səs'pɛnʃən] n suspensão f; (of driving licence) cassação f
suspicion [səs'pɪʃən] n suspeita; **suspicious** adj (suspecting) suspeitoso; (causing suspicion) suspeito
sustain [səs'teɪn] vt sustentar; (suffer) sofrer; **sustained** adj (effort) contínuo;

swab → syllabus

sustenance ['sʌstɪnəns] n sustento
swab [swɔb] n (MED) mecha de algodão
swagger ['swægə*] vi andar com ar de superioridade
swallow ['swɔləu] n (bird) andorinha ♦ vt engolir, tragar; (fig: story) engolir; (pride) pôr de lado; (one's words) retirar; **swallow up** vt (savings etc) consumir
swam [swæm] pt of **swim**
swamp [swɔmp] n pântano, brejo ♦ vt atolar, inundar; (fig) assoberbar
swan [swɔn] n cisne m
swap [swɔp] n troca, permuta ♦ vt: **to ~ (for)** trocar (por); (replace (with)) substituir (por)
swarm [swɔ:m] n (of bees) enxame m; (of people) multidão f ♦ vi enxamear; aglomerar-se; (place): **to be ~ing with** estar apinhado de
swastika ['swɔstɪkə] n suástica
swat [swɔt] vt esmagar
sway [sweɪ] vi balançar-se, oscilar ♦ vt (influence) influenciar
swear [swɛə*] (pt swore, pp sworn) vi (curse) xingar ♦ vt (promise) jurar; **swearword** n palavrão m
sweat [swɛt] n suor m ♦ vi suar; **sweater** n suéter m or f (BR), camisola (PT); **sweaty** adj suado
Swede [swi:d] n sueco(-a)
swede [swi:d] n tipo de nabo
Sweden ['swi:dən] n Suécia; **Swedish** adj sueco ♦ n (LING) sueco
sweep [swi:p] (pt, pp swept) n (act) varredura; (also: **chimney ~**) limpador m de chaminés ♦ vt varrer; (with arm) empurrar; (subj: current) arrastar; (: fashion, craze) espalhar-se por ♦ vi varrer; **sweep away** vt varrer; **sweep past** vi passar rapidamente; **sweep up** vi varrer; **sweeping** adj (gesture) dramático; (statement) generalizado
sweet [swi:t] n (candy) bala (BR), rebuçado (PT); (BRIT: pudding) sobremesa ♦ adj doce; (: fresco; (: water, smell) doce; (: sound) suave; (: kind) meigo; (baby, kitten) bonitinho; **sweetcorn** ['swi:tkɔ:n] n milho; **sweeten** vt pôr açúcar em; (temper) abrandar; **sweetheart** n namorado(-a); **sweet pea** n ervilha-de-cheiro f
swell [swɛl] (pt ~ed, pp swollen or ~ed) n (of sea) vaga, onda ♦ adj (US: inf: excellent) bacana ♦ vi (increase) aumentar; (get stronger) intensificar-se; (also: **~ up**) inchar-se; **swelling** n (MED) inchação f
sweltering ['swɛltərɪŋ] adj (heat) sufocante; (day) mormacento
swept [swɛpt] pt, pp of **sweep**
swerve [swə:v] vi desviar-se
swift [swɪft] n (bird) andorinhão m ♦ adj rápido
swim [swɪm] (pt swam, pp swum) n: **to go for a ~** ir nadar ♦ vi nadar; (head, room) rodar ♦ vt atravessar a nado; (distance) percorrer (a nado); **swimmer** n nadador(a) m/f; **swimming** n natação f; **swimming cap** n touca de natação; **swimming costume** (BRIT) n (woman's) maiô m (BR), fato de banho (PT); (man's) calção m de banho (BR), calções mpl de banho (PT); **swimming pool** n piscina; **swimming trunks** npl sunga (BR), calções mpl de banho (PT); **swimsuit** n maiô m (BR), fato de banho (PT)
swindle ['swɪndl] n fraude f ♦ vt defraudar
swine [swaɪn] (inf!) n canalha m, calhorda m
swing [swɪŋ] (pt, pp swung) n (in playground) balanço; (movement) balanceio, oscilação f; (in opinion) mudança, virada; (rhythm) ritmo ♦ vt balançar; (also: **~ round**) girar, rodar ♦ vi oscilar; (on swing) balançar; (also: **~ round**) voltar-se bruscamente; **to be in full ~** estar a todo vapor; **swing door** (US **swinging door**) n porta de vaivém
swipe [swaɪp] (inf) vt (steal) afanar, roubar
swirl [swə:l] vi redemoinhar
Swiss [swɪs] adj, n inv suíço(-a)
switch [swɪtʃ] n (for light, radio etc) interruptor m; (change) mudança ♦ vt (change) trocar; **switch off** vt apagar; (engine) desligar; **switch on** vt acender; ligar; **switchboard** n (TEL) mesa telefônica
Switzerland ['swɪtsələnd] n Suíça
swivel ['swɪvl] vi (also: **~ round**) girar (sobre um eixo), fazer pião
swollen ['swəulən] pp of **swell**
swoop [swu:p] n (by police etc) batida ♦ vi (also: **~ down**) precipitar-se, cair
swop [swɔp] n, vt = **swap**
sword [sɔ:d] n espada
swore [swɔ:*] pt of **swear**
sworn [swɔ:n] pp of **swear** ♦ adj (statement) sob juramento; (enemy) declarado
swum [swʌm] pp of **swim**
swung [swʌŋ] pt, pp of **swing**
syllable ['sɪləbl] n sílaba
syllabus ['sɪləbəs] n programa m de estudos

symbol ['sɪmbl] n símbolo
symmetry ['sɪmɪtrɪ] n simetria
sympathetic [sɪmpə'θetɪk] adj (understanding) compreensivo; (likeable) agradável; (supportive): ~ **to(wards)** solidário com
sympathize ['sɪmpəθaɪz] vi: **to ~ with** (person) compadecer-se de; (sb's feelings) compreender; (cause) simpatizar com; **sympathizer** n (POL) simpatizante m/f
sympathy ['sɪmpəθɪ] n compaixão f; **sympathies** npl (tendencies) simpatia; **in ~** em acordo; (strike) em solidariedade; **with our deepest ~** com nossos mais profundos pêsames
symphony ['sɪmfənɪ] n sinfonia
symptom ['sɪmptəm] n sintoma m; (sign) indício
syndicate ['sɪndɪkɪt] n sindicato; (of newspapers) cadeia
synthetic [sɪn'θetɪk] adj sintético
syphon ['saɪfən] = **siphon**
Syria ['sɪrɪə] n Síria
syringe [sɪ'rɪndʒ] n seringa
syrup ['sɪrəp] n xarope m; (also: **golden ~**) melaço
system ['sɪstəm] n sistema m; (method) método; (ANAT) organismo; **systematic** [sɪstə'mætɪk] adj sistemático; **system disk** n (COMPUT) disco do sistema; **systems analyst** n analista m/f de sistemas

T t

tab [tæb] n lingüeta, aba; (label) etiqueta; **to keep ~s on** (fig) vigiar
tabby ['tæbɪ] n (also: ~ **cat**) gato malhado or listrado
table ['teɪbl] n mesa ♦ vt (motion etc) apresentar; **to lay** or **set the ~** pôr a mesa; **~ of contents** índice m, sumário; **tablecloth** n toalha de mesa; **tablemat** n descanso; **tablespoon** n colher f de sopa; (also: **tablespoonful**: as measurement) colherada
tablet ['tæblɪt] n (MED) comprimido; (of stone) lápide f
table tennis n pingue-pongue m, tênis m de mesa
table wine n vinho de mesa
tabloid ['tæblɔɪd] n tablóide m
tack [tæk] n (nail) tachinha, percevejo ♦ vt prender com tachinha; (stitch) alinhavar ♦ vi virar de bordo

tackle ['tækl] n (gear) equipamento; (also: **fishing ~**) apetrechos mpl; (for lifting) guincho; (FOOTBALL) ato de tirar a bola de adversário ♦ vt (difficulty) atacar; (challenge: person) desafiar; (grapple with) atracar-se com; (FOOTBALL) tirar a bola de
tacky ['tækɪ] adj pegajoso, grudento; (inf: tasteless) cafona
tact [tækt] n tato, diplomacia; **tactful** adj diplomático
tactics ['tæktɪks] n, npl tática
tactless ['tæktlɪs] adj sem diplomacia
tadpole ['tædpəul] n girino
tag [tæg] n (label) etiqueta; **tag along** vi seguir
tail [teɪl] n rabo; (of comet, plane) cauda; (of shirt, coat) aba ♦ vt (follow) seguir bem de perto; **tail away** or **off** vi diminuir gradualmente
tailor ['teɪlə*] n alfaiate m; **tailor-made** adj feito sob medida; (fig) especial
tailwind ['teɪlwɪnd] n vento de popa or de cauda
tainted ['teɪntɪd] adj (food) estragado, passado; (water, air) poluído; (fig) manchado
take [teɪk] (pt **took**, pp **taken**) vt tomar; (photo, holiday) tirar; (grab) pegar (em); (prize) ganhar; (effort, courage) requerer, exigir; (tolerate) agüentar; (accompany, bring: person) acompanhar, trazer; (: thing) trazer, carregar; (exam) fazer; (passengers etc): **it ~s 50 people** cabem 50 pessoas; **to ~ sth from** (drawer etc) tirar algo de; (person) pegar algo de; **I ~ it that ...** suponho que ...; **take after** vt fus parecer-se com; **take apart** vt desmontar; **take away** vt (extract) tirar; (carry off) levar; (subtract) subtrair; **take back** vt (return) devolver; (one's words) retirar; **take down** vt (building) demolir; (dismantle) desmontar; (letter etc) tomar por escrito; **take in** vt (deceive) enganar; (understand) compreender; (include) abranger; (lodger) receber; **take off** vi (AVIAT) decolar; (go away) ir-se ♦ vt (remove) tirar; **take on** vt (work) empreender; (employee) empregar; (opponent) desafiar; **take out** vt tirar; (extract) extrair; (invite) acompanhar; **take over** vt (business) assumir; (country) tomar posse de ♦ vi: **to ~ over from sb** suceder a alguém; **take to** vt fus (person) simpatizar com; (activity) afeiçoar-se a; **to ~ to doing sth** criar o hábito de fazer algo; **take up** vt (dress) encurtar; (time, space) ocupar; (hobby etc) dedicar-se a; (offer) aceitar; **to ~ sb up on a suggestion/offer** aceitar a oferta/

talc → tax return

sugestão de alguém sobre algo; **takeaway** (BRIT) adj (food) para levar; **takeoff** n (AVIAT) decolagem f; **takeover** n (COMM) aquisição f de controle; **takings** npl (COMM) receita, renda

talc [tælk] n (also: **~um powder**) talco

tale [teɪl] n (story) conto; (account) narrativa; **to tell ~s** (fig: lie) dizer mentiras

talent ['tælənt] n talento; **talented** adj talentoso

talk [tɔ:k] n conversa, fala; (gossip) mexerico, fofocas fpl; (conversation) conversa, conversação f ♦ vi falar; **~s** npl (POL etc) negociações fpl; **to ~ about** falar sobre; **to ~ sb into/out of doing sth** convencer alguém a fazer algo/dissuadir alguém de fazer algo; **to ~ shop** falar sobre negócios/questões profissionais; **talk over** vt discutir; **talkative** adj loquaz, tagarela; **talk show** n programa m de entrevistas

tall [tɔ:l] adj alto; **to be 6 feet ~** ≈ medir 1,80 m

tally ['tælɪ] n conta ♦ vi: **to ~ (with)** conferir (com)

talon ['tælən] n garra

tame [teɪm] adj domesticado; (fig: story, style) sem graça, insípido

tamper ['tæmpə*] vi: **to ~ with** mexer em

tampon ['tæmpɒn] n tampão m

tan [tæn] n (also: **sun~**) bronzeado ♦ vi bronzear-se ♦ adj (colour) bronzeado, marrom claro

tangent ['tændʒənt] n (MATH) tangente f; **to go off at a ~** (fig) sair pela tangente

tangerine [tændʒə'ri:n] n tangerina, mexerica

tangle ['tæŋgl] n emaranhado; **to get in (to) a ~** meter-se num rolo

tank [tæŋk] n depósito, tanque m; (for fish) aquário; (MIL) tanque

tanker ['tæŋkə*] n (ship) navio-tanque m; (truck) caminhão-tanque m

tantalizing ['tæntəlaɪzɪŋ] adj tentador(a)

tantamount ['tæntəmaunt] adj: **~ to** equivalente a

tantrum ['tæntrəm] n chilique m, acesso (de raiva)

tap [tæp] n (on sink etc) torneira; (gentle blow) palmadinha; (gas ~) chave f ♦ vt dar palmadinha em, bater de leve; (resources) utilizar, explorar; (telephone) grampear; **on ~** disponível; **tap-dancing** n sapateado

tape [teɪp] n fita; (also: **magnetic ~**) fita magnética; (sticky ~) fita adesiva ♦ vt (record) gravar (em fita); (stick with tape) colar; **tape deck** n gravador m, toca-fitas m inv; **tape measure** n fita métrica, trena

taper ['teɪpə*] n círio ♦ vi afilar-se, estreitar-se

tape recorder n gravador m

tapestry ['tæpɪstrɪ] n (object) tapete m de parede; (art) tapeçaria

tar [tɑ:*] n alcatrão m

target ['tɑ:gɪt] n alvo

tariff ['tærɪf] n tarifa

tarmac ['tɑ:mæk] n (BRIT: on road) macadame m; (AVIAT) pista

tarnish ['tɑ:nɪʃ] vt empanar o brilho de

tarpaulin [tɑ:'pɔ:lɪn] n lona alcatroada

tart [tɑ:t] n (CULIN) torta; (BRIT: inf. pej: woman) piranha ♦ adj (flavour) ácido, azedo; **tart up** (inf) vt arrumar, dar um jeito em; **to ~ o.s. up** arrumar-se; (pej) empetecar-se

tartan ['tɑ:tn] n tartan m (pano escocês axadrezado) ♦ adj axadrezado

tartar ['tɑ:tə*] n (on teeth) tártaro; **tartar (e) sauce** n molho tártaro

task [tɑ:sk] n tarefa; **to take to ~** repreender

tassel ['tæsl] n borla, pendão m

taste [teɪst] n gosto; (also: **after~**) gosto residual; (sample, fig) amostra, idéia ♦ vt provar; (test) experimentar ♦ vi: **to ~ of** or **like** ter gosto or sabor de; **you can ~ the garlic (in it)** sente-se o gosto de alho; **in good/bad ~** de bom/mau gosto; **tasteful** adj de bom gosto; **tasteless** adj insípido, insosso; (remark) de mau gosto; **tasty** adj saboroso, delicioso

tatters ['tætəz] npl: **in ~** (clothes) em farrapos; (papers etc) em pedaços

tattoo [tə'tu:] n tatuagem f; (spectacle) espetáculo militar ♦ vt tatuar

tatty ['tætɪ] (BRIT: inf) adj (clothes) surrado; (shop, area) mal-cuidado

taught [tɔ:t] pt, pp of **teach**

taunt [tɔ:nt] n zombaria, escárnio ♦ vt zombar de, mofar de

Taurus ['tɔ:rəs] n Touro

taut [tɔ:t] adj esticado

tax [tæks] n imposto ♦ vt tributar; (fig: test) sobrecarregar; (: patience) esgotar; **taxation** [tæk'seɪʃən] n (system) tributação f; (money paid) imposto; **tax-free** adj isento de impostos

taxi ['tæksɪ] n táxi m ♦ vi (AVIAT) taxiar; **taxi driver** n motorista m/f de táxi; **taxi rank** (BRIT) n ponto de táxi; **taxi stand** n = **taxi rank**

tax payer n contribuinte m/f

tax return n declaração f de

TB → tempt

rendimentos
TB abbr of **tuberculosis**
tea [tiː] n chá m; (BRIT: meal) refeição f à noite; **high ~** (BRIT) ajantarado; **tea bag** n saquinho (BR) or carteira (PT) de chá; **tea break** (BRIT) n pausa (para o chá)
teach [tiːtʃ] (pt, pp **taught**) vt: **to ~ sb sth, ~ sth to sb** ensinar algo a alguém; (in school) lecionar ♦ vi ensinar; (be a teacher) lecionar; **teacher** n professor(a) m/f; **teaching** n ensino; (as profession) magistério
tea cosy n coberta do bule, abafador m
teacup [ˈtiːkʌp] n xícara (BR) or chávena (PT) de chá
teak [tiːk] n madeira de teca
tea leaves npl folhas fpl de chá
team [tiːm] n (SPORT) time m (BR), equipa (PT); (group) equipe f (BR), equipa (PT); (of animals) parelha; **teamwork** n trabalho de equipe
teapot [ˈtiːpɔt] n bule m de chá
tear[1] [tɛə*] (pt **tore**, pp **torn**) n rasgão m ♦ vt rasgar ♦ vi rasgar-se; **tear along** vi (rush) precipitar-se; **tear up** vt rasgar
tear[2] [tɪə*] n lágrima; **in ~s** chorando, em lágrimas; **tearful** adj choroso; **tear gas** n gás m lacrimogênio
tearoom [ˈtiːruːm] n salão m de chá
tease [tiːz] vt implicar com
tea set n aparelho de chá
teaspoon [ˈtiːspuːn] n colher f de chá; (also: **~ful**: as measurement) (conteúdo de) colher de chá
teat [tiːt] n bico (de mamadeira)
teatime [ˈtiːtaɪm] n hora do chá
tea towel (BRIT) n pano de prato
technical [ˈtɛknɪkl] adj técnico; **technicality** [tɛknɪˈkælɪtɪ] n detalhe m técnico; (point of law) particularidade f
technician [tɛkˈnɪʃn] n técnico(-a)
technique [tɛkˈniːk] n técnica
technology [tɛkˈnɔlədʒɪ] n tecnologia
teddy (bear) [ˈtɛdɪ-] n ursinho de pelúcia
tedious [ˈtiːdɪəs] adj maçante, chato
teem [tiːm] vi abundar, pulular; **to ~ with** abundar em; **it is ~ing (with rain)** está chovendo a cântaros
teenage [ˈtiːneɪdʒ] adj (fashions etc) de or para adolescentes; **teenager** n adolescente m/f, jovem m/f
teens [tiːnz] npl: **to be in one's ~** estar entre os 13 e 19 anos, estar na adolescência
tee-shirt n = **T-shirt**
teeth [tiːθ] npl of **tooth**; **teethe** vi começar a ter dentes; **teething troubles** npl (fig) dificuldades fpl iniciais
teetotal [ˈtiːˈtəutl] adj abstêmio
teleconferencing [tɛlɪˈkɔnfərənsɪŋ] n teleconferência f
telegram [ˈtɛlɪgræm] n telegrama m
telegraph [ˈtɛlɪgrɑːf] n telégrafo
telephone [ˈtɛlɪfəun] n telefone m ♦ vt (person) telefonar para; (message) telefonar; **to be on the ~** (BRIT), **to have a ~** (subscriber) ter telefone; **to be on the ~** (be speaking) estar falando no telefone; **telephone booth** (BRIT **telephone box**) n cabine f telefônica; **telephone call** n telefonema m; **telephone directory** n lista telefônica, catálogo (BR); **telephone number** n (número de) telefone m; **telephonist** [təˈlɛfənɪst] (BRIT) n telefonista m/f
telesales [ˈtɛlɪseɪlz] npl televendas fpl
telescope [ˈtɛlɪskəup] n telescópio
television [ˈtɛlɪvɪʒən] n televisão f; **on ~** na televisão; **television set** n (aparelho de) televisão f, televisor m
teleworking [ˈtɛlɪwəːkɪŋ] n teletrabalho m
telex [ˈtɛlɛks] n telex m ♦ vt (message) enviar por telex, telexar; (person) mandar um telex para
tell [tɛl] (pt, pp **told**) vt dizer; (relate: story) contar; (distinguish): **to ~ sth from** distinguir algo de ♦ vi (have effect) ter efeito; (talk): **to ~ (of)** falar (de or em); **to ~ sb to do sth** dizer para alguém fazer algo; **tell off** vt repreender; **telltale** adj (sign) revelador(a)
telly [ˈtɛlɪ] (BRIT: inf) n abbr = **television**
temp [tɛmp] (BRIT: inf) abbr (= temporary) ♦ n temporário(-a) ♦ vi trabalhar como temporário(-a)
temper [ˈtɛmpə*] n (nature) temperamento; (mood) humor m; (fit of anger) cólera ♦ vt (moderate) moderar; **to be in a ~** estar de mau humor; **to lose one's ~** perder a paciência or a calma, ficar zangado
temperament [ˈtɛmprəmənt] n temperamento; **temperamental** [tɛmprəˈmɛntl] adj temperamental
temperate [ˈtɛmprət] adj moderado; (climate) temperado
temperature [ˈtɛmprətʃə*] n temperatura; **to have** or **run a ~** ter febre
temple [ˈtɛmpl] n (building) templo; (ANAT) têmpora
temporary [ˈtɛmpərərɪ] adj temporário; (passing) transitório
tempt [tɛmpt] vt tentar; **tempting** adj tentador(a)

ten → that

ten [tɛn] *num* dez
tenancy ['tɛnənsɪ] *n* aluguel *m*
tenant ['tɛnənt] *n* inquilino(-a), locatário(-a)
tend [tɛnd] *vt* (*sick etc*) cuidar de ♦ *vi*: **to ~ to do sth** tender a fazer algo
tendency ['tɛndənsɪ] *n* tendência
tender ['tɛndə*] *adj* terno; (*age*) tenro; (*sore*) sensível, dolorido; (*meat*) macio ♦ *n* (*COMM: offer*) oferta, proposta; (*money*): **legal ~** moeda corrente *or* legal ♦ *vt* oferecer; **to ~ one's resignation** pedir demissão
tenement ['tɛnəmənt] *n* conjunto habitacional
tennis ['tɛnɪs] *n* tênis *m*; **tennis ball** *n* bola de tênis; **tennis court** *n* quadra de tênis; **tennis player** *n* jogador(a) *m/f* de tênis; **tennis racket** *n* raquete *f* de tênis
tenor ['tɛnə*] *n* (*MUS*) tenor *m*
tenpin bowling ['tɛnpɪn-] (*BRIT*) *n* boliche *m* com 10 paus
tense [tɛns] *adj* tenso; (*muscle*) rígido, teso ♦ *n* (*LING*) tempo
tension ['tɛnʃən] *n* tensão *f*
tent [tɛnt] *n* tenda, barraca
tentative ['tɛntətɪv] *adj* provisório, tentativo; (*person*) hesitante, indeciso
tenth [tɛnθ] *num* décimo
tent peg *n* estaca
tent pole *n* pau *m*
tenure ['tɛnjuə*] *n* (*of property*) posse *f*; (*of job*) estabilidade *f*
tepid ['tɛpɪd] *adj* tépido, morno
term [tə:m] *n* (*expression*) termo, expressão *f*; (*period*) período; (*SCH*) trimestre *m* ♦ *vt* denominar; **~s** *npl* (*conditions*) condições *fpl*; (*COMM*) cláusulas *fpl*, termos *mpl*; **in the short/long ~** a curto/longo prazo; **to be on good ~s with sb** dar-se bem com alguém; **to come to ~s with** aceitar
terminal ['tə:mɪnl] *adj* incurável ♦ *n* (*ELEC*) borne *m*; (*BRIT: also*: **air ~**) terminal *m*; (*also COMPUT*) terminal *m*; (*BRIT: also*: **coach ~**) estação *f* rodoviária
terminate ['tə:mɪneɪt] *vt* terminar; **to ~ a pregnancy** fazer um aborto
terminus ['tə:mɪnəs] (*pl* **termini**) *n* terminal *m*
terrace ['tɛrəs] *n* terraço; (*BRIT: houses*) lance *m* de casas; **the ~s** *npl* (*BRIT: SPORT*) a arquibancada (*BR*), a geral (*PT*); **terraced** *adj* (*house*) ladeado por outras casas; (*garden*) em dois níveis
terrain [tɛ'reɪn] *n* terreno
terrible ['tɛrɪbl] *adj* terrível, horroroso; (*conditions*) precário; (*inf: awful*) terrível;
terribly *adv* terrivelmente; (*very badly*) pessimamente
terrific [tə'rɪfɪk] *adj* terrível, magnífico; (*wonderful*) maravilhoso, sensacional
terrify ['tɛrɪfaɪ] *vt* apavorar
territory ['tɛrɪtərɪ] *n* território
terror ['tɛrə*] *n* terror *m*; **terrorist** *n* terrorista *m/f*
test [tɛst] *n* (*trial, check*) prova, ensaio; (*of courage etc, CHEM*) prova; (*MED*) exame *m*; (*exam*) teste *m*, prova; (*also*: **driving ~**) exame de motorista ♦ *vt* testar, pôr à prova
testament ['tɛstəmənt] *n* testamento; **the Old/New T~** o Velho/Novo Testamento
testicle ['tɛstɪkl] *n* testículo
testify ['tɛstɪfaɪ] *vi* (*LAW*) depor, testemunhar; **to ~ to sth** atestar algo, testemunhar algo
testimony ['tɛstɪmənɪ] *n* (*LAW*) testemunho, depoimento; **to be (a) ~ to** ser uma prova de
test: **test match** *n* (*CRICKET, RUGBY*) jogo internacional; **test tube** *n* proveta, tubo de ensaio
tetanus ['tɛtənəs] *n* tétano
text [tɛkst] *n* texto; **textbook** *n* livro didático; (*SCH*) livro escolar
texture ['tɛkstʃə*] *n* textura
Thailand ['taɪlænd] *n* Tailândia
Thames [tɛmz] *n*: **the ~** o Tâmisa (*BR*), o Tamisa (*PT*)
than [ðæn, ðən] *conj* (*in comparisons*) do que; **more ~ 10** mais de 10; **I have more/less ~ you** tenho mais/menos do que você; **she has more apples ~ pears** ela tem mais maçãs do que peras; **she is older ~ you think** ela é mais velha do que você pensa
thank [θæŋk] *vt* agradecer; **~ you (very much)** muito obrigado(-a); **thankful** *adj*: **thankful (for)** agradecido (por); **thankful that** aliviado que; **thankless** *adj* ingrato; **thanks** *npl* agradecimentos *mpl* ♦ *excl* obrigado(-a)!; **Thanksgiving (Day)** *n* Dia *m* de Ação de Graças

---KEYWORD---

that [ðæt, ðət] (*pl* **those**) *adj* (*demonstrative*) esse (essa); (*more remote*) aquele (aquela); **~ man/woman/book** aquele homem/aquela mulher/aquele livro; **~ one** esse (essa)
♦ *pron*
1 (*demonstrative*) esse (essa), aquele (aquela); (*neuter*) isso, aquilo; **who's/what's ~?** quem é?/o que é isso?; **is ~**

thatched → thick

you? é você?; **I prefer this to ~** eu prefiro isto a aquilo; **~'s what he said** foi isso o que ele disse; **~ is (to say)** isto é, quer dizer

2 (*relative*: *direct*: *thing, person*) que; (: *person*) quem; (*relative*: *indirect*: *thing, person*) o qual (a qual) *sg*, os quais (as quais) *pl*; (: *person*) quem; **the book (~) I read** o livro que eu li; **the box ~ I put it in** a caixa na qual eu botei-o; **the man (~) I spoke to** o homem com quem *or* o qual falei

3 (*relative*: *of time*): **on the day ~ he came** no dia em que ele veio

♦ *conj* que; **she suggested ~ I phone you** ela sugeriu que eu telefonasse para você

♦ *adv* (*demonstrative*): **I can't work ~ much** não posso trabalhar tanto; **I didn't realize it was ~ bad** não pensei que fôsse tão ruim; **~ high** dessa altura, até essa altura

thatched [θætʃt] *adj* (*roof*) de sapê; **~ cottage** chalé *m* com telhado de sapê *or* de colmo

thaw [θɔ:] *n* degelo ♦ *vi* (*ice*) derreter-se; (*food*) descongelar-se ♦ *vt* (*food*) descongelar

KEYWORD

the [ði:, ðə] *def art*

1 (*gen*: *sg*) o (a); (: *pl*) os (as); **~ books/children** os livros/as crianças; **she put it on ~ table** ela colocou-o na mesa; **he took it from ~ drawer** ele tirou isto da gaveta; **to play ~ piano/violin** tocar piano/violino; **I'm going to ~ cinema** vou ao cinema

2 (+ *adj to form n*): **~ rich and ~ poor** os ricos e os pobres; **to attempt ~ impossible** tentar o impossível

3 (*in titles*): **Richard ~ Second** Ricardo II; **Peter ~ Great** Pedro o Grande

4 (*in comparisons*: + *adv*): **~ more he works, ~ more he earns** quanto mais ele trabalha, mais ele ganha

theatre ['θɪətə*] (*US* **theater**) *n* teatro; (*MED*: *also*: **operating ~**) sala de operação; **theatrical** [θɪ'ætrɪkl] *adj* teatral
theft [θεft] *n* roubo
their [ðεə*] *adj* seu (sua), deles (delas); **theirs** *pron* (o) seu ((a) sua); *see also* **mine²**

them [ðεm, ðəm] *pron* (*direct*) os (as); (*indirect*) lhes; (*stressed, after prep*) a eles (a elas)

theme [θi:m] *n* tema *m*; **theme park** *n* parque de diversões em torno de um único tema

themselves [ðəm'sεlvz] *pron* eles mesmos (elas mesmas), se; (*after prep*) si (mesmos(-as))

then [ðεn] *adv* (*at that time*) então; (*next*) em seguida; (*later*) logo, depois; (*and also*) além disso ♦ *conj* (*therefore*) então, nesse caso, portanto ♦ *adj*: **the ~ president** o então presidente; **by ~** (*past*) até então; (*future*) até lá; **from ~ on** a partir de então

theology [θɪ'ɔlədʒɪ] *n* teologia
theoretical [θɪə'rεtɪkl] *adj* teórico
theory ['θɪərɪ] *n* teoria; **in ~** em teoria, teoricamente
therapy ['θεrəpɪ] *n* terapia

KEYWORD

there [ðεə*] *adv*

1 **~ is, ~ are** há, tem; **~ are 3 of them** há 3 deles; **~ is no-one here/no bread left** não tem ninguém aqui/não tem mais pão; **~ has been an accident** houve um acidente

2 (*referring to place*) aí, ali, lá; **put it in/on/up/down ~** põe isto lá dentro/cima/em cima/embaixo; **I want that book ~** quero aquele livro lá; **~ he is!** lá está ele!

3: **~, ~!** (*esp to child*) calma!

thereabouts ['ðεərəbauts] *adv* por aí; (*amount*) aproximadamente
thereafter [ðεər'ɑ:ftə*] *adv* depois disso
thereby ['ðεəbaɪ] *adv* assim, deste modo
therefore ['ðεəfɔ:] *adv* portanto
there's [ðεəz] = **there is; there has**
thermal ['θə:ml] *adj* térmico
thermometer [θə'mɔmɪtə*] *n* termômetro
Thermos ['θə:məs] ® *n* (*also*: **~ flask**) garrafa térmica (*BR*), termo (*PT*)
thermostat ['θə:məustæt] *n* termostato
thesaurus [θɪ'sɔ:rəs] *n* tesouro, dicionário de sinônimos
these [ði:z] *pl adj, pron* estes (estas) *f*
thesis ['θi:sɪs] (*pl* **theses**) *n* tese *f*
they [ðeɪ] *pl pron* eles (elas); **~ say that ...** (*it is said that*) diz-se que ..., dizem que ...; **they'd** = **they had; they would; they'll** = **they shall; they will; they've** = **they have**
thick [θɪk] *adj* espesso; (*mud, fog, forest*) denso; (*sauce*) grosso; (*stupid*) burro
♦ *n*: **in the ~ of the battle** em plena

batalha; **it's 20 cm ~** tem 20 cm de espessura; **thicken** vi (fog) adensar-se; (plot etc) complicar-se ♦ vt engrossar; **thickness** n espessura, grossura; **thickset** adj troncudo

thief [θi:f] (pl **thieves**) n ladrão (ladra) m/f

thigh [θaɪ] n coxa

thimble ['θɪmbl] n dedal m

thin [θɪn] adj magro; (slice) fino; (light) leve; (hair) ralo; (crowd) pequeno; (soup, sauce) aguado ♦ vt (also: **~ down**) diluir

thing [θɪŋ] n coisa; (object) negócio; (matter) assunto, negócio; (mania) mania; **~s** npl (belongings) pertences mpl; **to have a ~ about sb/sth** ser vidrado em alguém/algo; **the best ~ would be to ...** o melhor seria ...; **how are ~s?** como vai?, tudo bem?; **she's got a ~ about ...** ela detesta ...; **poor ~!** coitadinho(-a)!

think [θɪŋk] (pt, pp **thought**) vi pensar; (believe) achar ♦ vt pensar, achar; (imagine) imaginar; **what did you ~ of them?** o que você achou deles?; **to ~ about sb/sth** pensar em alguém/algo; **I'll ~ about it** vou pensar sobre isso; **to ~ of doing sth** pensar em fazer algo; **I ~ so/not** acho que sim/não; **to ~ well of sb** fazer bom juízo de alguém; **think over** vt refletir sobre, meditar sobre; **think up** vt inventar, bolar

thinly ['θɪnlɪ] adv (cut) em fatias finas; (spread) numa camada fina

third [θə:d] adj terceiro ♦ n terceiro(-a); (fraction) terço; (AUT) terceira; (SCH: degree) terceira categoria; **thirdly** adv em terceiro lugar; **third party insurance** n seguro contra terceiros; **third-rate** adj medíocre; **Third World** n: **the Third World** o Terceiro Mundo

thirst [θə:st] n sede f; **thirsty** adj (person) sedento, com sede; (work) que dá sede; **to be thirsty** estar com sede

thirteen ['θə:'ti:n] num treze

thirty ['θə:tɪ] num trinta

KEYWORD

this [ðɪs] (pl **these**) adj (demonstrative) este (esta); **~ man/woman/book** este homem/esta mulher/este livro; **these people/children/records** estas pessoas/crianças/estes discos; **~ one** este aqui ♦ pron (demonstrative) este (esta); (neuter) isto; **who/what is ~?** quem é esse?/o que é isso?; **~ is where I live** é aqui que eu moro; **~ is Mr Brown** este é o Sr Brown; (on phone) aqui é o Sr Brown

♦ adv (demonstrative): **~ high/long** desta altura/deste comprimento; **we can't stop now we've gone ~ far** não podemos parar agora que fomos tão longe

thistle ['θɪsl] n cardo

thorn [θɔ:n] n espinho

thorough ['θʌrə] adj (search) minucioso; (knowledge, research, person) metódico, profundo; **thoroughbred** adj (horse) de puro sangue; **thoroughfare** n via, passagem f; **"no thoroughfare"** "passagem proibida"; **thoroughly** adv minuciosamente; (search) profundamente; (wash) completamente; (very) muito

those [ðəuz] pl pron, adj esses (essas)

though [ðəu] conj embora, se bem que ♦ adv no entanto

thought [θɔ:t] pt, pp of **think** ♦ n pensamento; (idea) idéia; (opinion) opinião f; (reflection) reflexão f; **thoughtful** adj pensativo; (serious) sério; (considerate) atencioso; **thoughtless** adj desatencioso; (words) inconseqüente

thousand ['θauzənd] num mil; **two ~** dois mil; **~s (of)** milhares mpl (de); **thousandth** num milésimo

thrash [θræʃ] vt surrar, malhar; (defeat) derrotar; **thrash about** vi debater-se; **thrash out** vt discutir exaustivamente

thread [θrɛd] n fio, linha; (of screw) rosca ♦ vt (needle) enfiar

threat [θrɛt] n ameaça; **threaten** vi ameaçar ♦ vt: **to threaten sb with sth/to do** ameaçar alguém com algo/de fazer

three [θri:] num três; **three-dimensional** adj tridimensional, em três dimensões; **three-piece suit** n terno (3 peças) (BR), fato de 3 peças (PT); **three-piece suite** n conjunto de sofá e duas poltronas

threshold ['θrɛʃhəuld] n limiar m

threw [θru:] pt of **throw**

thrifty ['θrɪftɪ] adj econômico, frugal

thrill [θrɪl] n emoção f; (shudder) estremecimento ♦ vt emocionar, vibrar; **to be ~ed** (with gift etc) estar emocionado; **thriller** n romance m (or filme m) de suspense; **thrilling** adj emocionante

thrive [θraɪv] (pt **~d** or **throve**, pp **~d** or **thriven**) vi (grow) vicejar; (do well) **to ~ on sth** realizar-se ao fazer algo; **thriving** adj próspero

throat [θrəut] n garganta; **to have a sore ~** estar com dor de garganta

throb [θrɔb] n (of heart) batida; (of engine) vibração f; (of pain) latejo ♦ vi (heart) bater, palpitar; (pain) dar pontadas; (engine) vibrar

throne [θrəun] n trono

throng [θrɔŋ] n multidão f ♦ vt apinhar, apinhar-se em

throttle ['θrɔtl] n (AUT) acelerador m ♦ vt estrangular

through [θru:] prep por, através de; (time) durante; (by means of) por meio de, por intermédio de; (owing to) devido a ♦ adj (ticket, train) direto ♦ adv através; **to put sb ~ to sb** (TEL) ligar alguém com alguém; **to be ~** (TEL) estar na linha; (have finished) acabar; **"no ~ road"** "rua sem saída"; **I'm halfway ~ the book** estou na metade do livro;

throughout prep (place) por todo(-a) o (a); (time) durante todo(-a) o (a) ♦ adv por or em todas as partes

throw [θrəu] (pt **threw**, pp **thrown**) n arremesso, tiro; (SPORT) lançamento ♦ vt jogar, atirar; lançar; (rider) derrubar; (fig) desconcertar; **to ~ a party** dar uma festa; **throw away** vt (dispose of) jogar fora; (waste) desperdiçar; **throw off** vt desfazer-se de; (habit, cold) livrar-se; **throw out** vt expulsar; (rubbish) jogar fora; (idea) rejeitar; **throw up** vi vomitar, botar para fora; **throwaway** adj descartável; (remark) gratuito; **throw-in** n (SPORT) lance m

thru [θru:] (US) prep, adj, adv = **through**

thrush [θrʌʃ] n (ZOOL) tordo

thrust [θrʌst] (pt, pp **thrust**) n impulso; (TECH) empuxo ♦ vt empurrar

thud [θʌd] n baque m, som m surdo

thug [θʌg] n facínora m/f

thumb [θʌm] n (ANAT) polegar m; **to ~ a lift** pegar carona (BR), arranjar uma boléia (PT); **thumb through** vt fus folhear; **thumbtack** (US) n percevejo, tachinha

thump [θʌmp] n murro, pancada; (sound) baque m ♦ vt dar um murro em ♦ vi bater

thunder ['θʌndə*] n trovão m ♦ vi trovejar; (train etc): **to ~ past** passar como um raio; **thunderbolt** n raio; **thunderclap** n estampido do trovão; **thunderstorm** n tempestade f com trovoada, temporal m

Thursday ['θə:zdɪ] n quinta-feira

thus [ðʌs] adv assim, desta maneira; (consequently) conseqüentemente

thwart [θwɔ:t] vt frustrar

thyme [taɪm] n tomilho

tiara [tɪ'ɑ:rə] n tiara, diadema m

tick [tɪk] n (of clock) tique-taque m; (mark) tique m, marca; (ZOOL) carrapato; (BRIT: inf): **in a ~** num instante ♦ vi fazer tique-taque ♦ vt marcar, ticar; **tick off** vt assinalar, ticar; (person) dar uma bronca em; **tick over** (BRIT) vi (engine) funcionar em marcha lenta; (fig) ir indo

ticket ['tɪkɪt] n (for bus, plane) passagem f; (for theatre, raffle) bilhete m; (for cinema) entrada; (in shop: on goods) etiqueta; (parking ~: fine) multa; (for library) cartão m;. **to get a (parking) ~** (AUT) ganhar uma multa (por estacionamento ilegal); **ticket collector** n revisor(a) m/f; **ticket office** n bilheteria (BR), bilheteira (PT)

tickle ['tɪkl] vt fazer cócegas em ♦ vi fazer cócegas; **ticklish** adj coceguento; (problem) delicado

tidal ['taɪdl] adj de maré; **tidal wave** n macaréu m, onda gigantesca

tidbit ['tɪdbɪt] (esp US) n = **titbit**

tide [taɪd] n maré f; (fig) curso; **high/low ~** maré alta/baixa; **the ~ of public opinion** a corrente da opinião pública; **tide over** vt ajudar num período difícil

tidy ['taɪdɪ] adj (room) arrumado; (dress, work) limpo; (person) bem arrumado ♦ vt (also: **~ up**) pôr em ordem, arrumar

tie [taɪ] n (string etc) fita, corda; (BRIT: also: **neck~**) gravata; (fig: link) vínculo, laço; (SPORT: draw) empate m ♦ vt amarrar ♦ vi (SPORT) empatar; **to ~ in a bow** dar um laço em; **to ~ a knot in sth** dar um nó em algo; **tie down** vt amarrar; (fig: restrict) limitar, restringir; (to date, price etc) obrigar; **tie up** vt embrulhar; (dog) prender; (boat, prisoner) amarrar; (arrangements) concluir; **to be ~d up** estar ocupado

tier [tɪə*] n fileira; (of cake) camada

tiger ['taɪgə*] n tigre m

tight [taɪt] adj (rope) esticado, firme; (money) escasso; (clothes, shoes) justo; (bend) fechado; (budget, programme) rigoroso; (inf: drunk) bêbado ♦ adv (squeeze) bem forte; (shut) hermeticamente; **tighten** vt (rope) esticar; (screw, grip) apertar; (security) aumentar ♦ vi esticar-se; apertar-se; **tight-fisted** adj pão-duro; **tightly** adv firmemente; **tight-rope** n corda (bamba)

tights [taɪts] (BRIT) npl collant m

tile [taɪl] n (on roof) telha; (on floor) ladrilho; (on wall) azulejo, ladrilho; **tiled** adj ladrilhado; (roof) de telhas

till [tɪl] n caixa (registradora) ♦ vt (land)

tiller → toad

cultivar ♦ prep, conj = **until**
tiller ['tɪlə*] n (NAUT) cana do leme
tilt [tɪlt] vt inclinar ♦ vi inclinar-se
timber ['tɪmbə*] n (material) madeira; (trees) mata, floresta
time [taɪm] n tempo; (epoch: often pl) época; (by clock) hora; (moment) momento; (occasion) vez f; (MUS) compasso ♦ vt calcular or medir o tempo de; (visit etc) escolher o momento para; **a long ~** muito tempo; **4 at a ~** quatro de uma vez; **for the ~ being** por enquanto; **from ~ to ~** de vez em quando; **at ~s** às vezes; **in ~** (soon enough) a tempo; (after some time) com o tempo; (MUS) no compasso; **in a week's ~** dentro de uma semana; **in no ~** num abrir e fechar de olhos; **any ~** a qualquer hora; **on ~** na hora; **5 ~s 5 is 25** 5 vezes 5 são 25; **what ~ is it?** que horas são?; **to have a good ~** divertir-se; **time bomb** n bomba-relógio f; **timeless** adj eterno; **timely** adj oportuno; **time switch** (BRIT) n interruptor m horário; **timetable** n horário; **time zone** n fuso horário
timid ['tɪmɪd] adj tímido
timing ['taɪmɪŋ] n escolha do momento; (SPORT) cronometragem f; **the ~ of his resignation** o momento que escolheu para se demitir
tin [tɪn] n estanho; (also: **~ plate**) folha-de-flandres f; (BRIT: can) lata; **tin foil** n papel m de estanho
tingle ['tɪŋgl] vi formigar
tinned [tɪnd] (BRIT) adj (food) em lata, em conserva
tin opener (BRIT) n abridor m de latas (BR), abre-latas m inv (PT)
tinsel ['tɪnsl] n ouropel m
tint [tɪnt] n matiz m; (for hair) tintura, tinta; **tinted** adj (hair) pintado; (spectacles, glass) fumê inv
tiny ['taɪnɪ] adj pequenininho, minúsculo
tip [tɪp] n ponta; (gratuity) gorjeta; (BRIT: for rubbish) depósito; (advice) dica ♦ vt dar uma gorjeta a; (tilt) inclinar; (overturn: also: **~ over**) virar, emborcar; (empty: also: **~ out**) esvaziar, entornar; **tipped** (BRIT) adj (cigarette) com filtro
tipsy ['tɪpsɪ] adj embriagado, tocado
tiptoe ['tɪptəu] n: **on ~** na ponta dos pés
tire ['taɪə*] n (US) = **tyre** ♦ vt cansar ♦ vi cansar-se; (become bored) chatear-se; **tired** adj cansado; **to be tired of sth** estar farto or cheio de algo; **tireless** adj incansável; **tiresome** adj enfadonho, chato; **tiring** adj cansativo

tissue ['tɪʃuː] n tecido; (paper handkerchief) lenço de papel; **tissue paper** n papel m de seda
tit [tɪt] n (bird) passarinho; **to give ~ for tat** pagar na mesma moeda
titbit ['tɪtbɪt] n (food) guloseima; (news) boato, rumor m
title ['taɪtl] n título
TM n abbr = **trademark**

KEYWORD
---

to [tuː, tə] prep

1 (direction) a, para; (towards) para; **to go ~ France/London/school/the station** ir à França/a Londres/ao colégio/à estação; **to go ~ Lígia's/the doctor's** ir à casa de Lígia/ao médico; **the road ~ Edinburgh** a estrada para Edinburgo; **~ the left/right** à esquerda/direita

2 (as far as) até; **to count ~ 10** contar até 10; **from 40 ~ 50 people** de 40 a 50 pessoas

3 (with expressions of time): **a quarter ~ 5** quinze para as 5 (BR), 5 menos um quarto (PT)

4 (for, of) de, para; **the key ~ the front door** a chave da porta da frente; **a letter ~ his wife** uma carta para a sua mulher

5 (expressing indirect object): **to give sth ~ sb** dar algo a alguém; **to talk ~ sb** falar com alguém; **I sold it ~ a friend** vendi isto para um amigo; **to cause damage ~ sth** causar danos em algo

6 (in relation to) para; **3 goals ~ 2** 3 a 2; **8 apples ~ the kilo** 8 maçãs por quilo

7 (purpose, result) para; **to come ~ sb's aid** prestar ajuda a alguém; **to sentence sb ~ death** condenar alguém à morte; **~ my surprise** para minha surpresa

♦ with vb

1 (simple infin): **~ go/eat** ir/comer

2 (following another vb): **~ want/try ~ do** querer/tentar fazer; **~ start ~ do** começar a fazer

3 (with vb omitted): **I don't want ~** eu não quero; **you ought ~** você deve

4 (purpose, result) para

5 (equivalent to relative clause) para, a; **I have things ~ do** eu tenho coisas para fazer; **the main thing is ~ try** o principal é tentar

6 (after adj etc) para; **ready ~ go** pronto para ir; **too old/young ~ ...** muito velho/jovem para ...

♦ adv: **pull/push the door ~** puxar/empurrar a porta

---

toad [təud] n sapo

toadstool ['təudstu:l] n chapéu-de-cobra m, cogumelo venenoso

toast [təust] n (CULIN) torradas fpl; (drink, speech) brinde m ♦ vt torrar; brindar; **toaster** n torradeira

tobacco [tə'bækəu] n tabaco, fumo (BR); **tobacconist** n vendedor(a) m/f de tabaco

toboggan [tə'bɔgən] n tobogã m

today [tə'deɪ] adv, n hoje m

toddler ['tɔdlə*] n criança que começa a andar

toe [təu] n dedo do pé; (of shoe) bico ♦ vt: **to ~ the line** (fig) conformar-se, cumprir as obrigações

toffee ['tɔfɪ] n puxa-puxa m (BR), caramelo (PT); **toffee apple** (BRIT) n maçã f do amor

together [tə'geðə*] adv juntos; (at same time) ao mesmo tempo; **~ with** junto com

toil [tɔɪl] n faina, labuta ♦ vi labutar, trabalhar arduamente

toilet ['tɔɪlət] n privada, vaso sanitário; (BRIT: lavatory) banheiro (BR), casa de banho (PT) ♦ cpd de toalete; **toilet paper** n papel m higiênico; **toiletries** npl artigos mpl de toalete; **toilet roll** n rolo de papel higiênico

token ['təukən] n (sign) sinal m, símbolo, prova; (souvenir) lembrança; (substitute coin) ficha ♦ adj simbólico; **book/record ~** (BRIT) vale para comprar livros/discos

told [təuld] pt, pp of **tell**

tolerable ['tɔlərəbl] adj (bearable) suportável; (fairly good) passável

tolerant ['tɔlərənt] adj: **~ of** tolerante com

tolerate ['tɔləreɪt] vt suportar; (MED, TECH) tolerar

toll [təul] n (of casualties) número de baixas; (charge) pedágio (BR), portagem f (PT) ♦ vi dobrar, tanger

tomato [tə'mɑ:təu] (pl **~es**) n tomate m

tomb [tu:m] n tumba

tomboy ['tɔmbɔɪ] n menina moleque

tombstone ['tu:mstəun] n lápide f

tomcat ['tɔmkæt] n gato

tomorrow [tə'mɔrəu] adv, n amanhã m; **the day after ~** depois de amanhã; **~ morning** amanhã de manhã

ton [tʌn] n tonelada (BRIT = 1016kg; US = 907kg); **~s of** (inf) um monte de

tone [təun] n tom m ♦ vi harmonizar; **tone down** vt (colour, criticism) suavizar; (sound) baixar; (MUS) entoar; **tone up** vt (muscles) tonificar; **tone-deaf** adj que não tem ouvido

tongs [tɔŋz] npl (for coal) tenaz f; (for hair) ferros mpl de frisar cabelo

tongue [tʌŋ] n língua; **~ in cheek** ironicamente; **tongue-tied** adj (fig) calado; **tongue-twister** n trava-língua m

tonic ['tɔnɪk] n (MED) tônico; (also: **~ water**) (água) tônica

tonight [tə'naɪt] adv, n esta noite, hoje à noite

tonsil ['tɔnsəl] n amígdala; **tonsillitis** [tɔnsɪ'laɪtɪs] n amigdalite f

too [tu:] adv (excessively) demais, muito; (also) também; **~ much** (adv) demais; (adj) demasiado; **~ many** demasiados (-as)

took [tuk] pt of **take**

tool [tu:l] n ferramenta

toot [tu:t] n (of horn) buzinada; (of whistle) apito ♦ vi buzinar

tooth [tu:θ] (pl **teeth**) n (ANAT, TECH) dente m; (molar) molar m; **toothache** n dor f de dente; **to have toothache** estar com dor de dente; **toothbrush** n escova de dentes; **toothpaste** n pasta de dentes, creme m dental; **toothpick** n palito

top [tɔp] n (of mountain) cume m, cimo; (of tree) topo; (of head) cocuruto; (of cupboard, table) superfície f, topo; (of box, jar, bottle) tampa; (of ladder, page) topo; (toy) pião m; (blouse etc) top m, blusa ♦ adj (shelf, step) mais alto; (marks) máximo; (in rank) principal, superior ♦ vt exceder; (be first in) estar à cabeça de; **on ~** sobre, em cima de; (in addition to) além de; **from ~ to toe** (BRIT) da cabeça aos pés; **from ~ to bottom** de cima abaixo; **top up** (US **top off**) vt completar; **top floor** n último andar m; **top hat** n cartola; **top-heavy** adj desequilibrado

topic ['tɔpɪk] n tópico, assunto; **topical** adj atual

topless adj (bather etc) topless inv, sem a parte superior do biquíni

topmost adj o mais alto

topple ['tɔpl] vt derrubar ♦ vi cair para frente

top-secret adj ultra-secreto, supersecreto

topsy-turvy ['tɔpsɪ'tə:vɪ] adj, adv de pernas para o ar, confuso, às avessas

torch [tɔ:tʃ] n (BRIT: electric) lanterna

tore [tɔ:*] pt of **tear**

torment [n 'tɔ:mɛnt, vb tɔ:'mɛnt] n tormento, suplício ♦ vt atormentar; (fig: annoy) chatear, aborrecer

torn [tɔ:n] pp of **tear**

tornado [tɔː'neɪdəu] (pl ~es) n tornado
torrent ['tɔrənt] n torrente f
tortoise ['tɔːtəs] n tartaruga
torture ['tɔːtʃə*] n tortura ♦ vt torturar; (fig) atormentar
Tory ['tɔːrɪ] (BRIT) adj, n (POL) conservador(a) m/f
toss [tɔs] vt atirar, arremessar; (head) lançar para trás ♦ vi: **to ~ and turn in bed** virar de um lado para o outro na cama; **to ~ a coin** tirar cara ou coroa; **to ~ up for sth** (BRIT) jogar cara ou coroa por algo
tot [tɔt] n (BRIT: drink) copinho, golinho; (child) criancinha
total ['təutl] adj total ♦ n total m, soma ♦ vt (add up) somar; (amount to) montar a
totter ['tɔtə*] vi cambalear
touch [tʌtʃ] n (sense) toque m; (contact) contato ♦ vt tocar (em); (tamper with) mexer com; (make contact with) fazer contato com; (emotionally) comover; **a ~ of** (fig) um traço de; **to get in ~ with sb** entrar em contato com alguém; **to lose ~** perder o contato; **touch on** vt fus (topic) tocar em, fazer menção de; **touch up** vt (paint) retocar; **touchdown** n aterrissagem f (BR), aterragem f (PT); (on sea) amerissagem f (BR), amaragem f (PT); (US: FOOTBALL) touchdown m; **touching** adj comovedor(a); **touchy** adj suscetível, sensível
tough [tʌf] adj duro, difícil; (resistant) resistente; (person: physically) forte; (: mentally) tenaz; (firm) firme, inflexível
tour [tuə*] n viagem f, excursão f; (also: **package ~**) excursão organizada; (of town, museum) visita; (by artist) turnê f ♦ vt (country, city) excursionar por; (factory) visitar
tourism ['tuərɪzm] n turismo
tourist ['tuərɪst] n turista m/f ♦ cpd turístico; **tourist office** n (in country) escritório de turismo; (in embassy etc) departamento de turismo
tournament ['tuənəmənt] n torneio
tow [təu] vt rebocar; **"on ~"** (BRIT), **"in ~"** (US) (AUT) "rebocado"
toward(s) [tə'wɔːd(z)] prep em direção a; (of attitude) para com; (of purpose) para; **~ noon/the end of the year** perto do meio-dia/do fim do ano
towel ['tauəl] n toalha; **towelling** n (fabric) tecido para toalhas
tower ['tauə*] n torre f; **tower block** (BRIT) n prédio alto, espigão m, cortiço (BR); **towering** adj elevado; (figure) eminente
town [taun] n cidade f; **to go to ~** ir à cidade; (fig) fazer com entusiasmo, mandar brasa (BR); **town centre** n centro (da cidade); **town hall** n prefeitura (BR), concelho (PT)
towrope ['təurəup] n cabo de reboque
tow truck (US) n reboque m (BR), pronto socorro (PT)
toy [tɔɪ] n brinquedo; **toy with** vt fus brincar com; (idea) contemplar
trace [treɪs] n (sign) sinal m; (small amount) traço ♦ vt (draw) traçar, esboçar; (follow) seguir a pista de; (locate) encontrar
track [træk] n (mark) pegada, vestígio; (path: gen) caminho, vereda; (: of bullet etc) trajetória; (: of suspect, animal) pista, rasto; (RAIL) trilhos (BR), carris mpl (PT); (on tape) trilha; (SPORT) pista; (on record) faixa ♦ vt seguir a pista de; **to keep ~ of** não perder de vista; (fig) manter-se informado sobre; **track down** vt (prey) seguir a pista de; (sth lost) procurar e encontrar; **track suit** n roupa de jogging
tractor ['træktə*] n trator m
trade [treɪd] n comércio; (skill, job) ofício ♦ vi negociar, comerciar ♦ vt: **to ~ sth (for sth)** trocar algo (por algo); **trade in** vt dar como parte do pagamento; **trademark** n marca registrada; **trade name** n marca or nome comercial de um produto; (of company) razão f social; **trader** n comerciante m/f; **tradesman** (irreg) n lojista m; **trade union** n sindicato
tradition [trə'dɪʃən] n tradição f; **traditional** adj tradicional
traffic ['træfɪk] n trânsito; (air ~ etc) tráfego; (illegal) tráfico ♦ vi: **to ~ in** (pej: liquor, drugs) traficar com, fazer tráfico com; **traffic circle** (US) n rotatória; **traffic jam** n engarrafamento, congestionamento; **traffic lights** npl sinal m luminoso; **traffic warden** n guarda m/f de trânsito
tragedy ['trædʒədɪ] n tragédia
tragic ['trædʒɪk] adj trágico
trail [treɪl] n (tracks) rasto, pista; (path) caminho, trilha; (of smoke, dust) rasto ♦ vt (drag) arrastar; (follow) seguir a pista de ♦ vi arrastar-se; (hang loosely) pender; (in game, contest) ficar para trás; **trail behind** vi atrasar-se; **trailer** n (AUT) reboque m; (US: caravan) trailer m (BR), rulote f (PT); (CINEMA) trailer; **trailer truck** (US) n caminhão-reboque m

train → tremor

train [treɪn] n trem m (BR), comboio (PT); (of dress) cauda ♦ vt formar; (teach skills to) instruir; (SPORT) treinar; (dog) adestrar, amestrar; (point: gun etc): **to ~ on** apontar para ♦ vi (learn a skill) instruir; (SPORT) treinar; (be educated) ser treinado; **to lose one's ~ of thought** perder o fio; **trained** adj especializado; (teacher) formado; (animal) adestrado; **trainee** [treɪ'niː] n estagiário(-a); **trainer** n (SPORT) treinador(a) m/f; (of animals) adestrador(a) m/f; **trainers** npl (shoes) tênis m; **training** n instrução f; (SPORT, for occupation) treinamento; (professional) formação f; **training college** n (for teachers) ≈ escola normal

trait [treɪt] n traço

traitor ['treɪtə*] n traidor(a) m/f

tram [træm] (BRIT) n (also: **~car**) bonde m (BR), eléctrico (PT)

tramp [træmp] n (person) vagabundo(-a); (inf: pej: woman) piranha ♦ vi caminhar pesadamente

trample ['træmpl] vt: **to ~ (underfoot)** calcar aos pés

trampoline ['træmpəliːn] n trampolim m

tranquil ['træŋkwɪl] adj tranqüilo; **tranquillizer** n (MED) tranqüilizante m

transact [træn'zækt] vt (business) negociar; **transaction** n transação f, negócio

transfer [n 'trænsfə:*, vb træns'fə:*] n transferência f; (picture, design) decalcomania ♦ vt transferir; **to ~ the charges** (BRIT: TEL) ligar a cobrar

transform [træns'fɔːm] vt transformar

transfusion [træns'fjuːʒən] n (also: **blood ~**) transfusão f (de sangue)

transistor [træn'zɪstə*] n (ELEC: also: **~ radio**) transistor m

transit ['trænzɪt] n: **in ~** em trânsito, de passagem

translate [trænz'leɪt] vt traduzir; **translation** n tradução f; **translator** n tradutor(a) m/f

transmission [trænz'mɪʃən] n transmissão f

transmit [trænz'mɪt] vt transmitir

transparency [træns'pɛərnsɪ] n transparência f; (BRIT: PHOT) diapositivo

transparent [træns'pærnt] adj transparente

transplant [vb træns'plɑːnt, n 'trænsplɑːnt] vt transplantar ♦ n (MED) transplante m

transport [n 'trænspɔːt, vb træns'pɔːt] n transporte m ♦ vt transportar; (carry) acarretar; **transportation** ['trænspɔː'teɪʃən] n transporte m

trap [træp] n (snare) armadilha, cilada; (trick) cilada; (carriage) aranha, charrete f ♦ vt pegar em armadilha; (person: trick) armar; (: in bad marriage) prender; (: in fire): **to be ~ped** ficar preso; (immobilize) bloquear; **trap door** n alçapão m

trapeze [trə'piːz] n trapézio

trappings ['træpɪŋz] npl adornos mpl, enfeites mpl

trash [træʃ] n (pej: nonsense) besteiras fpl; (US: rubbish) lixo; **trash can** (US) n lata de lixo

trauma ['trɔːmə] n trauma m

travel ['trævl] n viagem f ♦ vi viajar; (sound) propagar-se; (news) levar; (wine): **this wine ~s well** este vinho não sofre alteração ao ser transportado ♦ vt percorrer; **~s** npl (journeys) viagens fpl; **travel agent** n agente m/f de viagens; **traveller** (US **traveler**) n viajante m/f; (COMM) caixeiro(-a) viajante; **traveller's cheque** (US **traveler's check**) n cheque m de viagem; **travelling** (US **traveling**) n as viagens, viajar m ♦ adj (circus, exhibition) itinerante; (salesman) viajante ♦ cpd de viagem; **travel sickness** n enjôo

trawler ['trɔːlə*] n traineira

tray [treɪ] n bandeja; (on desk) cesta

treacherous ['tretʃərəs] adj traiçoeiro; (ground, tide) perigoso

treacle ['triːkl] n melado

tread [trɛd] (pt **trod**, pp **trodden**) n (step) passo, pisada; (sound) passada; (of stair) piso; (of tyre) banda de rodagem ♦ vi pisar; **tread on** vt fus pisar (em)

treason ['triːzn] n traição f

treasure ['trɛʒə*] n tesouro; (person) jóia ♦ vt (value) apreciar, estimar; **~s** npl (art ~s etc) preciosidades fpl

treasurer ['trɛʒərə*] n tesoureiro(-a)

treasury ['trɛʒərɪ] n tesouraria

treat [triːt] n regalo, deleite m ♦ vt tratar; **to ~ sb to sth** convidar alguém para algo

treatment ['triːtmənt] n tratamento

treaty ['triːtɪ] n tratado, acordo

treble ['trɛbl] adj tríplice ♦ vt triplicar ♦ vi triplicar(-se)

tree [triː] n árvore f

trek [trɛk] n (long journey) jornada; (walk) caminhada

tremble ['trɛmbl] vi tremer

tremendous [trɪ'mɛndəs] adj tremendo; (enormous) enorme; (excellent) sensacional, fantástico

tremor ['trɛmə*] n tremor m; (also: **earth**

trench → truly

~) tremor de terra

trench [trɛntʃ] n trincheira

trend [trɛnd] n (*tendency*) tendência; (*of events*) curso; (*fashion*) modismo, tendência; **trendy** adj (*idea*) de acordo com a tendência atual; (*clothes*) da última moda

trespass ['trɛspəs] vi: **to ~ on** invadir; **"no ~ing"** "entrada proibida"

trial ['traɪəl] n (LAW) processo; (*test: of machine etc*) prova, teste m; **~s** npl (*unpleasant experiences*) dissabores mpl; **by ~ and error** por tentativas; **to be on ~** ser julgado; **trial period** n período de experiência

triangle ['traɪæŋgl] n (MATH, MUS) triângulo

tribe [traɪb] n tribo f

tribunal [traɪ'bjuːnl] n tribunal m

tributary ['trɪbjutəri] n afluente m

tribute ['trɪbjuːt] n homenagem f; **to pay ~ to** prestar homenagem a, homenagear

trick [trɪk] n truque m; (*joke*) peça, brincadeira; (*skill, knack*) habilidade f; (CARDS) vaza ♦ vt enganar; **to play a ~ on sb** pregar uma peça em alguém; **that should do the ~** (*inf*) isso deveria dar resultado; **trickery** n trapaça, astúcia

trickle ['trɪkl] n (*of water etc*) fio (de água) ♦ vi gotejar, pingar

tricky ['trɪkɪ] adj difícil, complicado

tricycle ['traɪsɪkl] n triciclo

trifle ['traɪfl] n bobagem f, besteira; (CULIN) tipo de bolo com fruta e creme ♦ adv: **a ~ long** um pouquinho longo; **trifling** adj insignificante

trigger ['trɪgə*] n (*of gun*) gatilho; **trigger off** vt desencadear

trim [trɪm] adj (*figure*) elegante; (*house*) arrumado; (*garden*) bem cuidado ♦ n (*haircut*) aparada; (*on car*) estofamento ♦ vt aparar, cortar; (*decorate*): **to ~ (with)** enfeitar (com); (NAUT: *sail*) ajustar; **trimmings** npl decoração f; (CULIN) acompanhamentos mpl

trinket ['trɪŋkɪt] n bugiganga; (*piece of jewellery*) berloque m, bijuteria

trip [trɪp] n viagem f; (*outing*) excursão f; (*stumble*) tropeção m ♦ vi tropeçar; (*go lightly*) andar com passos ligeiros; **on a ~** de viagem; **trip up** vi tropeçar ♦ vt passar uma rasteira em

tripe [traɪp] n (CULIN) bucho, tripa; (*pej: rubbish*) bobagem f

triple ['trɪpl] adj triplo, tríplice; **triplets** npl trigêmeos(-as) m/fpl

tripod ['traɪpɔd] n tripé m

trite [traɪt] adj gasto, banal

triumph ['traɪʌmf] n (*satisfaction*) satisfação f; (*great achievement*) triunfo ♦ vi: **to ~ (over)** triunfar (sobre)

trivia ['trɪvɪə] npl trivialidades fpl

trivial ['trɪvɪəl] adj insignificante; (*commonplace*) trivial

trod [trɔd] pt of **tread**; **trodden** pp of **tread**

trolley ['trɔlɪ] n carrinho; (*table on wheels*) mesa volante

trombone [trɔm'bəun] n trombone m

troop [truːp] n bando, grupo ♦ vi: **to ~ in/out** entrar/sair em bando; **~s** npl (MIL) tropas fpl; **~ing the colour** (BRIT) saudação da bandeira

trophy ['trəufɪ] n troféu m

tropic ['trɔpɪk] n trópico; **tropical** adj tropical

trot [trɔt] n trote m; (*fast pace*) passo rápido ♦ vi trotar; (*person*) andar rapidamente; **on the ~** (*fig: inf*) a fio

trouble ['trʌbl] n problema(s) m(pl), dificuldade(s) f(pl); (*worry*) preocupação f; (*effort*) incômodo, trabalho; (POL) distúrbios mpl; (MED): **stomach etc ~** problemas mpl gástricos etc ♦ vt perturbar; (*worry*) preocupar, incomodar ♦ vi: **to ~ to do sth** incomodar-se or preocupar-se de fazer algo; **~s** npl (POL etc) distúrbios mpl; **to be in ~** estar num aperto; (*ship, climber etc*) estar em dificuldades; **what's the ~?** qual é o problema?; **troubled** adj preocupado; (*epoch, life*) agitado; **troublemaker** n criador(a)-de-casos m/f; (*child*) encrenqueiro(-a); **troublesome** adj importuno; (*child, cough*) incômodo

trough [trɔf] n (*also*: **drinking ~**) bebedouro, cocho; (*also*: **feeding ~**) gamela; (*depression*) depressão f

trousers ['trauzəz] npl calça (BR), calças fpl (PT)

trout [traut] n inv truta

truant ['truənt] (BRIT) n: **to play ~** matar aula (BR), fazer gazeta (PT)

truce [truːs] n trégua, armistício

truck [trʌk] n caminhão m (BR), camião m (PT); (RAIL) vagão m; **truck driver** n caminhoneiro(-a) (BR), camionista m/f (PT); **truck farm** (US) n horta

true [truː] adj verdadeiro; (*accurate*) exato; (*genuine*) autêntico; (*faithful*) fiel, leal; **to come ~** realizar-se, tornar-se realidade

truffle ['trʌfl] n trufa; (*sweet*) docinho de chocolate or rum

truly ['truːlɪ] adv realmente; (*truthfully*) verdadeiramente; (*faithfully*) fielmente;

trump → turn

yours ~ (*in letter*) atenciosamente
trump [trʌmp] *n* trunfo
trumpet ['trʌmpɪt] *n* trombeta
truncheon ['trʌntʃən] *n* cassetete *m*
trunk [trʌŋk] *n* tronco; (*of elephant*) tromba; (*case*) baú *m*; (*US: AUT*) mala (*BR*), porta-bagagens *m* (*PT*); **~s** *npl* (*also:* **swimming ~s**) sunga (*BR*), calções *mpl* de banho (*PT*)
trust [trʌst] *n* confiança; (*responsibility*) responsabilidade *f*; (*LAW*) fideicomisso ♦ *vt* (*rely on*) confiar em; (*entrust*): **to ~ sth to sb** confiar algo a alguém; (*hope*): **to ~ (that)** esperar que; **to take sth on ~** aceitar algo sem verificação prévia; **trusted** *adj* de confiança; **trustful** *adj* confiante; **trustworthy** *adj* digno de confiança
truth [tru:θ] *n* verdade *f*; **truthful** *adj* (*person*) sincero, honesto
try [traɪ] *n* tentativa; (*RUGBY*) ensaio ♦ *vt* (*LAW*) julgar; (*test: sth new*) provar, pôr à prova; (*strain*) cansar ♦ *vi* tentar; **to have a ~** fazer uma tentativa; **to ~ to do sth** tentar fazer algo; **try on** *vt* (*clothes*) experimentar, provar; **trying** *adj* exasperante
T-shirt *n* camiseta (*BR*), T-shirt *f* (*PT*)
tub [tʌb] *n* tina; (*bath*) banheira
tubby ['tʌbɪ] *adj* gorducho
tube [tju:b] *n* tubo; (*pipe*) cano; (*BRIT: underground*) metrô *m* (*BR*), metro(-politano) (*PT*); (*for tyre*) câmara-de-ar *f*
tuberculosis [tjubə:kju'ləusɪs] *n* tuberculose *f*
TUC *n abbr* (= *Trades Union Congress*) ~ CUT *f*
tuck [tʌk] *vt* (*put*) enfiar, meter; **tuck away** *vt* esconder; **to be ~ed away** estar escondido; **tuck in** *vt* enfiar para dentro; (*child*) aconchegar ♦ *vi* (*eat*) comer com apetite; **tuck up** *vt* (*child*) aconchegar
Tuesday ['tju:zdɪ] *n* terça-feira
tuft [tʌft] *n* penacho; (*of grass etc*) tufo
tug [tʌg] *n* (*ship*) rebocador *m* ♦ *vt* puxar; **tug-of-war** *n* cabo-de-guerra *m*; (*fig*) disputa
tuition [tju:'ɪʃən] *n* ensino; (*private ~*) aulas *fpl* particulares; (*US: fees*) taxas *fpl* escolares
tulip ['tju:lɪp] *n* tulipa
tumble ['tʌmbl] *n* (*fall*) queda ♦ *vi* cair, tombar; **to ~ to sth** (*inf*) sacar algo; **tumbledown** *adj* em ruínas; **tumble dryer** (*BRIT*) *n* máquina de secar roupa
tumbler ['tʌmblə*] *n* copo
tummy ['tʌmɪ] (*inf*) *n* (*belly*) barriga; (*stomach*) estômago
tumour ['tju:mə*] (*US* **tumor**) *n* tumor *m*
tuna ['tju:nə] *n inv* (*also:* **~ fish**) atum *m*
tune [tju:n] *n* melodia ♦ *vt* (*MUS*) afinar; (*RADIO, TV*) sintonizar; (*AUT*) regular; **to be in/out of ~** (*instrument*) estar afinado/desafinado; (*singer*) cantar afinado/desafinar; **to be in/out of ~ with** (*fig*) harmonizar-se com/destoar de; **tune in** *vi* (*RADIO, TV*): **to ~ in (to)** sintonizar (com); **tune up** *vi* (*musician*) afinar (seu instrumento); **tuneful** *adj* melodioso; **tuner** *n*: **piano tuner** afinador(a) *m/f* de pianos
tunic ['tju:nɪk] *n* túnica
Tunisia [tju:'nɪzɪə] *n* Tunísia
tunnel ['tʌnl] *n* túnel *m*; (*in mine*) galeria ♦ *vi* abrir um túnel (*or* uma galeria)
turbulence ['tə:bjuləns] *n* (*AVIAT*) turbulência
tureen [tə'ri:n] *n* terrina
turf [tə:f] *n* torrão *m* ♦ *vt* relvar, gramar; **turf out** (*inf*) *vt* (*person*) pôr no olho da rua
Turk [tə:k] *n* turco(-a)
Turkey ['tə:kɪ] *n* Turquia
turkey ['tə:kɪ] *n* peru(a) *m/f*
Turkish ['tə:kɪʃ] *adj* turco(-a) ♦ *n* (*LING*) turco
turmoil ['tə:mɔɪl] *n* tumulto, distúrbio, agitação *f*; **in ~** agitado, tumultuado
turn [tə:n] *n* volta, turno; (*in road*) curva; (*of mind, events*) propensão *f*, tendência; (*THEATRE*) número; (*MED*) choque *m* ♦ *vt* dar volta a, fazer girar; (*collar*) virar; (*change*): **to ~ sth into** converter algo em ♦ *vi* virar; (*person: look back*) voltar-se; (*reverse direction*) mudar de direção; (*milk*) azedar; (*become*) tornar-se, virar; **to ~ nasty** engrossar; **to ~ forty** fazer quarenta anos; **a good ~** um favor; **it gave me quite a ~** me deu um susto enorme; **"no left ~"** (*AUT*) "proibido virar à esquerda"; **it's your ~** é a sua vez; **in ~** por sua vez; **to take ~s (at)** revezar (em); **turn away** *vi* virar a cabeça ♦ *vt* recusar; **turn back** *vi* voltar atrás ♦ *vt* voltar para trás; (*clock*) atrasar; **turn down** *vt* (*refuse*) recusar; (*reduce*) baixar; (*fold*) dobrar, virar para baixo; **turn in** *vi* (*inf: go to bed*) ir dormir ♦ *vt* (*fold*) dobrar para dentro; **turn off** *vi* (*from road*) virar, sair do caminho ♦ *vt* (*light, radio etc*) apagar; (*engine*) desligar; **turn on** *vt* (*light*) acender; (*engine, radio*) ligar; (*tap*) abrir; **turn out** *vt* (*light, gas*) apagar; (*produce*) produzir ♦ *vi* (*troops*) ser mobilizado; **to ~ out to be ...** revelar-se (*ser*) ..., resultar (*ser*) ..., vir a ser ...;

turnip → umbrella

turn over vi (*person*) virar-se ♦ vt (*object*) virar; **turn round** vi voltar-se, virar-se; **turn up** vi (*person*) aparecer, pintar; (*lost object*) aparecer ♦ vt (*collar*) subir; (*radio etc*) aumentar; **turning** n (*in road*) via lateral

turnip ['tə:nɪp] n nabo

turnout ['tə:naʊt] n assistência; (*in election*) comparecimento às urnas

turnover ['tə:nəʊvə*] n (COMM: *amount of money*) volume m de negócios; (: *of goods*) movimento; (*of staff*) rotatividade f

turnpike ['tə:npaɪk] (US) n estrada or rodovia com pedágio (BR) or portagem (PT)

turnstile ['tə:nstaɪl] n borboleta (BR), torniquete m (PT)

turntable ['tə:nteɪbl] n (*on record player*) prato

turn-up (BRIT) n (*on trousers*) volta, dobra

turpentine ['tə:pəntaɪn] n (*also:* **turps**) aguarrás f

turquoise ['tə:kwɔɪz] n (*stone*) turquesa ♦ adj azul-turquesa inv

turret ['tʌrɪt] n torrinha

turtle ['tə:tl] n tartaruga, cágado

tusk [tʌsk] n defesa (de elefante)

tutor ['tju:tə*] n professor(a) m/f; (*private ~*) professor(a) m/f particular; **tutorial** [tju:'tɔ:rɪəl] n (SCH) seminário

tuxedo [tʌk'si:dəʊ] (US) n smoking m

TV n abbr (= *television*) TV f

twang [twæŋ] n (*of instrument*) dedilhado; (*of voice*) timbre m nasal

tweed [twi:d] n tweed m, pano grosso de lã

tweezers ['twi:zəz] npl pinça (pequena)

twelfth [twelfθ] num décimo segundo

twelve [twelv] num doze; **at ~ (o'clock)** (*midday*) ao meio-dia; (*midnight*) à meia-noite

twentieth ['twentɪɪθ] num vigésimo

twenty ['twentɪ] num vinte

twice [twaɪs] adv duas vezes; **~ as much** duas vezes mais

twig [twɪg] n graveto, varinha ♦ vi (*inf*) sacar

twilight ['twaɪlaɪt] n crepúsculo, meia-luz f

twin [twɪn] adj gêmeo; (*beds*) separado ♦ n gêmeo ♦ vt irmanar; **twin(-bedded) room** n quarto com duas camas

twine [twaɪn] n barbante m (BR), cordel m (PT) ♦ vi enroscar-se, enrolar-se

twinge [twɪndʒ] n (*of pain*) pontada; (*of conscience*) remorso

twinkle ['twɪŋkl] vi cintilar; (*eyes*) pestanejar

twirl [twə:l] vt fazer girar ♦ vi girar rapidamente

twist [twɪst] n torção f; (*in road, coil*) curva; (*in flex*) virada; (*in story*) mudança imprevista ♦ vt torcer, retorcer; (*ankle*) torcer; (*weave*) entrelaçar; (*roll around*) enrolar; (*fig*) deturpar ♦ vi serpentear

twit [twɪt] (*inf*) n idiota m/f, bobo(-a)

twitch [twɪtʃ] n puxão m; (*nervous*) tique m nervoso ♦ vi contrair-se

two [tu:] num dois; **to put ~ and ~ together** (*fig*) tirar conclusões; **two-faced** (*pej*) adj (*person*) falso; **two-way** adj: **two-way traffic** trânsito em mão dupla

tycoon [taɪ'ku:n] n: **(business) ~** magnata m

type [taɪp] n (*category*) tipo, espécie f; (*model*) modelo; (TYP) tipo, letra ♦ vt (*letter etc*) datilografar, bater (à máquina); **typescript** n texto datilografado; **typewriter** n máquina de escrever

typhoid ['taɪfɔɪd] n febre f tifóide

typical ['tɪpɪkl] adj típico

typing ['taɪpɪŋ] n datilografia

typist ['taɪpɪst] n datilógrafo(-a) m/f

tyrant ['taɪərənt] n tirano(-a)

tyre ['taɪə*] (US **tire**) n pneu m

U u

ubiquitous [ju:'bɪkwɪtəs] adj ubíquo, onipresente

udder ['ʌdə*] n ubre f

UFO ['ju:fəʊ] n abbr (= *unidentified flying object*) óvni m

Uganda [ju:'gændə] n Uganda (*no article*)

ugly ['ʌglɪ] adj feio; (*dangerous*) perigoso

UK n abbr = **United Kingdom**

ulcer ['ʌlsə*] n úlcera; **mouth ~** afta

Ulster ['ʌlstə*] n Ulster m

ulterior [ʌl'tɪərɪə*] adj: **~ motive** segundas intenções fpl

ultimate ['ʌltɪmət] adj último, final; (*authority*) máximo; **ultimately** adv (*in the end*) no final, por último; (*fundamentally*) no fundo

ultrasound ['ʌltrəsaʊnd] n (MED) ultra-som m

umbilical cord [ʌmbɪ'laɪkl-] n cordão m umbilical

umbrella [ʌm'brelə] n guarda-chuva m;

umpire → under

(*for sun*) guarda-sol *m*, barraca (da praia)
umpire ['ʌmpaɪə*] *n* árbitro ♦ *vt* arbitrar
umpteen [ʌmp'tiːn] *adj* inúmeros(-as)
UN *n abbr* (= *United Nations*) ONU *f*
unable [ʌn'eɪbl] *adj*: **to be ~ to do sth** não poder fazer algo
unaccompanied [ʌnə'kʌmpənɪd] *adj* desacompanhado; (*singing, song*) sem acompanhamento
unanimous [juː'nænɪməs] *adj* unânime
unarmed [ʌn'ɑːmd] *adj* (*without a weapon*) desarmado; (*defenceless*) indefeso
unattached [ʌnə'tætʃt] *adj* (*person*) livre; (*part etc*) solto, separado
unattended [ʌnə'tendɪd] *adj* (*car, luggage*) abandonado
unattractive [ʌnə'træktɪv] *adj* sem atrativos; (*building, appearance, idea*) pouco atraente
unauthorized [ʌn'ɔːθəraɪzd] *adj* não autorizado, sem autorização
unavoidable [ʌnə'vɔɪdəbl] *adj* inevitável
unaware [ʌnə'weə*] *adj*: **to be ~ of** ignorar, não perceber
unawares [ʌnə'weəz] *adv* improvisadamente, de surpresa
unbalanced [ʌn'bælənst] *adj* desequilibrado
unbearable [ʌn'beərəbl] *adj* insuportável
unbeatable [ʌn'biːtəbl] *adj* (*team*) invencível; (*price*) sem igual
unbelievable [ʌnbɪ'liːvəbl] *adj* inacreditável; (*amazing*) incrível
unborn [ʌn'bɔːn] *adj* por nascer
unbroken [ʌn'brəukən] *adj* (*seal*) intacto; (*line*) contínuo; (*silence, series*) ininterrupto; (*record*) mantido; (*spirit*) indômito
unbutton [ʌn'bʌtn] *vt* desabotoar
uncalled-for [ʌn'kɔːld-] *adj* desnecessário, gratuito
uncanny [ʌn'kænɪ] *adj* estranho; (*knack*) excepcional
uncertain [ʌn'sɜːtn] *adj* incerto; (*character*) indeciso; (*unsure*): **~ about** inseguro sobre; **in no ~ terms** em termos precisos; **uncertainty** *n* incerteza; (*also*: **doubts**) dúvidas *fpl*
uncivilized [ʌn'sɪvəlaɪzd] *adj* (*country, people*) primitivo; (*fig: behaviour*) incivilizado; (: *hour*) de manhã bem cedo
uncle ['ʌŋkl] *n* tio
uncomfortable [ʌn'kʌmfətəbl] *adj* incômodo; (*uneasy*) pouco à vontade; (*situation*) desagradável

uncommon [ʌn'kɔmən] *adj* raro, incomum, excepcional
uncompromising [ʌn'kɔmprəmaɪzɪŋ] *adj* intransigente, inflexível
unconcerned [ʌnkən'sɜːnd] *adj* indiferente, despreocupado
unconditional [ʌnkən'dɪʃənl] *adj* incondicional
unconscious [ʌn'kɔnʃəs] *adj* sem sentidos, desacordado; (*unaware*): **~ of** inconsciente de ♦ *n*: **the ~** o inconsciente
uncontrollable [ʌnkən'trəuləbl] *adj* (*temper*) ingovernável; (*child, animal, laughter*) incontrolável
unconventional [ʌnkən'venʃənl] *adj* inconvencional
uncouth [ʌn'kuːθ] *adj* rude, grosseiro
uncover [ʌn'kʌvə*] *vt* descobrir; (*take lid off*) destapar, destampar
undecided [ʌndɪ'saɪdɪd] *adj* indeciso; (*question*) não respondido, pendente
under ['ʌndə*] *prep* embaixo de (*BR*), debaixo de (*PT*); (*fig*) sob; (*less than*) menos de; (*according to*) segundo, de acordo com ♦ *adv* embaixo; (*movement*) por baixo; **~ there** ali embaixo; **~ repair** em conserto
under... [ʌndə*] *prefix*: **under-age** *adj* menor de idade; **undercarriage** (*BRIT*) *n* (*AVIAT*) trem *m* de aterrissagem; **undercharge** *vt* não cobrar o suficiente; **underclothes** *npl* roupa de baixo, roupa íntima; **undercover** *adj* secreto, clandestino; **undercurrent** *n* (*fig*) tendência; **undercut** (*irreg*) *vt* (*person*) prejudicar; (*prices*) vender por menos que; **underdog** *n* o mais fraco; **underdone** *adj* (*CULIN*) mal passado; **underestimate** *vt* subestimar; **underexposed** *adj* (*PHOT*) sem exposição suficiente; **underfed** *adj* subnutrido; **underfoot** *adv* sob os pés; **undergo** (*irreg*) *vt* sofrer; (*test*) passar por; (*operation, treatment*) ser submetido a; **undergraduate** *n* universitário(-a); **underground** *n* (*BRIT*) metrô *m* (*BR*), metro(-politano) (*PT*); (*POL*) organização *f* clandestina ♦ *adj* subterrâneo; (*fig*) clandestino ♦ *adv* (*work*) embaixo da terra; (*fig*) na clandestinidade; **undergrowth** *n* vegetação *f* rasteira; **underhand(ed)** *adj* (*fig*) secreto e desonesto; **underlie** (*irreg*) *vt* (*fig*) ser a base de; **underline** *vt* sublinhar; **undermine** *vt* minar, solapar; **underneath** *adv* embaixo, debaixo, por baixo ♦ *prep* embaixo de (*BR*), debaixo de (*PT*); **underpaid** *adj* mal pago;

understand → union

underpants [BRIT] npl cueca(s) f(pl) (BR), cuecas fpl (PT); **underpass** (BRIT) n passagem f inferior; **underprivileged** adj menos favorecido; **underrate** vt depreciar, subestimar; **undershirt** (US) n camiseta; **undershorts** (US) npl cueca (BR), cuecas fpl (PT); **underside** n parte f inferior; **underskirt** (BRIT) n anágua

understand [ʌndəˈstænd] (irreg) vt entender, compreender ♦ vi: **to ~ that** acreditar que; **understandable** adj compreensível; **understanding** adj compreensivo ♦ n compreensão f; (knowledge) entendimento; (agreement) acordo

understatement [ʌndəˈsteɪtmənt] n (quality) subestimação f; (euphemism) eufemismo; **it's an ~ to say that ...** é uma subestimação dizer que ...

understood [ʌndəˈstud] pt, pp of **understand** ♦ adj entendido; (implied) subentendido, implícito

understudy [ˈʌndəstʌdɪ] n ator m substituto (atriz f substituta)

undertake [ʌndəˈteɪk] (irreg: like take) vt incumbir-se de, encarregar-se de; **to ~ to do sth** comprometer-se a fazer algo

undertaker [ˈʌndəteɪkə*] n agente m/f funerário(-a)

undertaking [ˈʌndəteɪkɪŋ] n empreendimento; (promise) promessa

underwater [ʌndəˈwɔːtə*] adv sob a água ♦ adj subaquático

underwear [ˈʌndəwɛə*] n roupa de baixo, roupa íntima

underworld [ˈʌndəwəːld] n (of crime) submundo

undies [ˈʌndɪz] (inf) npl roupa de baixo, roupa íntima

undo [ʌnˈduː] (irreg:.like do) vt (unfasten) desatar; (spoil) desmanchar

undoing [ʌnˈduːɪŋ] n ruína, desgraça

undoubted [ʌnˈdautɪd] adj indubitável

undress [ʌnˈdrɛs] vi despir-se, tirar a roupa

undue [ʌnˈdjuː] adj excessivo

unduly [ʌnˈdjuːlɪ] adv excessivamente

unearth [ʌnˈəːθ] vt desenterrar; (fig) revelar

uneasy [ʌnˈiːzɪ] adj (person) preocupado; (feeling) incômodo; (peace, truce) desconfortável

uneconomic(al) [ʌniːkəˈnɔmɪk(l)] adj antieconômico

uneducated [ʌnˈɛdjukeɪtɪd] adj inculto, sem instrução, não escolarizado

unemployed [ʌnɪmˈplɔɪd] adj desempregado ♦ npl: **the ~** os desempregados

unemployment [ʌnɪmˈplɔɪmənt] n desemprego

unending [ʌnˈɛndɪŋ] adj interminável

unerring [ʌnˈəːrɪŋ] adj infalível

uneven [ʌnˈiːvn] adj desigual; (road etc) irregular, acidentado

unexpected [ʌnɪkˈspɛktɪd] adj inesperado; **unexpectedly** [ʌnɪksˈpɛktɪdlɪ] adv inesperadamente

unfair [ʌnˈfɛə*] adj: **~ (to)** injusto (com)

unfaithful [ʌnˈfeɪθful] adj infiel

unfamiliar [ʌnfəˈmɪlɪə*] adj pouco familiar, desconhecido; **to be ~ with sth** não estar familiarizado com algo

unfashionable [ʌnˈfæʃnəbl] adj fora da moda

unfasten [ʌnˈfɑːsn] vt desatar; (open) abrir

unfavourable [ʌnˈfeɪvərəbl] (US **unfavorable**) adj desfavorável

unfeeling [ʌnˈfiːlɪŋ] adj insensível

unfinished [ʌnˈfɪnɪʃt] adj incompleto, inacabado

unfit [ʌnˈfɪt] adj sem preparo físico; (incompetent): **~ (for)** incompetente (para), incapaz (de); **~ for work** inapto para trabalhar

unfold [ʌnˈfəuld] vt desdobrar ♦ vi (situation) desdobrar-se

unforeseen [ʌnfɔːˈsiːn] adj imprevisto

unfortunate [ʌnˈfɔːtʃənət] adj infeliz; (event, remark) inoportuno

unfounded [ʌnˈfaundɪd] adj infundado

unfriendly [ʌnˈfrɛndlɪ] adj antipático

ungainly [ʌnˈgeɪnlɪ] adj desalinhado

ungrateful [ʌnˈgreɪtful] adj mal agradecido, ingrato

unhappiness [ʌnˈhæpɪnɪs] n intelicidade f

unhappy [ʌnˈhæpɪ] adj triste; (unfortunate) desventurado; (childhood) infeliz; (dissatisfied): **~ with** descontente com, insatisfeito com

unharmed [ʌnˈhɑːmd] adj ileso

unhealthy [ʌnˈhɛlθɪ] adj insalubre; (person) doentio; (fig) anormal

unheard-of [ʌnˈhəːd-] adj insólito

unhurt [ʌnˈhəːt] adj ileso

uniform [ˈjuːnɪfɔːm] n uniforme m ♦ adj uniforme

uninhabited [ʌnɪnˈhæbɪtɪd] adj inabitado

unintentional [ʌnɪnˈtɛnʃənəl] adj involuntário, não intencional

union [ˈjuːnjən] n união f; (also: **trade ~**) sindicato (de trabalhadores) ♦ cpd

unique → unstuck

sindical; **Union Jack** n bandeira britânica

unique [juːˈniːk] adj único, sem igual

unison [ˈjuːnɪsn] n: **in ~** em harmonia, em uníssono

unit [ˈjuːnɪt] n unidade f; (of furniture etc) segão f; (team, squad) equipe f; **kitchen ~** armário de cozinha

unite [juːˈnaɪt] vt unir ♦ vi unir-se; **united** adj unido; (effort) conjunto; **United Kingdom** n Reino Unido; **United Nations (Organization)** n (Organização f das) Nações fpl Unidas; **United States (of America)** n Estados Unidos mpl (da América)

universal [juːnɪˈvəːsl] adj universal

universe [ˈjuːnɪvəːs] n universo

university [juːnɪˈvəːsɪtɪ] n universidade f

unjust [ʌnˈdʒʌst] adj injusto

unkempt [ʌnˈkɛmpt] adj desleixado, descuidado; (hair) despenteado; (beard) mal tratado

unkind [ʌnˈkaɪnd] adj maldoso; (comment etc) cruel

unknown [ʌnˈnəun] adj desconhecido

unlawful [ʌnˈlɔːful] adj ilegal

unleaded [ʌnˈlɛdɪd] adj (petrol, fuel) sem chumbo

unleash [ʌnˈliːʃ] vt (fig) desencadear

unless [ʌnˈlɛs] conj a menos que, a não ser que; **~ he comes** a menos que ele venha

unlike [ʌnˈlaɪk] adj diferente ♦ prep diferentemente de, ao contrário de

unlikely [ʌnˈlaɪklɪ] adj (not likely) improvável; (unexpected) inesperado

unlisted [ʌnˈlɪstɪd] (US) adj (TEL) que não consta na lista telefônica

unload [ʌnˈləud] vt descarregar

unlock [ʌnˈlɔk] vt destrancar

unlucky [ʌnˈlʌkɪ] adj infeliz; (object, number) de mau agouro; **to be ~** ser azarado, ter azar

unmarried [ʌnˈmærɪd] adj solteiro

unmistak(e)able [ʌnmɪsˈteɪkəbl] adj inconfundível

unnatural [ʌnˈnætʃrəl] adj antinatural, artificial; (manner) afetado; (habit) depravado

unnecessary [ʌnˈnɛsəsərɪ] adj desnecessário, inútil

unnoticed [ʌnˈnəutɪst] adj: **(to go or pass) ~** (passar) despercebido

UNO [ˈjuːnəu] n abbr (= United Nations Organization) ONU f

unobtainable [ʌnəbˈteɪnəbl] adj inacessível; (TEL) ocupado

unofficial [ʌnəˈfɪʃl] adj não-oficial, informal; (strike) desautorizado

unpack [ʌnˈpæk] vi desembrulhar ♦ vt desfazer

unpalatable [ʌnˈpælətəbl] adj desagradável

unparalleled [ʌnˈpærəlɛld] adj sem paralelo

unpleasant [ʌnˈplɛznt] adj desagradável; (person, manner) antipático

unplug [ʌnˈplʌg] vt desligar

unpopular [ʌnˈpɔpjulə*] adj impopular

unprecedented [ʌnˈprɛsɪdəntɪd] adj sem precedentes

unpredictable [ʌnprɪˈdɪktəbl] adj imprevisível

unprofessional [ʌnprəˈfɛʃənl] adj (conduct) pouco profissional

unravel [ʌnˈrævl] vt desemaranhar; (mystery) desvendar

unreal [ʌnˈrɪəl] adj irreal, ilusório; (extraordinary) extraordinário

unrealistic [ʌnrɪəˈlɪstɪk] adj pouco realista

unreasonable [ʌnˈriːznəbl] adj insensato; (demand) absurdo

unrelated [ʌnrɪˈleɪtɪd] adj sem relação; (family) sem parentesco

unreliable [ʌnrɪˈlaɪəbl] adj (person) indigno de confiança; (machine) incerto, perigoso

unrest [ʌnˈrɛst] n inquietação f, desassossego; (POL) distúrbios mpl

unroll [ʌnˈrəul] vt desenrolar

unruly [ʌnˈruːlɪ] adj indisciplinado; (hair) desalinhado

unsafe [ʌnˈseɪf] adj perigoso

unsatisfactory [ʌnsætɪsˈfæktərɪ] adj insatisfatório

unsavoury [ʌnˈseɪvərɪ] (US **unsavory**) adj (fig) repugnante, vil

unscrew [ʌnˈskruː] vt desparafusar

unscrupulous [ʌnˈskruːpjuləs] adj inescrupuloso, imoral

unsettled [ʌnˈsɛtld] adj (weather) instável; (person) inquieto

unshaven [ʌnˈʃeɪvn] adj com a barba por fazer

unsightly [ʌnˈsaɪtlɪ] adj feio, disforme

unskilled [ʌnˈskɪld] adj não-especializado

unspeakable [ʌnˈspiːkəbl] adj indescritível; (awful) inqualificável

unstable [ʌnˈsteɪbl] adj em falso; (mentally) instável

unsteady [ʌnˈstɛdɪ] adj trêmulo; (ladder) em falso

unstuck [ʌnˈstʌk] adj: **to come ~**

despregar-se; (fig) fracassar
unsuccessful [ʌnsəkˈsɛsful] adj (attempt) frustrado, vão (vã); (writer, proposal) sem êxito; **to be ~** (in attempting sth) ser mal sucedido, não conseguir; (application) ser recusado
unsuitable [ʌnˈsuːtəbl] adj inadequado; (time) inconveniente
unsure [ʌnˈʃuə*] adj inseguro, incerto; **to be ~ of o.s.** não ser seguro de si
unsympathetic [ʌnsɪmpəˈθɛtɪk] adj insensível; (unlikeable) antipático
unthinkable [ʌnˈθɪŋkəbl] adj impensável, inconcebível, incalculável
untidy [ʌnˈtaɪdɪ] adj (room) desarrumado, desleixado; (appearance) desmazelado, desalinhado
untie [ʌnˈtaɪ] vt desatar, desfazer; (dog, prisoner) soltar
until [ənˈtɪl] prep até ♦ conj até que; **~ he comes** até que ele venha; **~ now** até agora; **~ then** até então
unused [ʌnˈjuːzd] adj novo, sem uso
unusual [ʌnˈjuːʒuəl] adj (strange) estranho; (rare) incomum; (exceptional) extraordinário
unveil [ʌnˈveɪl] vt desvelar, descobrir
unwanted [ʌnˈwɔntɪd] adj não desejado, indesejável
unwelcome [ʌnˈwɛlkəm] adj (guest) inoportuno; (news) desagradável
unwell [ʌnˈwɛl] adj: **to be ~** estar doente; **to feel ~** estar indisposto
unwilling [ʌnˈwɪlɪŋ] adj: **to be ~ to do sth** relutar em fazer algo, não querer fazer algo; **unwillingly** adv de má vontade
unwind [ʌnˈwaɪnd] (irreg) vt desenrolar ♦ vi (relax) relaxar se
unwise [ʌnˈwaɪz] adj imprudente
unworthy [ʌnˈwəːðɪ] adj indigno
unwrap [ʌnˈræp] vt desembrulhar
unwritten [ʌnˈrɪtən] adj (agreement) tácito

```
KEYWORD
```

up [ʌp] prep: **to go/be ~ sth** subir algo/estar em cima de algo; **we climbed/walked ~ the hill** nós subimos/andamos até em cima da colina; **they live further ~ the street** eles moram mais adiante nesta rua
♦ adv
1 (upwards, higher) em cima, para cima; **~ in the sky/the mountains** lá no céu/nas montanhas; **~ there** lá em cima; **~ above** em cima
2: **to be ~** (out of bed) estar de pé; (prices, level) estar elevado; (building, tent) estar erguido
3: **~ to** (as far as) até; **~ to now** até agora
4: **to be ~ to** (depending on): **it is ~ to you** você é quem sabe, você decide
5: **to be ~ to** (equal to) estar à altura de; **he's not ~ to it** (job, task etc) ele não é capaz de fazê-lo; **his work is not ~ to the required standard** seu trabalho não atende aos padrões exigidos
6: **to be ~ to** (inf: be doing) estar fazendo (BR) or a fazer (PT); **what is he ~ to?** o que ele está querendo?, o que ele está tramando?

♦ n: **~s and downs** altos mpl e baixos mpl

upbringing [ˈʌpbrɪŋɪŋ] n educação f, criação f
update [ʌpˈdeɪt] vt atualizar, pôr em dia
upgrade [ʌpˈgreɪd] vt (person) promover; (job) melhorar; (house) reformar
upheaval [ʌpˈhiːvl] n transtorno; (unrest) convulsão f
uphill [ʌpˈhɪl] adj ladeira acima; (fig: task) trabalhoso, árduo ♦ adv (face, look) para cima; **to go ~** ir morro acima
uphold [ʌpˈhəuld] (irreg: like **hold**) vt defender, preservar
upholstery [ʌpˈhəulstərɪ] n estofamento
upkeep [ˈʌpkiːp] n manutenção f
upon [əˈpɔn] prep sobre
upper [ˈʌpə*] adj superior, de cima ♦ n (of shoe) gáspea, parte f superior; **upper-class** adj de classe alta; **upper hand** n: **to have the upper hand** ter controle or domínio; **uppermost** adj mais elevado; **what was uppermost in my mind** o que me preocupava mais
upright [ˈʌpraɪt] adj vertical; (straight) reto; (fig) honesto
uprising [ˈʌpraɪzɪŋ] n revolta, rebelião f, sublevação f
uproar [ˈʌprɔː*] n tumulto, algazarra
uproot [ʌpˈruːt] vt (tree) arrancar; (fig) desarraigar
upset [n ˈʌpsɛt, vb, adj ʌpˈsɛt] (irreg: like **set**) n (to plan etc) revés m, reviravolta; (stomach ~) indisposição f ♦ vt (glass etc) virar; (plan) perturbar; (person: annoy) aborrecer ♦ adj aflito; (stomach) indisposto
upshot [ˈʌpʃɔt] n resultado, conclusão f
upside down [ˈʌpsaɪd-] adv de cabeça para baixo; **to turn a place ~** (fig) deixar um lugar de cabeça para baixo
upstairs [ʌpˈstɛəz] adv (be) em cima; (go) lá em cima ♦ adj (room) de cima ♦ n andar m de cima

upstart → vat

upstart ['ʌpstɑːt] (*pej*) *n* novo-rico, pessoa sem classe
upstream [ʌp'striːm] *adv* rio acima
uptight [ʌp'taɪt] (*inf*) *adj* nervoso
up-to-date *adj* (*person*) moderno, atualizado; (*information*) atualizado
upward ['ʌpwəd] *adj* ascendente, para cima; **upward(s)** *adv* para cima; (*more than*): **upward(s) of** para cima de
urban ['əːbən] *adj* urbano, da cidade
urge [əːdʒ] *n* desejo ♦ *vt*: **to ~ sb to do sth** incitar alguém a fazer algo
urgent ['əːdʒənt] *adj* urgente; (*tone, plea*) insistente
urinal ['juərɪnl] (*BRIT*) *n* (*vessel*) urinol *m*; (*building*) mictório
urine ['juərɪn] *n* urina
urn [əːn] *n* urna; (*also*: **tea ~**) samovar *m*
Uruguay ['juərəgwaɪ] *n* Uruguai *m*
us [ʌs] *pron* nos; (*after prep*) nós; *see also* **me**
US(A) *n abbr* (= *United States (of America)*) EUA *mpl*
use [*n* juːs, *vb* juːz] *n* uso, emprego; (*usefulness*) utilidade *f* ♦ *vt* usar, utilizar; (*phrase*) empregar; **in ~** em uso; **out of ~** fora de uso; **to be of ~** ser útil; **it's no ~** (*pointless*) é inútil; (*not useful*) não serve; **to be ~d to** estar acostumado a; **she ~d to do it** ela costumava fazê-lo; **use up** *vt* esgotar, consumir; (*money*) gastar; **used** [juːzd] *adj* usado; **useful** ['juːsful] *adj* útil; **usefulness** *n* utilidade *f*; **useless** ['juːslɪs] *adj* inútil; (*person*) incapaz; **user** ['juːzə*] *n* usuário(-a) (*BR*), utente *m/f* (*PT*); **user-friendly** *adj* de fácil utilização
usher ['ʌʃə*] *n* (*at wedding*) oficial *m* de justiça; **usherette** [ʌʃə'rɛt] *n* (*in cinema*) lanterninha (*BR*), arrumadora (*PT*)
usual ['juːʒuəl] *adj* usual, habitual; **as ~** como de hábito, como sempre; **usually** ['juːʒuəlɪ] *adv* normalmente
utensil [juː'tɛnsl] *n* utensílio
utmost ['ʌtməust] *adj* maior ♦ *n*: **to do one's ~** fazer todo o possível
utter ['ʌtə*] *adj* total ♦ *vt* (*sounds*) emitir; (*words*) proferir, pronunciar; **utterly** *adv* completamente, totalmente
U-turn *n* retorno

V v

v *abbr* = **verse**; (= *vide*: *see*) vide; (= *versus*) x; (= *volt*) v
vacancy ['veɪkənsɪ] *n* (*BRIT*: *job*) vaga; (*room*) quarto livre
vacant ['veɪkənt] *adj* desocupado, livre; (*expression*) distraído
vacate [və'keɪt] *vt* (*house*) desocupar; (*job*) deixar
vacation [və'keɪʃən] (*esp US*) *n* férias *fpl*
vaccinate ['væksɪneɪt] *vt* vacinar
vacuum ['vækjum] *n* vácuo *m*; **vacuum cleaner** *n* aspirador *m* de pó
vagina [və'dʒaɪnə] *n* vagina
vagrant ['veɪgrənt] *n* vagabundo(-a), vadio(-a)
vague [veɪg] *adj* vago; (*blurred: memory*) fraco; **vaguely** *adv* vagamente
vain [veɪn] *adj* vaidoso; (*useless*) vão (vã) inútil; **in ~** em vão
valentine ['væləntaɪn] *n* (*also*: **~ card**) cartão *m* do Dia dos Namorados; (*person*) namorado
valiant ['vælɪənt] *adj* corajoso
valid ['vælɪd] *adj* válido
valley ['vælɪ] *n* vale *m*
valuable ['væljuəbl] *adj* (*jewel*) de valor; (*time*) valioso; (*help*) precioso; **valuables** *npl* objetos *mpl* de valor
valuation [vælju'eɪʃən] *n* avaliação *f*; (*of quality*) apreciação *f*
value ['væljuː] *n* valor *m*; (*importance*) importância ♦ *vt* (*fix price of*) avaliar; (*appreciate*) valorizar, estimar; **~s** *npl* (*principles*) valores *mpl*; **valued** *adj* (*appreciated*) valorizado
valve [vælv] *n* válvula
van [væn] *n* (*AUT*) camionete *f* (*BR*), camioneta (*PT*)
vandal ['vændl] *n* vândalo(-a); **vandalize** *vt* destruir, depredar
vanilla [və'nɪlə] *n* baunilha
vanish ['vænɪʃ] *vi* desaparecer, sumir
vanity ['vænɪtɪ] *n* vaidade *f*
vapour ['veɪpə*] (*US* **vapor**) *n* vapor *m*
variety [və'raɪətɪ] *n* variedade *f*, diversidade *f*; (*type, quantity*) variedade
various ['vɛərɪəs] *adj* vários(-as), diversos (-as); (*several*) vários(-as)
varnish ['vɑːnɪʃ] *n* verniz *m*; (*nail ~*) esmalte *m* ♦ *vt* envernizar, pintar (com esmalte)
vary ['vɛərɪ] *vt* mudar ♦ *vi* variar; (*become different*): **to ~ with** variar de acordo com
vase [vɑːz] *n* vaso
vaseline ['væsɪliːn] ® *n* vaselina ®
vast [vɑːst] *adj* enorme
VAT [væt] (*BRIT*) *n abbr* (= *value added tax*) ~ ICM *m* (*BR*), IVA *m* (*PT*)
vat [væt] *n* tina, cuba

vault [vɔ:lt] n (of roof) abóbada; (tomb) sepulcro; (in bank) caixa-forte f ♦ vt (also: ~ **over**) saltar (por cima de)
VCR n abbr = **video cassette recorder**
VDU n abbr = **visual display unit**
veal [vi:l] n carne f de vitela
veer [vɪə*] vi virar
vegan ['vi:gən] n vegetalista m/f
vegetable ['vɛdʒtəbl] n (BOT) vegetal m; (edible plant) legume m, hortaliça ♦ adj vegetal
vegetarian [vɛdʒɪ'tɛərɪən] adj, n vegetariano(-a)
vehement ['vi:ɪmənt] adj veemente; (attack) violento
vehicle ['vi:ɪkl] n veículo
veil [veɪl] n véu m ♦ vt velar
vein [veɪn] n veia; (of ore etc) filão m; (on leaf) nervura
velvet ['vɛlvɪt] n veludo ♦ adj aveludado
vending machine ['vɛndɪŋ-] n vendedor m automático
veneer [və'nɪə*] n (wood) compensado; (fig) aparência
venereal [vɪ'nɪərɪəl] adj: **~ disease** doença venérea
Venetian blind [vɪ'ni:ʃən-] n persiana
Venezuela [vɛnɛ'zweɪlə] n Venezuela
vengeance ['vɛndʒəns] n vingança; **with a ~** (fig) para valer
venison ['vɛnɪsn] n carne f de veado
venom ['vɛnəm] n veneno; (bitterness) malevolência
vent [vɛnt] n (in jacket) abertura; (also: **air ~**) respiradouro ♦ vt (fig: feelings) desabafar, descarregar
ventriloquist [vɛn'trɪləkwɪst] n ventríloquo
venture ['vɛntʃə*] n empreendimento ♦ vt (opinion) arriscar ♦ vi arriscar-se; **business ~** empreendimento comercial
venue ['vɛnju:] n local m
verb [və:b] n verbo
verbatim [və:'beɪtɪm] adj, adv palavra por palavra
verdict ['və:dɪkt] n veredicto, decisão f; (fig) opinião f, parecer m
verge [və:dʒ] n beira, margem f; (on road) acostamento (BR), berma (PT); **"soft ~s"** (BRIT: AUT) "acostamento mole"; **to be on the ~ of doing sth** estar a ponto or à beira de fazer algo; **verge on** vt fus beirar em
vermin ['və:mɪn] npl (animals) bichos mpl; (insects) insetos mpl nocivos
vermouth ['və:məθ] n vermute m

vault → view

versatile ['və:sətaɪl] adj (person) versátil; (machine, tool etc) polivalente
verse [və:s] n verso, poesia; (stanza) estrofe f; (in bible) versículo
version ['və:ʃən] n versão f
versus ['və:səs] prep contra, versus
vertical ['və:tɪkl] adj vertical
vertigo ['və:tɪɡəu] n vertigem f
verve [və:v] n garra, pique m
very ['vɛrɪ] adv muito ♦ adj: **the ~ book which** o mesmo livro que; **the ~ last** o último (de todos), bem o último; **at the ~ least** no mínimo; **~ much** muitíssimo
vessel ['vɛsl] n (NAUT) navio, barco; (container) vaso, vasilha
vest [vɛst] n (BRIT) camiseta (BR), camisola interior (PT); (US: waistcoat) colete m
vet [vɛt] n abbr (= veterinary surgeon) veterinário(-a) ♦ vt examinar
veteran ['vɛtərn] n (also: **war ~**) veterano de guerra
veto ['vi:təu] (pl **~es**) n veto ♦ vt vetar
vex [vɛks] vt irritar, apoquentar; **vexed** adj (question) controvertido, discutido
via ['vaɪə] prep por, via
vibrate [vaɪ'breɪt] vi vibrar
vicar ['vɪkə*] n vigário; **vicarage** n vicariato
vice [vaɪs] n (evil) vício; (TECH) torno mecânico
vice- [vaɪs] prefix vice-
vice versa ['vaɪsɪ'və:sə] adv vice-versa
vicinity [vɪ'sɪnɪtɪ] n: **in the ~ of** nas proximidades de
vicious ['vɪʃəs] adj violento; (cruel) cruel; **vicious circle** n círculo vicioso
victim ['vɪktɪm] n vítima f
victor ['vɪktə*] n vencedor(a) m/f
Victorian [vɪk'tɔ:rɪən] adj vitoriano
victory ['vɪktərɪ] n vitória
video ['vɪdɪəu] n (~ film) vídeo; (also: **~ cassette**) videocassete m; (also: **~ cassette recorder**) videocassete m
Vienna [vɪ'ɛnə] n Viena
Vietnam ['vjɛt'næm] n Vietnã m; **Vietnamese** [vjɛtnə'mi:z] adj vietnamita ♦ n inv vietnamita m/f; (LING) vietnamita m
view [vju:] n vista; (outlook) perspectiva; (opinion) opinião f, parecer m ♦ vt olhar; **in full ~ (of)** à plena vista (de); **in my ~** na minha opinião; **in ~ of the weather/ the fact that** em vista do tempo/do fato de que; **viewer** n telespectador(a) m/f; **viewfinder** n visor m; **viewpoint** n ponto de vista; (place) lugar m

vigorous → voyage

vigorous ['vɪgərəs] *adj* vigoroso; *(plant)* vigoso

vile [vaɪl] *adj* vil, infame; *(smell)* repugnante, repulsivo; *(temper)* violento

villa ['vɪlə] *n (country house)* casa de campo; *(suburban house)* vila, quinta

village ['vɪlɪdʒ] *n* aldeia, povoado; **villager** *n* aldeão (aldeã) *m/f*

villain ['vɪlən] *n (scoundrel)* patife *m*; *(in novel etc)* vilão *m*; (BRIT: *criminal)* marginal *m/f*

vindicate ['vɪndɪkeɪt] *vt* vingar; *(justify)* justificar

vindictive [vɪn'dɪktɪv] *adj* vingativo

vine [vaɪn] *n* planta trepadeira

vinegar ['vɪnɪgə*] *n* vinagre *m*

vineyard ['vɪnjɑ:d] *n* vinha, vinhedo

vintage ['vɪntɪdʒ] *n* vindima; *(year)* safra, colheita ♦ *cpd (comedy)* de época; *(performance)* clássico; **the 1970 ~** a safra de 1970; **vintage car** *n* carro antigo; **vintage wine** *n* vinho velho

viola [vɪ'əulə] *n* viola

violate ['vaɪəleɪt] *vt* violar

violence ['vaɪələns] *n* violência; *(strength)* força

violent ['vaɪələnt] *adj* violento; *(intense)* intenso

violet ['vaɪələt] *adj* violeta ♦ *n* violeta

violin [vaɪə'lɪn] *n* violino; **violinist** [vaɪə'lɪnɪst] *n* violinista *m/f*

VIP *n abbr* (= *very important person*) VIP *m/f*

virgin ['və:dʒɪn] *n* virgem *m/f* ♦ *adj* virgem

Virgo ['və:gəu] *n* Virgem *f*

virtually ['və:tjuəlɪ] *adv* praticamente

virtue ['və:tju:] *n* virtude *f*; *(advantage)* vantagem *f*; **by ~ of** em virtude de

virtuous ['və:tjuəs] *adj* virtuoso

virus ['vaɪərəs] *n* vírus *m*

visa ['vi:zə] *n* visto

visible ['vɪzəbl] *adj* visível

vision ['vɪʒən] *n (sight)* vista, visão *f*; *(foresight, in dream)* visão *f*

visit ['vɪzɪt] *n* visita ♦ *vt (person: US: also:* **~ with)** visitar, fazer uma visita a; *(place)* ir a, ir conhecer; **visiting hours** *npl* horário de visita; **visitor** *n* visitante *m/f*; *(to one's house)* visita; *(tourist)* turista *m/f*

visor ['vaɪzə*] *n* viseira

visual ['vɪzjuəl] *adj* visual; **visual display unit** *n* terminal *m* de vídeo; **visualize** *vt* visualizar

vital ['vaɪtl] *adj* essencial, indispensável; *(important)* de importância vital; *(crucial)* crucial; *(person)* vivo; *(of life)* vital; **vitally** *adv*: **~ly important** de importância vital

vitamin ['vɪtəmɪn] *n* vitamina

vivacious [vɪ'veɪʃəs] *adj* vivaz, animado

vivid ['vɪvɪd] *adj (account)* vívido; *(light)* claro, brilhante; *(imagination, colour)* vivo; **vividly** *adv* vividamente; *(remember)* distintamente

V-neck *n*: **~ jumper, ~ pullover** suéter *f* com decote em V

vocabulary [vəu'kæbjulərɪ] *n* vocabulário

vocal ['vəukl] *adj* vocal; *(noisy)* clamoroso; *(articulate)* claro, eloqüente; **vocal cords** *npl* cordas *fpl* vocais

vocation [vəu'keɪʃən] *n* vocação *f*

vociferous [və'sɪfərəs] *adj* vociferante

vodka ['vɔdkə] *n* vodca

vogue [vəug] *n* voga, moda; **to be in ~** estar na moda

voice [vɔɪs] *n* voz *f* ♦ *vt* expressar; **voice mail** *n* (TEL) correio *m* de voz

void [vɔɪd] *n* vazio; *(hole)* oco ♦ *adj* nulo; *(empty)*: **~ of** destituído de

volatile ['vɔlətaɪl] *adj* volátil; *(situation, person)* imprevisível

volcano [vɔl'keɪnəu] (*pl* **~es**) *n* vulcão *m*

volley ['vɔlɪ] *n (of gunfire)* descarga, salva; *(of stones etc)* chuva; *(of questions etc)* enxurrada, chuva; (TENNIS *etc)* voleio; **volleyball** *n* voleibol *m*, vôlei *m* (BR)

volt [vəult] *n* volt *m*

volume ['vɔlju:m] *n* volume *m*; *(of tank)* capacidade *f*

voluntarily ['vɔləntrɪlɪ] *adv* livremente, voluntariamente

voluntary ['vɔləntərɪ] *adj* voluntário; *(unpaid)* (a título) gratuito

volunteer [vɔlən'tɪə*] *n* voluntário(-a) ♦ *vt* oferecer voluntariamente ♦ *vi* (MIL) alistar-se voluntariamente; **to ~ to do** oferecer-se voluntariamente para fazer

vomit ['vɔmɪt] *n* vômito ♦ *vt, vi* vomitar

vote [vəut] *n* voto; *(votes cast)* votação *f*; *(right to ~)* direito de votar ♦ *vt*: **to be ~d chairman** *etc* ser eleito presidente *etc*; *(propose)*: **to ~ that** propor que; *(in election)* votar ♦ *vi* votar; **voter** *n* votante *m/f*, eleitor(a) *m/f*

voucher ['vautʃə*] *n (also:* **luncheon ~**) vale-refeição *m*; *(with petrol etc)* vale *m*; *(gift ~)* vale *m* para presente

vouch for [vautʃ-] *vt fus* garantir, responder por

vow [vau] *n* voto ♦ *vt*: **to ~ to do/that** prometer solenemente fazer/que

vowel ['vauəl] *n* vogal *f*

voyage ['vɔɪɪdʒ] *n* viagem *f*

vulgar → warn

vulgar ['vʌlgə*] adj grosseiro, ordinário; (in bad taste) vulgar, baixo
vulture ['vʌltʃə*] n abutre m, urubu m

W w

wad [wɔd] n (of cotton wool) chumaço; (of paper) bola; (of banknotes etc) maço
wade [weid] vi: **to ~ through** andar em; (fig: a book) ler com dificuldade
wafer ['weifə*] n (biscuit) bolacha
waffle ['wɔfl] n (CULIN) waffle m; (empty talk) lengalenga ♦ vi encher linguiça
waft [wɔft] vt levar ♦ vi flutuar
wag [wæg] vt (tail) sacudir; (finger) menear ♦ vi abanar
wage [weidʒ] n (also: **~s**) salário, ordenado ♦ vt: **to ~ war** empreender or fazer guerra; **wage earner** n assalariado(-a)
wager ['weidʒə*] n aposta, parada
wag(g)on ['wægən] n (horse-drawn) carroça; (BRIT: RAIL) vagão m
wail [weil] n lamento, gemido ♦ vi lamentar-se, gemer; (siren) tocar
waist [weist] n cintura; **waistcoat** n colete m; **waistline** n cintura
wait [weit] n espera ♦ vi esperar; **I can't ~ to** (fig) estou morrendo de vontade de; **to ~ for sb/sth** esperar por alguém/algo; **wait behind** vi ficar para trás; **wait on** vt fus servir; **waiter** n garçom m (BR), empregado (PT); **waiting list** n lista de espera; **waiting room** n sala de espera; **waitress** n garçonete f (BR), empregada (PT)
waive [weiv] vt abrir mão de
wake [weik] (pt **woke** or **~d**, pp **woken** or **~d**) vt (also: **~ up**) acordar ♦ vi acordar ♦ n (for dead person) velório; (NAUT) esteira
Wales [weilz] n País m de Gales
walk [wɔːk] n passeio; (hike) excursão f a pé, caminhada; (gait) passo, modo de andar; (in park etc) alameda, passeio ♦ vi andar; (for pleasure, exercise) passear ♦ vt (distance) percorrer a pé, andar; (dog) levar para passear; **it's 10 minutes' ~ from here** daqui são 10 minutos a pé; **people from all ~s of life** pessoas de todos os níveis; **walk out** vi sair; (audience) retirar-se (em protesto); (strike) entrar em greve; **walk out on** vt fus abandonar; **walkie-talkie** n transmissor-receptor m portátil, walkie-talkie m; **walking** n o andar; **walking shoes** npl sapatos mpl para caminhar; **walking stick** n bengala; **Walkman** ® n Walkman ® m; **walkover** (inf) n barbada; **walkway** n passeio, passadiço
wall [wɔːl] n parede f; (exterior) muro; (city ~ etc) muralha; **walled** adj (city) cercado por muralhas; (garden) murado, cercado
wallet ['wɔlit] n carteira
wallow ['wɔləu] vi (in mud) chafurdar; (in water) rolar; (person: in guilt) regalar-se
wallpaper ['wɔːlpeipə*] n papel m de parede ♦ vt colocar papel de parede em
walnut ['wɔːlnʌt] n noz f; (tree, wood) nogueira
walrus ['wɔːlrəs] (pl inv or **~es**) n morsa, vaca marinha
waltz [wɔːlts] n valsa ♦ vi valsar
wand [wɔnd] n (also: **magic ~**) varinha de condão
wander ['wɔndə*] vi (person) vagar, perambular; (thoughts) divagar ♦ vt perambular
wane [wein] vi diminuir; (moon) minguar
want [wɔnt] vt querer; (demand) exigir; (need) precisar de, necessitar; **to ~ sb to do sth** querer que alguém faça algo; **wanted** adj (criminal etc) procurado (pela polícia); **"cook wanted"** (in advertisement) "precisa-se cozinheiro"
war [wɔː*] n guerra; **to make ~ (on)** fazer guerra (contra)
ward [wɔːd] n (in hospital) ala; (POL) distrito eleitoral; (LAW: child) tutelado(-a), pupilo(-a); **ward off** vt desviar, aparar; (attack) repelir
warden ['wɔːdn] n (BRIT: of institution) diretor(a) m/f; (of park, youth hostel) administrador(a) m/f; (BRIT: also: **traffic ~**) guarda m/f
warder ['wɔːdə*] (BRIT) n carcereiro(-a)
wardrobe ['wɔːdrəub] n guarda-roupa m; (CINEMA, THEATRE) figurinos mpl
warehouse ['weəhaus] n armazém m, depósito
warfare ['wɔːfeə*] n guerra, combate m
warhead ['wɔːhεd] n ogiva
warm [wɔːm] adj quente; (thanks, welcome) caloroso; **it's ~** está quente; **I'm ~** estou com calor; **warm up** vt, vi esquentar; **warm-hearted** adj afetuoso; **warmly** adv (applaud, welcome) calorosamente; (dress): **to dress warmly** vestir-se com roupas de inverno; **warmth** n calor m; (friendliness) calor humano
warn [wɔːn] vt prevenir, avisar; **to ~ sb that/of/(not) to do** prevenir alguém de

warning → way

que/de/para (não) fazer
warning ['wɔ:nɪŋ] n advertência; (in writing) aviso; (signal) sinal m
warp [wɔ:p] vt deformar ♦ vi empenar, deformar-se
warrant ['wɔrnt] n (voucher) comprovante m; (LAW: to arrest) mandado de prisão; (: to search) mandado de busca; **warranty** n garantia
warrior ['wɔrɪə*] n guerreiro(-a)
Warsaw ['wɔ:sɔ:] n Varsóvia
warship ['wɔ:ʃɪp] n navio de guerra
wart [wɔ:t] n verruga
wartime ['wɔ:taɪm] n: **in ~** em tempo de guerra
wary ['wɛərɪ] adj cauteloso, precavido
was [wɔz] pt of **be**
wash [wɔʃ] vt lavar ♦ vi lavar-se; (subj: ~ing machine) lavar; (sea etc): **to ~ over/against sth** bater contra/ chocar-se contra algo; (clothes): **this shirt ~es well** esta camisa resiste bem à lavagem ♦ n (clothes etc) lavagem f; (~ing programme) programa m de lavagem; (of ship) esteira; **to have a ~** lavar-se; **wash away** vt (stain) tirar ao lavar; (subj: river etc) levar, arrastar; **wash off** vt tirar lavando ♦ vi sair ao lavar; **wash up** vi (BRIT) lavar a louça; (US) lavar-se; **washbasin** n pia (BR), lavatório (PT); **washcloth** n (US) toalhinha para o rosto; **washing** n (dirty) roupa suja; (clean) roupa lavada; **washing machine** n máquina de lavar roupa, lavadora; **washing powder** (BRIT) n sabão m em pó; **washing-up** n: **to do the washing-up** lavar a louça; **washing-up liquid** n detergente m; **wash-out** (inf) n fracasso, fiasco; **washroom** (US) n banheiro (BR), casa de banho (PT)
wasn't ['wɔznt] = **was not**
wasp [wɔsp] n vespa
wastage ['weɪstɪdʒ] n desgaste m, desperdício; (loss) perda
waste [weɪst] n desperdício, esbanjamento; (of time) perda; (also: **household ~**) detritos mpl domésticos; (rubbish) lixo ♦ adj (material) de refugo; (left over) de sobra; (land) baldio ♦ vt (squander) esbanjar, desperdiçar; (time, opportunity) perder; **~s** npl (land) ermos mpl; **to lay ~** devastar; **waste away** vi definhar; **wasteful** adj esbanjador(a); (process) anti-econômico; **wastepaper basket** n cesta de papéis
watch [wɔtʃ] n (clock) relógio; (also: **wrist~**) relógio de pulso; (act of ~ing) vigia; (guard: MIL) sentinela; (NAUT: spell of duty) quarto ♦ vt (look at) observar, olhar; (programme, match) assistir a; (television) ver; (spy on, guard) vigiar; (be careful of) tomar cuidado com ♦ vi ver, olhar; (keep guard) montar guarda; **watch out** vi ter cuidado; **watchdog** n cão m de guarda; (fig) vigia m/f; **watchful** adj vigilante, atento; **watchmaker** n relojoeiro(-a); **watchman** (irreg) n see **night**; **watchstrap** n pulseira de relógio
water ['wɔ:tə*] n água ♦ vt (plant) regar ♦ vi (eyes) lacrimejar; (mouth) salivar; **in British ~s** nas águas territoriais britânicas; **water down** vt (milk) aguar; (fig) diluir; **watercolour** (US **watercolor**) n aquarela; **waterfall** n cascata, cachoeira; **watering can** n regador m; **water lily** n nenúfar m; **waterline** n (NAUT) linha d'água; **waterlogged** adj alagado; **watermelon** n melancia; **waterproof** adj impermeável; **watershed** n (GEO) linha divisória das águas; (fig) momento crítico; **water-skiing** n esqui m aquático; **watertight** adj hermético, à prova d'água; **waterworks** npl usina hidráulica; **watery** adj (eyes) húmido
watt [wɔt] n watt m
wave [weɪv] n onda; (of hand) aceno, sinal m; (in hair) onda, ondulação f ♦ vi acenar com a mão; (flag, grass) tremular ♦ vt (hand) acenar; (handkerchief) acenar com; (weapon) brandir; **wavelength** n comprimento de onda; **to be on the same wavelength as** ter os mesmos gostos e atitudes que
waver ['weɪvə*] vi vacilar; (voice, eyes, love) hesitar
wavy ['weɪvɪ] adj (hair) ondulado; (line) ondulante
wax [wæks] n cera ♦ vt encerar; (car) polir ♦ vi (moon) crescer; **waxworks** n museu m de cera ♦ npl (models) figuras fpl de cera
way [weɪ] n caminho; (distance) percurso; (direction) direção f, sentido; (manner) maneira, modo; (habit) costume m; **which ~? – this ~** por aqui? – por aqui; **on the ~ (to)** a caminho (de); **to be on one's ~** estar a caminho; **to be in the ~** atrapalhar; **to go out of one's ~ to do sth** dar-se ao trabalho de fazer algo; **to lose one's ~** perder-se; **to be under ~** estar em andamento; **in a ~** de certo modo, até certo ponto; **in some ~s** a certos respeitos; **by the ~** a propósito; **"~ in"** (BRIT) "entrada"; **"~ out"** (BRIT) "saída"; **the ~ back** o caminho de volta; **"give ~"**

(BRIT: AUT) "dê a preferência"; **no ~!** (inf) de jeito nenhum!; **waylay** vt armar uma cilada para; **wayward** adj caprichoso, voluntarioso

WC [ˈdʌblju:ˈsi:] n abbr (= water closet) privada

we [wi:] pl pron nós

weak [wi:k] adj fraco, débil; (morally, currency) fraco; (excuse) pouco convincente; (tea) aguado, ralo; **weaken** vi enfraquecer(-se); (give way) ceder; (influence, power) diminuir ♦ vt enfraquecer; **weakling** n pessoa fraca or delicada; (morally) pessoa de personalidade fraca; **weakness** n fraqueza; (fault) ponto fraco; **to have a weakness for** ter uma queda por

wealth [wɛlθ] n riqueza; (of details) abundância; **wealthy** adj rico, abastado; (country) rico

wean [wi:n] vt desmamar

weapon [ˈwɛpən] n arma

wear [wɛə*] (pt **wore**, pp **worn**) n (use) uso; (deterioration) desgaste m; (clothing): **baby/sports ~** roupa infantil/de esporte ♦ vt (clothes) usar; (shoes) usar, calçar; (put on) vestir; (damage: through use) desgastar ♦ vi (last) durar; (rub through etc) gastar-se; **town/evening ~** traje m de passeio/de noite; **wear away** vt gastar ♦ vi desgastar-se; **wear down** vt gastar; (strength) esgotar; **wear off** vi (pain etc) passar; **wear out** vt desgastar; (person, strength) esgotar; **wear and tear** n desgaste m

weary [ˈwɪərɪ] adj cansado; (dispirited) deprimido ♦ vi: **to ~ of** cansar-se de

weasel [ˈwi:zl] n (ZOOL) doninha

weather [ˈwɛðə*] n tempo ♦ vt (storm, crisis) resistir a, (fig: ill) doente; **under the ~** (fig: ill) doente; **weather-beaten** adj curtido; (building, stone) castigado, erodido; **weather forecast** n previsão f do tempo; **weatherman** (irreg: inf) n meteorologista m

weave [wi:v] (pt **wove**, pp **woven**) vt tecer

web [wɛb] n (of spider) teia; (on foot) membrana; (network) rede f; **the (World Wide) W~** a (World Wide) Web; **website** [ˈwɛbsaɪt] n site m, website m

wed [wɛd] (pt, pp **~ded**) vt casar ♦ vi casar-se

we'd [wi:d] = **we had**; **we would**

wedding [ˈwɛdɪŋ] n casamento, núpcias fpl; **silver/golden ~** (anniversary) bodas fpl de prata/de ouro; **wedding dress** n vestido de noiva; **wedding ring** n anel m or aliança de casamento

wedge [wɛdʒ] n (of wood etc) cunha, calço; (of cake) fatia ♦ vt (pack tightly) apinhar; (door) pôr calço em

Wednesday [ˈwɛdnzdɪ] n quarta-feira

wee [wi:] (SCOTTISH) adj pequeno, pequenino

weed [wi:d] n erva daninha ♦ vt capinar; **weedkiller** n herbicida m; **weedy** adj (man) fraquinho

week [wi:k] n semana; **a ~ today** daqui a uma semana; **a ~ on Tuesday** sem ser essa terça-feira, a próxima; **weekday** n dia m de semana; (COMM) dia útil; **weekend** n fim m de semana; **weekly** adv semanalmente ♦ adj semanal ♦ n semanário

weep [wi:p] (pt, pp **wept**) vi (person) chorar; **weeping willow** n salgueiro chorão

weigh [weɪ] vt, vi pesar; **to ~ anchor** levantar ferro; **weigh down** vt sobrecarregar; (fig: with worry) deprimir, acabrunhar; **weigh up** vt ponderar, avaliar

weight [weɪt] n peso; **to lose/put on ~** emagrecer/engordar; **weightlifter** n levantador m de pesos; **weighty** adj pesado; (matters) importante

weir [wɪə*] n represa, açude m

weird [wɪəd] adj esquisito, estranho

welcome [ˈwɛlkəm] adj bem-vindo ♦ n acolhimento, recepção f ♦ vt dar as boas-vindas a; (be glad of) saudar; **you're ~** (after thanks) de nada

weld [wɛld] n solda ♦ vt soldar, unir

welfare [ˈwɛlfɛə*] n bem-estar m; (social aid) assistência social; **welfare state** n país auto-financiador da sua assistência social

well [wɛl] n poço ♦ adv bem ♦ adj: **to be ~** estar bem (de saúde) ♦ excl bem!, então!, as ~ também; **as ~ as** assim como; **~ done!** muito bem!; **get ~ soon!** melhoras!; **to do ~** ir or sair-se bem; (business) ir bem; **well up** vi brotar

we'll [wi:l] = **we will; we shall**

well: **well-behaved** adj bem comportado; **well-being** n bem-estar m; **well-built** adj robusto; **well-deserved** adj bem merecido; **well-dressed** adj bem vestido

wellingtons [ˈwɛlɪŋtənz] n (also: **wellington boots**) botas de borracha até os joelhos

well: **well-known** adj conhecido; **well-meaning** adj bem intencionado; **well-off** adj próspero, rico; **well-read** adj lido, versado; **well-to-do** adj abastado

Welsh → what

Welsh [wɛlʃ] *adj* galês (galesa) ♦ *n* (LING) galês *m*; **the ~** *npl* (*people*) os galeses; **Welshman** (*irreg*) *n* galês *m*; **Welshwoman** (*irreg*) *n* galesa
went [wɛnt] *pt of* **go**
wept [wɛpt] *pt, pp of* **weep**
were [wəː*] *pt of* **be**
we're [wɪə*] = **we are**
weren't [wəːnt] = **were not**
west [wɛst] *n* oeste *m* ♦ *adj* ocidental, do oeste ♦ *adv* para o oeste *or* ao oeste; **the W~** (POL) o Oeste, o Ocidente; **West Country** (BRIT) *n*: **the West Country** o sudoeste da Inglaterra; **westerly** *adj* (*situation*) ocidental; (*wind*) oeste; **western** *adj* ocidental ♦ *n* (CINEMA); western *m*, bangue-bangue (BR: INF); **West Indian** *adj, n* antilhano(-a); **West Indies** *npl* Antilhas *fpl*; **westward(s)** *adv* para o oeste
wet [wɛt] *adj* molhado; (*damp*) úmido; (*~ through*) encharcado; (*rainy*) chuvoso ♦ *n* (BRIT: POL) político de tendência moderada; **to get ~** molhar-se; **"~ paint"** "tinta fresca"; **wetsuit** *n* roupa de mergulho
we've [wiːv] = **we have**
whale [weɪl] *n* (ZOOL) baleia
wharf [wɔːf] (*pl* **wharves**) *n* cais *m inv*

KEYWORD

what [wɔt] *adj*
1 (*in direct/indirect questions*) que, qual; **~ size is it?** que tamanho é este?; **~ colour/shape is it?** qual é a cor/o formato?; **he asked me ~ books I needed** ele me perguntou de quais os livros eu precisava
2 (*in exclamations*) quê!, como!; **~ a mess!** que bagunça!
♦ *pron* **1** (*interrogative*) que, o que; **~ are you doing?** o que é que você está fazendo?; **~ is it called?** como se chama?; **~ about me?** e eu?; **~ about doing ...?** que tal fazer ...?
2 (*relative*) o que; **I saw ~ you did/was on the table** eu vi o que você fez/estava na mesa; **he asked me ~ she had said** ele me perguntou o que ela tinha dito
♦ *excl* (*disbelieving*) **~, no coffee!** o que, não tem café!

whatever [wɔtˈɛvə*] *adj*: **~ book** qualquer livro ♦ *pron*: **do ~ is necessary/you want** faça tudo o que for preciso/o que você quiser; **~ happens** aconteça o que acontecer; **no reason ~** *or* **whatsoever** nenhuma razão seja qual for *or* em absoluto; **nothing ~** nada em absoluto
whatsoever [wɔtsəuˈɛvə*] *adj* = **whatever**
wheat [wiːt] *n* trigo
wheel [wiːl] *n* roda; (*also*: **steering ~**) volante *m*; (NAUT) roda do leme ♦ *vt* (*pram etc*) empurrar ♦ *vi* (*birds*) dar voltas; (*also*: **~ round**) girar, dar voltas, virar-se; **wheelbarrow** *n* carrinho de mão; **wheelchair** *n* cadeira de rodas; **wheel clamp** *n* (AUT) grampo com que se imobiliza carros estacionados ilegalmente
wheeze [wiːz] *vi* respirar ruidosamente

KEYWORD

when [wɛn] *adv* quando
♦ *conj*
1 (*at, during, after the time that*) quando; **~ you've read it, tell me what you think** depois que você tiver lido isto, diga-me o que acha; **that was ~ I needed you** foi quando eu precisei de você
2 (*on, at which*) quando, em que; **on the day ~ I met him** no dia em que o conheci; **one day ~ it was raining** um dia quando estava chovendo
3 (*whereas*) ao passo que; **you said I was wrong ~ in fact I was right** você disse que eu estava errado quando, na verdade, eu estava certo

whenever [wɛnˈɛvə*] *conj* quando, quando quer que; (*every time that*) sempre que ♦ *adv* quando você quiser
where [wɛə*] *adv* onde ♦ *conj* onde, aonde; **this is ~ ...** aqui é onde ...; **whereabouts** [ˈwɛərəbauts] *adv* (por) onde ♦ *n*: **nobody knows his whereabouts** ninguém sabe o seu paradeiro; **whereas** [wɛərˈæz] *conj* uma vez que, ao passo que; **whereby** *adv* (*formal*) pelo qual (*or* pela qual *etc*); **wherever** [wɛərˈɛvə*] *conj* onde quer que ♦ *adv* (*interrogative*) onde?
whether [ˈwɛðə*] *conj* se; **I don't know ~ to accept or not** não sei se aceito ou não; **~ you go or not** quer você vá quer não; **it's doubtful ~ ...** não é certo que ...

KEYWORD

what [wɪtʃ] *adj*
1 (*interrogative: direct, indirect*) que, qual; **~ picture do you want?** que quadro você quer?; **~ books are yours?** quais são os seus livros?; **~ one?** qual?

whichever → whose

2: **in ~ case** em cujo caso; **by ~ time** momento em que
♦ *pron*
1 (*interrogative*) qual; **~ (of these) are yours?** quais (destes) são seus?
2 (*relative*) que, o que, o qual *etc*; **the apple ~ you ate** a maçã que você comeu; **the chair on ~ you are sitting** a cadeira na qual você está sentado; **he said he knew, ~ is true** ele disse que sabia, o que é verdade; **after ~** depois do que

whichever [wɪtʃˈɛvə*] *adj*: **take ~ book you prefer** pegue o livro que preferir; **~ book you take** qualquer livro que você pegue

while [waɪl] *n* tempo, momento ♦ *conj* enquanto, ao mesmo tempo que; (*as long as*) contanto que; (*although*) . embora; **for a ~** durante algum tempo; **while away** *vt* (*time*) encher

whim [wɪm] *n* capricho, veneta

whimper [ˈwɪmpə*] *n* (*moan*) lamúria ♦ *vi* choramingar, soluçar

whimsical [ˈwɪmzɪkl] *adj* (*person*) caprichoso, de veneta; (*look*) excêntrico

whine [waɪn] *n* (*of pain*) gemido; (*of engine, siren*) zunido ♦ *vi* gemer; zunir; (*fig*) lamuriar-se

whip [wɪp] *n* açoite *m*; (*for riding*) chicote *m*; (POL) líder *m/f* da bancada ♦ *vt* chicotear; (*snatch*) apanhar de repente; (*cream, eggs*) bater; (*move quickly*): **to ~ sth out/off/away** *etc* arrancar algo; **whipped cream** *n* (*creme m*) chantilly *m*; **whip-round** (BRIT) *n* coleta, vaquinha

whirl [wə:l] *vt* fazer girar ♦ *vi* (*dancers*) rodopiar; (*leaves, water etc*) redemoinhar; **whirlpool** *n* remoinho; **whirlwind** *n* furacão *m*, remoinho

whirr [wə:*] *vi* zumbir

whisk [wɪsk] *n* (CULIN) batedeira ♦ *vt* bater; **to ~ sb away** *or* **off** levar alguém rapidamente

whiskers [ˈwɪskəz] *npl* (*of animal*) bigodes *mpl*; (*of man*) suíças *fpl*

whisky [ˈwɪskɪ] (US, IRELAND **whiskey**) *n* uísque *m* (BR), whisky *m* (PT)

whisper [ˈwɪspə*] *n* sussurro, murmúrio ♦ *vt*, *vi* sussurrar

whistle [ˈwɪsl] *n* (*sound*) assobio; (*object*) apito ♦ *vt*, *vi* assobiar

white [waɪt] *adj* branco; (*pale*) pálido ♦ *n* branco; (*of egg*) clara; **white coffee** *n* café *m* com leite; **White House** *n*: **the W~ House** a Casa Branca

white lie *n* mentira inofensiva *or* social

whitewash *n* (*paint*) cal *f* ♦ *vt* caiar; (*fig*) encobrir

whiting [ˈwaɪtɪŋ] *n inv* pescada

Whitsun [ˈwɪtsn] *n* Pentecostes *m*

whizz [wɪz] *vi*: **to ~ past** *or* **by** passar a toda velocidade; **whizz kid** (*inf*) *n* prodígio

KEYWORD

who [hu:] *pron*
1 (*interrogative*) quem?; **~ is it?** quem é?
2 (*relative*) que, o qual *etc*, quem; **my cousin, ~ lives in New York** meu primo que mora em Nova Iorque; **the man ~ spoke to me** o homem que falou comigo

whole [həʊl] *adj* (*complete*) todo, inteiro; (*not broken*) intacto ♦ *n* (*all*): **the ~ of the time** o tempo todo; (*entire unit*) conjunto; **on the ~**, **as a ~** como um todo, no conjunto; **wholefoods** *n* comida integral; **wholehearted** *adj* total; **wholemeal** (BRIT) *adj* integral; **wholesale** *n* venda por atacado ♦ *adj* por atacado; (*destruction*) em grande escala ♦ *adv* por atacado; **wholesaler** *n* atacadista *m/f*; **wholesome** *adj* saudável, sadio; **wholewheat** *adj* = **wholemeal**; **wholly** [ˈhəʊlɪ] *adv* totalmente, completamente

KEYWORD

whom [hu:m] *pron*
1 (*interrogative*) quem?; **to ~ did you give it?** para quem você deu isto?
2 (*relative*) que, quem; **the man ~ I saw/ to ~ I spoke** o homem que eu vi/com quem eu falei

whooping cough [ˈhu:pɪŋ-] *n* coqueluche *f*

whore [hɔ:*] (*inf: pej*) *n* puta

KEYWORD

whose [hu:z] *adj*
1 (*possessive: interrogative*): **~ book is this?**, **~ is this book?** de quem é este livro?
2 (*possessive: relative*): **the man ~ son you rescued** o homem cujo filho você salvou; **the woman ~ car was stolen** a mulher de quem o carro foi roubado
♦ *pron* de quem; **I don't know ~ it is** eu não sei de quem é isto

why → window

KEYWORD

why [waɪ] *adv* por que (*BR*), porque (*PT*); (*at end of sentence*) por quê (*BR*), porquê (*PT*)
♦ *conj* por que; **that's not ~ I'm here** não é por isso que estou aqui; **the reason** ~ a razão por que
♦ *excl* (*expressing surprise, shock, annoyance*) ora essa!; (*explaining*) bem!; **~, it's you!** ora, é você!

---

wicked ['wɪkɪd] *adj* perverso; (*smile*) malicioso
wicket ['wɪkɪt] *n* (*CRICKET*) arco
wide [waɪd] *adj* largo; (*area, publicity, knowledge*) amplo ♦ *adv*: **to open ~** abrir totalmente; **to shoot ~** atirar longe do alvo; **wide-awake** *adj* bem acordado; **widely** *adv* extremamente; (*travelled*) muito; (*believed, known*) ampliamente; **widen** *vt* alargar; (*one's experience*) aumentar ♦ *vi* alargar-se; **wide open** *adj* (*eyes*) arregalado; (*door*) escancarado; **widespread** *adj* (*belief etc*) difundido, comum
widow ['wɪdəu] *n* viúva; **widowed** *adj* viúvo; **widower** *n* viúvo
width [wɪdθ] *n* largura
wield [wi:ld] *vt* (*sword*) brandir, empunhar; (*power*) exercer
wife [waɪf] (*pl* **wives**) *n* mulher *f*, esposa
wig [wɪg] *n* peruca
wiggle ['wɪgl] *vt* menear, agitar
wild [waɪld] *adj* (*animal*) selvagem; (*plant*) silvestre; (*rough*) violento, furioso; (*idea*) disparatado, extravagante; (*person*) insensato; **wilderness** ['wɪldənɪs] *n* ermo; **wildlife** *n* animais *mpl* selvagens; **wildly** *adv* (*behave*) freneticamente; (*hit, guess*) irrefletidamente; (*happy*) extremamente
wilful ['wɪlful] (*US* **willful**) *adj* (*person*) teimoso, voluntarioso; (*action*) deliberado, intencional

---

KEYWORD

will [wɪl] (*vt*) (*pt, pp* **~ed**) *aux vb*
1 (*forming future tense*): **I ~ finish it tomorrow** vou acabar isto amanhã; **I ~ have finished it by tomorrow** até amanhã eu terei terminado isto; **~ you do it? – yes I ~/no I won't** você vai fazer isto? – sim, vou/não eu não vou
2 (*in conjectures, predictions*): **he ~ come** ele virá; **he ~ or he'll be there by now** nesta altura ele está lá; **that ~ be the postman** deve ser o carteiro; **this medicine ~/won't help you** este remédio vai/não vai fazer efeito em você
3 (*in commands, requests, offers*): **~ you be quiet!** fique quieto, por favor!; **~ you come?** você vem?; **~ you help me?** você pode me ajudar?; **~ you have a cup of tea?** você vai querer uma xícara de chá *or* um chá?; **I won't put up with it** eu não vou tolerar isto
♦ *vt*: **to ~ sb to do sth** desejar que alguém faça algo; **he ~ed himself to go on** reuniu grande força de vontade para continuar
♦ *n* (*volition*) vontade *f*; (*testament*) testamento

---

willful ['wɪlful] (*US*) *adj* = **wilful**
willing ['wɪlɪŋ] *adj* disposto, pronto; (*enthusiastic*) entusiasmado; **willingly** *adv* de bom grado, de boa vontade; **willingness** *n* boa vontade *f*, disposição *f*
willow ['wɪləu] *n* salgueiro
willpower ['wɪlpauə*] *n* força de vontade
wilt [wɪlt] *vi* (*flower*) murchar; (*plant*) morrer
win [wɪn] (*pt, pp* **won**) *n* vitória ♦ *vt* ganhar, vencer; (*obtain*) conseguir, obter; (*support*) alcançar ♦ *vi* ganhar; **win over** *vt* conquistar; **win round** (*BRIT*) *vt* = **win over**
wince [wɪns] *vi* encolher-se, estremecer
winch [wɪntʃ] *n* guincho
wind¹ [wɪnd] *n* vento; (*MED*) gases *mpl*, flatulência; (*breath*) fôlego ♦ *vt* (*take breath away from*) deixar sem fôlego
wind² [waɪnd] (*pt, pp* **wound**) *vt* enrolar, bobinar; (*wrap*) envolver; (*clock, toy*) dar corda a ♦ *vi* (*road, river*) serpentear; **wind up** *vt* (*clock*) dar corda em; (*debate*) rematar, concluir
windfall ['wɪndfɔ:l] *n* golpe *m* de sorte
winding ['waɪndɪŋ] *adj* (*road*) sinuoso, tortuoso; (*staircase*) de caracol, em espiral
wind instrument *n* (*MUS*) instrumento de sopro
windmill ['wɪndmɪl] *n* moinho de vento
window ['wɪndəu] *n* janela; (*in shop etc*) vitrine *f* (*BR*), montra (*PT*); **window box** *n* jardineira (no peitoril da janela); **window cleaner** *n* limpador(a) *m/f* de janelas; **window ledge** *n* peitoril *m* da janela; **window pane** *n* vidraça, vidro; **window-shopping** *n*: **to go window-shopping** ir ver vitrines; **windowsill** ['wɪndəusɪl] *n* (*inside*) peitoril *m*; (*outside*) soleira

windpipe → woke

windpipe ['wɪndpaɪp] n traquéia
wind power n energia eólica
windscreen ['wɪndskri:n] (BRIT) n pára-brisa m; **windscreen wiper** (BRIT) n limpador m de pára-brisa
windshield etc ['wɪndʃi:ld] (US) n = **windscreen** etc
windswept ['wɪndswept] adj varrido pelo vento
windy ['wɪndɪ] adj com muito vento, batido pelo vento; **it's ~** está ventando (BR), faz vento (PT)
wine [waɪn] n vinho; **wine bar** n bar m (para degustação de vinhos); **wine cellar** n adega; **wine glass** n cálice m (de vinho); **wine list** n lista de vinhos; **wine waiter** n garção m dos vinhos
wing [wɪŋ] n asa; (of building) ala; (AUT) aleta, pára-lamas m inv; **~s** npl (THEATRE) bastidores mpl
wink [wɪŋk] n piscadela ♦ vi piscar o olho; (light etc) piscar
winner ['wɪnə*] n vencedor(a) m/f
winning ['wɪnɪŋ] adj (team) vencedor(a); (goal) decisivo; (smile) sedutor(a); **winnings** npl ganhos mpl
winter ['wɪntə*] n inverno; **winter sports** npl esportes mpl (BR) or desportos mpl (PT) de inverno
wipe [waɪp] n: **to give sth a ~** limpar algo com um pano ♦ vt limpar; (rub) esfregar; (erase: tape) apagar; **wipe off** vt remover esfregando; **wipe out** vt (debt) liquidar; (memory) apagar; (destroy) exterminar; **wipe up** vt limpar
wire ['waɪə*] n arame m; (ELEC) fio (elétrico); (telegram) telegrama m ♦ vt (house) instalar a rede elétrica em; (also: **~ up**) conectar; (telegram) telegrafar para
wiring ['waɪərɪŋ] n instalação f elétrica
wiry ['waɪərɪ] adj nervoso; (hair) grosso
wisdom ['wɪzdəm] n prudência; (of action, remark) bom-senso, sabedoria; **wisdom tooth** (irreg) n dente m do siso
wise [waɪz] adj prudente; (action, remark) sensato
wish [wɪʃ] n desejo ♦ vt (want) querer; **best ~es** (on birthday etc) parabéns mpl, felicidades fpl; **with best ~es** (in letter) cumprimentos; **to ~ sb goodbye** despedir-se de alguém; **he ~ed me well** me desejou boa sorte; **to ~ to do/sb to do sth** querer fazer/que alguém faça algo; **to ~ for** desejar; **wishful** adj: **it's wishful thinking** é doce ilusão
wistful ['wɪstful] adj melancólico
wit [wɪt] n (wittiness) presença de espírito, engenho; (intelligence: also: **~s**) entendimento; (person) espirituoso(-a)
witch [wɪtʃ] n bruxa

KEYWORD

with [wɪð, wɪθ] prep
1 (accompanying, in the company of) com; **I was ~ him** eu estava com ele; **to stay overnight ~ friends** dormir na casa de amigos; **we'll take the children ~ us** vamos levar as crianças conosco; **I'll be ~ you in a minute** vou vê-lo num minuto; **I'm ~ you** (I understand) compreendo; **to be ~ it** (inf) estar por dentro; (aware) estar a par da situação; (: up-to-date) estar atualizado com
2 (descriptive) com, de; **a room ~ a view** um quarto com vista; **the man ~ the grey hat/blue eyes** o homem do chapéu cinza/de olhos azuis
3 (indicating manner, means, cause) com, de; **~ tears in her eyes** com os olhos cheios de lágrimas; **to fill sth ~ water** encher algo de água

---

withdraw [wɪð'drɔ:] (irreg) vt tirar, remover; (offer) retirar ♦ vi retirar-se; **to ~ money (from the bank)** retirar dinheiro (do banco); **withdrawal** n retirada; **withdrawal symptoms** npl síndrome f de abstinência; **withdrawn** adj (person) reservado, introvertido
wither ['wɪðə*] vi murchar
withhold [wɪð'həuld] (irreg: like **hold**) vt (money) reter; (permission) negar; (information) ocultar
within [wɪð'ɪn] prep dentro de ♦ adv dentro; **~ reach (of)** ao alcance (de); **~ sight (of)** à vista (de); **~ the week** antes do fim da semana; **~ a mile of** a uma milha de
without [wɪð'aut] prep sem; **~ anybody knowing** sem ninguém saber; **to go ~ sth** passar sem algo
withstand [wɪð'stænd] (irreg: like **stand**) vt resistir a
witness ['wɪtnɪs] n testemunha ♦ vt testemunhar, presenciar; (document) legalizar; **to bear ~ to sth** (fig) testemunhar algo; **witness box** (US **~ stand**) n banco das testemunhas
witty ['wɪtɪ] adj espirituoso
wives [waɪvz] npl of **wife**
wizard ['wɪzəd] n feiticeiro, mago
wk abbr = **week**
wobble ['wɔbl] vi oscilar; (chair) balançar
woe [wəu] n dor f, mágoa
woke [wəuk] pt of **wake**; **woken** pp of

wolf → would

wake

wolf [wulf] (pl **wolves**) n lobo

woman ['wumən] (pl **women**) n mulher f; **~ doctor** médica

womb [wu:m] n (ANAT) matriz f, útero

women ['wɪmɪn] npl of **woman**

won [wʌn] pt, pp of **win**

wonder ['wʌndə*] n maravilha, prodígio; (feeling) espanto ♦ vi perguntar-se a si mesmo; **to ~ at** admirar-se de; **to ~ about** pensar sobre or em; **it's no ~ that** não é de admirar que; **wonderful** adj maravilhoso; (miraculous) impressionante

won't [wəunt] = **will not**

wood [wud] n (timber) madeira; (forest) floresta, bosque m; **wood carving** n (act) escultura em madeira; (object) entalhe m; **wooded** adj arborizado; **wooden** adj de madeira; (fig) inexpressivo; **woodpecker** n pica-pau m; **woodwind** n (MUS) instrumentos mpl de sopro de madeira; **woodwork** n carpintaria; **woodworm** n carcoma, caruncho

wool [wul] n lã f; **to pull the ~ over sb's eyes** (fig) enganar alguém, vender a alguém gato por lebre; **woollen** adj de lã; **woolly** (US **wooly**) adj de lã; (fig) confuso

word [wə:d] n palavra; (news) notícia ♦ vt redigir; **in other ~s** em outras palavras, ou seja; **to break/keep one's ~** faltar à palavra/cumprir a promessa; **to have ~s with sb** discutir com alguém; **wording** n fraseado; **word processing** n processamento de textos; **word processor** n processador m de textos

wore [wɔ:*] pt of **wear**

work [wə:k] n trabalho; (job) emprego, trabalho; (ART, LITERATURE) obra ♦ vi trabalhar; (mechanism) funcionar; (medicine etc) surtir efeito, ser eficaz ♦ vt (clay) moldar; (wood) talhar; (mine etc) explorar; (machine) fazer trabalhar, manejar; (effect, miracle) causar; **to ~ loose** (part) soltar-se; (knot) afrouxar-se; **work on** vt fus trabalhar em, dedicar-se a; (person: influence) tentar convencer; (principle) basear-se em; **work out** vi dar certo, surtir efeito ♦ vt (problem) resolver; (plan) elaborar, formular; **it ~s out at £100** monta or soma a £100; **workaholic** [wə:kə'hɔlɪk] n burro de carga; **worker** n trabalhador(a) m/f, operário(-a); **working class** n proletariado, classe f operária ♦ adj: **working-class** do proletariado, da classe operária; **working order** n: **in working order** em perfeito estado; **workman** (irreg) n operário, trabalhador m; **workmanship** n (skill) habilidade f; **workshop** n oficina; (practical session) aula prática; **work station** n estação f de trabalho

world [wə:ld] n mundo ♦ cpd mundial; **to think the ~ of sb** (fig) ter alguém em alto conceito; **worldly** adj mundano; (knowledgeable) experiente; **worldwide** adj mundial, universal

worm [wə:m] n (also: **earth~**) minhoca, lombriga

worn [wɔ:n] pp of **wear** ♦ adj gasto; **worn-out** adj (object) gasto; (person) esgotado, exausto

worry ['wʌrɪ] n preocupação f ♦ vt preocupar, inquietar ♦ vi preocupar-se, afligir-se

worse [wə:s] adj, adv pior ♦ n o pior; **a change for the ~** uma mudança para pior, uma piora; **worsen** vt, vi piorar; **worse off** adj com menos dinheiro; (fig): **you'll be worse off this way** assim você ficará pior que nunca

worship ['wə:ʃɪp] n adoração f ♦ vt adorar, venerar; (person, thing) adorar; **Your W~** (BRIT: to judge) vossa Excelência; (: to mayor) senhor Juiz

worst [wə:st] adj (o (a)) pior ♦ adv pior ♦ n o pior; **at ~** na pior das hipóteses

worth [wə:θ] n valor m, mérito ♦ adj: **to be ~** valer; **it's ~ it** vale a pena; **to be ~ one's while (to do)** valer a pena (fazer); **worthless** adj (person) imprestável; (thing) inútil; **worthwhile** adj (activity) que vale a pena; (cause) de mérito, louvável

worthy ['wə:ðɪ] adj (person) merecedor(a), respeitável; (motive) justo; **~ of** digno de

---
KEYWORD
---

would [wud] aux vb

1 (conditional tense): **if you asked him, he ~ do it** se você pedisse, ele faria isso; **if you had asked him, he ~ have done it** se você tivesse pedido, ele teria feito isto

2 (in offers, invitations, requests): **~ you like a biscuit?** você quer um biscoito?; **~ you ask him to come in?** pode pedir a ele para entrar?; **~ you close the door, please?** quer fechar a porta, por favor?

3 (in indirect speech): **I said I ~ do it** eu disse que eu faria isto

4 (emphatic) **you WOULD say that, ~n't you?** é lógico que você vai dizer isso

5 (insistence): **she ~n't behave** não houve feito dela se comportar

6 (conjecture): **it ~ have been midnight**

devia ser meia-noite; **it ~ seem so** parece que sim

7 (*indicating habit*): **he ~ go on Mondays** costumava ir às segundas-feiras

wouldn't ['wudnt] = **would not**
wound¹ [waund] *pt, pp of* **wind²**
wound² [wu:nd] *n* ferida ♦ *vt* ferir
wove [wəuv] *pt of* **weave**; **woven** *pp of* **weave**
wrap [ræp] *n* (*stole*) xale *m*; (*cape*) capa ♦ *vt* (*cover*) envolver; (*also:* **~ up**) embrulhar; (*wind: tape etc*) amarrar; **wrapper** *n* invólucro; (BRIT: *of book*) capa; **wrapping paper** *n* papel *m* de embrulho; (*fancy*) papel de presente
wreak [ri:k] *vt*: **to ~ havoc (on)** causar estragos (em); **to ~ vengeance on** vingar-se em, tirar vingança de
wreath [ri:θ] *n* coroa
wreck [rɛk] *n* (*vehicle*) destroços *mpl*; (*ship*) restos *mpl* do naufrágio; (*pej: person*) ruína, caco ♦ *vt* destruir, danificar; (*fig*) arruinar, arrasar; **wreckage** *n* (*of car, plane*) destroços *mpl*; (*of ship*) restos *mpl*; (*of building*) escombros *mpl*
wren [rɛn] *n* (ZOOL) carriça
wrench [rɛntʃ] *n* (TECH) chave *f* inglesa; (*tug*) puxão *m*; (*fig*) separação *f* penosa ♦ *vt* torcer com força; **to ~ sth from sb** arrancar algo de alguém
wrestle ['rɛsl] *vi*: **to ~ (with sb)** lutar (com *or* contra alguém); **wrestler** *n* lutador *m*; **wrestling** *n* luta (livre)
wretched ['rɛtʃɪd] *adj* desventurado, infeliz; (*inf*) maldito
wriggle ['rɪɡl] *vi* (*also:* **~ about**) retorcer-se, contorcer-se
wring [rɪŋ] (*pt, pp* **wrung**) *vt* (*clothes, neck*) torcer; (*hands*) apertar; (*fig*): **to ~ sth out of sb** arrancar algo de alguém
wrinkle ['rɪŋkl] *n* (*on skin*) ruga; (*on paper*) prega ♦ *vt* franzir ♦ *vi* enrugar-se
wrist [rɪst] *n* pulso; **wristwatch** *n* relógio *m* de pulso
write [raɪt] (*pt* **wrote**, *pp* **written**) *vt* escrever; (*cheque, prescription*) passar ♦ *vi* escrever; **to ~ to sb** escrever para alguém; **write down** *vt* (*note*) anotar; (*put on paper*) pôr no papel; **write off** *vt* cancelar; **write out** *vt* escrever por extenso; (*cheque etc*) passar; **write up** *vt* redigir; **write-off** *n* perda total; **writer** *n* escritor(a) *m/f*
writing ['raɪtɪŋ] *n* escrita; (*hand~*) caligrafia, letra; (*of author*) obra; **in ~** por escrito

wrong [rɔŋ] *adj* (*bad*) errado, mau; (*unfair*) injusto; (*incorrect*) errado, equivocado; (*inappropriate*) impróprio ♦ *adv* mal, errado ♦ *n* injustiça ♦ *vt* ser injusto com; **you are ~ to do it** você se engana ao fazê-lo; **you are ~ about that, you've got it ~** você está enganado sobre isso; **to be in the ~** não ter razão; **what's ~?** o que é que há?; **to go ~** (*person*) desencaminhar-se; (*plan*) dar errado; (*machine*) sofrer uma avaria; **wrongful** ['rɔŋful] *adj* injusto; **wrongly** ['rɔŋlɪ] *adv* errado
wrote [rəut] *pt of* **write**
wrung [rʌŋ] *pt, pp of* **wring**
wt. *abbr* = **weight**
WWW *n abbr* (= *World Wide Web*): **the ~** a WWW

X x

Xmas ['ɛksməs] *n abbr* = **Christmas**
X-ray [ɛks'reɪ] *n* radiografia ♦ *vt* radiografar, tirar uma chapa de

Y y

yacht [jɔt] *n* iate *m*; **yachting** *n* iatismo
Yank [jæŋk] (*pej*) *n* ianque *m/f*
yap [jæp] *vi* (*dog*) ganir
yard [jɑ:d] *n* pátio, quintal *m*; (*measure*) jarda (914 mm; 3 feet)
yarn [jɑ:n] *n* fio; (*tale*) história inverossímil
yawn [jɔ:n] *n* bocejo ♦ *vi* bocejar
yd *abbr* = **yard(s)**
yeah [jɛə] (*inf*) *adv* é
year [jɪə*] *n* ano; **to be 8 ~s old** ter 8 anos; **an eight-~-old child** uma criança de oito anos (de idade); **yearly** *adj* anual ♦ *adv* anualmente
yearn [jɔ:n] *vi*: **to ~ to do/for sth** ansiar fazer/por algo
yeast [ji:st] *n* levedura, fermento
yell [jɛl] *n* grito, berro ♦ *vi* gritar, berrar
yellow ['jɛləu] *adj* amarelo
yes [jɛs] *adv, n* sim *m*
yesterday ['jɛstədɪ] *adv, n* ontem *m*
yet [jɛt] *adv* ainda ♦ *conj* porém, no entanto; **the best ~** o melhor até agora; **as ~** até agora, ainda

yew [ju:] n teixo
yield [ji:ld] n (AGR) colheita; (COMM) rendimento ♦ vt produzir; (profit) render; (surrender) ceder ♦ vi render-se, ceder; (US: AUT) ceder
YMCA n abbr (= Young Men's Christian Association) ~ ACM f
yog(h)ourt ['jəugət] n iogurte m
yoke [jəuk] n (of oxen) junta; (fig) jugo
yolk [jəuk] n gema (do ovo)

---KEYWORD---

you [ju:] pron
1 (subj: sg) tu, você; (: pl) vós, vocês; ~ **French enjoy your food** vocês franceses gostam de comer; ~ **and I will go** nós iremos
2 (direct object: sg) te, o (a); (: pl) vos, os (as); (indirect object: sg) te, lhe; (: pl) vos, lhes; **I know** ~ eu lhe conheço; **I gave it to** ~ dei isto para você
3 (stressed) você; **I told YOU to do it** eu disse para você fazer isto
4 (after prep, in comparisons: sg) ti, você; (: pl) vós, vocês; (polite form: sg) o senhor (a senhora); (: pl) os senhores (as senhoras); **it's for** ~ é para você; **with** ~ contigo, com você; convosco, com vocês; com o senhor etc
5 (impers: one): ~ **never know** nunca se sabe; **apples do** ~ **good** as maçãs fazem bem à saúde

---

you'd [ju:d] = **you had; you would**
you'll [ju:l] = **you will; you shall**
young [jʌŋ] adj jovem ♦ npl (of animal) filhotes mpl, crias fpl; (people): **the** ~ a juventude, os jovens; **younger** [jʌŋgə*] adj mais novo; **youngster** n jovem m/f, moço(-a)
your [jɔ:*] adj teu (tua), seu (sua); (pl) vosso, seu (sua); (formal) do senhor (da senhora); see also **my**
you're [juə*] = **you are**
yours [jɔ:z] pron teu (tua), seu (sua); (pl) vosso, seu (sua); (formal) do senhor (da senhora); ~ **sincerely** or **faithfully** atenciosamente; see also **mine**[1]
yourself [jɔ:'sɛlf] pron (emphatic) tu mesmo, você mesmo; (object, reflexive) te, se; (after prep) ti mesmo, si mesmo; (formal) o senhor mesmo (a senhora mesma); **yourselves** pl, pron vós mesmos, vocês mesmos; vos, se; vós mesmos, vocês mesmos; os senhores mesmos (as senhoras mesmas); see also **oneself**
youth [ju:θ] n mocidade f, juventude f; (young man) jovem m; **youth club** n associação f de juventude; **youthful** adj juvenil; **youth hostel** n albergue m da juventude
you've [ju:v] = **you have**
YTS (BRIT) n abbr (= Youth Training Scheme) programa de ensino profissionalizante
Yugoslav ['ju:gəusla:v] adj, n iugoslavo (-a)
Yugoslavia [ju:gəu'sla:viə] n Iugoslávia
yuppie ['jʌpɪ] (inf) adj, n yuppie m/f
YWCA n abbr (= Young Women's Christian Association) ~ ACM f

Z z

zany ['zeɪnɪ] adj tolo, bobo
zap [zæp] vt (COMPUT) apagar
zebra ['zi:brə] n zebra; **zebra crossing** (BRIT) n faixa (para pedestres) (BR), passadeira (PT)
zero ['zɪərəu] n zero
zest [zɛst] n vivacidade f, entusiasmo; (of lemon etc) zesto
zigzag ['zɪgzæg] n ziguezague m ♦ vi ziguezaguear
Zimbabwe [zɪm'ba:bwɪ] n Zimbábue m
zinc [zɪŋk] n zinco
zip [zɪp] n (also: ~ **fastener**) fecho ecler (BR) or éclair (PT) ♦ vt (also: ~ **up**) fechar o fecho ecler de, subir o fecho ecler de; **zip code** (US) n código postal; **zipper** (US) n = **zip**
zodiac ['zəudɪæk] n zodíaco
zone [zəun] n zona
zoo [zu:] n (jardim m) zoológico
zoom [zu:m] vi: **to** ~ **past** passar zunindo; **zoom lens** n zoom m, zum m
zucchini [zu:'ki:nɪ] (US) n(pl) abobrinha

**PORTUGUÊS-INGLÊS
PORTUGUESE-ENGLISH**

A a

---PALAVRA CHAVE---

a [a] (*a* + *o(s)* = ao(s); *a* + *a(s)* = à(s); *a* + *aquele/a(s)* = àquele/a(s)) *art def* the; *V tb* **o**

♦ *pron* (*ela*) her; (*você*) you; (*coisa*) it; *V tb* **o**

♦ *prep*

1 (*direção*) to; **à direita/esquerda** to *ou* on the right/left

2 (*distância*): **está ~ 15 km daqui** it's 15 km from here

3 (*posição*): **ao lado de** beside, at the side of

4 (*tempo*) at; **~ que horas?** at what time?; **às 5 horas** at 5 o'clock; **à noite** at night; **aos 15 anos** at 15 years of age

5 (*maneira*): **à francesa** in the French way; **~ cavalo/pé** on horseback/foot

6 (*meio, instrumento*): **à força** by force; **~ mão** by hand; **~ lápis** in pencil; **fogão ~ gás** gas stove

7 (*razão*): **~ R$1 o quilo** at R$1 a kilo; **~ mais de 100 km/h** at over 100 km/h

8 (*depois de certos verbos*): **começou ~ nevar** it started snowing *ou* to snow; **passar ~ fazer** to become

9 (+ *infin*): **ao vê-lo, o reconheci imediatamente** when I saw him, I recognized him immediately; **ele ficou muito nervoso ao falar com o professor** he became very nervous while he was talking to the teacher

10 (*PT*: + *infin*: *gerúndio*): **~ correr** running; **estou ~ trabalhar** I'm working

---

à [a] = **a** + **a**

(a) *abr* (= *assinado*) signed

aba ['aba] *f* (*de chapéu*) brim; (*de casaco*) tail; (*de montanha*) foot

abacate [aba'katʃi] *m* avocado (pear)

abacaxi [abaka'ʃi] (*BR*) *m* pineapple

abade, ssa [a'badʒi, aba'desa] *m/f* abbot/abbess; **abadia** [aba'dʒia] *f* abbey

abafado, -a [aba'fadu, a] *adj* (*ar*) stuffy; (*tempo*) humid, close; (*ocupado*) (extremely) busy; (*angustiado*) anxious

abafar [aba'fa*] *vt* to suffocate; (*ocultar*) to suppress; (*col*) to pinch

abagunçar [abagũ'sa*] *vt* to mess up

abaixar [abaj'ʃa*] *vt* to lower; (*luz, som*) to turn down; **abaixar-se** *vr* to stoop

abaixo [a'bajʃu] *adv* down ♦ *prep*: **~ de** below; **~ o governo!** down with the government!; **morro ~** downhill; **rio ~** downstream; **mais ~** further down; **~ e acima** up and down; **~ assinado** undersigned; **abaixo-assinado** [-asi'nadu] (*pl* **abaixo-assinados**) *m* petition

abalado, -a [aba'ladu, a] *adj* (*objeto*) unstable, unsteady; (*fig: pessoa*) shaken

abalar [aba'la*] *vt* to shake; (*fig: comover*) to affect ♦ *vi* to shake; **abalar-se** *vr* to be moved

abalo [a'balu] *m* (*comoção*) shock; (*ação*) shaking; **~ sísmico** earth tremor

abanar [aba'na*] *vt* to shake; (*rabo*) to wag; (*com leque*) to fan

abandonar [abãdo'na*] *vt* to leave; (*idéia*) to reject; (*esperança*) to give up; (*descuidar*) to neglect; **abandonar-se** *vr*: **~-se a** to abandon o.s. to; **abandono** [abã'donu] *m* (*ato*) desertion; (*estado*) neglect

abarcar [abax'ka*] *vt* (*abranger: assunto, país*) to cover; (: *suj: vista*) to take in

abarrotado, -a [abaxo'tadu, a] *adj* (*gaveta*) crammed full; (*lugar*) packed

abastado, -a [abaʃ'tadu, a] *adj* wealthy

abastecer [abaʃte'se*] *vt* to supply; (*motor*) to fuel; (*AUTO*) to fill up; (*AER*) to refuel; **abastecer-se** *vr*: **~-se de** to stock up with

abastecimento [abaʃtesi'mētu] *m* supply; (*comestíveis*) provisions *pl*; (*ato*) supplying; **~s** *mpl* (*suprimentos*) supplies

abater [aba'te*] *vt* (*gado*) to slaughter; (*preço*) to reduce; (*desalentar*) to upset; **abatido, -a** [aba'tʃidu, a] *adj* depressed, downcast; **abatimento** [abatʃi'mētu] *m* (*fraqueza*) weakness; (*de preço*) reduction; (*prostração*) depression; **fazer um abatimento em** to give a discount on

abdicar [abdʒi'ka*] *vt, vi* to abdicate

abdômen [ab'domē] *m* abdomen

á-bê-cê [abe'se] *m* alphabet

abecedário [abese'darju] *m* alphabet, ABC

abelha [a'beʎa] *f* bee

abelhudo, -a [abe'ʎudu, a] *adj* nosy

abençoar [abē'swa*] *vt* to bless

aberto, -a [a'bɛxtu, a] *pp de* **abrir** ♦ *adj* open; (*céu*) clear; (*sinal*) green; (*torneira*) running; **a torneira estava aberta** the tap was on

abertura [abex'tura] f opening; (FOTO) aperture; (ranhura) gap, crevice; (POL) liberalization

abestalhado, -a [abeʃta'ʎadu, a] adj stupid

abismado, -a [abiʒ'madu, a] adj astonished

abismo [a'biʒmu] m abyss, chasm; (fig) depths pl

abjeção [abʒe'sãw] (PT -cç-) f baseness

abjeto, -a [ab'ʒɛtu, a] (PT -ct-) adj abject, contemptible

ABL abr f = **Academia Brasileira de Letras**

abnegação [abnega'sãw] f self-denial

abnegado, -a [abne'gadu, a] adj self-sacrificing

abnegar [abne'ga*] vt to renounce

abóbada [a'bɔbada] f vault; (telhado) arched roof

abobalhado, -a [aboba'ʎadu, a] adj (criança) simple

abóbora [a'bɔbora] f pumpkin

abobrinha [abo'brina] f courgette (BRIT), zucchini (US)

abolir [abo'li*] vt to abolish

abonar [abo'na*] vt to guarantee

abono [a'bonu] m guarantee; (JUR) bail; (louvor) praise; **~ de família** child benefit

abordar [abox'da*] vt (NÁUT) to board; (pessoa) to approach; (assunto) to broach, tackle

aborrecer [aboxe'se*] vt (chatear) to annoy; (maçar) to bore; **aborrecer-se** vr to get upset; to get bored; **aborrecido, -a** [aboxe'sidu, a] adj annoyed; boring; **aborrecimento** [aboxesi'mẽtu] m annoyance; boredom

abortar [abox'ta*] vi (MED) to have a miscarriage; (: de propósito) to have an abortion; **aborto** [a'boxtu] m miscarriage; abortion; **fazer/ter um aborto** to have an abortion/a miscarriage

abotoadura [abotwa'dura] f cufflink

abotoar [abo'twa*] vt to button up ♦ vi (BOT) to bud

abraçar [abra'sa*] vt to hug; (causa) to embrace; **abraçar-se** vr to embrace; **ele abraçou-se a mim** he embraced me; **abraço** [a'brasu] m embrace, hug; **com um abraço** (em carta) with best wishes

abrandar [abrã'da*] vt to reduce; (suavizar) to soften ♦ vi to diminish; (acalmar) to calm down

abranger [abrã'ʒe*] vt (assunto) to cover;

(alcançar) to reach

abre-garrafas ['abri-] (PT) m inv bottle opener

abre-latas ['abri-] (PT) m inv tin (BRIT) ou can opener

abreviar [abre'vja*] vt to abbreviate; (texto) to abridge; **abreviatura** [abrevja'tura] f abbreviation

abridor [abri'do*] (BR) m: **~ (de lata)** tin (BRIT) ou can opener; **~ de garrafa** bottle opener

abrigar [abri'ga*] vt to shelter; (proteger) to protect; **abrigar-se** vr to take shelter

abrigo [a'brigu] m shelter, cover; **~ anti-aéreo** air-raid shelter; **~ anti-nuclear** fall-out shelter

abril [a'briw] (PT **A~**) m April

abrir [a'bri*] vt to open; (fechadura) to unlock; (vestuário) to unfasten; (torneira) to turn on; (exceção) to make ♦ vi to open; (sinal) to turn green; **abrir-se** vr: **~-se com alguém** to confide in sb

abrupto, -a [a'bruptu, a] adj abrupt; (repentino) sudden

absolutamente [absoluta'mẽtʃi] adv absolutely; (em resposta) absolutely not, not at all

absoluto, -a [abso'lutu, a] adj absolute; **em ~** absolutely not, not at all

absolver [absow've*] vt to absolve; (JUR) to acquit; **absolvição** [absowvi'sãw] (pl -ões) f absolution; acquittal

absorto, -a [ab'sɔxtu, a] pp de **absorver** ♦ adj absorbed, engrossed

absorvente [absox'vẽtʃi] adj (papel etc) absorbent; (livro etc) absorbing

absorver [absox've*] vt to absorb; **absorver-se** vr: **~-se em** to concentrate on

abstêmio, -a [abʃ'temju, a] adj abstemious; (álcool) teetotal ♦ m/f abstainer; teetotaller (BRIT), teetotaler (US)

abster-se [abʃ'texsi] (irreg: como **ter**) vr: **~ de** to abstain ou refrain from

abstinência [abʃtʃi'nẽsja] f abstinence; (jejum) fasting

abstracto, -a [abʃ'tratu, a] (PT) adj = **abstrato**

abstrair [abʃtra'i*] vt to abstract; (omitir) to omit; (separar) to separate

abstrato, -a [abʃ'tratu, a] adj abstract

absurdo, -a [abi'suxdu, a] adj absurd ♦ m nonsense

abundante [abũ'datʃi] adj abundant; **abundar** [abũ'da*] vi to abound

abusar [abu'za*] vi to go too far; **~ de** to abuse

abuso [a'buzu] m abuse; (JUR) indecent assault

a.C. abr (= antes de Cristo) B.C.

a/c abr (= aos cuidados de) c/o

acabado, -a [aka'badu, a] adj finished; (esgotado) worn out

acabamento [akaba'mẽtu] m finish

acabar [aka'ba*] vt to finish, complete; (consumir) to use up; (rematar) to finish off ♦ vi to finish, end; **acabar-se** vr to be over; (prazo) to expire; (esgotar-se) to run out; ~ **com** to put an end to; ~ **de chegar** to have just arrived; ~ **por fazer** to end up (by) doing; **acabou-se!** it's all over!; (basta!) that's enough!

academia [akade'mia] f academy

acadêmico, -a [aka'demiku, a] adj, m/f academic

açafrão [asa'frãw] m saffron

acalmar [akaw'ma*] vt to calm ♦ vi (vento etc) to abate; **acalmar-se** vr to calm down

acamado, -a [aka'madu, a] adj bedridden

acampamento [akãpa'mẽtu] m camping; (MIL) camp, encampment

acampar [akã'pa*] vi to camp

acanhado, -a [aka'ɲadu, a] adj shy

acanhamento [akaɲa'mẽtu] m shyness

acanhar-se [aka'ɲaxsi] vr to be shy

ação [a'sãw] (pl -ões) f action; (ato) act, deed; (MIL) battle; (enredo) plot; (JUR) lawsuit; (COM) share; ~ **ordinária/preferencial** (COM) ordinary/preference share

acarajé [akara'ʒɛ] m (CULIN) beans fried in palm oil

acariciar [akari'sja*] vt to caress; (fig) to cherish

acarretar [akaxe'ta*] vt to result in, bring about

acaso [a'kazu] m chance; **ao** ~ at random; **por** ~ by chance

acatar [aka'ta*] vt to respect; (lei) to obey

acção [a'sãw] (PT) f = **ação**

accionar etc [asjo'na*] (PT) = **acionar** etc

aceitação [asejta'sãw] f acceptance; (aprovação) approval

aceitar [asej'ta*] vt to accept; (aprovar) to approve; **aceitável** [asej'tavew] (pl -eis) adj acceptable; **aceito, -a** [a'sejtu, a] pp de **aceitar**

acelerado, -a [asele'radu, a] adj (rápido) quick; (apressado) hasty

acelerador [aselera'do*] m accelerator

acelerar [asele'ra*] vt (AUTO): ~ **o carro** to accelerate; (ritmo, negociações) to speed up ♦ vi to accelerate; ~ **o passo** to go faster

acenar [ase'na*] vi (com a mão) to wave; (com a cabeça: afirmativo) to nod; (: negativo) to shake one's head

acender [asẽ'de*] vt (cigarro, fogo) to light; (luz) to switch on; (fig) to excite, inflame

aceno [a'sɛnu] m sign, gesture; (com a mão) wave; (com a cabeça: afirmativo) nod; (: negativo) shake

acento [a'sẽtu] m accent; (de intensidade) stress; **acentuar** [asẽ'twa*] vt to accent; (salientar) to stress, emphasize

acepção [asep'sãw] (pl -ões) f (de uma palavra) sense

acerca [a'sexka]: ~ **de** prep about, concerning

acertado, -a [asex'tadu, a] adj right, correct; (sensato) sensible

acertar [asex'ta*] vt (ajustar) to put right; (relógio) to set; (alvo) to hit; (acordo) to reach; (pergunta) to get right ♦ vi to get it right, be right; ~ **o caminho** to find the right way; ~ **com** to hit upon

aceso, -a [a'sezu, a] pp de **acender** ♦ adj: **a luz estava acesa/o fogo estava** ~ the light was on/the fire was alight; (excitado) excited; (furioso) furious

acessar [ase'sa*] vt (COMPUT) to access

acessível [ase'sivew] (pl -eis) adj accessible; (pessoa) approachable

acesso [a'sɛsu] m access; (MED) fit, attack

acessório, -a [ase'sɔrju, a] adj (máquina, equipamento) backup; (EDUC): **matéria acessória** subsidiary subject ♦ m accessory

achado, -a [a'ʃadu, a] m find, discovery; (pechincha) bargain; (sorte) godsend

achar [a'ʃa*] vt (descobrir) to find; (pensar) to think; **achar-se** vr to think (that) one is; (encontrar-se) to be; ~ **de fazer** (resolver) to decide to do; **o que é que você acha disso?** what do you think of that?; **acho que sim** I think so

achatar [aʃa'ta*] vt to squash, flatten

acidentado, -a [asidẽ'tadu, a] adj (terreno) rough; (estrada) bumpy; (viagem) eventful; (vida) difficult ♦ m/f injured person

acidental [asidẽ'taw] (pl -ais) adj accidental

acidente [asi'dẽtʃi] m accident; **por** ~ by accident

acidez [asi'deʒ] f acidity

ácido, -a ['asidu, a] adj acid; (azedo) sour ♦ m acid

acima [a'sima] *adv* above; (*para cima*) up
♦ *prep*: **~ de** above; (*além de*) beyond;
mais ~ higher up; **rio ~** up river; **passar
rua ~** to go up the street; **~ de 1000**
more than 1000

acionado, -a [asjo'nadu, a] *m/f* (*JUR*)
defendant

acionar [asjo'na*] *vt* to set in motion;
(*máquina*) to operate; (*JUR*) to sue

acionista [asjo'niʃta] *m/f* shareholder

acirrado, -a [asi'xadu, a] *adj* (*luta, competição*) tough

acirrar [asi'xa*] *vt* to incite, stir up

aclamação [aklama'sãw] *f* acclamation;
(*ovação*) applause

aclamar [akla'ma*] *vt* to acclaim;
(*aplaudir*) to applaud

aço ['asu] *m* steel

acocorar-se [akoko'raxsi] *vr* to squat, crouch

acode *etc* [a'kɔdʒi] *vb V* **acudir**

ações [a'sõjʃ] *fpl de* **ação**

açoitar [asoj'ta*] *vt* to whip, lash; **açoite**
[a'sojtʃi] *m* whip, lash

acolá [ako'la] *adv* over there

acolchoado [akow'ʃwadu] *m* quilt

acolhedor, a [akoʎe'do*, a] *adj*
welcoming; (*hospitaleiro*) hospitable

acolher [ako'ʎe*] *vt* to welcome; (*abrigar*)
to shelter; (*aceitar*) to accept; **acolher-
se** *vr* to shelter; **acolhida** [ako'ʎida] *f*
(*recepção*) reception, welcome; (*refúgio*)
refuge; **acolhimento** [akoʎi'mẽtu] *m* =
acolhida

acomodação [akomoda'sãw] (*pl* **-ões**) *f*
accommodation; (*arranjo*) arrangement;
(*adaptação*) adaptation

acomodar [akomo'da*] *vt* to
accommodate; (*arrumar*) to arrange;
(*adaptar*) to adapt

acompanhamento [akõpaɲa'mẽtu] *m*
attendance; (*cortejo*) procession; (*MÚS*)
accompaniment; (*CULIN*) side dish

acompanhante [akõpa'ɲãtʃi] *m/f*
companion; (*MÚS*) accompanist

acompanhar [akõpa'ɲa*] *vt* to
accompany

aconchegante [akõʃe'gãtʃi] *adj* cosy
(*BRIT*), cozy (*US*)

aconchego [akõ'ʃegu] *m* cuddle

aconselhar [akõse'ʎa*] *vt* to advise;
aconselhar-se *vr*: **~-se com** to consult

acontecer [akõte'se*] *vi* to happen;
acontecimento [akõtesi'mẽtu] *m* event

acordar [akox'da*] *vt* to wake (up);
(*concordar*) to agree (on) ♦ *vi* to wake up

acorde [a'kɔrdʒi] *m* chord

acordeão [akox'dʒjãw] (*pl* **-ões**) *m*
accordion

acordo [a'koxdu] *m* agreement; **"de ~!"**
"agreed!"; **de ~ com** (*pessoa*) in
agreement with; (*conforme*) in
accordance with; **estar de ~** to agree

Açores [a'sorif] *mpl*: **os ~** the Azores;
açoriano, -a [aso'rjanu, a] *adj, m/f*
Azorean

acossar [ako'sa*] *vt* (*perseguir*) to pursue;
(*atormentar*) to harass

acostamento [akoʃta'mẽtu] *m* hard
shoulder (*BRIT*), berm (*US*)

acostumado, -a [akoʃtu'madu, a] *adj*
usual, customary; **estar ~ a algo** to be
used to sth

acostumar [akoʃtu'ma*] *vt* to accustom;
acostumar-se *vr*: **~-se a** to get used to

açougue [a'sogi] *m* butcher's (shop);
açougueiro [aso'gejru] *m* butcher

acovardar-se [akovax'daxsi] *vr*
(*desanimar*) to lose courage;
(*amedrontar-se*) to flinch, cower

acre ['akri] *adj* (*gosto*) bitter; (*cheiro*)
acrid; (*fig*) harsh

acreditado, -a [akredʒi'tadu, a] *adj*
accredited

acreditar [akredʒi'ta*] *vt* to believe; (*COM*)
to credit; (*afiançar*) to guarantee ♦ *vi*: **~
em** to believe in

acre-doce *adj* (*CULIN*) sweet and sour

acrescentar [akresẽ'ta*] *vt* to add

acrescer [akre'se*] *vt* to increase; (*juntar*)
to add ♦ *vi* to increase; **acréscimo**
[a'krɛsimu] *m* increase; addition;
(*elevação*) rise

activo, -a *etc* [a'tivu, a] (*PT*) = **ativo** *etc*

acto ['atu] (*PT*) *m* = **ato**

actor [a'to*] (*PT*) *m* = **ator**

actriz [a'triʒ] (*PT*) *f* = **atriz**

actual *etc* [a'twaw] (*PT*) = **atual** *etc*

actuar *etc* [a'twa*] (*PT*) = **atuar** *etc*

açúcar [a'suka*] *m* sugar; **açucareiro**
[asuka'rejru] *m* sugar bowl

açude [a'sudʒi] *m* dam

acudir [aku'dʒi*] *vt* (*ir em socorro*) to help,
assist ♦ *vi* (*responder*) to reply, respond; **~
a** to come to the aid of

acumular [akumu'la*] *vt* to accumulate;
(*reunir*) to collect; (*funções*) to combine

acusação [akuza'sãw] (*pl* **-ões**) *f*
accusation, charge; (*JUR*) prosecution

acusar [aku'za*] *vt* to accuse; (*revelar*) to
reveal; (*culpar*) to blame; **~ o
recebimento de** to acknowledge receipt
of

acústica [a'kuʃtʃika] *f* (*ciência*) acoustics

acústico → advérbio

sg; (*de uma sala*) acoustics *pl*
acústico, -a [aˈkuʃtʃiku, a] *adj* acoustic
adaptar [adapˈta*] *vt* to adapt; (*acomodar*) to fit; **adaptar-se** *vr*: **~-se a** to adapt to
adega [aˈdɛga] *f* cellar
ademais [adʒiˈmajʃ] *adv* besides, moreover
adentro [aˈdẽtru] *adv* inside, in; **mata ~** into the woods
adepto, -a [aˈdɛptu, a] *m/f* follower; (*de time*) supporter
adequado, -a [adeˈkwadu, a] *adj* appropriate
adereço [adeˈresu] *m* adornment; **adereços** *mpl* (TEATRO) stage props
aderente [adeˈrẽtʃi] *adj* adhesive, sticky ♦ *m/f* supporter
aderir [adeˈri*] *vi* to adhere
adesão [adeˈzãw] *f* adhesion; (*patrocínio*) support
adesivo, -a [adeˈzivu, a] *adj* adhesive, sticky ♦ *m* adhesive tape; (MED) sticking plaster
adestrar [adeʃˈtra*] *vt* to train; (*cavalo*) to break in
adeus [aˈdewʃ] *excl* goodbye!
adiamento [adʒjaˈmẽtu] *m* postponement; (*de uma sessão*) adjournment
adiantado, -a [adʒjãˈtadu, a] *adj* advanced; (*relógio*) fast; **chegar ~** to arrive ahead of time; **pagar ~** to pay in advance
adiantamento [adʒjãtaˈmẽtu] *m* progress; (*dinheiro*) advance (payment)
adiantar [adʒjãˈta*] *vt* (*dinheiro, trabalho*) to advance; (*relógio*) to put forward; **não adianta reclamar** there's no point *ou* it's no use complaining
adiante [aˈdʒjãtʃi] *adv* (*na frente*) in front; (*para a frente*) forward; **mais ~** further on; (*no futuro*) later on
adiar [aˈdʒja*] *vt* to postpone, put off; (*sessão*) to adjourn
adição [adʒiˈsãw] (*pl* **-ões**) *f* addition; (MAT) sum; **adicionar** [adʒisjoˈna*] *vt* to add
adido, -a [aˈdʒidu, a] *m/f* attaché
adiro *etc* [aˈdiru] *vb V* **aderir**
adivinhação [adʒiviɲaˈsãw] *f* (*destino*) fortune-telling; (*conjectura*) guessing, guesswork
adivinhar [adʒiviˈɲa*] *vt* to guess; (*ler a sorte*) to foretell ♦ *vi* to guess; **~ o pensamento de alguém** to read sb's mind; **adivinho, -a** [adʒiˈviɲu, a] *m/f* fortune-teller

adjetivo [adʒeˈtʃivu] *m* adjective
adjudicar [adʒudʒiˈka*] *vt* to award, grant
administração [adʒiminiʃtraˈsãw] (*pl* **-ões**) *f* administration; (*direção*) management; (*comissão*) board
administrador, a [adʒiminiʃtraˈdo*, a] *m/f* administrator; (*diretor*) director; (*gerente*) manager
administrar [adʒiminiʃˈtra*] *vt* to administer, manage; (*governar*) to govern
admiração [adʒimiraˈsãw] *f* wonder; (*estima*) admiration; **ponto de ~** (PT) exclamation mark
admirado, -a [adʒimiˈradu, a] *adj* astonished, surprised
admirar [adʒimiˈra*] *vt* to admire; **admirar-se** *vr*: **~-se de** to be surprised at; **admirável** [adʒimiˈravew] (*pl* **-eis**) *adj* amazing
admissão [adʒimiˈsãw] (*pl* **-ões**) *f* admission; (*consentimento para entrar*) admittance; (*de escola*) intake
admitir [adʒimiˈtʃi*] *vt* to admit; (*permitir*) to allow; (*funcionário*) to take on
adoção [adoˈsãw] *f* adoption
adoçar [adoˈsa*] *vt* to sweeten
adoecer [adoeˈse*] *vi*: **~ (de** *ou* **com)** to fall ill (with) ♦ *vt* to make ill
adoidado, -a [adojˈdadu, a] *adj* crazy
adolescente [adoleˈsẽtʃi] *adj, m/f* adolescent
adoptar *etc* [adoˈta*] (PT) = **adotar** *etc*
adorar [adoˈra*] *vt* to adore; (*venerar*) to worship
adormecer [adoxmeˈse*] *vi* to fall asleep; (*entorpecer-se*) to go numb; **adormecido, -a** [adoxmeˈsidu, a] *adj* sleeping ♦ *m/f* sleeper
adorno [aˈdoxnu] *m* adornment
adotar [adoˈta*] *vt* to adopt; **adotivo, -a** [adoˈtʃivu, a] *adj* (*filho*) adopted
adquirir [adʒikiˈri*] *vt* to acquire
Adriático, -a [aˈdrjatʃiku, a] *adj*: **o (mar) ~** the Adriatic
adro [ˈadru] *m* (*church*) forecourt; (*em volta da igreja*) churchyard
adulação [adulaˈsãw] *f* flattery
adulterar [aduwteˈra*] *vt* to adulterate; (*contas*) to falsify ♦ *vi* to commit adultery
adultério [aduwˈtɛrju] *m* adultery
adulto, -a [aˈduwtu, a] *adj, m/f* adult
advento [adˈvẽtu] *m* advent; **o A~** Advent
advérbio [adˈvɛxbju] *m* adverb

adverso → afta

adverso, -a [adʒi'vɛxsu, a] *adj* adverse; *(oposto)*: **~ a** opposed to

advertência [adʒivex'tẽsja] *f* warning

advertir [adʒivex'tʃi*] *vt* to warn; *(repreender)* to reprimand; *(chamar a atenção a)* to draw attention to

advogado, -a [adʒivo'gadu, a] *m/f* lawyer

advogar [adʒivo'ga*] *vt* to advocate; *(JUR)* to plead ♦ *vi* to practise (BRIT) *ou* practice (US) law

aéreo, -a [a'ɛrju, a] *adj* air *atr*

aerobarco [aero'baxku] *m* hovercraft

aeromoço, -a [aero'mosu, a] (BR) *m/f* steward/air hostess

aeronáutica [aero'nawtʃika] *f* air force; *(ciência)* aeronautics *sg*

aeronave [aero'navi] *f* aircraft

aeroporto [aero'poxtu] *m* airport

aerossol [aero'sɔw] *(pl* **-óis)** *m* aerosol

afã [a'fã] *m (entusiasmo)* enthusiasm; *(diligência)* diligence; *(ânsia)* eagerness; *(esforço)* effort

afagar [afa'ga*] *vt* to caress; *(cabelo)* to stroke

afanar [afa'na*] *(col) vt* to nick, pinch

afastado, -a [afaʃ'tadu, a] *adj (distante)* remote; *(isolado)* secluded; **manter-se ~** to keep to o.s.

afastamento [afaʃta'mẽtu] *m* removal; *(distância)* distance; *(de pessoal)* lay-off

afastar [afaʃ'ta*] *vt* to remove; *(separar)* to separate; *(idéia)* to put out of one's mind; *(pessoal)* to lay off; **afastar-se** *vr* to move away

afável [a'favew] *(pl* **-eis)** *adj* friendly

afazeres [afa'zeriʃ] *mpl* business *sg*; *(dever)* duties, tasks; **~ domésticos** household chores

afectar *etc* [afek'ta*] (PT) = **afetar** *etc*

afeição [afej'sãw] *f* affection, fondness; *(dedicação)* devotion; **afeiçoado, -a** [afej'swadu, a] *adj*: **afeiçoado a** *(amoroso)* fond of; *(devotado)* devoted to; **afeiçoar-se** [afej'swaxsi] *vr*: **afeiçoar-se a** to take a liking to

afeito, -a [a'fejtu, a] *adj*: **~ a** accustomed to, used to

aferrado, -a [afe'xadu, a] *adj* obstinate, stubborn

afetado, -a [afe'tadu, a] *adj* affected

afetar [afe'ta*] *vt* to affect; *(fingir)* to feign

afetivo, -a [afe'tʃivu, a] *adj* affectionate; *(problema)* emotional

afeto [a'fetu] *m* affection; **afetuoso, -a** [afe'twozu, ɔza] *adj* affectionate

afiado, -a [a'fjadu, a] *adj* sharp; *(pessoa)* well-trained

afiar [a'fja*] *vt* to sharpen

aficionado, -a [afisjo'nadu, a] *m/f* enthusiast

afilhado, -a [afi'ʎadu, a] *m/f* godson/goddaughter

afim [a'fĩ] *(pl* **-ns)** *adj (semelhante)* similar; *(consangüíneo)* related ♦ *m/f* relative, relation

afinado, -a [afi'nadu, a] *adj* in tune

afinal [afi'naw] *adv* at last, finally; **~ (de contas)** after all

afinar [afi'na*] *vt (MÚS)* to tune

afinco [a'fĩku] *m* tenacity, persistence

afins [a'fĩʃ] *pl de* **afim**

afirmação [afixma'sãw] *(pl* **-ões)** *f* affirmation; *(declaração)* statement

afirmar [afix'ma*] *vt, vi* to affirm, assert; *(declarar)* to declare

afirmativo, -a [afixma'tʃivu, a] *adj* affirmative

afixar [afik'sa*] *vt (cartazes)* to stick, post

aflição [afli'sãw] *f* affliction; *(ansiedade)* anxiety; *(angústia)* anguish

afligir [afli'ʒi*] *vt* to distress; *(atormentar)* to torment; *(inquietar)* to worry; **afligir-se** *vr*: **~-se com** to worry about; **aflito, -a** [a'flitu, a] *pp de* **afligir** ♦ *adj* distressed, anxious

afluência [a'flwẽsja] *f* affluence; *(corrente copiosa)* flow; *(de pessoas)* stream; **afluente** [a'flwẽtʃi] *adj* copious; *(rico)* affluent ♦ *m* tributary

afobação [afoba'sãw] *f* fluster; *(ansiedade)* panic

afobado, -a [afo'badu, a] *adj* flustered; *(ansioso)* panicky, nervous

afobar [afo'ba*] *vt* to fluster; *(deixar ansioso)* to make nervous *ou* panicky ♦ *vi* to get flustered, to panic, get nervous; **afobar-se** *vr* to get flustered

afogar [afo'ga*] *vt* to drown ♦ *vi (AUTO)* to flood; **afogar-se** *vr* to drown

afoito, -a [a'fojtu, a] *adj* bold, daring

afortunado, -a [afoxtu'nadu, a] *adj* fortunate, lucky

África ['afrika] *f*: **a ~** Africa; **a ~ do Sul** South Africa; **africano, -a** [afri'kanu, a] *adj, m/f* African

afro-brasileiro, -a ['afru-] *(pl* **~s)** *adj* Afro-Brazilian

afronta [a'frõta] *f* insult, affront; **afrontar** [afrõ'ta*] *vt* to insult; *(ofender)* to offend

afrouxar [afro'ʃa*] *vt (desapertar)* to slacken; *(soltar)* to loosen ♦ *vi* to come loose

afta ['afta] *f* (mouth) ulcer

afugentar [afuʒẽˈta*] vt to drive away, put to flight

afundar [afũˈda*] vt to sink; (cavidade) to deepen; **afundar-se** vr to sink

agachar-se [agaˈʃaxsi] vr (acaçapar-se) to crouch, squat; (curvar-se) to stoop

agarrar [agaˈxa*] vt to seize, grasp; **agarrar-se** vr: ~-**se a** to cling to, hold on to

agasalhar [agazaˈʎa*] vt to dress warmly, wrap up; **agasalhar-se** vr to wrap o.s. up

agasalho [agaˈzaʎu] m (casaco) coat; (suéter) sweater

ágeis [ˈaʒejʃ] pl de **ágil**

agência [aˈʒẽsja] f agency; (escritório) office; ~ **de correio** (BR) post office; ~ **de viagens** travel agency

agenda [aˈʒẽda] f diary

agente [aˈʒẽtʃi] m/f agent; (de polícia) policeman/woman

ágil [ˈaʒiw] (pl -**eis**) adj agile

agir [aˈʒi*] vi to act

agitação [aʒitaˈsãw] (pl -**ões**) f agitation; (perturbação) disturbance; (inquietação) restlessness

agitado, -a [aʒiˈtadu, a] adj agitated, disturbed; (inquieto) restless

agitar [aʒiˈta*] vt to agitate, disturb; (sacudir) to shake; (cauda) to wag; (mexer) to stir; **agitar-se** vr to get upset; (mar) to get rough

aglomeração [aglomeraˈsãw] (pl -**ões**) f gathering; (multidão) crowd

aglomerado [aglomeˈradu] m: ~ **urbano** city

aglomerar [aglomeˈra*] vt to heap up, pile up; **aglomerar-se** vr (multidão) to crowd together

agonia [agoˈnia] f agony, anguish; (ânsia da morte) death throes pl; **agonizante** [agoniˈzatʃi] adj dying ♦ m/f dying person; **agonizar** [agoniˈza*] vi to be dying; (afligir-se) to agonize

agora [aˈgɔra] adv now; ~ **mesmo** right now; (há pouco) a moment ago; **até** ~ so far, up to now; **por** ~ for now

agosto [aˈgoʃtu] (PT **A**~) m August

agouro [aˈgoru] m omen

agraciar [agraˈsja*] vt to decorate

agradar [agraˈda*] vt to please; (fazer agrados a) to be nice to ♦ vi to be pleasing; (satisfazer) to go down well

agradável [agraˈdavew] (pl -**eis**) adj pleasant

agradecer [agradeˈse*] vt: ~ **algo a alguém**, ~ **a alguém por algo** to thank sb for sth; **agradecido, -a** [agradeˈsidu, a] adj grateful; **mal agradecido** ungrateful; **agradecimento** [agradesiˈmẽtu] m gratitude; **agradecimentos** mpl (gratidão) thanks

agrado [aˈgradu] m: **fazer um** ~ **a alguém** (afagar) to be affectionate with sb; (ser agradável) to be nice to sb

agrário, -a [aˈgrarju, a] adj agrarian; **reforma agrária** land reform

agravante [agraˈvãtʃi] adj aggravating ♦ f aggravating circumstance

agravar [agraˈva*] vt to aggravate, make worse; **agravar-se** vr (piorar) to get worse

agravo [aˈgravu] m (JUR) appeal

agredir [agreˈdʒi*] vt to attack; (insultar) to insult

agregar [agreˈga*] vt (juntar) to collect; (acrescentar) to add

agressão [agreˈsãw] (pl -**ões**) f aggression; (ataque) attack; (assalto) assault

agressivo, -a [agreˈsivu, a] adj aggressive

agressões [agreˈsõjʃ] fpl de **agressão**

agreste [aˈgrɛʃtʃi] adj rural, rustic; (terreno) wild

agrião [aˈgrjãw] m watercress

agrícola [aˈgrikola] adj agricultural

agricultor [agrikuwˈto*] m farmer

agricultura [agrikuwˈtura] f agriculture, farming

agrido etc [aˈgridu] vb V **agredir**

agridoce [agriˈdosi] adj bittersweet

agronomia [agronoˈmia] f agronomy

agropecuária [agropeˈkwarja] f farming, agriculture

agrupar [agruˈpa*] vt to group; **agrupar-se** vr to group together

agrura [aˈgrura] f bitterness

água [ˈagwa] f water; ~**s** fpl (mar) waters; (chuvas) rain sg; (maré) tides; ~ **abaixo/ acima** downstream/upstream; **dar** ~ **na boca** (comida) to be mouthwatering; **estar na** ~ (bêbado) to be drunk; **fazer** ~ (NÁUT) to leak; ~ **benta/corrente/doce** holy/running/fresh water; ~ **dura/leve** hard/soft water; ~ **mineral** mineral water; ~ **oxigenada** peroxide; ~ **salgada** salt water; ~ **sanitária** household bleach

aguaceiro [agwaˈsejru] m (chuva) (heavy) shower, downpour

água-de-coco f coconut milk

água-de-colônia (pl **águas-de-colônia**) f eau-de-cologne

aguado, -a [aˈgwadu, a] adj watery

aguardar [agwaxˈda*] vt to wait for; (contar com) to expect ♦ vi to wait

aguardente → Alcorão

aguardente [agwax'dẽtʃi] *m kind of brandy*
aguarrás [agwa'xajʃ] *f turpentine*
aguçado, -a [agu'sadu, a] *adj* pointed; *(espírito, sentidos)* acute
agudo, -a [a'gudu, a] *adj* sharp, shrill; *(intenso)* acute
agüentar [agwẽ'ta*] *vt (muro etc)* to hold up; *(dor, injustiças)* to stand, put up with; *(peso)* to withstand ♦ *vi* to last; **agüentar-se** *vr* to remain, hold on; ~ **fazer algo** to manage to do sth; **não ~ de** not to be able to stand
águia ['agja] *f* eagle; *(fig)* genius
agulha [a'guʎa] *f (de coser, tricô)* needle; *(NÁUT)* compass; *(FERRO)* points *pl (BRIT)*, switch *(US)*; **trabalho de ~** needlework
ai [aj] *excl (suspiro)* oh!; *(de dor)* ouch! ♦ *m (suspiro)* sigh; *(gemido)* groan; **~ de mim** poor me!
aí [a'i] *adv* there; *(então)* then; **por ~** *(em lugar indeterminado)* somewhere over there, thereabouts; **espera ~!** wait!, hang on a minute!; **está ~!** *(col)* right!; **e ~?** and then what?
AIDS ['ajdʒs] *abr f* AIDS
ainda [a'ĩda] *adv* still; *(mesmo)* even; **~ agora** just now; **~ assim** even so, nevertheless; **~ bem** just as well; **~ por cima** on top of all that, in addition; **~ não** not yet; **~ que** even if; **maior ~** even bigger
aipo ['ajpu] *m* celery
ajeitar [aʒej'ta*] *vt (roupa, cabelo)* to adjust; *(emprego)* to arrange; **ajeitar-se** *vr* to adapt
ajo *etc* ['aʒu] *vb V* **agir**
ajoelhar [aʒwe'ʎa*] *vi* to kneel (down); **ajoelhar-se** *vr* to kneel down
ajuda [a'ʒuda] *f* help; *(subsídio)* grant, subsidy; **dar ~ a alguém** to lend *ou* give sb a hand; **~ de custo** allowance; **ajudante** [aʒu'dãtʃi] *m/f* assistant, helper; *(MIL)* adjutant
ajudar [aʒu'da*] *vt* to help
ajuizado, -a [aʒwi'zadu, a] *adj (sensato)* sensible; *(sábio)* wise; *(prudente)* discreet
ajuntamento [aʒũta'mẽtu] *m* gathering
ajuntar [aʒũ'ta*] *vt (unir)* to join; *(documentos)* to attach; *(reunir)* to gather
ajustagem [aʒuʃ'taʒẽ] *(BR) (pl* -ns) *f (TEC)* adjustment
ajustamento [aʒuʃta'mẽtu] *m* adjustment; *(de contas)* settlement
ajustar [aʒuʃ'ta*] *vt* to adjust; *(conta, disputa)* to settle; *(acomodar)* to fit; *(roupa)* to take in; *(preço)* to agree on; **ajustar-se** *vr*: **~-se a** to conform to; *(adaptar-se)* to adapt to
ajuste [a'ʒuʃtʃi] *m (acordo)* agreement; *(de contas)* settlement; *(adaptação)* adjustment
ala ['ala] *f* wing; *(fileira)* row; *(passagem)* aisle
alagar [ala'ga*] *vt, vi* to flood
alameda [ala'meda] *f (avenida)* avenue; *(arvoredo)* grove
alarde [a'laxdʒi] *m* ostentation; *(jactância)* boasting; **fazer ~ de** to boast about; **alardear** [alax'dʒja*] *vt* to show off; *(gabar-se de)* to boast of ♦ *vi* to show off; to boast; **alardear-se** *vr* to boast
alargar [alax'ga*] *vt* to extend; *(fazer mais largo)* to widen, broaden; *(afrouxar)* to loosen, slacken
alarma [a'laxma] *f* alarm; *(susto)* panic; *(tumulto)* tumult; *(vozearia)* outcry; **dar o sinal de ~** to raise the alarm; **~ de roubo** burglar alarm; **alarmante** [alax'mãtʃi] *adj* alarming; **alarmar** [alax'ma*] *vt* to alarm; **alarmar-se** *vr* to be alarmed
alarme [a'laxmi] *m* = **alarma**
alastrar [alaʃ'tra*] *vt* to scatter; *(disseminar)* to spread; **alastrar-se** *vr (epidemia, rumor)* to spread
alavanca [ala'vãka] *f* lever; *(pé-de-cabra)* crowbar; **~ de mudanças** gear lever
albergue [aw'bɛxgi] *m (estalagem)* inn; *(refúgio)* hospice, shelter; **~ noturno** hotel; **~ para jovens** youth hostel
albufeira [awbu'fejra] *f* lagoon
álbum ['awbũ] *(pl* -ns) *m* album; **~ de recortes** scrapbook
alça ['awsa] *f* strap; *(asa)* handle; *(de fusil)* sight
alcachofra [awka'ʃofra] *f* artichoke
alcançar [awkã'sa*] *vt (estender)* to hand, pass; *(obter)* to obtain, get; *(atingir)* to attain; *(compreender)* to understand; *(desfalcar)*: **~ uma firma em $1 milhão** to embezzle $1 million from a firm
alcance [aw'kãsi] *m* reach; *(competência)* power; *(compreensão)* understanding; *(de tiro, visão)* range; **ao ~ de** within reach *ou* range of; **ao ~ da voz** within earshot; **de grande ~** far-reaching; **fora do ~ da mão** out of reach; **fora do ~ de alguém** beyond sb's grasp
alcaparra [awka'paxa] *f* caper
alçar [aw'sa*] *vt* to lift (up); *(voz)* to raise
alcatrão [awka'trãw] *m* tar
álcool ['awkɔw] *m* alcohol; **alcoólatra** [aw'kɔlatra] *m/f* alcoholic; **alcoólico, -a** [aw'kɔliku, a] *adj, m/f* alcoholic
Alcorão [awko'rãw] *m* Koran

alcova [awˈkova] f bedroom
alcunha [awˈkuɲa] f nickname
aldeão, -eã [awˈdʒjãw, jã] (pl **-ões, ~s**) m/f villager
aldeia [awˈdeja] f village
aldeões [awˈdʒjõjʃ] mpl de **aldeão**
alecrim [aleˈkrĩ] m rosemary
alegar [aleˈga*] vt to allege; (JUR) to plead
alegoria [alegoˈria] f allegory
alegórico, -a [aleˈgɔriku, a] adj allegorical; **carro alegórico** float
alegrar [aleˈgra*] vt to cheer (up), gladden; (ambiente) to brighten up; (animar) to liven (up); **alegrar-se** vr to cheer up
alegre [aˈlɛgri] adj cheerful; (contente) happy, glad; (cores) bright; (embriagado) merry, tight; **alegria** [aleˈgria] f joy, happiness
aleijado, -a [alejˈʒadu, a] adj crippled ♦ m/f cripple
aleijar [alejˈʒa*] vt to maim
além [aˈlẽj] adv (lá ao longe) over there; (mais adiante) further on ♦ m: **o ~** the hereafter ♦ prep: **~ de** beyond; (no outro lado de) on the other side of; (para mais de) over; (ademais de) apart from, besides; **~ disso** moreover; **mais ~** further
alemã [aleˈmã] f de **alemão**
alemães [aleˈmãjʃ] mpl de **alemão**
Alemanha [aleˈmaɲa] f: **a ~** Germany
alemão, -mã [aleˈmãw, ˈmã] (pl **-ães, ~s**) adj, m/f German ♦ m (LING) German
alentador, a [alẽtaˈdo*, a] adj encouraging
alento [aˈlẽtu] m (fôlego) breath; (ânimo) courage; **dar ~** to encourage; **tomar ~** to draw breath
alergia [alexˈʒia] f: **~ (a)** allergy (to); (fig) aversion (to); **alérgico, -a** [aˈlɛxʒiku, a] adj: **alérgico (a)** allergic (to); **ele é alérgico a João/à política** he can't stand João/politics
alerta [aˈlɛxta] adj alert ♦ adv on the alert ♦ m alert
alfabetizar [awfabetʃiˈza*] vt to teach to read and write; **alfabetizar-se** vr to learn to read and write
alfabeto [awfaˈbɛtu] m alphabet
alface [awˈfasi] f lettuce
alfaiate [awfaˈjatʃi] m tailor
alfândega [awˈfãdʒiga] f customs pl, customs house; **alfandegário, -a** [awfãdeˈgarju, a] m/f customs officer
alfazema [awfaˈzɛma] f lavender
alfinete [awfiˈnetʃi] m pin; **~ de segurança** safety pin
alga [ˈawga] f seaweed
algarismo [awgaˈriʒmu] m numeral, digit
Algarve [awˈgaxvi] m: **o ~** the Algarve
algazarra [awgaˈzaxa] f uproar, racket
álgebra [ˈawʒebra] f algebra
algemas [awˈʒɛmaʃ] fpl handcuffs
algo [ˈawgu] adv somewhat, rather ♦ pron something; (qualquer coisa) anything
algodão [awgoˈdãw] m cotton; **~ (hidrófilo)** cotton wool (BRIT), absorbent cotton (US)
alguém [awˈgẽj] pron someone, somebody; (em frases interrogativas ou negativas) anyone, anybody
algum, a [awˈgũ, ˈguma] (pl **-ns, ~s**) adj some; (em frases interrogativas ou negativas) any ♦ pron one; (no plural) some; (negativa): **de modo ~** in no way; **coisa ~a** nothing; **~ dia** one day; **~ tempo** for a while; **~a coisa** something; **~a vez** sometime
algures [awˈguriʃ] adv somewhere
alheio, -a [aˈʎeju, a] adj (de outrem) someone else's; (estranho) alien; (estrangeiro) foreign; (impróprio) irrelevant
alho [ˈaʎu] m garlic
ali [aˈli] adv there; **até ~** up to there; **por ~** around there; (direção) that way; **~ por** (tempo) round about; **de ~ por diante** from then on; **~ dentro** in there
aliado, -a [aˈljadu, a] adj allied ♦ m/f ally
aliança [aˈljãsa] f alliance; (anel) wedding ring
aliar [aˈlja*] vt to ally; **aliar-se** vr to form an alliance
aliás [aˈljajʃ] adv (a propósito) as a matter of fact, (ou seja) rather, that is; (contudo) nevertheless; (diga-se de passagem) incidentally
álibi [ˈalibi] m alibi
alicate [aliˈkatʃi] m pliers pl; **~ de unhas** nail clippers pl
alienação [aljenaˈsãw] f alienation; (de bens) transfer (of property); **~ mental** insanity
alienado, -a [aljeˈnadu, a] adj alienated; (demente) insane; (bens) transferred ♦ m/f lunatic
alienar [aljeˈna*] vt (afastar) to alienate; (bens) to transfer
alimentação [alimẽtaˈsãw] f (alimentos) food; (ação) feeding; (nutrição) nourishment; (ELET) supply
alimentar [alimẽˈta*] vt to feed; (fig) to nurture ♦ adj (produto) food atr; (hábitos) eating atr **alimentar-se** vr: **~-se de** to

alimento → amaciante

feed on
alimento [ali'mẽtu] *m* food; *(nutrição)* nourishment
alinhado, -a [ali'ɲadu, a] *adj (elegante)* elegant; *(texto)*: **~ à esquerda/direita** ranged left/right
alinhar [ali'ɲa*] *vt* to align; **alinhar-se** *vr* to form a line
alinho [a'liɲu] *m (alinhamento)* alignment; *(elegância)* neatness
alisar [ali'za*] *vt* to smooth; *(cabelo)* to straighten; *(acariciar)* to stroke
aliviar [ali'vja*] *vt* to relieve
alívio [a'livju] *m* relief
alma ['awma] *f* soul; *(entusiasmo)* enthusiasm; *(caráter)* character
almejar [awme'ʒa*] *vt* to long for, yearn for
almirante [awmi'rãtʃi] *m* admiral
almoçar [awmo'sa*] *vi* to have lunch ♦ *vt*: **~ peixe** to have fish for lunch
almoço [aw'mosu] *m* lunch; **pequeno ~** (*PT*) breakfast
almofada [awmo'fada] *f* cushion; (*PT*: *travesseiro*) pillow
almoxarifado [awmoʃari'fadu] *m* storeroom
alô [a'lo] (*BR*) *excl* (*TEL*) hullo
alocar [alo'ka*] *vt* to allocate
alojamento [aloʒa'mẽtu] *m* accommodation (*BRIT*), accommodations *pl* (*US*); *(habitação)* housing
alojar [alo'ʒa*] *vt* (*hóspede: numa pensão*) to accommodate; (: *numa casa*) to put up; *(sem teto, refugiado)* to house; (*MIL*) to billet; **alojar-se** *vr* to stay
alongar [alõ'ga*] *vt* to lengthen; *(braço)* to stretch out; *(prazo, contrato)* to extend; *(reunião, sofrimento)* to prolong; **alongar-se** *vr* (*sobre um assunto*) to dwell
aloprado, -a [alo'pradu, a] (*col*) *adj* nutty
alpendre [aw'pẽdri] *m (telheiro)* shed; *(pórtico)* porch
Alpes ['awpiʃ] *mpl*: **os ~** the Alps
alpinismo [awpi'niʒmu] *m* mountaineering, climbing; **alpinista** [awpi'niʃta] *m/f* mountaineer, climber
alta ['awta] *f (de preços)* rise; *(de hospital)* discharge
altar [aw'ta*] *m* altar
alteração [awtera'sãw] (*pl* **-ões**) *f* alteration; *(desordem)* disturbance; *(falsificação)* falsification
alterado, -a [awte'radu, a] *adj* bad-tempered, irritated
alterar [awte'ra*] *vt* to alter; *(falsificar)* to

falsify; **alterar-se** *vr* to change; *(enfurecer-se)* to get angry, lose one's temper
alternar [awtex'na*] *vt*, *vi* to alternate; **alternar-se** *vr* to alternate; *(por turnos)* to take turns
alternativa [awtexna'tʃiva] *f* alternative
alternativo, -a [awtexna'tʃivu, a] *adj* alternative; (*ELET*) alternating
alteza [aw'teza] *f* highness
altitude [awtʃi'tudʒi] *f* altitude
altivez [awtʃi'veʒ] *f (arrogância)* haughtiness; *(nobreza)* loftiness; **altivo, -a** [aw'tʃivu, a] *adj* haughty; lofty
alto, -a ['awtu, a] *adj* high; *(pessoa)* tall; *(som)* high, sharp; *(voz)* loud; (*GEO*) upper ♦ *adv (falar)* loudly, loud; *(voar)* high ♦ *excl* halt! ♦ *m* top, summit; **do ~** from above; **por ~** superficially; **alta fidelidade** high fidelity, hi-fi; **na alta noite** at dead of night
alto-falante (*pl* **~s**) *m* loudspeaker
altura [aw'tura] *f* height; *(momento)* point, juncture; *(altitude)* altitude; *(de um som)* pitch; **em que ~ do Rio Branco fica a livraria?** whereabouts in Rio Branco is the bookshop?; **nesta ~** at this juncture; **estar à ~ de** *(ser capaz de)* to be up to; **ter 1.80 metros de ~** to be 1.80 metres (*BRIT*) *ou* meters (*US*) tall
alucinado, -a [alusi'nadu, a] *adj* crazy
alucinante [alusi'nãtʃi] *adj* crazy
alugar [alu'ga*] *vt* (*tomar de aluguel*) to rent, hire; *(dar de aluguel)* to let, rent out; **alugar-se** *vr* to be let; **aluguel** [alu'gɛw] (*pl* **-éis**) (*BR*) *m* rent; *(ação)* renting; **aluguel de carro** car hire (*BRIT*) *ou* rental (*US*); **aluguer** [alu'gɛ*] (*PT*) *m* = **aluguel**
alumiar [alu'mja*] *vt* to light (up) ♦ *vi* to give light
alumínio [alu'minju] *m* aluminium (*BRIT*), aluminum (*US*)
aluno, -a [a'lunu, a] *m/f* pupil, student
alvejar [awve'ʒa*] *vt (tomar como alvo)* to aim at; *(branquear)* to bleach
alvenaria [awvena'ria] *f* masonry; **de ~** brick *atr*, brick-built
alvéolo [aw'vɛolu] *m* cavity
alvo, -a ['awvu, a] *adj* white ♦ *m* target
alvorada [awvo'rada] *f* dawn
alvorecer [awvore'se*] *vi* to dawn
alvoroço [awvo'rosu] *m* commotion; *(entusiasmo)* enthusiasm
amabilidade [amabili'dadʒi] *f* kindness; *(simpatia)* friendliness
amaciante [ama'sjatʃi] *m*: **~ (de roupa)** fabric conditioner

amaciar [ama'sja*] vt (tornar macio) to soften; (carro) to run in

amado, -a [a'madu, a] m/f beloved, sweetheart

amador, a [ama'do*, a] adj, m/f amateur

amadurecer [amadure'se*] vt, vi (frutos) to ripen; (fig) to mature

âmago ['amagu] m (centro) heart, core; (medula) pith; (essência) essence

amaldiçoar [amawdʒi'swa*] vt to curse, swear at

amalgamar [amawga'ma*] vt to amalgamate; (combinar) to fuse (BRIT), fuze (US), blend

amalucado, -a [amalu'kadu, a] adj crazy, whacky

amamentar [amamẽ'ta*] vt, vi to breast-feed

amanhã [ama'ɲã] adv, m tomorrow

amanhecer [amaɲe'se*] vi (alvorecer) to dawn; (encontrar-se pela manhã): **amanhecemos em Paris** we were in Paris at daybreak ♦ m dawn; **ao ~** at daybreak

amansar [amã'sa*] vt (animais) to tame; (cavalos) to break in; (aplacar) to placate

amante [a'mãtʃi] m/f lover

amar [a'ma*] vt to love

amarelo, -a [ama'rɛlu, a] adj yellow ♦ m yellow

amargar [amax'ga*] vt to make bitter; (fig) to embitter

amargo, -a [a'maxgu, a] adj bitter; **amargura** [amax'gura] f bitterness

amarrar [ama'xa*] vt to tie (up); (NÁUT) to moor; **~ a cara** to frown, scowl

amarrotar [amaxo'ta*] vt to crease

amassar [ama'sa*] vt (pão) to knead; (misturar) to mix; (papel) to screw up; (roupa) to crease; (carro) to dent

amável [a'mavew] (pl **-eis**) adj kind

Amazonas [ama'zɔnaʃ] m: **o ~** the Amazon

Amazônia [ama'zonja] f: **a ~** the Amazon region

ambição [ambi'sãw] (pl **-ões**) f ambition; **ambicionar** [ãbisjo'na*] vt to aspire to; **ambicioso, -a** [ãbi'sjozu, ɔza] adj ambitious

ambidestro, -a [ãbi'dɛʃtru, a] adj ambidextrous

ambientar [ãbjẽ'ta*] vt (filme etc) to set; (adaptar): **~ alguém a algo** to get sb used to sth; **ambientar-se** vr to fit in

ambiente [ã'bjẽtʃi] m atmosphere; (meio, COMPUT) environment; **meio ~** environment; **temperatura ~** room temperature

ambíguo, -a [ã'bigwu, a] adj ambiguous

âmbito ['ãbitu] m extent; (campo de ação) scope, range

ambos, -as ['ãbuʃ, aʃ] adj pl both

ambulância [ãbu'lãsja] f ambulance

ambulante [ãbu'lãtʃi] adj walking; (errante) wandering; (biblioteca) mobile

ambulatório [ãbula'tɔrju] m outpatient department

ameaça [ame'asa] f threat; **ameaçar** [amea'sa*] vt to threaten

amedrontar [amedrõ'ta*] vt to scare, intimidate; **amedrontar-se** vr to be frightened

ameixa [a'mejʃa] f plum; (passa) prune

amém [a'mẽj] excl amen

amêndoa [a'mẽdwa] f almond; **amendoeira** [amẽ'dwejra] f almond tree

amendoim [amẽdo'ĩ] (pl **-ns**) m peanut

amenidade [ameni'dadʒi] f wellbeing; **~s** fpl (assuntos superficiais) small talk sg

amenizar [ameni'za*] vt (abrandar) to soften; (tornar agradável) to make pleasant; (facilitar) to ease

ameno, -a [a'mɛnu, a] adj pleasant; (clima) mild

América [a'mɛrika] f: **a ~** America; **a ~ do Norte/do Sul** North/South America; **a ~ Central/Latina** Central/Latin America; **americano, -a** [ameri'kanu, a] adj, m/f American

amestrar [ameʃ'tra*] vt to train

amianto [a'mjãtu] m asbestos

amido [a'midu] m starch

amigável [ami'gavew] (pl **-eis**) adj amicable, friendly

amígdala [a'migdala] f tonsil; **amigdalite** [amigda'litʃi] f tonsillitis

amigo, -a [a'migu, a] adj friendly ♦ m/f friend; **ser ~ de** to be friends with

amistoso, -a [amiʃ'tozu, ɔza] adj friendly, cordial ♦ m (jogo) friendly

amiúde [a'mjudʒi] adv often, frequently

amizade [ami'zadʒi] f (relação) friendship; (simpatia) friendliness

amnistia [amniʃ'tia] (PT) f = **anistia**

amolação [amola'sãw] (pl **-ões**) f bother, annoyance

amolar [amo'la*] vt to sharpen; (aborrecer) to annoy, bother ♦ vi to be annoying

amolecer [amole'se*] vt to soften ♦ vi to soften; (abrandar-se) to relent

amônia [a'mɔnja] f ammonia

amoníaco [amo'niaku] m ammonia

amontoar [amõ'twa*] vt to pile up,

amor → ânimo

accumulate; **~ riquezas** to amass a fortune

amor [a'mo*] *m* love; **por ~ de** for the sake of; **fazer ~** to make love

amora [a'mɔra] *f*: **~ silvestre** blackberry

amordaçar [amoxda'sa*] *vt* to gag

amoroso, -a [amo'rozu, ɔza] *adj* loving, affectionate

amor-perfeito (*pl* **amores-perfeitos**) *m* pansy

amortecedor [amoxtese'do*] *m* shock absorber

amortização [amoxtʃiza'sãw] *f* payment in instalments (*BRIT*) *ou* installments (*US*)

amortizar [amoxtʃi'za*] *vt* to pay in instalments (*BRIT*) *ou* installments (*US*)

amostra [a'mɔʃtra] *f* sample

amparar [ãpa'ra*] *vt* to support; (*ajudar*) to help, assist; **amparar-se** *vr*: **~-se em** to lean on

amparo [ã'paru] *m* support; help, assistance

ampliação [amplja'sãw] (*pl* **-ões**) *f* enlargement; (*extensão*) extension

ampliar [ã'plja*] *vt* to enlarge; (*conhecimento*) to broaden

amplificador [ãplifika'do*] *m* amplifier

amplificar [ãplifi'ka*] *vt* to amplify

amplitude [ãpli'tudʒi] *f* (*espaço*) spaciousness; (*fig: extensão*) extent

amplo, -a ['ãplu, a] *adj* (*sala*) spacious; (*conhecimento, sentido*) broad; (*possibilidade*) ample

amputar [ãpu'ta*] *vt* to amputate

Amsterdã [amiʃtex'dã] (*BR*) *n* Amsterdam

Amsterdão [amiʃtex'dãw] (*PT*) *n* = **Amsterdã**

amuado, -a [a'mwadu, a] *adj* sulky

anã [a'nã] *f de* **anão**

anais [a'najʃ] *mpl* annals

analfabeto, -a [anawfa'bɛtu, a] *adj, m/f* illiterate

analgésico [anaw'ʒɛziku] *m* painkiller, analgesic

analisar [anali'za*] *vt* to analyse; **análise** [a'nalizi] *f* analysis; **analista** [ana'liʃta] *m/f* analyst

ananás [ana'naʃ] (*pl* **ananases**) *m* (*BR*) variety of pineapple (*PT*) pineapple

anão, anã [a'nãw, a'nã] (*pl* **-ões, ~s**) *m/f* dwarf

anarquia [anax'kia] *f* anarchy; **anarquista** [anax'kiʃta] *m/f* anarchist

anatomia [anato'mia] *f* anatomy

anca ['ãka] *f* (*de pessoa*) hip; (*de animal*) rump

ancião, anciã [ã'sjãw, ã'sjã] (*pl* **-ões, ~s**)

adj old ♦ *m/f* old man/woman; (*de uma tribo*) elder

anciões [a'sjõjʃ] *mpl de* **ancião**

âncora ['ãkora] *f* anchor; **ancorar** [ãko'ra*] *vt, vi* to anchor

andaime [ã'dajmi] *m* (*ARQ*) scaffolding

andamento [ãda'mẽtu] *m* (*progresso*) progress; (*rumo*) course; (*MÚS*) tempo; **em ~** in progress

andar [ã'da*] *vi* to walk; (*máquina*) to work; (*progredir*) to progress; (*estar*): **ela anda triste** she's been sad lately ♦ *m* gait; (*pavimento*) floor, storey (*BRIT*), story (*US*); **anda!** hurry up!; **~ a cavalo** to ride; **~ de trem/avião/bicicleta** to travel by train/fly/ride a bike

Andes ['ãdʒiʃ] *mpl*: **os ~** the Andes

andorinha [ãdo'riɲa] *f* (*pássaro*) swallow

anedota [ane'dɔta] *f* anecdote

anel [a'nɛw] (*pl* **-éis**) *m* ring; (*elo*) link; (*de cabelo*) curl; **~ de casamento** wedding ring

anemia [ane'mia] *f* anaemia (*BRIT*), anemia (*US*)

anestesia [aneʃte'zia] *f* anaesthesia (*BRIT*), anesthesia (*US*); (*anestésico*) anaesthetic (*BRIT*), anesthetic (*US*)

anexar [anek'sa*] *vt* to annex; (*juntar*) to attach; (*documento*) to enclose; **anexo, -a** [a'nɛksu, a] *adj* attached ♦ *m* annexe; (*em carta*) enclosure; **segue em anexo** please find enclosed

anfitrião, -triã [ãfi'trjãw, 'trjã] (*pl* **-ões, ~s**) *m/f* host/hostess

angina [ã'ʒina] *f*: **~ do peito** angina (pectoris)

Angola [ã'gɔla] *f* Angola

angu [ã'gu] *m* corn-meal purée

ângulo ['ãgulu] *m* angle; (*canto*) corner

angústia [ã'guʃtʃja] *f* anguish, distress; **angustiante** [ãguʃ'tʃjãtʃi] *adj* distressing; (*momentos*) anxious, nerve-racking

animação [anima'sãw] *f* (*vivacidade*) liveliness; (*movimento*) bustle; (*entusiasmo*) enthusiasm

animado, -a [ani'madu, a] *adj* lively; (*alegre*) cheerful; **~ com** enthusiastic about

animador, a [anima'do*, a] *adj* encouraging ♦ *m/f* (*BR: TV*) presenter

animal [ani'maw] (*pl* **-ais**) *adj, m* animal; **~ de estimação** pet (animal)

animar [ani'ma*] *vt* to liven up; (*encorajar*) to encourage; **animar-se** *vr* to cheer up; (*festa etc*) to liven up; **~-se a** to bring o.s. to

ânimo ['animu] *m* (*coragem*) courage; **~!**

cheer up!; **perder o ~** to lose heart; **recobrar o ~** to pluck up courage; (*alegrar-se*) to cheer up
aninhar [aniˈɲa*] vt to nestle; **aninhar-se** vr to nestle
anis [aˈniʃ] m aniseed
anistia [aniʃˈtʃia] f amnesty
aniversário [anivexˈsarju] m anniversary; (*de nascimento*) birthday; (: *festa*) birthday party
anjo [ˈãʒu] m angel; **~ da guarda** guardian angel
ano [ˈanu] m year; **Feliz A~ Novo!** Happy New Year!; **o ~ que vem** next year; **por ~** per annum; **fazer ~s** to have a birthday; **ter dez ~s** to be ten (years old); **dia de ~s** (*PT*) birthday; **~ letivo** academic year; (*da escola*) school year
anões [aˈnõjʃ] mpl de **anão**
anoitecer [anojteˈse*] vi to grow dark ♦ m nightfall
anomalia [anomaˈlia] f anomaly
anônimo, -a [aˈnonimu, a] adj anonymous
anoraque [anoˈraki] m anorak
anormal [anoxˈmaw] (pl **-ais**) adj abnormal; (*excepcional*) handicapped; **anormalidade** [anoxmaliˈdadʒi] f abnormality
anotação [anotaˈsãw] (pl **-ões**) f annotation; (*nota*) note
anotar [anoˈta*] vt to annotate; (*tomar nota*) to note down
anseio etc [ãˈseju] vb V **ansiar**
ânsia [ˈãsja] f anxiety; (*desejo*): **~ (de)** longing (for); **ter ~s (de vômito)** to feel sick
ansiar [ãˈsja*] vi: **~ por** (*desejar*) to yearn for; **~ por fazer** to long to do
ansiedade [ãsjeˈdadʒi] f anxiety; (*desejo*) eagerness
ansioso, -a [ãˈsjozu, ɔza] adj anxious; (*desejoso*) eager
Antártico [ãˈtaxtʃiku] m: **o ~** the Antarctic
ante [ˈãtʃi] prep (*na presença de*) before; (*em vista de*) in view of, faced with
antecedência [ãteseˈdẽsja] f: **com ~** in advance; **3 dias de ~** three days' notice
antecedente [ãteseˈdẽtʃi] adj preceding ♦ m antecedent; **~s** mpl (*registro*) record sg; (*passado*) background sg
anteceder [ãteseˈde*] vt to precede
antecipação [ãtesipaˈsãw] f anticipation; **com um mês de ~** a month in advance; **~ de pagamento** advance (payment)
antecipadamente [ãtesipadaˈmẽtʃi] adv in advance, beforehand

antecipado, -a [ãtesiˈpadu, a] adj (*pagamento*) (in) advance
antecipar [ãtesiˈpa*] vt to anticipate, forestall; (*adiantar*) to bring forward
antemão [ãteˈmãw]: **de ~** adv beforehand
antena [ãˈtena] f (*BIO*) antenna, feeler; (*RÁDIO*, *TV*) aerial
anteontem [ãtʃiˈõtẽ] adv the day before yesterday
antepassado [ãtʃipaˈsadu] m ancestor
anterior [ãteˈrjo*] adj previous; (*antigo*) former; (*de posição*) front
antes [ˈãtʃiʃ] adv before; (*antigamente*) formerly; (*ao contrário*) rather ♦ prep: **~ de** before; **o quanto ~** as soon as possible; **~ de partir** before leaving; **~ de tudo** above all; **~ que** before
anti- [ãtʃi] prefixo anti-
antiácido, -a [ãˈtʃjasidu, a] adj antacid ♦ m antacid
antibiótico, -a [ãtʃiˈbjɔtʃiku, a] adj antibiotic ♦ m antibiotic
anticaspa [ãtʃiˈkaʃpa] adj inv: **xampu ~** dandruff shampoo
anticlímax [ãtʃiˈklimaks] m anticlimax
anticoncepcional [ãtʃikõsepsjoˈnaw] (pl **-ais**) adj, m contraceptive
anticongelante [ãtʃikõʒeˈlãtʃi] m antifreeze
antidepressivo [ãtʃidepreˈsivu] m antidepressant
antigamente [ãtʃigaˈmẽtʃi] adv formerly; (*no passado*) in the past
antigo, -a [ãˈtʃigu, a] adj old; (*histórico*) ancient; (*de estilo*) antique; (*chefe etc*) former
antiguidade [ãtʃigiˈdadʒi] f antiquity, ancient times pl; (*de emprego*) seniority; **~s** fpl (*monumentos*) ancient monuments; (*artigos*) antiques
anti-horário, -a adj anticlockwise
antilhano, -a [ãtʃiˈʎanu, a] adj, m/f West Indian
Antilhas [ãˈtʃiʎaʃ] fpl: **as ~** the West Indies
antipatia [ãtʃipaˈtʃia] f dislike; **antipático, -a** [ãtʃiˈpatʃiku, a] adj unpleasant, unfriendly
antipatizar [ãtʃipatʃiˈza*] vi: **~ com alguém** to dislike sb
antiquado, -a [ãtʃiˈkwadu, a] adj antiquated; (*fora de moda*) out of date, old-fashioned
antiquário, -a [ãtʃiˈkwarju, a] m/f antique dealer ♦ m (*loja*) antique shop
anti-semita adj anti-Semitic

anti-séptico → apertado

anti-séptico, -a [...] adj antiseptic ♦ m antiseptic
anti-social (pl **-ais**) adj antisocial
antologia [ãtolo'ʒia] f anthology
anual [a'nwaw] (pl **-ais**) adj annual, yearly
anulação [anula'sãw] (pl **-ões**) f cancellation; (de contrato, casamento) annulment
anular [anu'la*] vt to cancel; (contrato, casamento) to annul; (efeito) to cancel out ♦ m ring finger
anunciante [anũ'sjãtʃi] m (COM) advertiser
anunciar [anũ'sja*] vt to announce; (COM) to advertise
anúncio [a'nũsju] m announcement; (COM) advertisement; (cartaz) notice; **~s classificados** small ou classified ads
ânus ['anuʃ] m inv anus
anzol [ã'zɔw] (pl **-óis**) m fish-hook
ao [aw] = **a** + **o**
aonde [a'õdʃi] adv where; **~ quer que** wherever
aos [awʃ] = **a** + **os**
Ap. abr = **apartamento**
apagado, -a [apa'gadu, a] adj: **o fogo estava ~/a luz estava apagada** the fire was out/the light was off
apagar [apa'ga*] vt to put out; (luz elétrica) to switch off; (vela) to blow out; (com borracha) to rub out, erase; **apagar-se** vr to go out
apaixonado, -a [apajʃo'nadu, a] adj (discurso) impassioned; (pessoa): **ele está ~ por ela** he is in love with her; **ele é ~ por tênis** he's mad about tennis
apaixonar-se [apajʃo'naxsi] vr: **~ por** to fall in love with
apalpar [apaw'pa*] vt to touch, feel; (MED) to examine
apanhado [apa'ɲadu] m (de flores) bunch; (resumo) summary
apanhar [apa'ɲa*] vt to catch; (algo à mão, do chão) to pick up; (surra, táxi) to get; (flores, frutas) to pick; (agarrar) to grab ♦ vi to get a beating; **~ sol/chuva** to sunbathe/get soaked
aparador [apara'do*] m sideboard
apara-lápis [apara'lapiʃ] (PT) m inv pencil sharpener
aparar [apa'ra*] vt (cabelo) to trim; (lápis) to sharpen; (algo arremessado) to catch
aparato [apa'ratu] m pomp; (coleção) array
aparecer [apare'se*] vi to appear; (apresentar-se) to turn up; (ser publicado) to be published; **~ em casa de alguém** to call on sb; **aparecimento** [aparesi'mẽtu] m appearance; (publicação) publication
aparelhado, -a [apare'ʎadu, a] adj ready, prepared
aparelho [apa'reʎu] m apparatus; (equipamento) equipment; (PESCA) tackle; (máquina) machine; (BR: fone) telephone; **~ de barbear** electric shaver; **~ de chá** tea set; **~ de rádio/TV** radio/TV set; **~ doméstico** domestic appliance
aparência [apa'rẽsja] f appearance; **na ~** apparently; **sob a ~ de** under the guise of; **ter ~ de** to look like, seem
aparentar [aparẽ'ta*] vt (fingir) to feign; (parecer) to look; **não aparenta a sua idade** he doesn't look his age
aparente [apa'rẽtʃi] adj apparent
aparição [apari'sãw] (pl **-ões**) f (visão) apparition; (fantasma) ghost
apartamento [apaxta'mẽtu] m apartment, flat (BRIT)
apartar [apax'ta*] vt to separate; **apartar-se** vr to separate
apartheid [apax'tajdʒi] m apartheid
apatia [apa'tʃia] f apathy
apático, -a [a'patʃiku, a] adj apathetic
apavorado, -a [apavo'radu, a] adj terrified
apavorante [apavo'rãtʃi] adj terrifying
apavorar [apavo'ra*] vt to terrify ♦ vi to be terrifying; **apavorar-se** vr to be terrified
apear-se [a'pjaxsi] vr: **~ de** (cavalo) to dismount from
apegado, -a [ape'gadu, a] adj: **ser ~ a** (gostar de) to be attached to
apegar-se [ape'gaxsi] vr: **~ a** (afeiçoar-se) to become attached to
apego [a'pegu] m (afeição) attachment
apelação [apela'sãw] (pl **-ões**) f appeal
apelar [ape'la*] vi to appeal; **~ da sentença** (JUR) to appeal against the sentence; **~ para** to appeal to; **~ para a ignorância/violência** to resort to abuse/violence
apelido [ape'lidu] m (BR: alcunha) nickname; (PT: nome de família) surname
apelo [a'pelu] m appeal
apenas [a'penaʃ] adv only
apendicite [apẽdʒi'sitʃi] f appendicitis
aperfeiçoamento [apexfejswa'mẽtu] m (perfeição) perfection; (melhoramento) improvement
aperfeiçoar [apexfej'swa*] vt to perfect; (melhorar) to improve; **aperfeiçoar-se** vr to improve o.s.
apertado, -a [apex'tadu, a] adj tight; (estreito) narrow; (sem dinheiro) hard-up;

(*vida*) hard

apertar [apex'ta*] *vt* (*agarrar*) to hold tight; (*roupa*) to take in; (*esponja*) to squeeze; (*botão*) to press; (*despesas*) to limit; (*vigilância*) to step up; (*coração*) to break; (*fig*: *pessoa*) to put pressure on ♦ *vi* (*sapatos*) to pinch; (*chuva, frio*) to get worse; (*estrada*) to narrow; **~ em** (*insistir*) to insist on; **~ a mão de alguém** to shake hands with sb

aperto [a'pextu] *m* pressure; (*situação difícil*) spot of bother, jam; **um ~ de mãos** a handshake

apesar [ape'za*]: **~ de** *prep* in spite of, despite; **~ disso** nevertheless; **~ de que** even though

apetecer [apete'se*] *vi* (*comida*) to be appetizing

apetite [ape'tʃitʃi] *m* appetite; **bom ~!** enjoy your meal!

apetrechos [ape'treʃuʃ] *mpl* gear *sg*; (PESCA) tackle *sg*

ápice ['apisi] *m* (*cume*) summit, top; (*vértice*) apex

apiedar-se [apje'daxsi] *vr*: **~ de** to pity; (*compadecer-se*) to take pity on

apinhado, -a [api'ɲadu, a] *adj* crowded

apinhar [api'ɲa*] *vt* to crowd, pack; **apinhar-se** *vr* to crowd together; **~-se de** (*gente*) to be filled *ou* packed with

apitar [api'ta*] *vi* to whistle; **apito** [a'pitu] *m* whistle

aplacar [apla'ka*] *vt* to placate ♦ *vi* to calm down; **aplacar-se** *vr* to calm down

aplaudir [aplaw'dʒi*] *vt* to applaud

aplauso [a'plawzu] *m* applause; (*apoio*) support; (*elogio*) praise; (*aprovação*) approval; **~s** applause *sg*

aplicação [aplika'sãw] (*pl* **-ões**) *f* application; (*esforço*) effort; (*da lei*) enforcement; (*de dinheiro*) investment

aplicado, -a [apli'kadu, a] *adj* hard-working

aplicar [apli'ka*] *vt* to apply; (*lei*) to enforce; (*dinheiro*) to invest; **aplicar-se** *vr*: **~-se a** to devote o.s. to

apoderar-se [apode'raxsi] *vr*: **~ de** to seize, take possession of

apodrecer [apodre'se*] *vt* to rot; (*dente*) to decay ♦ *vi* to rot; to decay

apogeu [apo'ʒew] *m* (*fig*) height, peak

apoiar [apo'ja*] *vt* to support; (*basear*) to base; (*moção*) to second; **apoiar-se** *vr*: **~-se em** to rest on

apoio [a'poju] *m* support; (*financeiro*) backing

apólice [a'pɔlisi] *f* (*certificado*) policy, certificate; (*ação*) share, bond; **~ de seguro** insurance policy

apontamento [apõta'mẽtu] *m* (*nota*) note

apontar [apõ'ta*] *vt* (*fusil*) to aim; (*erro*) to point out; (*com o dedo*) to point at *ou* to; (*razão*) to put forward ♦ *vi* to begin to appear; (*brotar*) to sprout; (*com o dedo*) to point; **~ para** to point to; (*com arma*) to aim at

após [a'pɔjʃ] *prep* after

aposentado, -a [apozẽ'tadu, a] *adj* retired ♦ *m/f* retired person, pensioner; **ser ~** to be retired; **aposentadoria** [apozẽtado'ria] *f* retirement; (*dinheiro*) pension

aposentar [apozẽ'ta*] *vt* to retire; **aposentar-se** *vr* to retire

aposento [apo'zẽtu] *m* room

apossar-se [apo'saxsi] *vr*: **~ de** to take possession of, seize

aposta [a'pɔʃta] *f* bet

apostar [apoʃ'ta*] *vt* to bet ♦ *vi*: **~ em** to bet on

apóstolo [a'pɔʃtolu] *m* apostle

apóstrofo [a'pɔʃtrofu] *m* apostrophe

aprazível [apra'zivew] (*pl* **-eis**) *adj* pleasant

apreciação [apresja'sãw] *f* appreciation

apreciar [apre'sja*] *vt* to appreciate; (*gostar de*) to enjoy

apreço [a'presu] *m* esteem, regard; (*consideração*) consideration; **em ~** in question

apreender [aprjẽ'de*] *vt* to apprehend; (*tomar*) to seize; (*entender*) to grasp

apreensão [aprjẽ'sãw] (*pl* **-ões**) *f* (*percepção*) perception; (*tomada*) seizure; (*receio*) apprehension

apreensivo, -a [aprjẽ'sivu, a] *adj* apprehensive

apreensões [aprjẽ'sõjʃ] *fpl de* **apreensão**

apregoar [apre'gwa*] *vt* to proclaim, announce; (*mercadorias*) to cry

aprender [aprẽ'de*] *vt, vi* to learn; **~ a ler** to learn to read; **~ de cor** to learn by heart

aprendizagem [aprẽdʒi'zaʒẽ] *f* (*num ofício*) apprenticeship; (*numa profissão*) training; (*escolar*) learning

apresentação [prezẽta'sãw] (*pl* **-ões**) *f* presentation; (*de peça, filme*) performance; (*de pessoas*) introduction; (*porte pessoal*) appearance

apresentador, a [aprezẽta'do*, a] *m/f* presenter

apresentar [aprezẽ'ta*] *vt* to present;

apressado → ardor

(*pessoas*) to introduce; **apresentar-se** *vr* to introduce o.s.; (*problema*) to present itself; (*à polícia etc*) to report; **quero apresentar-lhe** may I introduce you to

apressado, -a [apre'sadu, a] *adj* hurried, hasty; **estar ~** to be in a hurry

apressar [apre'sa*] *vt* to hurry; **apressar-se** *vr* to hurry (up)

aprisionar [aprizjo'na*] *vt* (*cativar*) to capture; (*encarcerar*) to imprison

aprontar [aprõ'ta*] *vt* to get ready, prepare; **aprontar-se** *vr* to get ready

apropriação [aproprja'sãw] (*pl* -ões) *f* appropriation; (*tomada*) seizure

apropriado, -a [apro'prjadu, a] *adj* appropriate, suitable

apropriar [apro'prja*] *vt* to appropriate; **apropriar-se** *vr*: **~-se de** to seize, take possession of

aprovação [aprova'sãw] *f* approval; (*louvor*) praise; (*num exame*) pass

aprovado, -a [apro'vadu, a] *adj* approved; **ser ~ num exame** to pass an exam

aprovar [apro'va*] *vt* to approve of; (*exame*) to pass ♦ *vi* to make the grade

aproveitador, a [aprovejta'do*, a] *m/f* opportunist

aproveitamento [aprovejta'mẽtu] *m* use, utilization; (*nos estudos*) progress

aproveitar [aprovej'ta*] *vt* to take advantage of; (*utilizar*) to use; (*oportunidade*) to take ♦ *vi* to make the most of it; (*PT*) to be of use; **aproveite!** enjoy yourself!

aproximação [aprosima'sãw] (*pl* -ões) *f* approximation; (*chegada*) approach; (*proximidade*) nearness

aproximar [aprosi'ma*] *vt* to bring near; (*aliar*) to bring together; **aproximar-se** *vr*: **~-se de** to approach

aptidão [aptʃi'dãw] *f* aptitude; (*jeito*) knack; **~ física** physical fitness

apto, -a ['aptu, a] *adj* apt; (*capaz*) capable

apto. *abr* = **apartamento**

apunhalar [apuɲa'la*] *vt* to stab

apurado, -a [apu'radu, a] *adj* refined

apurar [apu'ra*] *vt* to perfect; (*averiguar*) to investigate; (*dinheiro*) to raise, get; (*votos*) to count; **apurar-se** *vr* to dress up

aquarela [akwa'rɛla] *f* watercolour (*BRIT*), watercolor (*US*)

aquário [a'kwarju] *m* aquarium; **A~** (*ASTROLOGIA*) Aquarius

aquático, -a [a'kwatʃiku, a] *adj* aquatic, water *atr*

aquecer [ake'se*] *vt* to heat ♦ *vi* to heat up; **aquecer-se** *vr* to heat up; **aquecido, -a** [ake'sidu, a] *adj* heated; **aquecimento** [akesi'mẽtu] *m* heating; **aquecimento central** central heating

aquele, -ela [a'keli, ɛla] *adj* (*sg*) that; (*pl*) those ♦ *pron* (*sg*) that one; (*pl*) those

àquele, -ela [a'keli, ɛla] = **a** + **aquele/ela**

aquém [a'kẽj] *adv* on this side; **~ de** on this side of

aqui [a'ki] *adv* here; **eis ~** here is/are; **~ mesmo** right here; **até ~** up to here; **por ~** hereabouts; (*nesta direção*) this way

aquilo [a'kilu] *pron* that; **~ que** what

àquilo [a'kilu] = **a** + **aquilo**

aquisição [akizi'sãw] (*pl* -ões) *f* acquisition

ar [a*] *m* air; (*aspecto*) look; (*brisa*) breeze; (*PT*: *AUTO*) choke; **~es** *mpl* (*atitude*) airs; (*clima*) climate *sg*; **ao ~ livre** in the open air; **no ~** (*TV, RÁDIO*) on the air; (*fig: planos*) up in the air; **dar-se ~es** to put on airs; **~ condicionado** (*aparelho*) air conditioner; (*sistema*) air conditioning

árabe ['arabi] *adj, m/f* Arab ♦ *m* (*LING*) Arabic

Arábia [a'rabja] *f*: **a ~ Saudita** Saudi Arabia

arame [a'rami] *m* wire

aranha [a'raɲa] *f* spider

arara [a'rara] *f* macaw

arbitragem [axbi'traʒẽ] *f* arbitration

arbitrar [axbi'tra*] *vt* to arbitrate; (*ESPORTE*) to referee

arbitrário, -a [axbi'trarju, a] *adj* arbitrary

arbítrio [ax'bitrju] *m* decision; **ao ~ de** at the discretion of

árbitro ['axbitru] *m* (*juiz*) arbiter; (*JUR*) arbitrator; (*FUTEBOL*) referee; (*TÊNIS etc*) umpire

arbusto [ax'buʃtu] *m* shrub, bush

arca ['axka] *f* chest, trunk; **~ de Noé** Noah's Ark

arcar [ax'ka*] *vt*: **~ com** (*responsabilidades*) to shoulder; (*despesas*) to handle; (*conseqüências*) to take

arcebispo [arse'biʃpu] *m* archbishop

arco ['axku] *m* (*ARQ*) arch; (*MIL, MÚS*) bow; (*ELET, MAT*) arc

arco-íris *m inv* rainbow

ardente [ax'dẽtʃi] *adj* burning; (*intenso*) fervent; (*apaixonado*) ardent

arder [ax'de*] *vi* to burn; (*pele, olhos*) to sting; **~ de raiva** to seethe (with rage)

ardiloso, -a [axdʒi'lozu, ɔza] *adj* cunning

ardor [ax'do*] *m* ardour (*BRIT*), ardor (*US*); **ardoroso, -a** [axdo'rozu, ɔza] *adj* ardent

árduo, -a ['axdwu, a] *adj* arduous; *(difícil)* hard, difficult

área ['arja] *f* area; *(ESPORTE)* penalty area; *(fig)* field; **~ (de serviço)** balcony *(for hanging washing etc)*

areia [a'reja] *f* sand; **~ movediça** quicksand

arejar [are'ʒa*] *vt* to air ♦ *vi* to get some air; *(descansar)* to have a breather; **arejar-se** *vr* to get some air; to have a break

arena [a'rɛna] *f* arena; *(de circo)* ring

Argélia [ax'ʒɛlja] *f*: **a ~** Algeria

Argentina [axʒē'tʃina] *f*: **a ~** Argentina

argila [ax'ʒila] *f* clay

argola [ax'gɔla] *f* ring; **~s** *fpl (brincos)* hooped earrings; **~ (de porta)** doorknocker

argumentação [axgumēta'sãw] *f* line of argument

argumentar [axgumē'ta*] *vt, vi* to argue

argumento [axgu'mētu] *m* argument; *(de obra)* theme

aridez [ari'deʒ] *f* dryness; *(esterilidade)* barrenness; *(falta de interesse)* dullness

árido, -a ['aridu, a] *adj* arid, dry; *(estéril)* barren; *(maçante)* dull

Áries ['ariʃ] *f* Aries

aristocrata [ariʃto'krata] *m/f* aristocrat

aritmética [aritʃ'mɛtʃika] *f* arithmetic

arma ['axma] *f* weapon; **~s** *fpl (nucleares etc)* arms; *(brasão)* coat *sg* of arms; **passar pelas ~s** to shoot, execute; **~ convencional/nuclear** conventional/nuclear weapon; **~ de fogo** firearm

armação [axma'sãw] *(pl* **-ões)** *f (armadura)* frame; *(PESCA)* tackle; *(NÁUT)* rigging; *(de óculos)* frames *pl*

armadilha [axma'dʒiʎa] *f* trap

armado, -a [ax'madu, a] *adj* armed

armamento [axma'mētu] *m (armas)* armaments *pl*, weapons *pl*; *(NÁUT)* equipment; *(ato)* arming

armar [ax'ma*] *vt* to arm; *(montar)* to assemble; *(barraca)* to pitch; *(um aparelho)* to set up; *(armadilha)* to set; *(NÁUT)* to fit out; **armar-se** *vr* to arm o.s.; **~ uma briga com** to pick a quarrel with

armarinho [axma'riɲu] *m* haberdashery *(BRIT)*, notions *pl (US)*

armário [ax'marju] *m* cupboard; *(de roupa)* wardrobe

armazém [axma'zēj] *(pl* **-ns)** *m (depósito)* warehouse; *(loja)* grocery store; **armazenar** [axmaze'na*] *vt* to store; *(provisões)* to stock

aro ['aru] *m (argola)* ring; *(de óculos, roda)* rim; *(de porta)* frame

aroma [a'rɔma] *m* aroma; **aromático, -a** [aro'matʃiku, a] *adj (comida)* aromatic; *(perfume)* fragrant

arpão [ax'pãw] *(pl* **-ões)** *m* harpoon

arqueiro, -a [ax'kejru, a] *m/f* archer; *(goleiro)* goalkeeper

arqueologia [axkjolo'ʒia] *f* archaeology *(BRIT)*, archeology *(US)*; **arqueólogo, -a** [ax'kjɔlogu, a] *m/f* archaeologist *(BRIT)*, archeologist *(US)*

arquiteto, -a [axki'tɛtu, a] *(PT* **-ect-)** *m/f* architect; **arquitetônico, -a** [axkite'toniku, a] *(PT* **-ectó-)** *adj* architectural; **arquitetura** [axkite'tura] *(PT* **-ect-)** *f* architecture

arquivar [axki'va*] *vt* to file; *(projeto)* to shelve

arquivo [ax'kivu] *m (ger, COMPUT)* file; *(lugar)* archive; *(de empresa)* files *pl*; *(móvel)* filing cabinet

arraial [axa'jaw] *(pl* **-ais)** *(PT) m (festa)* fair

arraigado, -a [axaj'gadu, a] *adj* deeprooted; *(fig)* ingrained

arraigar [axaj'ga*] *vi* to root; **arraigar-se** *vr* to take root; *(estabelecer-se)* to settle

arrancada [axã'kada] *f (movimento, puxão)* jerk; **dar uma ~ em** *(puxar)* to jerk; **dar uma ~** *(em carro)* to pull away (suddenly)

arrancar [axã'ka*] *vt* to pull out; *(botão etc)* to pull off; *(arrebatar)* to snatch (away); *(fig: confissão)* to extract ♦ *vi* to start (off); **arrancar-se** *vr* to leave; *(fugir)* to run off

arranha-céu [a'xaɲa-] *(pl* **~s)** *m* skyscraper

arranhão [axa'ɲãw] *(pl* **-ões)** *m* scratch

arranhar [axa'ɲa*] *vt* to scratch

arranjar [axã'ʒa*] *vt* to arrange; *(emprego, namorado)* to get, find; *(doença)* to get, catch; *(questão)* to settle; **arranjar-se** *vr* to manage; *(conseguir emprego)* to get a job; **~-se sem** to do without

arranjo [a'xãʒu] *m* arrangement

arranque [a'xãki] *m*: **motor de ~** starter (motor)

arrasar [axa'za*] *vt* to devastate; *(demolir)* to demolish; *(estragar)* to ruin; **arrasar-se** *vr* to be devastated; *(destruir-se)* to destroy o.s.; *(arruinar-se)* to lose everything

arrastão [axaʃ'tãw] *(pl* **-ões)** *m* tug; *(rede)* dragnet

arrastar [axaʃ'ta*] *vt* to drag; *(atrair)* to draw ♦ *vi* to trail; **arrastar-se** *vr* to

arrebatado → árvore

crawl; (*tempo, processo*) to drag (on)
arrebatado, -a [axeba'tadu, a] *adj* rash, impetuous
arrebatar [axeba'ta*] *vt* to snatch (away); (*levar*) to carry off; (*enlevar*) to entrance; (*enfurecer*) to enrage; **arrebatar-se** *vr* to be entranced
arrebentado, -a [axebẽ'tadu, a] *adj* broken; (*estafado*) worn out
arrebentar [axebẽ'ta*] *vt* to break; (*porta*) to break down; (*corda*) to snap ♦ *vi* to break; (*corda*) to snap; (*guerra*) to break out
arrebitado, -a [axebi'tadu, a] *adj* turned-up; (*nariz*) snub
arrecadar [axeka'da*] *vt* (*impostos etc*) to collect
arredondado, -a [axedõ'dadu, a] *adj* round, rounded
arredondar [axedõ'da*] *vt* to round (off); (*conta*) to round up
arredores [axe'dɔriʃ] *mpl* suburbs; (*cercanias*) outskirts
arrefecer [axefe'se*] *vt* to cool; (*febre*) to lower; (*desanimar*) to discourage ♦ *vi* to cool (off); to get discouraged
ar-refrigerado [-xefriʒe'radu] *m* air conditioning
arregaçar [axega'sa*] *vt* to roll up
arregalado, -a [axega'ladu, a] *adj* (*olhos*) wide
arregalar [axega'la*] *vt*: ~ **os olhos** to stare in amazement
arrematar [axema'ta*] *vt* (*dizer concluindo*) to conclude; (*comprar*) to buy by auction; (*vender*) to sell by auction; (*COSTURA*) to finish off
arremessar [axeme'sa*] *vt* to throw, hurl; **arremesso** [axe'mesu] *m* throw
arremeter [axeme'te*] *vi* to lunge; ~ **contra** (*acometer*) to attack, assail
arrendamento [axẽda'mẽtu] *m* (*ação*) leasing; (*contrato*) lease
arrendar [axẽ'da*] *vt* to lease
arrendatário, -a [axẽda'tarju, a] *m/f* tenant
arrepender-se [axepẽ'dexsi] *vr* to repent; (*mudar de opinião*) to change one's mind; ~ **de** to regret, be sorry for; **arrependido, -a** [axepẽ'dʒidu, a] *adj* (*pessoa*) sorry; **arrependimento** [axepẽdʒi'mẽtu] *m* regret; (*REL, de crime*) repentance
arrepiar [axe'pja*] *vt* (*amedrontar*) to horrify; (*cabelo*) to cause to stand on end; **arrepiar-se** *vr* to shiver; (*cabelo*) to stand on end; **(ser) de ~ os cabelos** (to be) hair-raising

arrepio [axe'piu] *m* shiver; (*de frio*) chill; **isso me dá ~s** it gives me the creeps
arriar [a'xja*] *vt* to lower; (*depor*) to lay down ♦ *vi* to drop; (*vergar*) to sag; (*desistir*) to give up; (*fig*) to collapse
arriscado, -a [axiʃ'kadu, a] *adj* risky; (*audacioso*) daring
arriscar [axiʃ'ka*] *vt* to risk; (*pôr em perigo*) to endanger, jeopardize; **arriscar-se** *vr* to take a risk; **~-se a fazer** to risk doing
arroba [a'xoba] *f* (*símbolo*) @, 'at' sign
arrogante [axo'gãtʃi] *adj* arrogant
arroio [a'xoju] *m* stream
arrojado, -a [axo'ʒadu, a] *adj* (*design*) bold; (*temerário*) rash; (*ousado*) daring
arrolar [axo'la*] *vt* to list
arrombar [axõ'ba*] *vt* (*porta*) to break down; (*cofre*) to crack
arrotar [axo'ta*] *vi* to belch ♦ *vt* (*alardear*) to boast of
arroz [a'xoʒ] *m* rice; ~ **doce** rice pudding
arruinar [axwi'na*] *vt* to ruin; (*destruir*) to destroy; **arruinar-se** *vr* to be ruined; (*perder a saúde*) to ruin one's health
arrumação [axuma'sãw] *f* arrangement; (*de um quarto etc*) tidying up; (*de malas*) packing
arrumadeira [axuma'dejra] *f* cleaning lady; (*num hotel*) chambermaid
arrumar [axu'ma*] *vt* to put in order, arrange; (*quarto etc*) to tidy up; (*malas*) to pack; (*emprego*) to get; (*vestir*) to dress up; (*desculpa*) to make up, find; (*vida*) to sort out; **arrumar-se** *vr* (*aprontar-se*) to get dressed, get ready; (*na vida*) to sort o.s. out; (*virar-se*) to manage
arte ['axtʃi] *f* art; (*habilidade*) skill; (*ofício*) trade, craft
artefato [axtʃi'fatu] (*PT* **-act-**) *m* (manufactured) article
artéria [ax'tɛrja] *f* (*ANAT*) artery
artesão, -sã [axte'zãw, zã] (*pl* ~**s**, ~**s**) *m/f* artisan, craftsman/woman
ártico, -a ['axtʃiku, a] *adj* Arctic ♦ *m*: **o A~** the Arctic
artificial [axtʃifi'sjaw] (*pl* **-ais**) *adj* artificial
artifício [axtʃi'fisju] *m* stratagem, trick
artigo [ax'tʃigu] *m* article; (*COM*) item; ~**s** *mpl* (*produtos*) goods
artilharia [axtʃiʎa'ria] *f* artillery
artista [ax'tʃiʃta] *m/f* artist; **artístico, -a** [ax'tʃiʃtʃiku, a] *adj* artistic
artrite [ax'tritʃi] *f* (*MED*) arthritis
árvore ['axvori] *f* tree; (*TEC*) shaft; ~ **de**

Natal Christmas tree
as [aʃ] *art def V* **a**
ás [ajʃ] *m* ace
às [ajʃ] = **a** + **as**
asa [ˈaza] *f* wing; (*de xícara etc*) handle
ascendência [asẽˈdẽsja] *f* (*antepassados*) ancestry; (*domínio*) ascendancy, sway; **ascendente** [asẽˈdẽtʃi] *adj* rising, upward
ascender [asẽˈde*] *vi* to rise, ascend
ascensão [asẽˈsãw] (*pl* **-ões**) *f* ascent; (*REL*): **dia da A~** Ascension Day
asco [ˈaʃku] *m* loathing, revulsion; **dar ~ a** to revolt, disgust
asfalto [aʃˈfawtu] *m* asphalt
asfixia [aʃfikˈsia] *f* asphyxia, suffocation
Ásia [ˈazja] *f*: **a ~** Asia
asiático, -a [aˈzjatʃiku, a] *adj, m/f* Asian
asilo [aˈzilu] *m* (*refúgio*) refuge; (*estabelecimento*) home; **~ político** political asylum
asma [ˈaʒma] *f* asthma
asneira [aʒˈnejra] *f* (*tolice*) stupidity; (*ato, dito*) stupid thing
asno [ˈaʒnu] *m* donkey; (*fig*) ass
aspas [ˈaʃpaʃ] *fpl* inverted commas
aspecto [aʃˈpɛktu] *m* aspect; (*aparência*) look, appearance; (*característica*) feature; (*ponto de vista*) point of view
aspereza [aʃpeˈreza] *f* roughness; (*severidade*) harshness; (*rudeza*) rudeness
áspero, -a [ˈaʃperu, a] *adj* rough; (*severo*) harsh; (*rude*) rude
aspiração [aʃpiraˈsãw] (*pl* **-ões**) *f* aspiration; (*inalação*) inhalation
aspirador [aʃpiraˈdo*] *m*: **~ (de pó)** vacuum cleaner; **passar o ~ (em)** to vacuum
aspirante [aʃpiˈrãtʃi] *adj* aspiring ♦ *m/f* candidate
aspirar [aʃpiˈra*] *vt* to breathe in; (*bombear*) to suck up ♦ *vi* to breathe; (*soprar*) to blow; (*desejar*): **~ a algo** to aspire to sth
aspirina [aʃpiˈrina] *f* aspirin
asqueroso, -a [aʃkeˈrozu, ɔza] *adj* disgusting, revolting
assado, -a [aˈsadu, a] *adj* roasted; (*CULIN*) roast ♦ *m* roast; **carne assada** roast beef
assaltante [asawˈtãtʃi] *m/f* assailant; (*de banco*) robber; (*de casa*) burglar; (*na rua*) mugger
assaltar [asawˈta*] *vt* to attack; (*casa*) to break into; (*banco*) to rob; (*pessoa na rua*) to mug; **assalto** [aˈsawtu] *m* attack; raid, robbery; burglary, break-in; mugging; (*BOXE*) round

assar [aˈsa*] *vt* to roast; (*na grelha*) to grill
assassinar [asasiˈna*] *vt* to murder, kill; (*POL*) to assassinate; **assassinato** [asasiˈnatu] *m* murder, killing; assassination; **assassino, -a** [asaˈsinu, a] *m/f* murderer; assassin
assaz [aˈsaʒ] *adv* (*suficientemente*) sufficiently; (*muito*) rather
assediar [aseˈdʒja*] *vt* (*sitiar*) to besiege; (*importunar*) to pester; **assédio** [aˈsɛdʒu] *m* siege; (*insistência*) insistence
assegurar [aseguˈra*] *vt* to secure; (*garantir*) to ensure; (*afirmar*) to assure; **assegurar-se** *vr*: **~-se de** to make sure of
asseio [aˈseju] *m* cleanliness
assembléia [asẽˈbleja] *f* assembly; (*reunião*) meeting; **~ geral (ordinária)** annual general meeting
assentar [asẽˈta*] *vt* (*fazer sentar*) to seat; (*colocar*) to place; (*estabelecer*) to establish; (*decidir*) to decide upon ♦ *vi* (*pó etc*) to settle; **assentar-se** *vr* to sit down; **~ em** *ou* **a** (*roupa*) to suit
assentir [asẽˈtʃi*] *vi*: **~ (em)** to agree (to)
assento [aˈsẽtu] *m* seat; (*base*) base
assíduo, -a [aˈsidwu, a] *adj* (*aluno*) who attends regularly; (*diligente*) assiduous; (*constante*) constant; **ser ~ num lugar** to be a regular visitor to a place
assim [aˈsĩ] *adv* (*deste modo*) like this, in this way, thus; (*portanto*) therefore; (*igualmente*) likewise; **~ so-so**; **~ mesmo** in any case; **e ~ por diante** and so on; **~ como** as well as; **como ~?** how do you mean?; **~ que** (*logo que*) as soon as
assimilar [asimiˈla*] *vt* to assimilate; (*apreender*) to take in; (*assemelhar*) to compare
assinante [asiˈnãtʃi] *m/f* (*de jornal etc*) subscriber
assinar [asiˈna*] *vt* to sign
assinatura [asinaˈtura] *f* (*nome*) signature; (*de jornal etc*) subscription; (*TEATRO*) season ticket
assinto *etc* [aˈsĩtu] *vb V* **assentir**
assistência [asiʃˈtẽsja] *f* (*presença*) presence; (*público*) audience; (*auxílio*) aid; **~ social** social work
assistente [asiʃˈtẽtʃi] *adj* assistant ♦ *m/f* spectator, onlooker; (*ajudante*) assistant; **~ social** social worker
assistir [asiʃˈtʃi*] *vt, vi*: **~ (a)** (*MED*) to attend (to); **~ a** to assist; (*TV, filme, jogo*) to watch; (*reunião*) to attend
assoar [asoˈa*] *vt*: **~ o nariz** to blow one's nose; **assoar-se** *vr* (*PT*) to blow one's

assobiar → ativo

nose
assobiar [aso'bja*] vi to whistle
assobio [aso'biu] m whistle
associação [asosja'sãw] (pl **-ões**) f association; (organização) society; (parceria) partnership
associado, -a [aso'sjadu, a] adj associate ♦ m/f associate, member; (COM) associate; (sócio) partner
associar [aso'sja*] vt to associate; **associar-se** vr: **~-se a** to associate with
assombração [asõbra'sãw] (pl **-ões**) f ghost
assombro [a'sõbru] m amazement, astonishment; (maravilha) marvel;
assombroso, -a [asõ'brozu, ɔza] adj astonishing, amazing
assoviar [aso'vja*] vt = **assobiar**
assovio [aso'viu] m = **assobio**
assumir [asu'mi*] vt to assume, take on; (reconhecer) to accept
assunto [a'sũtu] m subject, matter; (enredo) plot
assustador, a [asuʃta'do*, a] adj (alarmante) startling; (amedrontador) frightening
assustar [asuʃ'ta*] vt to frighten; (alarmar) to startle; **assustar-se** vr to be frightened
asteca [aʃ'tɛka] adj, m/f Aztec
astrologia [aʃtrolo'ʒia] f astrology
astronauta [aʃtro'nawta] m/f astronaut
astronave [aʃtro'navi] f spaceship
astronomia [aʃtrono'mia] f astronomy
astúcia [aʃ'tusja] f cunning
ata ['ata] f (de reunião) minutes pl
atacado [ata'kadu] m: **por ~** wholesale
atacante [ata'kãtʃi] adj attacking ♦ m/f attacker, assailant ♦ m (FUTEBOL) forward
atacar [ata'ka*] vt to attack; (problema etc) to tackle
atado, -a [a'tadu, a] adj (desajeitado) clumsy, awkward; (perplexo) puzzled
atalho [a'taʎu] m (caminho) short cut
ataque [a'taki] m attack; **~ aéreo** air raid
atar [a'ta*] vt to tie (up), fasten; **não ~ nem desatar** (pessoa) to waver; (negócio) to be in the air
atarefado, -a [atare'fadu, a] adj busy
atarracado, -a [ataxa'kadu, a] adj stocky
até [a'tɛ] prep (PT: + a: lugar) up to, as far as; (tempo etc) until, till ♦ adv (tb: **~ mesmo**) even; **~ certo ponto** to a certain extent; **~ em cima** to the top; **~ já** see you soon; **~ logo** bye!; **~ onde** as far as; **~ que** until; **~ que enfim!** at last!
atear [ate'a*] vt (fogo) to kindle; (fig) to

incite, inflame; **atear-se** vr to blaze; (paixões) to flare up
atéia [a'tɛja] f de **ateu**
atemorizar [atemori'za*] vt to frighten; (intimidar) to intimidate
Atenas [a'tenaʃ] n Athens
atenção [atẽ'sãw] (pl **-ões**) f attention; (cortesia) courtesy; (bondade) kindness; **~!** be careful!; **chamar a ~** to attract attention; **atencioso, -a** [atẽ'sjozu, ɔza] adj considerate
atender [atẽ'de*] vt: **~ (a)** to attend to; (receber) to receive; (deferir) to grant; (telefone etc) to answer; (paciente) to see ♦ vi to answer; (dar atenção) to pay attention; **atendimento** [atẽdʒi'mẽtu] m service; (recepção) reception; **horário de atendimento** opening hours; (em consultório) surgery (BRIT) ou office (US) hours
atentado [atẽ'tadu] m attack; (crime) crime; (contra a vida de alguém) attempt on sb's life
atento, -a [a'tẽtu, a] adj attentive; **estar ~ a** to be aware ou mindful of
atenuante [ate'nwãtʃi] adj extenuating ♦ m extenuating circumstance
atenuar [ate'nwa*] vt to reduce, lessen
aterragem [ate'xaʒẽj] (PT) (pl **-ns**) f (AER) landing
aterrar [ate'xa*] (PT) vi (AER) to land
aterrissagem [atexi'saʒẽ] (BR) (pl **-ns**) f (AER) landing
aterrissar [atexi'sa*] (BR) vi (AER) to land
aterrorizante [atexori'zãtʃi] adj terrifying
aterrorizar [atexori'za*] vt to terrorize
atestado [ateʃ'tadu] m certificate; (prova) proof; (JUR) testimony
ateu, atéia [a'tew, a'tɛja] adj, m/f atheist
atiçar [atʃi'sa*] vt (fogo) to poke; (incitar) to incite; (provocar) to provoke; (sentimento) to induce
atinar [atʃi'na*] vt (acertar) to guess correctly ♦ vi: **~ com** (solução) to find; **~ em** to notice; **~ a fazer algo** to succeed in doing sth
atingir [atʃĩ'ʒi*] vt to reach; (acertar) to hit; (afetar) to affect; (objetivo) to achieve; (compreender) to grasp
atirador, a [atʃira'do*, a] m/f marksman/ woman; **~ de tocaia** sniper
atirar [atʃi'ra*] vt to throw, fling ♦ vi (arma) to shoot; **atirar-se** vr: **~-se a** to hurl o.s. at
atitude [atʃi'tudʒi] f attitude; (postura) posture
atividade [atʃivi'dadʒi] f activity
ativo, -a [a'tʃivu, a] adj active ♦ m (COM)

assets *pl*
atlântico, -a [at'lãtʃiku, a] *adj* Atlantic
♦ *m*: **o (Oceano) A~** the Atlantic (Ocean)
atlas ['atlaʃ] *m inv* atlas
atleta [at'leta] *m/f* athlete; **atlético, -a** [at'lɛtʃiku, a] *adj* athletic; **atletismo** [atle'tʃiʒmu] *m* athletics *sg*
atmosfera [atmoʃ'fɛra] *f* atmosphere
ato ['atu] *m* act, action; (*cerimônia*) ceremony; (*TEATRO*) act; **em ~ contínuo** straight after; **no ~** on the spot; **no mesmo ~** at the same time
à-toa *adj* (*insignificante*) insignificant; (*simples*) simple, easy ♦ *adv* V **toa**
atômico, -a [a'tomiku, a] *adj* atomic
atomizador [atomiza'do*] *m* atomizer
átomo ['atomu] *m* atom
atônito, -a [a'tonitu, a] *adj* astonished, amazed
ator [a'to*] *m* actor
atordoado, -a [atox'dwadu, a] *adj* dazed
atordoar [atox'dwa*] *vt* to daze, stun
atormentar [atoxmẽ'ta*] *vt* to torment
atração [atra'sãw] (*pl* **-ões**) *f* attraction
atracar [atra'ka*] *vt, vi* (*NÁUT*) to moor; **atracar-se** *vr* to grapple
atrações [atra'sõjʃ] *fpl de* **atração**
atractivo, -a [atra'tivu, a] (*PT*) *adj* = **atrativo**
atraente [atra'ẽtʃi] *adj* attractive
atraiçoar [atrajˈswa*] *vt* to betray
atrair [atra'i*] *vt* to attract; (*fascinar*) to fascinate
atrapalhar [atrapa'ʎa*] *vt* to confuse; (*perturbar*) to disturb; (*dificultar*) to hinder ♦ *vi* to be a nuisance
atrás [a'trajʃ] *adv* behind; (*no fundo*) at the back ♦ *prep*: **~ de** behind; (*no tempo*) after; **dois meses ~** two months ago
atrasado, -a [atra'zadu, a] *adj* late; (*país etc*) backward; (*relógio etc*) slow; (*pagamento*) overdue;'**atrasados** [atra'zaduʃ] *mpl* (*COM*) arrears
atrasar [atra'za*] *vt* to delay; (*progresso, desenvolvimento: progresso*) to hold back; (*relógio*) to put back; (*pagamento*) to be late with ♦ *vi* (*relógio etc*) to be slow; (*avião, pessoa*) to be late; **atrasar-se** *vr* to be late; (*num trabalho*) to fall behind; (*num pagamento*) to get into arrears
atraso [a'trazu] *m* delay; (*de país etc*) backwardness; **~s** *mpl* (*COM*) arrears; **com 20 minutos de ~** 20 minutes late
atrativo, -a [atra'tʃivu, a] *adj* attractive
♦ *m* attraction; (*incentivo*) incentive; **~s** *mpl* (*encantos*) charms
através [atra'vɛʃ] *adv* across; **~ de** across;

(*pelo centro de*) through
atravessar [atrave'sa*] *vt* to cross; (*pôr ao través*) to put *ou* lay across; (*traspassar*) to pass through
atrever-se [atre'vexsi] *vr*: **~ a** to dare to;
atrevido, -a [atre'vidu, a] *adj* cheeky; (*corajoso*) bold; **atrevimento** [atrevi'mẽtu] *m* cheek; boldness
atribuir [atri'bwi*] *vt*: **~ algo a** to attribute sth to; (*prêmios, regalias*) to confer sth on
atributo [atri'butu] *m* attribute
átrio ['atrju] *m* hall; (*pátio*) courtyard
atrito [a'tritu] *m* (*fricção*) friction; (*desentendimento*) disagreement
atriz [a'triʒ] *f* actress
atropelamento [atropela'mẽtu] *m* (*de pedestre*) road accident
atropelar [atrope'la*] *vt* to knock down, run over; (*empurrar*) to jostle
atuação [atwa'sãw] (*pl* **-ões**) *f* acting; (*de ator etc*) performance
atual [a'twaw] (*pl* **-ais**) *adj* current; (*pessoa, carro*) modern; **atualidade** [atwali'dadʒi] *f* present (time); **atualidades** *fpl* (*notícias*) news *sg*; **atualizar** [atwali'za*] *vt* to update; **atualmente** [atwaw'mẽtʃi] *adv* at present, currently; (*hoje em dia*) nowadays
atuante [a'twãtʃi] *adj* active
atuar [a'twa*] *vi* to act; **~ para** to contribute to; **~ sobre** to influence
atum [a'tũ] (*pl* **-ns**) *m* tuna (fish)
aturdido, -a [atux'dʒidu, a] *adj* stunned; (*com barulho*) deafened; (*com confusão, movimento*) bewildered
aturdir [atux'dʒi*] *vt* to stun; (*suj: barulho*) to deafen; (*: confusão, movimento*) to bewilder
audácia [aw'dasja] *f* boldness; (*insolência*) insolence; **audacioso, -a** [awda'sjozu, ɔza] *adj* daring; insolent
audição [awdʒi'sãw] (*pl* **-ões**) *f* audition
audiência [aw'dʒjẽsja] *f* audience; (*de tribunal*) session, hearing
audiovisual [awdʒjovi'zwaw] (*pl* **-ais**) *adj* audiovisual
auditar [awdʒi'ta*] *vt* to audit
auditor, a [awdʒi'to*, a] *m/f* auditor; (*juiz*) judge; (*ouvinte*) listener
auditoria [awdʒito'ria] *f*: **fazer a ~ de** to audit
auditório [awdʒi'tɔrju] *m* audience; (*recinto*) auditorium
auge ['awʒi] *m* height, peak
aula ['awla] *f* (*PT: sala*) classroom; (*lição*) lesson, class; **dar ~** to teach

aumentar [awmẽ'ta*] vt to increase; (salários, preços) to raise; (sala, casa) to expand, extend; (suj: lente) to magnify; (acrescentar) to add ♦ vi to increase; (preço, salário) to rise, go up

aumento [aw'mẽtu] m increase; rise; (ampliação) enlargement; (crescimento) growth

aurora [aw'rɔra] f dawn

ausência [aw'zẽsja] f absence

ausentar-se [awzẽ'taxsi] vr (ir-se) to go away; (afastar-se) to stay away

ausente [aw'zẽtʃi] adj absent

austeridade [awʃteri'dadʒi] f austerity

austral [awʃ'traw] (pl **-ais**) adj southern

Austrália [awʃ'tralja] f: **a ~** Australia; **australiano, -a** [awʃtra'ljanu, a] adj, m/f Australian

Áustria ['awʃtrja] f: **a ~** Austria; **austríaco, -a** [awʃ'triaku, a] adj, m/f Austrian

autêntico, -a [aw'tẽtʃiku, a] adj authentic; (pessoa) genuine; (verdadeiro) true, real

auto ['awtu] m car; **~s** mpl (JUR: processo) legal proceedings; (documentos) legal papers

autobiografia [awtobjogra'fia] f autobiography

autobronzeador [awtobrõzja'do*] adj self-tanning

autocarro [awto'kaxu] (PT) m bus

autodefesa [awtode'feza] f self-defence (BRIT), self-defense (US)

autodidata [awtodʒi'data] adj self-taught

autodisciplina [awtodʒisi'plina] f self-discipline

autódromo [aw'tɔdromu] m race track

auto-escola f driving school

auto-estrada f motorway (BRIT), expressway (US)

autografar [awtogra'fa*] vt to autograph

autógrafo [aw'tɔgrafu] m autograph

automático, -a [awto'matʃiku, a] adj automatic

automobilismo [awtomobi'liʒmu] m motoring; (ESPORTE) motor car racing

automóvel [awto'mɔvew] (pl **-eis**) m motor car (BRIT), automobile (US)

autonomia [awtono'mia] f autonomy

autópsia [aw'tɔpsja] f post-mortem, autopsy

autor, a [aw'to*, a] m/f author; (de um crime) perpetrator; (JUR) plaintiff

autoral [awto'raw] (pl **-ais**) adj: **direitos autorais** copyright sg

autoridade [awtori'dadʒi] f authority

autorização [awtoriza'sãw] (pl **-ões**) f permission, authorization; **dar ~ a alguém para** to authorize sb

autorizar [awtori'za*] vt to authorize

auto-serviço m self-service

auto-suficiente adj self-sufficient

auxiliar [awsi'lja*] adj auxiliary ♦ m/f assistant ♦ vt to help; **auxílio** [aw'silju] m help, assistance

Av abr (= avenida) Ave

aval [a'vaw] (pl **-ais**) m guarantee

avalancha [ava'lãʃa] f avalanche

avaliação [avalja'sãw] (pl **-ões**) f valuation; (apreciação) assessment

avaliar [ava'lja*] vt to value; (apreciar) to assess

avançado, -a [avã'sadu, a] adj advanced; (idéias, pessoa) progressive

avançar [avã'sa*] vt to move forward ♦ vi to advance; **avanço** [a'vãsu] m advancement; (progresso) progress

avarento, -a [ava'rẽtu, a] adj mean ♦ m/f miser

avaria [ava'ria] f (TEC) breakdown; **avariado, -a** [ava'rjadu, a] adj (máquina) out of order; (carro) broken down; **avariar** [ava'rja*] vt to damage ♦ vi to suffer damage; (TEC) to break down

ave ['avi] f bird

aveia [a'veja] f oats pl

avelã [ave'lã] f hazelnut

avenida [ave'nida] f avenue

avental [avẽ'taw] (pl **-ais**) m apron; (vestido) pinafore dress (BRIT), jumper (US)

aventura [avẽ'tura] f adventure; **aventurar** [avẽtu'ra*] vt to risk, venture

averiguação [averigwa'sãw] (pl **-ões**) f investigation, inquiry; (verificação) verification

averiguar [averi'gwa*] vt to investigate; (verificar) to verify

avermelhado, -a [avexme'ʎadu, a] adj reddish

avesso, -a [a'vesu, a] adj (lado) opposite, reverse ♦ m wrong side, reverse; **ao ~** inside out; **às avessas** (inverso) upside down; (oposto) the wrong way round

avestruz [aveʃ'truʒ] m ostrich

aviação [avja'sãw] f aviation, flying

aviador, a [avja'do*, a] m/f aviator, airman/woman

avião [a'vjãw] (pl **-ões**) m aeroplane; **~ a jato** jet

avidez [avi'deʒ] f greed; (desejo) eagerness; **ávido, -a** ['avidu, a] adj greedy; eager

aviões [a'vjõjʃ] mpl de **avião**

avisar [avi'za*] vt to warn; (*informar*) to tell, let know; **aviso** [a'vizu] m (*comunicação*) notice
avistar [aviʃ'ta*] vt to catch sight of
avô, -avó [a'vo, a'vɔ] m/f grandfather/ mother; **avós** mpl grandparents
avulso, -a [a'vuwsu, a] adj separate, detached
axila [ak'sila] f armpit
azar [a'za*] m bad luck; **~!** too bad, bad luck!; **estar com ~, ter ~** to be unlucky; **azarento, -a** [aza'rẽtu, a] adj unlucky
azedar [aze'da*] vt to turn sour ♦ vi to turn sour; (*leite*) to go off; **azedo, -a** [a'zedu, a] adj sour; off; (*fig*) grumpy
azeite [a'zejtʃi] m oil; (*de oliva*) olive oil
azeitona [azej'tɔna] f olive
azia [a'zia] f heartburn
azougue [a'zogi] m (*QUÍM*) mercury
azul [a'zuw] (pl **-uis**) adj blue
azulejo [azu'leʒu] m (*glazed*) tile
azul-marinho adj inv navy blue
azul-turquesa adj inv turquoise

B b

baba ['baba] f dribble
babá [ba'ba] f nanny
babaca [ba'baka] (*col*) adj stupid ♦ m/f idiot
babado [ba'badu] m frill; (*col*) piece of gossip
babador [baba'do*] m bib
babar [ba'ba*] vi to dribble; **babar-se** vr to dribble
baby-sitter ['bejbisite*] (pl **~s**) m/f baby-sitter
bacalhau [baka'ʎaw] m (*dried*) cod
bacana [ba'kana] (*col*) adj great
bacharel [baʃa'ɾɛw] (pl **-éis**) m graduate
bacia [ba'sia] f basin; (*ANAT*) pelvis
backup [ba'kapi] (pl **~s**) m (*COMPUT*) back-up; **tirar um ~ de** to back up
baço, -a ['basu, a] adj dull; (*metal*) tarnished ♦ m (*ANAT*) spleen
bactéria [bak'tɛɾja] f germ, bacterium; **~s** bacteria pl
badalar [bada'la*] vt, vi to ring
baderna [ba'dɛxna] f commotion
bafo ['bafu] m (*mau*) breath
bagaço [ba'gasu] m (*de frutos*) pulp; (*PT*: *cachaça*) brandy; **estar/ficar um ~** (*fig*: *pessoa*) to be/get run down
bagageiro [baga'ʒejɾu] m (*AUTO*) roofrack; (*PT*) porter
bagagem [ba'gaʒẽ] f luggage; (*fig*) baggage; **recebimento de ~** (*AER*) baggage reclaim
bagatela [baga'tɛla] f trinket; (*fig*) trifle
bago ['bagu] m (*fruto*) berry; (*uva*) grape; (*de chumbo*) pellet
bagulho [ba'guʎu] m (*objeto*) piece of junk
bagunça [ba'gũsa] f mess, shambles sg; **bagunçado, -a** [bagũ'sadu, a] adj in a mess; **bagunçar** [bagũ'sa*] vt to mess up; **bagunceiro, -a** [bagũ'sejru, a] adj messy
baía [ba'ia] f bay
bailado [baj'ladu] m dance; (*balé*) ballet
bailarino, -a [bajla'ɾinu, a] m/f ballet dancer
baile ['bajli] m dance; (*formal*) ball; **~ à fantasia** fancy-dress ball
bainha [ba'iɲa] f (*de arma*) sheath; (*de costura*) hem
bairro ['bajxu] m district
baixa ['bajʃa] f decrease; (*de preço*: *redução*) reduction; (: *queda*) fall; (*em vendas*) drop; (*em combate*) casualty; (*do serviço*) discharge
baixar [baj'ʃa*] vt to lower; (*ordem*) to issue; (*lei*) to pass; (*COMPUT*) to download ♦ vi to go (*ou* come) down; (*temperatura, preço*) to drop, fall
baixinho [baj'ʃiɲu] adv (*falar*) softly, quietly; (*em segredo*) secretly
baixo, -a ['bajʃu, a] adj low; (*pessoa*) short, small; (*rio*) shallow; (*linguagem*) common; (*olhos, cabeça*) lowered; (*atitude*) mean; (*metal*) base ♦ adv low; (*em posição baixa*) low down; (*falar*) softly ♦ m (*MUS*) bass; **em ~** below; (*em casa*) downstairs; **em voz baixa** in a quiet voice; **para ~** down, downwards; (*em casa*) downstairs; **por ~ de** under, underneath; **baixo-astral** (*col*) m: **estar num baixo-astral** to be on a downer
bala ['bala] f bullet; (*BR: doce*) sweet
balança [ba'lãsa] f scales pl; **B~** (*ASTROLOGIA*) Libra; **~ comercial** balance of trade; **~ de pagamentos** balance of payments
balançar [balã'sa*] vt to swing; (*pesar*) to weigh (up) ♦ vi to swing; (*carro, avião*) to shake; (*em cadeira*) to rock; **balançar-se** vr to swing; **balanço** [ba'lãsu] m (*movimento*) swaying; (*brinquedo*) swing; (*de carro, avião*) shaking; (*COM: registro*) balance (sheet); (: *verificação*) audit; **fazer um balanço de** (*fig*) to take stock of

balão → basear

balão [ba'lãw] (*pl* **-ões**) *m* balloon
balbuciar [bawbu'sja*] *vt*, *vi* to babble
balbúrdia [baw'buxdʒja] *f* uproar, bedlam
balcão [baw'kãw] (*pl* **-ões**) *m* balcony; (*de loja*) counter; (*TEATRO*) circle; **~ de informações** information desk; **balconista** [bawko'niʃta] *m/f* shop assistant
balde ['bawdʒi] *m* bucket, pail
balé [ba'lɛ] *m* ballet
baleia [ba'leja] *f* whale
baliza [ba'liza] *f* (*estaca*) post; (*bóia*) buoy; (*luminosa*) beacon; (*ESPORTE*) goal
balneário [baw'njarju] *m* bathing resort
balões [ba'lõjʃ] *mpl de* **balão**
baloiço [ba'lojsu] (*PT*) *m* (*de criança*) swing; (*ação*) swinging
balsa ['bawsa] *f* raft; (*barca*) ferry
bamba ['bãba] *adj*, *m/f* expert
bambo, -a ['bãbu, a] *adj* slack, loose
banana [ba'nana] *f* banana; **bananeira** [bana'nejra] *f* banana tree
banca ['bãka] *f* bench; (*escritório*) office; (*em jogo*) bank; **~ (de jornais)** newsstand; **bancada** [bã'kada] *f* (*banco*, *POL*) bench; (*de cozinha*) worktop
bancar [bã'ka*] *vt* to finance ♦ *vi* (*fingir*): **~ que** to pretend that; **bancário, -a** [bã'karju, a] *adj* bank *atr* ♦ *m/f* bank employee
bancarrota [bãka'xota] *f* bankruptcy; **ir à ~** to go bankrupt
banco ['bãku] *m* (*assento*) bench; (*COM*) bank; **~ de areia** sandbank; **~ de dados** (*COMPUT*) database
banda ['bãda] *f* band; (*lado*) side; (*cinto*) sash; **de ~** sideways; **pôr de ~** to put aside; **~ desenhada** (*PT*) cartoon
bandeira [bã'dejra] *f* flag; (*estandarte*) banner; **bandeirinha** [bãdej'rina] *m* (*ESPORTE*) linesman
bandeja [bã'deʒa] *f* tray
bandido [bã'dʒidu, a] *m* bandit
bando ['bãdu] *m* band; (*grupo*) group; (*de malfeitores*) gang; (*de ovelhas*) flock; (*de gado*) herd; (*de livros etc*) pile
banha ['bana] *f* fat; (*de porco*) lard
banhar [ba'na*] *vt* to wet; (*mergulhar*) to dip; (*lavar*) to wash; **banhar-se** *vr* to bathe
banheira [ba'nejra] *f* bath
banheiro [ba'nejru] *m* bathroom
banho ['banu] *m* bath; (*mergulho*) dip; **tomar ~** to have a bath; (*de chuveiro*) to have a shower; **~ de chuveiro** shower; **~ de sol** sunbathing

banir [ba'ni*] *vt* to banish
banqueiro, -a [bã'kejru, a] *m/f* banker
banquete [bã'ketʃi] *m* banquet
baptismo *etc* [ba'tiʒmu] (*PT*) = **batismo** *etc*
bar [ba*] *m* bar
baralho [ba'raʎu] *m* pack of cards
barata [ba'rata] *f* cockroach
barateiro, -a [bara'tejru, a] *adj* cheap
barato, -a [ba'ratu, a] *adj* cheap ♦ *adv* cheaply
barba ['baxba] *f* beard; **fazer a ~** to shave
bárbaro, -a ['baxbaru, a] *adj* barbaric; (*dor, calor*) terrible; (*maravilhoso*) great
barbeador [baxbja'do*] *m* razor; (*tb*: **~ elétrico**) shaver
barbear [bax'bja*] *vt* to shave; **barbear-se** *vr* to shave; **barbearia** [baxbja'ria] *f* barber's (shop)
barbeiro [bax'bejru] *m* barber; (*loja*) barber's
barca ['baxka] *f* barge; (*de travessia*) ferry
barco ['baxku] *m* boat; **~ a motor** motorboat; **~ a remo** rowing boat; **~ a vela** sailing boat
barganha [bax'gana] *f* bargain; **barganhar** [baxga'na*] *vt*, *vi* to negotiate
barman [bax'mã] (*pl* **-men**) *m* barman
barra ['baxa] *f* bar; (*faixa*) strip; (*traço*) stroke; (*alavanca*) lever
barraca [ba'xaka] *f* (*tenda*) tent; (*de feira*) stall; (*de madeira*) hut; (*de praia*) sunshade; **barracão** [baxa'kãw] (*pl* **-ões**) *m* shed; **barraco** [ba'xaku] *m* shack, shanty
barragem [ba'xaʒẽ] (*pl* **-ns**) *f* dam; (*impedimento*) barrier
barranco [ba'xãku] *m* ravine, gully; (*de rio*) bank
barrar [ba'xa*] *vt* to bar
barreira [ba'xejra] *f* barrier; (*cerca*) fence; (*ESPORTE*) hurdle
barricada [baxi'kada] *f* barricade
barriga [ba'xiga] *f* belly; **estar de ~** to be pregnant; **~ da perna** calf; **barrigudo, -a** [baxi'gudu, a] *adj* paunchy, pot-bellied
barril [ba'xiw] (*pl* **-is**) *m* barrel, cask
barro ['baxu] *m* clay; (*lama*) mud
barulhento, -a [baru'ʎẽtu, a] *adj* noisy
barulho [ba'ruʎu] *m* (*ruído*) noise; (*tumulto*) din
base ['bazi] *f* base; (*fig*) basis; **sem ~** groundless; **com ~ em** based on; **na ~ de** by means of
basear [ba'zja*] *vt* to base; **basear-se** *vr*: **~-se em** to be based on

básico, -a ['baziku, a] *adj* basic
basquete [baʃ'ketʃi] *m* = **basquetebol**
basquetebol [baʃkete'bɔw] *m* basketball
basta ['baʃta] *m*: **dar um ~ em** to call a halt to
bastante [baʃ'tātʃi] *adj* (*suficiente*) enough; (*muito*) quite a lot (of) ♦ *adv* enough; a lot
bastão [baʃ'tāw] (*pl* **-ões**) *m* stick
bastar [baʃ'ta*] *vi* to be enough, be sufficient; **bastar-se** *vr* to be self-sufficient; **basta!** (that's) enough!; **~ para** to be enough to
bastardo, -a [baʃ'taxdu, a] *adj, m/f* bastard
bastões [baʃ'tõjʃ] *mpl de* **bastão**
bata ['bata] *f* (*de mulher*) smock; (*de médico*) overall
batalha [ba'taʎa] *f* battle; **batalhador, a** [bataʎa'do*, a] *adj* struggling ♦ *m/f* fighter; **batalhão** [bata'ʎāw] (*pl* **-ões**) *m* battalion; **batalhar** [bata'ʎa*] *vi* to battle, fight; (*esforçar-se*) to make an effort, try hard ♦ *vt* (*emprego*) to go after
batata [ba'tata] *f* potato; **~ doce** sweet potato; **~s fritas** chips *pl* (*BRIT*), French fries *pl* (*US*); (*de pacote*) crisps *pl* (*BRIT*), (potato) chips *pl* (*US*)
bate-boca ['batʃi-] (*pl* **~s**) *m* row, quarrel
batedeira [bate'dejra] *f* beater; (*de manteiga*) churn; **~ elétrica** mixer
batente [ba'tētʃi] *m* doorpost
bate-papo ['batʃi-] (*pl* **~s**) *m* (*BR*) chat
bater [ba'te*] *vt* to beat, strike; (*pé*) to stamp; (*foto*) to take; (*porta*) to slam; (*asas*) to flap; (*recorde*) to break; (*roupa*) to wear all the time ♦ *vi* to slam; (*sino*) to ring; (*janela*) to bang; (*coração*) to beat; (*sol*) to beat down; **bater-se** *vr* **~-se para fazer/por** to fight to do/for; **~ (à porta)** to knock (at the door); **~ à maquina** to type; **~ em** to hit; **~ com o carro** to crash one's car; **~ com a cabeça** to bang one's head; **~ com o pé (em)** to kick
bateria [bate'ria] *f* battery; (*MÚS*) drums *pl*; **~ de cozinha** kitchen utensils *pl*; **baterista** [bate'riʃta] *m/f* drummer
batida [ba'tʃida] *f* beat; (*da porta*) slam; (*à porta*) knock; (*da polícia*) raid; (*AUTO*) crash; (*bebida*) cocktail of cachaça, fruit and sugar
batido, -a [ba'tʃidu, a] *adj* beaten; (*roupa*) worn ♦ *m*: **~ de leite** (*PT*) milkshake
batina [ba'tʃina] *f* (*REL*) cassock
batismo [ba'tʃiʒmu] *m* baptism, christening
batizar [batʃi'za*] *vt* to baptize, christen

batom [ba'tō] (*pl* **-ns**) *m* lipstick
batucada [batu'kada] *f* dance percussion group
batucar [batu'ka*] *vt, vi* to drum
baú [ba'u] *m* trunk
baunilha [baw'niʎa] *f* vanilla
bazar [ba'za*] *m* bazaar; (*loja*) shop
BCE *m* (= *Banco Central Europeu*) ECB
bêbado, -a ['bebadu, a] *adj, m/f* drunk
bebê [be'be] *m* baby
bebedeira [bebe'dejra] *f* drunkenness; **tomar uma ~** to get drunk
bêbedo, -a ['bebedu, a] *adj, m/f* = **bêbado**
bebedouro [bebe'douru] *m* drinking fountain
beber [be'be*] *vt* to drink; (*absorver*) to soak up ♦ *vi* to drink; **bebida** [be'bida] *f* drink
beça ['bɛsa] (*col*) *f*: **à ~** (*com vb*): **ele comeu à ~** he ate a lot; (*com n*): **ela tinha livros à ~** she had a lot of books
beco ['beku] *m* alley, lane; **~ sem saída** cul-de-sac
bege ['bɛʒi] *adj inv* beige
beija-flor [bejʒa-'flɔ*] (*pl* **~es**) *m* hummingbird
beijar [bej'ʒa*] *vt* to kiss; **beijar-se** *vr* to kiss (one another); **beijo** ['bejʒu] *m* kiss; **dar beijos em alguém** to kiss sb
beira ['bejra] *f* edge; (*de rio*) bank; (*orla*) border; **à ~ de** on the edge of; (*ao lado de*) beside, by; (*fig*) on the verge of; **~ do telhado** eaves *pl*; **beira-mar** *f* seaside
belas-artes *fpl* fine arts
beldade [bew'dadʒi] *f* beauty
beleza [be'leza] *f* beauty; **que ~!** how lovely!
belga ['bɛwga] *adj, m/f* Belgian
Bélgica ['bɛwʒika] *f*: **a ~** Belgium
beliche [be'liʃi] *m* bunk
beliscão [beliʃ'kāw] (*pl* **-ões**) *m* pinch; **beliscar** [beliʃ'ka*] *vt* to pinch, nip; (*comida*) to nibble
Belize [be'lizi] *m* Belize
belo, -a ['bɛlu, a] *adj* beautiful

PALAVRA CHAVE
---

bem [bēj] *adv*
1 (*de maneira satisfatória, correta etc*) well; **trabalha/come ~** she works/eats well; **respondeu ~** he answered correctly; **me sinto/não me sinto ~** I feel fine/I don't feel very well; **tudo ~? – tudo ~** how's it going? – fine
2 (*valor intensivo*) very; **um quarto ~**

quente a nice warm room; **~ se vê que ...** it's clear that ...
3 (*bastante*) quite, fairly; **a casa é ~ grande** the house is quite big
4 (*exatamente*): **~ ali** right there; **não é ~ assim** it's not quite like that
5 (*estar ~*): **estou muito ~ aqui** I feel very happy here; **está ~! vou fazê-lo** oh all right, I'll do it!
6 (*de bom grado*): **eu ~ que iria mas ...** I'd gladly go but ...
7 (*cheirar*) good, nice
♦ *m*
1 (*bem-estar*) good; **estou dizendo isso para o seu ~** I'm telling you for your own good; **o ~ e o mal** good and evil
2 (*posses*): **bens** goods, property *sg*; **bens de consumo** consumer goods; **bens de família** family possessions; **bens móveis/imóveis** moveable property *sg*/real estate *sg*
♦ *excl*
1 (*aprovação*): **~!** OK!; **muito ~!** well done!
2 (*desaprovação*): **~ feito!** it serves you right!
♦ *adj inv* (*tom depreciativo*): **gente ~** posh people
♦ *conj*
1: **nem ~** as soon as, no sooner than; **nem ~ ela chegou começou a dar ordens** as soon as she arrived she started to give orders, no sooner had she arrived than she started to give orders
2: **se ~ que** though; **gostaria de ir se ~ que não tenho dinheiro** I'd like to go even though I've got no money
3: **~ como** as well as; **o livro ~ como a peça foram escritos por ele** the book as well as the play was written by him

bem-conceituado, -a [bẽjkõsej'twadu, a] *adj* highly regarded
bem-disposto, -a [bẽjdʒiʃ'poʃtu, 'pɔʃtа] *adj* well, in good form
bem-estar *m* well-being
bem-me-quer (*pl* **~es**) *m* daisy
bem-vindo, -a *adj* welcome
bênção [ˈbẽsãw] (*pl* **~s**) *f* blessing
beneficência [benefi'sẽsja] *f* kindness; (*caridade*) charity
beneficiar [benefi'sjа*] *vt* to benefit; (*melhorar*) to improve; **beneficiar-se** *vr* to benefit
benefício [bene'fisju] *m* benefit; (*vantagem*) profit; (*favor*) favour (*BRIT*), favor (*US*); **em ~ de** in aid of; **benéfico, -a** [be'nɛfiku, a] *adj* beneficial; (*generoso*) generous
benévolo, -a [be'nɛvolu, a] *adj* benevolent, kind
benfeitor, a [bẽfej'to*, a] *m/f* benefactor/benefactress
bengala [bẽ'gala] *f* walking stick
benigno, -a [be'nignu, a] *adj* kind; (*agradável*) pleasant; (*MED*) benign
bens [bẽjʃ] *mpl de* **bem**
bento, -a [ˈbẽtu, a] *pp de* **benzer** ♦ *adj* blessed; (*água*) holy
benzer [bẽ'ze*] *vt* to bless; **benzer-se** *vr* to cross o.s.
berço [ˈbexsu] *m* cradle; (*cama*) cot; (*origem*) birthplace
Berlim [bex'lĩ] *n* Berlin
berma [ˈbexma] (*PT*) *f* hard shoulder (*BRIT*), berm (*US*)
berrar [be'xa*] *vi* to bellow; (*criança*) to bawl; **berreiro** [be'xejru] *m*: **abrir o berreiro** to burst out crying; **berro** [ˈbexu] *m* yell
besta [ˈbeʃta] *adj* stupid; (*convencido*) full of oneself; **~ de carga** beast of burden; **besteira** [beʃ'tejra] *f* foolishness; **dizer besteiras** to talk nonsense; **fazer uma besteira** to do something silly; **bestial** [beʃ'tʃjaw] (*pl* **-ais**) *adj* bestial; (*repugnante*) repulsive
best-seller [ˈbɛst'sele*] (*pl* **~s**) *m* best seller
betão [be'tãw] (*PT*) *m* concrete
beterraba [bete'xaba] *f* beetroot
bexiga [be'ʃiga] *f* bladder
bezerro, -a [be'zexu, a] *m/f* calf
BI *abr m* (*PT*: *bilhete de identidade*) identity card
Bíblia [ˈbiblja] *f* Bible
bibliografia [bibljogra'fia] *f* bibliography
biblioteca [bibljo'tɛka] *f* library; (*estante*) bookcase; **bibliotecário, -a** [bibljote'karju, a] *m/f* librarian
bica [ˈbika] *f* tap; (*PT*) black coffee, expresso
bicha [ˈbiʃa] *f* (*lombriga*) worm; (*BR*: *col*, *pej*: *homossexual*) queer; (*PT*: *fila*) queue
bicho [ˈbiʃu] *m* animal; (*inseto*) insect, bug
bicicleta [bisi'klɛta] *f* bicycle; (*col*) bike; **andar de ~** to cycle; **~ do exército** exercise bike
bico [ˈbiku] *m* (*de ave*) beak; (*ponta*) point; (*de chaleira*) spout; (*boca*) mouth; (*de pena*) nib; (*do peito*) nipple; (*de gás*) jet; (*col*: *emprego*) casual job; (*chupeta*) dummy; **calar o ~** to shut up
bidê [bi'de] *m* bidet

bife ['bifi] m (beef) steak; **~ a cavalo** steak with fried eggs; **~ à milanesa** beef escalope; **~ de panela** beef stew
bifurcação [bifuxka'sãw] (pl **-ões**) f fork
bifurcar-se [bifux'kaxsi] vr to fork, divide
bigode [bi'gɔdʒi] m moustache
bijuteria [biʒute'ria] f (costume) jewellery (BRIT) ou jewelry (US)
bilhão [bi'ʎãw] (pl **-ões**) m billion
bilhar [bi'ʎa*] m (jogo) billiards sg
bilhete [bi'ʎetʃi] m ticket; (cartinha) note; **~ de ida** single (BRIT) ou one-way ticket; **~ de ida e volta** return (BRIT) ou round-trip (US) ticket; **bilheteira** [biʎe'tejra] (PT) f = **~ria**; **bilheteiro, -a** [biʎe'tejru, a] m/f ticket seller; **bilheteria** [biʎete'ria] f ticket office
bilhões [bi'ʎõjʃ] mpl de **bilhão**
bilíngüe [bi'lĩgwi] adj bilingual
binóculo [bi'nɔkulu] m binoculars pl; (para teatro) opera glasses pl
biografia [bjogra'fia] f biography
biologia [bjolo'ʒia] f biology
biombo ['bjõbu] m screen
bip [bip] n pager, paging device
biquíni [bi'kini] m bikini
birita [bi'rita] (col) f drink
Birmânia [bix'manja] f: **a ~** Burma
biruta [bi'ruta] adj crazy ♦ f windsock
bis [biʃ] excl encore!
bisavô, -ó [biza'vo, ɔ] m/f great-grandfather/great-grandmother; **bisavós** [biza'vɔʃ] mpl great-grandparents
biscate [biʃ'katʃi] m odd job
biscoito [biʃ'kojtu] m biscuit (BRIT), cookie (US)
bispo ['biʃpu] m bishop
bissexto, -a [bi'seʃtu, a] adj: **ano ~** leap year
bit ['bitʃi] m (COMPUT) bit
bizarro, -a [bi'zaxu, a] adj bizarre
blasfemar [blaʃfe'ma*] vt to curse ♦ vi to blaspheme; **blasfêmia** [blaʃ'femja] f blasphemy; (ultraje) curse
blazer ['blejze*] (pl **-s**) m blazer
blecaute [ble'kawtʃi] m power cut
blindado, -a [blĩ'dadu, a] adj armoured (BRIT), armored (US)
blitz [blits] f police raid; (na estrada) police road block
bloco ['blɔku] m block; (POL) bloc; (de escrever) writing pad; **~ de carnaval** carnival troupe
bloqueador [blokjea'do*] m: **~ solar** sunblock

bife → boletim

bloquear [blo'kja*] vt to blockade; (obstruir) to block; **bloqueio** [blo'keju] m blockade; blockage
blusa ['bluza] f (de mulher) blouse; (de homem) shirt; **~ de lã** jumper; **blusão** [blu'zãw] (pl **-ões**) m jacket
boa ['boa] adj f de **bom** ♦ f boa constrictor
boate ['bwatʃi] f nightclub
boato ['bwatu] m rumour (BRIT), rumor (US)
bobagem [bo'baʒẽ] (pl **-ns**) f silliness, nonsense; (dito, ato) silly thing
bobo, -a ['bobu, a] adj silly, daft ♦ m/f fool ♦ m (de corte) jester; **fazer-se de ~** to act the fool
bobó [bo'bɔ] m beans, palm oil and manioc
boca ['boka] f mouth; (entrada) entrance; (de fogão) ring; **de ~ aberta** amazed; **bater ~** to argue
bocadinho [boka'dʒinu] m: **um ~** (pouco tempo) a little while; (pouquinho) a little bit
bocado [bo'kadu] m mouthful, bite; (pedaço) piece, bit; **um ~ de tempo** quite some time
boçal [bo'saw] (pl **-ais**) adj ignorant; (grosseiro) uncouth
bocejar [bose'ʒa*] vi to yawn; **bocejo** [bo'seʒu] m yawn
bochecha [bo'ʃeʃa] f cheek; **bochecho** [bo'ʃeʃu] m mouthwash
boda ['boda] f wedding; **~s** fpl (aniversário de casamento) wedding anniversary sg
bode ['bɔdʒi] m goat; **~ expiatório** scapegoat
bofetada [bofe'tada] f slap
bofetão [bofe'tãw] (pl **-ões**) m punch
boi [boj] m ox
bóia ['bɔja] f buoy; (col) grub; (de braço) armband, water wing
boiar [bo'ja*] vt, vi to float
boi-bumbá [-bũ'ba] n (BR) traditional Brazilian folk dance
boicotar [bojko'ta*] vt to boycott; **boicote** [boj'kɔtʃi] m boycott
bola ['bɔla] f ball; **dar ~ para** (flertar) to flirt with; **ela não dá a menor ~ (para isso)** she couldn't care less (about it); **não ser certo da ~** (col) not to be right in the head
bolacha [bo'laʃa] f biscuit (BRIT), cookie (US); (col: bofetada) wallop; (para chope) beermat
boleia [bo'leja] f driver's seat; **dar uma ~ a alguém** (PT) to give sb a lift
boletim [bole'tʃĩ] (pl **-ns**) m report; (publicação) newsletter; **~ meteorológico** weather forecast

bolha → braço

bolha ['boʎa] f (na pele) blister; (de ar, sabão) bubble
boliche [bo'liʃi] m bowling, skittles sg
bolinho [bo'liɲu] m: ~ **de carne** meat ball; ~ **de arroz/bacalhau** rice/dry cod cake
Bolívia [bo'livja] f: **a** ~ Bolivia
bolo ['bolu] m cake; (monte: de gente) bunch; (: de papéis) bundle; **dar o** ~ **em alguém** to stand sb up; **vai dar** ~ (col) there's going to be trouble
bolor [bo'lo*] m mould (BRIT), mold (US); (nas plantas) mildew
bolota [bo'lɔta] f acorn
bolsa ['bowsa] f bag; (COM: tb: ~ **de valores**) stock exchange; ~ **(de estudos)** scholarship
bolso ['bowsu] m pocket; **de** ~ pocket atr

PALAVRA CHAVE
---

bom, boa [bõ, 'boa] (pl **bons, boas**) adj
1 (ótimo) good; **é um livro** ~ ou **um** ~ **livro** it's a good book; **a comida está boa** the food is delicious; **o tempo está** ~ the weather's fine; **ele foi muito** ~ **comigo** he was very nice ou kind to me
2 (apropriado): **ser** ~ **para** to be good for; **acho** ~ **você não ir** I think it's better if you don't go
3 (irônico): **um** ~ **quarto de hora** a good quarter of an hour; **que** ~ **motorista você é!** a fine ou some driver you are!; **seria** ~ **que ...!** a fine thing it would be if ...!; **essa é boa!** what a cheek!
4 (saudação): ~ **dia!** good morning!; **boa tarde!** good afternoon!; **boa noite!** good evening!; (ao deitar-se) good night!; **tudo** ~? how's it going?
5 (outras frases): **está** ~? OK?
♦ excl: ~**!** all right!; ~**, ...** right, ...

---

bomba ['bõba] f bomb; (TEC) pump; (fig) bombshell; ~ **atômica/relógio/de fumaça** atomic/time/smoke bomb; ~ **de gasolina** petrol (BRIT) ou gas (US) pump; ~ **de incêndio** fire extinguisher
bombardear [bõbax'dʒja*] vt to bomb; (fig) to bombard; **bombardeio** [bõbax'deju] m bombing, bombardment
bombeiro [bõ'bejru] m fireman; (BR: encanador) plumber; **o corpo de** ~**s** fire brigade
bombom [bõ'bõ] (pl -**ns**) m chocolate
bondade [bõ'dadʒi] f goodness, kindness; **tenha a** ~ **de vir** would you please come
bonde ['bõdʒi] (BR) m tram

bondoso, -a [bõ'dozu, ɔza] adj kind, good
boné [bo'nɛ] m cap
boneca [bo'neka] f doll
boneco [bo'neku] m dummy
bonito, -a [bo'nitu, a] adj pretty; (gesto, dia) nice ♦ m (peixe) tuna (fish), tunny
bônus ['bonuʃ] m inv bonus
boquiaberto, -a [bokja'bɛxtu, a] adj dumbfounded, astonished
borboleta [boxbo'leta] f butterfly; (BR: roleta) turnstile
borbotão [boxbo'tãw] (pl -**ões**) m gush, spurt; **sair aos borbotões** to gush out
borbulhar [boxbu'ʎa*] vi to bubble
borda ['bɔxda] f edge; (do rio) bank; **à** ~ **de** on the edge of
bordado [box'dadu] m embroidery
bordar [box'da*] vt to embroider
bordo ['bɔxdu] m (de navio) side; **a** ~ on board
borra ['bɔxa] f dregs pl
borracha [bo'xaʃa] f rubber; **borracheiro** [boxa'ʃejru] m tyre (BRIT) ou tire (US) specialist
borrão [bo'xãw] (pl -**ões**) m (rascunho) rough draft; (mancha) blot
borrar [bo'xa*] vt to blot; (riscar) to cross out
borrifar [boxi'fa*] vt to sprinkle; **borrifo** [bo'xifu] m spray
borrões [bo'xõjʃ] mpl de **borrão**
bosque ['bɔʃki] m wood, forest
bossa ['bɔsa] f charm; (inchaço) swelling; ~ **nova** (MÚS) bossa nova, style of Brazilian jazz
bota ['bɔta] f boot; ~**s de borracha** wellingtons
botânica [bo'tanika] f botany
botão [bo'tãw] (pl -**ões**) m button; (flor) bud
botar [bo'ta*] vt to put; (roupa, sapatos) to put on; (mesa) to set; (defeito) to find; (ovos) to lay
bote ['bɔtʃi] m boat; (com arma) thrust; (salto) spring
botequim [botʃi'kĩ] (pl -**ns**) m bar
botija [bo'tʃiʒa] f (earthenware) jug
botões [bo'tõjʃ] mpl de **botão**
boxe ['bɔksi] m boxing
brabo, -a ['brabu, a] adj fierce; (zangado) angry; (ruim) bad; (calor) unbearable
braçada [bra'sada] f armful; (NATAÇÃO) stroke
bracelete [brase'letʃi] m bracelet
braço ['brasu] m arm; **de** ~**s cruzados** with arms folded; (fig) without lifting a finger; **de** ~ **dado** arm-in-arm

bradar [bra'da*] *vt*, *vi* to shout, yell; **brado** ['bradu] *m* shout, yell
braguilha [bra'giʎa] *f* flies *pl*
branco, -a ['brãku, a] *adj* white ♦ *m/f* white man/woman ♦ *m* (*espaço*) blank; **em ~** blank; **noite em ~** sleepless night; **brancura** [brã'kura] *f* whiteness
brando, -a ['brãdu, a] *adj* gentle; (*mole*) soft
brasa ['braza] *f* hot coal; **em ~** red-hot; **pisar em ~** to be on tenterhooks
brasão [bra'zãw] (*pl* **-ões**) *m* coat of arms
braseiro [bra'zejru] *m* brazier
Brasil [bra'ziw] *m*: **o ~** Brazil; **brasileiro, -a** [brazi'lejru, a] *adj*, *m/f* Brazilian
Brasília [bra'zilja] *n* Brasília
brasões [bra'zõjʃ] *mpl de* **brasão**
bravata [bra'vata] *f* bravado, boasting
bravio, -a [bra'viu, a] *adj* (*selvagem*) wild; (*feroz*) ferocious
bravo, -a ['bravu, a] *adj* brave; (*furioso*) angry; (*mar*) rough ♦ *m* brave man; **~!** bravo!; **bravura** [bra'vura] *f* courage, bravery
brecar [bre'ka*] *vt* (*carro*) to stop; (*reprimir*) to curb ♦ *vi* to brake
brecha ['brɛʃa] *f* breach; (*abertura*) opening; (*dano*) damage; (*col*) chance
breu [brew] *m* tar, pitch
breve ['brɛvi] *adj* short; (*conciso, rápido*) brief ♦ *adv* soon; **em ~** soon, shortly; **até ~** see you soon
bridge ['bridʒi] *m* bridge
briga ['briga] *f* fight; (*verbal*) quarrel
brigada [bri'gada] *f* brigade
brigão, -ona [bri'gãw, ɔna] (*pl* **-ões**, **~s**) *adj* quarrelsome ♦ *m/f* troublemaker
brigar [bri'ga*] *vi* to fight; (*altercar*) to quarrel
brigões [bri'gõjʃ] *mpl de* **brigão**
brigona [bri'gɔna] *f de* **brigão**
brilhante [bri'ʎãtʃi] *adj* brilliant ♦ *m* diamond
brilhar [bri'ʎa*] *vi* to shine
brilho ['briʎu] *m* (*luz viva*) brilliance; (*esplendor*) splendour (BRIT), splendor (US); (*nos sapatos*) shine; (*de metais, olhos*) gleam
brincadeira [brĩka'dejra] *f* fun; (*gracejo*) joke; (*de criança*) game; **deixe de ~s!** stop fooling!; **de ~** for fun
brincalhão, -ona [brĩka'ʎãw, ɔna] (*pl* **-ões**, **~s**) *adj* playful ♦ *m/f* joker, teaser
brincar [brĩ'ka*] *vi* to play; (*gracejar*) to joke; **estou brincando** I'm only kidding; **~ de soldados** to play (at) soldiers; **~ com alguém** to tease sb

brinco ['brĩku] *m* (*jóia*) earring
brindar [brĩ'da*] *vt* to drink to; (*presentear*) to give a present to; **brinde** ['brĩdʒi] *m* toast; free gift
brinquedo [brĩ'kedu] *m* toy
brio ['briu] *m* self-respect, dignity
brisa ['briza] *f* breeze
britânico, -a [bri'taniku, a] *adj* British ♦ *m/f* Briton
broche ['brɔʃi] *m* brooch
brochura [brɔ'ʃura] *f* (*livro*) paperback; (*folheto*) brochure, pamphlet
brócolis ['brɔkoliʃ] *mpl* broccoli *sg*
bronca ['brõka] (*col*) *f* telling off; **dar uma ~ em** to tell off; **levar uma ~** to get told off
bronco, -a ['brõku, a] *adj* (*rude*) coarse; (*burro*) thick
bronquite [brõ'kitʃi] *f* bronchitis
bronze ['brõzi] *m* bronze; **bronzeado, -a** [brõ'zjadu, a] *adj* (*cor*) bronze; (*pelo sol*) suntanned ♦ *m* suntan; **bronzear** [brõ'zja*] *vt* to tan; **bronzear-se** *vr* to get a tan
brotar [bro'ta*] *vt* to produce ♦ *vi* (*manar*) to flow; (BOT) to sprout; (*nascer*) to spring up
broto ['brotu] *m* bud; (*fig*) youngster
broxa ['brɔʃa] *f* (large) paint brush
bruços ['brusuʃ]: **de ~** *adv* face down
bruma ['bruma] *f* mist, haze
brusco, -a ['bruʃku, a] *adj* brusque; (*súbito*) sudden
brutal [bru'taw] (*pl* **-ais**) *adj* brutal
bruto, -a ['brutu, a] *adj* brutish; (*grosseiro*) coarse; (*móvel*) heavy; (*petróleo*) crude; (*peso*, COM) gross ♦ *m* brute; **em ~** raw, unworked
bruxa ['bruʃa] *f* witch; **bruxaria** [bruʃa'ria] *f* witchcraft
Bruxelas [bru'ʃɛlaʃ] *n* Brussels
bruxo ['bruʃu] *m* wizard
budismo [bu'dʒiʒmu] *m* Buddhism
bufar [bu'fa*] *vi* to puff, pant; (*com raiva*) to snort; (*reclamar*) to moan, grumble
bufê [bu'fe] *m* sideboard; (*comida*) buffet
buffer ['bafe*] (*pl* **~s**) *m* (COMPUT) buffer
bugiganga [buʒi'gãga] *f* trinket; **~s** *fpl* (*coisas sem valor*) knicknacks
bula ['bula] *f* (MED) directions *pl* for use
bule ['buli] *m* (*de chá*) teapot; (*de café*) coffeepot
Bulgária [buw'garja] *f*: **a ~** Bulgaria; **búlgaro, -a** ['buwgaru, a] *adj*, *m/f* Bulgarian ♦ *m* (LING) Bulgarian
bunda ['bũda] (*col*) *f* bottom, backside
buquê [bu'ke] *m* bouquet

buraco → cadastro

buraco [bu'raku] *m* hole; (*de agulha*) eye; **ser um ~** to be tough; **~ da fechadura** keyhole

burguês, -guesa [bux'geʃ, 'geza] *adj* middle-class, bourgeois; **burguesia** [buxge'zia] *f* middle class, bourgeoisie

burocracia [burokra'sia] *f* bureaucracy

burro, -a ['buxu, a] *adj* stupid ♦ *m/f* (*ZOOL*) donkey; (*pessoa*) fool, idiot; **pra ~** (*col*) a lot; (*com adj*) really; **~ de carga** (*fig*) hard worker

busca ['buʃka] *f* search; **em ~ de** in search of; **dar ~ a** to search for

buscar [buʃ'ka*] *vt* to fetch; (*procurar*) to look *ou* search for; **ir ~** to fetch, go for; **mandar ~** to send for

bússola ['busola] *f* compass

busto ['buʃtu] *m* bust

buzina [bu'zina] *f* horn; **buzinar** [buzi'na*] *vi* to sound one's horn, toot the horn ♦ *vt* to hoot

búzio ['buzju] *m* conch

C c

c/ *abr* = **com**

Ca *abr* (= **companhia**) Co

cá [ka] *adv* here; **de ~** on this side; **para ~** here, over here; **para lá e para ~** back and forth; **de lá para ~** since then

caatinga [ka'tʃĩga] (*BR*) *f* scrub(-land)

cabana [ka'bana] *f* hut

cabeça [ka'besa] *f* head; (*inteligência*) brains *pl*; (*de uma lista*) top ♦ *m/f* leader; **de ~** off the top of one's head; (*calcular*) in one's head; **de ~ para baixo** upside down; **por ~** per person, per head; **cabeçada** [kabe'sada] *f* (*pancada com cabeça*) butt; (*FUTEBOL*) header; (*asneira*) blunder; **cabeçalho** [kabe'saʎu] *m* (*de livro*) title page; (*de página, capítulo*) heading

cabeceira [kabe'sejra] *f* (*de cama*) head

cabeçudo, -a [kabe'sudu, a] *adj* big-headed; (*teimoso*) pigheaded

cabeleira [kabe'lejra] *f* head of hair; (*postiça*) wig; **cabeleireiro, -a** [kabelej'rejru, a] *m/f* hairdresser

cabelo [ka'belu] *m* hair; **cortar/fazer o ~** to have one's hair cut/done; **cabeludo, -a** [kabe'ludu, a] *adj* hairy

caber [ka'be*] *vi*: **~ (em)** to fit; (*ser compatível*) to be appropriate (in); **~ a** (*em partilha*) to fall to; **cabe a alguém fazer** it is up to sb to do; **não cabe aqui fazer comentários** this is not the time or place to comment

cabide [ka'bidʒi] *m* (*coat*) hanger; (*móvel*) hat stand; (*fixo à parede*) coat rack

cabine [ka'bini] *f* cabin; (*em loja*) fitting room; **~ do piloto** (*AER*) cockpit; **~ telefônica** telephone box (*BRIT*) *ou* booth

cabo ['kabu] *m* (*extremidade*) end; (*de faca, vassoura etc*) handle; (*corda*) rope; (*elétrico etc*) cable; (*GEO*) cape; (*MIL*) corporal; **ao ~ de** at the end of; **de ~ a rabo** from beginning to end; **levar a ~** to carry out; **dar ~ de** to do away with

caboclo, -a [ka'boklu, a] (*BR*) *m/f* mestizo

cabra ['kabra] *f* goat

cabreiro, -a [ka'brejru, a] (*col*) *adj* suspicious

cabrito [ka'britu] *m* kid

caça ['kasa] *f* hunting; (*busca*) hunt; (*animal*) quarry, game ♦ *m* (*AER*) fighter (plane); **caçador, a** [kasa'do*, a] *m/f* hunter

cação [ka'sãw] (*pl* **-ões**) *m* shark

caçar [ka'sa*] *vt* to hunt; (*com espingarda*) to shoot; (*procurar*) to seek ♦ *vi* to hunt, go hunting

caçarola [kasa'rɔla] *f* (sauce)pan

cacau [ka'kaw] *m* cocoa; (*BOT*) cacao

cacetada [kase'tada] *f* blow (with a stick)

cachaça [ka'ʃasa] *f* (white) rum

cachaceiro, -a [kaʃa'sejru, a] *adj* drunk ♦ *m/f* drunkard

cachê [ka'ʃe] *m* fee

cachecol [kaʃe'kɔw] (*pl* **-óis**) *m* scarf

cachimbo [ka'ʃĩbu] *m* pipe

cacho ['kaʃu] *m* bunch; (*de cabelo*) curl; (: *longo*) ringlet

cachoeira [kaʃ'wejra] *f* waterfall

cachorra [ka'ʃoxa] *f* bitch; (*cadela*) (female) puppy

cachorrinho, -a [kaʃo'xiɲu, a] *m/f* puppy

cachorro [ka'ʃoxu] *m* dog; (*cãozinho*) puppy; **cachorro-quente** (*pl* **cachorros-quentes**) *m* hot dog

cacique [ka'siki] *m* (Indian) chief; (*mandachuva*) local boss

caco ['kaku] *m* bit, fragment; (*pessoa velha*) old relic

caçoar [ka'swa*] *vt, vi* to mock

cacoete [ka'kwetʃi] *m* twitch, tic

cacto ['kaktu] *m* cactus

cada ['kada] *adj inv* each; (*todo*) every; **~ um** each one; **~ semana** each week; **a ~ 3 horas** every 3 hours; **~ vez mais** more and more

cadastro [ka'daʃtru] *m* register; (*ato*) registration; (*de criminosos*) criminal

record
cadáver [ka'dave*] *m* corpse, (dead) body
cadê [ka'de] (*col*) *adv*: ~ ...? where's/where are ...?, what's happened to ...?
cadeado [ka'dʒjadu] *m* padlock
cadeia [ka'deja] *f* chain; (*prisão*) prison; (*rede*) network
cadeira [ka'dejra] *f* chair; (*disciplina*) subject; (*TEATRO*) stall; (*função*) post; **~s** *fpl* (*ANAT*) hips; **~ de balanço/rodas** rocking chair/wheelchair
cadela [ka'dɛla] *f* (*cão*) bitch
caderneta [kadex'neta] *f* notebook; **~ de poupança** savings account
caderno [ka'dexnu] *m* exercise book; (*de notas*) notebook; (*de jornal*) section
caducar [kadu'ka*] *vi* to lapse, expire; **caduco, -a** [ka'duku, a] *adj* invalid, expired; (*senil*) senile; (*BOT*) deciduous
cães [kãjʃ] *mpl de* **cão**
cafajeste [kafa'ʒɛʃtʃi] (*col*) *adj* roguish; (*vulgar*) vulgar, coarse ♦ *m/f* rogue; rough customer
café [ka'fɛ] *m* coffee; (*estabelecimento*) café; **~ com leite** white coffee (*BRIT*), coffee with cream (*US*); **~ preto** black coffee; **~ da manhã** (*BR*) breakfast
cafeteira [kafe'tejra] *f* coffee pot; (*máquina*) percolator; **cafezal** [kafe'zaw] (*pl* **-ais**) *m* coffee plantation; **cafezinho** [kafe'ziɲu] *m* small black coffee
cagada [ka'gada] (*col!*) *f* shit (!)
cágado ['kagadu] *m* turtle
cagar [ka'ga*] (*col!*) *vi* to (have a) shit (!)
cagüetar [kagwe'ta*] *vt* to inform on; **cagüete** [ka'gwetʃi] *m* informer
caiba *etc* ['kajba] *vb V* **caber**
cãibra ['kãjbra] *f* (*MED*) cramp
caida [ka'ida] *f* = **queda**
caído, -a [ka'idu, a] *adj* dejected; (*derrubado*) fallen; (*pendente*) droopy; **~ por** (*apaixonado*) in love with
câimbra ['kãjbra] *f* = **cãibra**
caipirinha [kajpi'riɲa] *f* cocktail of cachaça, lemon and sugar
cair [ka'i*] *vi* to fall; **~ bem/mal** (*roupa*) to fit well/badly; (*col: pessoa*) to look good/bad; **~ em si** to come to one's senses; **ao ~ da noite** at nightfall; **essa comida me caiu mal** that food did not agree with me
Cairo ['kajru] *m*: **o ~** Cairo
cais [kajʃ] *m* (*NÁUT*) quay; (*PT: FERRO*) platform
caixa ['kajʃa] *f* box; (*cofre*) safe; (*de uma loja*) cashdesk ♦ *m/f* (*pessoa*) cashier ♦ *m*: **~ automático** cash machine; **pequena ~**

petty cash; **~ de correio** letter box; **~ econômica** savings bank; **~ de mudanças** (*BR*) *ou* **de velocidades** (*PT*) gearbox; **~ postal** P.O. box; **~ registradora** cash register; **caixa-forte** (*pl* **caixas-fortes**) *f* vault
caixão [kajˈʃãw] (*pl* **-ões**) *m* (*ataúde*) coffin; (*caixa grande*) large box
caixeiro-viajante, caixeira-viajante (*pl* **caixeiros-viajantes, caixeiras-viajantes**) *m/f* commercial traveller (*BRIT*) *ou* traveler (*US*)
caixilho [kajˈʃiʎu] *m* (*moldura*) frame
caixões [kajˈʃõjʃ] *mpl de* **caixão**
caixote [kajˈʃɔtʃi] *m* packing case; **~ do lixo** (*PT*) dustbin (*BRIT*), garbage can (*US*)
caju [kaˈʒu] *m* cashew fruit
cal [kaw] *f* lime; (*na água*) chalk; (*para caiar*) whitewash
calabouço [kalaˈbosu] *m* dungeon
calado, -a [kaˈladu, a] *adj* quiet
calafrio [kalaˈfriu] *m* shiver; **ter ~s** to shiver
calamidade [kalamiˈdadʒi] *f* calamity, disaster
calão [kaˈlãw] (*PT*) *m*: **(baixo) ~** slang
calar [kaˈla*] *vt* to keep quiet about; (*impor silêncio a*) to silence ♦ *vi* to go quiet; (*manter-se calado*) to keep quiet; **calar-se** *vr* to go quiet; to keep quiet; **cala a boca!** shut up!
calça ['kawsa] *f* (*tb:* **~s**) trousers *pl* (*BRIT*), pants *pl* (*US*)
calçada [kawˈsada] *f* (*BR: passeio*) pavement (*BRIT*), sidewalk (*US*); (*PT: rua*) roadway
calçadão [kawsaˈdãw] (*pl* **-ões**) *m* pedestrian precinct (*BRIT*)
calçado, -a [kawˈsadu, a] *adj* (*rua*) paved ♦ *m* shoe; **~s** *mpl* (*para os pés*) footwear *sg*
calçadões [kawsaˈdõjʃ] *mpl de* **calçadão**
calçamento [kawsaˈmẽtu] *m* paving
calcanhar [kawkaˈɲa*] *m* (*ANAT*) heel
calção [kawˈsãw] (*pl* **-ões**) *m* shorts *pl*; **~ de banho** swimming trunks *pl*
calcar [kawˈka*] *vt* to tread on; (*espezinhar*) to trample (on)
calçar [kawˈsa*] *vt* (*sapatos, luvas*) to put on; (*pavimentar*) to pave; **calçar-se** *vr* to put on one's shoes; **ela calça (número) 28** she takes size 28 (in shoes)
calcário [kawˈkarju] *m* limestone
calcinha [kawˈsiɲa] *f* panties *pl*
calço ['kawsu] *m* wedge
calções [kawˈsõjʃ] *mpl de* **calção**
calculador [kawkulaˈdo*] *m* = **calculadora**

calculadora → campismo

calculadora [kawkula'dora] f calculator
calcular [kawku'la*] vt to calculate; (*imaginar*) to imagine; **~ que** to reckon that
cálculo ['kawkulu] m calculation; (*MAT*) calculus; (*MED*) stone
calda ['kawda] f (*de doce*) syrup; **~s** fpl (*águas termais*) hot springs
caldeirada [kawdej'rada] (*PT*) f (*guisado*) fish stew
caldo ['kawdu] m broth; (*de fruta*) juice; **~ de carne/galinha** beef/chicken stock; **~ verde** potato and cabbage broth
calendário [kalẽ'darju] m calendar
calhar [ka'ʎa*] vi: **calhou viajarmos no mesmo avião** we happened to travel on the same plane; **calhou que** it so happened that; **~ a** (*cair bem*) to suit; **se ~** (*PT*) perhaps, maybe
calibre [ka'libri] m calibre (*BRIT*), caliber (*US*)
cálice ['kalisi] m wine glass; (*REL*) chalice
calista [ka'liʃta] m/f chiropodist (*BRIT*), podiatrist (*US*)
calma ['kawma] f calm
calmante [kaw'mãtʃi] adj soothing ♦ m (*MED*) tranquillizer
calmo, -a ['kawmu, a] adj calm
calo ['kalu] m callus; (*no pé*) corn
calor [ka'lo*] m heat; (*agradável, fig*) warmth; **está** *ou* **faz ~** it is hot; **estar com ~** to be hot
calorento, -a [kalo'rētu, a] adj (*pessoa*) sensitive to heat; (*lugar*) hot
caloria [calo'ria] f calorie
caloroso, -a [kalo'rozu, ɔza] adj warm; (*entusiástico*) enthusiastic
calouro, -a [ka'loru, a] m/f (*EDUC*) fresher (*BRIT*), freshman (*US*)
calúnia [ka'lunja] f slander
calvo, -a ['kawvu, a] adj bald
cama ['kama] f bed; **~ de casal** double bed; **~ de solteiro** single bed; **de ~** (*doente*) ill (in bed)
camada [ka'mada] f layer; (*de tinta*) coat
câmara ['kamara] f chamber; (*FOTO*) camera; **~ municipal** (*BR*) town council; (*PT*) town hall; **~ digital** digital camera; **em ~ lenta** in slow motion
camarada [kama'rada] adj friendly, nice; (*preço*) good ♦ m/f comrade; (*sujeito*) guy/woman
câmara-de-ar (*pl* **câmaras-de-ar**) f inner tube
camarão [kama'rãw] (*pl* **-ões**) m shrimp; (*graúdo*) prawn
camarões [kama'rõjʃ] mpl de **camarão**

camarote [kama'rɔtʃi] m (*NÁUT*) cabin; (*TEATRO*) box
cambaleante [kãba'ljãtʃi] adj unsteady (on one's feet)
cambalear [kãba'lja*] vi to stagger, reel
cambalhota [kãba'ʎɔta] f somersault
câmbio ['kãbju] m (*dinheiro etc*) exchange; (*preço de câmbio*) rate of exchange; **~ livre** free trade; **~ paralelo** black market
cambista [kã'biʃta] m money changer
Camboja [kã'bɔja] m: **o ~** Cambodia
camelo [ka'melu] m camel
camião [ka'mjãw] (*pl* **-ões**) (*PT*) m lorry (*BRIT*), truck (*US*)
caminhada [kami'nada] f walk
caminhão [kami'nãw] (*pl* **-ões**) (*BR*) m lorry (*BRIT*), truck (*US*)
caminhar [kami'na*] vi to walk; (*processo*) to get under way; (*negócios*) to progress
caminho [ka'minu] m way; (*vereda*) road, path; **~ de ferro** (*PT*) railway (*BRIT*), railroad (*US*); **a ~** on the way, en route; **cortar ~** to take a short cut; **pôr-se a ~** to set off
caminhões [kami'nõjʃ] mpl de **caminhão**
caminhoneiro, -a [kamino'nejru, a] m/f lorry driver (*BRIT*), truck driver (*US*)
camiões [ka'mjõjʃ] mpl de **camião**
camioneta [kamjo'neta] (*PT*) f (*para passageiros*) coach; (*comercial*) van
camionista [kamjo'niʃta] (*PT*) m/f lorry driver (*BRIT*), truck driver (*US*)
camisa [ka'miza] f shirt; **~ de dormir** nightshirt; **~ esporte/pólo/social** sports/polo/dress shirt; **mudar de ~** (*ESPORTE*) to change sides; **camisa-de-força** (*pl* **camisas-de-força**) f straitjacket
camiseta [kami'zɛta] (*BR*) f T-shirt; (*interior*) vest
camisinha [kami'zina] (*col*) f condom
camisola [kami'zɔla] (*PT*) f nightdress; (*PT: pulôver*) sweater; **~ interior** (*PT*) vest
campainha [kãpa'ina] f bell
campanário [kãpa'narju] m church tower, steeple
campanha [kã'pana] f (*MIL etc*) campaign; (*planície*) plain
campeão, -peã [kã'pjãw, 'pjã] (*pl* **-ões**, **~s**) m/f champion; **campeonato** [kãpjo'natu] m championship
campestre [kã'pɛʃtri] adj rural, rustic
camping ['kãpĩŋ] (*BR*) (*pl* **~s**) m camping; (*lugar*) campsite
campismo [kã'piʒmu] m camping;

parque de ~ campsite
campista [kãˈpiʃta] m/f camper
campo [ˈkãpu] m field; (fora da cidade) countryside; (ESPORTE) ground; (acampamento) camp; (TÊNIS) court
camponês, -esa [kãpoˈneʃ, eza] m/f countryman/woman; (agricultor) farmer
campus [ˈkãpuʃ] m inv campus
camuflagem [kamuˈflaʒẽ] f camouflage
camundongo [kamũˈdõgu] (BR) m mouse
camurça [kaˈmuxsa] f suede
cana [ˈkana] f cane; (col: cadeia) nick; (de açúcar) sugar cane
Canadá [kanaˈda] m: **o ~** Canada; **canadense** [kanaˈdẽsi] adj, m/f Canadian
canal [kaˈnaw] (pl **-ais**) m channel; (de navegação) canal; (ANAT) duct
canalha [kaˈnaʎa] f rabble, mob ♦ m/f wretch, scoundrel
canalização [kanalizaˈsãw] f plumbing
canalizador, a [kanalizaˈdo*, a] (PT) m/f plumber
canário [kaˈnarju] m canary
canastra [kaˈnaʃtra] f (big) basket
canção [kãˈsãw] (pl **-ões**) f song; **~ de ninar** lullaby
cancela [kãˈsela] f gate
cancelamento [kãselaˈmẽtu] m cancellation
cancelar [kãseˈla*] vt to cancel; (riscar) to cross out
câncer [ˈkãse*] m cancer; **C~** (ASTROLOGIA) Cancer
canções [kãˈsõjʃ] fpl de **canção**
cancro [ˈkãkru] (PT) m cancer
candelabro [kãdeˈlabru] m candlestick; (lustre) chandelier
candidato, -a [kãdʒiˈdatu, a] m/f candidate; (a cargo) applicant
cândido, -a [ˈkãdʒidu, a] adj naive; (inocente) innocent
candomblé [kãdõˈblɛ] m Afro-Brazilian religion
caneca [kaˈnɛka] f mug
canela [kaˈnɛla] f cinnamon; (ANAT) shin
caneta [kaˈneta] f pen; **~ esferográfica/pilot** ballpoint/felt-tip pen
cangaceiro [kãgaˈsejru] (BR) m bandit
canguru [kãgu'ru] m kangaroo
canhão [kaˈɲãw] (pl **-ões**) m cannon; (GEO) canyon
canhoto, -a [kaˈɲotu, a] adj left-handed ♦ m/f left-handed person ♦ m (de cheque) stub
canibal [kaniˈbaw] (pl **-ais**) m/f cannibal
canil [kaˈniw] (pl **-is**) m kennel
canivete [kaniˈvetʃi] m penknife

campista → capotar

canja [ˈkãʒa] f chicken broth; (col) cinch, pushover
canjica [kãˈʒika] f maize porridge
cano [ˈkanu] m pipe; (tubo) tube; (de arma de fogo) barrel; (de bota) top; **~ de esgoto** sewer
canoa [kaˈnoa] f canoe
cansaço [kãˈsasu] m tiredness
cansado, -a [kãˈsadu, a] adj tired
cansar [kãˈsa*] vt to tire; (entediar) to bore ♦ vi to get tired; **cansar-se** vr to get tired; **cansativo, -a** [kãsaˈtʃivu, a] adj tiring; (tedioso) tedious
cantar [kãˈta*] vt, vi to sing ♦ m song
cantarolar [kãtaroˈla*] vt to hum
canteiro [kãˈtejru] m stonemason; (de flores) flower bed
cantiga [kãˈtʃiga] f ballad; **~ de ninar** lullaby
cantil [kãˈtʃiw] (pl **-is**) m canteen
cantina [kãˈtʃina] f canteen
cantis [kãˈtʃiʃ] mpl de **cantil**
canto [ˈkãtu] m corner; (lugar) place; (canção) song
cantor, a [kãˈto*, a] m/f singer
cão [kãw] (pl **cães**) m dog
caolho, -a [kaˈoʎu, a] adj cross-eyed
caos [ˈkaoʃ] m chaos
capa [ˈkapa] f cape; (cobertura) cover; **livro de ~ dura/mole** hardback/paperback (book)
capacete [kapaˈsetʃi] m helmet
capacidade [kapasiˈdadʒi] f capacity; (aptidão) ability, competence
capaz [kaˈpaʒ] adj able, capable; **ser ~ de** to be able to (ou capable of); **sou ~ de ... (talvez)** I might ...; **é ~ de chover hoje** it might rain today
capela [kaˈpela] f chapel
capim [kaˈpĩ] m grass
capitães [kapiˈtãjʃ] mpl de **capitão**
capital [kapiˈtaw] (pl **-ais**) adj, m capital ♦ f (cidade) capital; **~ (em) ações** (COM) share capital
capitalismo [kapitaˈliʒmu] m capitalism; **capitalista** [kapitaˈliʃta] m/f capitalist
capitalizar [kapitaliˈza*] vt to capitalize on; (COM) to capitalize
capitão [kapiˈtãw] (pl **-ães**) m captain
capítulo [kaˈpitulu] m chapter
capô [kaˈpo] m (AUTO) bonnet (BRIT), hood (US)
capoeira [kaˈpwejra] f (PT) hencoop; (dança) Brazilian dance based on martial arts
capota [kaˈpɔta] f (AUTO) hood, top
capotar [kapoˈta*] vi to overturn

capricho [ka'priʃu] *m* whim, caprice; *(teimosia)* obstinacy; *(apuro)* care; **caprichoso, -a** [kapri'ʃozu, ɔza] *adj* capricious; *(com apuro)* meticulous

Capricórnio [kapri'kɔxnju] *m* Capricorn

cápsula ['kapsula] *f* capsule

captar [kap'ta*] *vt* (*atrair*) to win; *(RÁDIO)* to pick up

captura [kap'tura] *f* capture; **capturar** [kaptu'ra*] *vt* to capture

capuz [ka'puʒ] *m* hood

cáqui ['kaki] *adj* khaki

cara ['kara] *f* face; *(aspecto)* appearance ♦ *m* (*col*) guy; **~ ou coroa?** heads or tails?; **de ~** straightaway; **dar de ~ com** to bump into; **ser a ~ de** (*col*) to be the spitting image of; **ter ~ de** to look (like)

caracol [kara'kɔw] (*pl* **-óis**) *m* snail; *(de cabelo)* curl; **escada em ~** spiral staircase

caracteres [karak'tɛriʃ] *mpl de* **caráter**

característica [karakte'riʃtʃika] *f* characteristic, feature

característico, -a [karakte'riʃtʃiku, a] *adj* characteristic

cara-de-pau (*pl* **caras-de-pau**) *adj* brazen; **ele é ~** he's very forward

caramelo [kara'mɛlu] *m* caramel; *(bala)* toffee

caranguejo [karã'geʒu] *m* crab

caratê [kara'te] *m* karate

caráter [ka'rate*] (*pl* **caracteres**) *m* character

caravana [kara'vana] *f* caravan

carbonizar [kaxboni'za*] *vt* to carbonize; *(queimar)* to char

carbono [kax'bɔnu] *m* carbon

carburador [kaxbura'do*] *m* carburettor (*BRIT*), carburetor (*US*)

cárcere ['kaxseri] *m* prison; **carcereiro, -a** [kaxse'rejru, a] *m/f* jailer, warder

cardápio [kax'dapju] (*BR*) *m* menu

cardeal [kax'dʒjaw] (*pl* **-ais**) *adj, m* cardinal

cardíaco, -a [kax'dʒiaku, a] *adj* cardiac; **ataque/parada ~** heart attack/cardiac arrest

cardigã [kaxdʒi'gã] *m* cardigan

careca [ka'rɛka] *adj* bald

carecer [kare'se*] *vi*: **~ de** to lack; *(precisar)* to need

carência [ka'rẽsja] *f* lack; *(necessidade)* need; *(privação)* deprivation; **carente** [ka'rẽtʃi] *adj* wanting; *(pessoa)* needy, deprived

careta [ka'reta] *adj* (*col*) straight, square ♦ *f* grimace; **fazer uma ~** to pull a face

carga ['kaxga] *f* load; *(de navio, avião)* cargo; *(ato de carregar)* loading; *(ELET)* charge; *(fig: peso)* burden; *(MIL)* attack, charge; **dar ~ em** (*COMPUT*) to boot (up)

cargo ['kaxgu] *m* responsibility; *(função)* post; **a ~ de** in charge of; **ter a ~** to be in charge of; **tomar a ~** to take charge of

Caribe [ka'ribi] *m*: **o ~** the Caribbean (Sea)

carícia [ka'risja] *f* caress

caridade [kari'dadʒi] *f* charity; **obra de ~** charity

cárie ['kari] *f* tooth decay

carimbar [karĩ'ba*] *vt* to stamp; *(no correio)* to postmark

carimbo [ka'rĩbu] *m* stamp; *(postal)* postmark

carinho [ka'riɲu] *m* affection, fondness; *(carícia)* caress; **fazer ~** to caress; **com ~** affectionately; *(com cuidado)* with care; **carinhoso, -a** [kari'ɲozu, ɔza] *adj* affectionate

carioca [ka'rjɔka] *adj* of Rio de Janeiro ♦ *m/f* native of Rio de Janeiro ♦ *m* (*PT*: *café*) type of weak coffee

carnal [kax'naw] (*pl* **-ais**) *adj* carnal; **primo ~** first cousin

carnaval [kaxna'vaw] (*pl* **-ais**) *m* carnival; *(fig)* mess

carne ['kaxni] *f* flesh; *(CULIN)* meat; **em ~ e osso** in the flesh

carnê [kax'ne] *m* (*para compras*) payment book

carneiro [kax'nejru] *m* sheep; *(macho)* ram; **perna/costeleta de ~** leg of lamb/lamb chop

carnificina [kaxnifi'sina] *f* slaughter

caro, -a ['karu, a] *adj* dear; **cobrar/pagar ~** to charge a lot/pay dearly

carochinha [karo'ʃiɲa] *f*: **conto** *ou* **história da ~** fairy tale *ou* story

caroço [ka'rosu] *m* (*de frutos*) stone; *(endurecimento)* lump

carona [ka'rɔna] *f* lift; **viajar de ~** to hitchhike; **pegar uma ~** to get a lift

carpete [kax'pɛtʃi] *m* (fitted) carpet

carpinteiro [kaxpĩ'tejru] *m* carpenter

carrapato [kaxa'patu] *m* (*inseto*) tick

carrasco [ka'xaʃku] *m* executioner; *(fig)* tyrant

carregado, -a [kaxe'gadu, a] *adj* loaded; *(semblante)* sullen; *(céu)* dark; *(ambiente)* tense

carregador [kaxega'do*] *m* porter

carregamento [kaxega'mẽtu] *m* (*ação*) loading; *(carga)* load, cargo

carregar [kaxe'ga*] *vt* to load; *(levar)* to

carreira → casual

carry; (*bateria*) to charge; (*PT: apertar*) to press; (*levar para longe*) to take away ♦ *vi*: ~ **em** to overdo; (*pôr ênfase*) to bring out

carreira [ka'xejra] *f* run, running; (*profissão*) career; (*TURFE*) race; (*NÁUT*) slipway; (*fileira*) row; **às ~s** in a hurry

carretel [kaxe'tɛw] (*pl* **-éis**) *m* spool, reel

carrinho [ka'xiɲu] *m* trolley; (*brinquedo*) toy car; **~ (de criança)** pram; **~ de mão** wheelbarrow

carro ['kaxo] *m* car; (*de bois*) cart; (*de mão*) barrow; (*de máquina de escrever*) carriage; **~ de corrida/passeio/esporte** racing/saloon/sports car; **~ de praça** cab; **~ de bombeiro** fire engine

carroça [ka'xɔsa] *f* cart, waggon

carroçeria [kaxose'ria] *f* (*AUTO*) bodywork

carro-chefe (*pl* **carros-chefes**) *m* (*de desfile*) main float; (*fig*) flagship, centrepiece (*BRIT*), centerpiece (*US*)

carrossel [kaxo'sɛw] (*pl* **-éis**) *m* merry-go-round

carruagem [ka'xwaʒẽ] (*pl* **-ns**) *f* carriage, coach

carta ['kaxta] *f* letter; (*de jogar*) card; (*mapa*) chart; **~ aérea/registrada** airmail/registered letter; **~ de condução** (*PT*) driving licence (*BRIT*), driver's license (*US*); **dar as ~s** to deal; **carta-bomba** (*pl* **cartas-bomba**) *f* letter bomb

cartão [kax'tãw] (*pl* **-ões**) *m* card; (*PT: material*) cardboard; **~ de crédito** credit card; **cartão-postal** (*pl* **cartões-postais**) *m* postcard

cartaz [kax'taʒ] *m* poster, bill (*US*); **(estar) em ~** (*TEATRO, CINEMA*) (to be) showing

carteira [kax'tejra] *f* desk; (*para dinheiro*) wallet; (*de ações*) portfolio; **~ de identidade** identity card; **~ de motorista** driving licence (*BRIT*), driver's license (*US*)

carteiro [kax'tejru] *m* postman (*BRIT*), mailman (*US*)

cartões [kax'tõjʃ] *mpl de* **cartão**

cartola [kax'tɔla] *f* top hat

cartolina [kaxto'lina] *f* card

cartório [kax'tɔrju] *m* registry office

cartucho [kax'tuʃu] *m* cartridge; (*saco de papel*) packet

cartum [kax'tũ] (*pl* **-ns**) *m* cartoon

carvalho [kax'vaʎu] *m* oak

carvão [kax'vãw] (*pl* **-ões**) *m* coal; (*de madeira*) charcoal

casa ['kaza] *f* house; (*lar*) home; (*COM*) firm; (*MAT: decimal*) place; **em/para ~** (at) home/home; **~ de saúde** hospital; **~ da moeda** mint; **~ de banho** (*PT*) bathroom; **~ e comida** board and lodging; **~ de cômodos** tenement; **~ popular** ≈ council house

casacão [kaza'kãw] (*pl* **-ões**) *m* overcoat

casaco [ka'zaku] *m* coat; (*paletó*) jacket

casacões [kaza'kõjʃ] *mpl de* **casacão**

casal [ka'zaw] (*pl* **-ais**) *m* couple

casamento [kaza'mẽtu] *m* marriage; (*boda*) wedding

casar [ka'za*] *vt* to marry; (*combinar*) to match (up); **casar-se** *vr* to get married; to combine well

casarão [kaza'rãw] (*pl* **-ões**) *m* mansion

casca ['kaʃka] *f* (*de árvore*) bark; (*de banana*) skin; (*de ferida*) scab; (*de laranja*) peel; (*de nozes, ovos*) shell; (*de milho etc*) husk; (*de pão*) crust

cascata [kaʃ'kata] *f* waterfall

casco ['kaʃku] *m* skull; (*de animal*) hoof; (*de navio*) hull; (*para bebidas*) empty bottle; (*de tartaruga*) shell

casebre [ka'zebri] *m* hovel, shack

caseiro, -a [ka'zejru, a] *adj* home-made; (*pessoa, vida*) domestic ♦ *m/f* housekeeper

caso ['kazu] *m* case; (*tb*: **~ amoroso**) affair; (*estória*) story ♦ *conj* in case, if; **no ~ de** in case (of); **em todo ~** in any case; **neste ~** in that case; **~ necessário** if necessary; **criar ~** to cause trouble; **não fazer ~ de** to ignore; **~ de emergência** emergency

caspa ['kaʃpa] *f* dandruff

casquinha [kaʃ'kiɲa] *f* (*de sorvete*) cone; (*pele*) skin

cassar [ka'sa*] *vt* (*direitos, licença*) to cancel, withhold; (*políticos*) to ban

cassete [ka'sɛtʃi] *m* cassette

cassetete [kase'tɛtʃi] *m* truncheon (*BRIT*), nightstick (*US*)

cassino [ka'sinu] *m* casino

castanha [kaʃ'taɲa] *f* chestnut; **~ de caju** cashew nut; **castanha-do-pará** [-pa'ra] (*pl* **castanhas-do-pará**) *f* Brazil nut

castanheiro [kaʃta'ɲejru] *m* chestnut tree

castanho, -a [kaʃ'taɲu, a] *adj* brown

castelo [kaʃ'tɛlu] *m* castle

castiçal [kaʃtʃi'saw] (*pl* **-ais**) *m* candlestick

castiço, -a [kaʃ'tʃisu, a] *adj* pure

castidade [kaʃtʃi'dadʒi] *f* chastity

castigar [kaʃtʃi'ga*] *vt* to punish; **castigo** [kaʃ'tʃigu] *m* punishment; (*fig: mortificação*) pain

casto, -a ['kaʃtu, a] *adj* chaste

casual [ka'zwaw] (*pl* **-ais**) *adj* chance *atr*,

accidental; (*fortuito*) fortuitous; **casualidade** [kazwali'dadʒi] *f* chance; (*acidente*) accident

cata ['kata] *f*: **à ~ de** in search of

catalizador [kataliza'do*] *m* catalyst

catalogar [katalo'ga*] *vt* to catalogue (*BRIT*), catalog (*US*)

catálogo [ka'talogu] *m* catalogue (*BRIT*), catalog (*US*); **~ (telefônico)** telephone directory

catapora [kata'pɔra] (*BR*) *f* chickenpox

catar [ka'ta*] *vt* to pick (up); (*procurar*) to look for, search for; (*recolher*) to collect, gather

catarata [kata'rata] *f* waterfall; (*MED*) cataract

catarro [ka'taxu] *m* catarrh

catástrofe [ka'taʃtrofi] *f* catastrophe

cata-vento *m* weathercock

catedral [kate'draw] (*pl* **-ais**) *f* cathedral

categoria [katego'ria] *f* category; (*social*) rank; (*qualidade*) quality; **de alta ~** first-rate

cativar [katʃi'va*] *vt* to enslave; (*fascinar*) to captivate; (*atrair*) to charm

cativeiro [katʃi'vejru] *m* captivity; (*escravidão*) slavery; (*cadeia*) prison

cativo, -a [ka'tʃivu, a] *m/f* slave; (*prisioneiro*) prisoner

católico, -a [ka'tɔliku, a] *adj, m/f* catholic

catorze [ka'tɔxzi] *num* fourteen

caução [kaw'sãw] (*pl* **-ões**) *f* security, guarantee; (*JUR*) bail; **sob ~** on bail

caule ['kauli] *m* stalk, stem

causa ['kawza] *f* cause; (*motivo*) motive, reason; (*JUR*) lawsuit, case; **por ~ de** because of; **causador, a** [kawza'do*, a] *adj* which caused ♦ *m* cause; **causar** [kaw'za*] *vt* to cause, bring about

cautela [kaw'tɛla] *f* caution; (*senha*) ticket; **~ (de penhor)** pawn ticket; **cauteloso, -a** [kawte'lozu, ɔza] *adj* cautious, wary

cavado, -a [ka'vadu, a] *adj* (*olhos*) sunken; (*roupa*) low-cut

cavala [ka'vala] *f* mackerel

cavalaria [kavala'ria] *f* cavalry

cavaleiro [kava'lejru] *m* rider, horseman; (*medieval*) knight

cavalete [kava'letʃi] *m* stand; (*FOTO*) tripod; (*de pintor*) easel; (*de mesa*) trestle

cavalgar [kavaw'ga*] *vt* to ride ♦ *vi*: **~ em** to ride on; **~ (sobre)** to jump over

cavalheiro, -a [kava'ʎejru, a] *adj* courteous, gallant ♦ *m* gentleman

cavalo [ka'valu] *m* horse; (*XADREZ*) knight; **a ~** on horseback; **50 ~s(-vapor** *ou* **de força)** 50 horsepower; **~ de corrida** racehorse

cavaquinho [kava'kiɲu] *m* small guitar

cavar [ka'va*] *vt* to dig; (*esforçar-se para obter*) to try to get ♦ *vi* to dig; (*fig*) to delve; (*animal*) to burrow

cave ['kavi] (*PT*) *f* wine-cellar

caveira [ka'vejra] *f* skull

cavidade [kavi'dadʒi] *f* cavity

caxumba [ka'ʃũba] *f* mumps *sg*

CD *abr m* CD

cê [se] (*col*) *pron* = **você**

cear [sja*] *vt* to have for supper ♦ *vi* to dine

cebola [se'bola] *f* onion; **cebolinha** [sebo'liɲa] *f* spring onion

ceder [se'de*] *vt* to give up; (*dar*) to hand over; (*emprestar*) to lend ♦ *vi* to give in, yield

cedilha [se'dʒiʎa] *f* cedilla

cedo ['sedu] *adv* early; (*em breve*) soon

cedro ['sɛdru] *m* cedar

cédula ['sɛdula] *f* banknote; (*eleitoral*) ballot paper

CEE *abr f* (= *Comunidade Econômica Européia*) EEC

cegar [se'ga*] *vt* to blind; (*ofuscar*) to dazzle ♦ *vi* to be dazzling

cego, -a ['sɛgu, a] *adj* blind; (*total*) complete, total; (*tesoura*) blunt ♦ *m/f* blind man/woman; **às cegas** blindly

cegonha [se'gɔɲa] *f* stork

cegueira [se'gejra] *f* blindness

CEI *abr f* (= *Comunidade de Estados Independentes*) CIS

ceia ['seja] *f* supper

cela ['sɛla] *f* cell

celebração [selebra'sãw] (*pl* **-ões**) *f* celebration

celebrar [sele'bra*] *vt* to celebrate; (*exaltar*) to praise; (*acordo*) to seal

célebre ['sɛlebri] *adj* famous, well-known

celeiro [se'lejru] *m* granary; (*depósito*) barn

celeste [se'lɛʃtʃi] *adj* celestial, heavenly

celibatário, -a [seliba'tarju, a] *adj* unmarried, single ♦ *m/f* bachelor/spinster

celofane [selo'fani] *m* cellophane; **papel ~** cling film

célula ['sɛlula] *f* (*BIO, ELET*) cell; **celular** [selu'la*] *adj* cellular ♦ *n*: **(telefone) celular** mobile (phone)

cem [sẽ] *num* hundred

cemitério [semi'tɛrju] *m* cemetery, graveyard

cena ['sena] *f* scene; (*palco*) stage

cenário [se'narju] *m* scenery; (CINEMA) scenario; (de um acontecimento) setting
cenoura [se'nora] *f* carrot
censo ['sẽsu] *m* census
censor, a [sẽ'so*, a] *m/f* censor
censura [sẽ'sura] *f* censorship; (reprovação) censure, criticism; **censurar** [sẽsu'ra*] *vt* to censure; (filme, livro etc) to censor
centavo [sẽ'tavu] *m* cent; **estar sem um ~** to be penniless
centeio [sẽ'teju] *m* rye
centelha [sẽ'teʎa] *f* spark
centena [sẽ'tena] *f* hundred; **às ~s** in hundreds
centenário, -a [sẽte'narju, a] *m* centenary
centígrado [sẽ'tʃigradu] *m* centigrade
centímetro [sẽ'tʃimetru] *m* centimetre (BRIT), centimeter (US)
cento ['sẽtu] *m*: **~ e um** one hundred and one; **por ~** per cent
centopeia [sẽto'peja] *f* centipede
central [sẽ'traw] (*pl* **-ais**) *adj* central ♦ *f* (de polícia etc) head office; **~ elétrica** (electric) power station; **~ telefônica** telephone exchange; **centralizar** [sẽtrali'za*] *vt* to centralize
centrar [sẽ'tra*] *vt* to centre (BRIT), center (US)
centro ['sẽtru] *m* centre (BRIT), center (US); (de uma cidade) town centre; **centroavante** [sẽtroa'vãtʃi] *m* (FUTEBOL) centre forward
CEP ['sepi] (BR) *abr m* (= *Código de Endereçamento Postal*) postcode (BRIT), zip code (US)
céptico, -a *etc* ['septiku, a] (PT) = **cético** *etc*
cera ['sera] *f* wax
cerâmica [se'ramika] *f* pottery
cerca ['sexka] *f* fence ♦ *prep*: **~ de** (aproximadamente) around, about; **~ viva** hedge
cercado [sex'kadu] *m* enclosure; (para animais) pen; (para crianças) playpen
cercanias [sexka'niaʃ] *fpl* outskirts; (vizinhança) neighbourhood *sg* (BRIT), neighborhood *sg* (US)
cercar [sex'ka*] *vt* to enclose; (rodear) to surround; (assediar) to besiege
cerco ['sexku] *m* siege; **pôr ~ a** to besiege
cereal [se'rjaw] (*pl* **-ais**) *m* cereal
cérebro ['serebru] *m* brain; (fig) brains *pl*
cereja [se'reʒa] *f* cherry
cerimônia [seri'monja] *f* ceremony
cerração [sexa'sãw] *f* fog

cerrado, -a [se'xadu, a] *adj* shut, closed; (denso) thick ♦ *m* scrub(land)
certeza [sex'teza] *f* certainty; **com ~** certainly, surely; (provavelmente) probably; **ter ~ de/de que** to be certain *ou* sure of/to be sure that
certidão [sextʃi'dãw] (*pl* **-ões**) *f* certificate
certificado [sextʃifi'kadu] *m* certificate
certificar [sextʃifi'ka*] *vt* to certify; (assegurar) to assure; **certificar-se** *vr*: **~-se de** to make sure of
certo, -a ['sextu, a] *adj* certain, sure; (exato, direito) right; (um, algum) a certain ♦ *adv* correctly; **na certa** certainly; **ao ~** for certain; **está ~** okay, all right
cerveja [sex'veʒa] *f* beer; **cervejaria** [sexveʒa'ria] *f* (fábrica) brewery; (bar) bar, public house
cervical [sexvi'kaw] (*pl* **-ais**) *adj* cervical
cessação [sesa'sãw] *f* halting, ceasing
cessão [se'sãw] (*pl* **-ões**) *f* surrender
cessar [se'sa*] *vi* to cease, stop; **sem ~** continually; **cessar-fogo** *m inv* cease-fire
cessões [se'sõjʃ] *fpl de* **cessão**
cesta ['seʃta] *f* basket
cesto ['seʃtu] *m* basket; (com tampa) hamper
cético, -a ['setʃiku, a] *m/f* sceptic (BRIT), skeptic (US)
cetim [se'tʃĩ] *m* satin
céu [sew] *m* sky; (REL) heaven; (da boca) roof
cevada [se'vada] *f* barley
CFC *abr m* (= *clorofluorcarbono*) CFC
chá [ʃa] *m* tea
chácara ['ʃakara] *f* farm; (casa de campo) country house
chacina [ʃa'sina] *f* slaughter; **chacinar** [ʃasi'na*] *vt* (matar) to slaughter
chacota [ʃa'kɔta] *f* mockery
chafariz [ʃafa'riʒ] *m* fountain
chalé [ʃa'lɛ] *m* chalet
chaleira [ʃa'lejra] *f* kettle; (bajulador) crawler, toady
chama ['ʃama] *f* flame
chamada [ʃa'mada] *f* call; (MIL) roll call; (EDUC) register; (no jornal) headline; **dar uma ~ em alguém** to tell sb off
chamar [ʃa'ma*] *vt* to call; (convidar) to invite; (atenção) to attract ♦ *vi* to call; (telefone) to ring; **chamar-se** *vr* to be called; **chamo-me João** my name is John; **~ alguém de idiota/Dudu** to call sb an idiot/Dudu; **mandar ~** to summon, send for

chamariz → choro

chamariz [ʃamaˈriʒ] m decoy
chamativo, -a [ʃamaˈtʃivu, a] adj showy, flashy
chaminé [ʃamiˈnɛ] f chimney; (de navio) funnel
champanha [ʃãˈpaɲa] m ou f champagne
champanhe [ʃãˈpaɲi] m ou f = **champanha**
champu [ʃãˈpu] (PT) m shampoo
chance [ˈʃãsi] f chance
chantagear [ʃãtaˈʒjaʁ] vt to blackmail
chantagem [ʃãˈtaʒẽ] f blackmail
chão [ʃãw] (pl -s) m ground; (terra) soil; (piso) floor
chapa [ˈʃapa] f (placa) plate; (eleitoral) list; ~ **de matrícula** (PT: AUTO) number (BRIT) ou license (US) plate; **oi, meu ~!** hi, mate!
chapéu [ʃaˈpɛw] m hat
charco [ˈʃaxku] m marsh, bog
charme [ˈʃaxmi] m charm; **fazer** ~ to be nice, use one's charm; **charmoso, -a** [ʃaxˈmozu, ɔza] adj charming
charrete [ʃaˈxɛtʃi] f cart
charuto [ʃaˈrutu] m cigar
chassi [ʃaˈsi] m (AUTO, ELET) chassis
chata [ˈʃata] f barge; V tb **chato**
chateação [ʃatʃjaˈsãw] (pl -ões) f bother, upset; (maçada) bore
chatear [ʃaˈtʃjaʁ] vt to bother, upset; (importunar) to pester; (entediar) to bore; (irritar) to annoy ♦ vi to be upsetting; to be boring; to be annoying; **chatear-se** vr to get upset; to get bored; to get annoyed
chatice [ʃaˈtʃisi] f nuisance
chato, -a [ˈʃatu, a] adj flat; (tedioso) boring; (irritante) annoying; (que fica mal) rude ♦ m/f bore; (quem irrita) pain
chauvinista [ʃawviˈniʃta] adj chauvinistic ♦ m/f chauvinist
chavão [ʃaˈvãw] (pl -ões) m cliché
chave [ˈʃavi] f key; (ELET) switch; ~ **de porcas** spanner; ~ **inglesa** (monkey) wrench; ~ **de fenda** screwdriver
chávena [ˈʃavena] (PT) f cup
checar [ʃeˈkaʁ] vt to check
check-up [tʃeˈkapi] (pl ~s) m check-up
chefe [ˈʃɛfi] m/f head, chief; (patrão) boss; ~ **de estação** stationmaster; **chefia** [ʃeˈfia] f leadership; (direção) management; (repartição) headquarters sg; **chefiar** [ʃeˈfjaʁ] vt to lead
chegada [ʃeˈgada] f arrival
chegado, -a [ʃeˈgadu, a] adj near; (íntimo) close
chegar [ʃeˈgaʁ] vt to bring near ♦ vi to arrive; (ser suficiente) to be enough; **chegar-se** vr: ~**-se a** to approach; **chega!** that's enough!; ~ **a** (atingir) to reach; (conseguir) to manage to
cheio, -a [ˈʃeju, a] adj full; (repleto) full up; (col: farto) fed up
cheirar [ʃejˈraʁ] vt, vi to smell; ~ **a** to smell of; **cheiro** [ˈʃejru] m smell; **ter cheiro de** to smell of; **cheiroso, -a** [ʃejˈrozu, ɔza] adj: **ser** ou **estar cheiroso** to smell nice
cheque [ˈʃɛki] m cheque (BRIT), check (US); ~ **de viagem** traveller's cheque (BRIT), traveler's check (US)
chiar [ʃjaʁ] vi to squeak; (porta) to creak; (vapor) to hiss; (col: reclamar) to grumble
chiclete [ʃiˈklɛtʃi] m chewing gum
chicória [ʃiˈkɔrja] f chicory
chicote [ʃiˈkɔtʃi] m whip
chifre [ˈʃifri] m horn
Chile [ˈʃili] m: **o** ~ Chile
chimarrão [ʃimaˈxãw] (pl -ões) m mate tea without sugar taken from a pipe-like cup
chimpanzé [ʃĩpãˈze] m chimpanzee
China [ˈʃina] f: **a** ~ China
chinelo [ʃiˈnɛlu] m slipper
chinês, -esa [ʃiˈneʃ, eza] adj, m/f Chinese ♦ m (LING) Chinese
chip [ˈʃipi] m (COMPUT) chip
Chipre [ˈʃipri] f Cyprus
chique [ˈʃiki] adj stylish, chic
chocalho [ʃoˈkaʎu] m (MÚS, brinquedo) rattle; (para animais) bell
chocante [ʃoˈkãtʃi] adj shocking; (col) amazing
chocar [ʃoˈkaʁ] vt to hatch, incubate; (ofender) to shock, offend ♦ vi to shock; **chocar-se** vr to crash, collide; to be shocked
chocho, -a [ˈʃoʃu, a] adj hollow, empty; (fraco) weak; (sem graça) dull
chocolate [ʃokoˈlatʃi] m chocolate
chofer [ʃoˈfɛʁ] m driver
chope [ˈʃɔpi] m draught beer
choque¹ [ˈʃɔki] m shock; (colisão) collision; (impacto) impact; (conflito) clash
choque² etc vb V **chocar**
choramingar [ʃoramĩˈgaʁ] vi to whine, whimper
chorão, -rona [ʃoˈrãw, rɔna] (pl -ões, ~s) adj tearful ♦ m/f crybaby ♦ m (BOT) weeping willow
chorar [ʃoˈraʁ] vt, vi to weep, cry
chorinho [ʃoˈriɲu] m type of Brazilian music
choro [ˈʃoru] m crying; (MÚS) type of

Brazilian music
choupana [ʃo'pana] f shack, hut
chouriço [ʃo'risu] m (BR) black pudding; (PT) spicy sausage
chover [ʃo've*] vi to rain; **~ a cântaros** to rain cats and dogs
chulé [ʃu'lɛ] m foot odour (BRIT) ou odor (US)
chulo, -a ['ʃulu, a] adj vulgar
chumaço [ʃu'masu] m (de papel, notas) wad
chumbo ['ʃũbu] m lead; (de caça) gunshot; (PT: de dente) filling; **sem ~** (gasolina) unleaded
chupar [ʃu'pa*] vt to suck
chupeta [ʃu'peta] f dummy (BRIT), pacifier (US)
churrasco [ʃu'xaʃku] m, **churrasqueira** [ʃuxaʃ'kejra] ♦ f barbecue
churrasquinho [ʃuxaʃ'kiɲu] m kebab
chutar [ʃu'ta*] vt to kick; (col: adivinhar) to guess at; (: dar o fora em) to dump ♦ vi to kick, to guess; (: mentir) to lie
chute ['ʃutʃi] m kick; (col: mentira) fib; **dar o ~ em alguém** (col) to give sb the boot
chuteira [ʃu'tejra] f football boot
chuva ['ʃuva] f rain; **chuveiro** [ʃu'vejru] m shower
chuviscar [ʃuviʃ'ka*] vi to drizzle; **chuvisco** [ʃu'viʃku] m drizzle
chuvoso, -a [ʃu'vozu, ɔza] adj rainy
Cia. abr (= companhia) Co.
cibercafé [sibexka'fɛ] m cybercafé
ciberespaço [sibexiʃ'pasu] m cyberspace
cicatriz [sika'triʒ] f scar; **cicatrizar** [sikatri'za*] vi to heal; (rosto) to scar
cicerone [sise'rɔni] m tourist guide
ciclismo [si'kliʒmu] m cycling
ciclista [si'kliʃta] m/f cyclist
ciclo ['siklu] m cycle
ciclovia [siklɔ'via] f cycle lane ou path
cidadã [sida'dã] f de **cidadão**
cidadania [sidada'nia] f citizenship
cidadão, cidadã [sida'dãw, sida'dã] (pl ~s, ~s) m/f citizen
cidade [si'dadʒi] f town; (grande) city
ciência ['sjẽsja] f science
ciente ['sjẽtʃi] adj aware
científico, -a [sjẽ'tʃifiku, a] adj scientific
cientista [sjẽ'tʃiʃta] m/f scientist
cifra ['sifra] f cipher; (algarismo) number, figure; (total) sum
cigano, -a [si'ganu, a] adj, m/f gypsy
cigarra [si'gaxa] f cicada; (ELET) buzzer
cigarrilha [siga'xiʎa] f cheroot
cigarro [si'gaxu] m cigarette

cilada [si'lada] f ambush; (armadilha) trap; (embuste) trick
cilindro [si'lĩdru] m cylinder; (rolo) roller
cima ['sima] f: **de ~ para baixo** from top to bottom; **para ~** up; **em ~ de** on, on top of; **por ~ de** over; **de ~** from above; **lá em ~** up there; (em casa) upstairs; **ainda por ~** on top of that
cimento [si'mẽtu] m cement; (fig) foundation
cimo ['simu] m top, summit
cinco ['sĩku] num five
cineasta [sine'aʃta] m/f film maker
cinema [si'nɛma] f cinema
Cingapura [sĩga'pura] f Singapore
cínico, -a ['siniku, a] adj cynical ♦ m/f cynic; **cinismo** [si'niʒmu] m cynicism
cinqüenta [sĩ'kwẽta] num fifty
cinta ['sĩta] f sash; (de mulher) girdle
cintilar [sĩtʃi'la*] vi to sparkle, glitter
cinto ['sĩtu] m belt; **~ de segurança** safety belt; (AUTO) seatbelt
cintura [sĩ'tura] f waist; (linha) waistline
cinza ['sĩza] adj inv grey (BRIT), gray (US) ♦ f ash, ashes pl
cinzeiro [sĩ'zejru] m ashtray
cinzento, -a [sĩ'zẽtu, a] adj grey (BRIT), gray (US)
cio [siu] m: **no ~** on heat, in season
cipreste [si'prɛʃtʃi] m cypress (tree)
cipriota [si'prjɔta] adj, m/f Cypriot
circo ['sixku] m circus
circuito [six'kwitu] m circuit
circulação [sixkula'sãw] f circulation
circular [sixku'la*] adj circular ♦ f (carta) circular ♦ vi to circulate; (girar, andar) to go round ♦ vt to circulate; (estar em volta de) to surround; (percorrer em roda) to go round
círculo ['sixkulu] m circle
circundar [sixkũ'da*] vt to surround
circunferência [sixkũfe'rẽsja] f circumference
circunflexo [sixkũ'flɛksu] m circumflex (accent)
circunstância [sixkũʃ'tãsja] f circumstance; **~s atenuantes** mitigating circumstances
cirurgia [sirux'ʒia] f surgery; **~ plástica/estética** plastic/cosmetic surgery
cirurgião, -giã [sirux'ʒjãw, 'ʒjã] (pl -ões, ~s) m/f surgeon
cirúrgico, -a [si'ruxʒiku, a] adj surgical
cirurgiões [sirux'ʒjõjʃ] mpl de **cirurgião**
cisco ['siʃku] m speck
cismado, -a [siʒ'madu, a] adj with fixed ideas

cismar [siʒ'ma*] vi (*pensar*): ~ **em** to brood over; (*antipatizar*): ~ **com** to take a dislike to ♦ vt: ~ **que** to be convinced that; ~ **de** ou **em fazer** (*meter na cabeça*) to get into one's head to do; (*insistir*) to insist on doing

cisne [ˈsiʒni] m swan

cisterna [sifˈtɛxna] f cistern, tank

citação [sitaˈsãw] (pl **-ões**) f quotation; (*JUR*) summons sg

citar [siˈta*] vt to quote; (*JUR*) to summon

ciúme [ˈsjumi] m jealousy; **ter ~s de** to be jealous of; **ciumento, -a** [sjuˈmẽtu, a] adj jealous

cívico, -a [ˈsiviku, a] adj civic

civil [siˈviw] (pl **-is**) adj civil ♦ m/f civilian; **civilidade** [siviliˈdadʒi] f politeness

civilização [sivilizaˈsãw] (pl **-ões**) f civilization

civis [siˈvif] pl de **civil**

clamar [klaˈma*] vt to clamour (*BRIT*) ou clamor (*US*) for ♦ vi to cry out, clamo(u)r

clamor [klaˈmo*] m outcry, uproar

clandestino, -a [klãdefˈtʃinu, a] adj clandestine; (*ilegal*) underground

clara [ˈklara] f egg white

claraboia [klaraˈbɔja] f skylight

clarão [klaˈrãw] (pl **-ões**) m (*cintilação*) flash; (*claridade*) gleam

clarear [klaˈrja*] vi (*dia*) to dawn; (*tempo*) to clear up, brighten up ♦ vt to clarify

claridade [klariˈdadʒi] f brightness

clarim [klaˈrĩ] (pl **-ns**) m bugle

clarinete [klariˈnetʃi] m clarinet

clarins [klaˈrĩf] mpl de **clarim**

claro, -a [ˈklaru, a] adj clear; (*luminoso*) bright; (*cor*) light; (*evidente*) clear, evident ♦ m (*na escrita*) space; (*clareira*) clearing ♦ adv clearly; **~!** of course!; ~ **que sim!/não!** of course!/of course not!; **às claras** openly

classe [ˈklasi] f class

clássico, -a [ˈklasiku, a] adj classical; (*fig*) classic; (*habitual*) usual ♦ m classic

classificação [klasifikaˈsãw] (pl **-ões**) f classification; (*ESPORTE*) place, placing

classificado, -a [klasifiˈkadu, a] adj (*em exame*) successful; (*anúncio*) classified; (*ESPORTE*) placed ♦ m classified ad

classificar [klasifiˈka*] vt to classify; **classificar-se** vr: **~-se de algo** to call o.s. sth, describe o.s. as sth

claustro [ˈklawftru] m cloister

cláusula [ˈklawzula] f clause

clausura [klawˈzura] f enclosure

clavícula [klaˈvikula] f collarbone

clemência [kleˈmẽsja] f mercy

clero [ˈklɛru] m clergy

clicar [kliˈka*] vi (*COMPUT*) to click

clichê [kliˈʃe] m (*FOTO*) plate; (*chavão*) cliché

cliente [ˈkljẽtʃi] m client, customer; (*de médico*) patient; **clientela** [kljẽˈtɛla] f clientele; (*de loja*) customers pl

clima [ˈklima] m climate

clímax [ˈklimaks] m inv climax

clínica [ˈklinika] f clinic; V tb **clínico**

clínico, -a [ˈkliniku, a] adj clinical ♦ m/f doctor; ~ **geral** general practitioner, GP

clipe [ˈklipi] m clip; (*para papéis*) paper clip

clique [ˈkliki] m (*COMPUT*) click; **dar um ~ duplo em** to double-click on

cloro [ˈklɔru] m chlorine

close [ˈklozi] m close-up

clube [ˈklubi] m club

coadjuvante [koadʒuˈvãtʃi] adj supporting ♦ m/f (*num crime*) accomplice; (*TEATRO, CINEMA*) co-star

coador [koaˈdo*] m strainer; (*de café*) filter bag; (*para legumes*) colander

coalhada [koaˈʎada] f curd

coalizão [koaliˈzãw] (pl **-ões**) f coalition

coar [koˈa*] vt (*líquido*) to strain

coberta [koˈbɛxta] f cover, covering; (*NÁUT*) deck

cobertor [kobexˈto*] m blanket

cobertura [kobexˈtura] f covering; (*telhado*) roof; (*apartamento*) penthouse; (*TV, RÁDIO, JORNALISMO*) coverage; (*SEGUROS*) cover

cobiça [koˈbisa] f greed

cobiçar [kobiˈsa*] vt to covet

cobra [ˈkɔbra] f snake

cobrador, a [kobraˈdo*, a] m/f collector; (*em transporte*) conductor

cobrança [koˈbrãsa] f collection; (*ato de cobrar*) charging

cobrar [koˈbra*] vt to collect; (*preço*) to charge

cobre [ˈkɔbri] m copper; **~s** mpl (*dinheiro*) money sg

cobrir [koˈbri*] vt to cover

cocada [koˈkada] f coconut sweet

cocaína [kokaˈina] f cocaine

coçar [koˈsa*] vt to scratch ♦ vi to itch; **coçar-se** vr to scratch o.s.

cócegas [ˈkɔsegaʃ] fpl: **fazer ~ em** to tickle; **tenho ~ nos pés** my feet tickle; **sentir ~** to be ticklish

coceira [koˈsejra] f itch; (*qualidade*) itchiness

cochichar [koʃiˈʃa*] vi to whisper; **cochicho** [koˈʃiʃu] m whispering

cochilar [koʃi'la*] vi to snooze, doze; **cochilo** [ko'ʃilu] m nap

coco ['koku] m coconut

cócoras ['kɔkoraʃ] fpl: **de ~** squatting; **ficar de ~** to squat (down)

código ['kɔdʒigu] m code; **~ de barras** bar code

coelho [ko'eʎu] m rabbit

coerente [koe'rẽtʃi] adj coherent; (conseqüente) consistent

cofre ['kɔfri] m safe; (caixa) strongbox; **os ~s públicos** public funds

cogitar [koʒi'ta*] vt, vi to contemplate

cogumelo [kogu'mɛlu] m mushroom; **~ venenoso** toadstool

coice ['kojsi] m kick; (de arma) recoil; **dar ~s em** to kick

coincidência [koĩsi'dẽsja] f coincidence

coincidir [koĩsi'dʒi*] vi to coincide; (concordar) to agree

coisa ['kojza] f thing; (assunto) matter; **~ de** about

coitado, -a [koj'tadu, a] adj poor, wretched

cola ['kɔla] f glue

colaborador, a [kolabora'do*, a] m/f collaborator; (em jornal) contributor

colaborar [kolabo'ra*] vi to collaborate; (ajudar) to help; (escrever artigos etc) to contribute

colante [ko'lãtʃi] adj (roupa) skin-tight

colapso [ko'lapsu] m collapse; **~ cardíaco** heart failure

colar [ko'la*] vt to stick, glue; (BR: copiar) to crib ♦ vi to stick; to cheat ♦ m necklace

colarinho [kola'riɲu] m collar

colarinho-branco (pl **colarinhos-brancos**) m white-collar worker

colcha ['kowʃa] f bedspread

colchão [kow'ʃãw] (pl **-ões**) m mattress

colchete [kow'ʃetʃi] m clasp, fastening; (parêntese) square bracket; **~ de gancho** hook and eye; **~ de pressão** press stud, popper

colchões [kow'ʃõjʃ] mpl de **colchão**

coleção [kole'sãw] (PT **-cç-**) (pl **-ões**) f collection; **colecionador, a** [kolesjona'do*, a] (PT **-cc-**) m/f collector; **colecionar** [kolesjo'na*] (PT **-cc-**) vt to collect

colectar etc [kolek'ta*] (PT) = **coletar** etc

colega [ko'lɛga] m/f colleague; (de escola) classmate

colegial [kole'ʒjaw] (pl **-ais**) m/f schoolboy/girl

colégio [ko'lɛʒu] m school

coleira [ko'lejra] f collar

cólera ['kɔlera] f anger ♦ m ou f (MED) cholera

colesterol [koleʃte'rɔw] m cholesterol

coleta [ko'leta] f collection; **coletar** [kole'ta*] vt to tax; (arrecadar) to collect

colete [ko'letʃi] m waistcoat (BRIT), vest (US); **~ salva-vidas** life jacket (BRIT), life preserver (US)

coletivo, -a [kole'tʃivu, a] adj collective; (transportes) public ♦ m bus

colheita [ko'ʎejta] f harvest

colher [ko'ʎe*] vt to gather, pick; (dados) to gather ♦ f spoon; **~ de chá/sopa** teaspoon/tablespoon

colidir [koli'dʒi*] vi: **~ com** to collide with, crash into

coligação [koliga'sãw] (pl **-ões**) f coalition

colina [ko'lina] f hill

colisão [koli'zãw] (pl **-ões**) f collision

collant [ko'lã] (pl **~s**) m tights pl (BRIT), pantihose (US); (blusa) leotard

colmeia [kow'meja] f beehive

colo ['kɔlu] m neck; (regaço) lap

colocar [kolo'ka*] vt to put, place; (empregar) to find a job for, place; (COM) to market; (pneus, tapetes) to fit; (questão, idéia) to put forward; (COMPUT: dados) to key (in)

Colômbia [ko'lõbja] f: **a ~** Colombia

colônia [ko'lonja] f colony; (perfume) cologne; **colonial** [kolo'njaw] (pl **-ais**) adj colonial

colonizador, a [koloniza'do*, a] m/f colonist, settler

colono [ko'lɔnu] m/f settler; (cultivador) tenant farmer

coloquial [kolo'kjaw] (pl **-ais**) adj colloquial

colóquio [ko'lɔkju] m conversation; (congresso) conference

colorido, -a [kolo'ridu, a] adj colourful (BRIT), colorful (US) ♦ m colouring (BRIT), coloring (US)

colorir [kolo'ri*] vt to colour (BRIT), color (US)

coluna [ko'luna] f column; (pilar) pillar; **~ dorsal** ou **vertebral** spine; **colunável** [kolu'navew] (pl **-eis**) adj famous ♦ m/f celebrity; **colunista** [kolu'niʃta] m/f columnist

com [kõ] prep with; **~ cuidado** carefully; **estar ~ câncer** to have cancer; **estar ~ dinheiro** to have some money on one; **estar ~ fome** to be hungry

coma ['kɔma] f coma

comandante [komã'dãtʃi] m
commander; (MIL) commandant; (NÁUT)
captain
comandar [komã'da*] vt to command
comando [ko'mãdu] m command
combate [kõ'batʃi] m combat;
  combater [kõba'te*] vt to fight; (opor-se
  a) to oppose ♦ vi to fight; **combater-se**
  vr to fight
combinação [kõbina'sãw] (pl **-ões**) f
combination; (QUÍM) compound; (acordo)
arrangement; (plano) scheme; (roupa)
slip
combinar [kõbi'na*] vt to combine;
  (jantar etc) to arrange; (fuga etc) to plan
  ♦ vi (roupas etc) to go together;
  combinar-se vr to combine; (pessoas)
  to get on well together; **~ com**
  (harmonizar-se) to go with; **~ de fazer** to
  arrange to do; **combinado!** agreed!
comboio [kõ'boju] m (PT) train; (de
navios, carros) convoy
combustível [kõbuʃ'tʃivew] m fuel
começar [kome'sa*] vt, vi to begin, start;
~ a fazer to begin ou start to do
começo [ko'mesu] m beginning, start
comédia [ko'mɛdʒja] f comedy
comemorar [komemo'ra*] vt to
commemorate
comentar [komẽ'ta*] vt to comment on;
(maliciosamente) to make comments
about
comentário [komẽ'tarju] m comment,
remark; (análise) commentary
comer [ko'me*] vt to eat; (DAMAS, XADREZ)
to take, capture ♦ vi to eat; **dar de ~ a** to
feed
comercial [komex'sjaw] (pl **-ais**) adj
commercial; (relativo ao negócio) business
atr ♦ m commercial
comercializar [komexsjali'za*] vt to
market
comerciante [komex'sjãtʃi] m/f trader
comércio [ko'mɛxsju] m commerce;
(tráfico) trade; (negócio) business; (lojas)
shops pl; **~ eletrônico** e-commerce
comes ['kɔmiʃ] mpl: **~ e bebes** food and
drink
comestíveis [komeʃ'tʃiveis] mpl
foodstuffs, food sg
comestível [komeʃ'tʃivew] (pl **-eis**) adj
edible
cometer [kome'te*] vt to commit
comichão [komi'ʃãw] f itch, itching
comício [ko'misju] m (POL) rally, meeting;
(assembléia) assembly
cômico, -a ['komiku, a] adj comic(al) ♦ m
comedian; (de teatro) actor

comida [ko'mida] f (alimento) food;
(refeição) meal
comigo [ko'migu] pron with me
comilão, -lona [komi'lãw, lɔna] (pl **-ões**,
~s) adj greedy ♦ m/f glutton
comiserar-se [komize'raxsi] vr: **~-se (de)**
to sympathize (with)
comissão [komi'sãw] (pl **-ões**) f
commission; (comitê) committee
comissário [komi'sarju] m
commissioner; (COM) agent; **~ de bordo**
(AER) steward; (NÁUT) purser
comissões [komi'sõjʃ] fpl de **comissão**
comitê [komi'te] m committee

---PALAVRA CHAVE---

como ['kɔmu] adv
1 (modo) as; **ela fez ~ eu pedi** she did
as I asked; **~ se** as if; **~ quiser** as you
wish; **seja ~ for** be that as it may
2 (assim ~) like; **ela tem olhos azuis ~ o
pai** she has blue eyes like her father's;
ela trabalha numa loja, ~ a mãe she
works in a shop, as does her mother
3 (de que maneira) how; **~?** pardon?; **~!**
what!; **~ assim?** what do you mean?; **~
não!** of course!
♦ conj (porque) as, since; **como estava
tarde ele dormiu aqui** since it was late
he slept here

---

comoção [komo'sãw] (pl **-ões**) f distress;
(revolta) commotion
cômoda ['komoda] f chest of drawers
(BRIT), bureau (US)
comodidade [komodʒi'dadʒi] f comfort;
(conveniência) convenience
comodismo [komo'dʒiʒmu] m
complacency
cômodo, -a ['komodu, a] adj
comfortable; (conveniente) convenient
♦ m room
comovente [komo'vẽtʃi] adj moving,
touching
comover [komo've*] vt to move ♦ vi to
be moving; **comover-se** vr to be
moved
compacto, -a [kõ'paktu, a] adj compact;
(espesso) thick; (sólido) solid ♦ m (disco)
single
compadecer-se [kõpade'sexsi] vr: **~ de**
to be sorry for, pity
compadre [kõ'padri] m (col: companheiro)
buddy, pal
compaixão [kõpaj'ʃãw] m compassion;
(misericórdia) mercy
companheirismo [kõpaɲej'riʒmu] m

companheiro → computação

companionship
companheiro, -a [kõpaˈɲejru, a] *m/f* companion; (*colega*) friend; (*col*) buddy, mate
companhia [kõpaˈɲia] *f* company
comparação [kõparaˈsãw] (*pl* **-ões**) *f* comparison
comparar [kõpaˈra*] *vt* to compare; **~ a** to liken to; **~ com** to compare with
comparecer [kõpareˈse*] *vi* to appear, make an appearance; **~ a uma reunião** to attend a meeting
comparsa [kõˈpaxsa] *m/f* (*TEATRO*) extra; (*cúmplice*) accomplice
compartilhar [kõpaxtʃiˈʎa*] *vt* to share ♦ *vi*: **~ de** to share in, participate in
compartimento [kõpaxtʃiˈmẽtu] *m* compartment; (*aposento*) room
compasso [kõˈpasu] *m* (*instrumento*) pair of compasses; (*MÚS*) time; (*ritmo*) beat
compatível [kõpaˈtʃivew] (*pl* **-eis**) *adj* compatible
compatriota [kõpaˈtrjɔta] *m/f* fellow countryman/woman
compensação [kõpẽsaˈsãw] (*pl* **-ões**) *f* compensation; **em ~** on the other hand
compensar [kõpẽˈsa*] *vt* to make up for, compensate for; (*equilibrar*) to offset; (*cheque*) to clear
competência [kõpeˈtẽsja] *f* competence, ability; (*responsabilidade*) responsibility
competente [kõpeˈtẽtʃi] *adj* competent; (*apropriado*) appropriate; (*responsável*) responsible
competição [kõpetʃiˈsãw] (*pl* **-ões**) *f* competition
competidor, a [kõpetʃiˈdo*, a] *m/f* competitor
competir [kõpeˈtʃi*] *vi* to compete; **~ a alguém** to be sb's responsibility; (*caber*) to be up to sb
competitivo, -a [kõpetʃiˈtʃivu, a] *adj* competitive
compito *etc* [kõˈpitu] *vb V* **competir**
complementar [kõplemẽˈta*] *adj* complementary ♦ *vt* to supplement
complemento [kõpleˈmẽtu] *m* complement
completamente [kõpletaˈmẽtʃi] *adv* completely, quite
completar [kõpleˈta*] *vt* to complete; (*tanque, carro*) to fill up; **~ dez anos** to be ten
completo, -a [kõˈplɛtu, a] *adj* complete; (*cheio*) full (up); **por ~** completely
complexo, -a [kõˈplɛksu, a] *adj* complex ♦ *m* complex
complicação [kõplikaˈsãw] (*pl* **-ões**) *f* complication
complicado, -a [kõpliˈkadu, a] *adj* complicated
complicar [kõpliˈka*] *vt* to complicate
complô [kõˈplo] *m* plot, conspiracy
componente [kõpoˈnẽtʃi] *adj, m* component
compor [kõˈpo*] (*irreg: como* **pôr**) *vt* to compose; (*discurso, livro*) to write; (*arranjar*) to arrange ♦ *vi* to compose; **compor-se** *vr* (*controlar-se*) to compose o.s.; **~-se de** to consist of
comporta [kõˈpɔxta] *f* (*de canal*) lock
comportamento [kõpoxtaˈmẽtu] *m* behaviour (*BRIT*), behavior (*US*)
comportar-se [kõpoxˈtaxsi] *vt, vr* to behave; **~ mal** to misbehave, behave badly
composição [kõpoziˈsãw] (*pl* **-ões**) *f* composition; (*TIP*) typesetting
compositor, a [kõpoziˈto*, a] *m/f* composer; (*TIP*) typesetter
compota [kõˈpɔta] *f* fruit in syrup
compra [ˈkõpra] *f* purchase; **fazer ~s** to go shopping; **comprador, a** [kõpraˈdo*, a] *m/f* buyer, purchaser
comprar [kõˈpra*] *vt* to buy
compreender [kõprjẽˈde*] *vt* to understand; (*constar de*) to be comprised of, consist of; (*abranger*) to cover
compreensão [kõprjẽˈsãw] *f* understanding, comprehension; **compreensivo, -a** [kõprjẽˈsivu, a] *adj* understanding
compressa [kõˈpresa] *f* compress
comprido, -a [kõˈpridu, a] *adj* long; (*alto*) tall; **ao ~** lengthways
comprimento [kõpriˈmẽtu] *m* length
comprimido [kõpriˈmidu] *m* pill, tablet
comprimir [kõpriˈmi*] *vt* to compress
comprometer [kõpromeˈte*] *vt* to compromise; (*envolver*) to involve; (*arriscar*) to jeopardize; (*empenhar*) to pledge; **comprometer-se** *vr*: **~-se a** to undertake to, promise to
compromisso [kõproˈmisu] *m* promise; (*obrigação*) commitment; (*hora marcada*) appointment; (*acordo*) agreement
comprovante [kõproˈvãtʃi] *m* receipt
comprovar [kõproˈva*] *vt* to prove; (*confirmar*) to confirm
compulsão [kõpuwˈsãw] (*pl* **-ões**) *f* compulsion; **compulsivo, -a** [kõpuwˈsivu, a] *adj* compulsive; **compulsório, -a** [kõpuwˈsɔrju, a] *adj* compulsory
computação [kõputaˈsãw] *f* computer science, computing

computador → confessar

computador [kõputa'do*] m computer
computar [kõpu'ta*] vt (calcular) to calculate; (contar) to count
comum [ko'mũ] (pl **-ns**) adj ordinary, common; (habitual) usual; **em ~** in common
comungar [komũ'ga*] vi to take communion
comunhão [komu'ɲãw] (pl **-ões**) f (ger, REL) communion
comunicação [komunika'sãw] (pl **-ões**) f communication; (mensagem) message; (acesso) access
comunicado [komuni'kadu] m notice
comunicar [komuni'ka*] vt, vi to communicate; **comunicar-se** vr to communicate; **~-se com** (entrar em contato) to get in touch with
comunidade [komuni'dadʒi] f community; **C~ dos Estados Independentes** Commonwealth of Independent States
comunismo [komu'niʒmu] m communism; **comunista** [komu'niʃta] adj, m/f communist
comuns [ko'mũʃ] pl de **comum**
conceber [kõse'be*] vt, vi to conceive
conceder [kõse'de*] vt to allow; (outorgar) to grant; (dar) to give ♦ vi: **~ em** to agree to
conceito [kõ'sejtu] m concept, idea; (fama) reputation; (opinião) opinion; **conceituado, -a** [kõsej'twadu, a] adj well thought of, highly regarded
concentração [kõsẽtra'sãw] (pl **-ões**) f concentration
concepção [kõsep'sãw] (pl **-ões**) f (geração) conception; (noção) idea, concept; (opinião) opinion
concerto [kõ'sextu] m concert
concessão [kõse'sãw] (pl **-ões**) f concession; (permissão) permission
concha ['kõʃa] f shell; (para líquidos) ladle
conchavo [kõ'ʃavu] m conspiracy
conciliar [kõsi'lja*] vt to reconcile
concluir [kõ'klwi*] vt, vi to conclude
conclusão [kõklu'zãw] (pl **-ões**) f end; (dedução) conclusion
conclusões [kõklu'zõjʃ] fpl de **conclusão**
concordância [kõkox'dãsja] f agreement
concordar [kõkox'da*] vi, vt to agree
concorrência [kõko'xẽsja] f competition; (a um cargo) application
concorrente [kõko'xẽtʃi] m/f contestant; (candidato) candidate
concorrer [kõko'xe*] vi to compete; **~ a** to apply for

concretizar [kõkretʃi'za*] vt to make real; **concretizar-se** vr (sonho) to come true; (ambições) to be realized
concreto, -a [kõ'kretu, a] adj concrete ♦ m concrete
concurso [kõ'kuxsu] m contest; (exame) competition
conde ['kõdʒi] m count
condenação [kõdena'sãw] (pl **-ões**) f (JUR) conviction
condenar [kõde'na*] vt to condemn; (JUR: sentenciar) to sentence; (: declarar culpado) to convict
condensar [kõdẽ'sa*] vt to condense; **condensar-se** vr to condense
condescendência [kõdesẽ'dẽsja] f acquiescence
condescender [kõdesẽ'de*] vi to acquiesce; **~ a** ou **em** to condescend to, deign to
condessa [kõ'desa] f countess
condição [kõdʒi'sãw] (pl **-ões**) f condition; (social) status; (qualidade) capacity; **com a ~ de que** on condition that, provided that; **em condições de fazer** (pessoa) able to do; (carro etc) in condition to do
condimento [kõdʒi'mẽtu] m seasoning
condomínio [kõdo'minju] m condominium
condução [kõdu'sãw] f driving; (transporte) transport; (ônibus) bus
conduta [kõ'duta] f conduct, behaviour (BRIT), behavior (US)
condutor, a [kõdu'to*, a] m/f (de veículo) driver ♦ m (ELET) conductor
conduzir [kõdu'zi*] vt (levar) to lead; (FÍS) to conduct; **conduzir-se** vr to behave; **conduzir a** to lead to
cone ['kɔni] m cone
conectar [konek'ta*] vt to connect
conexão [konek'sãw] (pl **-ões**) f connection
confecção [kõfek'sãw] (pl **-ões**) f making; (de um boletim) production; (roupa) ready-to-wear clothes pl; (negócio) business selling ready-to-wear clothes
confeccionar [kõfeksjo'na*] vt to make; (fabricar) to manufacture
confecções [kõfek'sõjʃ] fpl de **confecção**
confeitaria [kõfejta'ria] f patisserie
conferência [kõfe'rẽsja] f conference; (discurso) lecture
conferir [kõfe'ri*] vt to check; (comparar) to compare; (outorgar) to grant ♦ vi to tally
confessar [kõfe'sa*] vt to confess; **confessar-se** vr to confess

confete [kõˈfetʃi] m confetti
confiança [kõˈfjãsa] f confidence; (*fé*) trust; **de ~** reliable; **ter ~ em alguém** to trust sb
confiante [kõˈfjãtʃi] adj: **~ (em)** confident (of)
confiar [kõˈfja*] vt to entrust; (*segredo*) to confide ♦ vi: **~ em** to trust; (*ter fé*) to have faith in
confiável [kõˈfjavew] (*pl* **-eis**) adj reliable
confidência [kõfiˈdẽsja] f secret; **em ~** in confidence; **confidencial** [kõfidẽˈsjaw] (*pl* **-ais**) adj confidential
confins [kõˈfĩʃ] mpl limits, boundaries
confirmação [kõfixmaˈsãw] (*pl* **-ões**) f confirmation
confirmar [kõfixˈma*] vt to confirm
confiro *etc* [kõˈfiru] vb V **conferir**
confiscar [kõfiʃˈka*] vt to confiscate
confissão [kõfiˈsãw] (*pl* **-ões**) f confession
conflito [kõˈflitu] m conflict
conformar [kõfoxˈma*] vt to form ♦ vi: **~ com** to conform to; **conformar-se** vr: **~-se com** to resign o.s. to; (*acomodar-se*) to conform to
conforme [kõˈfɔxmi] prep according to; (*dependendo de*) depending on ♦ conj (*logo que*) as soon as; (*como*) as, according to what; (*à medida que*) as; **você vai? – ~** are you going? – it depends
conformidade [kõfoxmiˈdadʒi] f agreement; **em ~ com** in accordance with
confortar [kõfoxˈta*] vt to comfort, console
confortável [kõfoxˈtavew] (*pl* **-eis**) adj comfortable
conforto [kõˈfoxtu] m comfort
confrontar [kõfrõˈta*] vt to confront; (*comparar*) to compare
confronto [kõˈfrõtu] m confrontation; (*comparação*) comparison
confundir [kõfũˈdʒi*] vt to confuse; **confundir-se** vr to get mixed up
confusão [kõfuˈzãw] (*pl* **-ões**) f confusion; (*tumulto*) uproar; (*problemas*) trouble
confuso, -a [kõˈfuzu, a] adj confused; (*problema*) confusing
confusões [kõfuˈzõjʃ] fpl de **confusão**
congelador [kõʒelaˈdo*] m freezer, deep freeze
congelamento [kõʒelaˈmẽtu] m freezing; (*ECON*) freeze
congelar [kõʒeˈla*] vt to freeze; **congelar-se** vr to freeze

congestão [kõʒeʃˈtãw] f congestion; **congestionado, -a** [kõʒeʃtʃjoˈnadu, a] adj congested; (*olhos*) bloodshot; (*rosto*) flushed; **congestionamento** [kõʒeʃtʃjonaˈmẽtu] m congestion; **um congestionamento (de tráfego)** a traffic jam
congestionar [kõʒeʃtʃjoˈna*] vt to congest; **congestionar-se** vr (*rosto*) to go red
congressista [kõgreˈsiʃta] m/f congressman/woman
congresso [kõˈgresu] m congress, conference
conhaque [koˈɲaki] m cognac, brandy
conhecedor, a [koɲeseˈdo*, a] adj knowing ♦ m/f connoisseur, expert
conhecer [koɲeˈse*] vt to know; (*travar conhecimento com*) to meet; (*descobrir*) to discover; **conhecer-se** vr to meet; (*ter conhecimento*) to know each other
conhecido, -a [koɲeˈsidu, a] adj known; (*célebre*) well-known ♦ m/f acquaintance
conhecimento [koɲesiˈmẽtu] m (*tb:* **~s**) knowledge; (*idéia*) idea; (*conhecido*) acquaintance; (*COM*) bill of lading; **levar ao ~ de alguém** to bring to sb's notice
conjugado [kõʒuˈgadu] m studio
cônjuge [ˈkõʒuʒi] m spouse
conjunção [kõʒũˈsãw] (*pl* **-ões**) f union; (*LING*) conjunction
conjuntivite [kõʒũtʃiˈvitʃi] f conjunctivitis
conjuntivo [kõʒũˈtʃivu] (*PT*) m (*LING*) subjunctive
conjunto, -a [kõˈʒũtu, a] adj joint ♦ m whole; (*coleção*) collection; (*músicos*) group; (*roupa*) outfit
conosco [koˈnoʃku] pron with us
conquista [kõˈkiʃta] f conquest; **conquistador, a** [kõkiʃtaˈdo*, a] adj conquering ♦ m conqueror
conquistar [kõkiʃˈta*] vt to conquer; (*alcançar*) to achieve; (*ganhar*) to win
consagrado, -a [kõsaˈgradu, a] adj established
consciência [kõsˈsjẽsja] f conscience; (*percepção*) awareness; (*senso de responsabilidade*) conscientiousness
consciente [kõsˈsjẽtʃi] adj conscious
conseguinte [kõseˈgĩtʃi] adj: **por ~** consequently
conseguir [kõseˈgi*] vt to get, obtain; **~ fazer** to manage to do, succeed in doing
conselho [kõˈseʎu] m piece of advice; (*corporação*) council; **~s** mpl (*advertência*) advice sg; **~ de guerra** court martial; **C~**

de ministros (POL) Cabinet
consentimento [kõsẽtʃi'mẽtu] m consent
consentir [kõsẽ'tʃi*] vt to allow, permit; (aprovar) to agree to ♦ vi: ~ **em** to agree to
conseqüência [kõse'kwẽsja] f consequence; **por** ~ consequently
consertar [kõsex'ta*] vt to mend, repair; (remediar) to put right; **conserto** [kõ'sextu] m repair
conserva [kõ'sexva] f pickle; **em** ~ pickled
conservação [kõsexva'sãw] f conservation; (de vida, alimentos) preservation
conservador, a [kõsexva'do*, a] adj conservative ♦ m/f (POL) conservative
conservante [kõsex'vãtʃi] m preservative
conservar [kõsex'va*] vt to preserve, maintain; (reter, manter) to keep, retain; **conservar-se** vr to keep
conservatório [kõsexva'tɔrju] m conservatory
consideração [kõsidera'sãw] (pl -ões) f consideration; (estima) respect, esteem; **levar em** ~ to take into account
considerar [kõside'ra*] vt to consider; (prezar) to respect ♦ vi to consider
considerável [kõside'ravew] (pl -eis) adj considerable
consigo[1] [kõ'sigu] pron (m) with him; (f) with her; (pl) with them; (com você) with you
consigo[2] etc vb V **conseguir**
consinto etc [kõ'sĩtu] vb V **consentir**
consistente [kõsiʃ'tẽtʃi] adj solid; (espesso) thick
consistir [kõsiʃ'tʃi*] vi: ~ **em** to be made up of, consist of
consoante [kõso'ãtʃi] f consonant ♦ prep according to ♦ conj: ~ **prometera** as he had promised
consolação [kõsola'sãw] (pl -ões) f consolation
consolar [kõso'la*] vt to console
consolidar [kõsoli'da*] vt to consolidate; (fratura) to knit ♦ vi to become solid; to knit together
consolo [kõ'solu] m consolation
consome etc [kõ'somi] vb V **consumir**
consórcio [kõ'sɔxsju] m (união) partnership; (COM) consortium
conspiração [kõʃpira'sãw] (pl -ões) f plot, conspiracy
conspirar [kõʃpi'ra*] vt, vi to plot
constante [kõʃ'tãtʃi] adj constant

constar [kõʃ'ta*] vi to be in; **ao que me consta** as far as I know
constatar [kõʃta'ta*] vt to establish; (notar) to notice; (evidenciar) to show up
consternado, -a [kõʃtex'nadu, a] adj depressed; (desolado) distressed
constipação [kõʃtʃipa'sãw] (pl -ões) f constipation; (PT) cold; **apanhar uma** ~ (PT) to catch a cold
constipado, -a [kõʃtʃi'padu, a] adj: **estar** ~ to be constipated; (PT) to have a cold
constituição [kõʃtʃitwi'sãw] (pl -ões) f constitution
constituinte [kõʃtʃi'twĩtʃi] m/f (deputado) member ♦ f (BR): **a C~** the Constituent Assembly, ~ Parliament
constituir [kõʃtʃi'twi*] vt to constitute; (formar) to form; (estabelecer) to establish; (nomear) to appoint
constrangimento [kõʃtrãʒi'mẽtu] m constraint; embarrassment
construção [kõʃtru'sãw] (pl -ões) f building, construction
construir [kõʃ'trwi*] vt to build, construct
construtivo, -a [kõʃtru'tʃivu, a] adj constructive
construtor, a [kõʃtru'to*, a] m/f builder
cônsul ['kõsuw] (pl ~**es**) m consul; **consulado** [kõsu'ladu] m consulate
consulta [kõ'suwta] f consultation; **livro de** ~ reference book; **horário de** ~ surgery hours pl (BRIT), office hours pl (US); **consultar** [kõsuw'ta*] vt to consult; **consultor, a** [kõsuw'to*, a] m/f consultant
consultório [kõsuw'tɔrju] m surgery
consumidor, a [kõsumi'do*, a] adj consumer atr ♦ m/f consumer
consumir [kõsu'mi*] vt to consume; (gastar) to use up; **consumir-se** vr to waste away
consumo [kõ'sumu] m consumption; **artigos de** ~ consumer goods
conta ['kõta] f count; (em restaurante) bill; (fatura) invoice; (bancária) account; (de colar) bead; **~s** fpl (COM) accounts; **levar** ou **ter em** ~ to take into account; **tomar** ~ **de** to take care of; (dominar) to take hold of; **afinal de ~s** after all; **dar-se** ~ **de** to realize; (notar) to notice; ~ **corrente** current account
contabilidade [kõtabili'dadʒi] f book-keeping, accountancy
contabilista [kõtabi'liʃta] (PT) m/f accountant
contabilizar [kõtabili'za*] vt to write up, book

contacto etc [kõ'tatu] (PT) = **contato** etc
contador, a [kõta'do*, a] m/f (COM) accountant ♦ m (TEC: medidor) meter
contagiante [kõta'ʒjãtʃi] adj (alegria) contagious
contagiar [kõta'ʒja*] vt to infect
contágio [kõ'taʒju] m infection
contagioso, -a [kõta'ʒjozu, ɔza] adj (doença) contagious
contaminar [kõtami'na*] vt to contaminate
contanto que [kõ'tãtu ki] conj provided that
conta-quilómetros (PT) m inv speedometer
contar [kõ'ta*] vt to count; (narrar) to tell; (pretender) to intend ♦ vi to count; ~ **com** to count on; (esperar) to expect; ~ **em fazer** to count on doing, expect to do
contatar [kõta'ta*] vt to contact; **contato** [kõ'tatu] m contact; **entrar em contato com** to get in touch with, contact
contemplar [kõtẽ'pla*] vt to contemplate; (olhar) to gaze at
contemplativo, -a [kõtẽpla'tʃivu, a] adj (pessoa) thoughtful
contemporâneo, -a [kõtẽpo'ranju, a] adj, m/f contemporary
contentamento [kõtẽta'mẽtu] m (felicidade) happiness; (satisfação) contentment
contente [kõ'tẽtʃi] adj happy; (satisfeito) pleased, satisfied
contento [kõ'tẽtu] m: **a ~** satisfactorily
conter [kõ'te*] (irreg: como **ter**) vt to contain, hold; (refrear) to restrain, hold back; (gastos) to curb
contestação [kõtẽʃta'sãw] (pl **-ões**) f challenge; (negação) denial
contestar [kõteʃ'ta*] vt to dispute, contest; (impugnar) to challenge
conteúdo [kõte'udu] m contents pl; (de um texto) content
contexto [kõ'teʃtu] m context
contigo [kõ'tʃigu] pron with you
contíguo, -a [kõ'tʃigwu, a] adj: **~ a** next to
continental [kõtʃinẽ'taw] (pl **-ais**) adj continental
continente [kõtʃi'nẽtʃi] m continent
contingência [kõtʃĩ'ʒẽsja] f contingency
continuação [kõtʃinwa'sãw] f continuation
continuar [kõtʃi'nwa*] vt, vi to continue; **~ falando** ou **a falar** to go on talking; **ela continua doente** she is still sick
continuidade [kõtʃinwi'dadʒi] f continuity
contínuo, -a [kõ'tʃinwu, a] adj (persistente) continual; (sem interrupção) continuous ♦ m office boy
conto ['kõtu] m story, tale; (PT: dinheiro) 1000 escudos
contorcer [kõtox'se*] vt to twist; **contorcer-se** vr to writhe
contornar [kõtox'na*] vt (rodear) to go round; (ladear) to skirt; (fig: problema) to get round
contorno [kõ'toxnu] m outline; (da terra) contour; (do rosto) profile
contra ['kõtra] prep against ♦ m: **os prós e os ~s** the pros and cons; **dar o ~ (a)** to be opposed (to)
contra-ataque m counterattack
contrabandear [kõtrabã'dʒja*] vt to smuggle; **contrabandista** [kõtrabã'dʒiʃta] m/f smuggler; **contrabando** [kõtra'bãdu] m smuggling; (artigos) contraband
contraceptivo, -a [kõtrasep'tʃivu, a] adj contraceptive ♦ m contraceptive
contracheque [kõtra'ʃeki] m pay slip (BRIT), check stub (US)
contradição [kõtradʒi'sãw] (pl **-ões**) f contradiction
contraditório, -a [kõtradʒi'tɔrju, a] adj contradictory
contradizer [kõtradʒi'ze*] (irreg: como **dizer**) vt to contradict
contragosto [kõtra'goʃtu] m: **a ~** against one's will, unwillingly
contrair [kõtra'i*] vt to contract; (hábito) to form
contramão [kõtra'mãw] adj one-way ♦ f: **na ~** the wrong way down a one-way street
contraproducente [kõtraprodu'sẽtʃi] adj counterproductive
contrariar [kõtra'rja*] vt to contradict; (aborrecer) to annoy
contrário, -a [kõ'trarju, a] adj (oposto) opposite; (pessoa) opposed; (desfavorável) unfavourable (BRIT), unfavorable (US), adverse ♦ m opposite; **do ~** otherwise; **pelo** ou **ao ~** on the contrary; **ao ~** the other way round
contra-senso m nonsense
contrastar [kõtraʃ'ta*] vt to contrast; **contraste** [kõ'traʃtʃi] m contrast
contratação [kõtrata'sãw] f (de pessoal) employment
contratar [kõtra'ta*] vt (serviços) to contract; (pessoa) to employ, take on

contratempo [kõtraˈtẽpu] m setback; (aborrecimento) upset; (dificuldade) difficulty

contrato [kõˈtratu] m contract; (acordo) agreement

contribuição [kõtribwiˈsãw] (pl -ões) f contribution; (imposto) tax

contribuinte [kõtriˈbwĩtʃi] m/f contributor; (que paga impostos) taxpayer

contribuir [kõtriˈbwi*] vt to contribute ♦ vi to contribute; (pagar impostos) to pay taxes

controlar [kõtroˈla*] vt to control

controle [kõˈtrɔli] m control; **~ remoto** remote control; **~ de crédito** (COM) credit control; **~ de qualidade** (COM) quality control

controvérsia [kõtroˈvɛxsja] f controversy; (discussão) debate; **controverso, -a** [kõtroˈvɛxsu, a] adj controversial

contudo [kõˈtudu] conj nevertheless, however

contumaz [kõtuˈmajʒ] adj obstinate, stubborn

contusão [kõtuˈzãw] (pl -ões) f bruise

convalescer [kõvaleˈse*] vi to convalesce

convenção [kõvẽˈsãw] (pl -ões) f convention; (acordo) agreement

convencer [kõvẽˈse*] vt to convince; (persuadir) to persuade; **convencer-se** vr: **~-se de** to be convinced about; **convencido, -a** [kõvẽˈsidu, a] adj convinced; (col: imodesto) conceited, smug

convencional [kõvẽsjoˈnaw] (pl -ais) adj conventional

convenções [kõvẽˈsõjʃ] fpl de **convenção**

conveniência [kõveˈnjẽsja] f convenience

conveniente [kõveˈnjẽtʃi] adj convenient, suitable; (vantajoso) advantageous

convênio [kõˈvenju] m (reunião) convention; (acordo) agreement

convento [kõˈvẽtu] m convent

conversa [kõˈvɛxsa] f conversation; **~-fiada** idle chat; (promessa falsa) hot air

conversão [kõvexˈsãw] (pl -ões) f conversion

conversar [kõvexˈsa*] vi to talk

conversões [kõvexˈsõjʃ] fpl de **conversão**

converter [kõvexˈte*] vt to convert

convés [kõˈvɛʃ] (pl -eses) m (NÁUT) deck

convexo, -a [kõˈvɛksu, a] adj convex

convicção [kõvikˈsãw] (pl -ões) f conviction

convidado, -a [kõviˈdadu, a] m/f guest

convidar [kõviˈda*] vt to invite

convincente [kõvĩˈsẽtʃi] adj convincing

convir [kõˈvi*] (irreg: como **vir**) vi to suit, be convenient; (ficar bem) to be appropriate; (concordar) to agree; **convém fazer isso o mais rápido possível** we must do this as soon as possible

convite [kõˈvitʃi] m invitation

convivência [kõviˈvẽsja] f living together; (familiaridade) familiarity, intimacy

conviver [kõviˈve*] vi: **~ com** (viver em comum) to live with; (ter familiaridade) to get on with; **convívio** [kõˈvivju] m living together; (familiaridade) familiarity

convocar [kõvoˈka*] vt to summon, call upon; (reunião, eleições) to call; (para o serviço militar) to call up

convosco [kõˈvoʃku] adv with you

convulsão [kõvuwˈsãw] (pl -ões) f convulsion

cooper [ˈkupe*] m jogging; **fazer ~** to go jogging

cooperação [kooperaˈsãw] f cooperation

cooperar [koopeˈra*] vi to cooperate

cooperativa [kooperaˈtʃiva] f (COM) cooperative

cooperativo, -a [kooperaˈtʃivu, a] adj cooperative

coordenada [kooxdeˈnada] f coordinate

coordenar [kooxdeˈna*] vt to coordinate

copa [ˈkɔpa] f (de árvore) top; (torneio) cup; **~s** fpl (CARTAS) hearts

cópia [ˈkɔpja] f copy; **tirar ~ de** to copy; **copiadora** [kopjaˈdora] f duplicating machine

copiar [koˈpja*] vt to copy

copo [ˈkɔpu] m glass

coque [ˈkɔki] m (penteado) bun

coqueiro [koˈkejru] m (BOT) coconut palm

coquetel [kokeˈtew] (pl -éis) m cocktail; (festa) cocktail party

cor¹ [kɔ*] m: **de ~** by heart

cor² [ko*] f colour (BRIT), color (US); **de ~** colo(u)red

coração [koraˈsãw] (pl -ões) m heart; **de bom ~** kind-hearted; **de todo o ~** wholeheartedly

corado, -a [koˈradu, a] adj ruddy

coragem [koˈraʒẽ] f courage; (atrevimento) nerve

corais [koˈrajʃ] mpl de **coral**

corajoso, -a [koraˈʒozu, ɔza] *adj* courageous

coral [koˈraw] (*pl* **-ais**) *m* (*MÚS*) choir; (*ZOOL*) coral

corante [koˈrãtʃi] *adj, m* colouring (*BRIT*), coloring (*US*)

corar [koˈra*] *vt* (*roupa*) to bleach (in the sun) ♦ *vi* to blush; (*tornar-se branco*) to bleach

corcunda [koxˈkũda] *adj* hunchbacked ♦ *f* hump ♦ *m/f* (*pessoa*) hunchback

corda [ˈkɔxda] *f* rope, line; (*MÚS*) string; (*varal*) clothes line; (*de relógio*) spring; **dar ~ em** to wind up; **~s vocais** vocal chords

cordão [koxˈdãw] (*pl* **-ões**) *m* string, twine; (*jóia*) chain; (*no carnaval*) group; (*ELET*) lead; (*fileira*) row

cordeiro [koxˈdejru] *m* lamb

cordel [koxˈdɛw] (*pl* **-éis**) *m* (*PT*) string; **literatura de ~** pamphlet literature

cor-de-rosa *adj inv* pink

cordial [koxˈdʒjaw] (*pl* **-ais**) *adj* cordial ♦ *m* (*bebida*) cordial

cordões [koxˈdõjʃ] *mpl de* **cordão**

coreano, -a [koˈrjanu, a] *adj* Korean ♦ *m/f* Korean ♦ *m* (*LING*) Korean

Coréia [koˈreja] *f*: **a ~** Korea

coreto [koˈretu] *m* bandstand

córner [ˈkɔxne*] *m* (*FUTEBOL*) corner

coro [ˈkoru] *m* chorus; (*conjunto de cantores*) choir

coroa [koˈroa] *f* crown; (*de flores*) garland ♦ *m/f* (*BR: col*) old timer

coroar [koroˈa*] *vt* to crown; (*premiar*) to reward

coronel [koroˈnɛw] (*pl* **-éis**) *m* colonel; (*político*) local political boss

corpo [ˈkoxpu] *m* body; (*aparência física*) figure; (: *de homem*) build; (*de vestido*) bodice; (*MIL*) corps *sg*; **de ~ e alma** (*fig*) wholeheartedly; **~ diplomático** diplomatic corps *sg*

corporal [koxpoˈraw] (*pl* **-ais**) *adj* physical

corpulento, -a [koxpuˈlẽtu, a] *adj* stout

correção [koxeˈsãw] (*PT* **-cç-**) (*pl* **-ões**) *f* correction; (*exatidão*) correctness; **casa de ~** reformatory

corre-corre [ˌkɔxiˈkɔxi] (*pl* **~s**) *m* rush

correcto, -a *etc* [koˈxɛktu, a] (*PT*) = **correto** *etc*

corredor, a [koxeˈdo*, a] *m/f* runner ♦ *m* corridor; (*em avião etc*) aisle; (*cavalo*) racehorse

correia [koˈxeja] *f* strap; (*de máquina*) belt; (*para cachorro*) leash

correio [koˈxeju] *m* mail, post; (*local*) post office; (*carteiro*) postman (*BRIT*), mailman (*US*); **~ aéreo** air mail; **~ eletrônico** e-mail, electronic mail; **~ de voz** voice mail; **pôr no ~** to post

corrente [koˈxẽtʃi] *adj* (*atual*) current; (*águas*) running; (*comum*) usual, common ♦ *f* current; (*cadeia, jóia*) chain; **~ de ar** draught (*BRIT*), draft (*US*); **correnteza** [koxẽˈteza] *f* (*de ar*) draught (*BRIT*), draft (*US*); (*de rio*) current

correr [koˈxe*] *vt* to run; (*viajar por*) to travel across ♦ *vi* to run; (*em carro*) to drive fast, speed; (*o tempo*) to elapse; (*boato*) to go round; (*atuar com rapidez*) to rush; **correria** [koxeˈria] *f* rush

correspondência [koxeʃpõˈdẽsja] *f* correspondence; **correspondente** [koxeʃpõˈdẽtʃi] *adj* corresponding ♦ *m* correspondent

corresponder [koxeʃpõˈde*] *vi*: **~ a** to correspond to; (*ser igual*) to match (up to); **corresponder-se** *vr*: **~-se com** to correspond with

correto, -a [koˈxɛtu, a] *adj* correct; (*conduta*) right; (*pessoa*) straight, honest

corretor, a [koxeˈto*, a] *m/f* broker; **~ de fundos** *ou* **de bolsa** stockbroker; **~ de imóveis** estate agent (*BRIT*), realtor (*US*)

corrida [koˈxida] *f* running; (*certame*) race; (*de taxi*) fare; **~ de cavalos** horse race

corrido, -a [koˈxidu, a] *adj* quick; (*expulso*) driven out ♦ *adv* quickly

corrigir [koxiˈʒi*] *vt* to correct

corrimão [koxiˈmãw] (*pl* **~s**) *m* handrail

corriqueiro, -a [koxiˈkejru, a] *adj* common; (*problema*) trivial

corromper [koxõˈpe*] *vt* to corrupt; (*subornar*) to bribe; **corromper-se** *vr* to be corrupted

corrosão [koxoˈzãw] *f* corrosion; (*fig*) erosion

corrosivo, -a [koxoˈzivu, a] *adj* corrosive

corrupção [koxupˈsãw] *f* corruption

corrupto, -a [koˈxuptu, a] *adj* corrupt

Córsega [ˈkɔxsega] *f*: **a ~** Corsica

cortada [koxˈtada] *f*: **dar uma ~ em alguém** (*fig*) to cut sb short

cortante [koxˈtãtʃi] *adj* cutting

cortar [koxˈta*] *vt* to cut; (*eliminar*) to cut out; (*água, telefone etc*) to cut off; (*efeito*) to stop ♦ *vi* to cut; (*encurtar caminho*) to take a short cut; **~ o cabelo** (*no cabeleireiro*) to have one's hair cut; **~ a palavra de alguém** to interrupt sb

corte¹ [ˈkɔxtʃi] *m* cut; (*de luz*) power cut; **sem ~** (*tesoura etc*) blunt; **~ de cabelo**

corte → crente

haircut
corte² ['kɔxtʃi] f court; **~s** fpl (PT) parliament sg
cortejo [kox'teʒu] m procession
cortês [kox'teʃ] (pl **-eses**) adj polite
cortesia [koxte'zia] f politeness; (de empresa) free offer
cortiça [kox'tʃisa] f cork
cortiço [kox'tʃisu] m slum tenement
cortina [kox'tʃina] f curtain
coruja [ko'ruʒa] f owl
corvo ['koxvu] m crow
coser [ko'ze*] vt, vi to sew
cosmético, -a [koʒ'mɛtʃiku, a] adj cosmetic ♦ m cosmetic
cospe etc ['kɔʃpi] vb V **cuspir**
costa ['kɔʃta] f coast; **~s** fpl (dorso) back sg; **dar as ~s a** to turn one's back on
Costa Rica f: **a ~** Costa Rica
costela [koʃ'tɛla] f rib
costeleta [koʃte'leta] f chop, cutlet; **~s** fpl (suíças) side-whiskers
costumar [koʃtu'ma*] vt (habituar) to accustom ♦ vi: **ele costuma chegar às 6.00** he usually arrives at 6.00; **costumava dizer ...** he used to say ...
costume [koʃ'tumi] m custom, habit; (traje) costume; **~s** mpl (comportamento) behaviour sg (BRIT), behavior sg (US); (conduta) conduct sg; (de um povo) customs; **de ~** usual; **como de ~** as usual
costumeiro, -a [koʃtu'mejru, a] adj usual, habitual
costura [koʃ'tura] f sewing; (sutura) seam; **costurar** [koʃtu'ra*] vt, vi to sew; **costureira** [koʃtu'rejra] f dressmaker
cota ['kɔta] f quota, share
cotação [kota'sãw] (pl **-ões**) f (de preços) list, quotation; (BOLSA) price; (consideração) esteem; **~ bancária** bank rate
cotado, -a [ko'tadu, a] adj (COM: ação) quoted; (bem-conceituado) well thought of; (num concurso) fancied
cotar [ko'ta*] vt (ações) to quote; **~ algo em** to value sth at
cotejar [kote'ʒa*] vt to compare
cotidiano, -a [kotʃi'dʒjanu, a] adj daily, everyday ♦ m: **o ~** daily life
cotonete [koto'nɛtʃi] m cotton bud
cotovelada [kotove'lada] f shove; (cutucada) nudge
cotovelo [koto'velu] m (ANAT) elbow; (curva) bend; **falar pelos ~s** to talk non-stop
coube etc ['kobi] vb V **caber**

couro ['koru] m leather; (de um animal) hide
couve ['kovi] f spring greens pl; **couve-flor** (pl **couves-flores**) f cauliflower
couvert [ku'vɛx] m cover charge
cova ['kɔva] f pit; (caverna) cavern; (sepultura) grave
covarde [ko'vaxdʒi] adj cowardly ♦ m/f coward; **covardia** [kovax'dʒia] f cowardice
covil [ko'viw] (pl **-is**) m den, lair
covinha [ko'viɲa] f dimple
covis [ko'viʃ] mpl de **covil**
coxa ['kɔʃa] f thigh
coxear [ko'ʃja*] vi to limp
coxia [ko'ʃia] f aisle, gangway
coxo, -a ['koʃu, a] adj lame
cozer [ko'ze*] vt, vi to cook
cozido [ko'zidu] m stew
cozinha [ko'ziɲa] f kitchen; (arte) cookery
cozinhar [kozi'ɲa*] vt, vi to cook
cozinheiro, -a [kozi'ɲejru, a] m/f cook
CP abr = **Caminhos de Ferro Portugueses**
CPF (BR) abr m (= Cadastro de Pessoa Física) identification number
crachá [kra'ʃa] m badge
crânio ['kranju] m skull
craque ['kraki] m/f ace, expert
crasso, -a ['krasu, a] adj crass
cratera [kra'tɛra] f crater
cravar [kra'va*] vt (prego etc) to drive (in); (com os olhos) to stare at; **cravar-se** vr to penetrate
cravo ['kravu] m carnation; (MÚS) harpsichord; (especiaria) clove; (na pele) blackhead; (prego) nail
creche ['krɛʃi] f crèche
credenciais [kredẽ'sjajʃ] fpl credentials
creditar [kredʒi'ta*] vt to guarantee; (COM) to credit; **~ algo a alguém** to credit sb with sth; (garantir) to assure sb of sth
crédito ['krɛdʒitu] m credit; **digno de ~** reliable
credo ['krɛdu] m creed; **~!** heavens!
credor, a [kre'do*, a] adj worthy, deserving; (COM: saldo) credit atr ♦ m/f creditor
creme ['krɛmi] adj inv cream ♦ m cream; (CULIN: doce) custard; **~ dental** toothpaste; **cremoso, -a** [kre'mozu, ɔza] adj creamy
crença ['krẽsa] f belief
crente ['krẽtʃi] m/f believer

crepúsculo [krɛˈpuʃkulu] m dusk, twilight

crer [kre*] vt, vi to believe; **crer-se** vr to believe o.s. to be; **~ em** to believe in; **creio que sim** I think so

crescente [krɛˈsẽtʃi] adj growing ♦ m crescent

crescer [kreˈse*] vi to grow; **crescimento** [kresiˈmẽtu] m growth

crespo, -a [ˈkrɛʃpu, a] adj (cabelo) curly

cretinice [kretʃiˈnisi] f stupidity; (ato, dito) stupid thing

cretino [kreˈtʃinu] m cretin, imbecile

cria [ˈkria] f (animal: sg) baby animal; (: pl) young pl

criação [krjaˈsãw] (pl **-ões**) f creation; (de animais) raising, breeding; (educação) upbringing; (animais domésticos) livestock pl; **filho de ~** adopted child

criado, -a [ˈkrjadu, a] m/f servant

criador, a [krjaˈdo*, a] m/f creator; **~ de gado** cattle breeder

criança [ˈkrjãsa] adj childish ♦ f child; **criançada** [krjãˈsada] f: **a criançada** the kids

criar [krja*] vt to create; (crianças) to bring up; (animais) to raise; (amamentar) to suckle, nurse; (planta) to grow; **criar-se** vr: **~-se (com)** to grow up (with); **criar caso** to make trouble

criatura [kriaˈtura] f creature; (indivíduo) individual

crime [ˈkrimi] m crime; **criminal** [krimiˈnaw] (pl **-ais**) adj criminal; **criminalidade** [kriminaliˈdadʒi] f crime; **criminoso, -a** [krimiˈnozu, ɔza] adj, m/f criminal

crina [ˈkrina] f mane

crioulo, -a [ˈkrjolu, a] adj creole ♦ m/f creole; (BR: negro) Black (person)

crise [ˈkrizi] f crisis; (escassez) shortage; (MED) attack, fit

crista [ˈkriʃta] f (de serra, onda) crest; (de galo) cock's comb

cristal [kriʃˈtaw] (pl **-ais**) m crystal; (vidro) glass; **cristais** mpl (copos) glassware sg; **cristalino, -a** [kriʃtaˈlinu, a] adj crystal-clear

cristão, -tã [kriʃˈtãw, tã] (pl **-s**, **~s**) adj, m/f Christian

cristianismo [kriʃtʃjaˈniʒmu] m Christianity

Cristo [ˈkriʃtu] m Christ

critério [kriˈtɛrju] m criterion; (juízo) discretion, judgement; **criterioso, -a** [kriteˈrjozu, ɔza] adj thoughtful, careful

crítica [ˈkritʃika] f criticism; V tb **crítico**

criticar [kritʃiˈka*] vt to criticize; (um livro) to review

crítico, -a [ˈkritʃiku, a] adj critical ♦ m/f critic

crivar [kriˈva*] vt (com balas etc) to riddle

crivo [ˈkrivu] m sieve

crocante [kroˈkãtʃi] adj crunchy

crônica [ˈkronika] f chronicle; (coluna de jornal) newspaper column; (texto jornalístico) feature; (conto) short story

crônico, -a [ˈkroniku, a] adj chronic

cronológico, -a [kronoˈlɔʒiku, a] adj chronological

cronômetro [kroˈnometru] m stopwatch

croquete [kroˈkɛtʃi] m croquette

cru, a [kru, ˈkrua] adj raw; (não refinado) crude

crucial [kruˈsjaw] (pl **-ais**) adj crucial

crucificação [krusifikaˈsãw] (pl **-ões**) f crucifixion

crucificar [krusifiˈka*] vt to crucify

crucifixo [krusiˈfiksu] m crucifix

cruel [kruˈɛw] (pl **-éis**) adj cruel; **crueldade** [kruewˈdadʒi] f cruelty

cruz [kruʒ] f cross; **C~ Vermelha** Red Cross

cruzado, -a [kruˈzadu, a] adj crossed ♦ m (moeda) cruzado

cruzamento [kruzaˈmẽtu] m crossroads

cruzar [kruˈza*] vt to cross ♦ vi (NÁUT) to cruise; (pessoas) to pass each other by; **~ com** to meet

cruzeiro [kruˈzejru] m (cruz) (monumental) cross; (moeda) cruzeiro; (viagem de navio) cruise

cu [ku] (col!) m arse (!); **vai tomar no ~** fuck off (!)

Cuba [ˈkuba] f Cuba

cubo [ˈkubu] m cube; (de roda) hub

cubro etc [ˈkubru] vb V **cobrir**

cuca [ˈkuka] (col) f head; **fundir a ~** (quebrar a cabeça) to rack one's brain; (baratinar) to boggle the mind; (perturbar) to drive crazy

cuco [ˈkuku] m cuckoo

cueca [ˈkwɛka] f (BR: tb: **~s**: para homens) underpants pl; **~s** fpl (PT) underpants pl; (: para mulheres) panties pl

cuíca [ˈkwika] f kind of musical instrument

cuidado [kwiˈdadu] m care; **aos ~s de** in the care of; **ter ~** to be careful; **~!** watch out!, be careful!; **tomar ~ (de)** to be careful (of); **cuidadoso, -a** [kwidaˈdozu, ɔza] adj careful

cuidar [kwiˈda*] vi: **~ de** to take care of, look after; **cuidar-se** vr to look after o.s.

cujo, -a [ˈkuʒu, a] pron (de quem) whose; (de que) of which

culinária [kuli'narja] f cookery
culpa ['kuwpa] f fault; (JUR) guilt; **ter ~ de** to be to blame for; **por ~ de** because of; **culpado, -a** [kuw'padu, a] adj guilty ♦ m/f culprit; **culpar** [kuw'pa*] vt to blame; (acusar) to accuse; **culpar-se** vr to take the blame; **culpável** [kuw'pavew] (pl **-eis**) adj guilty
cultivar [kuwtʃi'va*] vt to cultivate; (plantas) to grow; **cultivo** [kuw'tʃivu] m cultivation
culto, -a ['kuwtu, a] adj cultured ♦ m (homenagem) worship; (religião) cult
cultura [kuw'tura] f culture; (da terra) cultivation; **cultural** [kuwtu'raw] (pl **culturais**) adj cultural
cume ['kumi] m top, summit; (fig) climax
cúmplice ['kũplisi] m/f accomplice
cumprimentar [kũprimẽ'ta*] vt to greet; (dar parabéns) to congratulate
cumprimento [kũpri'mẽtu] m fulfilment; (saudação) greeting; (elogio) compliment; **~s** mpl (saudações) best wishes; **~ de uma lei/ordem** compliance with a law/an order
cumprir [kũ'pri*] vt (desempenhar) to carry out; (promessa) to keep; (lei) to obey; (pena) to serve ♦ vi to be necessary; **~ a palavra** to keep one's word; **fazer ~** to enforce
cúmulo ['kumulu] m height; **é o ~!** that's the limit!
cunha ['kuɲa] f wedge
cunhado, -a [ku'ɲadu, a] m/f brother-in-law/sister-in-law
cunho ['kuɲu] m (marca) hallmark; (caráter) nature
cupim [ku'pĩ] (pl **-ns**) m termite
cupins [ku'pĩʃ] mpl de **cupim**
cúpula ['kupula] f dome; (de abajur) shade; (de partido etc) leadership; **(reunião de) ~** summit (meeting)
cura ['kura] f cure; (tratamento) treatment; (de carnes etc) curing, preservation ♦ m priest
curar [ku'ra*] vt (doença, carne) to cure; (ferida) to treat; **curar-se** vr to get well
curativo [kura'tʃivu] m dressing
curiosidade [kurjozi'dadʒi] f curiosity; (objeto raro) curio
curioso, -a [ku'rjozu, ɔza] adj curious ♦ m/f snooper, inquisitive person; **~s** mpl (espectadores) onlookers
curral [ku'xaw] (pl **-ais**) m pen, enclosure
currículo [ku'xikulu] m (curriculum) curriculum vitae
cursar [kux'sa*] vt (aulas, escola) to attend; (cursos) to follow; **ele está cursando História** he's studying ou doing history
curso ['kuxsu] m course; (direção) direction; **em ~** (ano etc) current; (processo) in progress
cursor [kux'so*] m (COMPUT) cursor
curtição [kuxtʃi'sãw] (col) f fun
curtir [kux'tʃi*] vt (couro) to tan; (tornar rijo) to toughen up; (padecer) to suffer, endure; (col) to enjoy
curto, -a ['kuxtu, a] adj short ♦ m (ELET) short (circuit); **curto-circuito** (pl **curtos-circuitos**) m short circuit
curva ['kuxva] f curve; (de estrada, rio) bend; **~ fechada** hairpin bend
curvo, -a ['kuxvu, a] adj curved; (estrada) winding
cuscuz [kuʃ'kuʒ] m couscous
cuspe ['kuʃpi] m spit, spittle
cuspir [kuʃ'pi*] vt, vi to spit
custa ['kuʃta] f: **à ~ de** at the expense of; **~s** fpl (JUR) costs
custar [kuʃ'ta*] vi to cost; (ser difícil): **~ a fazer** to have trouble doing; (demorar): **~ a fazer** to take a long time to do; **~ caro** to be expensive
custo ['kuʃtu] m cost; **a ~** with difficulty; **a todo ~** at all costs
cutelo [ku'tɛlu] m cleaver
cutícula [ku'tʃikula] f cuticle
cutucar [kutu'ka*] vt (com o dedo) to prod, poke; (com o cotovelo) to nudge

D d

D abr = **Dom**; **Dona**; (= direito) r; (= deve) d
d/ abr = **dia**
da [da] = **de** + **a**
dá [da] vb V **dar**
dactilografar etc [datilogra'fa*] (PT) = **datilografar** etc
dádiva ['dadʒiva] f donation; (oferta) gift
dado, -a ['dadu, a] adj given; (sociável) sociable ♦ m (em jogo) die; (fato) fact; **~s** mpl dice; (fatos, COMPUT) data sg; **~ que** supposing that; (uma vez que) given that
daí [da'ji] adv = **de** + **aí** (desse lugar) from there; (desse momento) from then; **~ a um mês** a month later
dali [da'li] adv = **de** + **ali** (desse lugar) from there
daltônico, -a [daw'toniku, a] adj colour-blind (BRIT), color-blind (US)
dama ['dama] f lady; (XADREZ, CARTAS)

damasco → debaixo

queen; **~s** fpl (jogo) draughts (BRIT), checkers (US); **~ de honra** bridesmaid
damasco [da'maʃku] m apricot
danado, -a [da'nadu, a] adj damned; (zangado) furious; (menino) mischievous
dança ['dãsa] f dance; **dançar** [dã'sa*] vi to dance
danificar [danifi'ka*] vt to damage
dano ['danu] m (tb: **~s**) damage, harm; (a uma pessoa) injury
dantes ['dãtʃiʃ] adv before, formerly
daquele, -a [da'kɛli, a] = **de** + **aquele/a**
daqui [da'ki] adv = **de** + **aqui** (deste lugar) from here; **~ a pouco** soon, in a little while; **~ a uma semana** a week from now; **~ em diante** from now on
daquilo [da'kilu] = **de** + **aquilo**

PALAVRA CHAVE
---

dar [da*] vt

1 (ger) to give; (festa) to hold; (problemas) to cause; **~ algo a alguém** to give sb sth, give sth to sb; **~ de beber a alguém** to give sb a drink; **~ aula de francês** to teach French

2 (produzir: fruta etc) to produce

3 (notícias no jornal) to publish

4 (cartas) to deal

5 (+ n: perífrase de vb): **me dá medo/pena** it frightens/upsets me

♦ vi

1: **~ com** (coisa) to find; (pessoa) to meet

2: **~ em** (bater) to hit; (resultar) to lead to; (lugar) to come to

3: **dá no mesmo** it's all the same

4: **~ de si** (sapatos etc) to stretch, give

5: **~ para** (impess: ser possível): **dá para trocar dinheiro aqui?** can I change money here?; **vai ~ para eu ir amanhã** I'll be able to go tomorrow; **dá para você vir amanhã – não, amanhã não vai ~** can you come tomorrow? – no, I can't

6: **~ para** (ser suficiente): **~ para/para fazer** to be enough for/to do; **dá para todo mundo?** is there enough for everyone?

♦ **dar-se** vr

1 (sair-se): **~-se bem/mal** to do well/badly

2: **~-se (com alguém)** to be acquainted (with sb); **~-se bem (com alguém)** to get on well (with sb)

3: **~-se por vencido** to give up

---

das [daʃ] = **de** + **as**
data ['data] f date; (época) time; **~ de validade** best before date; **datar** [da'ta*] vt to date ♦ vi: **datar de** to date from
datilografar [datʃilogra'fa*] vt to type; **datilografia** [datʃilogra'fia] f typing; **datilógrafo, -a** [datʃi'lɔgrafu, a] m/f typist (BRIT), stenographer (US)
d.C. abr (= depois de Cristo) A.D.
DDD abr (= discagem direta à distância) STD (BRIT), direct dialling
DDI abr (= discagem direta internacional) IDD, international direct call

---
PALAVRA CHAVE
---

de [dʒi] (de + o(s)/a(s) = do(s)/da(s); + ele(s)/a(s) = dele(s)/a(s); + esse(s)/a(s) = desse(s)/a(s); + isso = disso; + este(s)/a(s) = deste(s)/a(s); + isto = disto; + aquele(s)/a(s) = daquele(s)/ a(s); + aquilo = daquilo) prep

1 (posse) of; **a casa ~ João/da irmã** João's/my sister's house; **é dele** it's his; **um romance ~** a novel by

2 (origem, distância, com números) from; **sou ~ São Paulo** I'm from São Paulo; **~ 8 a 20** from 8 to 20; **sair do cinema** to leave the cinema; **~ dois em dois** two by two, two at a time

3 (valor descritivo): **um copo ~ vinho** a glass of wine; **um homem ~ cabelo comprido** a man with long hair; **o infeliz do homem** (col) the poor man; **um bilhete ~ avião** an air ticket; **uma criança ~ três anos** a three-year-old (child); **uma máquina ~ costurar** a sewing machine; **aulas ~ inglês** English lessons; **feito ~ madeira** made of wood; **vestido ~ branco** dressed in white

4 (modo): **~ trem/avião** by train/plane; **~ lado** sideways

5 (hora, tempo): **às 8 da manhã** at 8 o'clock in the morning; **~ dia/noite** by day/night; **~ hoje a oito dias** a week from now; **~ dois em dois dias** every other day

6 (comparações): **mais/menos ~ cem pessoas** more/less than a hundred people; **é o mais caro da loja** it's the most expensive in the shop; **ela é mais bonita do que sua irmã** she's prettier than her sister; **gastei mais do que pretendia** I spent more than I intended

7 (causa): **estou morto ~ calor** I'm boiling hot; **ela morreu ~ câncer** she died of cancer

8 (adj + ~ + infin): **fácil ~ entender** easy to understand

---

dê etc [de] vb V **dar**
debaixo [de'bajʃu] adv below, underneath ♦ prep: **~ de** under, beneath

debate [de'batʃi] *m* discussion, debate; (*disputa*) argument; **debater** [deba'te*] *vt* to debate; (*discutir*) to discuss; **debater-se** *vr* to struggle

débeis ['dɛbejʃ] *pl de* **débil**

débil ['dɛbiw] (*pl* **-eis**) *adj* weak, feeble ♦ *m*: ~ **mental** mentally handicapped person; **debilidade** [debili'dadʒi] *f* weakness; **debilidade mental** mental handicap; **debilitar** [debili'ta*] *vt* to weaken; **debilitar-se** *vr* to become weak, weaken; **debilóide** [debi'lɔjdʒi] (*col*) *adj* idiotic ♦ *m/f* idiot

debitar [debi'ta*] *vt*: ~ **$40 à** *ou* **na conta de alguém** to debit $40 to sb's account; **débito** ['dɛbitu] *m* debit

debochado, -a [debo'ʃadu, a] *adj* (*pessoa*) sardonic; (*jeito, tom*) mocking

década ['dɛkada] *f* decade

decadência [deka'dẽsja] *f* decadence

decair [deka'i*] *vi* to decline

decapitar [dekapi'ta*] *vt* to behead, decapitate

decente [de'sẽtʃi] *adj* decent; (*apropriado*) proper; (*honrado*) honourable (*BRIT*), honorable (*US*); (*trabalho*) neat; **decentemente** [desẽtʃi'mẽtʃi] *adv* decently; properly; hono(u)rably

decepção [desep'sãw] (*pl* **-ões**) *f* disappointment; **decepcionar** [desepsjo'na*] *vt* to disappoint; (*desiludir*) to disillusion; **decepcionar-se** *vr* to be disappointed; to be disillusioned

decidido, -a [desi'dʒidu, a] *adj* (*pessoa*) determined; (*questão*) resolved

decidir [desi'dʒi*] *vt* to decide; (*solucionar*) to resolve; **decidir-se** *vr*: ~-**se a** to make up one's mind to; ~-**se por** to decide on, go for

decifrar [desi'fra*] *vt* to decipher; (*futuro*) to foretell; (*compreender*) to understand

decimal [desi'maw] (*pl* **-ais**) *adj, m* decimal

décimo, -a ['dɛsimu, a] *adj* tenth ♦ *m* tenth

decisão [desi'zãw] (*pl* **-ões**) *f* decision; **decisivo, -a** [desi'zivu, a] *adj* (*fator*) decisive; (*jogo*) deciding

declaração [deklara'sãw] (*pl* **-ões**) *f* declaration; (*depoimento*) statement

declarado, -a [dekla'radu, a] *adj* (*intenção*) declared; (*opinião*) professed; (*inimigo*) sworn; (*alcoólatra*) self-confessed; (*cristão etc*) avowed

declarar [dekla'ra*] *vt* to declare; (*confessar*) to confess

declinar [dekli'na*] *vt* (*ger*) to decline ♦ *vi* (*sol*) to go down; (*terreno*) to slope down; **declínio** [de'klinju] *m* decline

declive [de'klivi] *m* slope, incline

decolagem [deko'laʒẽ] (*pl* **-ns**) *f* (*AER*) take-off

decolar [deko'la*] *vi* (*AER*) to take off

decompor [dekõ'po*] (*irreg: como* **pôr**) *vt* to analyse; (*apodrecer*) to rot; **decompor-se** *vr* to rot, decompose

decomposição [dekõpozi'sãw] (*pl* **-ões**) *f* decomposition; (*análise*) dissection

decoração [dekora'sãw] *f* decoration; (*TEATRO*) scenery

decorar [deko'ra*] *vt* to decorate; (*aprender*) to learn by heart; **decorativo, -a** [dekora'tʃivu, a] *adj* decorative

decoro [de'koru] *m* decency; (*dignidade*) decorum

decorrente [deko'xẽtʃi] *adj*: ~ **de** resulting from

decorrer [deko'xe*] *vi* (*tempo*) to pass; (*acontecer*) to take place, happen ♦ *m*: **no** ~ **de** in the course of; ~ **de** to result from

decrescer [dekre'se*] *vi* to decrease, diminish

decretar [dekre'ta*] *vt* to decree, order; **decreto** [de'krɛtu] *m* decree, order; **decreto-lei** (*pl* **decretos-leis**) *m* act, law

dedal [de'daw] (*pl* **-ais**) *m* thimble

dedetizar [dedetʃi'za*] *vt* to spray with insecticide

dedicação [dedʒika'sãw] *f* dedication; (*devotamento*) devotion

dedicar [dedʒi'ka*] *vt* to dedicate; (*tempo, atenção*) to devote; **dedicar-se** *vr*: ~-**se a** to devote o.s. to; **dedicatória** [dedʒika'tɔrja] *f* (*de obra*) dedication

dedo ['dedu] *m* finger; (*do pé*) toe; ~ **anular/indicador/mínimo** *ou* **mindinho** ring/index/little finger; ~ **polegar** thumb

dedução [dedu'sãw] (*pl* **-ões**) *f* deduction

deduzir [dedu'zi*] *vt* to deduct; (*concluir*) to deduce, infer

defasagem [defa'zaʒẽ] (*pl* **-ns**) *f* discrepancy

defeito [de'fejtu] *m* defect, flaw; **pôr ~s em** to find fault with; **com ~** broken, out of order; **para ninguém botar ~** (*col*) perfect; **defeituoso, -a** [defej'twozu, ɔza] *adj* defective, faulty

defender [defẽ'de*] *vt* to defend; **defender-se** *vr* to stand up for o.s.; (*numa língua*) to get by

defensiva [defẽ'siva] *f*: **estar** *ou* **ficar na**

defensor → delírio

~ to be on the defensive

defensor, a [defẽ'so*, a] m/f defender; (JUR) defending counsel

defesa [de'feza] f defence (BRIT), defense (US); (JUR) counsel for the defence ♦ m (FUTEBOL) back

deficiente [defi'sjẽtʃi] adj (imperfeito) defective; (carente): **~ (em)** deficient (in)

déficit ['defisitʃi] (pl **~s**) m deficit

definição [defini'sãw] (pl **-ões**) f definition

definir [defi'ni*] vt to define; **definir-se** vr to make a decision; (explicar-se) to make one's position clear; **~-se a favor de/contra algo** to come out in favo(u)r of/against sth

definitivamente [definitʃiva'mẽtʃi] adv definitively; (permanentemente) for good; (sem dúvida) definitely

definitivo, -a [defini'tʃivu, a] adj final, definitive; (permanente) permanent; (resposta, data) definite

deformação [defoxma'sãw] (pl **-ões**) f loss of shape; (de corpo) deformation; (de imagem, pensamento) distortion

deformar [defox'ma*] vt to put out of shape; (corpo) to deform; (imagem, pensamento) to distort; **deformar-se** vr to lose shape; to be deformed; to become distorted

defronte [de'frõtʃi] adv opposite ♦ prep: **~ de** opposite

defumar [defu'ma*] vt (presunto) to smoke; (perfumar) to perfume

defunto, -a [de'fũtu, a] adj dead ♦ m/f dead person

degelar [deʒe'la*] vt to thaw; (geladeira) to defrost ♦ vi to thaw out; to defrost

degenerar [deʒene'ra*] vi: **~ (em)** to degenerate (into)

degolar [dego'la*] vt to decapitate

degradar [degra'da*] vt to degrade, debase; **degradar-se** vr to demean o.s.

degrau [de'graw] m step; (de escada de mão) rung

degustação [deguʃta'sãw] (pl **-ões**) f tasting, sampling; (saborear) savouring (BRIT), savoring (US)

degustar [deguʃ'ta*] vt (provar) to taste; (saborear) to savour (BRIT), savor (US)

dei etc [dej] vb V **dar**

deitada [dej'tada] (col) f: **dar uma ~** to have a lie-down

deitado, -a [dej'tadu, a] adj (estendido) lying down; (na cama) in bed

deitar [dej'ta*] vt to lay down; (na cama) to put to bed; (colocar) to put, place; (lançar) to cast; (PT: líquido) to pour;

deitar-se vr to lie down; to go to bed; **~ sangue** (PT) to bleed; **~ abaixo** to knock down, flatten; **~ a fazer algo** to start doing sth; **~ uma carta** (PT) to post a letter; **~ fora** (PT) to throw away ou out; **~ e rolar** (col) to do as one likes

deixa ['dejʃa] f clue, hint; (TEATRO) cue; (chance) chance

deixar [dej'ʃa*] vt to leave; (abandonar) to abandon; (permitir) to let, allow ♦ vi: **~ de** (parar) to stop; (não fazer) to fail to; **não posso ~ de ir** I must go; **~ cair** to drop; **~ alguém louco** to drive sb crazy ou mad; **~ alguém cansado/nervoso** etc to make sb tired/nervous etc; **deixa disso!** (col) come off it!; **deixa para lá!** (col) forget it!

dela ['dɛla] = **de** + **ela**

delatar [dela'ta*] vt (pessoa) to inform on; (abusos) to reveal; (à polícia) to report; **delator, a** [dela'to*, a] m/f informer

dele ['deli] = **de** + **ele**

delegacia [delega'sia] f office; **~ de polícia** police station

delegado, -a [dele'gadu, a] m/f delegate, representative; **~ de polícia** police chief

delegar [dele'ga*] vt to delegate

deleitar [delej'ta*] vt to delight; **deleitar-se** vr: **~-se com** to delight in

delgado, -a [dew'gadu, a] adj thin; (esbelto) slim; (fino) fine

deliberação [delibera'sãw] (pl **-ões**) f deliberation; (decisão) decision

deliberar [delibe'ra*] vt to decide, resolve ♦ vi to deliberate

delicadeza [delika'deza] f delicacy; (cortesia) kindness

delicado, -a [deli'kadu, a] adj delicate; (frágil) fragile; (cortês) polite; (sensível) sensitive

delícia [de'lisja] f delight; (prazer) pleasure; **que ~!** how lovely!; **deliciar** [deli'sja*] vt to delight; **deliciar-se** vr: **deliciar-se com algo** to take delight in sth

delicioso, -a [deli'sjozu, ɔza] adj lovely; (comida, bebida) delicious

delinear [deli'nja*] vt to outline

delinqüente [delĩ'kwẽtʃi] adj, m/f delinquent, criminal

delirante [deli'rãtʃi] adj delirious; (show, atuação) thrilling

delirar [deli'ra*] vi (com febre) to be delirious; (de ódio, prazer) to go mad, go wild

delírio [de'lirju] m (MED) delirium; (êxtase) ecstasy; (excitação) excitement

delito → depor

delito [de'litu] m (crime) crime; (falta) offence (BRIT), offense (US)

demais [dʒi'majʃ] adv (em demasia) too much; (muitíssimo) a lot, very much ♦ pron: **os/as ~** the rest (of them); **já é ~!** this is too much!; **é bom ~** it's really good; **foi ~** (col: bacana) it was great

demanda [de'mãda] f lawsuit; (disputa) claim; (requisição) request; (ECON) demand; **em ~ de** in search of; **demandar** [demã'da*] vt (JUR) to sue; (exigir, reclamar) to demand

demasia [dema'zia] f excess, surplus; (imoderação) lack of moderation; **em ~** (dinheiro, comida etc) too much; (cartas, problemas etc) too many

demasiadamente [demazjada'metʃi] adv too much; (com adj) too

demasiado, -a [dema'zjadu, a] adj too much; (pl) too many ♦ adv too much; (com adj) too

demente [de'metʃi] adj insane, demented

demissão [demi'sãw] (pl -ões) f dismissal; **pedir ~** to resign

demitir [demi'tʃi*] vt to dismiss; (col) to sack, fire; **demitir-se** vr to resign

democracia [demokra'sia] f democracy

democrático, -a [demo'kratʃiku, a] adj democratic

demolir [demo'li*] vt to demolish, knock down; (fig) to destroy

demônio [de'monju] m devil, demon; (col: criança) brat

demonstração [demõʃtra'sãw] (pl -ões) f demonstration; (de amizade) show, display; (prova) proof

demonstrar [demõʃ'tra*] vt to demonstrate; (provar) to prove; (amizade etc) to show

demora [de'mɔra] f delay; (parada) stop; **sem ~** at once, without delay; **qual é a ~ disso?** how long will this take?; **demorado, -a** [demo'radu, a] adj slow; **demorar** [demo'ra*] vt to delay, slow down ♦ vi (permanecer) to stay; (tardar a vir) to be late; (conserto) to take (a long) time; **demorar-se** vr to stay for a long time, linger; **demorar a chegar** to be a long time coming; **vai demorar muito?** will it take long?; **não vou demorar** I won't be long

dendê [dẽ'de] m (CULIN: óleo) palm oil; (BOT) oil palm

dengoso, -a [dẽ'gozu, ɔza] adj coy; (criança: choramingento): **ser ~** to be a crybaby

dengue ['dẽgi] m (MED) dengue

denominar [denomi'na*] vt: **~ algo/alguém ...** to call sth/sb ...; **denominar-se** vr to be called; (a si mesmo) to call o.s.

denotar [deno'ta*] vt (indicar) to show, indicate; (significar) to signify

densidade [dẽsi'dadʒi] f density; **disco de ~ simples/dupla** (COMPUT) single-/double-density disk

denso, -a [dẽsu, a] adj dense; (espesso) thick; (compacto) compact

dentada [dẽ'tada] f bite

dentadura [dẽta'dura] f teeth pl, set of teeth; (artificial) dentures pl

dente ['dẽtʃi] m tooth; (de animal) fang; (de elefante) tusk; (de alho) clove; **falar entre os ~s** to mutter, mumble; **~ de leite/do siso** milk/wisdom tooth; **~s postiços** false teeth

dentista [dẽ'tʃiʃta] m/f dentist

dentre ['dẽtri] prep (from) among

dentro ['dẽtru] adv inside ♦ prep: **~ de** inside; (tempo) (with)in; **~ em pouco** ou **em breve** soon, before long; **de ~ para fora** inside out; **dar uma ~** (col) to get it right; **aí ~** in there; **por ~** on the inside; **estar por ~** (col: fig) to be in the know

denúncia [de'nũsja] f denunciation; (acusação) accusation; (de roubo) report; **denunciar** [denũ'sja*] vt (acusar) to denounce; (delatar) to inform on; (revelar) to reveal

deparar [depa'ra*] vt to reveal; (fazer aparecer) to present ♦ vi: **~ com** to come across, meet; **deparar-se** vr: **~-se com** to come across, meet

departamento [depaxta'mẽtu] m department

dependência [depẽ'dẽsja] f dependence; (edificação) annexe (BRIT), annex (US); (colonial) dependency; (cômodo) room

dependente [depẽ'dẽtʃi] m/f dependant

depender [depẽ'de*] vi: **~ de** to depend on

depilar [depi'la*] vt (pernas) to wax; **depilatório** [depila'tɔrju] m hair-remover

deplorável [deplo'ravew] (pl -eis) adj deplorable; (lamentável) regrettable

depoimento [depoj'mẽtu] m testimony, evidence; (na polícia) statement

depois [de'pojʃ] adv afterwards ♦ prep: **~ de** after; **~ de comer** after eating; **~ que** after

depor [de'po*] (irreg: como **pôr**) vt (pôr) to place; (indicar) to indicate; (rei) to depose; (governo) to overthrow ♦ vi (JUR) to testify, give evidence; (na polícia) to

depositar → desalentar

give a statement

depositar [depozi'ta*] vt to deposit; (voto) to cast; (colocar) to place

depósito [de'pɔzitu] m deposit; (armazém) warehouse, depot; (de lixo) dump; (reservatório) tank; **~ de bagagens** left-luggage office (BRIT), checkroom (US)

depreciação [depresja'sãw] f depreciation

depreciar [depre'sja*] vt (desvalorizar) to devalue; (COM) to write down; (menosprezar) to belittle; **depreciar-se** vr to depreciate, lose value

depredar [depre'da*] vt to wreck

depressa [dʒi'prɛsa] adv fast, quickly; **vamos ~** let's get a move on!

depressão [depre'sãw] (pl **-ões**) f depression

deprimente [depri'mẽtʃi] adj depressing

deprimido, -a [depri'midu, a] adj depressed

deprimir [depri'mi*] vt to depress; **deprimir-se** vr to get depressed

deputado, -a [depu'tadu, a] m/f deputy; (agente) agent; (POL) **~** Member of Parliament (BRIT), **~** Representative (US)

der etc [de*] vb V **dar**

deriva [de'riva] f drift; **ir à ~** to drift; **ficar à ~** to be adrift

derivar [deri'va*] vt to divert; (LING) to derive ♦ vi to drift; **derivar-se** vr to be derived; (ir à deriva) to drift; (provir): **~(-se) (de)** to derive ou be derived (from)

derradeiro, -a [dexa'dejru, a] adj last, final

derramamento [dexama'mẽtu] m spilling; (de sangue, lágrimas) shedding

derramar [dexa'ma*] vt to spill; (entornar) to pour; (sangue, lágrimas) to shed; **derramar-se** vr to pour out

derrame [de'xami] m haemorrhage (BRIT), hemorrhage (US)

derrapar [dexa'pa*] vi to skid

derreter [dexe'te*] vt to melt; **derreter-se** vr to melt; (coisa congelada) to thaw; (enternecer-se) to be touched

derrota [de'xɔta] f defeat, rout; (NÁUT) route; **derrotar** [dexo'ta*] vt (vencer) to defeat; (em jogo) to beat

derrubar [dexu'ba*] vt to knock down; (governo) to bring down; (suj: doença) to lay low; (col: prejudicar) to put down

desabafar [dʒizaba'fa*] vt (sentimentos) to give vent to ♦ vi: **~ (com)** to unburden o.s. (to); **desabafar-se** vr: **~-se (com)** to unburden o.s.; **desabafo** [dʒiza'bafu] m confession

desabamento [dʒizaba'mẽtu] m collapse

desabar [dʒiza'ba*] vi (edifício, ponte) to collapse; (chuva) to pour down; (tempestade) to break

desabitado, -a [dʒizabi'tadu, a] adj uninhabited

desabotoar [dʒizabo'twa*] vt to unbutton

desabrigado, -a [dʒizabri'gadu, a] adj (sem casa) homeless; (exposto) exposed

desabrochar [dʒizabro'ʃa*] vi (flores, fig) to blossom

desacatar [dʒizaka'ta*] vt (desrespeitar) to have ou show no respect for; (afrontar) to defy; (desprezar) to scorn; **desacato** [dʒiza'katu] m disrespect; (desprezo) disregard

desacompanhado, -a [dʒizakõpa'ɲadu, a] adj on one's own, alone

desaconselhar [dʒizakõse'ʎa*] vt: **~ algo (a alguém)** to advise (sb) against sth

desacordado, -a [dʒizakox'dadu, a] adj unconscious

desacordo [dʒiza'koxdu] m disagreement; (desarmonia) discord

desacostumado, -a [dʒizakoʃtu'madu, a] adj: **~ (a)** unaccustomed (to)

desacreditar [dʒizakredʒi'ta*] vt to discredit; **desacreditar-se** vr to lose one's reputation

desafiador, a [dʒizafja'do*, a] adj challenging; (pessoa) defiant ♦ m/f challenger

desafiar [dʒiza'fja*] vt to challenge; (afrontar) to defy

desafinado, -a [dʒizafi'nadu, a] adj out of tune

desafio [dʒiza'fiu] m challenge; (PT: ESPORTE) match, game

desaforado, -a [dʒizafo'radu, a] adj rude, insolent

desaforo [dʒiza'foru] m insolence, abuse

desafortunado, -a [dʒizafoxtu'nadu, a] adj unfortunate, unlucky

desagradar [dʒizagra'da*] vt to displease ♦ vi: **~ a alguém** to displease sb; **desagradável** [dʒizagra'davew] (pl **-eis**) adj unpleasant; **desagrado** [dʒiza'gradu] m displeasure

desaguar [dʒiza'gwa*] vt to drain ♦ vi: **~ (em)** to flow ou empty (into)

desajeitado, -a [dʒizaʒej'tadu, a] adj clumsy, awkward

desalentado, -a [dʒizalẽ'tadu, a] adj disheartened

desalentar [dʒizalẽ'ta*] vt to discourage; (deprimir) to depress; **desalento** [dʒiza'lẽtu] m discouragement

desalinhado → descansado

desalinhado, -a [dʒizali'ɲadu, a] *adj* untidy

desalinho [dʒizali'ɲu] *m* untidiness

desalmado, -a [dʒizaw'madu, a] *adj* cruel, inhuman

desalojar [dʒizalo'ʒa*] *vt* (*expulsar*) to oust; **desalojar-se** *vr* to move out

desamarrar [dʒizama'xa*] *vt* to untie ♦ *vi* (NÁUT) to cast off

desamor [dʒiza'mo*] *m* dislike

desamparado, -a [dʒizãpa'radu, a] *adj* abandoned; (*sem apoio*) helpless

desanimação [dʒizanima'sãw] *f* dejection

desanimado, -a [dʒizani'madu, a] *adj* (*pessoa*) fed up, dispirited; (*festa*) dull; **ser ~** (*pessoa*) to be apathetic

desanimar [dʒizani'ma*] *vt* to dishearten; (*desencorajar*): **~ (de fazer)** to discourage (from doing) ♦ *vi* to lose heart; to be discouraging; **~ de fazer algo** to lose the will to do sth; (*desistir*) to give up doing sth

desanuviar [dʒizanu'vja*] *vt* (*céu*) to clear; **desanuviar-se** *vr* to clear; (*fig*) to stop; **desanuviar alguém** to put sb's mind at rest

desaparafusar [dʒizaparafu'za*] *vt* to unscrew

desaparecer [dʒizapare'se*] *vi* to disappear, vanish; **desaparecido, -a** [dʒizapare'sidu, a] *adj* lost, missing ♦ *m/f* missing person; **desaparecimento** [dʒizaparesi'mẽtu] *m* disappearance; (*falecimento*) death

desapego [dʒiza'pegu] *m* indifference, detachment

desapercebido, -a [dʒizapexse'bidu, a] *adj* unnoticed

desapertar [dʒizapex'ta*] *vt* to loosen; (*livrar*) to free

desapontamento [dʒizapõta'mẽtu] *m* disappointment

desapontar [dʒizapõ'ta*] *vt* to disappoint

desapropriar [dʒizapro'prja*] *vt* (*bens*) to expropriate; (*pessoa*) to dispossess

desaprovar [dʒizapro'va*] *vt* to disapprove of; (*censurar*) to object to

desarmamento [dʒizaxma'mẽtu] *m* disarmament

desarmar [dʒizax'ma*] *vt* to disarm; (*desmontar*) to dismantle; (*bomba*) to defuse

desarmonia [dʒizaxmo'nia] *f* discord

desaranjo [dʒiza'xãʒu] *m* disorder; (*enguiço*) breakdown; (*diarréia*) diarrhoea (BRIT), diarrhea (US)

desarrumado, -a [dʒizaxu'madu, a] *adj* untidy, messy

desarrumar [dʒizaxu'ma*] *vt* to mess up; (*mala*) to unpack

desassossego [dʒizaso'segu] *m* (*inquietação*) disquiet; (*perturbação*) restlessness

desastrado, -a [dʒizaʃ'tradu, a] *adj* clumsy

desastre [dʒi'zaʃtri] *m* disaster; (*acidente*) accident; (*de avião*) crash

desatar [dʒiza'ta*] *vt* (*nó*) to undo, untie ♦ *vi*: **~ a fazer** to begin to do; **~ a chorar** to burst into tears; **~ a rir** to burst out laughing

desatento, -a [dʒiza'tẽtu, a] *adj* inattentive

desatinado, -a [dʒizatʃi'nadu, a] *adj* crazy, wild ♦ *m/f* lunatic

desatino [dʒiza'tʃinu] *m* madness; (*ato*) folly

desativar [dʒizatʃi'va*] *vt* (*firma, usina*) to shut down; (*veículos*) to withdraw from service; (*bomba*) to deactivate, defuse

desatualizado, -a [dʒizatwali'zadu, a] *adj* out of date; (*pessoa*) out of touch

desavença [dʒiza'vẽsa] *f* (*briga*) quarrel; (*discórdia*) disagreement; **em ~** at loggerheads

desavergonhado, -a [dʒizavexgo'ɲadu, a] *adj* shameless

desavisado, -a [dʒizavi'zadu, a] *adj* careless

desbastar [dʒiʒbaʃ'ta*] *vt* (*cabelo, plantas*) to thin (out); (*vegetação*) to trim

desbocado, -a [dʒiʒbo'kadu, a] *adj* foul-mouthed

desbotar [dʒiʒbo'ta*] *vt* to discolour (BRIT), discolor (US) ♦ *vi* to fade

desbragadamente [dʒiʒbragada'mẽtʃi] *adv* (*beber*) to excess; (*mentir*) blatantly

desbravar [dʒiʒbra'va*] *vt* (*terras desconhecidas*) to explore

descabelar [dʒiʃkabe'la*] *vt*: **~ alguém** to mess up sb's hair; **descabelar-se** *vr* to get one's hair messed up

descabido, -a [dʒiʃka'bidu, a] *adj* improper; (*inoportuno*) inappropriate

descafeinado [dʒiʃkafej'nadu] *adj* decaffeinated ♦ *n* decaff

descalçar [dʒiʃkaw'sa*] *vt* (*sapatos*) to take off; **descalçar-se** *vr* to take off one's shoes

descalço, -a [dʒiʃ'kawsu, a] *adj* barefoot

descansado, -a [dʒiʃkã'sadu, a] *adj* calm, quiet; (*vagaroso*) slow; **fique ~** don't worry; **pode ficar ~ que ...** you can rest assured that ...

descansar → descontrolar-se

descansar [dʒiʃkã'sa*] vt to rest; (apoiar) to lean ♦ vi to rest; to lean; **descanso** [dʒiʃ'kãsu] m rest; (folga) break; (para prato) mat

descarado, -a [dʒiʃka'radu, a] adj cheeky, impudent

descaramento [dʒiʃkara'mẽtu] m cheek, impudence

descarga [dʒiʃ'kaxga] f unloading; (MIL) volley; (ELET) discharge; (de vaso sanitário): **dar a ~** to flush the toilet

descarregamento [dʒiʃkaxega'mẽtu] m (de carga) unloading; (ELET) discharge

descarregar [dʒiʃkaxe'ga*] vt (carga) to unload; (ELET) to discharge; (aliviar) to relieve; (raiva) to vent, give vent to; (arma) to fire ♦ vi to unload; (bateria) to run out; **~ a raiva em alguém** to take it out on sb

descartar [dʒiʃkax'ta*] vt to discard; **descartar-se** vr: **~-se de** to get rid of; **descartável** [dʒiʃkax'tavew] (pl -eis) disposable

descascar [dʒiʃkaʃ'ka*] vt (fruta) to peel; (ervilhas) to shell ♦ vi (depois do sol) to peel; (cobra) to shed its skin

descaso [dʒiʃ'kazu] m disregard

descendência [desẽ'dẽsja] f descendants pl, offspring pl

descendente [desẽ'dẽtʃi] adj descending, going down ♦ m/f descendant

descer [de'se*] vt (escada) to go (ou come) down; (bagagem) to take down ♦ vi (saltar) to get off; (baixar) to go (ou come) down; **descida** [de'sida] f descent; (declive) slope; (abaixamento) fall, drop

desclassificar [dʒiʃklasifi'ka*] vt to disqualify; (desacreditar) to discredit

descoberta [dʒiʃko'bexta] f discovery; (invenção) invention

descoberto, -a [dʒiʃko'bextu, a] pp de **descobrir** ♦ adj bare, naked; (exposto) exposed ♦ m overdraft; **a ~** openly; **conta a ~** overdrawn account; **pôr** ou **sacar a ~** (conta) to overdraw

descobridor, a [dʒiʃkobri'do*, a] m/f discoverer; (explorador) explorer

descobrimento [dʒiʃkobri'mẽtu] m discovery; **D~s** mpl: **os D~s** the Discoveries

descobrir [dʒiʃko'bri*] vt to discover; (tirar a cobertura de) to uncover; (panela) to take the lid off; (averiguar) to find out; (enigma) to solve

descolar [dʒiʃko'la*] vt to unstick ♦ vi: **a criança não descola da mãe** the child

won't leave his (ou her) mother's side

descolorante [dʒiʃkolo'rãtʃi] m bleach

descolorir [dʒiʃkolo'ri*] vt to discolour (BRIT), discolor (US); (cabelo) to bleach ♦ vi to fade

descompostura [dʒiʃkõpoʃ'tura] f (repreensão) dressing-down; (insulto) abuse; **passar uma ~ em alguém** to give sb a dressing-down; to hurl abuse at sb

descomunal [dʒiʃkomu'naw] (pl -ais) adj extraordinary; (colossal) huge, enormous

desconcentrar [dʒiʃkõsẽ'tra*] vt to distract; **desconcentrar-se** vr to lose one's concentration

desconexo, -a [dʒiʃko'nɛksu, a] adj (desunido) disconnected, unrelated; (incoerente) incoherent

desconfiado, -a [dʒiʃkõ'fjadu, a] adj suspicious, distrustful ♦ m/f suspicious person

desconfiança [dʒiʃkõ'fjãsa] f suspicion, distrust

desconfiar [dʒiʃkõ'fja*] vi to be suspicious; **~ de alguém** (não ter confiança em) to distrust sb; (suspeitar) to suspect sb; **~ que ...** to have the feeling that ...

desconfortável [dʒiʃkõfox'tavew] (pl -eis) adj uncomfortable

desconforto [dʒiʃkõ'foxtu] m discomfort

descongelar [dʒiʃkõʒe'la*] vt to thaw out; **descongelar-se** vr to melt

desconhecer [dʒiʃkoɲe'se*] vt (ignorar) not to know; (não reconhecer) not to recognize; (um benefício) not to acknowledge; (não admitir) not to accept; **desconhecido, -a** [dʒiʃkoɲe'sidu, a] adj unknown ♦ m/f stranger; **desconhecimento** [dʒiʃkoɲesi'mẽtu] m ignorance

desconsolado, -a [dʒiʃkõso'ladu, a] adj miserable, disconsolate

descontar [dʒiʃkõ'ta*] vt to deduct; (não levar em conta) to discount; (não fazer caso de) to make light of

descontentamento [dʒiʃkõtẽta'mẽtu] m discontent; (desprazer) displeasure

descontente [dʒiʃkõ'tẽtʃi] adj discontented, dissatisfied

desconto [dʒiʃ'kõtu] m discount; **com ~** at a discount; **dar um ~ (para)** (fig) to make allowances (for)

descontraído, -a [dʒiʃkõtra'idu, a] adj casual, relaxed

descontrair [dʒiʃkõtra'i*] vt to relax; **descontrair-se** vr to relax

descontrolar-se [dʒiʃkõtro'laxsi] vr (situação) to get out of control; (pessoa)

desconversar → desencadear

to lose one's self-control

desconversar [dʒiʃkõvex'sa*] vi to change the subject

descortesia [dʒiʃkoxte'zia] f rudeness, impoliteness

descoser [dʒiʃko'ze*] vt (descosturar) to unstitch; (rasgar) to rip apart; **descoser-se** vr to come apart at the seams

descrença [dʒiʃ'krẽsa] f disbelief, incredulity

descrente [dʒiʃ'krẽtʃi] adj sceptical (BRIT), skeptical (US) ♦ m/f sceptic (BRIT), skeptic (US)

descrever [dʒiʃkre've*] vt to describe

descrição [dʒiʃkri'sãw] (pl **-ões**) f description; **descritivo, -a** [dʒiʃkri'tʃivu, a] adj descriptive

descrito, -a [dʒiʃ'kritu, a] pp de **descrever**

descubro etc [dʒiʃ'kubru] vb V **descobrir**

descuidado, -a [dʒiʃkwi'dadu, a] adj careless

descuidar [dʒiʃkwi'da*] vt to neglect ♦ vi: ~ **de** to neglect, disregard; **descuido** [dʒiʃ'kwidu] m carelessness; (negligência) neglect; (erro) oversight, slip; **por descuido** inadvertently

desculpa [dʒiʃ'kuwpa] f excuse; (perdão) pardon; **pedir ~s a alguém por** ou **de algo** to apologise to sb for sth; **desculpar** [dʒiʃkuw'pa*] vt to excuse; (perdoar) to pardon, forgive; **desculpar-se** vr to apologize; **desculpar algo a alguém** to forgive sb for sth; **desculpe!** (I'm) sorry, I beg your pardon; **desculpável** [dʒiʃkuw'pavew] (pl **-eis**) adj forgivable

---
PALAVRA CHAVE
---

desde ['deʒdʒi] prep

1 (lugar): ~ ... **até** ... from ... to ...; **andamos ~ a praia até o restaurante** we walked from the beach to the restaurant

2 (tempo: + adv, n): ~ **então** from then on, ever since; ~ **já** (de agora) from now on; (imediatamente) at once, right now; ~ **o casamento** since the wedding

3 (tempo: + vb): since; for; **conhecemo-nos ~ 1978/há 20 anos** we've known each other since 1978/for 20 years; **não o vejo ~ 1983** I haven't seen him since 1983

4 (variedade): ~ **os mais baratos até os mais luxuosos** from the cheapest to the most luxurious

♦ conj: ~ **que** since; ~ **que comecei a trabalhar não o vi mais** I haven't seen him since I started work; **não saiu de casa ~ que chegou** he hasn't been out since he arrived

---

desdém [deʒ'dẽ] m scorn, disdain

desdenhar [deʒde'ɲa*] vt to scorn, disdain

desdizer [dʒiʒdʒi'ze*] (irreg: como **dizer**) vt to contradict; **desdizer-se** vr to go back on one's word

desdobrar [dʒiʒdo'bra*] vt (abrir) to unfold; (esforços) to increase, redouble; (tropas) to deploy; (bandeira) to unfurl; (dividir em grupos) to split up; **desdobrar-se** vr to unfold; (empenhar-se) to work hard, make a big effort

desejar [dese'ʒa*] vt to want, desire

desejo [de'zeʒu] m wish, desire; **desejoso, -a** [deze'ʒozu, ɔza] adj: **desejoso de algo** wishing for sth; **desejoso de fazer** keen to do

desembaraçar [dʒizẽbara'sa*] vt (livrar) to free; (cabelo) to untangle; **desembaraçar-se** vr (desinibir-se) to lose one's inhibitions; **~-se de** to get rid of

desembaraço [dʒizẽba'rasu] m liveliness; (facilidade) ease; (confiança) self-assurance

desembarcar [dʒizẽbax'ka*] vt (carga) to unload; (passageiros) to let off ♦ vi to disembark; **desembarque** [dʒizẽ'baxki] m landing, disembarkation; **"desembarque"** (no aeroporto) "arrivals"

desembolsar [dʒizẽbow'sa*] vt to spend

desembrulhar [dʒizẽbru'ʎa*] vt to unwrap

desempacotar [dʒizẽpako'ta*] vt to unpack

desempatar [dʒizẽpa'ta*] vt to decide ♦ vi to decide the match (ou race etc); **desempate** [dʒizẽ'patʃi] m: **partida de desempate** (jogo) play-off, decider

desempenhar [dʒizẽpe'ɲa*] vt (cumprir) to carry out, fulfil (BRIT), fulfill (US); (papel) to play; **desempenho** [dʒizẽ'peɲu] m performance; (de obrigações etc) fulfilment (BRIT), fulfillment (US)

desempregado, -a [dʒizẽpre'gadu, a] adj unemployed ♦ m/f unemployed person

desempregar-se [dʒizẽpre'gaxsi] vr to lose one's job

desemprego [dʒizẽ'pregu] m unemployment

desencadear [dʒizẽka'dʒja*] vt to unleash; (despertar) to provoke, trigger off ♦ vi (*chuva*) to pour; **desencadear-se** vr to break loose; (*tempestade*) to break

desencaixar [dʒizēkaj'ʃa*] vt to put out of joint; (*deslocar*) to dislodge; **desencaixar-se** vr to become dislodged

desencaixotar [dʒizēkajʃo'ta*] vt to unpack

desencarregar-se [dʒizēkaxe'gaxsi] vr (*de obrigação*) to discharge o.s.

desencontrar-se [dʒizēkõ'traxsi] vr (*não se encontrar*) to miss each other; (*perder-se um do outro*: *perder-se*) to lose each other; ~ **de** to miss; to get separated from

desencorajar [dʒizēkora'ʒa*] vt to discourage

desencostar [dʒizēkoʃ'ta*] vt to move away; **desencostar-se** vr: **desencostar-se de** to move away from

desenfreado, -a [dʒizē'frjadu, a] adj wild

desenganado, -a [dʒizēga'nadu, a] adj incurable; (*desiludido*) disillusioned

desenganar [dʒizēga'na*] vt: ~ **alguém** to disillusion sb; (*de falsas crenças*) to open sb's eyes; (*doente*) to give up hope of curing; **desenganar-se** vr to become disillusioned; (*sair de erro*) to realize the truth; **desengano** [dʒizē'ganu] m disillusionment; (*desapontamento*) disappointment

desengonçado, -a [dʒizēgõ'sadu, a] adj (*mal-seguro*) rickety; (*pessoa*) ungainly

desenhar [deze'ɲa*] vt to draw; (*TEC*) to design; **desenhar-se** vr (*destacar-se*) to stand out; (*figurar-se*) to take shape; **desenhista** [deze'ɲiʃta] m/f (*TEC*) designer

desenho [de'zeɲu] m drawing; (*modelo*) design; (*esboço*) sketch; (*plano*) plan; ~ **animado** cartoon

desenlace [dʒizē'lasi] m outcome

desenrolar [dʒizēxo'la*] vt to unroll; (*narrativa*) to develop; **desenrolar-se** vr to unfold

desentender [dʒizētē'de*] vt to misunderstand; **desentender-se** vr: ~-**se com** to have a disagreement with; **desentendido, -a** [dʒizētē'dʒidu, a] adj: **fazer-se de desentendido** to pretend not to understand; **desentendimento** [dʒizētēdʒi'mētu] m misunderstanding

desenterrar [dʒizēte'xa*] vt (*cadáver*) to exhume; (*tesouro*) to dig up; (*descobrir*) to bring to light

desentupir [dʒizētu'pi*] vt to unblock

desenvoltura [dʒizēvow'tura] f self-confidence

desenvolver [dʒizēvow've*] vt to develop; **desenvolver-se** vr to develop; **desenvolvimento** [dʒizēvowvi'mētu] m development; (*crescimento*) growth; **país em desenvolvimento** developing country

desequilibrado, -a [dʒizekili'bradu, a] adj unbalanced

deserção [dezex'sãw] f desertion

desertar [desex'ta*] vt to desert, abandon ♦ vi to desert; **deserto, -a** [de'zextu, a] adj deserted ♦ m desert; **desertor, a** [dezex'to*, a] m/f deserter

desesperado, -a [dʒizeʃpe'radu, a] adj desperate; (*furioso*) furious

desesperador, a [dʒizeʃpera'do*, a] adj desperate; (*enfurecedor*) maddening

desesperança [dʒizeʃpe'rãsa] f despair

desesperar [dʒizeʃpe'ra*] vt to drive to despair; (*enfurecer*) to infuriate; **desesperar-se** vr to despair; (*enfurecer-se*) to become infuriated; **desespero** [dʒizeʃ'peru] m despair, desperation; (*raiva*) fury

desestimular [dʒizeʃtʃimu'la*] vt to discourage

desfalcar [dʒiʃfaw'ka*] vt (*dinheiro*) to embezzle; (*reduzir*): ~ (**de**) to reduce (by); **a jogo está desfalcado** the game is incomplete

desfalecer [dʒiʃfale'se*] vt (*enfraquecer*) to weaken ♦ vi (*enfraquecer*) to weaken; (*desmaiar*) to faint

desfalque [dʒiʃ'fawki] m (*de dinheiro*) embezzlement; (*diminuição*) reduction

desfavorável [dʒiʃfavo'ravew] (*pl* -**eis**) adj unfavourable (*BRIT*), unfavorable (*US*)

desfazer [dʒiʃfa'ze*] (*irreg: como* **fazer**) vt (*costura*) to undo; (*dúvidas*) to dispel; (*agravo*) to redress; (*grupo*) to break up; (*contrato*) to dissolve; (*noivado*) to break off ♦ vi: ~ **de alguém** to belittle sb; **desfazer-se** vr to vanish; (*tecido*) to come to pieces; (*grupo*) to break up; (*vaso*) to break; ~-**se de** (*livrar-se*) to get rid of; ~-**se em lágrimas/gentilezas** to burst into tears/go out of one's way to please

desfecho [dʒiʃ'feʃu] m ending, outcome

desfeito, -a [dʒiʃ'fejtu, a] adj undone; (*cama*) unmade; (*contrato*) broken

desfigurar [dʒiʃfigu'ra*] vt (*pessoa, cidade*) to disfigure; (*texto*) to mutilate; **desfigurar-se** vr to be disfigured

desfilar [dʒiʃfi'la*] vi to parade; **desfile** [dʒiʃ'fili] m parade, procession

desforra [dʒiʃ'fɔxa] f revenge; (*reparação*)

desfrutar → desmiolado

redress; **tirar ~** to get even
desfrutar [dʒiʃfruˈta*] vt to enjoy ♦ vi: **~ de** to enjoy
desgarrado, -a [dʒiʒgaˈxadu, a] adj stray; (navio) off course
desgastante [dʒiʒgaʃˈtātʃi] adj (fig) stressful
desgastar [dʒiʒgaʃˈta*] vt to wear away, erode; (pessoa) to wear out, get down; **desgastar-se** vr to be worn away; (pessoa) to get worn up; **desgaste** [dʒiʒˈgaʃtʃi] m wear and tear; (mental) stress
desgosto [dʒiʒˈgoʃtu] m displeasure; (pesar) sorrow, unhappiness
desgraça [dʒiʒˈgrasa] f misfortune; (miséria) misery; (desfavor) disgrace; **desgraçado, -a** [dʒiʒgraˈsadu, a] adj poor ♦ m/f wretch; **estou com uma gripe desgraçada** (col) I've got a hell of a cold
desgrudar [dʒiʒgruˈda*] vt to unstick ♦ vi: **~ de** to tear o.s. away from; **~ algo de algo** to take sth off sth
desidratar [dʒizidraˈta*] vt to dehydrate
design [dʒiˈzājn] m design
designar [dezigˈna*] vt to designate; (nomear) to name, appoint; (dia, data) to fix
desigual [deziˈgwaw] (pl **-ais**) adj unequal; (terreno) uneven; **desigualdade** [dʒizigwawˈdadʒi] f inequality
desiludir [dʒiziluˈdʒi*] vt to disillusion; (causar decepção a) to disappoint; **desiludir-se** vr to lose one's illusions
desimpedido, -a [dʒizĩpeˈdʒidu, a] adj free
desinfetante [dʒizĩfeˈtātʃi] (PT **-ct-**) adj, m disinfectant
desinfetar [dʒizĩfeˈta*] (PT **-ct-**) vt to disinfect
desintegração [dʒizĩtegraˈsãw] f disintegration, break-up
desintegrar [dʒizĩteˈgra*] vt to separate; **desintegrar-se** vr to disintegrate, fall to pieces
desinteressado, -a [dʒizĩtereˈsadu, a] adj disinterested
desinteresse [dʒizĩteˈresi] m lack of interest
desistir [deziʃˈtʃi*] vi to give up; **~ de fumar** to stop smoking; **ele ia, mas no final desistiu** he was going, but in the end he gave up the idea ou he decided not to
desjejum [dʒiʒeˈʒũ] m breakfast
deslavado, -a [dʒiʒlaˈvadu, a] adj (pessoa, atitude) shameless; (mentira) blatant
desleal [dʒiʒleˈaw] (pl **-ais**) adj disloyal
desleixado, -a [dʒiʒlejˈʃadu, a] adj sloppy
desleixo [dʒiʒˈlejʃu] m sloppiness
desligado, -a [dʒiʒliˈgadu, a] adj (eletricidade) off; (pessoa) absent-minded; **estar ~** to be miles away
desligar [dʒiʒliˈga*] vt (TEC) to disconnect; (luz, TV, motor) to switch off; (telefone) to hang up; **desligar-se** vr: **~-se de algo** (afastar-se) to leave sth; (problemas etc) to turn one's back on sth; **não desligue** (TEL) hold the line
deslizar [dʒiʒliˈza*] vi to slide; (por acidente) to slip; (passar de leve) to glide; **deslize** [dʒiʒˈlizi] m lapse; (escorregadela) slip
deslocado, -a [dʒiʒloˈkadu, a] adj (membro) dislocated; (desambientado) out of place
deslocar [dʒiʒloˈka*] vt to move; (articulação) to dislocate; (funcionário) to transfer; **deslocar-se** vr to move; to be dislocated
deslumbramento [dʒiʒlũbraˈmẽtu] m dazzle; (fascinação) fascination
deslumbrante [dʒiʒlũˈbrātʃi] adj dazzling; (casa, festa) amazing
deslumbrar [dʒiʒlũˈbra*] vt to dazzle; (maravilhar) to amaze; (fascinar) to fascinate ♦ vi to be dazzling; to be amazing; **deslumbrar-se** vr: **~-se com** to be fascinated by
desmaiado, -a [dʒiʒmaˈjadu, a] adj unconscious; (cor) pale
desmaiar [dʒiʒmaˈja*] vi to faint; **desmaio** [dʒiʒˈmaju] m faint
desmancha-prazeres [dʒiʒˈmãʃa-] m/f inv kill-joy, spoilsport
desmanchar [dʒiʒmãˈʃa*] vt (costura) to undo; (contrato) to break; (noivado) to break off; (penteado) to mess up; **desmanchar-se** vr (costura) to come undone
desmarcar [dʒiʒmaxˈka*] vt (compromisso) to cancel
desmascarar [dʒiʒmaʃkaˈra*] vt to unmask
desmazelado, -a [dʒiʒmazeˈladu, a] adj slovenly, untidy
desmedido, -a [dʒiʒmeˈdʒidu, a] adj excessive
desmentido [dʒiʒmẽˈtʃidu] m (negação) denial; (contradição) contradiction
desmentir [dʒiʒmẽˈtʃi*] vt (contradizer) to contradict; (negar) to deny
desmiolado, -a [dʒiʒmjoˈladu, a] adj

desmontar [dʒiʒmõ'ta*] vt (máquina) to take to pieces ♦ vi (do cavalo) to dismount, get off

desmoronamento [dʒiʒmorona'mẽtu] m collapse

desmoronar [dʒiʒmoro'na*] vt to knock down ♦ vi to collapse

desnatado, -a [dʒiʒna'tadu, a] adj (leite) skimmed

desnaturado, -a [dʒiʒnatu'radu, a] adj inhumane ♦ m/f monster

desnecessário, -a [dʒiʒnese'sarju, a] adj unnecessary

desnutrição [dʒiʒnutri'sãw] f malnutrition

desobedecer [dʒizobede'se*] vt to disobey; **desobediência** [dʒizobe'dʒjẽsja] f disobedience; **desobediente** [dʒizobe'dʒjẽtʃi] adj disobedient

desobstruir [dʒizobiʃ'trwi*] vt to unblock

desocupado, -a [dʒizoku'padu, a] adj (casa) empty, vacant; (disponível) free; (sem trabalho) unemployed

desocupar [dʒizoku'pa*] vt (casa) to vacate; (liberar) to free

desodorante [dʒizodo'rãtʃi] (PT -**dorizante**) m deodorant

desolação [dezola'sãw] f (consternação) grief; (de um lugar) desolation; **desolado, -a** [dezo'ladu, a] adj distressed; desolate

desonesto, -a [dezo'nɛʃtu, a] adj dishonest

desonra [dʒi'zõxa] f dishonour (BRIT), dishonor (US); (descrédito) disgrace; **desonrar** [dʒizõ'xa*] vt (infamar) to disgrace; (mulher) to seduce; **desonrar-se** vr to disgrace o.s.

desordem [dʒi'zoxdẽ] f disorder, confusion; **em ~** (casa) untidy

desorganizar [dʒizoxgani'za*] vt to disorganize; (dissolver) to break up; **desorganizar-se** vr to become disorganized; to break up

desorientação [dʒizorjẽta'sãw] f bewilderment, confusion

desorientar [dʒizorjẽ'ta*] vt (desnortear) to throw off course; (perturbar) to confuse; (desvairar) to unhinge; **desorientar-se** vr to lose one's way; to get mad

desovar [dʒizo'va*] vt to lay; (peixe) to spawn

despachado, -a [dʒiʃpa'ʃadu, a] adj (pessoa) efficient

despachar [dʒiʃpa'ʃa*] vt to dispatch, send off; (atender, resolver) to deal with; (despedir) to sack; **despachar-se** vr to hurry (up); **despacho** [dʒiʃ'paʃu] m dispatch; (de negócios) handling; (nota em requerimento) ruling; (reunião) consultation; (macumba) witchcraft

despeço etc [dʒiʃ'pɛsu] vb V **despedir**

despedaçar [dʒiʃpeda'sa*] vt (quebrar) to smash; (rasgar) to tear apart; **despedaçar-se** vr to smash; to tear

despedida [dʒiʃpe'dʒida] f farewell; (de trabalhador) dismissal

despedir [dʒiʃpe'dʒi*] vt (de emprego) to dismiss, sack; **despedir-se** vr: **~-se (de)** to say goodbye (to)

despeitado, -a [dʒiʃpej'tadu, a] adj spiteful; (ressentido) resentful

despeito [dʒiʃ'pejtu] m spite; **a ~ de** in spite of, despite

despejar [dʒiʃpe'ʒa*] vt (água) to pour; (esvaziar) to empty; (inquilino) to evict; **despejo** [dʒiʃ'peʒu] m eviction; **quarto de despejo** junk room

despencar [dʒiʃpẽ'ka*] vi to fall down, tumble down

despensa [dʒiʃ'pẽsa] f larder

despentear [dʒiʃpẽ'tʃja*] vt (cabelo: sem querer) to mess up; (: de propósito) to let down; **despentear-se** vr to mess one's hair up, to let one's hair down

despercebido, -a [dʒiʃpexse'bidu, a] adj unnoticed

desperdiçar [dʒiʃpexdʒi'sa*] vt to waste; (dinheiro) to squander; **desperdício** [dʒiʃpex'dʒisju] m waste

despertador [dʒiʃpexta'do*] m (tb: **relógio ~**) alarm clock

despertar [dʒiʃpex'ta*] vt to wake; (suspeitas, interesse) to arouse; (reminiscências) to revive; (apetite) to whet ♦ vi to wake up ♦ m awakening; **desperto, -a** [dʒiʃ'pextu, a] adj awake

despesa [dʒiʃ'peza] f expense; **~s** fpl (de uma empresa) expenses, costs; **~s gerais** (COM) overheads

despido, -a [dʒiʃ'pidu, a] adj naked, bare; (livre) free

despir [dʒiʃ'pi*] vt (roupa) to take off; (pessoa) to undress; (despojar) to strip; **despir-se** vr to undress

despojar [dʒiʃpo'ʒa*] vt (casas) to loot, sack; (pessoas) to rob

despontar [dʒiʃpõ'ta*] vi to emerge; (sol) to come out; (: ao amanhecer) to come up; **ao ~ do dia** at daybreak

desporto [dʒiʃ'poxtu] (esp PT) m sport

desprender [dʒiʃprẽ'de*] vt to loosen;

despreocupado → detido

(*desatar*) to unfasten; (*emitir*) to emit; **desprender-se** *vr* (*botão*) to come off; (*cheiro*) to be given off
despreocupado, -a [dʒiʃpreoku'pado, a] *adj* carefree, unconcerned
desprezar [dʒiʃpre'za*] *vt* to despise, disdain; (*não dar importância a*) to disregard, ignore; **desprezível** [dʒiʃpre'zivew] (*pl* **-eis**) *adj* despicable; **desprezo** [dʒiʃ'prezu] *m* scorn, contempt; **dar ao desprezo** to ignore
desproporcional [dʒiʃpropoxsjo'naw] *adj* disproportionate
despropósito [dʒiʃpro'pɔzitu] *m* nonsense
desprovido, -a [dʒiʃpro'vidu, a] *adj* ~ **de** without
desqualificar [dʒiʃkwalifi'ka*] *vt* (*ESPORTE etc*) to disqualify; (*tornar indigno*) to disgrace, lower
desregrado, -a [dʒiʒxe'gradu, a] *adj* disorderly, unruly; (*devasso*) immoderate
desrespeito [dʒiʒxe'ʃpejtu] *m* disrespect
desse *etc* ['desi] *vb V* **dar**
desse, -a ['desi, a] = **de** + **esse/a**
destacar [dʒiʃta'ka*] *vt* (*MIL*) to detail; (*separar*) to detach; (*enfatizar*) to emphasize ♦ *vi* to stand out; **destacar-se** *vr* to stand out; (*pessoa*) to be outstanding
destampar [dʒiʃtã'pa*] *vt* to take the lid off
destapar [dʒiʃta'pa*] *vt* to uncover
destaque [dʒiʃ'taki] *m* distinction; (*pessoa, coisa*) highlight
deste, -a ['deʃtʃi, a] = **de** + **este, -a**
destemido, -a [deʃte'midu, a] *adj* fearless, intrepid
destilar [deʃtʃi'la*] *vt* to distil (*BRIT*), distill (*US*)
destinação [deʃtʃina'sãw] (*pl* **-ões**) *f* destination
destinar [deʃ'tʃina*] *vt* to destine; (*dinheiro*): ~ **(para)** to set aside (for); **destinar-se** *vr*: ~**-se a** to be intended for; (*carta*) to be addressed to
destinatário, -a [deʃtʃina'tarju, a] *m/f* addressee
destino [deʃ'tʃinu] *m* destiny, fate; (*lugar*) destination; **com ~ a** bound for
destituir [deʃtʃi'twi*] *vt* to dismiss; ~ **de** (*privar de*) to deprive of
destrancar [dʒiʃtrã'ka*] *vt* to unlock
destratar [dʒiʃtra'ta*] *vt* to abuse, insult
destreza [deʃ'treza] *f* skill; (*agilidade*) dexterity
destro, -a ['deʃtru, a] *adj* skilful (*BRIT*), skillful (*US*); (*ágil*) agile; (*não canhoto*) right-handed
destrocar [dʒiʃtro'ka*] *vt* to give back, return
destroçar [dʒiʃtro'sa*] *vt* to destroy; (*quebrar*) to smash, break; **destroços** [dʒiʃ'trɔsuʃ] *mpl* wreckage *sg*
destruição [dʒiʃtrwi'sãw] *f* destruction
destruir [dʒiʃ'trwi*] *vt* to destroy
desvairado, -a [dʒiʒvaj'radu, a] *adj* (*louco*) crazy, demented; (*desorientado*) bewildered
desvalorizar [dʒiʒvalori'za*] *vt* to devalue
desvantagem [dʒiʒvã'taʒẽ] (*pl* **-ns**) *f* disadvantage
desvão [dʒiʒ'vãw] (*pl* **-s**) *m* loft
desventura [dʒiʒvẽ'tura] *f* misfortune; (*infelicidade*) unhappiness
desviar [dʒiʒ'vja*] *vt* to divert; (*golpe*) to deflect; (*dinheiro*) to embezzle; **desviar-se** *vr* to turn away; ~**-se de** to avoid; ~ **os olhos** to look away
desvio [dʒiʒ'viu] *m* diversion, detour; (*curva*) bend; (*fig*) deviation; (*de dinheiro*) embezzlement
detalhadamente [detaʎada'mẽtʃi] *adv* in detail
detalhado, -a [deta'ʎadu, a] *adj* detailed
detalhar [deta'ʎa*] *vt* to (give in) detail
detalhe [de'taʎi] *m* detail
detectar [detek'ta*] *vt* to detect
detective [detek'tivə] (*PT*) *m/f* = **detetive**
detector [detek'to*] *m* detector
detenção [detẽ'sãw] (*pl* **-ões**) *f* detention
deter [de'te*] (*irreg: como* **ter**) *vt* to stop; (*prender*) to arrest; (*manter preso*) to detain; (*reter*) to keep; (*conter: riso*) to contain; **deter-se** *vr* to stop; (*ficar*) to stay; (*conter-se*) to restrain o.s.
detergente [detex'ʒẽtʃi] *m* detergent
deteriorar [deterjo'ra*] *vt* to spoil, damage; **deteriorar-se** *vr* to deteriorate; (*relações*) to worsen
determinação [detexmina'sãw] *f* determination; (*decisão*) decision; (*ordem*) order
determinado, -a [detexmi'nadu, a] *adj* determined; (*certo*) certain, given
determinar [detexmi'na*] *vt* to determine; (*decretar*) to order; (*resolver*) to decide (on); (*causar*) to cause
detestar [deteʃ'ta*] *vt* to hate; **detestável** [deteʃ'tavew] (*pl* **-eis**) *adj* horrible, hateful
detetive [dete'tʃivi] *m/f* detective
detido, -a [de'tʃidu, a] *adj* (*preso*) under

arrest; (*minucioso*) thorough ♦ *m/f* person under arrest, prisoner
detonação [detona'sãw] (*pl* -**ões**) *f* explosion
detonar [deto'na*] *vt, vi* to detonate
detrás [de'trajʃ] *adv* behind ♦ *prep*: ~ **de** behind
detrimento [detri'mẽtu] *m*: **em ~ de** to the detriment of
detrito [de'tritu] *m* debris *sg*; (*de comida*) remains *pl*; (*resíduo*) dregs *pl*
deturpação [detuxpa'sãw] *f* corruption; (*de palavras*) distortion
deturpar [detux'pa*] *vt* to corrupt; (*desfigurar*) to disfigure; (*palavras*) to twist
deu [dew] *vb V* **dar**
deus, a [dewʃ, dewsa] *m/f* god/goddess; **D~ me livre!** God forbid!; **graças a D~** thank goodness; **meu D~!** good Lord!
devagar [dʒiva'ga*] *adv* slowly
devaneio [deva'neju] *m* daydream
devassa [de'vasa] *f* investigation, inquiry
devassidão [devasi'dãw] *f* debauchery
devasso, -a [de'vasu, a] *adj* dissolute
devastar [devaʃ'ta*] *vt* to devastate; (*arruinar*) to ruin
deve ['dɛvi] *m* debit
devedor, a [deve'do*, a] *adj* (*pessoa*) in debt ♦ *m/f* debtor
dever [de've*] *m* duty ♦ *vt* to owe ♦ *vi* (*suposição*): **deve (de) estar doente** he must be ill; (*obrigação*): **devo partir às oito** I must go at eight; **você devia ir ao médico** you should go to the doctor; **que devo fazer?** what shall I do?
devidamente [devida'mẽtʃi] *adv* properly; (*preencher formulário etc*) duly
devido, -a [de'vidu, a] *adj* (*maneira*) proper; (*respeito*) due; **~ a** due to, owing to; **no ~ tempo** in due course
devoção [devo'sãw] *f* devotion
devolução [devolu'sãw] *f* devolution; (*restituição*) return; (*reembolso*) refund; **~ de impostos** tax rebate
devolver [devow've*] *vt* to give back, return; (*COM*) to refund
devorar [devo'ra*] *vt* to devour; (*destruir*) to destroy
devotar [devo'ta*] *vt* to devote
dez [dɛʒ] *num* ten
dezanove [deza'nɔvə] (*PT*) *num* = **dezenove**
dezasseis [deza'sejʃ] (*PT*) *num* = **dezesseis**
dezassete [deza'sɛtə] (*PT*) *num* = **dezessete**

detonação → diferença

dezembro [de'zẽbru] (*PT* **D~**) *m* December
dezena [de'zena] *f*: **uma ~ de ...** ten ...
dezenove [deze'nɔvi] *num* nineteen
dezesseis [deze'sejʃ] *num* sixteen
dezessete [dezi'sɛtʃi] *num* seventeen
dezoito [dʒi'zojtu] *num* eighteen
dia ['dʒia] *m* day; (*claridade*) daylight; **~ a ~** day by day; **~ santo** holy day; **~ útil** weekday; **estar** *ou* **andar em ~ (com)** to be up to date (with); **de ~** in the daytime, by day; **mais ~ menos ~** sooner or later; **~ sim, ~ não** every other day; **no ~ seguinte** the next day; **bom ~** good morning; **dia-a-dia** *m* daily life, everyday life
diabete(s) [dʒja'bɛtʃi(ʃ)] *f* diabetes *sg*; **diabético, -a** [dʒja'bɛtʃiku, a] *adj, m/f* diabetic
diabo ['dʒjabu] *m* devil; **que ~!** (*col*) damn it!
diabrura [dʒja'brura] *f* prank; **~s** *fpl* (*travessura*) mischief *sg*
diafragma [dʒja'fragma] *m* diaphragm
diagnóstico [dʒjag'nɔʃtʃiku] *m* diagnosis
diagonal [dʒjago'naw] (*pl* -**ais**) *adj, f* diagonal
diagrama [dʒja'grama] *m* diagram
dialeto [dʒja'letu] (*PT* **-ect-**) *m* dialect
dialogar [dʒjalo'ga*] *vi*: **~ (com alguém)** to talk (to sb); (*POL*) to have *ou* hold talks (with sb)
diálogo ['dʒjalogu] *m* dialogue; (*conversa*) talk, conversation
diamante [dʒja'mãtʃi] *m* diamond
diâmetro ['dʒjametru] *m* diameter
diante ['dʒjãtʃi] *prep*: **~ de** before; (*na frente de*) in front of; (*problemas etc*) in the face of, **e assim por ~** and so on; **para ~** forward
dianteira [dʒjã'tejra] *f* front, vanguard; **tomar a ~** to get ahead
dianteiro, -a [dʒjã'tejru, a] *adj* front
diapositivo [dʒjapozi'tʃivu] *m* (*FOTO*) slide
diária ['dʒjarja] *f* (*de hotel*) daily rate
diário, -a ['dʒjarju, a] *adj* daily ♦ *m* diary; (*jornal*) (daily) newspaper; **~ de bordo** (*AER*) logbook
diarréia [dʒja'xeja] *f* diarrhoea (*BRIT*), diarrhea (*US*)
dica ['dʒika] (*col*) *f* hint
dicionário [dʒisjo'narju] *m* dictionary
dieta ['dʒjeta] *f* diet; **fazer ~** to be on a diet; (*começar*) to go on a diet
diferença [dʒife'rẽsa] *f* difference; **ela tem uma ~ comigo** she's got something

diferenciar → discrepância

against me
diferenciar [dʒiferẽ'sja*] vt to differentiate
diferente [dʒife'rẽtʃi] adj different; **estar ~ com alguém** to be at odds with sb
difícil [dʒi'fisiw] (pl **-eis**) adj difficult; (improvável) unlikely; **o ~ é ...** the difficult thing is ...; **acho ~ ela aceitar nossa proposta** I think it's unlikely she will accept our proposal; **dificilmente** [dʒifisiw'mẽtʃi] adv with difficulty; (mal) hardly; (raramente) hardly ever
dificuldade [dʒifikuw'dadʒi] f difficulty; (aperto): **em ~s** in trouble
dificultar [dʒifikuw'ta*] vt to make difficult; (complicar) to complicate
difundir [dʒifũ'dʒi*] vt to diffuse; (boato, rumor) to spread
digerir [dʒiʒe'ri*] vt, vi to digest
digestão [dʒiʒeʃ'tãw] f digestion
digital [dʒiʒi'taw] (pl **-ais**) adj: **impressão ~** fingerprint
digitar [dʒiʒi'ta*] vt (COMPUT: dados) to key (in)
dígito ['dʒiʒitu] m digit
dignidade [dʒigni'dadʒi] f dignity
digno, -a ['dʒignu, a] adj (merecedor) worthy; (nobre) dignified
digo etc ['dʒigu] vb V **dizer**
dilatar [dʒila'ta*] vt to dilate, expand; (prolongar) to prolong; (retardar) to delay
dilema [dʒi'lema] m dilemma
diluir [dʒi'lwi*] vt to dilute
dilúvio [dʒi'luvju] m flood
dimensão [dʒimẽ'sãw] (pl **-ões**) f dimension; **dimensões** fpl (medidas) measurements
diminuição [dʒiminwi'sãw] f reduction
diminuir [dʒimi'nwi*] vt to reduce; (som) to turn down; (interesse) to lessen ♦ vi to lessen, diminish; (preço) to go down; (dor) to wear off; (barulho) to die down
diminutivo, -a [dʒiminu'tʃivu, a] adj diminutive ♦ m (LING) diminutive
Dinamarca [dʒina'maxka] f Denmark; **dinamarquês, -quesa** [dʒinamax'keʃ, 'keza] adj Danish ♦ m/f Dane ♦ m (LING) Danish
dinâmico, -a [dʒi'namiku, a] adj dynamic
dínamo ['dʒinamu] m dynamo
dinheirão [dʒiɲej'rãw] m: **um ~** loads pl of money
dinheiro [dʒi'ɲejru] m money; **~ à vista** cash for paying in cash; **~ em caixa** money in the till; **~ em espécie** cash
dinossauro [dʒino'sawru] m dinosaur
diploma [dʒip'lɔma] m diploma

diplomacia [dʒiploma'sia] f diplomacy; (fig) tact
diplomata [dʒiplo'mata] m/f diplomat; **diplomático, -a** [dʒiplo'matʃiku, a] adj diplomatic
dique ['dʒiki] m dam; (GEO) dyke
direção [dʒire'sãw] (PT **-cç-**) (pl **-ões**) f direction; (endereço) address; (AUTO) steering; (administração) management; (comando) leadership; (diretoria) board of directors; **em ~ a** towards
directo, -a etc [di'rɛktu, a] (PT) = **direto** etc
direi etc [dʒi'rej] vb V **dizer**
direita [dʒi'rejta] f (mão) right hand; (lado) right-hand side; (POL) right wing; **à ~** on the right
direito, -a [dʒi'rejtu, a] adj (lado) right-hand; (mão) right; (honesto) honest; (devido) proper; (justo) right, just ♦ m right; (JUR) law ♦ adv straight; (bem) right; (de maneira certa) properly; **~s** mpl (humanos) rights; (alfandegários) duty sg
direto, -a [dʒi'retu, a] adj direct ♦ adv straight; **transmissão direta** (TV) live broadcast
diretor, a [dʒire'to*, a] adj directing, guiding ♦ m/f director; (de jornal) editor; (de escola) head teacher; **diretoria** [dʒireto'ria] f (COM) management
dirigente [dʒiri'ʒẽtʃi] m/f (de país, partido) leader; (diretor) director; (gerente) manager
dirigir [dʒiri'ʒi*] vt to direct; (COM) to manage; (veículo) to drive ♦ vi to drive; **dirigir-se** vr: **~-se a** (falar com) to speak to; (ir, recorrer) to go to; (esforços) to be directed towards
discagem [dʒiʃ'kaʒẽ] f (TEL) dialling
discar [dʒiʃ'ka*] vt to dial
disciplina [dʒisi'plina] f discipline; **disciplinar** [dʒisipli'na*] vt to discipline
discípulo, -a [dʒi'sipulu, a] m/f disciple; (aluno) pupil
disc-jóquei [dʒiʃk-] m/f disc jockey, DJ
disco ['dʒiʃku] m disc; (COMPUT) disk; (MÚS) record; (de telefone) dial; **~ laser** (máquina) compact disc player, CD player; (disco) compact disc, CD; **~ flexível/rígido** (COMPUT) floppy/hard disk; **~ do sistema** system disk; **~ voador** flying saucer
discordar [dʒiʃkox'da*] vi: **~ de alguém em algo** to disagree with sb on sth
discórdia [dʒiʃ'kɔxdʒja] f discord, strife
discoteca [dʒiʃko'tɛka] f discotheque, disco
discrepância [dʒiʃkre'pãsja] f

discreto → distrair

discrepancy; (*desacordo*) disagreement; **discrepante** [dʒiʃkreˈpãtʃi] *adj* conflicting

discreto, -a [dʒiʃˈkrɛtu, a] *adj* discreet; (*modesto*) modest; (*prudente*) shrewd; (*roupa*) plain; **discrição** [dʒiʃkriˈsãw] *f* discretion

discriminação [dʒiʃkriminaˈsãw] *f* discrimination

discriminar [dʒiʃkrimiˈna*] *vt* to distinguish ♦ *vi*: **~ entre** to discriminate between

discurso [dʒiʃˈkuxsu] *m* speech

discussão [dʒiʃkuˈsãw] (*pl* **-ões**) *f* discussion; (*contenda*) argument

discutir [dʒiʃkuˈtʃi*] *vt* to discuss ♦ *vi*: **~ (sobre algo)** to talk (about sth); (*contender*) to argue (about sth)

disenteria [dʒizēteˈria] *f* dysentery

disfarçar [dʒiʃfaxˈsa*] *vt* to disguise ♦ *vi* to pretend; **disfarçar-se** *vr*: **~-se em** *ou* **de algo** to disguise o.s. as sth; **disfarce** [dʒiʃˈfaxsi] *m* disguise; (*máscara*) mask

dislexia [dʒiʒlekˈsja] *f* dyslexia

disparar [dʒiʃpaˈra*] *vt* to shoot, fire ♦ *vi* to fire; (*arma*) to go off; (*correr*) to shoot off, bolt

disparatado, -a [dʒiʃparaˈtadu, a] *adj* silly, absurd

disparate [dʒiʃpaˈratʃi] *m* nonsense, rubbish

disparidade [dʒiʃpariˈdadʒi] *f* disparity

dispensar [dʒiʃpēˈsa*] *vt* to excuse; (*prescindir de*) to do without; (*conferir*) to grant; **dispensável** [dʒiʃpēˈsavew] (*pl* **-eis**) *adj* expendable

dispersar [dʒiʃpexˈsa*] *vt*, *vi* to disperse; **disperso, -a** [dʒiʃˈpexsu, a] *adj* scattered

displicência [dʒiʃpliˈsensja] (*BR*) *f* negligence, carelessness; **displicente** [dʒiʃpliˈsētʃi] *adj* careless

dispo *etc* [ˈdʒiʃpu] *vb V* **despir**

disponível [dʒiʃpoˈnivew] (*pl* **-eis**) *adj* available

dispor [dʒiʃˈpo*] (*irreg: como* **pôr**) *vt* to arrange ♦ *vi*: **~ de** to have the use of; (*ter*) to have, own; (*pessoas*) to have at one's disposal; **dispor-se** *vr*: **~-se a** (*estar pronto a*) to be prepared to, be willing to; (*decidir*) to decide to; **~ sobre** to talk about; **disponha!** feel free!

disposição [dʒiʃpoziˈsãw] (*pl* **-ões**) *f* arrangement; (*humor*) disposition; (*inclinação*) inclination; **à sua ~** at your disposal

dispositivo [dʒiʃpoziˈtʃivu] *m* gadget, device; (*determinação de lei*) provision

disposto, -a [dʒiʃˈpoʃtu, ˈpoʃta] *adj*: **estar ~ a** to be willing to; **estar bem ~** to look well

disputa [dʒiʃˈputa] *f* dispute, argument; (*competição*) contest; **disputar** [dʒiʃpuˈta*] *vt* to dispute; (*concorrer a*) to compete for; (*lutar por*) to fight over ♦ *vi* to quarrel, argue; to compete; **disputar uma corrida** to run a race

disquete [dʒiʃˈketʃi] *m* (*COMPUT*) floppy disk, diskette

disse *etc* [ˈdʒisi] *vb V* **dizer**

disseminar [dʒisemiˈna*] *vt* to disseminate; (*espalhar*) to spread

dissertar [dʒisexˈta*] *vi* to speak

dissidência [dʒisiˈdēsja] *f* (*cisão*) difference of opinion

disso [ˈdʒisu] = **de** + **isso**

dissolução [dʒisoluˈsãw] *f* (*libertinagem*) debauchery; (*de casamento*) dissolution

dissolver [dʒisowˈve*] *vt* to dissolve; (*dispersar*) to disperse; (*motim*) to break up

dissuadir [dʒiswaˈdʒi*] *vt* to dissuade; **~ alguém de fazer algo** to talk sb out of doing sth, dissuade sb from doing sth

distância [dʒiʃˈtãsja] *f* distance; **a 3 quilômetros de ~** 3 kilometres (*BRIT*) *ou* kilometers (*US*) away

distanciar [dʒiʃtãˈsja*] *vt* to distance, set apart; (*colocar por intervalos*) to space out; **distanciar-se** *vr* to move away; (*fig*) to distance o.s.

distante [dʒiʃˈtãtʃi] *adj* distant

distender [dʒiʃtēˈde*] *vt* to expand; (*estirar*) to stretch; (*dilatar*) to distend; (*músculo*) to pull; **distender-se** *vr* to expand; to distend

distinção [dʒiʃtʃĩˈsãw] (*pl* **-ões**) *f* distinction; **fazer ~** to make a distinction

distinguir [dʒiʃtʃĩˈgi*] *vt* to distinguish; (*avistar, ouvir*) to make out; **distinguir-se** *vr* to stand out

distintivo, -a [dʒiʃtʃĩˈtʃivu, a] *adj* distinctive ♦ *m* (*insígnia*) badge; (*emblema*) emblem

distinto, -a [dʒiʃˈtʃĩtu, a] *adj* different; (*eminente*) distinguished; (*claro*) distinct; (*refinado*) refined

disto [ˈdʒiʃtu] = **de** + **isto**

distorcer [dʒiʃtoxˈse*] *vt* to distort

distração [dʒiʃtraˈsãw] (*PT* **-cç-**) (*pl* **-ões**) *f* (*alheamento*) absent-mindedness; (*divertimento*) pastime; (*descuido*) oversight

distraído, -a [dʒiʃtraˈidu, a] *adj* absent-minded; (*não atento*) inattentive

distrair [dʒiʃtraˈi*] *vt* to distract; (*divertir*) to amuse

distribuição [dʒiʃtribwi'sãw] f distribution; (de cartas) delivery

distribuidor, a [dʒiʃtribwi'do*, a] m/f distributor ♦ m (AUTO) distributor ♦ f (COM) distribution company, distributor

distribuir [dʒiʃtri'bwi*] vt to distribute; (repartir) to share out; (cartas) to deliver

distrito [dʒiʃ'tritu] m district; (delegacia) police station; ~ **eleitoral** constituency; ~ **federal** federal area

distúrbio [dʒiʃ'tuxbju] m disturbance

ditado [dʒi'tadu] m dictation; (provérbio) saying

ditador [dʒita'do*] m dictator; **ditadura** [dʒita'dura] f dictatorship

ditar [dʒi'ta*] vt to dictate; (impor) to impose

dito, -a ['dʒitu, a] pp de **dizer**; ~ **e feito** no sooner said than done

DIU abr m (= dispositivo intra-uterino) IUD

diurno, -a ['dʒjuxnu, a] adj daytime atr

divã [dʒi'vã] m couch, divan

divergir [dʒivex'ʒi*] vi to diverge; (discordar): ~ **(de alguém)** to disagree (with sb)

diversão [dʒivex'sãw] (pl -ões) f amusement; (passatempo) pastime

diverso, -a [dʒi'vexsu, a] adj different; ~**s** various, several

diversões [divex'sõjʃ] fpl de **diversão**

diversos [dʒi'vexsuʃ] mpl (COM) sundries

divertido, -a [dʒivex'tʃidu, a] adj amusing, funny

divertimento [dʒivextʃi'mētu] m amusement, entertainment

divertir [dʒivex'tʃi*] vt to amuse, entertain; **divertir-se** vr to enjoy o.s., have a good time

dívida ['dʒivida] f debt; **contrair** ~**s** to run into debt; ~ **externa** foreign debt

dividir [dʒivi'dʒi*] vt to divide; (despesas, lucro, comida etc) to share; (separar) to separate ♦ vi (MAT) to divide; **dividir-se** vr to divide, split up

divindade [dʒivī'dadʒi] f divinity

divino, -a [dʒi'vinu, a] adj divine ♦ m Holy Ghost

divirjo etc [dʒi'vixʒu] vb V **divergir**

divisa [dʒi'viza] f emblem; (frase) slogan; (fronteira) border; (MIL) stripe; ~**s** fpl (câmbio) foreign exchange sg

divisão [dʒivi'zãw] (pl -ões) f division; (discórdia) split; (partilha) sharing

divisões [dʒivi'zõjʃ] fpl de **divisão**

divisória [dʒivi'zɔrja] f partition

divorciado, -a [dʒivox'sjadu, a] adj divorced ♦ m/f divorcé(e)

divorciar [dʒivox'sja*] vt to divorce; **divorciar-se** vr to get divorced; **divórcio** [dʒi'vɔxsju] m divorce

divulgar [dʒivuw'ga*] vt (notícias) to spread; (segredo) to divulge; (produto) to market; (livro) to publish; **divulgar-se** vr to leak out

dizer [dʒi'ze*] vt to say ♦ m saying; **dizer-se** vr to claim to be; **diz-se** ou **dizem que ...** it is said that ...; ~ **algo a alguém** to tell sb sth; (falar) to say sth to sb; ~ **a alguém que ...** to tell sb that ...; **o que você diz da minha sugestão?** what do you think of my suggestion?; **querer** ~ to mean; **quer** ~ that is to say; **digo** (ou seja) I mean; **não diga!** you don't say!; **por assim** ~ so to speak; **até** ~ **chega** as much as possible

do [du] = **de** + **o**

doação [doa'sãw] (pl -ões) f donation

doador, a [doa'do*, a] m/f donor

doar [do'a*] vt to donate, give

dobra ['dɔbra] f fold; (prega) pleat; (de calças) turn-up

dobradiça [dobra'dʒisa] f hinge

dobradinha [dobra'dʒiɲa] f (CULIN) tripe stew

dobrar [do'bra*] vt to double; (papel) to fold; (joelho) to bend; (esquina) to turn, go round; (fazer ceder): ~ **alguém** to talk sb round ♦ vi to double; (sino) to toll; (vergar) to bend; **dobrar-se** vr to double (up)

dobro ['dobru] m double

doce ['dosi] adj sweet; (terno) gentle ♦ m sweet

dóceis ['dɔsejʃ] adj pl de **dócil**

dócil ['dɔsiw] (pl -eis) adj docile

documentação [dokumēta'sãw] f documentation; (documentos) papers pl

documentário, -a [dokumē'tarju, a] adj documentary ♦ m documentary

documento [doku'mētu] m document

doçura [do'sura] f sweetness; (brandura) gentleness

doença [do'ēsa] f illness

doente [do'ētʃi] adj ill, sick ♦ m/f sick person; (cliente) patient

doentio, -a [doē'tʃiu, a] adj (pessoa) sickly; (clima) unhealthy; (curiosidade) morbid

doer [do'e*] vi to hurt, ache; ~ **a alguém** (pesar) to grieve sb

doido, -a ['dojdu, a] adj mad, crazy ♦ m/f madman/woman

doído, -a [do'idu, a] adj painful; (moralmente) hurt; (que causa dor) painful

dois, duas [dojʃ, 'duaʃ] num two;

conversa a ~ tête-à-tête
dólar ['dɔlaʳ] *m* dollar; ~ **oficial/paralelo** dollar at the official/ black-market rate; **~-turismo** dollar at the special tourist rate; **doleiro, -a** [do'lejru, a] *m/f* (black market) dollar dealer
dolorido, -a [dolo'ridu, a] *adj* painful, sore
doloroso, -a [dolo'rozu, ɔza] *adj* painful
dom [dõ] *m* gift; (*aptidão*) knack
domar [do'maʳ] *vt* to tame
doméstica [do'mɛʃtʃika] *f* maid
domesticado, -a [domeʃtʃi'kadu, a] *adj* domesticated; (*manso*) tame
domesticar [domeʃtʃi'kaʳ] *vt* to domesticate; (*povo*) to tame
doméstico, -a [do'mɛʃtʃiku, a] *adj* domestic; (*vida*) home *atr*
domicílio [domi'silju] *m* home, residence; **"entregamos a ~"** "we deliver"
dominador, a [domina'doʳ, a] *adj* (*pessoa*) domineering; (*olhar*) imposing ♦ *m/f* ruler
dominante [domi'nātʃi] *adj* dominant; (*predominante*) predominant
dominar [domi'naʳ] *vt* to dominate; (*reprimir*) to overcome ♦ *vi* to dominate; **dominar-se** *vr* to control o.s.
domingo [do'mĩgu] *m* Sunday
domínio [do'minju] *m* power; (*dominação*) control; (*território*) domain; (*esfera*) sphere; ~ **próprio** self-control
dona ['dɔna] *f* owner; (*col: mulher*) lady; ~ **de casa** housewife; **D~ Lígia** Lígia; **D~ Luísa Souza** Mrs Luísa Souza
donde ['dõdə] (*PT*) *adv* from where; (*daí*) thus
dono ['donu] *m* owner
dopar [do'paʳ] *vt* to drug
dor [doʳ] *f* ache; (*aguda*) pain; (*fig*) grief, sorrow; ~ **de cabeça/dentes/estômago** headache/toothache/stomachache
dormente [dox'mẽtʃi] *adj* numb ♦ *m* (*FERRO*) sleeper
dormir [dox'miʳ] *vi* to sleep; ~ **fora** to spend the night away
dormitório [doxmi'tɔrju] *m* bedroom; (*coletivo*) dormitory
dorso ['doxsu] *m* back
dos [duʃ] = **de** + **os**
dosagem [do'zaʒẽ] *m* dosage
dose ['dɔzi] *f* dose
dossiê [do'sje] *m* dossier, file
dotado, -a [do'tadu, a] *adj* gifted; ~ **de** endowed with
dotar [do'taʳ] *vt* to endow

dou [do] *vb V* **dar**
dourado, -a [do'radu, a] *adj* golden; (*com camada de ouro*) gilt ♦ *m* gilt
doutor, a [do'toʳ, a] *m/f* doctor; **D~** (*forma de tratamento*) Sir; **D~ Eduardo Souza** Mr Eduardo Souza
doutrina [do'trina] *f* doctrine
doze ['dozi] *num* twelve
Dr(a). *abr* (= *Doutor(a)*) Dr.
dragão [dra'gãw] (*pl* **-ões**) *m* dragon
dragões [dra'gõjʃ] *mpl de* **dragão**
drama ['drama] *m* drama; **dramático, -a** [dra'matʃiku, a] *adj* dramatic; **dramatizar** [dramatʃi'zaʳ] *vt, vi* to dramatize
drástico, -a [dra'ʃtʃiku, a] *adj* drastic
dreno ['drɛnu] *m* drain
driblar [dri'blaʳ] *vt, vi* (*FUTEBOL*) to dribble
drinque ['drĩki] *m* drink
droga ['drɔga] *f* drug; (*fig*) rubbish; **drogado, -a** [dro'gadu, a] *m/f* drug addict; **drogar** [dro'gaʳ] *vt* to drug; **drogar-se** *vr* to take drugs
drogaria [droga'ria] *f* chemist's shop (*BRIT*), drugstore (*US*)
DTP *abr m* (= *desktop publishing*) DTP
duas ['duaʃ] *f de* **dois**
dublê [du'ble] *m/f* double
ducha ['duʃa] *f* shower
dueto ['dwetu] *m* duet
duna ['duna] *f* dune
dupla ['dupla] *f* pair; (*ESPORTE*): ~ **masculina/feminina/mista** men's/ women's/mixed doubles
duplicar [dupli'kaʳ] *vt* to duplicate ♦ *vi* to double; **duplicata** [dupli'kata] *f* duplicate; (*título*) trade note, bill
duplo, -a ['duplu, a] *adj* double ♦ *m* double
duque ['duki] *m* duke
duração [dura'sãw] *f* duration; **de pouca ~** short-lived
duradouro, -a [dura'doru, a] *adj* lasting
durante [du'rãtʃi] *prep* during; ~ **uma hora** for an hour
durar [du'raʳ] *vi* to last
durável [du'ravew] (*pl* **-eis**) *adj* lasting
durex [du'rɛks] ® *adj*: **fita ~** adhesive tape, sellotape ® (*BRIT*), scotchtape ® (*US*)
durmo *etc* ['duxmu] *vb V* **dormir**
duro, -a ['duru, a] *adj* hard; (*severo*) harsh; (*resistente, fig*) tough; **estar ~** (*col*) to be broke
dúvida ['duvida] *f* doubt; **sem ~** undoubtedly, without a doubt; **duvidar** [duvi'daʳ] *vt* to doubt ♦ *vi* to have one's doubts; **duvidar de alguém/algo** to

duvidar doubt sb/sth; **duvidar que ...** to doubt that ...; **duvido!** I doubt it!; **duvidoso, -a** [duvi'dozu, ɔza] *adj* doubtful; (*suspeito*) dubious

duzentos, -as [du'zẽtuʃ, aʃ] *num* two hundred

dúzia ['duzja] *f* dozen; **meia ~** half a dozen

DVD *abr m* (= *disco digital versátil*) DVD

dz. *abr* = **dúzia**

E e

e [i] *conj* and; **~ a bagagem?** what about the luggage?

é [ɛ] *vb V* **ser**

ébano ['ɛbanu] *m* ebony

eclipse [e'klipsi] *m* eclipse

eco ['ɛku] *m* echo; **ter ~** to catch on; **ecoar** [e'kwa*] *vt* to echo ♦ *vi* (*ressoar*) to echo

ecologia [ekolo'ʒia] *f* ecology

economia [ekono'mia] *f* economy; (*ciência*) economics *sg*; **~s** *fpl* (*poupanças*) savings; **fazer ~ (de)** to economize (with)

econômico, -a [eko'nomiku, a] *adj* economical; (*pessoa*) thrifty; (COM) economic

economizar [ekonomi'za*] *vt* (*gastar com economia*) to economize on; (*poupar*) to save up ♦ *vi* to economize; to save up

écran ['ɛkrã] (PT) *m* screen

ECU *abr m* ECU

edição [edʒi'sãw] (*pl* **-ões**) *f* publication; (*conjunto de exemplares*) edition; (TV, CINEMA) editing

edifício [edʒi'fisju] *m* building; **~ garagem** multistorey car park (BRIT), multistory parking lot (US)

Edimburgo [edʒĩ'buxgu] *n* Edinburgh

editar [edʒi'ta*] *vt* to publish; (COMPUT *etc*) to edit

editor, a [edʒi'to*, a] *adj* publishing *atr* ♦ *m/f* publisher; (*redator*) editor ♦ *f* publishing company; **casa ~a** publishing house; **editoração** [edʒitora'sãw] *f*: **editoração eletrônica** desktop publishing; **editorial** [edʒitor'jaw] (*pl* **-ais**) *adj* publishing *atr* ♦ *m* editorial

edredão [ədrə'dãw] (*pl* **-ões**) (PT) *m* = **edredom**

edredom [edre'dõ] (*pl* **-ns**) *m* eiderdown

educação [eduka'sãw] *f* education; (*criação*) upbringing; (*de animais*) training; (*maneiras*) good manners *pl*; **educacional** [edukasjo'naw] (*pl* **-ais**) *adj* education *atr*

educar [edu'ka*] *vt* to educate; (*criar*) to bring up; (*animal*) to train

efectivo, -a *etc* [efek'tivu, a] (PT) *adj* = **efetivo** *etc*

efectuar [efek'twa*] (PT) *vt* = **efetuar**

efeito [e'fejtu] *m* effect; **fazer ~** to work; **levar a ~** to put into effect; **com ~** indeed

efeminado [efemi'nadu] *adj* effeminate

efervescente [efexve'sẽtʃi] *adj* fizzy

efetivamente [efetʃiva'mẽtʃi] *adv* effectively; (*realmente*) really, in fact

efetivo, -a [efe'tʃivu, a] *adj* effective; (*real*) actual, real; (*cargo, funcionário*) permanent

efetuar [efe'twa*] *vt* to carry out; (*soma*) to do, perform

eficácia [efi'kasja] *f* (*de pessoa*) efficiency; (*de tratamento*) effectiveness

eficaz [efi'kaʒ] *adj* (*pessoa*) efficient; (*tratamento*) effective

eficiência [efi'sjẽsja] *f* efficiency; **eficiente** [efi'sjẽtʃi] *adj* efficient

egípcio, -a [e'ʒipsju, a] *adj, m/f* Egyptian

Egito [e'ʒitu] (PT **-pt-**) *m*: **o ~** Egypt

egoísmo [ego'iʒmu] *m* selfishness, egoism; **egoísta** [ego'iʃta] *adj* selfish, egoistic ♦ *m/f* egoist

égua ['ɛgwa] *f* mare

ei [ej] *excl* hey!

ei-lo *etc* = **eis** + **o**

eis [ejʃ] *adv* (*sg*) here is; (*pl*) here are; **~ aí** there is; there are

eixo ['ejʃu] *m* (*de rodas*) axle; (MAT) axis; (*de máquina*) shaft; **~ de transmissão** drive shaft

ejacular [eʒaku'la*] *vt* (*sêmen*) to ejaculate; (*líquido*) to spurt ♦ *vi* to ejaculate

ela ['ɛla] *pron* (*pessoa*) she; (*coisa*) it; (*com prep*) her; it; **~s** *fpl* they; (*com prep*) them; **~s por ~s** (*col*) tit for tat

elaboração [elabora'sãw] (*pl* **-ões**) *f* (*de uma teoria*) working out; (*preparo*) preparation

elaborar [elabo'ra*] *vt* to prepare; (*fazer*) to make; (*teoria*) to work out

elástico, -a [e'laʃtʃiku, a] *adj* elastic; (*flexível*) flexible; (*colchão*) springy ♦ *m* elastic band

ele ['eli] *pron* he; (*coisa*) it; (*com prep*) him; it; **~s** *mpl* they; (*com prep*) them

electri... *etc* [elektri] (PT) = **eletri...** *etc*

eléctrico, -a [e'lɛktriku, a] (PT) *adj* =

elétrico ♦ *m* tram (*BRIT*), streetcar (*US*)
electro... *etc* [elektru] (*PT*) = **eletro...** *etc*
eléctrodo [e'lɛktrodu] (*PT*) *m* = **eletrodo**
elefante, -ta [ele'fãtʃi, ta] *m/f* elephant
elegante [ele'gãtʃi] *adj* elegant; (*da moda*) fashionable
eleger [ele'ʒe*] *vt* to elect; (*escolher*) to choose
eleição [elej'sãw] (*pl* **-ões**) *f* election; (*escolha*) choice
eleito, -a [e'lejtu, a] *pp de* **eleger** ♦ *adj* elected; chosen
eleitor, a [elej'to*, a] *m/f* voter
elejo *etc* [ele'ʒu] *vb V* **eleger**
elementar [elemẽ'ta*] *adj* elementary; (*fundamental*) basic, fundamental
elemento [ele'mẽtu] *m* element; (*parte*) component; (*recurso*) means; (*informação*) grounds *pl*; **~s** *mpl* (*rudimentos*) rudiments
elenco [e'lẽku] *m* list; (*de atores*) cast
eletricidade [eletrisi'dadʒi] *f* electricity
eletricista [eletri'siʃta] *m/f* electrician
elétrico, -a [e'lɛtriku, a] *adj* electric; (*fig: agitado*) worked up
eletrificar [eletrifi'ka*] *vt* to electrify
eletrizar [eletri'za*] *vt* to electrify; (*fig*) to thrill
eletro... [eletru] *prefixo* electro...;
eletrocutar [eletroku'ta*] *vt* to electrocute; **eletrodo** [ele'trodu] *m* electrode; **eletrodomésticos** [eletrodo'mɛʃtʃikuʃ] (*BR*) *mpl* (electrical) household appliances
eletrônica [ele'tronika] *f* electronics *sg*
eletrônico, -a [ele'troniku, a] *adj* electronic
elevação [eleva'sãw] (*pl* **-ões**) *f* (*ARQ*) elevation; (*aumento*) rise; (*ato*) raising; (*altura*) height; (*promoção*) promotion; (*ponto elevado*) bump
elevador [eleva'do*] *m* lift (*BRIT*), elevator (*US*)
elevar [ele'va*] *vt* to lift up; (*voz, preço*) to raise; (*exaltar*) to exalt; (*promover*) to promote; **elevar-se** *vr* to rise
eliminar [elimi'na*] *vt* to remove; (*suprimir*) to delete; (*possibilidade*) to rule out; (*MED, banir*) to expel; (*ESPORTE*) to eliminate; **eliminatória** [elimina'tɔrja] *f* (*ESPORTE*) heat, preliminary round; (*exame*) test
elite [e'litʃi] *f* elite
elogiar [elo'ʒja*] *vt* to praise; **elogio** [elo'ʒiu] *m* praise; (*cumprimento*) compliment
El Salvador [ew-] *n* El Salvador

PALAVRA CHAVE

em [ẽ] (*em* + *o(s)/a(s)* = *no(s)/na(s)*; + *ele(s)/a(s)* = *nele(s)/a(s)*; + *esse(s)/a(s)* = *nesse(s)/a(s)*; + *isso* = *nisso*; + *este(s)/a(s)* = *neste(s)/a(s)*; + *isto* = *nisto*; + *aquele(s)/a(s)* = *naquele(s)/ a(s)*; + *aquilo* = *naquilo*) *prep*

1 (*posição*) in; (: *sobre*) on; **está na gaveta/no bolso** it's in the drawer/pocket; **está na mesa/no chão** it's on the table/floor

2 (*lugar*) in; (: *casa, escritório etc*) at; (: *andar, meio de transporte*) on; **no Brasil/em São Paulo** in Brazil/São Paulo; **~ casa/no dentista** at home/the dentist; **no avião** on the plane; **no quinto andar** on the fifth floor

3 (*ação*) into; **ela entrou na sala de aula** she went into the classroom; **colocar algo na bolso**, to put sth into one's bag

4 (*tempo*) in, on; **~ 1962/3 semanas** in 1962/3 weeks; **no inverno** in the winter; **~ janeiro, no mês de janeiro** in January; **nessa ocasião/altura** on that occasion/at that time; **~ breve** soon

5 (*diferença*): **reduzir/aumentar ~ um 20%** to reduce/increase by 20%

6 (*modo*): **escrito ~ inglês** written in English

7 (*após vb que indica gastar etc*) on; **a metade do seu salário vai ~ comida** he spends half his salary on food

8 (*tema, ocupação*): **especialista no assunto** expert on the subject; **ele trabalha na construção civil** he works in the building industry

---

emagrecer [imagre'se*] *vt* to make thin ♦ *vi* to grow thin; (*mediante regime*) to slim; **emagrecimento** [imagresi'mẽtu] *m* (*mediante regime*) slimming
emaranhado, -a [imara'ɲadu, a] *adj* tangled ♦ *m* tangle
embaixada [ẽbaj'ʃada] *f* embassy
embaixador, a [ẽbajʃa'do*, a] *m/f* ambassador
embaixatriz [ẽbajʃa'triʒ] *f* ambassador; (*mulher de embaixador*) ambassador's wife
embaixo [ẽ'bajʃu] *adv* below, underneath ♦ *prep*: **~ de** under, underneath; **(lá) ~** (*em andar inferior*) downstairs
embalagem [ẽba'laʒẽ] *f* packing; (*de produto: caixa etc*) packaging
embalar [ẽba'la*] *vt* to pack; (*balançar*) to rock

embaraçar → empenhar

embaraçar [ēbaraˈsa*] vt to hinder; (*complicar*) to complicate; (*encabular*) to embarrass; (*confundir*) to confuse; (*obstruir*) to block; **embaraçar-se** vr to become embarrassed

embaraço [ēbaˈrasu] m hindrance; (*cábula*) embarrassment; **embaraçoso, -a** [ēbaraˈsozu, ɔza] adj embarrassing

embarcação [ēbaxkaˈsãw] (*pl* -ões) f vessel

embarcar [ēbaxˈka*] vt to embark, put on board; (*mercadorias*) to ship, stow ♦ vi to go on board, embark

embarque [ēˈbaxki] m (*de pessoas*) boarding, embarkation; (*de mercadorias*) shipment

embebedar [ēbebeˈda*] vt to make drunk ♦ vi: **o vinho embebeda** wine makes you drunk; **embebedar-se** vr to get drunk

embelezar [ēbeleˈza*] vt to make beautiful; (*casa*) to brighten up; **embelezar-se** vr to make o.s. beautiful

emblema [ēˈblema] m emblem; (*na roupa*) badge

êmbolo [ˈēbolu] m piston

embolsar [ēbowˈsa*] vt to pocket; (*herança*) to come into; (*indenizar*) to refund

embora [ēˈbɔra] conj though, although ♦ excl even so; **ir(-se)** ~ to go away

emboscada [ēboʃˈkada] f ambush

embriagar [ēbrjaˈga*] vt to make drunk, intoxicate; **embriagar-se** vr to get drunk; **embriaguez** [ēbrjaˈgeʒ] f drunkenness; (*fig*) rapture

embrião [eˈbrjãw] (*pl* -ões) m embryo

embromar [ēbroˈma*] vt (*adiar*) to put off; (*enganar*) to cheat ♦ vi (*prometer e não cumprir*) to make empty promises, be all talk (and no action); (*protelar*) to stall; (*falar em rodeios*) to beat about the bush

embrulhar [ēbruˈʎa*] vt (*pacote*) to wrap; (*enrolar*) to roll up; (*confundir*) to muddle up; (*enganar*) to cheat; (*estômago*) to upset; **embrulhar-se** vr to get into a muddle

embrulho [ēˈbruʎu] m package, parcel; (*confusão*) mix-up

emburrar [ēbuˈxa*] vi to sulk

embutido, -a [ēbuˈtʃidu, a] adj (*armário*) built-in, fitted

emenda [eˈmēda] f correction; (*de lei*) amendment; (*de uma pessoa*) improvement; (*ligação*) join; (*sambladura*) joint; (*costura*) seam

emendar [emēˈda*] vt to correct; (*reparar*) to mend; (*injustiças*) to make amends for; (*lei*) to amend; (*ajuntar*) to put together; **emendar-se** vr to mend one's ways

ementa [eˈmēta] (*PT*) f menu

emergência [imexˈʒēsja] f emergence; (*crise*) emergency

emigrado, -a [emiˈgradu, a] adj emigrant

emigrante [emiˈgrãtʃi] m/f emigrant

emigrar [emiˈgra*] vi to emigrate; (*aves*) to migrate

eminência [emiˈnēsja] f eminence; (*altura*) height; **eminente** [emiˈnētʃi] adj eminent, distinguished; (*GEO*) high

emissão [emiˈsãw] (*pl* -ões) f emission; (*RÁDIO*) broadcast; (*de moeda, ações*) issue

emissário, -a [emiˈsarju, a] m/f emissary ♦ m outlet

emissões [emiˈsõjʃ] fpl de **emissão**

emissor, a [emiˈso*, a] adj (*de moeda-papel*) issuing ♦ m (*RÁDIO*) transmitter ♦ f (*estação*) broadcasting station; (*empresa*) broadcasting company

emitir [emiˈtʃi*] vt (*som*) to give out; (*cheiro*) to give off; (*moeda, ações*) to issue; (*RÁDIO*) to broadcast; (*opinião*) to express ♦ vi (*emitir moeda*) to print money

emoção [emoˈsãw] (*pl* -ões) f emotion; (*excitação*) excitement; **emocional** [imosjoˈnaw] (*pl* -ais) adj emotional; **emocionante** [imosjoˈnãtʃi] adj moving, exciting; **emocionar** [imosjoˈna*] vt to move; (*perturbar*) to upset; (*excitar*) to excite, thrill ♦ vi to be exciting; (*comover*) to be moving; **emocionar-se** vr to get emotional

emotivo, -a [emoˈtʃivu, a] adj emotional

empacotar [ēpakoˈta*] vt to pack, wrap up

empada [ēˈpada] f pie

empadão [ēpaˈdãw] (*pl* -ões) m pie

empalidecer [ēpalideˈse*] vi to turn pale

empanturrar [ēpãtuˈxa*] vt: ~ **alguém de algo** to stuff sb full of sth

empatar [ēpaˈta*] vt to hinder; (*dinheiro*) to tie up; (*no jogo*) to draw; (*tempo*) to take up ♦ vi (*no jogo*): ~ **(com)** to draw (with); **empate** [ēˈpatʃi] m draw; tie; (*XADREZ*) stalemate; (*em negociações*) deadlock

empecilho [ēpeˈsiʎu] m obstacle; (*col*) snag

empenhar [ēpeˈɲa*] vt (*objeto*) to pawn; (*palavra*) to pledge; (*empregar*) to exert; (*compelir*) to oblige; **empenhar-se** vr: ~-**se em fazer** to strive to do, do one's utmost to do; **empenho** [ēˈpeɲu] m pawning; pledge; (*insistência*): **empenho**

(em) commitment (to)
empilhar [ēpiˈʎaˀ] vt to pile up
empinado, -a [ēpiˈnadu, a] adj upright; (cavalo) rearing; (colina) steep
empinar [ēpiˈnaˀ] vt to raise, uplift
empobrecer [ēpobreˈseˀ] vt to impoverish ♦ vi to become poor; **empobrecimento** [ēpobresiˈmẽtu] m impoverishment
empolgação [ēpowgaˈsãw] f excitement; (entusiasmo) enthusiasm
empolgante [ēpowˈgãtʃi] adj exciting
empolgar [ēpowˈgaˀ] vt to stimulate, fill with enthusiasm; (prender a atenção de): **~ alguém** to keep sb riveted
empossar [ēpoˈsaˀ] vt to appoint
empreendedor, a [ēprjẽdeˈdoˀ, a] adj enterprising ♦ m/f entrepreneur
empreender [ēprjẽˈdeˀ] vt to undertake; **empreendimento** [ēprjẽdʒiˈmẽtu] m undertaking
empregada [ēpreˈgada] f (BR: doméstica) maid; (PT: de restaurante) waitress; V tb **empregado**
empregado, -a [ēpreˈgadu, a] m/f employee; (em escritório) clerk ♦ m (PT: de restaurante) waiter
empregador, a [ēpregaˈdoˀ, a] m/f employer
empregar [ēpreˈgaˀ] vt (pessoa) to employ; (coisa) to use; **empregar-se** vr to get a job
emprego [ēˈpregu] m job; (uso) use
empreiteiro [ēprejˈtejru] m contractor
empresa [ēˈpreza] f undertaking; (COM) enterprise, firm; **empresário, -a** [ēpreˈzarju, a] m/f businessman/woman; (de cantor, boxeador etc) manager
emprestado, -a [ēpreʃˈtadu, a] adj on loan; **pedir ~** to borrow; **tomar algo ~** to borrow sth
emprestar [ēpreʃˈtaˀ] vt to lend; **empréstimo** [ēˈpreʃtʃimu] m loan
empunhar [ēpuˈɲaˀ] vt to grasp, seize
empurrão [ēpuˈxãw] (pl **-ões**) m push, shove; **aos empurrões** jostling
empurrar [ēpuˈxaˀ] vt to push
empurrões [ēpuˈxõjʃ] mpl de **empurrão**
emudecer [emudeˈseˀ] vt to silence ♦ vi to fall silent, go quiet
enamorado, -a [enamoˈradu, a] adj enchanted; (apaixonado) in love
encabulado, -a [ēkabuˈladu, a] adj shy
encadernação [ēkadexnaˈsãw] (pl **-ões**) f (de livro) binding
encadernado, -a [ēkadexˈnadu, a] adj bound; (de capa dura) hardback

empilhar → encharcar

encadernar [ēkadexˈnaˀ] vt to bind
encaixar [ēkajˈʃaˀ] vt (colocar) to fit in; (inserir) to insert ♦ vi to fit; **encaixe** [ēˈkajʃi] m (ato) fitting; (ranhura) groove; (buraco) socket
encalço [ēˈkawsu] m pursuit; **ir no ~ de** to pursue
encalhar [ēkaˈʎaˀ] vi (embarcação) to run aground; (fig: processo) to grind to a halt; (: mercadoria) to be returned, not to sell; (col: ficar solteiro) to be left on the shelf
encaminhar [ēkamiˈɲaˀ] vt to direct; (no bom caminho) to put on the right path; (processo) to set in motion; **encaminhar-se** vr: **~-se para/a** to set out for/to
encanar [ēkaˈnaˀ] vt to channel
encantado, -a [ēkãˈtadu, a] adj delighted; (castelo etc) enchanted; (fascinado): **~ (por)** smitten with
encantador, a [ēkãtaˈdoˀ, a] adj delightful, charming
encantamento [ēkãtaˈmẽtu] m (magia) spell; (fascinação) charm
encantar [ēkãˈtaˀ] vt to bewitch; to charm; (deliciar) to delight
encanto [ēˈkãtu] m delight; charm
encarar [ēkaˈraˀ] vt to face; (olhar) to look at; (considerar) to consider
encargo [ēˈkaxgu] m responsibility; (ocupação) job, assignment; (fardo) burden
encarnação [ēkaxnaˈsãw] (pl **-ões**) f incarnation
encarnado, -a [ēkaxˈnadu, a] adj red, scarlet
encarnar [ēkaxˈnaˀ] vt to embody, personify; (TEATRO) to play
encarregado, -a [ēkaxeˈgadu, a] adj: **~ de** in charge of ♦ m/f person in charge ♦ m (de operários) foreman
encarregar [ēkaxeˈgaˀ] vt: **~ alguém de algo** to put sb in charge of sth; **encarregar-se** vr: **~-se de fazer** to undertake to do
encenação [ēsenaˈsãw] (pl **-ões**) f (de peça) staging, putting on; (produção) production; (fingimento) playacting; (atitude fingida) put-on
encerar [ēseˈraˀ] vt to wax
encerramento [ēsexaˈmẽtu] m close, end
encerrar [ēseˈxaˀ] vt to shut in, lock up; (conter) to contain; (concluir) to close
encharcar [ẽʃaxˈkaˀ] vt to flood; (ensopar) to soak, drench; **encharcar-se** vr to get soaked ou drenched

enchente [ẽ'ʃẽtʃi] f flood
encher [ẽ'ʃe*] vt to fill (up); (balão) to blow up; (tempo) to fill, take up ♦ vi (col) to be annoying; **encher-se** vr to fill up; **~-se (de)** (col) to get fed up (with); **enchimento** [ẽʃi'mẽtu] m filling
enciclopédia [ẽsiklo'pɛdʒja] f encyclopedia, encyclopaedia (BRIT)
encoberto, -a [ẽko'bɛxtu, a] pp de **encobrir** ♦ adj concealed; (tempo) overcast
encobrir [ẽko'bri*] vt to conceal, hide
encolher [ẽko'ʎe*] vt (pernas) to draw up; (os ombros) to shrug; (roupa) to shrink ♦ vi to shrink; **encolher-se** vr (de frio) to huddle
encomenda [ẽko'mẽda] f order; **feito de ~** made to order, custom-made; **encomendar** [ẽkomẽ'da*] vt: **encomendar algo a alguém** to order sth from sb
encontrar [ẽkõ'tra*] vt to find; (pessoa) to meet; (inesperadamente) to come across; (dar com) to bump into ♦ vi: **~ com** to bump into; **encontrar-se** vr (achar-se) to be; (ter encontro): **~-se (com alguém)** to meet (sb)
encontro [ẽ'kõtru] m (de pessoas) meeting; (MIL) encounter; **~ marcado** appointment; **ir/vir ao ~ de** to go/come and meet
encorajar [ẽkora'ʒa*] vt to encourage
encosta [ẽ'kɔʃta] f slope
encostar [ẽkoʃ'ta*] vt (cabeça) to put down; (carro) to park; (pôr de lado) to put to one side; (pôr junto) to put side by side; (porta) to leave ajar ♦ vi to pull in; **encostar-se** vr: **~-se em** to lean against; (deitar-se) to lie down on; **~ em** to lean against; **~ a mão em** (bater) to hit
encosto [ẽ'kɔʃtu] m (arrimo) support; (de cadeira) back
encrencar [ẽkrẽ'ka*] (col) vt (situação) to complicate; (pessoa) to get into trouble ♦ vi to get complicated; (carro) to break down; **encrencar-se** vr to get complicated; to get into trouble
encruzilhada [ẽkruzi'ʎada] f crossroads sg
encurtar [ẽkux'ta*] vt to shorten
endereçar [ẽdere'sa*] vt (carta) to address; (encaminhar) to direct
endereço [ẽde'resu] m address
endiabrado, -a [ẽdʒja'bradu, a] adj devilish; (travesso) mischievous
endinheirado, -a [ẽdʒiɲej'radu, a] adj rich, wealthy

endireitar [ẽdʒirej'ta*] vt (objeto) to straighten; (fig: retificar) to put right; **endireitar-se** vr to straighten up
endividar-se [ẽdʒivi'daxsi] vr to run into debt
endossar [ẽdo'sa*] vt to endorse
endurecer [ẽdure'se*] vt, vi to harden
energia [enex'ʒia] f energy, drive; (TEC) power, energy; **enérgico, -a** [e'nexʒiku, a] adj energetic, vigorous
enervante [enex'vãtʃi] adj annoying
enevoado, -a [ene'vwadu, a] adj misty, hazy
enfado [ẽ'fadu] m annoyance; **enfadonho, -a** [ẽfa'doɲu, a] adj tiresome; (aborrecido) boring
enfarte [ẽ'faxtʃi] m (MED) coronary
ênfase ['ẽfazi] f emphasis, stress
enfastiado, -a [ẽfaʃ'tʃjadu, a] adj bored
enfático, -a [ẽ'fatʃiku, a] adj emphatic
enfatizar [ẽfatʃi'za*] vt to emphasize
enfeitar [ẽfej'ta*] vt to decorate; **enfeitar-se** vr to dress up; **enfeite** [ẽ'fejtʃi] m decoration
enfeitiçar [ẽfejtʃi'sa*] vt to bewitch, cast a spell on
enfermaria [ẽfexma'ria] f ward
enfermeiro, -a [ẽfex'mejru, a] m/f nurse
enfermidade [ẽfexmi'dadʒi] f illness
enfermo, -a [ẽ'fexmu, a] adj ill, sick ♦ m/f sick person, patient
enferrujar [ẽfexu'ʒa*] vt to rust, corrode ♦ vi to go rusty
enfiar [ẽ'fja*] vt (meter) to put; (agulha) to thread; (vestir) to slip on; **enfiar-se** vr: **~-se em** to slip into
enfim [ẽ'fĩ] adv finally, at last; (em suma) in short; **até que ~!** at last!
enfoque [ẽ'fɔki] m approach
enforcar [ẽfox'ka*] vt to hang; (trabalho, aulas) to skip; **enforcar-se** vr to hang o.s.
enfraquecer [ẽfrake'se*] vt to weaken ♦ vi to grow weak
enfrentar [ẽfrẽ'ta*] vt to face; (confrontar) to confront; (problemas) to face up to
enfurecer [ẽfure'se*] vt to infuriate; **enfurecer-se** vr to get furious
enganado, -a [ẽga'nadu, a] adj mistaken; (traído) deceived
enganar [ẽga'na*] vt to deceive; (desonrar) to seduce; (cônjuge) to be unfaithful to; (fome) to stave off; **enganar-se** vr to be wrong, be mistaken; (iludir-se) to deceive o.s.
engano [ẽ'gãnu] m mistake; (ilusão) deception; (logro) trick; **é ~** (TEL) I've (ou

you've) got the wrong number
engarrafamento [ẽgaxafa'mẽtu] m bottling; (de trânsito) traffic jam
engarrafar [ẽgaxa'fa*] vt to bottle; (trânsito) to block
engasgar [ẽgaʒ'ga*] vt to choke ♦ vi to choke; (máquina) to splutter; **engasgar-se** vr to choke
engatinhar [ẽgatʃi'ɲa*] vi to crawl
engenharia [ẽʒeɲa'ria] f engineering; **engenheiro, -a** [ẽʒe'ɲejru, a] m/f engineer
engenhoso, -a [ẽʒe'ɲozu, ɔza] adj clever, ingenious
engessar [ẽʒe'sa*] vt (perna) to put in plaster; (parede) to plaster
englobar [ẽglo'ba*] vt to include
engodo [ẽ'godu] m bait
engolir [ẽgo'li*] vt to swallow
engordar [ẽgox'da*] vt to fatten ♦ vi to put on weight
engraçado, -a [ẽgra'sadu, a] adj funny, amusing
engradado [ẽgra'dadu] m crate
engraxador [ẽgrafa'do*] (PT) m shoe shiner
engraxar [ẽgra'ʃa*] vt to polish
engrenagem [ẽgre'naʒẽ] (pl **-ns**) f (AUTO) gear
engrenar [ẽgre'na*] vt to put into gear; (fig: conversa) to strike up ♦ vi: ~ **com alguém** to get on with sb
engrossar [ẽgro'sa*] vt (sopa) to thicken; (aumentar) to swell; (voz) to raise ♦ vi to thicken; to swell; to rise; (col: pessoa, conversa) to turn nasty
enguia [ẽ'gia] f eel
enguiçar [ẽgi'sa*] vi (máquina) to break down ♦ vt to cause to break down; **engulço** [ẽ'gisu] m snag; (desarranjo) breakdown
enigma [e'nigima] m enigma; (mistério) mystery
enjeitado, -a [ẽʒej'tadu, a] m/f foundling, waif
enjoado, -a [ẽ'ʒwadu, a] adj sick; (enfastiado) bored; (enfadonho) boring; (mal-humorado) in a bad mood
enjoar [ẽ'ʒwa*] vt to make sick; to bore ♦ vi (pessoa) to be sick; (remédio, comida) to cause nausea; **enjoar-se** vr: **~-se de** to get sick of
enjôo [ẽ'ʒou] m sickness; (em carro) travel sickness; (em navio) seasickness; boredom
enlatado, -a [ẽla'tadu, a] adj tinned (BRIT), canned ♦ m (pej: filme) foreign import; **~s** mpl (comida) tinned (BRIT) ou canned foods
enlouquecer [ẽloke'se*] vt to drive mad ♦ vi to go mad
enlutado, -a [ẽlu'tadu, a] adj in mourning
enojar [eno'ja*] vt to disgust, sicken
enorme [e'nɔxmi] adj enormous, huge; **enormidade** [enoxmi'dadʒi] f enormity; **uma enormidade (de)** (col) a hell of a lot (of)
enquanto [ẽ'kwãtu] conj while; (considerado como) as; ~ **isso** meanwhile; **por** ~ for the time being; ~ **ele não vem** until he comes; ~ **que** whereas
enquête [ẽ'kɛtʃi] f survey
enraivecer [ẽxajve'se*] vt to enrage
enredo [ẽ'xedu] m (de uma obra) plot; (intriga) intrigue
enriquecer [ẽxike'se*] vt to make rich; (fig) to enrich ♦ vi to get rich; **enriquecer-se** vr to get rich
enrolar [ẽxo'la*] vt to roll up; (agasalhar) to wrap up; (col: enganar) to con ♦ vi (col) to waffle; **enrolar-se** vr to roll up; to wrap up; (col: confundir-se) to get mixed up
enroscar [ẽxoʃ'ka*] vt (torcer) to twist, wind (round); **enroscar-se** vr to coil up
enrugar [ẽxu'ga*] vt (pele) to wrinkle; (testa) to furrow; (tecido) to crease ♦ vi (pele, mãos) to go wrinkly; (pessoa) to get wrinkles
ensaiar [ẽsa'ja*] vt to test, try out; (treinar) to practise (BRIT), practice (US); (TEATRO) to rehearse
ensaio [ẽ'saju] m test; (tentativa) attempt; (treino) practice; (TEATRO) rehearsal; (literário) essay
ensangüentar [ẽsãgwẽ'ta*] vt to stain with blood
enseada [ẽ'sjada] f inlet, cove; (baía) bay
ensejo [ẽ'seʒu] m chance, opportunity
ensinamento [ẽsina'mẽtu] m teaching; (exemplo) lesson
ensinar [ẽsi'na*] vt, vi to teach
ensino [ẽ'sinu] m teaching, tuition; (educação) education
ensolarado, -a [ẽsola'radu, a] adj sunny
ensopado, -a [ẽso'padu, a] adj soaked ♦ m stew
ensurdecer [ẽsuxde'se*] vt to deafen ♦ vi to go deaf
entalar [ẽta'la*] vt to wedge, jam; (encher): **ela me entalou de comida** she stuffed me full of food
entalhar [ẽta'ʎa*] vt to carve; **entalhe** [ẽ'taʎi] m groove, notch
entanto [ẽ'tãtu]: **no** ~ adv yet, however

então → entusiasmar

então [ẽ'tãw] adv then; **até ~** up to that time; **desde ~** ever since; **e ~?** well then?; **para ~** so that; **pois ~** in that case; **~, você vai ou não?** so, are you going or not?

entardecer [ẽtaxde'se*] vi to get late ♦ m sunset

ente ['ẽtʃi] m being

enteado, -a [ẽ'tʃjadu, a] m/f stepson/stepdaughter

entediar [ẽte'dʒja*] vt to bore; **entediar-se** vr to get bored

entender [ẽtẽ'de*] vt to understand; (*pensar*) to think; (*ouvir*) to hear; **entender-se** vr to understand one another; **dar a ~** to imply; **no meu ~** in my opinion; **~ de música** to know about music; **~ de fazer** to decide to do; **~-se por** to be meant by; **~-se com alguém** to get along with sb; (*dialogar*) to sort things out with sb

entendido, -a [ẽtẽ'dʒidu, a] adj (*col*) gay; (*conhecedor*): **~ em** good at ♦ m/f expert; (*col*) homosexual, gay; **bem ~** that is

entendimento [ẽtẽdʒi'mẽtu] m understanding; (*opinião*) opinion; (*combinação*) agreement

enterrar [ẽte'xa*] vt to bury; (*faca*) to plunge; (*lever à ruina*) to ruin; (*assunto*) to close

enterro [ẽ'texu] m burial; (*funeral*) funeral

entidade [ẽtʃi'dadʒi] f (*ser*) being; (*corporação*) body; (*coisa que existe*) entity

entornar [ẽtox'na*] vt to spill; (*fig: copo*) to drink ♦ vi to drink a lot

entorpecente [ẽtoxpe'sẽtʃi] m narcotic

entorpecimento [ẽtoxpesi'mẽtu] m numbness; (*torpor*) lethargy

entorse [ẽ'tɔxsi] f sprain

entortar [ẽtox'ta*] vt (*curvar*) to bend; (*empenar*) to warp; **~ os olhos** to squint

entrada [ẽ'trada] f (*ato*) entry; (*lugar*) entrance; (*TEC*) inlet; (*de casa*) doorway; (*começo*) beginning; (*bilhete*) ticket; (*CULIN*) starter, entrée; (*COMPUT*) input; (*pagamento inicial*) down payment; (*corredor de casa*) hall; **~s** fpl (*no cabelo*) receding hairline sg; **~ gratuita** admission free; **"~ proibida"** "no entry", "no admittance"; **meia ~** half-price ticket

entra-e-sai ['ẽtrai'saj] m comings and goings pl

entranhado, -a [ẽtra'ɲadu, a] adj deep-rooted

entranhas [ẽ'traɲaʃ] fpl bowels, entrails; (*sentimentos*) feelings; (*centro*) heart sg

entrar [ẽ'tra*] vi to go (*ou* come) in, enter; **~ com** (*COMPUT: dados etc*) to enter; **eu entrei com £10** I contributed £10; **~ de férias/licença** to start one's holiday (*BRIT*) *ou* vacation (*US*)/leave; **~ em** to go (*ou* come) into, enter; (*assunto*) to get onto; (*comida, bebida*) to start in on

entrave [ẽ'travi] m (*fig*) impediment

entre ['ẽtri] prep (*dois*) between; (*mais de dois*) among(st); **~ si** amongst themselves

entreaberto, -a [ẽtrja'bɛxtu, a] adj half-open; (*porta*) ajar

entrega [ẽ'trɛga] f (*de mercadorias*) delivery; (*a alguém*) handing over; (*rendição*) surrender; **~ rápida** special delivery

entregar [ẽtre'ga*] vt to hand over; (*mercadorias*) to deliver; (*confiar*) to entrust; (*devolver*) to return; **entregar-se** vr (*render-se*) to give o.s. up; (*dedicar-se*) to devote o.s.

entregue [ẽ'trɛgi] pp de **entregar**

entrelinha [ẽtre'liɲa] f line space; **ler nas ~s** to read between the lines

entreolhar-se [ẽtrio'ʎaxsi] vr to exchange glances

entretanto [ẽtre'tãtu] conj however

entretenimento [ẽtreteni'mẽtu] m entertainment; (*distração*) pastime

entreter [ẽtre'te*] (*irreg: como* **ter**) vt to entertain, amuse; (*ocupar*) to occupy; (*manter*) to keep up; (*esperanças*) to cherish; **entreter-se** vr to amuse o.s.; to occupy o.s.

entrevista [ẽtre'viʃta] f interview; **~ coletiva (à imprensa)** press conference; **entrevistar** [ẽtreviʃ'ta*] vt to interview; **entrevistar-se** vr to have an interview

entristecer [ẽtriʃte'se*] vt to sadden, grieve ♦ vi to feel sad; **entristecer-se** vr to feel sad

entroncamento [ẽtrõka'mẽtu] m junction

entrudo [ẽ'trudu] (*PT*) m carnival; (*REL*) Shrovetide

entulhar [ẽtu'ʎa*] vt to cram full; (*suj*: *multidão*) to pack

entupido, -a [ẽtu'pidu, a] adj blocked; **estar ~** (*col*: *congestionado*) to have a blocked-up nose; (*de comida*) to be fit to burst, be full up

entupimento [ẽtupi'mẽtu] m blockage

entupir [ẽtu'pi*] vt to block, clog; **entupir-se** vr to become blocked; (*de comida*) to stuff o.s.

entusiasmar [ẽtuzjaʒ'ma*] vt to fill with

entusiasmo [ẽtu'zjaʒmu] m enthusiasm; (júbilo) excitement

entusiasta [ẽtu'zjaʃta] adj enthusiastic ♦ m/f enthusiast

enumerar [enume'ra*] vt to enumerate; (com números) to number

envelhecer [ẽveʎe'se*] vt to age ♦ vi to grow old, age

envelope [ẽve'lɔpi] m envelope

envenenamento [ẽvenena'mẽtu] m poisoning; **~ do sangue** blood poisoning

envenenar [ẽvene'na*] vt to poison; (fig) to corrupt; (: declaração, palavras) to distort, twist; (tornar amargo) to sour ♦ vi to be poisonous; **envenenar-se** vr to poison o.s.

envergonhado, -a [ẽvexgo'ɲadu, a] adj ashamed; (tímido) shy

envergonhar [ẽvexgo'ɲa*] vt to shame; (degradar) to disgrace; **envergonhar-se** vr to be ashamed

enviado, -a [ẽ'vjadu, a] m/f envoy, messenger

enviar [ẽ'vja*] vt to send

envio [ẽ'viu] m sending; (expedição) dispatch; (remessa) remittance; (de mercadorias) consignment

enviuvar [ẽvju'va*] vi to be widowed

envolto, -a [ẽ'vowtu, a] pp de **envolver**

envolver [ẽvow've*] vt to wrap (up); (cobrir) to cover; (comprometer, acarretar) to involve; (nos braços) to embrace; **envolver-se** vr (intrometer-se) to become involved; (cobrir-se) to wrap o.s. up; **envolvimento** [ẽvowvi'mẽtu] m involvement

enxada [ẽ'ʃada] f hoe

enxaguar [ẽʃa'gwa*] vt to rinse

enxame [ẽ'ʃami] m swarm

enxaqueca [ẽʃa'keka] f migraine

enxergar [ẽʃex'ga*] vt (avistar) to catch sight of; (divisar) to make out; (notar) to observe, see

enxofre [ẽ'ʃofri] m sulphur (BRIT), sulfor (US)

enxotar [ẽʃo'ta*] vt to drive out

enxoval [ẽʃo'vaw] (pl **-ais**) m (de noiva) trousseau; (de recém-nascido) layette

enxugar [ẽʃu'ga*] vt to dry; (fig: texto) to tidy up

enxurrada [ẽʃu'xada] f (de água) torrent; (fig) spate

enxuto, -a [ẽ'ʃutu, a] adj dry; (corpo) shapely; (bonito) good-looking

épico, -a ['ɛpiku, a] adj epic ♦ m epic poet

epidemia [epide'mia] f epidemic

epilepsia [epile'psia] f epilepsy

episódio [epi'zɔdʒu] m episode

época ['ɛpoka] f time, period; (da história) age, epoch; **naquela ~** at that time; **fazer ~** to be epoch-making

equação [ekwa'sãw] (pl **-ões**) f equation

equador [ekwa'do*] m equator; **o E~** Ecuador

equilibrar [ekili'bra*] vt to balance; **equilibrar-se** vr to balance; **equilíbrio** [eki'librju] m balance

equipa [e'kipa] (PT) f team

equipamento [ekipa'mẽtu] m equipment, kit

equipar [eki'pa*] vt: **~ (com)** (navio) to fit out (with); (prover) to equip (with)

equipe [e'kipi] (BR) f team

equitação [ekita'sãw] f (ato) riding; (arte) horsemanship

equivalente [ekiva'lẽtʃi] adj, m equivalent

equivaler [ekiva'le*] vi: **~ a** to be the same as, equal

equivocado, -a [ekivo'kadu, a] adj mistaken, wrong

equivocar-se [ekivo'kaxsi] vr to make a mistake, be wrong

equívoco, -a [e'kivoku, a] adj ambiguous ♦ m (engano) mistake

era¹ ['ɛra] f era, age

era² etc vb V **ser**

erário [e'rarju] m exchequer

erecto, -a [e'rɛktu, a] (PT) adj = **ereto**

ereto, -a [e'rɛtu, a] adj upright, erect

erguer [ex'ge*] vt to raise, lift; (edificar) to build, erect; **erguer-se** vr to rise; (pessoa) to stand up

eriçar [eri'sa*] vt: **~ o cabelo de alguém** to make sb's hair stand on end; **eriçar-se** vr (cabelos) to stand on end

erigir [eri'ʒi*] vt to erect

erosão [ero'zãw] f erosion

erótico, -a [e'rɔtʃiku, a] adj erotic

errado, -a [e'xadu, a] adj wrong; **dar ~** to go wrong

errar [e'xa*] vt (alvo) to miss; (conta) to get wrong ♦ vi to wander, roam; (enganar-se) to be wrong, make a mistake; **~ o caminho** to lose one's way

erro ['exu] m mistake; **salvo ~** unless I am mistaken; **~ de imprensa** misprint

errôneo, -a [e'xonju, a] adj wrong, mistaken; (falso) false, untrue

erudito, -a [eru'dʒitu, a] adj learned, scholarly ♦ m scholar

erva ['ɛxva] f herb; (col: dinheiro) dosh;

erva-mate → escorar

(: *maconha*) dope; **~ daninha** weed
erva-mate (*pl* **ervas-mates**) *f* mate
ervilha [exˈviʎa] *f* pea
esbanjar [iʒbãˈʒa*] *vt* to squander, waste
esbarrar [iʒbaˈxa*] *vi*: **~ em** to bump into; (*obstáculo, problema*) to come up against
esbelto, -a [iʒˈbɛwtu, a] *adj* slim, slender
esboçar [iʒboˈsa*] *vt* to sketch; (*delinear*) to outline; (*traçar*) to draw up; **esboço** [iʒˈbosu] *m* sketch; (*primeira versão*) draft; (*fig: resumo*) outline
esbofetear [iʒbofeˈtʃja*] *vt* to slap, hit
esburacar [iʒburaˈka*] *vt* to make holes (*ou* a hole) in
esc (*PT*) *abr* = **escudo**
escabroso, -a [iʃkaˈbrozu, ɔza] *adj* (*difícil*) tough; (*indecoroso*) indecent
escada [iʃˈkada] *f* (*dentro da casa*) staircase, stairs *pl*; (*fora da casa*) steps *pl*; (*de mão*) ladder; **~ de incêndio** fire escape; **~ rolante** escalator; **escadaria** [iʃkadaˈria] *f* staircase
escala [iʃˈkala] *f* scale; (*NÁUT*) port of call; (*parada*) stop; **fazer ~ em** to call at; **sem ~** non-stop
escalada [iʃkaˈlada] *f* (*de guerra*) escalation
escalão [eʃkaˈlãw] (*pl* **-ões**) *m* step; (*MIL*) echelon
escalar [iʃkaˈla*] *vt* (*montanha*) to climb; (*muro*) to scale; (*designar*) to select
escaldar [iʃkawˈda*] *vt* to scald; **escaldar-se** *vr* to scald o.s.
escalões [ɛʃkaˈlõjʃ] *mpl de* **escalão**
escama [iʃˈkama] *f* (*de peixe*) scale; (*de pele*) flake
escancarado, -a [iʃkãkaˈradu, a] *adj* wide open
escandalizar [iʃkãdaliˈza*] *vt* to shock; **escandalizar-se** *vr* to be shocked; (*ofender-se*) to be offended
escândalo [iʃˈkãdalu] *m* scandal; (*indignação*) outrage; **fazer** *ou* **dar um ~** to make a scene; **escandaloso, -a** [iʃkãdaˈlozu, ɔza] *adj* shocking, scandalous
Escandinávia [iʃkãdʒiˈnavja] *f*: **a ~** Scandinavia; **escandinavo, -a** [iʃkãdʒiˈnavu, a] *adj, m/f* Scandinavian
escangalhar [iʃkãgaˈʎa*] *vt* to break, smash (up); (*a própria saúde*) to ruin; **escangalhar-se** *vr*: **~-se de rir** to split one's sides laughing
escapar [iʃkaˈpa*] *vi*: **~ a** *ou* **de** to escape from; (*fugir*) to run away from; **escapar-se** *vr* to run away, flee; **deixar ~** (*uma oportunidade*) to miss; (*palavras*)

to blurt out; **~ de boa** (*col*) to have a close shave
escapatória [iʃkapaˈtɔrja] *f* way out; (*desculpa*) excuse
escape [iʃˈkapi] *m* (*de gás*) leak; (*AUTO*) exhaust
escapulir [iʃkapuˈli*] *vi*: **~ (de)** to get away (from); (*suj: coisa*) to slip (from)
escárnio [iʃˈkaxnju] *m* mockery; (*desprezo*) derision
escarrar [iʃkaˈxa*] *vt* to spit, cough up ♦ *vi* to spit
escarro [iʃˈkaxu] *m* phlegm, spit
escassear [iʃkaˈsja*] *vt* to skimp on ♦ *vi* to become scarce
escassez [iʃkaˈseʒ] *f* (*falta*) shortage
escasso, -a [iʃˈkasu, a] *adj* scarce
escavar [iʃkaˈva*] *vt* to excavate
esclarecer [iʃklareˈse*] *vt* (*situação*) to explain; (*mistério*) to clear up, explain; **esclarecer-se** *vr*: **~-se (sobre algo)** to find out (about sth); **esclarecimento** [iʃklaresiˈmẽtu] *m* explanation; (*informação*) information
escoadouro [iʃkoaˈdoru] *m* drain; (*cano*) drainpipe
escocês, -esa [iʃkoˈseʃ, seza] *adj* Scottish, Scots ♦ *m/f* Scot, Scotsman/woman
Escócia [iʃˈkɔsja] *f* Scotland
escola [iʃˈkɔla] *f* school; **~ naval** naval college; **~ primária** primary (*BRIT*) *ou* elementary (*US*) school; **~ secundária** secondary (*BRIT*) *ou* high (*US*) school; **~ particular/pública** private/state (*BRIT*) *ou* public (*US*) school; **~ superior** college
escolar [iʃkoˈla*] *adj* school *atr* ♦ *m/f* schoolboy/girl
escolha [iʃˈkoʎa] *f* choice
escolher [iʃkoˈʎe*] *vt* to choose, select
escolho [iʃˈkoʎu] *m* (*recife*) reef; (*rocha*) rock
escolta [iʃˈkɔwta] *f* escort; **escoltar** [iʃkowˈta*] *vt* to escort
escombros [iʃˈkõbruʃ] *mpl* ruins, debris *sg*
esconde-esconde [iʃkõdʒiʃˈkõdʒi] *m* hide-and-seek
esconder [iʃkõˈde*] *vt* to hide, conceal; **esconder-se** *vr* to hide
esconderijo [iʃkõdeˈriʒu] *m* hiding place; (*de bandidos*) hideout
escondidas [iʃkõˈdʒidaʃ] *fpl*: **às ~** secretly
escopo [iʃˈkopu] *m* aim, purpose
escorar [iʃkoˈra*] *vt* to prop (up); (*amparar*) to support; (*esperar de espreita*) to lie in wait for ♦ *vi* to lie in wait; **escorar-se** *vr*: **~-se em** (*fundamentar-se*)

to go by; (*amparar-se*) to live off
escore [iʃˈkɔri] *m* score
escoriação [iʃkorjaˈsãw] (*pl* **-ões**) *f* abrasion, scratch
escorpião [iʃkoxpiˈãw] (*pl* **-ões**) *m* scorpion; **E~** (*ASTROLOGIA*) Scorpio
escorrega [iʃˈkɔva] *f* slide; **escorregadela** [iʃkoxegaˈdɛla] *f* slip; **escorregadiço, -a** [iʃkoxegaˈdʒi(s)u, a] *adj* slippery; **escorregão** [iʃkoxeˈgãw] (*pl* **-ões**) *m* slip; (*fig*) slip(-up); **escorregar** [iʃkoxeˈga*] *vi* to slip; (*errar*) to slip up
escorrer [iʃkoˈxe*] *vt* to drain (off); (*verter*) to pour out ♦ *vi* (*pingar*) to drip; (*correr em fio*) to trickle
escoteiro [iʃkoˈtejru] *m* scout
escova [iʃˈkova] *f* brush; (*penteado*) blow-dry; **~ de dentes** toothbrush; **escovar** [iʃkoˈva*] *vt* to brush
escravatura [iʃkravaˈtura] *f* (*tráfico*) slave trade; (*escravidão*) slavery
escravidão [iʃkraviˈdãw] *f* slavery
escravizar [iʃkraviˈza*] *vt* to enslave; (*cativar*) to captivate
escravo, -a [iʃˈkravu, a] *adj* captive ♦ *m/f* slave
escrever [iʃkreˈve*] *vt, vi* to write; **escrever-se** *vr* to write to each other; **~ à máquina** to type
escrita [eʃˈkrita] *f* writing; (*letra*) handwriting
escrito, -a [eʃˈkritu, a] *pp de* **escrever** ♦ *adj* written ♦ *m* piece of writing; **~ à mão** handwritten; **dar por ~** to put in writing
escritor, a [iʃkriˈto*, a] *m/f* writer; (*autor*) author
escritório [iʃkriˈtɔrju] *m* office; (*em casa*) study
escritura [iʃkriˈtura] *f* (*JUR*) deed; (*na compra de imóveis*) ~ exchange of contracts; **as Sagradas E~s** the Scriptures
escrivã [iʃkriˈvã] *f de* **escrivão**
escrivaninha [iʃkrivaˈniɲa] *f* writing desk
escrivão, -vã [iʃkriˈvãw, vã] (*pl* **-ões, ~s**) *m/f* registrar, recorder
escrúpulo [iʃˈkrupulu] *m* scruple; (*cuidado*) care; **sem ~** unscrupulous; **escrupuloso, -a** [iʃkrupuˈlozu, ɔza] *adj* scrupulous; careful
escudo [iʃˈkudu] *m* shield; (*moeda*) escudo
esculhambado, -a [iʃkuʎãˈbadu, a] (*col!*) *adj* shabby, slovenly; (*estragado*) knackered

esculhambar [iʃkuʎãˈba*] (*col!*) *vt* to mess up, fuck up (*!*) **~ alguém** (*criticar*) to give sb stick; (*descompor*) to give sb a bollocking (*!*)
esculpir [iʃkuwˈpi*] *vt* to carve, sculpt; (*gravar*) to engrave
escultor, a [iʃkuwˈto*, a] *m/f* sculptor
escultura [iʃkuwˈtura] *f* sculpture
escuras [iʃˈkuraʃ] *fpl*: **às ~** in the dark
escurecer [iʃkureˈse*] *vt* to darken ♦ *vi* to get dark; **ao ~** at dusk
escuridão [iʃkuriˈdãw] *f* (*trevas*) dark
escuro, -a [iʃˈkuru, a] *adj* dark; (*dia*) overcast; (*pessoa*) swarthy; (*negócios*) shady ♦ *m* darkness
escusar [iʃkuˈza*] *vt* to excuse, forgive; (*justificar*) to justify; (*dispensar*) to exempt; (*não precisar de*) to not need; **escusar-se** *vr* to apologize; **~-se de fazer** to refuse to do
escuta [iʃˈkuta] *f* listening; **à ~** listening out; **ficar na ~** to stand by
escutar [iʃkuˈta*] *vt* to listen to; (*sem prestar atenção*) to hear ♦ *vi* to listen; to hear
esfacelar [iʃfaseˈla*] *vt* to destroy
esfaquear [iʃfakiˈa*] *vt* to stab
esfarrapado, -a [iʃfaxaˈpadu, a] *adj* ragged, tattered
esfera [iʃˈfɛra] *f* sphere; (*globo*) globe; (*TIP, COMPUT*) golfball
esfolar [iʃfoˈla*] *vt* to skin; (*arranhar*) to graze; (*cobrar demais a*) to overcharge, fleece
esfomeado, -a [iʃfoˈmjadu, a] *adj* famished, starving
esforçado, -a [iʃfoxˈsadu, a] *adj* committed, dedicated
esforçar-se [iʃfoxˈsaxsi] *vr*: **~ para** to try hard to, strive to
esforço [iʃˈfoxsu] *m* effort
esfregar [iʃfreˈga*] *vt* to rub; (*com água*) to scrub
esfriar [iʃˈfrja*] *vt* to cool, chill ♦ *vi* to get cold; (*fig*) to cool off
esganar [iʒgaˈna*] *vt* to strangle, choke
esgotado, -a [iʒgoˈtadu, a] *adj* exhausted; (*consumido*) used up; (*livros*) out of print; (*ingressos*) sold out
esgotamento [iʒgotaˈmẽtu] *m* exhaustion
esgotar [iʒgoˈta*] *vt* to drain, empty; (*recursos*) to use up; (*pessoa, assunto*) to exhaust; **esgotar-se** *vr* to become exhausted; (*mercadorias, edição*) to be sold out; (*recursos*) to run out
esgoto [iʒˈgotu] *m* drain; (*público*) sewer

esgrima [iʒ'grima] f (esporte) fencing
esgueirar-se [iʒgej'raxsi] vr to slip away, sneak off
esguelha [iʒ'geʎa] f slant; **olhar alguém de ~** to look at sb out of the corner of one's eye
esguio, -a [eʒ'giu, a] adj slender
esmaecer [iʒmaje'se*] vi to fade
esmagador, a [iʒmagado*, a] adj crushing; (provas) irrefutable; (maioria) overwhelming
esmagar [iʒma'ga*] vt to crush
esmalte [iʒ'mawtʃi] m enamel; (de unhas) nail polish
esmeralda [iʒme'rawda] f emerald
esmerar-se [iʒme'raxsi] vr: **~ em fazer algo** to take great care in doing sth
esmigalhar [iʒmiga'ʎa*] vt to crumble; (despedaçar) to shatter; (esmagar) to crush; **esmigalhar-se** vr to crumble; to smash, shatter
esmo ['eʒmu] m: **a ~** at random; **falar a ~** to prattle
esmola [iʒ'mɔla] f alms pl; **pedir ~s** to beg
esmurrar [iʒmu'xa*] vt to punch
esnobe [iʒ'nɔbi] adj snobbish ♦ m/f snob
espacial [iʃpa'sjaw] (pl **-ais**) adj space atr; **nave ~** spaceship
espaço [iʃ'pasu] m space; (tempo) period; **~ para 3 pessoas** room for 3 people; **a ~s** from time to time; **espaçoso, -a** [iʃpa'sozu, ɔza] adj spacious, roomy
espada [iʃ'pada] f sword; **~s** fpl (CARTAS) spades
espadarte [iʃpa'daxtʃi] m swordfish
espairecer [iʃpajre'se*] vt to amuse, entertain ♦ vi to relax; **espairecer-se** vr to relax
espaldar [iʃpaw'da*] m (chair) back
espalhafato [iʃpaʎa'fatu] m din, commotion
espalhar [iʃpa'ʎa*] vt to scatter; (boato, medo) to spread; (luz) to shed; **espalhar-se** vr to spread; (refestelar-se) to lounge
espanador [iʃpana'do*] m duster
espancar [iʃpã'ka*] vt to beat up
Espanha [iʃ'paɲa] f: **a ~** Spain; **espanhol, a** [iʃpa'ɲow, ola] (pl **-óis, ~s**) adj Spanish ♦ m/f Spaniard ♦ m (LING) Spanish; **os espanhóis** mpl the Spanish
espantado, -a [iʃpã'tadu, a] adj astonished, amazed; (assustado) frightened
espantalho [iʃpã'taʎu] m scarecrow
espantar [iʃpã'ta*] vt to frighten; (admirar) to amaze, astonish; (afugentar) to frighten away ♦ vi to be amazing; **espantar-se** vr to be astonished ou amazed; to be frightened
espanto [iʃ'pãtu] m fright, fear; (admiração) astonishment, amazement; **espantoso, -a** [iʃpã'tozu, ɔza] adj amazing
esparadrapo [iʃpara'drapu] m (sticking) plaster (BRIT), bandaid ® (US)
esparramar [iʃpaxa'ma*] vt to splash; (espalhar) to scatter
esparso, -a [iʃ'paxsu, a] adj scattered; (solto) loose
espasmo [iʃ'paʒmu] m spasm, convulsion
espatifar [iʃpatʃi'fa*] vt to smash; **espatifar-se** vr to smash; (avião) to crash
especial [iʃpe'sjaw] (pl **-ais**) adj special; **em ~** especially; **especialidade** [iʃpesjali'dadʒi] f speciality (BRIT), specialty (US); (ramo de atividades) specialization;
especialista [iʃpesja'liʃta] m/f specialist; (perito) expert; **especializar-se** [iʃpesjali'zaxsi] vr: **especializar-se (em)** to specialize (in)
espécie [iʃ'pɛsi] f (BIO) species; (tipo) sort, kind; **causar ~** to be surprising; **pagar em ~** to pay in cash
especificar [iʃpesifi'ka*] vt to specify; **específico, -a** [iʃpe'sifiku, a] adj specific
espécime [iʃ'pɛsimi] m specimen
espécimen [iʃ'pɛsimẽ] (pl **~s**) m = **espécime**
espectáculo etc [iʃpek'takulu] (PT) m = **espetáculo** etc
espectador, a [iʃpekta'do*, a] m/f onlooker; (TV) viewer; (ESPORTE) spectator; (TEATRO) member of the audience; **~es** mpl (TV, TEATRO) audience sg
especular [iʃpeku'la*] vi: **~ (sobre)** to speculate (on)
espelho [iʃ'peʎu] m mirror; (fig) model; **~ retrovisor** (AUTO) rearview mirror
espera [iʃ'pera] f (demora) wait; (expectativa) expectation; **à ~ de** waiting for; **à minha ~** waiting for me
esperança [iʃpe'rãsa] f hope; (expectativa) expectation; **dar ~s a alguém** to raise sb's hopes; **esperançoso, -a** [iʃperã'sozu, ɔza] adj hopeful
esperar [iʃpe'ra*] vt to wait for; (contar com: bebê) to expect; (desejar) to hope for ♦ vi to wait; to hope; to expect
esperma [iʃ'pɛxma] f sperm
espertalhão, -lhona [iʃpexta'ʎãw, 'ʎɔna] (pl **-ões, ~s**) adj crafty, shrewd

esperteza [iʃpex'teza] f cleverness; (astúcia) cunning
esperto, -a [iʃ'pɛxtu, a] adj clever; (espertalhão) crafty
espesso, -a [iʃ'pesu, a] adj thick; **espessura** [iʃpe'sura] f thickness
espetacular [iʃpetaku'la*] adj spectacular
espetáculo [iʃpe'takulu] m (TEATRO) show; (vista) sight; (cena ridícula) spectacle; **dar ~** to make a spectacle of o.s.
espetar [iʃpe'ta*] vt (carne) to put on a spit; (cravar) to stick; **espetar-se** vr to prick o.s.; **~ algo em algo** to pin sth to sth
espeto [iʃ'petu] m spit; (pau) pointed stick; **ser um ~** (ser difícil) to be awkward
espevitado, -a [iʃpevi'tadu, a] adj (fig: vivo) lively
espiã [iʃ'pjã] f de **espião**
espiada [iʃ'pjada] f: **dar uma ~** to have a look
espião, -piã [iʃ'pjãw, 'pjã] (pl **-ões, ~s**) m/f spy
espiar [iʃ'pja*] vt to spy on; (uma ocasião) to watch out for; (olhar) to watch ♦ vi to spy; (olhar) to peer
espiga [iʃ'piga] f (de milho) ear
espinafre [iʃpi'nafri] m spinach
espingarda [iʃpĩ'gaxda] f shotgun, rifle
espinha [iʃ'piɲa] f (de peixe) bone; (na pele) spot, pimple; (coluna vertebral) spine
espinho [iʃ'piɲu] m thorn; (de animal) spine; (fig: dificuldade) snag; **espinhoso, -a** [iʃpi'ɲozu, ɔza] adj (planta) prickly, thorny; (fig: difícil) difficult; (: problema) thorny
espiões [iʃ'pjõjʃ] mpl de **espião**
espionagem [iʃpjo'naʒẽ] f spying, espionage
espionar [iʃpjo'na*] vt to spy on ♦ vi to spy, snoop
espírito [iʃ'piritu] m spirit; (pensamento) mind; **~ esportivo** sense of humo(u)r; **E~ Santo** Holy Spirit
espiritual [iʃpiri'twaw] (pl **-ais**) adj spiritual
espirituoso, -a [iʃpiri'twozu, ɔza] adj witty
espirrar [iʃpi'xa*] vi to sneeze; (jorrar) to spurt out ♦ vt (água) to spurt; **espirro** [iʃ'pixu] m sneeze
esplêndido, -a [iʃ'plẽdʒidu, a] adj splendid
esplendor [iʃplẽ'do*] m splendour (BRIT), splendor (US)
esponja [iʃ'põʒa] f sponge

espontâneo, -a [iʃpõ'tanju, a] adj spontaneous; (pessoa) straightforward
esporádico, -a [iʃpo'radʒiku, a] adj sporadic
esporte [iʃ'pɔxtʃi] (BR) m sport; **esportista** [iʃpɔx'tʃiʃta] adj sporting ♦ m/f sportsman/woman; **esportivo, -a** [iʃpox'tʃivu, a] adj sporting
esposa [iʃ'poza] f wife
esposo [iʃ'pozu] m husband
espreguiçadeira [iʃpregisa'dejra] f deck chair; (com lugar para as pernas) lounger
espreguiçar-se [iʃpregi'saxsi] vr to stretch
espreita [iʃ'prejta] f: **ficar à ~** to keep watch
espreitar [iʃprej'ta*] vt to spy on; (observar) to observe, watch
espremer [iʃpre'me*] vt (fruta) to squeeze; (roupa molhada) to wring out; (pessoas) to squash; **espremer-se** vr (multidão) to be squashed together; (uma pessoa) to squash up
espuma [iʃ'puma] f foam; (de cerveja) froth, head; (de sabão) lather; (de ondas) surf; **~ de borracha** foam rubber; **espumante** [iʃpu'mãtʃi] adj frothy, foamy; (vinho) sparkling
esq. abr (= esquerdo/a) l
esquadra [iʃ'kwadra] f (NÁUT) fleet; (PT: da polícia) police station
esquadrão [iʃkwa'drãw] (pl **-ões**) m squadron
esquadrilha [iʃkwa'driʎa] f squadron
esquadrões [iʃkwa'drõjʃ] mpl de **esquadrão**
esquálido, -a [iʃ'kwalidu, a] adj squalid, filthy
esquartejar [iʃkwaxte'ʒa*] vt to quarter
esquecer [iʃke'se*] vt, vi to forget; **esquecer-se** vr: **~~-se de** to forget; **esquecido, -a** [iʃke'sidu, a] adj forgotten; (pessoa) forgetful
esqueleto [iʃke'letu] m skeleton; (arcabouço) framework
esquema [iʃ'kema] m outline; (plano) scheme; (diagrama) diagram, plan
esquentar [iʃkẽ'ta*] vt to heat (up), warm (up); (fig: irritar) to annoy ♦ vi to warm up; (casaco) to be warm; **esquentar-se** vr to get annoyed
esquerda [iʃ'kexda] f (tb POL) left; **à ~** on the left
esquerdista [iʃkex'dʒiʃta] adj left-wing ♦ m/f left-winger
esquerdo, -a [iʃ'kexdu, a] adj left
esqui [iʃ'ki] m (patim) ski; (esporte) skiing; **~ aquático** water skiing; **fazer ~** to go

esquilo → estar

skiing; **esquiar** [iʃˈkja*] vi to ski
esquilo [iʃˈkilu] m squirrel
esquina [iʃˈkina] f corner
esquisito, -a [iʃkiˈzitu, a] adj strange, odd
esquivar-se [iʃkiˈvaxsi] vr: ~ **de** to escape from, get away from; (*deveres*) to get out of
esquivo, -a [iʃˈkivu, a] adj aloof, standoffish
essa [ˈɛsa] pron: ~ **é/foi boa** that is/was a good one; ~ **não, sem** ~ come off it!; **vamos nessa** let's go!; **ainda mais** ~! that's all I need!; **corta** ~! cut it out!; **por** ~**s e outras** for these and other reasons; ~ **de fazer ...** this business of doing ...
esse [ˈesi] adj (sg) that; (pl) those; (BR: este: sg) this; (: pl) these ♦ pron (sg) that one; (pl) those; (BR: este: sg) this one; (: pl) these
essência [eˈsẽsja] f essence; **essencial** [esẽˈsjaw] (pl -**ais**) adj essential; (*principal*) main ♦ m: **o essencial** the main thing
esta [ˈɛʃta] f de **este**
estabelecer [iʃtabeleˈse*] vt to establish; (*fundar*) to set up
estabelecimento [iʃtabelesiˈmẽtu] m establishment; (*casa comercial*) business
estábulo [iʃˈtabulu] m cow-shed
estaca [iʃˈtaka] f post, stake; (*de barraca*) peg
estação [iʃtaˈsãw] (pl -**ões**) f station; (*do ano*) season; ~ **de águas** spa; ~ **balneária** seaside resort; ~ **emissora** broadcasting station
estacionamento [iʃtasjonaˈmẽtu] m (*ato*) parking; (*lugar*) car park (BRIT), parking lot (US)
estacionar [iʃtasjoˈna*] vt to park ♦ vi to park; (*não mover*) to remain stationary
estacionário, -a [iʃtasjoˈnarju, a] adj (*veículo*) stationary; (COM) slack
estações [iʃtaˈsõjʃ] fpl de **estação**
estada [iʃˈtada] f stay
estadia [iʃtaˈdʒia] f = **estada**
estádio [iʃˈtadʒu] m stadium
estadista [iʃtaˈdʒiʃta] m/f statesman/woman
estado [iʃˈtadu] m state; **E~s Unidos (da América)** United States (of America); ~ **civil** marital status; ~ **de espírito** state of mind; ~ **maior** staff; **estadual** [iʃtaˈdwaw] (pl -**ais**) adj state atr
estafa [iʃˈtafa] f fatigue; (*esgotamento*) nervous exhaustion
estagiário, -a [iʃtaˈʒjarju, a] m/f probationer, trainee; (*professor*) student

teacher; (*médico*) junior doctor
estágio [iʃˈtaʒu] m (*aprendizado*) traineeship; (*fase*) stage
estagnado, -a [iʃtagˈnadu, a] adj stagnant
estalar [iʃtaˈla*] vt to break; (*os dedos*) to snap ♦ vi to split, crack; (*crepitar*) to crackle
estalido [iʃtaˈlidu] m pop
estalo [iʃˈtalu] m (*do chicote*) crack; (*dos dedos*) snap; (*dos lábios*) smack; (*de foguete*) bang; ~ **de trovão** thunderclap; **de** ~ suddenly
estampa [iʃˈtãpa] f (*figura impressa*) print; (*ilustração*) picture
estampado, -a [iʃtãˈpadu, a] adj printed ♦ m (*tecido*) print; (*num tecido*) pattern
estampar [iʃtãˈpa*] vt to print; (*marcar*) to stamp
estancar [iʃtãˈka*] vt to staunch; (*fazer cessar*) to stop; **estancar-se** vr to stop
estância [iʃˈtãsja] f ranch, farm
estandarte [iʃtãˈdaxtʃi] m standard, banner
estanho [iʃˈtaɲu] m (*metal*) tin
estante [iʃˈtãtʃi] f bookcase; (*suporte*) stand

PALAVRA CHAVE
---

estar [iʃˈta*] vi
1 (*lugar*) to be; (*em casa*) to be in; (*no telefone*): **a Lúcia está? – não, ela não está** is Lúcia there? – no, she's not here
2 (*estado*) to be; ~ **doente** to be ill; ~ **bem** (*de saúde*) to be well; (*financeiramente*) to be well off; ~ **calor/frio** to be hot/cold; ~ **com fome/sede/medo** to be hungry/thirsty/afraid
3 (*ação contínua*): ~ **fazendo** (BR) ou **a fazer** (PT) to be doing
4 (+ pp: = adj): ~ **sentado/cansado** to be sitting down/tired
5 (+ pp: uso passivo): **está condenado à morte** he's been condemned to death; **o livro está emprestado** the book's been borrowed
6: ~ **de**: ~ **de férias/licença** to be on holiday (BRIT) ou vacation (US)/leave; **ela estava de chapéu** she had a hat on, she was wearing a hat
7: ~ **para**: ~ **para fazer** to be about to do; **ele está para chegar a qualquer momento** he'll be here any minute; **não** ~ **para conversas** not to be in the mood for talking
8: ~ **por fazer** to be still to be done
9: ~ **sem**: ~ **sem dinheiro** to have no money; ~ **sem dormir** not to have slept; **estou sem dormir há três dias** I haven't

estardalhaço → estrada

slept for three days; **está sem terminar** it isn't finished yet
10 (*frases*): **está bem, tá (bem)** (*col*) OK; **~ bem com** to be on good terms with

estardalhaço [iʃtaxda'ʎasu] m fuss; (*ostentação*) ostentation

estas ['ɛʃtaʃ] fpl de **este**

estatal [iʃta'taw] (pl **-ais**) adj nationalized, state-owned ♦ f state-owned company

estático, -a [iʃ'tatʃiku, a] adj static

estatística [iʃta'tʃiʃtʃika] f statistic; (*ciência*) statistics sg

estatizar [iʃtatʃi'za*] vt to nationalize

estátua [iʃ'tatwa] f statue

estatura [iʃta'tura] f stature

estatuto [iʃta'tutu] m statute; (*de cidade*) bye-law; (*de associação*) rule

estável [iʃ'tavew] (pl **-eis**) adj stable

este ['ɛʃtʃi] m east ♦ adj inv (*região*) eastern; (*vento, direção*) easterly

este, -ta ['eʃtʃi, 'ɛʃta] adj (sg) this; (pl) these ♦ pron this one; (pl) these; (*a quem/que se referiu por último*) the latter; **esta noite** (*noite passada*) last night; (*noite de hoje*) tonight

esteira [iʃ'tejra] f mat; (*de navio*) wake; (*rumo*) path

esteja etc [iʃ'teʒa] vb V **estar**

estelionato [iʃteljo'natu] m fraud

estender [iʃtē'de*] vt to extend; (*mapa*) to spread out; (*pernas*) to stretch; (*massa*) to roll out; (*conversa*) to draw out; (*corda*) to pull tight; (*roupa molhada*) to hang out; **estender-se** vr to lie down; (*fila, terreno*) to stretch, extend; **~ a mão** to hold out one's hand; **~-se sobre algo** to dwell on sth, expand on sth

estéreis [iʃ'tɛrejʃ] adj pl de **estéril**

estereo... [iʃterju] prefixo stereo...; **estereofônico, -a** [iʃterjo'foniku, a] adj stereo(phonic); **estereótipo** [iʃte'rjɔtʃipu] m stereotype

estéril [iʃ'tɛriw] (pl **-eis**) adj sterile; (*terra*) infertile; (*fig*) futile; **esterilizar** [iʃterili'za*] vt to sterilize

estético, -a [iʃ'tɛtʃiku, a] adj aesthetic (*BRIT*), esthetic (*US*)

esteve [iʃ'tevi] vb V **estar**

estibordo [iʃtʃi'bɔxdu] m starboard

esticar [iʃtʃi'ka*] vt to stretch; **esticar-se** vr to stretch out

estigma [iʃ'tʃigima] m mark, scar; (*fig*) stigma

estilhaçar [iʃtʃiʎa'sa*] vt to splinter; (*despedaçar*) to shatter; **estilhaçar-se** vr

to shatter; **estilhaço** [iʃtʃi'ʎasu] m fragment; (*de pedra*) chip; (*de madeira, metal*) splinter

estilo [iʃ'tʃilu] m style; (*TEC*) stylus; **~ de vida** way of life

estima [iʃ'tʃima] f esteem; (*afeto*) affection; **ter ~ a** to have a high regard for

estimação [iʃtʃima'sãw] f: **... de ~** favourite (*BRIT*) ..., favorite (*US*) ...

estimado, -a [iʃtʃi'madu, a] adj respected; (*em cartas*): **E~ Senhor** Dear Sir

estimar [iʃtʃi'ma*] vt to appreciate; (*avaliar*) to value; (*ter estima a*) to have a high regard for; (*calcular aproximadamente*) to estimate

estimativa [iʃtʃima'tʃiva] f estimate

estimulante [iʃtʃimu'lãtʃi] adj stimulating ♦ m stimulant

estimular [iʃtʃimu'la*] vt to stimulate; (*incentivar*) to encourage; **estímulo** [iʃ'tʃimulu] m stimulus; (*ânimo*) encouragement

estipular [iʃtʃipu'la*] vt to stipulate

estirar [iʃtʃi'ra*] vt to stretch (out); **estirar-se** vr to stretch

estive etc [iʃ'tʃivi] vb V **estar**

estocada [iʃto'kada] f stab, thrust

estocar [iʃto'ka*] vt to stock

estofo [iʃ'tofu] m (*tecido*) material; (*para acolchoar*) padding, stuffing

estojo [iʃ'toʒu] m case; **~ de ferramentas** tool kit; **~ de unhas** manicure set

estômago [iʃ'tomagu] m stomach; **ter ~ para (fazer) algo** to be up to (doing) sth

estontear [iʃtõ'tʃja*] vt to stun, daze

estoque [iʃ'tɔki] m (*COM*) stock

estorvo [iʃ'tɔxvu] m hindrance, obstacle; (*amolação*) bother, nuisance

estourado, -a [iʃto'radu, a] adj (*temperamental*) explosive; (*col: cansado*) shattered, worn out

estourar [iʃto'ra*] vi to explode; (*pneu*) to burst; (*escândalo*) to blow up; (*guerra*) to break out; (*BR: chegar*) to turn up, arrive; **~ (com alguém)** (*zangar-se*) to blow up (at sb)

estouro [iʃ'toru] m explosion; **dar o ~** (*fig: zangar-se*) to blow up, blow one's top

estrábico, -a [iʃ'trabiku, a] adj cross-eyed

estraçalhar [iʃtrasa'ʎa*] vt (*livro, objeto*) to pull to pieces; (*pessoa*) to tear to pieces

estrada [iʃ'trada] f road; **~ de ferro** (*BR*) railway (*BRIT*), railroad (*US*); **~ principal** main road (*BRIT*), state highway (*US*)

estrado → evadir

estrado [iʃˈtradu] m (tablado) platform; (de cama) base

estragado, -a [iʃtraˈgadu, a] adj ruined; (fruta) rotten; (muito mimado) spoiled, spoilt (BRIT)

estraga-prazeres [iʃtraga-] m/f inv spoilsport

estragar [iʃtraˈga*] vt to spoil; (arruinar) to ruin, wreck; (desperdiçar) to waste; (saúde) to damage; (mimar) to spoil; **estrago** [iʃˈtragu] m destruction; waste; damage; **os estragos da guerra** the ravages of war

estrangeiro, -a [iʃtrãˈʒejru, a] adj foreign ♦ m/f foreigner; **no ~** abroad

estrangular [iʃtrãguˈla*] vt to strangle

estranhar [iʃtraˈɲa*] vt to be surprised at; (achar estranho): **~ algo** to find sth strange; **estranhei o clima** the climate did not agree with me; **não é de se ~** it's not surprising

estranho, -a [iʃˈtraɲu, a] adj strange, odd; (influências) outside ♦ m/f (desconhecido) stranger; (de fora) outsider

estratégia [iʃtraˈtɛʒa] f strategy

estrear [iʃˈtrja*] vt (vestido) to wear for the first time; (peça de teatro) to perform for the first time; (veículo) to use for the first time; (filme) to show for the first time, première; (iniciar): **~ uma carreira** to embark on ou begin a career ♦ vi (ator, jogador) to make one's first appearance; (filme, peça) to open

estrebaria [iʃtrebaˈria] f stable

estréia [iʃˈtreja] f (de artista) debut; (de uma peça) first night; (de um filme) première, opening

estreitar [iʃtrejˈta*] vt to narrow; (roupa) to take in; (abraçar) to hug; (laços de amizade) to strengthen ♦ vi (estrada) to narrow

estreito, -a [iʃˈtrejtu, a] adj narrow; (saia) straight; (vínculo, relação) close; (medida) strict ♦ m strait

estrela [iʃˈtrela] f star; **~ cadente** falling star; **estrelado, -a** [iʃtreˈladu, a] adj (céu) starry; (ovo) fried

estremecer [iʃtremeˈse*] vt to shake; (amizade) to strain; (fazer tremer): **~ alguém** to make sb shudder ♦ vi to shake; (tremer) to tremble; (horrorizar-se) to shudder; (amizade) to be strained

estremecimento [iʃtremesiˈmẽtu] m shaking, trembling; (tremor) tremor; (numa amizade) tension

estresse [iʃˈtrɛsi] m stress

estribeira [iʃtriˈbejra] f: **perder as ~s** (col) to fly off the handle, lose one's temper

estribo [iʃˈtribu] m (de cavalo) stirrup; (degrau) step; (fig: apoio) support

estridente [iʃtriˈdẽtʃi] adj shrill, piercing

estrofe [iʃˈtrɔfi] f stanza

estrondo [iʃˈtrõdu] m (de trovão) rumble; (de armas) din

estrutura [iʃtruˈtura] f structure; (armação) framework; (de edifício) fabric

estudante [iʃtuˈdãtʃi] m/f student; **estudantil** [iʃtudãˈtʃiw] (pl **-is**) adj student atr

estudar [iʃtuˈda*] vt, vi to study

estúdio [iʃˈtudʒu] m studio

estudioso, -a [iʃtuˈdʒozu, ɔza] adj studious ♦ m/f student

estudo [iʃˈtudu] m study

estufa [iʃˈtufa] f (de fogão) stove; (de plantas) greenhouse; (de fogão) plate warmer; **efeito ~** greenhouse effect

estufado [iʃtuˈfadu] (PT) m stew

estupefato, -a [iʃtupeˈfatu, a] (PT **-ct-**) adj dumbfounded

estupendo, -a [iʃtuˈpẽdu, a] adj wonderful, terrific

estupidez [iʃtupiˈdeʒ] f stupidity; (ato, dito) stupid thing; (grosseria) rudeness

estúpido, -a [iʃˈtupidu, a] adj stupid; (grosseiro) rude, churlish ♦ m/f idiot; oaf

estuprar [iʃtuˈpra*] vt to rape; **estupro** [iʃˈtupru] m rape

esvaziar [iʒvaˈzja*] vt to empty; **esvaziar-se** vr to empty

etapa [eˈtapa] f stage

etc. abr (= et cetera) etc.

eternidade [etexniˈdadʒi] f eternity

eterno, -a [eˈtexnu, a] adj eternal

ética [ˈɛtʃika] f ethics pl

ético, -a [ˈɛtʃiku, a] adj ethical

Etiópia [eˈtʃjɔpja] f: **a ~** Ethiopia

etiqueta [etʃiˈketa] f etiquette; (rótulo, em roupa) label; (que se amarra) tag

étnico, -a [ˈɛtʃniku, a] adj ethnic

etos [ˈɛtuʃ] m inv ethos

eu [ew] pron I ♦ m self; **sou ~** it's me

EUA abr mpl (= Estados Unidos da América) USA

eucaristia [ewkariʃˈtʃia] f Holy Communion

euro [ˈewru] m (moeda) euro

Europa [ewˈrɔpa] f: **a ~** Europe; **europeu, -péia** [ewroˈpeu, ˈpeja] adj, m/f European

evacuar [evaˈkwa*] vt to evacuate; (sair de) to leave; (MED) to discharge ♦ vi to defecate

evadir [evaˈdʒi*] vt to evade; **evadir-se**

vr to escape

evangelho [evã'ʒeʎu] *m* gospel

evaporar [evapo'ra*] *vt, vi* to evaporate; **evaporar-se** *vr* to evaporate; (*desaparecer*) to vanish

evasão [eva'zãw] (*pl* **-ões**) *f* escape, flight; (*fig*) evasion

evasiva [eva'ziva] *f* excuse

evasivo, -a [eva'zivu, a] *adj* evasive

evasões [eva'zõjʃ] *fpl de* **evasão**

evento [e'vẽtu] *m* event; (*eventualidade*) eventuality

eventual [evẽ'tuaw] (*pl* **-ais**) *adj* fortuitous, accidental; **eventualidade** [evẽtwali'dadʒi] *f* eventuality

evidência [evi'dẽsja] *f* evidence, proof; **evidenciar** [evidẽ'sja*] *vt* to prove; (*mostrar*) to show; **evidenciar-se** *vr* to be evident, be obvious

evidente [evi'dẽtʃi] *adj* obvious, evident

evitar [evi'ta*] *vt* to avoid; **~ de fazer algo** to avoid doing sth

evocar [evo'ka*] *vt* to evoke; (*espíritos*) to invoke

evolução [evolu'sãw] (*pl* **-ões**) *f* development; (MIL) manoeuvre (BRIT), maneuver (US); (*movimento*) movement; (BIO) evolution

evoluir [evo'lwi*] *vi* to evolve; **~ para** to evolve into

ex- [eʃ-, eʒ-] *prefixo* ex-, former

Ex.ª *abr* = **Excelência**

exacto, -a *etc* [e'zatu, a] (PT) = **exato** *etc*

exagerar [ezaʒe'ra*] *vt* to exaggerate ♦ *vi* to exaggerate; (*agir com exagero*) to overdo it; **exagero** [eza'ʒeru] *m* exaggeration

exalar [eza'la*] *vt* (*odor*) to give off

exaltado, -a [ezaw'tadu, a] *adj* fanatical; (*apaixonado*) overexcited

exaltar [ezaw'ta*] *vt* (*elevar: pessoa, virtude*) to exalt; (*louvar*) to praise; (*excitar*) to excite; (*irritar*) to annoy; **exaltar-se** *vr* (*irritar-se*) to get worked up; (*arrebatar-se*) to get carried away

exame [e'zami] *m* (EDUC) examination, exam; (MED *etc*) examination; **fazer um ~** (EDUC) to take an exam; (MED) to have an examination

examinar [ezami'na*] *vt* to examine

exasperar [ezaʃpe'ra*] *vt* to exasperate; **exasperar-se** *vr* to get exasperated

exatidão [ezatʃi'dãw] *f* accuracy; (*perfeição*) correctness

exato, -a [e'zatu, a] *adj* right, correct; (*preciso*) exact; **~!** exactly!

exaustão [ezawʃ'tãw] *f* exhaustion; **exausto, -a** [e'zawʃtu, a] *adj* exhausted

exaustor [ezaw'ʃto*] *m* extractor fan

exceção [ese'sãw] (*pl* **-ões**) *f* exception; **com ~ de** with the exception of; **abrir ~** to make an exception

excedente [ese'dẽtʃi] *adj* excess; (COM) surplus ♦ *m* (COM) surplus

exceder [ese'de*] *vt* to exceed; (*superar*) to surpass; **exceder-se** *vr* (*cometer excessos*) to go too far; (*cansar-se*) to overdo things

excelência [ese'lẽsja] *f* excellence; **por ~** par excellence; **Vossa E~** Your Excellency; **excelente** [ese'lẽtʃi] *adj* excellent

excêntrico, -a [e'sẽtriku, a] *adj, m/f* eccentric

excepção [ese'sãw] (PT) *f* = **exceção**

excepcional [esepsjo'naw] (*pl* **-ais**) *adj* exceptional; (*especial*) special; (MED) handicapped

excepto *etc* [e'sɛtu] (PT) = **exceto** *etc*

excessivo, -a [ese'sivu, a] *adj* excessive

excesso [e'sesu] *m* excess; (COM) surplus

exceto [e'sɛtu] *prep* except (for), apart from

excitação [esita'sãw] *f* excitement

excitado, -a [esi'tadu, a] *adj* excited; (*estimulado*) aroused

excitante [esi'tãtʃi] *adj* exciting

excitar [esi'ta*] *vt* to excite; (*estimular*) to arouse; **excitar-se** *vr* to get excited

exclamação [iʃklama'sãw] (*pl* **-ões**) *f* exclamation

exclamar [iʃkla'ma*] *vi* to exclaim

excluir [iʃ'klwi*] *vt* to exclude, leave out; (*eliminar*) to rule out; (*ser incompatível com*) to preclude; **exclusão** [iʃklu'zãw] *f* exclusion; **exclusivo, -a** [iʃklu'zivu, a] *adj* exclusive

excursão [iʃkux'sãw] (*pl* **-ões**) *f* outing, excursion; **~ a pé** hike; **excursionista** [iʃkuxsjo'niʃta] *m/f* tourist; (*para o dia*) day-tripper; (*a pé*) hiker

execução [ezeku'sãw] (*pl* **-ões**) *f* execution; (*de música*) performance

executar [ezeku'ta*] *vt* to execute; (MÚS) to perform; (*plano*) to carry out; (*papel teatral*) to play

executivo, -a [ezeku'tʃivu, a] *adj, m/f* executive

exemplar [ezẽ'pla*] *adj* exemplary ♦ *m* model, example; (BIO) specimen; (*livro*) copy; (*peça*) piece

exemplo [e'zẽplu] *m* example; **por ~** for example

exercer [ezex'se*] *vt* to exercise; (*influência, pressão*) to exert; (*função*) to perform; (*profissão*) to practise (BRIT),

exercício → expressões

practice (US); (obrigações) to carry out
exercício [ezex'sisju] *m* exercise; (de medicina) practice; (MIL) drill; (COM) financial year
exercitar [ezexsi'ta*] *vt* (profissão) to practise (BRIT), practice (US); (direitos, músculos) to exercise; (adestrar) to train
exército [e'zexsitu] *m* army
exibição [ezibi'sãw] (*pl* -ões) *f* show, display; (de filme) showing
exibir [ezi'bi*] *vt* to show, display; (alardear) to show off; (filme) to show, screen; **exibir-se** *vr* to show off; (indecentemente) to expose o.s.
exigência [ezi'ʒẽsja] *f* demand; (o necessário) requirement; **exigente** [ezi'ʒẽtʃi] *adj* demanding
exigir [ezi'ʒi*] *vt* to demand
exíguo, -a [e'zigwu, a] *adj* (diminuto) small; (escasso) scanty
exilado, -a [ezi'ladu, a] *m/f* exile
exilar [ezi'la*] *vt* to exile; **exilar-se** *vr* to go into exile; **exílio** [e'ziǉu] *m* exile; (forçado) deportation
existência [eziʃ'tẽsja] *f* existence; (vida) life
existir [eziʃ'tʃi*] *vi* to exist; **existe/existem ...** (há) there is/are ...
êxito ['ezitu] *m* result; (sucesso) success; (música, filme etc) hit; **ter ~ (em)** to succeed (in), be successful (in)
Exmo(s)/a(s) *abr* (= *Excelentíssimo(s)/a(s)*) Dear
êxodo ['ezodu] *m* exodus
exorcista [ezox'siʃta] *m/f* exorcist
exótico, -a [e'zɔtʃiku, a] *adj* exotic
expandir [iʃpã'dʒi*] *vt* to expand; (espalhar) to spread; **expandir-se** *vr* to expand; **~-se com alguém** to be frank with sb
expansão [iʃpã'sãw] *f* expansion, spread; (de alegria) effusiveness
expansivo, -a [iʃpã'sivu, a] *adj* (pessoa) outgoing
expeça *etc* [iʃ'pɛsa] *vb V* **expedir**
expectativa [iʃpekta'tʃiva] *f* expectation
expedição [iʃpedʒi'sãw] (*pl* -ões) *f* (viagem) expedition; (de mercadorias) despatch; (por navio) shipment; (de passaporte etc) issue
expediente [iʃpe'dʒjẽtʃi] *m* means; (serviço) working day; (correspondência) correspondence ♦ *adj* expedient; **~ bancário** banking hours *pl*; **~ do escritório** office hours *pl*
expedir [iʃpe'dʒi*] *vt* to send, despatch; (bilhete, passaporte, decreto) to issue
expelir [iʃpe'li*] *vt* to expel; (sangue) to spit
experiência [iʃpe'rjẽsja] *f* experience; (prova) experiment, test; **em ~** on trial
experiente [iʃpe'rjẽtʃi] *adj* experienced
experimentar [iʃperimẽ'ta*] *vt* (comida) to taste; (vestido) to try on; (pôr à prova) to try out, test; (conhecer pela experiência) to experience; (sofrer) to suffer, undergo;
experimento [iʃperi'mẽtu] *m* experiment
expilo *etc* [iʃ'pilu] *vb V* **expelir**
expirar [iʃpi'ra*] *vt* to exhale, breathe out ♦ *vi* to die; (terminar) to end
explicação [iʃplika'sãw] (*pl* -ões) *f* explanation
explicar [iʃpli'ka*] *vt, vi* to explain; **explicar-se** *vr* to explain o.s.
explícito, -â [iʃ'plisitu, a] *adj* explicit, clear
explodir [iʃplo'dʒi*] *vt, vi* to explode
exploração [iʃplora'sãw] *f* exploration; (abuso) exploitation; (de uma mina) working
explorador, a [iʃplora'do*, a] *m/f* explorer; (de outros) exploiter
explorar [iʃplo'ra*] *vt* (região) to explore; (mina) to work, run; (ferida) to probe; (trabalhadores etc) to exploit
explosão [iʃplo'zãw] (*pl* -ões) *f* explosion; (fig) outburst; **explosivo, -a** [iʃplo'zivu, a] *adj* explosive; (pessoa) hot-headed ♦ *m* explosive
expor [iʃ'po*] (*irreg: como* **pôr**) *vt* to expose; (a vida) to risk; (teoria) to explain; (revelar) to reveal; (mercadorias) to display; (quadros) to exhibit; **expor-se** *vr* to expose o.s.
exportação [iʃpoxta'sãw] *f* (ato) export (ing); (mercadorias) exports *pl*
exportador, a [iʃpoxta'do*, a] *adj* exporting ♦ *m/f* exporter
exportar [iʃpox'ta*] *vt* to export
exposição [iʃpozi'sãw] (*pl* -ões) *f* exhibition; (explicação) explanation; (declaração) statement; (narração) account; (FOTO) exposure
exposto, -a [iʃ'poʃtu, 'pɔʃta] *adj* (lugar) exposed; (quadro, mercadoria) on show *ou* display ♦ *m*: **o acima ~** the above
expressão [iʃpre'sãw] (*pl* -ões) *f* expression
expressar [iʃpre'sa*] *vt* to express; **expressivo, -a** [iʃpre'sivu, a] *adj* expressive; (pessoa) demonstrative
expresso, -a [iʃ'prɛsu, a] *pp de* **exprimir** ♦ *adj* definite, clear; (trem, ordem, carta) express ♦ *m* express
expressões [iʃpre'sõjʃ] *fpl de* **expressão**

exprimir [iʃpri'mi*] vt to express
expulsão [iʃpul'sãw] (pl -ões) f expulsion; (ESPORTE) sending off
expulsar [iʃpuw'sa*] vt to expel; (de uma festa, clube etc) to throw out; (inimigo) to drive out; (estrangeiro) to expel, deport; (jogador) to send off
expulso, -a [iʃ'puwsu, a] pp de **expulsar**
expulsões [iʃpul'sõjʃ] fpl de **expulsão**
êxtase ['eʃtazi] m ecstasy
extensão [iʃtē'sãw] (pl -ões) f (ger, TEL) extension; (de uma empresa) expansion; (terreno) expanse; (tempo) length, duration; (de conhecimentos) extent
extenso, -a [iʃ'tēsu, a] adj extensive; (comprido) long; (artigo) full, comprehensive; **por ~** in full
extenuante [iʃte'nwātʃi] adj exhausting; (debilitante) debilitating
exterior [iʃte'rjo*] adj (de fora) outside, exterior; (aparência) outward; (comércio) foreign ♦ m (da casa) outside; (aspecto) outward appearance; **do ~** (do estrangeiro) from abroad; **no ~** abroad
exterminar [iʃtexmi'na*] vt (inimigo) to wipe out, exterminate; (acabar com) to do away with
externo, -a [iʃ'texnu, a] adj external; (aparente) outward; **aluno ~** day pupil
extinguir [iʃtʃĩ'gi*] vt (fogo) to put out, extinguish; (um povo) to wipe out; **extinguir-se** vr (fogo, luz) to go out; (BIO) to become extinct
extinto, -a [iʃ'tʃĩtu, a] adj (fogo) extinguished; (língua, pessoa) dead; (animal, vulcão) extinct; (associação etc) defunct; **extintor** [iʃtʃĩ'to*] m (fire) extinguisher
extorquir [iʃtox'ki*] vt to extort
extorsão [iʃtox'sãw] f extortion
extra ['eʃtra] adj extra ♦ m/f extra person; (TEATRO) extra
extração [iʃtra'sãw] (PT -cç-) (pl -ões) f extraction; (de loteria) draw
extracto [iʃ'tratu] (PT) m = **extrato**
extrair [iʃtra'ji*] vt to extract, take out
extraordinário, -a [iʃtraoxdʒi'narju, a] adj extraordinary; (despesa) extra; (reunião) special
extrato [iʃ'tratu] m extract; (resumo) summary; **~ (bancário)** (bank) statement
extravagância [iʃtrava'gãsja] f extravagance; **extravagante** [iʃtrava'gãtʃi] adj extravagant; (roupa) outlandish; (conduta) wild
extravasar [iʃtrava'za*] vi to overflow
extraviado, -a [iʃtra'vjadu, a] adj lost, missing
extraviar [iʃtra'vja*] vt to mislay; (pessoa) to lead astray; (dinheiro) to embezzle; **extraviar-se** vr to get lost; **extravio** [iʃtra'viu] m loss; embezzlement; (fig) deviation
extremado, -a [iʃtre'madu, a] adj extreme
extremidade [iʃtremi'dadʒi] f extremity; (do dedo) tip; (ponta) end; (beira) edge
extremo, -a [iʃ'trɛmu, a] adj extreme ♦ m extreme; **ao ~** extremely
extrovertido, -a [eʃtrovex'tʃidu, a] adj extrovert, outgoing ♦ m/f extrovert
exultante [ezuw'tãtʃi] adj jubilant, exultant

F f

fã [fã] (col) m/f fan
fábrica ['fabrika] f factory; **~ de cerveja** brewery; **a preço de ~** wholesale
fabricação [fabrika'sãw] f manufacture; **~ em série** mass production
fabricar [fabri'ka*] vt to manufacture, make
fábula ['fabula] f fable; (conto) tale
fabuloso, -a [fabu'lozu, ɔza] adj fabulous
faca ['faka] f knife; **facada** [fa'kada] f stab, cut
façanha [fa'saɲa] f exploit, deed
facção [fak'sãw] (pl -ões) f faction
face ['fasi] f face; (bochecha) cheek; **em ~ de** in view of; **fazer ~ a** to face up to; **disquete de ~ simples/dupla** (COMPUT) single-/double-sided disk
fáceis ['fasejʃ] adj pl de **fácil**
faceta [fa'seta] f facet
fachada [fa'ʃada] f façade, front
fácil ['fasiw] (pl -eis) adj easy; (temperamento, pessoa) easy-going ♦ adv easily; **facilidade** [fasili'dadʒi] f ease; (jeito) facility; **facilidades** fpl (recursos) facilities; **ter facilidade para algo** to have a talent for sth
facilitar [fasili'ta*] vt to facilitate, make easy; (fornecer): **~ algo a alguém** to provide sb with sth
faço etc ['fasu] vb V **fazer**
fac-símile [fak'simili] (pl **~s**) m (cópia) facsimile; (carta) fax; (máquina) fax (machine); **enviar por ~** to fax
facto ['faktu] (PT) m = **fato**

factor → farsa

factor [fak'to*] (PT) m = **fator**
factual [fak'twaw] (pl **-ais**) adj factual
factura etc [fak'tura] (PT) = **fatura** etc
faculdade [fakuw'dadʒi] f (ger, EDUC) faculty; (poder) power
facultativo, -a [fakuwta'tʃivu, a] adj optional ♦ m/f doctor
fadado, -a [fa'dadu, a] adj destined
fadiga [fa'dʒiga] f fatigue
fadista [fa'dʒiʃta] m/f fado singer ♦ m (PT) ruffian
fado ['fadu] m fate; (canção) fado music
faia ['faja] f beech (tree)
faisão [faj'zãw] (pl **-ães** ou **-ões**) m pheasant
faísca [fa'iʃka] f spark; (brilho) flash
faisões [faj'zõjʃ] mpl de **faisão**
faixa ['fajʃa] f (cinto, JUDÔ) belt; (tira) strip; (área) zone; (AUTO: pista) lane; (BR: para pedestres) zebra crossing (BRIT), crosswalk (US); (MED) bandage; (num disco) track
fala ['fala] f speech; **chamar às ~s** to call to account; **sem ~** speechless
falante [fa'lãtʃi] adj talkative
falar [fa'la*] vt (língua) to speak; (besteira etc) to talk; (dizer) to say; (verdade, mentira) to tell ♦ vi to speak; **~ algo a alguém** to tell sb sth; **~ de** ou **em algo** to talk about sth; **~ com alguém** to talk to sb; **por ~ em** speaking of; **sem ~ em** not to mention; **falou!, 'tá falado!** (col) OK!
falcão [faw'kãw] (pl **-ões**) m falcon
falecer [fale'se*] vi to die; **falecimento** [falesi'mẽtu] m death
falência [fa'lẽsja] f bankruptcy; **abrir ~** to declare o.s. bankrupt; **ir à ~** to go bankrupt; **levar à ~** to bankrupt
falésia [fa'lɛzja] f cliff
falha ['faʎa] f fault; (lacuna) omission; (de caráter) flaw
falhar [fa'ʎa*] vi to fail; (não acertar) to miss; (errar) to be wrong
falho, -a ['faʎu, a] adj faulty; (deficiente) wanting
falido, -a [fa'lidu, a] adj, m/f bankrupt
falir [fa'li*] vi to fail; (COM) to go bankrupt
falsário, -a [faw'sarju, a] m/f forger
falsidade [fawsi'dadʒi] f falsehood; (fingimento) pretence (BRIT), pretense (US)
falsificar [fawsifi'ka*] vt (forjar) to forge; (falsear) to falsify; (adulterar) to adulterate; (desvirtuar) to misrepresent
falso, -a ['fawsu, a] adj false; (fraudulento) dishonest; (errôneo) wrong; (jóia, moeda, quadro) fake; **pisar em ~** to blunder

falta ['fawta] f (carência) lack; (ausência) absence; (defeito, culpa) fault; (FUTEBOL) foul; **por** ou **na ~ de** for lack of; **sem ~** without fail; **fazer ~** to be lacking, be needed; **sentir ~ de alguém/algo** to miss sb/sth; **ter ~ de** to lack, be in need of
faltar [faw'ta*] vi to be lacking, be wanting; (pessoa) to be absent; (falhar) to fail; **~ ao trabalho** to be absent from work; **~ à palavra** to break one's word; **falta pouco para ...** it won't be long until ...
fama ['fama] f (renome) fame; (reputação) reputation
família [fa'milja] f family
familiar [fami'lja*] adj (da família) family atr; (conhecido) familiar ♦ m/f relation, relative; **familiaridade** [familjari'dadʒi] f familiarity; (sem-cerimônia) informality
faminto, -a [fa'mĩtu, a] adj hungry; (fig): **~ de** eager for
famoso, -a [fa'mozu, ɔza] adj famous
fanático, -a [fa'natʃiku, a] adj fanatical ♦ m/f fanatic
fantasia [fãta'zia] f fantasy; (imaginação) imagination; (capricho) fancy; (traje) fancy dress
fantasiar [fãta'zja*] vt to imagine ♦ vi to daydream; **fantasiar-se** vr to dress up (in fancy dress)
fantasma [fã'tazma] m ghost; (alucinação) illusion
fantástico, -a [fã'taʃtʃiku, a] adj fantastic; (ilusório) imaginary; (incrível) unbelievable
fantoche [fã'tɔʃi] m puppet
farda ['faxda] f uniform
fardo ['faxdu] m bundle; (carga) load; (fig) burden
farei etc [fa'rej] vb V **fazer**
farinha [fa'riɲa] f: **~ (de mesa)** (manioc) flour; **~ de rosca** breadcrumbs pl; **~ de trigo** plain flour
farmacêutico, -a [faxma'sewtʃiku, a] adj pharmaceutical ♦ m/f pharmacist, chemist (BRIT)
farmácia [fax'masja] f pharmacy, chemist's (shop) (BRIT)
faro ['faru] m sense of smell; (fig) flair
farofa [fa'rɔfa] f (CULIN) side dish based on manioc flour
farol [fa'rɔw] (pl **-óis**) m lighthouse; (AUTO) headlight; **com ~ alto** (AUTO) on full (BRIT) ou high (US) beam; **com ~ baixo** dipped headlights pl (BRIT), dimmed beam (US)
farra ['faxa] f binge, spree
farrapo [fa'xapu] m rag
farsa ['faxsa] f farce; **farsante** [fax'sãtʃi]

m/f joker

fartar [faxˈta*] *vt* to satiate; *(encher)* to fill up; **fartar-se** *vr* to gorge o.s.

farto, -a [ˈfaxtu, a] *adj* full, satiated; *(abundante)* plentiful; *(aborrecido)* fed up

fartura [faxˈtura] *f* abundance

fascinante [fasiˈnãtʃi] *adj* fascinating

fascinar [fasiˈna*] *vt* to fascinate; *(encantar)* to charm; **fascínio** [faˈsinju] *m* fascination

fascismo [faˈsiʒmu] *m* fascism

fase [ˈfazi] *f* phase

fatal [faˈtaw] (*pl* **-ais**) *adj* (*mortal*) fatal; *(inevitável)* inevitable; **fatalidade** [fataliˈdadʒi] *f* fate; *(desgraça)* disaster

fatia [faˈtʃia] *f* slice

fatigante [fatʃiˈgãtʃi] *adj* tiring; *(aborrecido)* tiresome

fatigar [fatʃiˈga*] *vt* to tire; *(aborrecer)* to bore; **fatigar-se** *vr* to get tired

Fátima [ˈfatima] *n* Fatima

fato [ˈfatu] *m* fact; *(acontecimento)* event; (*PT: traje*) suit; **~ de banho** (*PT*) swimming costume (*BRIT*), bathing suit (*US*); **de ~** in fact, really

fator [faˈto*] *m* factor

fatura [faˈtura] *f* bill, invoice; **faturar** [fatuˈra*] *vt* to invoice; *(dinheiro)* to make ♦ *vi* (*col: ganhar dinheiro*): **faturar (alto)** to rake it in

fava [ˈfava] *f* broad bean; **mandar alguém às ~s** to send sb packing

favela [faˈvɛla] *f* slum

favor [faˈvo*] *m* favour (*BRIT*), favor (*US*); **a ~ de** in favo(u)r of; **por ~** please; **faça** *ou* **faz o ~ de ...** would you be so good as to ..., kindly ...; **favorável** [favoˈravew] (*pl* **-eis**) *adj*: **favorável (a)** favo(u)rable (to); **favorecer** [favoreˈse*] *vt* to favo(u)r; *(beneficiar)* to benefit; *(suj: vestido)* to suit; (: *retrato*) to flatter; **favorito** [favoˈritu, a] *adj, m/f* favo(u)rite

fax [faks] *m* (*carta*) fax; *(máquina)* fax (machine); **enviar por ~** to fax

faxina [faˈʃina] *f*: **fazer ~** to clean up; **faxineiro, -a** [faʃiˈnejru, a] *m/f* cleaner

fazenda [faˈzẽda] *f* farm; *(de café)* plantation; *(de gado)* ranch; *(pano)* cloth, fabric; (*ECON*) treasury; **fazendeiro** [fazẽˈdejru] *m* farmer; *(de café)* plantation-owner; *(de gado)* rancher, ranch-owner

---PALAVRA CHAVE---

fazer [faˈze*] *vt*

1 *(fabricar, produzir)* to make; *(construir)* to build; *(pergunta)* to ask; *(poema, música)* to write; **~ um filme/ruído** to make a film/noise

2 *(executar)* to do; **o que você está fazendo?** what are you doing?; **~ a comida** to do the cooking; **~ o papel de** (*TEATRO*) to play

3 *(estudos, alguns esportes)* to do; **~ medicina/direito** to do *ou* study medicine/law; **~ ioga/ginástica** to do yoga/keep-fit

4 *(transformar, tornar)*: **sair o fará sentir melhor** going out will make him feel better; **sua partida fará o trabalho mais difícil** his departure will make work more difficult

5 *(como sustituto de vb)*: **ele bebeu e eu fiz o mesmo** he drank and I did likewise

6: **~ anos: ele faz anos hoje** it's his birthday today; **fiz 30 anos ontem** I was 30 yesterday

♦ *vi*

1 *(portar-se)* to act, behave; **~ bem/mal** to do the right/wrong thing; **não fiz por mal** I didn't mean it; **faz como quem não sabe** act as if you don't know anything

2: **~ com que alguém faça algo** to make sb do sth

♦ *vb impess*

1: **faz calor/frio** it's hot/cold

2 *(tempo)*: **faz um ano** a year ago; **faz dois anos que ele se formou** it's two years since he graduated; **faz três meses que ele está aqui** he's been here for three months

3: **não faz mal** never mind; **tanto faz** it's all the same

♦ **fazer-se** *vr*

1: **~-se de desentendido** to pretend not to understand

2: **faz-se com ovos e leite** it's made with eggs and milk; **isso não se faz** that's not done

---

fé [fɛ] *f* faith; *(crença)* belief; *(confiança)* trust; **de boa/má ~** in good/bad faith

febre [ˈfɛbri] *f* fever; *(fig)* excitement; **~ do feno** hay fever; **febril** [feˈbriw] (*pl* **-is**) *adj* feverish

fechado, -a [feˈʃadu, a] *adj* shut, closed; *(pessoa)* reserved; *(sinal)* red; *(luz, torneira)* off; *(tempo)* overcast; *(cara)* stern

fechadura [feʃaˈdura] *f* lock

fechar [feˈʃa*] *vt* to close, shut; *(concluir)* to finish, conclude; *(luz, torneira)* to turn off; *(rua)* to close off; *(ferida)* to close up; *(bar, loja)* to close down ♦ *vi* to close (up), shut; to close down; *(tempo)* to cloud over; **fechar-se** *vr* to close, shut; *(pessoa)* to withdraw; **~ à chave** to lock

fecho → festividade

fecho ['feʃu] m fastening; (*trinco*) latch; (*término*) close; **~ ecler** zip fastener (*BRIT*), zipper (*US*)

fécula ['fɛkula] f starch

feder [fe'de*] vi to stink

federação [federa'sãw] (*pl* **-ões**) f federation

federal [fede'raw] (*pl* **-ais**) *adj* federal; (*col: grande*) huge

fedor [fe'do*] m stench

feijão [fej'ʒãw] (*pl* **-ões**) m bean(s) (*pl*); (*preto*) black bean(s) (*pl*); **feijoada** [fej'ʒwada] f (*CULIN*) meat, rice and black beans

feio, -a ['feju, a] *adj* ugly; (*situação*) grim; (*atitude*) bad; (*tempo*) horrible ♦ *adv* (*perder*) badly

feira ['fejra] f fair; (*mercado*) market

feiticeira [fejtʃi'sejra] f witch

feiticeiro, -a [fejtʃi'sejru, a] *adj* bewitching, enchanting ♦ m wizard

feitiço [fej'tʃisu] m charm, spell

feitio [fej'tʃiu] m shape, pattern; (*caráter*) nature, manner; (*TEC*) workmanship

feito, -a ['fejtu, a] *pp de* **fazer** ♦ *adj* finished, ready ♦ m act, deed; (*façanha*) feat ♦ *conj* like; **~ a mão** hand-made; **homem ~** grown man

feiúra [fe'jura] f ugliness

felicidade [felisi'dadʒi] f happiness; (*sorte*) good luck; (*êxito*) success; **~s** fpl (*congratulações*) congratulations

felicitações [felisita'sõjʃ] fpl congratulations, best wishes

feliz [fe'liʒ] *adj* happy; (*afortunado*) lucky; **felizmente** [feliʒ'mẽtʃi] *adv* fortunately

feltro ['fewtru] m felt

fêmea ['femja] f female

feminino, -a [femi'ninu, a] *adj* feminine; (*sexo*) female; (*equipe, roupa*) women's ♦ m (*LING*) feminine

feminista [femi'niʃta] *adj, m/f* feminist

fenda ['fẽda] f slit, crack; (*GEO*) fissure

feno ['fenu] m hay

fenomenal [fenome'naw] (*pl* **-ais**) *adj* phenomenal; (*espantoso*) amazing; (*pessoa*) brilliant

fenômeno [fe'nomenu] m phenomenon

fera ['fɛra] f wild animal

feriado [fe'rjadu] m holiday (*BRIT*), vacation (*US*)

férias ['fɛrjaʃ] fpl holidays, vacation sg; **de ~** on holiday; **tirar ~** to have *ou* take a holiday

ferida [fe'rida] f wound, injury; *V tb* **ferido**

ferido, -a [fe'ridu, a] *adj* injured; (*em batalha*) wounded; (*magoado*) hurt ♦ m/f casualty

ferimento [feri'mẽtu] m injury; (*em batalha*) wound

ferir [fe'ri*] vt to injure; (*tb fig*) to hurt; (*em batalha*) to wound; (*ofender*) to offend

fermentar [fexmẽ'ta*] vi to ferment

fermento [fex'mẽtu] m yeast; **~ em pó** baking powder

feroz [fe'rɔʒ] *adj* fierce, ferocious; (*cruel*) cruel

ferradura [fexa'dura] f horseshoe

ferragem [fe'xaʒẽ] (*pl* **-ns**) f (*peças*) hardware; (*guarnição*) metalwork; **loja de ferragens** ironmonger's (*BRIT*), hardware store

ferramenta [fexa'mẽta] f tool; (*caixa de ~s*) tool kit; **~ de busca** (*COMPUT*) search engine

ferrão [fe'xãw] (*pl* **-ões**) m goad; (*de inseto*) sting

ferreiro [fe'xejru] m blacksmith

ferrenho, -a [fe'xeɲu, a] *adj* (*vontade*) iron

ferro ['fɛxu] m iron; **~s** mpl (*algemas*) shackles, chains; **~ batido** wrought iron; **~ de passar** iron; **~ fundido** cast iron; **~ ondulado** corrugated iron

ferrões [fe'xõjʃ] mpl de **ferrão**

ferrolho [fe'xoʎu] m (*trinco*) bolt

ferrovia [fexo'via] f railway (*BRIT*), railroad (*US*); **ferroviário, -a** [fexo'vjarju, a] *adj* railway *atr* (*BRIT*), railroad *atr* (*US*) ♦ m/f railway *ou* railroad worker

ferrugem [fe'xuʒẽ] f rust

fértil ['fɛxtʃiw] (*pl* **-eis**) *adj* fertile; **fertilizante** [fextʃili'zãtʃi] m fertilizer; **fertilizar** [fextʃili'za*] vt to fertilize

ferver [fex've*] vt, vi to boil; **~ de raiva/indignação** to seethe with rage/indignation; **~ em fogo baixo** (*CULIN*) to simmer

fervilhar [fexvi'ʎa*] vi to simmer; (*com atividade*) to hum; (*pulular*): **~ de** to swarm with

fervor [fex'vo*] m fervour (*BRIT*), fervor (*US*)

festa ['fɛʃta] f (*reunião*) party; (*conjunto de cerimônias*) festival; **~s** fpl (*carícia*) embrace sg; **boas ~s** Merry Christmas and a Happy New Year; **dia de ~** public holiday

festejar [feʃte'ʒa*] vt to celebrate; (*acolher*) to welcome, greet; **festejo** [feʃ'teʒu] m festivity; (*ato*) celebration

festival [feʃtʃi'vaw] (*pl* **-ais**) m festival

festividade [feʃtʃivi'dadʒi] f festivity

festivo, -a [feʃˈtʃivu, a] *adj* festive
fetiche [feˈtʃiʃi] *m* fetish
feto [ˈfɛtu] *m* (MED) foetus (BRIT), fetus (US)
fevereiro [feveˈrejru] (PT **F-**) *m* February
fez [feʒ] *vb V* **fazer**
fezes [ˈfɛziʃ] *fpl* faeces (BRIT), feces (US)
fiado, -a [ˈfjadu, a] *adv*: **comprar/vender ~** to buy/sell on credit
fiador, a [fjaˈdo*, a] *m/f* (JUR) guarantor; (COM) backer
fiambre [ˈfjãbri] *m* cold meat; (*presunto*) ham
fiança [ˈfjãsa] *f* guarantee; (JUR) bail; **prestar ~ por** to stand bail for; **sob ~** on bail
fiar [ˈfja*] *vt* (*algodão etc*) to spin; (*confiar*) to entrust; (*vender a crédito*) to sell on credit; **fiar-se** *vr*: **~-se em** to trust
fibra [ˈfibra] *f* fibre (BRIT), fiber (US)

---PALAVRA CHAVE---

ficar [fiˈka*] *vi*
1 (*permanecer*) to stay; (*sobrar*) to be left; **~ perguntando/olhando** *etc* to keep asking/looking *etc*; **~ por fazer** to have still to be done; **~ para trás** to be left behind
2 (*tornar-se*) to become; **~ cego/surdo/louco** to go blind/deaf/mad; **fiquei contente ao saber da notícia** I was happy when I heard the news; **~ com raiva/medo** to get angry/frightened; **~ de bem/mal com alguém** (*col*) to make up/fall out with sb
3 (*posição*) to be; **a casa fica ao lado da igreja** the house is next to the church; **~ sentado/deitado** to be sitting down/lying down
4 (*tempo*: *durar*): **ele ficou duas horas para resolver** he took two hours to decide; (: *ser adiado*): **a reunião ficou para amanhã** the meeting was postponed until the following day
5: **~ bem** (*comportamento*): **sua atitude não ficou bem** his (*ou* her *etc*) behaviour was inappropriate; (*cor*): **você fica bem em azul** blue suits you, you look good in blue; (*roupa*): **~ bem para** to suit
6: **~ bom** (*de saúde*) to be cured; (*trabalho, foto etc*) to turn out well
7: **~ de fazer algo** (*combinar*) to arrange to do sth; (*prometer*) to promise to do sth
8: **~ de pé** to stand up

---

ficção [fikˈsãw] *f* fiction
ficha [ˈfiʃa] *f* (*tb*: **~ de telefone**) token; (*tb*: **~ de jogo**) chip; (*de fichário*) (index) card; (POLÍCIA) record; (PT: ELET) plug; (*em loja, lanchonete*) ticket
fichário [fiˈʃarju] *m* filing cabinet; (*caixa*) card index; (*caderno*) file
ficheiro [fiˈʃejru] (PT) *m* = **fichário**
fictício, -a [fikˈtʃisju, a] *adj* fictitious
fidelidade [fideliˈdaʒi] *f* fidelity, loyalty; (*exatidão*) accuracy
fiel [fjew] (*pl* **-éis**) *adj* (*leal*) faithful, loyal; (*acurado*) accurate; (*que não falha*) reliable
figa [ˈfiga] *f* talisman; **fazer uma ~** to make a *figa* ≈ cross one's fingers; **de uma ~** (*col*) damned
fígado [ˈfigadu] *m* liver
figo [ˈfigu] *m* fig; **figueira** [fiˈgejra] *f* fig tree
figura [fiˈgura] *f* figure; (*forma*) form, shape; (LING) figure of speech; (*aspecto*) appearance
figurino [figuˈrinu] *m* model; (*revista*) fashion magazine
fila [ˈfila] *f* row, line; (BR: *fileira de pessoas*) queue (BRIT), line (US); (*num teatro, cinema*) row; **em ~** in a row; **fazer ~** to form a line, queue; **~ indiana** single file
filé [fiˈlɛ] *m* (*bife*) steak; (*peixe*) fillet
fileira [fiˈlejra] *f* row, line; **~s** *fpl* (*serviço militar*) military service *sg*
filho, -a [ˈfiʎu, a] *m/f* son/daughter; **~s** *mpl* children; (*de animais*) young
filhote [fiˈʎɔtʃi] *m* (*de leão, urso etc*) cub; (*cachorro*) pup(py)
filial [fiˈljaw] (*pl* **-ais**) *f* (*sucursal*) branch
Filipinas [filiˈpinaʃ] *fpl*: **as ~** the Philippines
filmadora [fiwmaˈdora] *f* camcorder
filmar [fiwˈma*] *vt, vi* to film
filme [ˈfiwmi] *m* film (BRIT), movie (US)
filosofia [filozoˈfia] *f* philosophy; **filósofo, -a** [fiˈlɔzofu, a] *m/f* philosopher
filtrar [fiwˈtra*] *vt* to filter; **filtrar-se** *vr* to filter; (*infiltrar-se*) to infiltrate
filtro [ˈfiwtru] *m* (TEC) filter
fim [fĩ] (*pl* **-ns**) *m* end; (*motivo*) aim, purpose; (*de história, filme*) ending; **a ~ de** in order to; **no ~ das contas** after all; **por ~** finally; **sem ~** endless; **levar ao ~** to carry through; **pôr** *ou* **dar ~ a** to put an end to; **ter ~** to come to an end; **~ de semana** weekend
finado, -a [fiˈnadu, a] *m/f* deceased; **dia dos F~s** day of the dead
final [fiˈnaw] (*pl* **-ais**) *adj* final, last ♦ *m* end; (MÚS) finale ♦ *f* (ESPORTE) final;
finalista [finaˈliʃta] *m/f* finalist;
finalizar [finaliˈza*] *vt* to finish, conclude

finanças [fi'nãsaʃ] *fpl* finance *sg*; **financeiro, -a** [finã'sejru, a] *adj* financial ♦ *m/f* financier; **financiar** [finã'sja*] *vt* to finance

fingimento [fĩʒi'mētu] *m* pretence (*BRIT*), pretense (*US*)

fingir [fĩ'ʒi*] *vt* to feign ♦ *vi* to pretend; **fingir-se** *vr*: ~-**se de** to pretend to be

finito, -a [fi'nitu, a] *adj* finite

finlandês, -esa [fĩlã'deʃ, eza] *adj* Finnish ♦ *m/f* Finn ♦ *m* (*LING*) Finnish

Finlândia [fĩ'lãdʒja] *f*: **a ~** Finland

fino, -a ['finu, a] *adj* fine; (*delgado*) slender; (*educado*) polite; (*som, voz*) shrill; (*elegante*) refined ♦ *adv*: **falar ~** to talk in a high voice

fins [fĩʃ] *mpl de* **fim**

fio ['fiu] *m* thread; (*BOT*) fibre (*BRIT*), fiber (*US*); (*ELET*) wire; (*TEL*) line; (*de líquido*) trickle; (*gume*) edge; (*encadeamento*) series; **horas/dias a ~** hours/days on end

firma ['fixma] *f* signature; (*COM*) firm, company

firmar [fix'ma*] *vt* to secure, make firm; (*assinar*) to sign; (*estabelecer*) to establish; (*basear*) to base ♦ *vi* (*tempo*) to settle; **firmar-se** *vr*: ~-**se em** (*basear-se*) to rest on, be based on

firme ['fixmi] *adj* firm; (*estável*) stable; (*sólido*) solid; (*tempo*) settled ♦ *adv* firmly; **firmeza** [fix'meza] *f* firmness; stability; solidity

fiscal [fiʃ'kaw] (*pl* -**ais**) *m/f* supervisor; (*aduaneiro*) customs officer; (*de impostos*) tax inspector; **fiscalizar** [fiʃkali'za*] *vt* to supervise; (*examinar*) to inspect, check

fisco ['fiʃku] *m*: **o ~** = the Inland Revenue (*BRIT*), = the Internal Revenue Service (*US*)

física ['fizika] *f* physics *sg*; *V tb* **físico**

físico, -a ['fiziku, a] *adj* physical ♦ *m/f* (*cientista*) physicist ♦ *m* (*corpo*) physique

fisionomia [fizjono'mia] *f* (*rosto*) face; (*ar*) expression, look; (*aspecto de algo*) appearance

fissura [fi'sura] *f* crack

fita ['fita] *f* tape; (*tira*) strip, band; (*filme*) film; (*para máquina de escrever*) ribbon; **~ durex** ® adhesive tape, sellotape ® (*BRIT*), scotchtape ® (*US*); **~ métrica** tape measure

fitar [fi'ta*] *vt* to stare at, gaze at

fivela [fi'vela] *f* buckle

fixar [fik'sa*] *vt* to fix; (*colar, prender*) to stick; (*data, prazo, regras*) to set; (*atenção*) to concentrate; **fixar-se** *vr*: ~-**se em** (*assunto*) to concentrate on; (*detalhe*) to fix on; (*apegar-se a*) to be attached to; **~ os olhos em** to stare at; **~ residência** to set up house

fixo, -a ['fiksu, a] *adj* fixed; (*firme*) firm; (*permanente*) permanent; (*cor*) fast

fiz *etc* [fiʒ] *vb V* **fazer**

flagelado, -a [flaʒe'ladu, a] *m/f*: **os ~s** the afflicted, the victims

flagrante [fla'grãtʃi] *adj* flagrant; **apanhar em ~ (delito)** to catch red-handed *ou* in the act

flagrar [fla'gra*] *vt* to catch

flanela [fla'nɛla] *f* flannel

flash [flaʃ] *m* (*FOTO*) flash

flauta ['flawta] *f* flute

flecha ['flɛʃa] *f* arrow

fleu(g)ma ['flewma] *f* phlegm

flexível [flek'sivew] (*pl* -**eis**) *adj* flexible

floco ['flɔku] *m* flake; **~ de milho** cornflake; **~ de neve** snowflake

flor [flo*] *f* flower; (*o melhor*): **a ~ de** the cream of, the pick of; **em ~** in bloom; **à ~ de** on the surface of

florescente [flore'sẽtʃi] *adj* (*BOT*) in flower; (*próspero*) flourishing

florescer [flore'se*] *vi* (*BOT*) to flower; (*prosperar*) to flourish

floresta [flo'rɛʃta] *f* forest; **~ tropical** rainforest; **florestal** [floreʃ'taw] (*pl* **florestais**) *adj* forest *atr*

florido, -a [flo'ridu, a] *adj* (*jardim*) in flower

fluente [flu'ẽtʃi] *adj* fluent

fluido, -a ['flwidu, a] *adj* fluid ♦ *m* fluid

fluir [flwi*] *vi* to flow

fluminense [flumi'nẽsi] *adj* from the state of Rio de Janeiro ♦ *m/f* native *ou* inhabitant of the state of Rio de Janeiro

flutuar [flu'twa*] *vi* to float; (*bandeira*) to flutter; (*fig: vacilar*) to waver

fluvial [flu'vjaw] (*pl* -**ais**) *adj* river *atr*

fluxo ['fluksu] *m* (*corrente*) flow; (*ELET*) flux; **~ de caixa** (*COM*) cash flow

fobia [fo'bia] *f* phobia

foca ['fɔka] *f* seal

focinho [fo'siɲu] *m* snout; (*col: cara*) face, mug (*col*)

foco ['fɔku] *m* focus; (*MED, fig*) seat, centre (*BRIT*), center (*US*); **fora de ~ em/fora de ~** out of focus, in/out of focus

fofo, -a ['fofu, a] *adj* soft; (*col: pessoa*) cute

fofoca [fo'fɔka] *f* piece of gossip; **~s** *fpl* (*mexericos*) gossip *sg*; **fofocar** [fofo'ka*] *vi* to gossip

fogão [fo'gãw] (*pl* -**ões**) *m* stove, cooker

fogareiro [foga'rejru] *m* stove

foge *etc* ['fɔʒi] *vb V* **fugir**

fogo ['fogu] *m* fire; (*fig*) ardour (*BRIT*),

fogões → forno

ardor (US); **você tem ~?** have you got a light?; **~s de artifício** fireworks; **pôr ~ a** to set fire to
fogões [foˈgõjʃ] mpl de **fogão**
fogueira [foˈgejra] f bonfire
foguete [foˈgetʃi] m rocket
foi [foj] vb V **ir**; **ser**
folclore [fowkˈlɔri] m folklore
folclórico, -a [fowkˈlɔriku, a] adj (música etc) folk; (comida, roupa) ethnic
fôlego [ˈfolegu] m breath; (folga) breathing space; **perder o ~** to get out of breath
folga [ˈfɔwga] f rest, break; (espaço livre) clearance; (ócio) inactivity; (col: atrevimento) cheek; **dia de ~** day off; **folgado, -a** [fowˈgadu, a] adj (roupa) loose; (vida) leisurely; (col: atrevido) cheeky; **folgar** [fowˈga*] vt to loosen ♦ vi (descansar) to rest; (divertir-se) to have fun
folha [ˈfoʎa] f leaf; (de papel, de metal) sheet; (página) page; (de faca) blade; (jornal) paper; **novo em ~** brand new; **~ de estanho** tinfoil (BRIT), aluminum foil (US)
folhagem [foˈʎaʒẽ] f foliage
folheto [foˈʎetu] m booklet, pamphlet
fome [ˈfɔmi] f hunger; (escassez) famine; (fig: avidez) longing; **passar ~** to go hungry; **estar com** ou **ter ~** to be hungry
fomentar [fomẽˈta*] vt to instigate, incite; **fomento** [foˈmẽtu] m (estímulo) incitement
fone [ˈfɔni] m telephone, phone; (peça do telefone) receiver
fonte [ˈfõtʃi] f (nascente) spring; (chafariz) fountain; (origem) source; (ANAT) temple
for etc [fo*] vb V **ir**; **ser**
fora¹ [ˈfɔra] adv out, outside ♦ prep (além de) apart from ♦ m: **dar o ~** (bateria, radio) to give out; (pessoa) to leave, be off; **dar um ~** to slip up; **dar um ~ em/ levar um ~** (namorado) to chuck ou dump/be given the boot; (esnobar) to snub sb/get the brush-off; **~ de** outside; **~ de si** beside o.s.; **estar ~** (viajando) to be away; **estar ~ (de casa)** to be out; **lá ~** outside; (no exterior) abroad; **jantar ~** to eat out; **com os braços de ~** with bare arms; **ser de ~** to be from out of town; **ficar de ~** not to join in; **lá para ~** outside; **ir para ~** (viajar) to go out of town; **com a cabeça para ~ da janela** with one's head sticking out of the window; **costurar/cozinhar para ~** to do sewing/cooking for other people; **por ~** on the outside; **cobrar por ~** (cobrar) to charge extra; **~ de dúvida** beyond doubt; **~ de propósito** irrelevant
fora² etc vb V **ir**; **ser**
foragido, -a [foraˈʒidu, a] adj, m/f (fugitivo) fugitive
forasteiro, -a [forafˈtejru, a] m/f outsider, stranger; (de outro país) foreigner
forca [ˈfoxka] f gallows sg
força [ˈfoxsa] f strength; (TEC, ELET) power; (esforço) effort; (coerção) force; **à ~** by force; **à ~ de** by dint of; **com ~** hard; **por ~** of necessity; **fazer ~** to try (hard); **~ de trabalho** workforce
forçado, -a [foxˈsadu, a] adj forced; (afetado) false
forçar [foxˈsa*] vt to force; (olhos, voz) to strain
forma [ˈfɔxma] f form; (de um objeto) shape; (físico) figure; (maneira) way; (MED) fitness; **desta ~** in this way; **de qualquer ~** anyway; **manter a ~** to keep fit
fôrma [ˈfoxma] f (CULIN) cake tin; (molde) mould (BRIT), mold (US)
formação [foxmaˈsãw] (pl **-ões**) f formation; (antecedentes) background; (caráter) make-up; (profissional) training
formado, -a [foxˈmadu, a] adj (modelado): **ser ~ de** to consist of ♦ m/f graduate
formal [foxˈmaw] (pl **-ais**) adj formal; **formalidade** [foxmaliˈdadʒi] f formality
formar [foxˈma*] vt to form; (constituir) to constitute, make up; (educar) to train; **formar-se** vr to form; (EDUC) to graduate
formatar [foxmaˈta*] vt (COMPUT) to format
formidável [foxmiˈdavew] (pl **-eis**) adj tremendous, great
formiga [foxˈmiga] f ant
formigar [foxmiˈga*] vi to abound; (sentir comichão) to itch
formoso, -a [foxˈmozu, ɔza] adj beautiful; (esplêndido) superb
fórmula [ˈfɔxmula] f formula
formular [foxmuˈla*] vt to formulate; (queixas) to voice
formulário [foxmuˈlarju] m form; **~s mpl**: **~s contínuos** (COMPUT) continuous stationery sg
fornecedor, a [foxneseˈdo*, a] m/f supplier ♦ f (empresa) supplier
fornecer [foxneˈse*] vt to supply, provide; **fornecimento** [foxnesiˈmẽtu] m supply
forno [ˈfoxnu] m (CULIN) oven; (TEC) furnace; (para cerâmica) kiln; **alto ~** blast furnace

foro ['foru] m forum; (JUR) Court of Justice; **~s** mpl (privilégios) privileges
forro ['foxu] m covering; lining
fortalecer [foxtale'se*] vt to strengthen
fortaleza [foxta'leza] f fortress; (força) strength; (moral) fortitude
forte ['fɔxtʃi] adj strong; (pancada) hard; (chuva) heavy; (tocar) loud; (dor) sharp ♦ adv strongly; (tocar) loud(ly) ♦ m fort; (talento) strength; **ser ~ em algo** (versado) to be good at sth ou strong in sth
fortuito, -a [fox'twitu, a] adj accidental
fortuna [fox'tuna] f fortune, (good) luck; (riqueza) fortune, wealth
fosco, -a ['foʃku, a] adj dull; (opaco) opaque
fósforo ['fɔʃforu] m match
fossa ['fɔsa] f pit
fosse etc ['fɔsi] vb V **ir; ser**
fóssil ['fɔsiw] (pl **-eis**) m fossil
fosso ['fosu] m trench, ditch
foto ['fɔtu] f photo
fotocópia [foto'kɔpja] f photocopy; **fotocopiadora** [fotokoja'dora] f photocopier; **fotocopiar** [fotoko'pja*] vt to photocopy
fotografar [fotogra'fa*] vt to photograph
fotografia [fotogra'fia] f photography; (uma ~) photograph
fotógrafo, -a [fo'tɔgrafu, a] m/f photographer
foz [fɔʒ] f mouth of river
fração [fra'sãw] (pl **-ões**) f fraction
fracassar [fraka'sa*] vi to fail; **fracasso** [fra'kasu] m failure
fracção [fra'sãw] (PT) f = **fração**
fraco, -a ['fraku, a] adj weak; (sol, som) faint
fractura etc [fra'tura] (PT) f = **fratura** etc
frade ['fradʒi] m (REL) friar; (: monge) monk
frágil ['fraʒiw] (pl **-eis**) adj (débil) fragile; (COM) breakable; (pessoa) frail; (saúde) delicate, poor
fragmento [frag'mẽtu] m fragment
fragrância [fra'grãsja] f fragrance, perfume
fralda ['frawda] f (da camisa) shirt tail; (para bebê) nappy (BRIT), diaper (US); (de montanha) foot
framboesa [frã'beza] f raspberry
França ['frãsa] f France
francamente [frãka'mẽtʃi] adv (abertamente) frankly; (realmente) really
francês, -esa [frã'seʃ, eza] adj French ♦ m/f Frenchman/woman ♦ m (LING) French
franco, -a ['frãku, a] adj frank; (isento de pagamento) free; (óbvio) clear ♦ m franc; **entrada franca** free admission
frango ['frãgu] m chicken
franja ['frãʒa] f fringe (BRIT), bangs pl (US)
franqueza [frã'keza] f frankness
franquia [frã'kia] f (COM) franchise; (isenção) exemption
franzino, -a [frã'zinu, a] adj skinny
fraqueza [fra'keza] f weakness
frasco ['fraʃku] m bottle
frase ['frazi] f sentence; **~ feita** set phrase
fratura [fra'tura] f fracture, break; **fraturar** [fratu'ra*] vt to fracture
fraude ['frawdʒi] f fraud
freada [fre'ada] (BR) f: **dar uma ~** to slam on the brakes
frear [fre'a*] (BR) vt to curb, restrain; (veículo) to stop ♦ vi (veículo) to brake
freezer ['frize*] m freezer
freguês, -guesa [fre'geʃ, 'geza] m/f customer; (PT) parishioner; **freguesia** [frege'zia] f customers pl; parish
freio ['freju] m (BR: de veículo) brake; (de cavalo) bridle; (bocado do ~) bit; **~ de mão** handbrake
freira ['frejra] f nun
frenesi [frene'zi] m frenzy; **frenético, -a** [fre'nɛtʃiku, a] adj frantic, frenzied
frente ['frẽtʃi] f front; (rosto) face; (fachada) façade; **~ a ~** face to face; **de ~ para** facing; **em ~ de** in front of; (de fronte a) opposite; **para a ~** ahead, forward; **porta da ~** front door; **seguir em ~** to go straight on; **na minha** (ou **sua** etc) **~** in front of me (ou you etc); **sair da ~** to get out of the way; **pra ~** (col) fashionable, trendy
freqüência [fre'kwẽsja] f frequency; **com ~** often, frequently
freqüentar [frekwẽ'ta*] vt to frequent
freqüente [fre'kwẽtʃi] adj frequent
fresco, -a ['freʃku, a] adj fresh; (vento, tempo) cool; (col: efeminado) camp; (: afetado) pretentious; (: cheio de luxo) fussy ♦ m (ar) fresh air
frescobol [freʃko'bɔw] m (kind of) racketball (played mainly on the beach)
frescura [freʃ'kura] f freshness; (frialdade) coolness; (col: luxo) fussiness; (: afetaçao) pretentiousness
frete ['frɛtʃi] m (carregamento) freight, cargo; (tarifa) freightage
frevo ['frevu] m improvised Carnival dance
fria ['fria] f: **dar uma ~ em alguém** to give sb the cold shoulder; **estar/entrar**

fricção → **furto**

numa ~ (col) to be in/get into a mess
fricção [frik'sãw] f friction; (ato) rubbing; (MED) massage; **friccionar** [friksjo'na*] vt to rub
frieza ['frjeza] f coldness; (indiferença) coolness
frigideira [friʒi'dejra] f frying pan
frigorífico [frigo'rifiku] m refrigerator; (congelador) freezer
frio, -a ['friu, a] adj cold ♦ m cold; **~s** mpl (CULIN) cold meats; **estou com ~** I'm cold; **faz** ou **está ~** it's cold
frisar [fri'za*] vt (encrespar) to curl; (salientar) to emphasize
fritar [fri'ta*] vt to fry
fritas ['fritas] fpl chips (BRIT), French fries (US)
frito, -a ['fritu, a] adj fried; (col): **estar ~** to be done for
frívolo, -a ['frivolu, a] adj frivolous
fronha ['froɲa] f pillowcase
fronteira [frõ'tejra] f frontier, border
frota ['frɔta] f fleet
frouxo, -a ['froʃu, a] adj loose; (corda, fig: pessoa) slack; (fraco) weak; (col: condescendente) soft
frustrar [fruʃ'tra*] vt to frustrate
fruta ['fruta] f fruit; **frutífero, -a** [fru'tʃiferu, a] adj (proveitoso) fruitful; (árvore) fruit-bearing
fruto ['frutu] m (BOT) fruit; (resultado) result, product; **dar ~** (fig) to bear fruit
fubá [fu'ba] m corn meal
fuga ['fuga] f flight, escape; (de gás etc) leak
fugir [fu'ʒi*] vi to flee, escape; (prisioneiro) to escape
fugitivo, -a [fuʒi'tʃivu, a] adj, m/f fugitive
fui [fuj] vb V **ir**; **ser**
fulano, -a [fu'lanu, a] m/f so-and-so
fuligem [fu'liʒẽ] f soot
fulminante [fuwmi'nãtʃi] adj devastating; (palavras) scathing
fulo, -a ['fulu, a] adj: **estar** ou **ficar ~ de raiva** to be furious
fumaça [fu'masa] (BR) f (de fogo) smoke; (de gás) fumes pl
fumador, a [fuma'do*, a] (PT) m/f smoker
fumante [fu'mãtʃi] m/f smoker
fumar [fu'ma*] vt, vi to smoke
fumo ['fumu] m (PT: de fogo) smoke; (: de gás) fumes pl; (BR: tabaco) tobacco; (fumar) smoking
função [fũ'sãw] (pl **-ões**) f function; (ofício) duty; (papel) role; (espetáculo) performance
funcionalismo [fũsjona'liʒmu] m: **~ público** civil service
funcionamento [fũsjona'mẽtu] m functioning, working; **pôr em ~** to set going, start
funcionar [fũsjo'na*] vi to function; (máquina) to work, run; (dar bom resultado) to work
funcionário, -a [fũsjo'narju, a] m/f official; **~ (público)** civil servant
funções [fũ'sõjʃ] fpl de **função**
fundação [fũda'sãw] (pl **-ões**) f foundation
fundamental [fũdamẽ'taw] (pl **-ais**) adj fundamental, basic
fundamento [fũda'mẽtu] m (fig) foundation, basis; (motivo) motive
fundar [fũ'da*] vt to establish, found; (basear) to base; **fundar-se** vr: **~-se em** to be based on
fundir [fũ'dʒi*] vt to fuse; (metal) to smelt, melt down; (COM: empresas) to merge; (em molde) to cast; **fundir-se** vr to melt; (juntar-se) to merge
fundo, -a ['fũdu, a] adj deep; (fig) profound ♦ m (do mar, jardim) bottom; (profundidade) depth; (base) basis; (da loja, casa, do papel) back; (de quadro) background; (de dinheiro) fund ♦ adv deeply; **~s** mpl (COM) funds; (da casa etc) back sg; **a ~** thoroughly; **no ~** at the bottom; (da casa etc) at the back; (fig) basically
fúnebre ['funebri] adj funeral atr, funereal; (fig) gloomy
funeral [fune'raw] (pl **-ais**) m funeral
funil [fu'niw] (pl **-is**) m funnel
furacão [fura'kãw] (pl **-ões**) m hurricane
furado, -a [fu'radu, a] adj perforated; (pneu) flat; (orelha) pierced
furão, -rona [fu'rãw, 'rɔna] (pl **-ões, ~s**) m ferret ♦ m/f (col) go-getter ♦ adj (col) hard-working, dynamic
furar [fu'ra*] vt to perforate; (orelha) to pierce; (penetrar) to penetrate; (frustrar) to foil; (fila) to jump ♦ vi (col: programa) to fall through
fúria ['furja] f fury, rage; **furioso, -a** [fu'rjozu, ɔza] adj furious
furo ['furu] m hole; (num pneu) puncture
furões [fu'rõjʃ] mpl de **furão**
furona [fu'rɔna] f de **furão**
furor [fu'ro*] m fury, rage; **fazer ~** to be all the rage
furtar [fux'ta*] vt, vi to steal; **furtar-se** vr: **~-se a** to avoid
furtivo, -a [fux'tʃivu, a] adj furtive, stealthy
furto ['fuxtu] m theft

fusão [fu'zāw] (pl **-ões**) f fusion; (COM) merger; (derretimento) melting; (união) union

fusível [fu'zivew] (pl **-eis**) m fuse

fuso ['fuzu] m (TEC) spindle; **~ horário** time zone

fusões [fu'zōjʃ] fpl de **fusão**

futebol [futʃi'bɔw] m football; **~ de salão** five-a-side football

futevôlei [futʃi'volej] m type of volleyball in which the ball is only allowed to touch the feet, legs, trunk and head

fútil ['futʃiw] (pl **-eis**) adj (pessoa) shallow; (insignificante) trivial

futilidade [futʃili'dadʒi] f (de pessoa) shallowness; (insignificância) triviality; (coisa) trivial thing

futuro, -a [fu'turu, a] adj future ♦ m future; **no ~** in the future

fuzil [fu'ziw] (pl **-is**) m rifle; **fuzilar** [fuzi'la*] vt to shoot

fuzis [fu'ziʃ] mpl de **fuzil**

G g

g. abr (= grama) gr.

G7 abr (= Grupo dos Sete) G7

gabar [ga'ba*] vt to praise; **gabar-se** vr: **~-se de** to boast about

gabinete [gabi'netʃi] m (COM) office; (escritório) study; (POL) cabinet

gado ['gadu] m livestock; (bovino) cattle; **~ leiteiro** dairy cattle; **~ suíno** pigs pl

gafanhoto [gafa'ɲotu] m grasshopper

gafe ['gafi] f gaffe, faux pas

gagueira [ga'gejra] f stutter

gaguejar [gage'ʒa*] vi to stammer, stutter

gaiato, -a [ga'jatu, a] adj funny

gaiola [ga'jɔla] f cage; (cadeia) jail ♦ m (barco) riverboat

gaita ['gajta] f harmonica; **~ de foles** bagpipes pl

gaivota [gaj'vɔta] f seagull

gajo ['gaʒu] (PT: col) m guy, fellow

gala ['gala] f: **traje de ~** evening dress; **festa de ~** gala

galão [ga'lāw] (pl **-ões**) m (MIL) stripe; (medida) gallon; (PT: café) white coffee; (passamanaria) braid

Galápagos [ga'lapaguʃ]: **(as) Ilhas ~** fpl (the) Galapagos Islands

galáxia [ga'laksja] m galaxy

galera [ga'lɛra] f (NÁUT) galley; (col: pessoas, público) crowd

galeria [gale'ria] f gallery; (TEATRO) circle

Gales ['galiʃ] m: **País de ~** Wales

galho ['gaʎu] m (de árvore) branch

galinha [ga'liɲa] f hen; (CULIN) chicken; **galinheiro** [gali'ɲejru] m hen-house

galo ['galu] m cock, rooster; (inchação) bump; **missa do ~** midnight mass

galões [ga'lōjʃ] mpl de **galão**

galopar [galo'pa*] vi to gallop; **galope** [ga'lɔpi] m gallop

gama ['gama] f (MÚS) scale; (fig) range; (ZOOL) doe

gambá [gā'ba] m (ZOOL) opossum

Gana ['gana] m Ghana

gana ['gana] f craving, desire; (ódio) hate; **ter ~s de (fazer) algo** to feel like (doing) sth; **ter ~ de alguém** to hate sb

ganância [ga'nāsja] f greed; **ganancioso, -a** [ganā'sjozu, ɔza] adj greedy

gancho ['gāʃu] m hook; (de calça) crotch

gangue ['gāgi] (col) f gang

ganhador, a [gaɲa'do*, a] adj winning ♦ m/f winner

ganha-pão ['gaɲa-] (pl **-ães**) m living, livelihood

ganhar [ga'ɲa*] vt to win; (salário) to earn; (adquirir) to get; (lugar) to reach; (lucrar) to gain ♦ vi to win; **~ de alguém** (num jogo) to beat sb; **ganho, -a** ['gaɲu, a] pp de **ganhar** ♦ m profit, gain; **ganhos** mpl (ao jogo) winnings

ganso, -a ['gāsu, a] m/f gander/goose

garagem [ga'raʒē] (pl **-ns**) f garage

garanhão [gara'ɲāw] (pl **-ões**) m stallion

garantia [garā'tʃia] f guarantee; (de dívida) surety

garantir [garā'tʃi*] vt to guarantee; **garantir-se** vr: **~-se contra algo** to defend o.s. against sth; **~ que ...** to maintain that ...

garçom [gax'sō] (BR) (pl **-ns**) m waiter

garçonete [gaxso'netʃi] (BR) f waitress

garçons [gax'sōʃ] mpl de **garçom**

garfo ['gaxfu] m fork

gargalhada [gaxga'ʎada] f burst of laughter; **rir às ~s** to roar with laughter; **dar** ou **soltar uma ~** to burst out laughing

gargalo [gax'galu] m (tb fig) bottleneck

garganta [gax'gāta] f throat; (GEO) gorge

gargarejo [gaxgare'ʒu] m (ato) gargling; (líquido) gargle

gari ['gari] m/f (na rua) roadsweeper (BRIT), streetsweeper (US); (lixeiro) dustman (BRIT), garbage man (US)

garoa [ga'roa] f drizzle; **garoar** [ga'rwa*] vi to drizzle

garotada → gerência

garotada [garo'tada] f: **a ~** the kids pl
garoto, -a [ga'rotu, a] m/f boy/girl; (namorado) boyfriend/girlfriend ♦ m (PT: café) coffee with milk
garoupa [ga'ropa] f (peixe) grouper
garra ['gaxa] f claw; (de ave) talon; (fig: entusiasmo) enthusiasm, drive; **~s** fpl (fig) clutches
garrafa [ga'xafa] f bottle
garupa [ga'rupa] f (de cavalo) hindquarters pl; (de moto) back seat; **andar na ~** (de moto) to ride pillion
gás [gajʃ] m gas; **gases** mpl (do intestino) wind sg; **~ natural** natural gas
gasóleo [ga'zɔlju] m diesel oil
gasolina [gazo'lina] f petrol (BRIT), gas (oline) (US)
gasosa [ga'zɔza] f fizzy drink
gasoso, -a [ga'zozu, ɔza] adj (água) sparkling; (bebida) fizzy
gastador, -deira [gaʃta'do*, 'dejra] adj, m/f spendthrift
gastar [gaʃ'ta*] vt to spend; (gasolina, eletricidade) to use; (roupa, sapato) to wear out; (salto, piso etc) to wear down; (saúde) to damage; (desperdiçar) to waste ♦ vi to spend; to wear out; to wear down; **gastar-se** vr to wear out; to wear down
gasto, -a ['gaʃtu, a] pp de **gastar** ♦ adj spent; (frase) trite; (sapato etc, fig: pessoa) worn out; (salto, piso) worn down ♦ m (despesa) expense; **~s** mpl (COM) expenses, expenditure sg
gata ['gata] f (she-)cat
gatilho [ga'tfiʎu] m trigger
gato ['gatu] m cat; **~ montês** wild cat
gatuno, -a [ga'tunu, a] adj thieving ♦ m/f thief
gaveta [ga'veta] f drawer
gaze ['gazi] f gauze
geada ['ʒjada] f frost
geladeira [ʒela'dejra] f (BR) refrigerator, icebox (US)
gelado, -a [ʒe'ladu, a] adj frozen ♦ m (PT: sorvete) ice cream
gelar [ʒe'la*] vt to freeze; (vinho etc) to chill ♦ vi to freeze
gelatina [ʒela'tʃina] f gelatine; (sobremesa) jelly (BRIT), jello (US)
geléia [ʒe'lɛja] f jam
gélido, -a ['ʒɛlidu, a] adj chill, icy
gelo ['ʒelu] adj inv light grey (BRIT) ou gray (US) ♦ m ice; (cor) light grey (BRIT) ou gray (US)
gema ['ʒema] f yolk; (pedra preciosa) gem
gêmeo, -a ['ʒemju, a] adj, m/f twin; **G~s**

mpl (ASTROLOGIA) Gemini sg
gemer [ʒe'me*] vi (de dor) to groan, moan; (lamentar-se) to wail; (animal) to whine; (vento) to howl; **gemido** [ʒe'midu] m groan, moan; wail; whine
gene ['ʒɛni] m gene
Genebra [ʒe'nɛbra] n Geneva
general [ʒene'raw] (pl **-ais**) m general
generalizar [ʒenerali'za*] vt to propagate ♦ vi to generalize; **generalizar-se** vr to become general, spread
gênero ['ʒeneru] m type, kind; (BIO) genus; (LING) gender; **~s** mpl (produtos) goods; **~s alimentícios** foodstuffs; **~ humano** humankind, human race
generosidade [ʒenerozi'dadʒi] f generosity
generoso, -a [ʒene'rozu, ɔza] adj generous
genética [ʒe'nɛtʃika] f genetics sg
gengibre [ʒẽ'ʒibri] m ginger
gengiva [ʒẽ'ʒiva] f (ANAT) gum
genial [ʒe'njaw] (pl **-ais**) adj inspired, brilliant; (col) terrific, fantastic
gênio ['ʒenju] m (temperamento) nature; (irascibilidade) temper; (talento, pessoa) genius; **de bom/mau ~** good-natured/bad-tempered
genital [ʒeni'taw] (pl **-ais**) adj: **órgãos genitais** genitals pl
genro ['ʒexu] m son-in-law
gente ['ʒẽtʃi] f people pl; (col) folks pl, family; (: alguém): **tem ~ batendo à porta** there's somebody knocking at the door; **a ~** (nós: suj) we; (: objeto) us; **a casa da ~** our house; **toda a ~** everybody; **~ grande** grown-ups pl
gentil [ʒẽ'tʃiw] (pl **-is**) adj kind; **gentileza** [ʒẽtʃi'leza] f kindness; **por gentileza** if you please; **tenha a gentileza de fazer ...?** would you be so kind as to do ...?
genuíno, -a [ʒe'nwinu, a] adj genuine
geografia [ʒeogra'fia] f geography
geometria [ʒeome'tria] f geometry
geração [ʒera'sãw] (pl **-ões**) f generation
gerador, a [ʒera'do*, a] m/f (produtor) creator ♦ m (TEC) generator
geral [ʒe'raw] (pl **-ais**) adj general ♦ f (TEATRO) gallery; **em ~** in general, generally; **de um modo ~** on the whole; **geralmente** [ʒeraw'mẽtʃi] adv generally, usually
gerânio [ʒe'ranju] m geranium
gerar [ʒe'ra*] vt to produce; (eletricidade) to generate
gerência [ʒe'rẽsja] f management;

gerente → governante

gerenciar [ʒerẽ'sja*] vt, vi to manage
gerente [ʒe'rẽtʃi] adj managing ♦ m/f manager
gerir [ʒe'ri*] vt to manage, run
germe ['ʒɛxmi] m (embrião) embryo; (micróbio) germ
gesso ['ʒesu] m plaster (of Paris)
gestante [ʒeʃ'tãtʃi] f pregnant woman
gesticular [ʒeʃtʃiku'la*] vi to make gestures, gesture
gesto ['ʒɛʃtu] m gesture
Gibraltar [ʒibraw'ta*] f Gibraltar
gigante, -ta [ʒi'gãtʃi, ta] adj gigantic, huge ♦ m giant; **gigantesco, -a** [ʒigã'teʃku, a] adj gigantic
gim [ʒĩ] (pl **-ns**) m gin
ginásio [ʒi'nazju] m gymnasium; (escola) secondary (BRIT) ou high (US) school
ginástica [ʒi'naʃtʃika] f gymnastics sg; (para fortalecer o corpo) keep-fit
ginecologia [ʒinekolo'ʒia] f gynaecology (BRIT), gynecology (US)
ginecologista [ʒinekolo'ʒiʃta] m/f gynaecologist (BRIT), gynecologist (US)
ginjinha [ʒĩ'ʒiɲa] (PT) f cherry brandy
gira-discos ['ʒira-] (PT) m inv record-player
girafa [ʒi'rafa] f giraffe
girar [ʒi'ra*] vt to turn, rotate; (como pião) to spin ♦ vi to go round; to spin; (vaguear) to wander
girassol [ʒira'sɔw] (pl **-óis**) m sunflower
giratório, -a [ʒira'tɔrju, a] adj revolving
gíria ['ʒirja] f (calão) slang; (jargão) jargon
giro[1] ['ʒiru] m turn; **dar um ~** to go for a wander; (em veículo) to go for a spin; **que ~!** (PT) terrific!
giro[2] etc vb V **gerir**
giz [ʒiʒ] m chalk
glacê [gla'se] m icing
glacial [gla'sjaw] (pl **-ais**) adj icy
glamouroso, -a [glamu'rozu, ɔza] adj glamorous
glândula ['glãdula] f gland
global [glo'baw] (pl **-ais**) adj global; (total) overall; **quantia ~** lump sum
globo ['globu] m globe; **~ ocular** eyeball
glória ['glɔrja] f glory; **glorificar** [glorifi'ka*] vt to glorify; **glorioso, -a** [glo'rjozu, ɔza] adj glorious
glossário [glo'sarju] m glossary
gnomo ['gnomu] m gnome
Goa ['goa] n Goa
goiaba [go'jaba] f guava; **goiabada** [goja'bada] f guava jelly
gol [gow] (pl **-s**) m goal
gola ['gɔla] f collar

gole ['gɔli] m gulp, swallow; (pequeno) sip; **tomar um ~ de** to sip
goleiro [go'lejru] (BR) m goalkeeper
golfe ['gowfi] m golf; **campo de ~** golf course
golfinho [gow'fiɲu] m (ZOOL) dolphin
golfo ['gowfu] m gulf
golinho [go'liɲu] m sip; **beber algo aos ~s** to sip sth
golo ['golu] (PT) m = **gol**
golpe ['gɔwpi] m (tb fig) blow; (de mão) smack; (de punho) punch; (manobra) ploy; (de vento) gust; **de um só ~** at a stroke; **dar um ~ em alguém** to hit sb; (fig: trapacear) to trick sb; **~ (de estado)** coup (d'état); **~ de mestre** masterstroke; **golpear** [gow'pja*] vt to hit; (com navalha) to stab; (com o punho) to punch
goma ['gɔma] f gum, glue; (de roupa) starch; **~ de mascar** chewing gum
gomo ['gomu] m (de laranja) slice
gordo, -a ['goxdu, a] adj fat; (gordurento) greasy; (carne) fatty; (fig: quantia) considerable, ample ♦ m/f fat man/woman
gordura [gox'dura] f fat; (derretida) grease; (obesidade) fatness; **gorduroso, -a** [goxdu'rozu, ɔza] adj (pele) greasy; (comida) fatty
gorila [go'rila] m gorilla
gorjeta [gox'ʒeta] f tip, gratuity
gorro ['goxu] m cap; (de lã) hat
gosma ['gɔʒma] f spittle; (fig) slime
gostar [goʃ'ta*] vi: **~ de** to like; (férias, viagem etc) to enjoy; **gostar-se** vr to like each other; **~ mais de ...** to prefer ..., like ... better
gosto ['goʃtu] m taste; (prazer) pleasure; **a seu ~** to your liking; **com ~** willingly; (vestir-se) tastefully; (comer) heartily; **de bom/mau ~** in good/bad taste; **ter ~ de** to taste of; **gostoso, -a** [goʃ'tozu, ɔza] adj tasty; (agradável) pleasant; (cheiro) lovely; (risada) good; (col: pessoa) gorgeous
gota ['gota] f drop; (de suor) bead; (MED) gout; **~ a ~** drop by drop
goteira [go'tejra] f (cano) gutter; (buraco) leak
gourmet [gux'me] (pl **~s**) m/f gourmet
governador, a [govexnado*, a] m/f governor
governamental [govexnamẽ'taw] (pl **-ais**) adj government atr
governanta [govex'nãta] f (de casa) housekeeper; (de criança) governess
governante [govex'nãtʃi] adj ruling

♦ m/f ruler ♦ f governess
governar [govex'na*] vt to govern, rule; (*barco*) to steer
governo [go'vexnu] m government; (*controle*) control
gozação [goza'sãw] (*pl* **-ões**) f enjoyment; (*zombaria*) teasing; (*uma ~*) joke
gozado, -a [go'zadu, a] adj funny; (*estranho*) strange, odd
gozar [go'za*] vt to enjoy; (*col: rir de*) to make fun of ♦ vi to enjoy o.s.; **~ de** to enjoy; to make fun of; **gozo** ['gozu] m (*prazer*) pleasure; (*uso*) enjoyment, use; (*orgasmo*) orgasm
Grã-Bretanha [grã-bre'taɲa] f Great Britain
graça ['grasa] f (*REL*) grace; (*charme*) charm; (*gracejo*) joke; (*JUR*) pardon; **de ~** (*grátis*) for nothing; (*sem motivo*) for no reason; **sem ~** dull, boring; **fazer** ou **ter ~** to be funny; **ficar sem ~** to be embarrassed; **~s a** thanks to
gracejar [grase'ʒa*] vi to joke; **gracejo** [gra'seʒu] m joke
gracioso, -a [gra'sjozu, ɔza] adj (*pessoa*) charming; (*gestos*) gracious
grade ['gradʒi] f (*no chão*) grating; (*grelha*) grill; (*na janela*) bars pl; (*col: cadeia*) nick, clink
gradear [gra'dʒja*] vt (*janela*) to put bars up at; (*jardim*) to fence off
graduação [gradwa'sãw] (*pl* **-ões**) f (*classificação*) grading; (*EDUC*) graduation; (*MIL*) rank
gradual [gra'dwaw] (*pl* **-ais**) adj gradual
graduar [gra'dwa*] vt (*classificar*) to grade; (*luz, fogo*) to regulate; **graduar-se** vr to graduate
gráfica ['grafika] f graphics sg; V tb **gráfico**
gráfico, -a ['grafiku, a] adj graphic ♦ m/f printer ♦ m (*MAT*) graph; (*diagrama*) diagram, chart; **~s** mpl (*COMPUT*) graphics; **~ de barras** bar chart
grã-fino, -a [grã'finu, a] (*col*) adj posh ♦ m/f nob, toff
grama ['grama] m gramme ♦ f (*BR: capim*) grass
gramado [gra'madu] (*BR*) m lawn; (*FUTEBOL*) pitch
gramática [gra'matʃika] f grammar; **gramatical** [gramatʃi'kaw] (*pl* **-ais**) adj grammatical
grampeador [grãpja'do*] m stapler
grampear [grã'pja*] vt to staple
grampo ['grãpu] m staple; (*no cabelo*) hairgrip; (*de carpinteiro*) clamp; (*de chapéu*) hatpin
granada [gra'nada] f (*MIL*) shell; **~ de mão** hand grenade
grande ['grãdʒi] adj big, large; (*alto*) tall; (*notável, intenso*) great; (*longo*) long; (*adulto*) grown-up; **mulher ~** big woman; **~ mulher** great woman; **grandeza** [grã'deza] f size; (*fig*) greatness; (*ostentação*) grandeur
grandioso, -a [grã'dʒjozu, ɔza] adj magnificent, grand
granito [gra'nitu] m granite
granizo [gra'nizu] m hailstone; **chover ~** to hail; **chuva de ~** hailstorm
granulado, -a [granu'ladu, a] adj grainy; (*açúcar*) granulated
grão ['grãw] (*pl* **-s**) m grain; (*semente*) seed; (*de café*) bean; **grão-de-bico** (*pl* **grãos-de-bico**) m chickpea
gratidão [gratʃi'dãw] f gratitude
gratificação [gratʃifika'sãw] (*pl* **-ões**) f gratuity, tip; (*bônus*) bonus; (*recompensa*) reward
gratificar [gratʃifi'ka*] vt to tip; (*dar bônus a*) to give a bonus to; (*recompensar*) to reward
grátis ['gratʃiʃ] adj free
grato, -a ['gratu, a] adj grateful; (*agradável*) pleasant
gratuito, -a [gra'twitu, a] adj (*grátis*) free; (*infundado*) gratuitous
grau [graw] m degree; (*nível*) level; (*EDUC*) class; **em alto ~** to a high degree; **ensino de primeiro/segundo ~** primary (*BRIT*) ou elementary (*US*)/secondary education
gravação [grava'sãw] f (*em madeira*) carving; (*em disco, fita*) recording
gravador [grava'do*] m tape recorder
gravar [gra'va*] vt to carve; (*metal, pedra*) to engrave; (*na memória*) to fix; (*disco, fita*) to record
gravata [gra'vata] f tie; **~ borboleta** bow tie
grave ['gravi] adj serious; (*tom*) deep; **gravemente** [grave'metʃi] adv (*doente, ferido*) seriously
grávida ['gravida] adj pregnant
gravidade [gravi'dadʒi] f gravity
gravidez [gravi'deʒ] f pregnancy
gravura [gra'vura] f (*em madeira*) engraving; (*estampa*) print
graxa ['graʃa] f (*para sapatos*) polish; (*lubrificante*) grease
Grécia ['gresja] f: **a ~** Greece; **grego, -a** ['gregu, a] adj, m/f Greek ♦ m (*LING*) Greek
grelha ['greʎa] f grill; (*de fornalha*) grate; **bife na ~** grilled steak; **grelhado**

grêmio → hábil

[gre'ʎadu] m (*prato*) grill
grêmio ['gremju] m (*associação*) guild; (*clube*) club
grená [gre'na] *adj, m* dark red
greve ['grɛvi] *f* strike; **fazer ~** to go on strike; **~ branca** go-slow; **grevista** [gre'viʃta] *m/f* striker
grilo ['grilu] *m* cricket; (AUTO) squeak; (*col: de pessoa*) hang-up; **qual é o ~?** what's the matter?; **não tem ~!** (*col*) (there's) no problem!
gringo, -a ['grĩgu, a] (*col: pej*) *m/f* foreigner
gripado, -a [gri'padu, a] *adj*: **estar/ficar ~** to have/get a cold
gripe ['gripi] *f* flu, influenza
grisalho, -a [gri'zaʎu, a] *adj* (*cabelo*) grey (BRIT), gray (US)
gritante [gri'tātʃi] *adj* (*hipocrisia*) glaring; (*desigualdade*) gross; (*mentira*) blatant; (*cor*) loud, garish
gritar [gri'ta*] *vt* to shout, yell ♦ *vi* to shout; (*de dor, medo*) to scream; **~ com alguém** to shout at sb; **gritaria** [grita'ria] *f* shouting, din; **grito** ['gritu] *m* shout; (*de medo*) scream; (*de dor*) cry; (*de animal*) call; **dar um grito** to cry out; **falar aos gritos** to shout
Groenlândia [grwẽ'lādʒja] *f*: **a ~** Greenland
grosseiro, -a [gro'sejru, a] *adj* rude; (*piada*) crude; (*modos, tecido*) coarse; **grosseria** [grose'ria] *f* rudeness; (*ato*): **fazer uma grosseria** to be rude; (*dito*): **dizer uma grosseria** to be rude, say something rude
grosso, -a ['grosu, 'grɔsa] *adj* thick; (*áspero*) rough; (*voz*) deep; (*col: pessoa, piada*) rude ♦ *m*: **o ~ de** the bulk of; **grossura** [gro'sura] *f* thickness
grotesco, -a [gro'teʃku, a] *adj* grotesque
grudar [gru'da*] *vt* to glue, stick ♦ *vi* to stick
grude ['grudʒi] *f* glue; **grudento, -a** [gru'dẽtu, a] *adj* sticky
grunhir [gru'ɲi*] *vi* (*porco*) to grunt; (*tigre*) to growl; (*resmungar*) to grumble
grupo ['grupu] *m* group
gruta ['gruta] *f* grotto
guarda ['gwaxda] *m/f* policeman/woman ♦ *f* (*vigilância*) guarding; (*de objeto*) safekeeping ♦ *m* (MIL) guard; **estar de ~** to be on guard; **pôr-se em ~** to be on one's guard; **a G~ Civil** the Civil Guard; **guarda-chuva** (*pl* **guarda-chuvas**) *m* umbrella; **guarda-costas** *m inv* (NÁUT) coastguard boat; (*capanga*) bodyguard; **guardados** [gwax'daduʃ] *mpl* keepsakes, valuables; **guarda-louça** [gwaxda'losa] (*pl* **guarda-louças**) *m* sideboard; **guardanapo** [gwaxda'napu] *m* napkin; **guarda-noturno** (*pl* **guardas-noturnos**) *m* night watchman; **guardar** [gwax'da*] *vt* to put away; (*zelar por*) to guard; (*lembrança, segredo*) to keep; **guardar-se** *vr* (*defender-se*) to protect o.s.; (*acautelar-se*) to guard against; **guarda-redes** (PT) *m inv* goalkeeper; **guarda-roupa** (*pl* **guarda-roupas**) *m* wardrobe; **guarda-sol** (*pl* **guarda-sóis**) *m* sunshade, parasol
guardião, -diã [gwax'dʒjāw, 'dʒjā] (*pl* **-ães** *ou* **-ões, -s**) *m/f* guardian
guarnição [gwaxni'sāw] (*pl* **-ões**) *f* (MIL) garrison; (NÁUT) crew; (CULIN) garnish
Guatemala [gwate'mala] *f*: **a ~** Guatemala
gude ['gudʒi] *m*: **bola de ~** marble; (*jogo*) marbles *pl*
guerra ['gɛxa] *f* war; **em ~** at war; **fazer ~** to wage war; **~ civil** civil war; **~ mundial** world war; **guerreiro, -a** [ge'xejru, a] *adj* (*espírito*) fighting; (*belicoso*) warlike ♦ *m* warrior
guerrilha [ge'xiʎa] *f* (*luta*) guerrilla warfare; (*tropa*) guerrilla band; **guerrilheiro, -a** [gexi'ʎejru, a] *m/f* guerrilla
guia ['gia] *f* guidance; (COM) permit, bill of lading; (*formulário*) advice slip ♦ *m* (*livro*) guide(book) ♦ *m/f* (*pessoa*) guide
Guiana ['gjana] *f*: **a ~** Guyana
guiar [gja*] *vt* to guide; (AUTO) to drive ♦ *vi* to drive; **guiar-se** *vr*: **~-se por** to go by
guichê [gi'ʃe] *m* ticket window; (*em banco, repartição*) window, counter
guinada [gi'nada] *f*: **dar uma ~** (*com o carro*) to swerve
guincho ['gĩʃu] *m* (*de animal, rodas*) squeal; (*de pessoa*) shriek
guindaste [gĩ'daʃtʃi] *m* hoist, crane
guisado [gi'zadu] *m* stew
guitarra [gi'taxa] *f* (electric) guitar
gula ['gula] *f* gluttony, greed
guloseima [gulo'zejma] *f* delicacy, titbit
guloso, -a [gu'lozu, ɔza] *adj* greedy

H h

há [a] *vb V* **haver**
hábil ['abiw] (*pl* **-eis**) *adj* competent, capable; (*astucioso, esperto*) clever; (*sutil*) diplomatic; **em tempo ~** in reasonable

habilitação → higiene

time; **habilidade** [abili'dadʒi] f skill, ability; (*astúcia, esperteza*) shrewdness; (*tato*) discretion; **habilidoso, -a** [abili'dozu, ɔza] adj skilled, clever

habilitação [abilita'sãw] (*pl* **-ões**) f competence; (*ato*) qualification; **habilitações** fpl (*conhecimentos*) qualifications

habilitar [abili'ta*] vt to enable; (*dar direito a*) to qualify, entitle; (*preparar*) to prepare

habitação [abita'sãw] (*pl* **-ões**) f dwelling, residence; (*alojamento*) housing

habitante [abi'tãtʃi] m/f inhabitant

habitar [abi'ta*] vt to live in; (*povoar*) to inhabit ♦ vi to live

hábito ['abitu] m habit; (*social*) custom; (*REL*: *traje*) habit

habituado, -a [abi'twadu, a] adj: **~ a (fazer) algo** used to (doing) sth

habitual [abi'twaw] (*pl* **-ais**) adj usual

habituar [abi'twa*] vt: **~ alguém a** to get sb used to, accustom sb to; **habituar-se** vr: **~-se a** to get used to

hacker ['ake*] (*pl* **~s**) m (*COMPUT*) hacker

Haia ['aja] n The Hague

haja etc ['aʒa] vb V **haver**

hálito ['alitu] m breath

hall [xɔw] (*pl* **~s**) m hall; (*de teatro, hotel*) foyer; **~ de entrada** entrance hall

hambúrguer [ã'buxge*] m hamburger

hão [ãw] vb V **haver**

hardware ['xadwe*] m (*COMPUT*) hardware

harmonia [axmo'nia] f harmony

harmonioso, -a [axmo'njozu, ɔza] adj harmonious

harmonizar [axmoni'za*] vt (*MÚS*) to harmonize; (*conciliar*): **~ algo (com algo)** to reconcile sth (with sth); **harmonizar-se** vr: **~(-se)** (*idéias etc*) to coincide; (*pessoas*) to be in agreement

harpa ['axpa] f harp

Havaí [avaj'i] m: **o ~** Hawaii

PALAVRA CHAVE

haver [a've*] vb aux
 ▪ (*ter*) to have; **ele havia saído/comido** he had left/eaten
 ▪ **~ de**: **quem ~ia de dizer que …?** who would have thought that …?
♦ vb impess
 ▪ (*existência*): **há** (*sg*) there is; (*pl*) there are; **o que é que há?** what's the matter?; **o que é que houve?** what happened?, what was that?; **não há de quê** don't mention it, you're welcome; **haja o que houver** come what may

 ▪ (*tempo*): **há séculos/cinco dias que não o vejo** I haven't seen him for ages/five days; **há um ano que ela chegou** it's a year since she arrived; **há cinco dias (atrás)** five days ago

♦ **haver-se** vr: **~-se com alguém** to sort things out with sb

♦ m (*COM*) credit; **~es** mpl (*pertences*) property sg, possessions; (*riqueza*) wealth sg

---

haxixe [a'ʃiʃi] m hashish

hebraico, -a [e'brajku, a] adj Hebrew
♦ m (*LING*) Hebrew

Hébridas ['ɛbridaʃ] fpl: **as (ilhas) ~** the Hebrides

hediondo, -a [e'dʒjõdu, a] adj vile, revolting; (*crime*) heinous

hei [ej] vb V **haver**

hélice ['ɛlisi] f propeller

helicóptero [eli'kɔpteru] m helicopter

hematoma [ema'tɔma] m bruise

hemorragia [emoxa'ʒia] f haemorrhage (*BRIT*), hemorrhage (*US*); **~ nasal** nosebleed

hemorróidas [emo'xɔjdaʃ] fpl haemorrhoids (*BRIT*), hemorrhoids (*US*), piles

hepatite [epa'tʃitʃi] f hepatitis

hera ['ɛra] f ivy

herança [e'rãsa] f inheritance; (*fig*) heritage

herdar [ex'da*] vt: **~ algo (de)** to inherit sth (from); **~ a** to bequeath to

herdeiro, -a [ex'dejru, a] m/f heir(ess)

herói [e'rɔj] m hero

heroína [ero'ina] f heroine; (*droga*) heroin

hesitação [ezita'sãw] f (*pl* **-ões**) hesitation

hesitante [ezi'tãtʃi] adj hesitant

hesitar [ezi'ta*] vi to hesitate

heterossexual [eterosek'swaw] (*pl* **-ais**) adj, m/f heterosexual

híbrido, -a ['ibridu, a] adj hybrid

hidratante [idra'tãtʃi] m moisturizer

hidráulico, -a [i'drawliku, a] adj hydraulic

hidrelétrico, -a [idre'lɛtriku, a] (*PT* **-ct-**) adj hydroelectric

hidro... [idru] prefixo hydro…, water… atr

hidrogênio [idro'ʒenju] m hydrogen

hierarquia [jerax'kia] f hierarchy

hífen ['ifẽ] (*pl* **~s**) m hyphen

higiene [i'ʒjeni] f hygiene; **higiênico, -a** [i'ʒjeniku, a] adj hygienic; (*pessoa*) clean;

papel higiênico toilet paper
hindu [ĩ'du] adj, m/f Hindu
hino ['inu] m hymn; **~ nacional** national anthem
hipermercado [ipexmex'kadu] m hypermarket
hipertensão [ipextẽ'sãw] f high blood pressure
hipismo [i'piʒmu] m (turfe) horse racing; (equitação) (horse) riding
hipnotizar [ipnotʃi'za*] vt to hypnotize
hipocrisia [ipokri'sia] f hypocrisy; **hipócrita** [i'pɔkrita] adj hypocritical ♦ m/f hypocrite
hipódromo [i'pɔdromu] m racecourse
hipopótamo [ipo'pɔtamu] m hippopotamus
hipoteca [ipo'tɛka] f mortgage; **hipotecar** [ipote'ka*] vt to mortgage
hipótese [i'pɔtezi] f hypothesis; **na ~ de** in the event of; **em ~ alguma** under no circumstances; **na melhor/pior das ~s** at best/worst
hispânico, -a [iʃ'paniku, a] adj Hispanic
histeria [iʃte'ria] f hysteria; **histérico, -a** [iʃ'tɛriku, a] adj hysterical
história [iʃ'tɔrja] f history; (conto) story; **~s** fpl (chateação) bother sg, fuss sg; **isso é outra ~** that's a different matter; **que ~ é essa?** what's going on?; **historiador, a** [iʃtorja'do*, a] m/f historian; **histórico, -a** [iʃ'tɔriku, a] adj historical; (fig: notável) historic ♦ m history
hobby ['xɔbi] (pl -bies) m hobby
hoje ['oʒi] adv today; (tb: **~ em dia**) now (adays); **~ à noite** tonight
Holanda [o'lãda] f: **a ~** Holland; **holandês, -esa** [olã'deʃ, eza] adj Dutch ♦ m/f Dutchman/woman ♦ m (LING) Dutch
holocausto [olo'kawʃtu] m holocaust
holofote [olo'fɔtʃi] m searchlight; (em campo de futebol etc) floodlight
homem ['omẽ] (pl -ns) m man; (a humanidade) mankind; **~ de empresa** ou **negócios** businessman; **~ de estado** statesman
homenagear [omena'ʒja*] vt (pessoa) to pay tribute to, honour (BRIT), honor (US)
homenagem [ome'naʒẽ] f tribute; (REL) homage; **prestar ~ a alguém** to pay tribute to sb
homens ['omẽʃ] mpl de **homem**
homeopático, -a [omjo'patʃiku, a] adj homoeopathic
homicida [omi'sida] adj homicidal ♦ m/f murderer; **homicídio** [omi'sidʒju] m murder; **homicídio involuntário** manslaughter
homologar [omolo'ga*] vt to ratify
homólogo, -a [o'mɔlogu, a] adj homologous; (fig) equivalent ♦ m/f opposite number
homossexual [omosek'swal] (pl -ais) adj, m/f homosexual
Honduras [õ'duraʃ] f Honduras
honestidade [oneʃtʃi'dadʒi] f honesty; (decência) decency; (justeza) fairness
honesto, -a [o'nɛʃtu, a] adj honest; (decente) decent; (justo) fair, just
honorário, -a [ono'rarju, a] adj honorary; **honorários** [ono'rarjuʃ] mpl fees
honra ['õxa] f honour (BRIT), honor (US); **em ~ de** in hono(u)r of
honrado, -a [õ'xadu, a] adj honest; (respeitado) honourable (BRIT), honorable (US)
honrar [õ'xa*] vt to honour (BRIT), honor (US)
honroso, -a [õ'xozu, ɔza] adj hono(u)rable
hóquei ['ɔkej] m hockey; **~ sobre gelo** ice hockey
hora ['ɔra] f (60 minutos) hour; (momento) time; **a que ~s?** (at) what time?; **que ~s são?** what time is it?; **são duas ~s** it's two o'clock; **você tem as ~s?** have you got the time?; **fazer ~** to kill time; **de ~ em ~** every hour; **na ~** on the spot; **chegar na ~** to be on time; **de última ~** ♦ adj last-minute ♦ adv at the last minute; **meia ~** half an hour; **~s extras** overtime sg; **horário, -a** [o'rarju, a] adj: **100 km horários** 100 km an hour ♦ m timetable; (hora) time; **horário de expediente** working hours pl; (de um escritório) office hours pl
horizontal [orizõ'taw] (pl -ais) adj horizontal
horizonte [ori'zõtʃi] m horizon
horóscopo [o'rɔʃkopu] m horoscope
horrendo, -a [o'xẽdu, a] adj horrendous, frightful
horripilante [oxipi'lãtʃi] adj horrifying, hair-raising
horrível [o'xivew] (pl -eis) adj awful, horrible
horror [o'xo*] m horror; **que ~!** how awful!; **ter ~ a algo** to hate sth; **horrorizar** [oxori'za*] vt to horrify, frighten; **horroroso, -a** [oxo'rozu, ɔza] adj horrible, ghastly
horta ['ɔxta] f vegetable garden
hortaliças [oxta'lisaʃ] fpl vegetables
hortelã [oxte'lã] f mint; **~ pimenta** peppermint

horticultor, a [oxtʃikuw'to*, a] *m/f* market gardener (*BRIT*), truck farmer (*US*)
hortifrutigranjeiros [oxtʃifrutʃigrã'ʒejruʃ] *mpl* fruit and vegetables
horto ['oxtu] *m* market garden (*BRIT*), truck farm (*US*)
hospedagem [oʃpe'daʒẽ] *f* guest house
hospedar [oʃpe'da*] *vt* to put up; **hospedar-se** *vr* to stay, lodge; **hospedaria** [oʃpeda'ria] *f* guest house
hóspede ['ɔʃpedʒi] *m* (*amigo*) guest; (*estranho*) lodger
hospedeira [oʃpe'dejra] *f* landlady; (*PT*: *de bordo*) stewardess, air hostess (*BRIT*)
hospício [oʃ'pisju] *m* mental hospital
hospital [oʃpi'taw] (*pl* -**ais**) *m* hospital
hospitalidade [oʃpitali'dadʒi] *f* hospitality
hostil [oʃ'tʃiw] (*pl* -**is**) *adj* hostile;
hostilizar [oʃtʃili'za*] *vt* to antagonize; (*MIL*) to wage war on
hotel [o'tɛw] (*pl* -**éis**) *m* hotel; **hoteleiro, -a** [ote'lejru, a] *m/f* hotelier
houve *etc* ['ovi] *vb V* **haver**
humanidade [umani'dadʒi] *f* (*os homens*) man(kind); (*compaixão*) humanity
humanitário, -a [umani'tarju, a] *adj* humane
humano, -a [u'manu, a] *adj* human; (*bondoso*) humane
humidade [umi'dadə] (*PT*) *f* dampness; (*clima*) humidity
húmido, -a ['umidu, a] (*PT*) *adj* wet, moist; (*roupa*) damp; (*clima*) humid
humildade [umiw'dadʒi] *f* humility; (*pobreza*) poverty
humilde [u'miwdʒi] *adj* humble; (*pobre*) poor
humilhar [umi'ʎa*] *vt* to humiliate
humor [u'mo*] *m* mood, temper; (*graça*) humour (*BRIT*), humor (*US*); **de bom/mau ~** in a good/bad mood; **humorista** [umo'riʃta] *m/f* comedian; **humorístico, -a** [umo'riʃtʃiku, a] *adj* humorous
húngaro, -a ['ũgaru, a] *adj, m/f* Hungarian
Hungria [ũ'gria] *f*: **a ~** Hungary
hurra ['uxa] *m* cheer ♦ *excl* hurrah!

I i

ia *etc* ['ia] *vb V* **ir**
iate ['jatʃi] *m* yacht; **~ clube** yacht club

ibérico, -a [i'bɛriku, a] *adj, m/f* Iberian
ibero-americano, -a [iberu-] *adj, m/f* Ibero-American
ICM (*BR*) *abr m* (= *Imposto sobre Circulação de Mercadorias*) ≈ VAT
ícone [i'kɔni] *m* (*gen*, *COMPUT*) icon
icterícia [ikte'risja] *f* jaundice
ida ['ida] *f* going, departure; **~ e volta** round trip, return; **a (viagem de) ~** the outward journey; **na ~** on the way there
idade [i'dadʒi] *f* age; **ter cinco anos de ~** to be five (years old); **de meia ~** middle-aged; **qual é a ~ dele?** how old is he?; **na minha ~** at my age; **ser menor/maior de ~** to be under/of age; **pessoa de ~** elderly person; **I~ Média** Middle Ages *pl*
ideal [ide'jaw] (*pl* -**ais**) *adj, m* ideal; **idealista** [idea'liʃta] *adj* idealistic ♦ *m/f* idealist
idéia [i'dɛja] *f* idea; (*mente*) mind; **mudar de ~** to change one's mind; **não ter a mínima ~** to have no idea; **não faço ~** I can't imagine; **estar com ~ de fazer** to plan to do
idem ['idẽ] *pron* ditto
idêntico, -a [i'dẽtʃiku, a] *adj* identical
identidade [idẽtʃi'dadʒi] *f* identity
identificação [idẽtʃifika'sãw] *f* identification
identificar [idẽtʃifi'ka*] *vt* to identify; **identificar-se** *vr*: **~-se com** to identify with
idioma [i'dʒɔma] *m* language
idiota [i'dʒɔta] *adj* idiotic ♦ *m/f* idiot
ido, -a ['idu, a] *adj* past
idolatrar [idola'tra*] *vt* to idolize
ídolo ['idolu] *m* idol
idoso, -a [i'dozu, ɔza] *adj* elderly, old
ignição [igni'sãw] (*pl* -**ões**) *f* ignition
ignorado, -a [igno'radu, a] *adj* unknown
ignorância [igno'rãsja] *f* ignorance; **ignorante** [igno'rãtʃi] *adj* ignorant, uneducated ♦ *m/f* ignoramus
ignorar [igno'ra*] *vt* not to know; (*não dar atenção a*) to ignore
igreja [i'greʒa] *f* church
igual [i'gwaw] (*pl* -**ais**) *adj* equal; (*superfície*) even ♦ *m/f* equal
igualar [igwa'la*] *vt* to equal; (*fazer igual*) to make equal; (*nivelar*) to level ♦ *vi*: **~ a** *ou* **com** to be equal to, be the same as; (*ficar no mesmo nível*) to be level with; **igualar-se** *vr*: **~-se a alguém** to be sb's equal
igualdade [igwaw'dadʒi] *f* equality; (*uniformidade*) uniformity

igualmente → imperfeito

igualmente [igwaw'mẽtʃi] adv equally; (também) likewise, also; **~!** (saudação) the same to you!
ilegal [ile'gaw] (pl -ais) adj illegal
ilegítimo, -a [ile'ʒitʃimu, a] adj illegitimate; (ilegal) unlawful
ilegível [ile'ʒivew] (pl -eis) adj illegible
ileso, -a [i'lɛzu, a] adj unhurt
iletrado, -a [ile'tradu, a] adj illiterate
ilha ['iʎa] f island; **ilhéu, ilhoa** [i'ʎew, i'ʎoa] m/f islander
ilícito, -a [i'lisitu, a] adj illicit
ilimitado, -a [ilimi'tadu, a] adj unlimited
iludir [ilu'dʒi*] vt to delude; (enganar) to deceive; (a lei) to evade
iluminação [ilumina'sãw] (pl -ões) f lighting; (fig) enlightenment
iluminar [ilumi'na*] vt to light up; (estádio etc) to floodlight; (fig) to enlighten
ilusão [ilu'zãw] (pl -ões) f illusion; (quimera) delusion; **ilusório, -a** [ilu'zɔrju, a] adj deceptive
ilustração [iluʃtra'sãw] (pl -ões) f illustration
ilustrado, -a [iluʃ'tradu, a] adj illustrated; (erudito) learned
ilustrar [iluʃ'tra*] vt to illustrate; (instruir) to instruct
ilustre [i'luʃtri] adj illustrious; **um ~ desconhecido** a complete stranger
ímã ['imã] m magnet
imagem [i'maʒẽj] (pl -ns) f image; (semelhança) likeness; (TV) picture; **imagens** fpl (LITERATURA) imagery sg
imaginação [imaʒina'sãw] (pl -ões) f imagination
imaginar [imaʒi'na*] vt to imagine; (supor) to suppose; **imaginar-se** vr to imagine o.s.; **imagine só!** just imagine!; **imaginário, -a** [imaʒi'narju, a] adj imaginary
imaturo, -a [ima'turu, a] adj immature
imbatível [ĩba'tʃivew] (pl -eis) adj invincible
imbecil [ĩbe'siw] (pl -is) adj stupid ♦ m/f imbecile; **imbecilidade** [ĩbesili'dadʒi] f stupidity
imediações [imedʒa'sõjʃ] fpl vicinity sg, neighbourhood sg (BRIT), neighborhood sg (US)
imediatamente [imedʒata'mẽtʃi] adv immediately, right away
imediato, -a [ime'dʒatu, a] adj immediate; (seguinte) next; **~ a** next to; **de ~** straight away
imenso, -a [i'mẽsu, a] adj immense, huge; (ódio, amor) great
imigração [imigra'sãw] (pl -ões) f immigration
imigrante [imi'grãtʃi] adj, m/f immigrant
iminente [imi'nẽtʃi] adj imminent
imitação [imita'sãw] (pl -ões) f imitation
imitar [imi'ta*] vt to imitate; (assinatura) to copy
imobiliária [imobi'ljarja] f estate agent's (BRIT), real estate broker's (US)
imobiliário, -a [imobi'ljarju, a] adj property atr
imobilizar [imobili'za*] vt to immobilize; (fig) to bring to a standstill
imoral [imo'raw] (pl -ais) adj immoral
imortal [imox'taw] (pl -ais) adj immortal
imóvel [i'mɔvew] (pl -eis) adj motionless, still; (não movediço) immovable ♦ m property; (edifício) building; **imóveis** mpl (propriedade) real estate sg, property sg
impaciência [ĩpa'sjẽsja] f impatience; **impacientar-se** [ĩpasjẽ'taxsi] vr to lose one's patience; **impaciente** [ĩpa'sjẽtʃi] adj impatient
impacto [ĩ'paktu] (PT -cte) m impact
ímpar ['ĩpa*] adj (número) odd; (sem igual) unique, unequalled
imparcial [ĩpax'sjaw] (pl -ais) adj fair, impartial
impecável [ĩpe'kavew] (pl -eis) adj perfect, impeccable
impeço etc [ĩ'pesu] vb V **impedir**
impedido, -a [ĩpe'dʒidu, a] adj (FUTEBOL) offside; (PT: TEL) engaged (BRIT), busy (US)
impedimento [ĩpedʒi'mẽtu] m impediment
impedir [ĩpe'dʒi*] vt to obstruct; (estrada, tráfego) to block; (movimento, progresso) to impede; **~ alguém de fazer algo** to prevent sb from doing sth; (proibir) to forbid sb to do sth; **~ (que aconteça) algo** to prevent sth (happening)
impenetrável [ĩpene'travew] (pl -eis) adj impenetrable
impensado, -a [ĩpẽ'sadu, a] adj thoughtless; (não calculado) unpremeditated; (imprevisto) unforeseen
impensável [ĩpẽ'savew] (pl -eis) adj unthinkable
imperador [ĩpera'do*] m emperor
imperativo, -a [ĩpera'tʃivu, a] adj imperative ♦ m imperative
imperatriz [ĩpera'triʒ] f empress
imperdoável [ĩpex'dwavew] (pl -eis) adj unforgivable, inexcusable
imperfeito, -a [ĩpex'fejtu, a] adj

imperial → imprestável

imperfect ♦ *m* (LING) imperfect (tense)
imperial [ĩpeˈrjaw] (*pl* -**ais**) *adj* imperial
imperícia [ĩpeˈrisja] *f* inability; (*inexperiência*) inexperience
império [ĩˈpɛrju] *m* empire
impermeável [ĩpexˈmjavew] (*pl* -**eis**) *adj*: **~ a** (*tb fig*) impervious to; (*à água*) waterproof ♦ *m* raincoat
impertinente [ĩpextʃiˈnẽtʃi] *adj* irrelevant; (*insolente*) impertinent
impessoal [ĩpeˈswaw] (*pl* -**ais**) *adj* impersonal
ímpeto [ˈĩpetu] *m* (TEC) impetus; (*movimento súbito*) start; (*de cólera*) fit; (*de emoção*) surge; (*de chamas*) fury; **agir com ~** to act on impulse; **levantar-se num ~** to get up with a start
impetuoso, -a [ĩpeˈtwozu, ɔza] *adj* (*pessoa*) headstrong, impetuous; (*ato*) rash, hasty
impiedoso, -a [ĩpjeˈdozu, ɔza] *adj* merciless, cruel
implacável [ĩplaˈkavew] (*pl* -**eis**) *adj* relentless; (*pessoa*) unforgiving
implantação [ĩplãtaˈsãw] (*pl* -**ões**) *f* introduction; (MED) implant
implementar [ĩplemẽˈta*] *vt* to implement
implicar [ĩpliˈka*] *vt* (*envolver*) to implicate; (*pressupor*) to imply ♦ *vi*: **~ com alguém** (*chatear*) to tease sb, pick on sb; **implicar-se** *vr* to get involved; **~ (em) algo** to involve sth
implícito, -a [ĩˈplisitu, a] *adj* implicit
implorar [ĩploˈra*] *vt*: **~ (algo a alguém)** to beg *ou* implore (sb for sth)
imponente [ĩpoˈnẽtʃi] *adj* impressive, imposing
impopular [ĩpopuˈla*] *adj* unpopular; **impopularidade** [ĩpopulariˈdadʒi] *f* unpopularity
impor [ĩˈpo*] (*irreg: como* **pôr**) *vt* to impose; (*respeito*) to command; **impor-se** *vr* to assert o.s.; **~ algo a alguém** to impose sth on sb
importação [impoxtaˈsãw] (*pl* -**ões**) *f* (*ato*) importing; (*mercadoria*) import
importador, a [ĩpoxtaˈdo*, a] *adj* import *atr* ♦ *m/f* importer
importância [ĩpoxˈtãsja] *f* importance; (*de dinheiro*) sum, amount; **não tem ~** it doesn't matter, never mind; **ter ~** to be important; **sem ~** unimportant; **importante** [ĩpoxˈtãtʃi] *adj* important ♦ *m*: **o (mais) importante** the (most) important thing
importar [ĩpoxˈta*] *vt* (COM) to import; (*trazer*) to bring in; (*causar: prejuízos etc*) to cause; (*implicar*) to imply, involve ♦ *vi* to matter, be important; **importar-se** *vr*: **~-se com algo** to mind sth; **não me importo** I don't care
importunar [ĩpoxtuˈna*] *vt* to bother, annoy
importuno, -a [ĩpoxˈtunu, a] *adj* annoying; (*inoportuno*) inopportune ♦ *m/f* nuisance
imposição [ĩpoziˈsãw] (*pl* -**ões**) *f* imposition
impossibilitado, -a [ĩposibiliˈtadu, a] *adj*: **~ de fazer** unable to do
impossibilitar [ĩposibiliˈta*] *vt*: **~ algo** to make sth impossible; **~ alguém de fazer, ~ a alguém fazer** to prevent sb doing; **~ algo a alguém, ~ alguém para algo** to make sth impossible for sb
impossível [ĩpoˈsivew] (*pl* -**eis**) *adj* impossible; (*insuportável: pessoa*) insufferable; (*incrível*) incredible
imposto [ĩˈpoʃtu] *m* tax; **antes/depois de ~s** before/after tax; **~ de renda** (BR) income tax; **~ predial** rates *pl*; **I~ sobre Circulação de Mercadorias (e Serviços)** (BR), **~ sobre valor acrescentado** (PT) value added tax (BRIT), sales tax (US)
impotente [ĩpoˈtẽtʃi] *adj* powerless; (MED) impotent
impraticável [ĩpratʃiˈkavew] (*pl* -**eis**) *adj* impracticable; (*rua, rio etc*) impassable
impreciso, -a [ĩpreˈsizu, a] *adj* vague; (*falto de rigor*) inaccurate
imprensa [ĩˈprẽsa] *f* printing; (*máquina, jornais*) press
imprescindível [ĩpresĩˈdʒivew] (*pl* -**eis**) *adj* essential, indispensable
impressão [impreˈsãw] (*pl* -**ões**) *f* impression; (*de livros*) printing; (*marca*) imprint; **causar boa ~** to make a good impression; **ficar com/ter a ~ (de) que** to get/have the impression that
impressionante [ĩpresjoˈnãtʃi] *adj* impressive
impressionar [ĩpresjoˈna*] *vt* to affect ♦ *vi* to be impressive; (*pessoa*) to make an impression; **impressionar-se** *vr*: **~-se (com algo)** to be moved (by sth)
impresso, -a [ĩˈpresu, a] *pp de* **imprimir** ♦ *adj* printed ♦ *m* (*para preencher*) form; (*folheto*) leaflet; **~s** *mpl* (*formulário*) printed matter *sg*
impressões [impreˈsõjʃ] *fpl de* **impressão**
impressora [ĩpreˈsora] *f* printing machine; (COMPUT) printer; **~ matricial/a laser** dot-matrix/laser printer
imprestável [ĩpreʃˈtavew] (*pl* -**eis**) *adj*

imprevisível → incolor

(*inútil*) useless; (*pessoa*) unhelpful
imprevisível [ĩprevi'zivew] (*pl* -**eis**) *adj* unforeseeable
imprevisto, -a [ĩpre'viʃtu, a] *adj* unexpected, unforeseen ♦ *m*: **um ~** something unexpected
imprimir [ĩpri'mi*] *vt* to print; (*marca*) to stamp; (*infundir*) to instil (*BRIT*), instill (*US*); (*COMPUT*) to print out
impróprio, -a [ĩ'prɔprju, a] *adj* inappropriate; (*indecente*) improper
improvável [ĩpro'vavew] (*pl* -**eis**) *adj* unlikely
improvisar [ĩprovi'za*] *vt, vi* to improvise; (*TEATRO*) to ad-lib
improviso [ĩpro'vizu]: **de ~** *adv* (*de repente*) suddenly; (*sem preparação*) without preparation
imprudente [ĩpru'dẽtʃi] *adj* (*irrefletido*) rash; (*motorista*) careless
impulsivo, -a [ĩpuw'sivu, a] *adj* impulsive
impulso [ĩ'puwsu] *m* impulse; (*fig: estímulo*) urge
impune [ĩ'puni] *adj* unpunished; **impunidade** [ĩpuni'dadʒi] *f* impunity
imundície [imũ'dʒisji] *f* filth; **imundo, -a** [i'mũdu, a] *adj* filthy; (*obsceno*) dirty
imune [i'muni] *adj*: **~ a** immune to; **imunidade** [imuni'dadʒi] *f* immunity
inábil [i'nabiw] (*pl* -**eis**) *adj* incapable; (*desajeitado*) clumsy
inabitado, -a [inabi'tadu, a] *adj* uninhabited
inacabado, -a [inaka'badu, a] *adj* unfinished
inacreditável [inakredʒi'tavew] (*pl* -**eis**) *adj* unbelievable, incredible
inactivo, -a [ina'tivu, a] *etc* (*PT*) = **inativo, -a** *etc*
inadequado, -a [inade'kwadu, a] *adj* inadequate; (*impróprio*) unsuitable
inadiável [ina'dʒjavew] (*pl* -**eis**) *adj* pressing
inadimplência [inadʒĩ'plẽsja] *f* (*JUR*) breach of contract, default
inanimado, -a [inani'madu, a] *adj* inanimate
inaptidão [inaptʃi'dãw] (*pl* -**ões**) *f* inability
inatingível [inatʃĩ'ʒivew] (*pl* -**eis**) *adj* unattainable
inativo, -a [ina'tʃivu, a] *adj* inactive; (*aposentado, reformado*) retired
inato, -a [i'natu, a] *adj* innate, inborn
inauguração [inawgura'sãw] (*pl* -**ões**) *f* inauguration; (*de exposição*) opening; **inaugural** [inawgu'raw] (*pl* -**ais**) *adj* inaugural; **inaugurar** [inawgu'ra*] *vt* to inaugurate; (*exposição*) to open
incansável [ĩkã'savew] (*pl* -**eis**) *adj* tireless, untiring
incapacidade [ĩkapasi'dadʒi] *f* incapacity; (*incompetência*) incompetence
incapacitado, -a [ĩkapasi'tadu, a] *adj* (*inválido*) disabled, handicapped ♦ *m/f* handicapped person; **estar ~ de fazer** to be unable to do
incapaz [ĩka'pajʃ] *adj, m/f* incompetent; **~ de fazer** incapable of doing; **~ para** unfit for
incendiar [ĩsẽ'dʒja*] *vt* to set fire to; (*fig*) to inflame; **incendiar-se** *vr* to catch fire
incêndio [ĩ'sẽdʒju] *m* fire; **~ criminoso** *ou* **premeditado** arson
incenso [ĩ'sẽsu] *m* incense
incentivar [ĩsẽtʃi'va*] *vt* to stimulate, encourage
incentivo [ĩsẽ'tʃivu] *m* incentive; **~ fiscal** tax incentive
incerteza [ĩsex'teza] *f* uncertainty
incerto, -a [ĩ'sextu, a] *adj* uncertain
incessante [ĩse'sãtʃi] *adj* incessant
incesto [ĩ'seʃtu] *m* incest
inchado, -a [ĩ'ʃadu, a] *adj* swollen; (*fig*) conceited
inchar [ĩ'ʃa*] *vt, vi* to swell
incidência [ĩsi'dẽsja] *f* incidence, occurrence
incidente [ĩsi'dẽtʃi] *m* incident
incisivo, -a [ĩsi'zivu, a] *adj* cutting, sharp; (*fig*) incisive
incitar [ĩsi'ta*] *vt* to incite; (*pessoa, animal*) to drive on
inclinação [ĩklina'sãw] (*pl* -**ões**) *f* inclination; **~ da cabeça** nod
inclinado, -a [ĩkli'nadu, a] *adj* (*terreno*) sloping; (*corpo, torre*) leaning
inclinar [ĩkli'na*] *vt* to tilt; (*cabeça*) to nod ♦ *vi* to slope; (*objeto*) to tilt; **inclinar-se** *vr* to tilt; (*dobrar o corpo*) to bow, stoop; **~-se sobre algo** to lean over sth
incluir [ĩ'klwi*] *vt* to include; (*em carta*) to enclose; **incluir-se** *vr* to be included
inclusão [ĩklu'zãw] *f* inclusion; **inclusive** [ĩklu'zivi] *prep* including ♦ *adv* inclusive; (*até mesmo*) even
incoerente [ĩkoe'rẽtʃi] *adj* incoherent; (*contraditório*) inconsistent
incógnita [ĩ'kɔgnita] *f* (*MAT*) unknown; (*fato incógnito*) mystery; **incógnito, -a** [ĩ'kɔgnitu, a] *adj* unknown ♦ *adv* incógnito
incolor [ĩko'lo*] *adj* colourless (*BRIT*),

colorless (US)
incomodar [ĩkomo'da*] vt to bother, trouble; (aborrecer) to annoy ♦ vi to be bothersome; **incomodar-se** vr to bother, put o.s. out; **~-se com algo** to be bothered by sth, mind sth; **não se incomode!** don't worry!
incômodo, -a [ĩ'komodu, a] adj uncomfortable; (incomodativo) troublesome; (inoportuno) inconvenient
incompetente [ĩkõpe'tẽtʃi] adj, m/f incompetent
incompleto, -a [ĩkõ'pletu, a] adj incomplete
incompreendido, -a [ĩkõprjẽ'dʒidu, a] adj misunderstood
incomum [ĩko'mũ] adj uncommon
incomunicável [ĩkomuni'kavew] (pl -eis) adj cut off; (privado de comunicação, fig) incommunicado; (preso) in solitary confinement
inconformado, -a [ĩkõfox'madu, a] adj bitter; **~ com** unreconciled to
inconfundível [ĩkõfũ'dʒivew] (pl -eis) adj unmistakeable
inconsciência [ĩkõ'sjẽsja] f (MED) unconsciousness; (irreflexão) thoughtlessness
inconsciente [ĩkõ'sjẽtʃi] adj unconscious ♦ m unconscious
inconseqüente [ĩkõse'kwẽtʃi] adj inconsistent; (contraditório) illogical; (irresponsável) irresponsible
inconsistente [ĩkõsiʃ'tẽtʃi] adj inconsistent; (sem solidez) runny
inconstante [ĩkõʃ'tãtʃi] adj fickle; (tempo) changeable
incontável [ĩkõ'tavew] (pl -eis) adj countless
incontestável [ĩkõteʃ'tavew] (pl -eis) adj undeniable
incontrolável [ĩkõtro'lavew] (pl -eis) adj uncontrollable
inconveniência [ĩkõve'njẽsja] f inconvenience; (impropriedade) inappropriateness
inconveniente [ĩkõve'njẽtʃi] adj inconvenient; (inoportuno) awkward; (grosseiro) rude; (importuno) annoying ♦ m disadvantage; (obstáculo) difficulty, problem
incorporar [ĩkoxpo'ra*] vt to incorporate; (juntar) to add; (COM) to merge; **incorporar-se** vr: **~-se a** ou **em** to join
incorreto, -a [ĩko'xɛtu, a] (PT -ect-) adj incorrect; (desonesto) dishonest
incrédulo, -a [ĩ'krɛdulu, a] adj incredulous; (cético) sceptical (BRIT), skeptical (US) ♦ m/f sceptic (BRIT), skeptic (US)
incrível [ĩ'krivew] (pl -eis) adj incredible
incumbência [ĩkũ'bẽsja] f task, duty
incumbir [ĩkũ'bi*] vt: **~ alguém de algo** ou **algo a alguém** to put sb in charge of sth ♦ vi: **~ a alguém** to be sb's duty; **incumbir-se** vr: **~-se de** to undertake, take charge of
indagação [ĩdaga'sãw] (pl -ões) f investigation; (pergunta) inquiry, question
indagar [ĩda'ga*] vt to investigate ♦ vi to inquire; **indagar-se** vr: **~-se a si mesmo** to ask o.s.; **~ algo de alguém** to ask sb about sth
indecente [ĩde'sẽtʃi] adj indecent, improper; (obsceno) rude, vulgar
indeciso, -a [ĩde'sizu, a] adj undecided; (indistinto) vague; (hesitante) hesitant, indecisive
indecoroso, -a [ĩdeko'rozu, ɔza] adj indecent, improper
indefeso, -a [ĩde'fezu, a] adj undefended; (população) defenceless (BRIT), defenseless (US)
indefinido, -a [ĩdefi'nidu, a] adj indefinite; (vago) vague, undefined; **por tempo ~** indefinitely
indefiro etc [ĩde'firu] vb V **indeferir**
indelicado, -a [ĩdeli'kadu, a] adj impolite, rude
indenização [indeniza'sãw] (PT -mn-) (pl -ões) f compensation; (COM) indemnity
indenizar [ĩdeni'za*] (PT -mn-) vt: **~ alguém por** ou **de algo** (compensar) to compensate sb for sth; (por gastos) to reimburse sb for sth
independência [ĩdepẽ'dẽsja] f independence; **independente** [ĩdepẽ'dẽtʃi] adj independent
indesejável [ĩdeze'ʒavew] (pl -eis) adj undesirable
indevido, -a [ĩde'vidu, a] adj (imerecido) unjust; (impróprio) inappropriate
Índia ['ĩdʒa] f: **a ~** India; **as ~s Ocidentais** the West Indies; **indiano, -a** [ĩ'dʒjanu, a] adj, m/f Indian
indicação [indʒika'sãw] (pl -ões) f indication; (de termômetro) reading; (para um cargo, prêmio) nomination; (recomendação) recommendation; (de um caminho) directions pl
indicado, -a [ĩdʒi'kadu, a] adj appropriate
indicador, a [ĩdʒika'do*, a] adj: **~ de** indicative of ♦ m indicator; (TEC) gauge;

indicar → infalível

(*dedo*) index finger; (*ponteiro*) pointer
indicar [ĩdʒi'ka*] vt to indicate; (*apontar*) to point to; (*temperatura*) to register; (*recomendar*) to recommend; (*para um cargo*) to nominate; (*determinar*) to determine; **~ o caminho a alguém** to give sb directions
indicativo, -a [ĩdʒika'tʃivu, a] *adj* (*tb* LING) indicative
índice ['ĩdʒisi] *m* (*de livro*) index; (*taxa*) rate
indício [ĩ'dʒisju] *m* (*sinal*) sign; (*vestígio*) trace; (*JUR*) clue
indiferença [ĩdʒife'rẽsa] *f* indifference; **indiferente** [ĩdʒife'rẽtʃi] *adj* indifferent; **isso me é indiferente** it's all the same to me
indígena [ĩ'dʒiʒena] *adj*, *m/f* native; (*índio: da América*) Indian
indigência [ĩdʒi'ʒẽsja] *f* poverty; (*fig*) lack, need
indigestão [ĩdʒiʒeʃ'tãw] *f* indigestion
indigesto, -a [ĩdʒi'ʒɛʃtu, a] *adj* indigestible
indignação [ĩdʒigna'sãw] *f* indignation; **indignado, -a** [ĩdʒig'nadu, a] *adj* indignant
indignar [ĩdʒig'na*] vt to anger, incense; **indignar-se** vr to get angry
indigno, -a [ĩ'dʒignu, a] *adj* unworthy; (*desprezível*) disgraceful, despicable
índio, -a [ˈĩdʒju, a] *adj*, *m/f* (*da América*) Indian; **o Oceano Í~** the Indian Ocean
indireto, -a [ĩdʒi'rɛtu, a] (*PT* **-ct-**) *adj* indirect
indiscreto, -a [ĩdʒiʃ'krɛtu, a] *adj* indiscreet
indiscriminado, -a [ĩdʒiʃkrimi'nadu, a] *adj* indiscriminate
indiscutível [ĩdʒiʃku'tʃivew] (*pl* **-eis**) *adj* indisputable
indispensável [ĩdʒiʃpẽ'savew] (*pl* **-eis**) *adj* essential, vital ♦ *m*: **o ~** the essentials *pl*
indispor [ĩdʒiʃ'po*] (*irreg: como* **pôr**) *vt* (*de saúde*) to make ill; (*aborrecer*) to upset; **indisposto, -a** [ĩdʒiʃ'poʃtu, 'pɔʃta] *adj* unwell, poorly; upset
indistinto, -a [ĩdʒiʃ'tʃĩtu, a] *adj* indistinct
individual [ĩdʒivi'dwaw] (*pl* **-ais**) *adj* individual
indivíduo [ĩdʒi'vidwu] *m* individual; (*col: sujeito*) guy
indócil [ĩ'dɔsiw] (*pl* **-eis**) *adj* unruly, wayward; (*impaciente*) restless
índole ['ĩdoli] *f* (*temperamento*) nature; (*tipo*) sort, type
indolor [ĩdo'lo*] *adj* painless

indomável [ĩdo'mavew] (*pl* **-eis**) *adj* (*animal*) untameable; (*coragem*) indomitable
Indonésia [ĩdo'nɛzja] *f*: **a ~** Indonesia
indulgente [ĩduw'ʒẽtʃi] *adj* indulgent; (*atitude*) lenient
indústria [ĩ'duʃtrja] *f* industry; **industrial** [ĩduʃ'trjaw] (*pl* **-ais**) *adj* industrial ♦ *m/f* industrialist; **industrializar** [ĩduʃtrjali'za*] *vt* (*país*) to industrialize; (*aproveitar*) to process
induzir [ĩdu'zi*] *vt* to induce; (*persuadir*) to persuade
inédito, -a [i'nɛdʒitu, a] *adj* (*livro*) unpublished; (*incomum*) unheard-of, rare
ineficaz [inefi'kajʒ] *adj* (*remédio, medida*) ineffective; (*empregado, máquina*) inefficient
ineficiente [inefi'sjẽtʃi] *adj* inefficient
inegável [ine'gavew] (*pl* **-eis**) *adj* undeniable
inelutável [inelu'tavew] (*pl* **-eis**) *adj* inescapable
inepto, -a [i'nɛptu, a] *adj* inept, incompetent
inequívoco, -a [ine'kivoku, a] *adj* (*evidente*) clear; (*inconfundível*) unmistakeable
inércia [i'nɛxsja] *f* lethargy; (*FÍS*) inertia
inerente [ine'rẽtʃi] *adj*: **~ a** inherent in *ou* to
inerte [i'nɛxtʃi] *adj* lethargic; (*FÍS*) inert
inescrupuloso, -a [ineʃkrupu'lozu, ɔza] *adj* unscrupulous
inesgotável [ineʒgo'tavew] (*pl* **-eis**) *adj* inexhaustible; (*superabundante*) boundless
inesperado, -a [ineʃpe'radu, a] *adj* unexpected, unforeseen ♦ *m*: **o ~** the unexpected
inesquecível [ineʃke'sivew] (*pl* **-eis**) *adj* unforgettable
inestimável [ineʃtʃi'mavew] (*pl* **-eis**) *adj* invaluable
inevitável [inevi'tavew] (*pl* **-eis**) *adj* inevitable
inexato, -a [ine'zatu, a] (*PT* **-ct-**) *adj* inaccurate
inexistência [inezif'tẽsja] *f* lack
inexistente [inezif'tẽtʃi] *adj* non-existent
inexperiência [ineʃpe'rjẽsja] *f* inexperience; **inexperiente** [ineʃpe'rjẽtʃi] *adj* inexperienced; (*ingênuo*) naive
inexpressivo, -a [ineʃpre'sivu, a] *adj* expressionless
infalível [ĩfa'livew] (*pl* **-eis**) *adj* infallible; (*sucesso*) guaranteed

infância → inibição

infância [ĩ'fãsja] f childhood
infantil [ĩfã'tʃiw] (pl **-is**) adj (ingênuo) childlike; (pueril) childish; (para crianças) children's
infarto [ĩ'faxtu] m heart attack
infecção [ĩfek'sãw] (pl **-ões**) f infection; **infeccionar** [ĩfeksjo'na*] vt (ferida) to infect; **infeccioso, -a** [ĩfek'sjozu, ɔza] adj infectious
infectar [ĩfek'ta*] (PT) vt = **infetar**
infelicidade [ĩfelisi'dadʒi] f unhappiness; (desgraça) misfortune
infeliz [ĩfe'liʒ] adj unhappy; (infausto) unlucky; (ação, medida) unfortunate; (sugestão, idéia) inappropriate ♦ m/f unhappy person; **infelizmente** [ĩfeliʒ'mētʃi] adv unfortunately
inferior [ĩfe'rjo*] adj: **~ (a)** (em valor, qualidade) inferior (to); (mais baixo) lower (than) ♦ m/f inferior, subordinate; **inferioridade** [ĩferjori'dadʒi] f inferiority
infernal [ĩfex'naw] (pl **-ais**) adj infernal
inferno [ĩ'fexnu] m hell; **vá pro ~!** (col) piss off!
infetar [ĩfe'ta*] vt to infect
infiel [ĩ'fjew] (pl **-éis**) adj disloyal; (marido, mulher) unfaithful; (texto) inaccurate ♦ m/f (REL) non-believer
ínfimo, -a ['ĩfimu, a] adj lowest; (qualidade) poorest
infindável [ĩfĩ'davew] (pl **-eis**) adj unending, constant
infinidade [ĩfini'dadʒi] f infinity; **uma ~ de** countless
infinitivo [ĩfini'tʃivu] m (LING) infinitive
infinito, -a [ĩfi'nitu, a] adj infinite ♦ m infinity
inflação [ĩfla'sãw] f inflation; **inflacionário, -a** [ĩflasjo'narju, a] adj inflationary
inflamação [ĩflama'sãw] (pl **-ões**) f inflammation; **inflamado, -a** [ĩfla'madu, a] adj (MED) inflamed; (discurso) heated
inflamar [ĩfla'ma*] vt (madeira, pólvora) to set fire to; (MED, fig) to inflame; **inflamar-se** vr to catch fire; (fig) to get worked up; **~-se de algo** to be consumed with sth
inflamável [ĩfla'mavew] (pl **-eis**) adj inflammable
inflar [ĩ'fla*] vt to inflate, blow up; **inflar-se** vr to swell (up)
inflexível [ĩflek'sivew] (pl **-eis**) adj stiff, rigid; (fig) unyielding
influência [ĩ'flwẽsja] f influence; **sob a ~ de** under the influence of; **influenciar** [ĩflwẽ'sja*] vt to influence ♦ vi:

influenciar em algo to influence sth, have an influence on sth; **influenciar-se** vr: **influenciar-se por** to be influenced by; **influente** [ĩ'flwẽtʃi] adj influential; **influir** [ĩ'flwi*] vi to matter, be important; **influir em** ou **sobre** to influence, have an influence on
informação [ĩfoxma'sãw] (pl **-ões**) f (piece of) information; (notícia) news sg; **informações** fpl (detalhes) information sg; **Informações** (TEL) directory enquiries (BRIT), information (US); **pedir informações sobre** to ask about, inquire about
informal [ĩfox'maw] (pl **-ais**) adj informal; **informalidade** [ĩfoxmali'dadʒi] f informality
informante [ĩfox'mãtʃi] m informant; (JUR) informer
informar [ĩfox'ma*] vt: **~ alguém (de/sobre algo)** to inform sb (of/about sth) ♦ vi to inform, be informative; **informar-se** vr: **~-se de** to find out about, inquire about; **~ de** to report on
informática [ĩfox'matʃika] f computer science; (ramo) computing, computers pl
informativo, -a [ĩfoxma'tʃivu, a] adj informative
informatizar [ĩfoxmatʃi'za*] vt to computerize
infortúnio [ĩfox'tunju] m misfortune
infração [ĩfra'sãw] (PT **-cç-**) (pl **-ões**) f breach, infringement; (ESPORTE) foul
infractor, a [ĩfra'to*, a] (PT) m/f = **infrator, a**
infrator, a [ĩfra'to*, a] m/f offender
infringir [ĩfrĩ'ʒi*] vt to infringe, contravene
infrutífero, -a [ĩfru'tʃiferu, a] adj fruitless
infundado, -a [ĩfũ'dadu, a] adj groundless, unfounded
ingênuo, -a [ĩ'ʒenwu, a] adj ingenuous, naïve; (comentário) harmless ♦ m/f naïve person
ingerir [ĩʒe'ri*] vt to ingest; (engolir) to swallow
Inglaterra [ĩgla'texa] f: **a ~** England; **inglês, -esa** [ĩ'gleʃ, eza] adj English ♦ m/f Englishman/woman ♦ m (LING) English; **os ingleses** mpl the English
ingrato, -a [ĩ'gratu, a] adj ungrateful
ingrediente [ĩgre'dʒjẽtʃi] m ingredient
íngreme ['ĩgremi] adj steep
ingressar [ĩgre'sa*] vi: **~ em** to enter, go into; (um clube) to join
ingresso [ĩ'gresu] m (entrada) entry; (admissão) admission; (bilhete) ticket
inibição [inibi'sãw] (pl **-ões**) f inhibition

inibido → instante

inibido, -a [ini'bidu, a] *adj* inhibited
inibir [ini'bi*] *vt* to inhibit
iniciação [inisja'sãw] (*pl* **-ões**) *f* initiation
inicial [ini'sjaw] (*pl* **-ais**) *adj*, *f* initial
iniciar [ini'sja*] *vt*, *vi* (*começar*) to begin, start; **~ alguém em algo** (*arte, seita*) to initiate sb into sth
iniciativa [inisja'tʃiva] *f* initiative; **a ~ privada** (ECON) private enterprise
início [i'nisju] *m* beginning, start; **no ~** at the start
inimigo, -a [ini'migu, a] *adj*, *m/f* enemy
inimizade [inimi'zadʒi] *f* enmity, hatred
ininterrupto, -a [inĩte'xuptu, a] *adj* continuous; (*esforço*) unstinting; (*vôo*) non-stop; (*serviço*) 24-hour
injeção [inʒe'sãw] (PT **-cç-**) (*pl* **-ões**) *f* injection
injetar [ĩʒe'ta*] (PT **-ct-**) *vt* to inject
injúria [ĩ'ʒurja] *f* insult
injustiça [ĩʒuʃ'tʃisa] *f* injustice
injusto, -a [ĩ'ʒuʃtu, a] *adj* unfair, unjust
inocência [ino'sẽsja] *f* innocence
inocentar [inosẽ'ta*] *vt*: **~ alguém (de algo)** to clear sb (of sth)
inocente [ino'sẽtʃi] *adj* innocent ♦ *m/f* innocent man/woman
inócuo, -a [i'nɔkwu, a] *adj* harmless
inofensivo, -a [inofẽ'sivu, a] *adj* harmless, inoffensive
inoportuno, -a [inopox'tunu, a] *adj* inconvenient, inopportune
inovação [inova'sãw] (*pl* **-ões**) *f* innovation
inoxidável [inoksi'davew] (*pl* **-eis**) *adj*: **aço ~** stainless steel
INPS (BR) *abr m* (= *Instituto Nacional de Previdência Social*) ≈ DSS (BRIT), ≈ Welfare Dept (US)
inquérito [ĩ'kɛritu] *m* inquiry; (JUR) inquest
inquietação [ĩkjeta'sãw] *f* anxiety, uneasiness; (*agitação*) restlessness
inquietante [ĩkje'tãtʃi] *adj* worrying, disturbing
inquietar [ĩkje'ta*] *vt* to worry, disturb; **inquietar-se** *vr* to worry, bother; **inquieto, -a** [ĩ'kjetu, a] *adj* anxious, worried; (*agitado*) restless
inquilino, -a [ĩki'linu, a] *m/f* tenant
insalubre [ĩsa'lubri] *adj* unhealthy
insanidade [ĩsani'dadʒi] *f* madness, insanity; **insano, -a** [ĩ'sanu, a] *adj* insane
insatisfação [ĩsatʃiʃfa'sãw] *f* dissatisfaction
insatisfatório, -a [ĩsatʃiʃfa'tɔrju, a] *adj* unsatisfactory

insatisfeito, -a [ĩsatʃiʃ'fejtu, a] *adj* dissatisfied, unhappy
inscrever [ĩʃkre've*] *vt* to inscribe; (*aluno*) to enrol (BRIT), enroll (US); (*em registro*) to register
inscrição [ĩʃkri'sãw] (*pl* **-ões**) *f* inscription
inscrito, -a [ĩ'ʃkritu, a] *pp de* **inscrever**
insecto *etc* [ĩ'sɛtu] (PT) = **inseto** *etc*
insegurança [ĩsegu'rãsa] *f* insecurity; **inseguro, -a** [ĩse'guru, a] *adj* insecure
insensatez [ĩsẽsa'teʒ] *f* folly, madness; **insensato, -a** [ĩsẽ'satu, a] *adj* unreasonable, foolish
insensível [ĩsẽ'sivew] (*pl* **-eis**) *adj* insensitive; (*dormente*) numb
inserir [ĩse'ri*] *vt* to insert, put in; (COMPUT: *dados*) to enter
inseticida [ĩsetʃi'sida] *m* insecticide
inseto [ĩ'setu] *m* insect
insignificante [ĩsignifi'kãtʃi] *f* insignificant
insinuar [ĩsi'nwa*] *vt* to insinuate, imply
insípido, -a [ĩ'sipidu, a] *adj* insipid
insiro *etc* [ĩ'siru] *vb V* **inserir**
insistência [ĩsiʃ'tẽsja] *f*: **~ (em)** insistence (on); (*obstinação*) persistence (in); **insistente** [ĩsiʃ'tẽtʃi] *adj* (*pessoa*) insistent; (*apelo*) urgent
insistir [ĩsiʃ'tʃi*] *vi*: **~ (em)** to insist (on); (*perseverar*) to persist (in); **~ (em) que** to insist that
insolação [insola'sãw] *f* sunstroke; **pegar uma ~** to get sunstroke
insolente [ĩso'lẽtʃi] *adj* insolent
insólito, -a [ĩ'sɔlitu, a] *adj* unusual
insônia [ĩ'sonja] *f* insomnia
insosso, -a [ĩ'sosu, a] *adj* unsalted; (*sem sabor*) tasteless; (*pessoa*) uninteresting, dull
inspeção [ĩʃpe'sãw] (PT **-cç-**) (*pl* **-ões**) *f* inspection, check; **inspecionar** [ĩʃpesjo'na*] (PT **-cc-**) *vt* to inspect
inspetor, a [ĩʃpe'to*, a] (PT **-ct-**) *m/f* inspector
inspiração [ĩʃpira'sãw] (*pl* **-ões**) *f* inspiration
inspirador, a [ĩʃpira'do*, a] *adj* inspiring
inspirar [ĩʃpi'ra*] *vt* to inspire; (MED) to inhale; **inspirar-se** *vr* to be inspired
instalação [ĩʃtala'sãw] (*pl* **-ões**) *f* installation; **~ elétrica** (*de casa*) wiring
instalar [ĩʃta'la*] *vt* to install; (*estabelecer*) to set up; **instalar-se** *vr* (*numa cadeira*) to settle down
instantâneo, -a [ĩʃtã'tanju, a] *adj* instant, instantaneous ♦ *m* (FOTO) snap
instante [ĩʃ'tãtʃi] *adj* urgent ♦ *m*

moment; **num ~** in an instant, quickly; **só um ~!** just a moment!
instável [ĩʃ'tavew] (pl **-eis**) adj unstable; (tempo) unsettled
instintivo, -a [ĩʃtʃĩ'tʃivu, a] adj instinctive
instinto [ĩʃ'tʃĩtu] m instinct; **por ~** instinctively
instituição [ĩʃtʃitwi'sãw] (pl **-ões**) f institution
instituto [ĩʃtʃi'tutu] m (escola) institute; (instituição) institution; **~ de beleza** beauty salon
instrução [ĩʃtru'sãw] (PT **-cç-**) (pl **-ões**) f education; (erudição) learning; (diretriz) instruction; (MIL) training; **instruções** fpl (para o uso) instructions (for use)
instructor, a [ĩʃtru'tor, a] (PT) m/f = **instrutor, a**
instruído, -a [ĩʃ'trwidu, a] adj educated
instruir [ĩʃ'trwi*] vt to instruct; (MIL) to train; **instruir-se** vr: **~-se em algo** to learn sth; **~ alguém de** ou **sobre algo** to inform sb about sth
instrumento [ĩʃtru'mẽtu] m instrument; (ferramenta) implement; (JUR) deed, document; **~ de cordas/percussão/sopro** stringed/percussion/wind instrument; **~ de trabalho** tool
instrutivo, -a [ĩʃtru'tʃivu, a] adj instructive
instrutor, a [ĩʃtru'to*, a] m/f instructor; (ESPORTE) coach
insubordinação [ĩsuboxdʒina'sãw] f rebellion; (MIL) insubordination
insubstituível [ĩsubiʃtʃi'twivew] (pl **-eis**) adj irreplaceable
insuficiência [ĩsufi'sjẽsja] f inadequacy; (carência) shortage; (MED) deficiency; **~ cardíaca** heart failure; **insuficiente** [ĩsufi'sjẽtʃi] adj insufficient; (EDUC: nota) ~ fail; (pessoa) incompetent
insulina [ĩsu'lina] f insulin
insultar [ĩsuw'ta*] vt to insult; **insulto** [ĩ'suwtu] m insult
insuperável [ĩsupe'ravew] (pl **-eis**) adj (dificuldade) insuperable; (qualidade) unsurpassable
insuportável [ĩsupox'tavew] (pl **-eis**) adj unbearable
insurgir-se [ĩsux'ʒixsi] vr to rebel, revolt
insurreição [ĩsuxej'sãw] (pl **-ões**) f rebellion, insurrection
intato, -a [ĩ'tatu, a] (PT **-act-**) adj intact
íntegra ['ĩtegra] f: **na ~** in full
integral [ĩte'graw] (pl **-ais**) adj whole ♦ f (MAT) integral; **pão ~** wholemeal (BRIT) ou wholewheat (US) bread; **integralmente** [ĩtegraw'mẽtʃi] adv in full, fully

integrar [ĩte'gra*] vt to unite, combine; (completar) to form, make up; (MAT, raças) to integrate; **integrar-se** vr to become complete; **~-se em** ou **a algo** to join sth; (adaptar-se) to integrate into sth
integridade [ĩtegri'dadʒi] f entirety; (fig: de pessoa) integrity
íntegro, -a ['ĩtegru, a] adj entire; (honesto) upright, honest
inteiramente [ĩtejra'mẽtʃi] adv completely
inteirar [ĩtej'ra*] vt (completar) to complete; **inteirar-se** vr: **~-se de** to find out about; **~ alguém de** to inform sb of
inteiro, -a [ĩ'tejru, a] adj whole, entire; (ileso) unharmed; (não quebrado) undamaged
intelecto [ĩte'lɛktu] m intellect; **intelectual** [ĩtelek'twaw] (pl **-ais**) adj, m/f intellectual
inteligência [ĩteli'ʒẽsja] f intelligence; **inteligente** [ĩteli'ʒẽtʃi] adj intelligent, clever
inteligível [ĩteli'ʒivew] (pl **-eis**) adj intelligible
intenção [ĩtẽ'sãw] (pl **-ões**) f intention; **segundas intenções** ulterior motives; **ter a ~ de** to intend to; **intencionado, -a** [ĩtẽsjo'nadu, a] adj: **bem intencionado** well-meaning; **mal intencionado** spiteful; **intencional** [ĩtẽsjo'naw] (pl **-ais**) adj intentional, deliberate; **intencionar** [ĩtẽsjo'na*] vt to intend
intensificar [ĩtẽsifi'ka*] vt to intensify; **intensificar-se** vr to intensify
intensivo, -a [ĩtẽ'sivu, a] adj intensive
intenso, -a [ĩ'tẽsu, a] adj intense; (emoção) deep; (impressão) vivid; (vida social) full
interação [ĩtera'sãw] (PT **-cç-**) f interaction
interativo, -a [ĩtera'tʃivu, a] (PT **-ct-**) adj (COMPUT) interactive
intercâmbio [ĩtex'kãbju] m exchange
interdição [ĩtexdʒi'sãw] (pl **-ões**) f (de estrada, porta) closure; (JUR) injunction
interditar [ĩtexdʒi'ta*] vt (importação etc) to ban; (estrada, praia) to close off; (cinema etc) to close down
interessado, -a [ĩtere'sadu, a] adj interested; (amizade) self-seeking
interessante [ĩtere'sãtʃi] adj interesting
interessar [ĩtere'sa*] vt to interest ♦ vi to be interesting; **interessar-se** vr: **~-se em** ou **por** to take an interest in, be interested in; **a quem possa ~** to whom

interesse → **intrometer-se** 334

it may concern
interesse [ĩte'resi] *m* interest; *(próprio)* self-interest; *(proveito)* advantage; **no ~ de** for the sake of; **por ~ (próprio)** for one's own ends; **interesseiro, -a** [ĩtere'sejru, a] *adj* self-seeking
interface [ĩtex'fasi] *f (COMPUT)* interface
interferência [ĩtexfe'rẽsja] *f* interference
interferir [ĩtexfe'ri*] *vi*: **~ em** to interfere in
interfone [ĩtex'fɔni] *m* intercom
interior [ĩte'rjo*] *adj* inner, inside; *(COM)* domestic, internal ♦ *m* inside, interior; *(do país)*: **no ~** inland; **Ministério do I~** ~ Home Office *(BRIT)*, ~ Department of the Interior *(US)*
interjeição [ĩtexʒej'sãw] *(pl -ões) f* interjection
interlocutor, a [ĩtexloku'to*, a] *m/f* speaker; **meu ~** the person I was speaking to
intermediário, -a [ĩtexme'dʒjarju, a] *adj* intermediary ♦ *m/f (COM)* middleman; *(mediador)* intermediary, mediator
intermédio [ĩtex'mɛdʒu] *m*: **por ~ de** through
interminável [ĩtexmi'navew] *(pl -eis) adj* endless
internação [ĩtexna'sãw] *(pl -ões) f (de doente)* admission
internacional [ĩtexnasjo'naw] *(pl -ais) adj* international
internações [ĩtexna'sõjʃ] *fpl de* **internação**
internar [ĩtex'na*] *vt (aluno)* to put into boarding school; *(doente)* to take into hospital; *(MIL, POL)* to intern
internauta [ĩtex'nawta] *m/f* Internet user
Internet [ĩtex'netʃi] *f*: **a ~** the Internet
interno, -a [ĩ'tɛxnu, a] *adj* internal; *(POL)* domestic ♦ *m/f (tb:* **aluno ~)** boarder; *(MED: estudante)* houseman *(BRIT)*, intern *(US)*; **de uso ~** *(MED)* for internal use
interpretação [ĩtexpreta'sãw] *(pl -ões) f* interpretation; *(TEATRO)* performance
interpretar [ĩtexpre'ta*] *vt* to interpret; *(um papel)* to play; **intérprete** [ĩ'tɛxpretʃi] *m/f* interpreter; *(TEATRO)* performer, artist
interrogação [ĩtexoga'sãw] *(pl -ões) f* interrogation; **ponto de ~** question mark
interrogar [ĩtexo'ga*] *vt* to question, interrogate; *(JUR)* to cross-examine
interromper [ĩtexõ'pe*] *vt* to interrupt; *(parar)* to stop; *(ELET)* to cut off
interrupção [ĩtexup'sãw] *(pl -ões) f* interruption; *(intervalo)* break
interruptor [ĩtexup'to*] *m (ELET)* switch

interseção [ĩtexse'sãw] *(PT* **-cç-)** *(pl -ões) f* intersection
interurbano, -a [ĩterux'banu, a] *adj (TEL)* long-distance ♦ *m* long-distance *ou* trunk call
intervalo [ĩtex'valu] *m* interval; *(descanso)* break; **a ~s** every now and then
intervenção [ĩtexvẽ'sãw] *(pl -ões) f* intervention; **~ cirúrgica** *(MED)* operation
intervir [ĩtex'vi*] *(irreg: como* **vir)** *vi* to intervene; *(sobrevir)* to come up
intestino [ĩteʃ'tʃinu] *m* intestine
intimação [ĩtʃima'sãw] *(pl -ões) f (ordem)* order; *(JUR)* summons
intimar [ĩtʃi'ma*] *vt (JUR)* to summon; **~ alguém a fazer** *ou* **a alguém que faça** to order sb to do
intimidade [ĩtʃimi'dadʒi] *f* intimacy; *(vida privada)* private life; *(familiaridade)* familiarity; **ter ~ com alguém** to be close to sb
íntimo, -a ['ĩtʃimu, a] *adj* intimate; *(sentimentos)* innermost; *(amigo)* close; *(vida)* private ♦ *m/f* close friend; **no ~** at heart
intolerante [ĩtole'rãtʃi] *adj* intolerant
intolerável [ĩtole'ravew] *(pl -eis) adj* intolerable, unbearable
intoxicação [ĩtoksika'sãw] *f* poisoning; **~ alimentar** food poisoning
intoxicar [ĩtoksi'ka*] *vt* to poison
intranet [ĩtra'netʃi] *f* intranet
intransigente [ĩtrãsi'ʒẽtʃi] *adj* uncompromising; *(fig: rígido)* strict
intransitável [ĩtrãsi'tavew] *(pl -eis) adj* impassable
intransitivo, -a [ĩtrãsi'tʃivu, a] *adj* intransitive
intransponível [ĩtrãʃpo'nivew] *(pl -eis) adj (rio)* impossible to cross; *(problema)* insurmountable
intratável [ĩtra'tavew] *(pl -eis) adj (pessoa)* contrary, awkward; *(doença)* untreatable; *(problema)* insurmountable
intriga [ĩ'triga] *f* intrigue; *(enredo)* plot; *(fofoca)* piece of gossip; **~s** *(fofocas)* gossip *sg*; **~ amorosa** *(PT)* love affair; **intrigante** [ĩtri'gãtʃi] *m/f* troublemaker ♦ *adj* intriguing; **intrigar** [ĩtri'ga*] *vt* to intrigue ♦ *vi* to be intriguing
introdução [ĩtrodu'sãw] *(pl -ões) f* introduction
introduzir [ĩtrodu'zi*] *vt* to introduce
intrometer-se [ĩtrome'texsi] *vr* to interfere, meddle; **intrometido, -a** [ĩtrome'tʃidu, a] *adj* interfering; *(col)* nosey ♦ *m/f* busybody

introvertido, -a [ĩtrovex'tʃidu, a] *adj* introverted ♦ *m/f* introvert
intruso, -a [ĩ'truzu, a] *m/f* intruder
intuição [ĩtwi'sãw] (*pl* **-ões**) *f* intuition
intuito [ĩ'tuito] *m* intention, aim
inumano, -a [inu'manu, a] *adj* inhuman
inúmero, -a [i'numeru, a] *adj* countless, innumerable
inundação [inũda'sãw] (*pl* **-ões**) *f* (*enchente*) flood; (*ato*) flooding
inundar [inũ'da*] *vt* to flood; (*fig*) to inundate ♦ *vi* to flood
inusitado, -a [inuzi'tadu, a] *adj* unusual
inútil [i'nutʃiw] (*pl* **-eis**) *adj* useless; (*esforço*) futile; (*desnecessário*) pointless; **inutilizar** [inutʃili'za*] *vt* to make useless, render useless; (*incapacitar*) to put out of action; (*danificar*) to ruin; (*esforços*) to thwart; **inutilmente** [inutʃiw'mẽtʃi] *adv* in vain
invadir [ĩva'dʒi*] *vt* to invade; (*suj: água*) to overrun; (: *sentimento*) to overcome
inválido, -a [ĩ'validu, a] *adj, m/f* invalid
invariável [ĩva'rjavew] (*pl* **-eis**) *adj* invariable
invasão [ĩva'zãw] (*pl* **-ões**) *f* invasion
invasor, a [ĩva'zo*, a] *adj* invading ♦ *m/f* invader
inveja [ĩ'veʒa] *f* envy; **invejar** [ĩve'ʒa*] *vt* to envy; (*cobiçar*) to covet ♦ *vi* to be envious; **invejoso, -a** [ĩve'ʒozu, ɔza] *adj* envious
invenção [ĩvẽ'sãw] (*pl* **-ões**) *f* invention
inventar [ĩvẽ'ta*] *vt* to invent
inventivo, -a [ĩvẽ'tʃivu, a] *adj* inventive
inventor, a [ĩvẽ'to*, a] *m/f* inventor
inverno [ĩ'vɛxnu] *m* winter
inverossímil [ĩvero'simiw] (*PT* **-osí-**) (*pl* **-eis**) *adj* unlikely, improbable; (*inacreditável*) implausible
inverso, -a [ĩ'vɛxsu, a] *adj* inverse; (*oposto*) opposite; (*ordem*) reverse ♦ *m* opposite, reverse; **ao ~ de** contrary to
inverter [ĩvex'te*] *vt* to alter; (*ordem*) to invert, reverse; (*colocar às avessas*) to turn upside down
invés [ĩ'vɛʃ] *m*: **ao ~ de** instead of
investigação [ĩveʃtʃiga'sãw] (*pl* **-ões**) *f* investigation; (*pesquisa*) research
investigar [ĩveʃtʃi'ga*] *vt* to investigate; (*examinar*) to examine
investimento [ĩveʃtʃi'mẽtu] *m* investment
investir [ĩveʃ'tʃi*] *vt* (*dinheiro*) to invest
inviável [ĩ'vjavew] (*pl* **-eis**) *adj* impracticable
invicto, -a [ĩ'viktu, a] *adj* unconquered
invisível [ĩvi'zivew] (*pl* **-eis**) *adj* invisible
invisto *etc* [ĩ'viʃtu] *vb V* **investir**
invocar [ĩvo'ka*] *vt* to invoke
invólucro [ĩ'vɔlukru] *m* (*cobertura*) covering; (*envoltório*) wrapping; (*caixa*) box
involuntário, -a [ĩvolũ'tarju, a] *adj* involuntary; (*ofensa*) unintentional
iodo ['jodu] *m* iodine
ioga ['jɔga] *f* yoga
iogurte [jo'guxtʃi] *m* yogurt
IR (*BR*) *abr m* = **Imposto de Renda**

PALAVRA CHAVE
---

ir [i*] *vi*
1 to go; (*a pé*) to walk; (*a cavalo*) to ride; (*viajar*) to travel; **~ caminhando** to walk; **fui de trem** I went *ou* travelled by train; **vamos!, vamos nessa!** (*col*)**, vamos embora!** let's go!; **já vou!** I'm coming!; **~ atrás de alguém** (*seguir*) to follow sb; (*confiar*) to take sb's word for it
2 (*progredir: pessoa, coisa*) to go; **o trabalho vai muito bem** work is going very well; **como vão as coisas?** how are things going?; **vou muito bem** I'm very well; (*na escola etc*) I'm getting on very well
♦ *vb aux*
1 (+ *infin*): **vou fazer** I will do, I am going to do
2 (+ *gerúndio*): **~ fazendo** to keep on doing
♦ **ir-se** *vr* to go away, leave

---

ira ['ira] *f* anger, rage
Irã [i'rã] *m*: **o ~** Iran
irado, -a [i'radu, a] *adj* angry, irate
iraniano, -a [ira'njanu, a] *adj, m/f* Iranian
Irão [i'rãw] (*PT*) *m* = **Irã**
Iraque [i'raki] *m*: **o ~** Iraq; **iraquiano, -a** [ira'kjanu, a] *adj, m/f* Iraqi
ir-e-vir (*pl* **ires-e-vires**) *m* comings and goings *pl*
Irlanda [ix'lãda] *f*: **a ~** Ireland; **a ~ do Norte** Northern Ireland; **irlandês, -esa** [ixlã'deʃ, eza] *adj* Irish ♦ *m/f* Irishman/woman ♦ *m* (*LING*) Irish
irmã [ix'mã] *f* sister; **~ de criação** adoptive sister; **~ gêmea** twin sister
irmão [ix'mãw] (*pl* **~s**) *m* brother; (*fig: similar*) twin; (*col: companheiro*) mate; **~ de criação** adoptive brother; **~ gêmeo** twin brother

ironia [iro'nia] f irony
irra! ['ixa] (PT) excl damn!
irracional [ixasjo'naw] (pl **-ais**) adj irrational
irreal [ixe'aw] (pl **-ais**) adj unreal
irregular [ixegu'la*] adj irregular; (*vida*) unconventional; (*feições*) unusual; (*aluno, gênio*) erratic
irrelevante [ixele'vātʃi] adj irrelevant
irremediável [ixeme'dʒjavew] (pl **-eis**) adj irremediable; (*sem remédio*) incurable
irrequieto, -a [ixe'kjetu, a] adj restless
irresistível [ixeziʃ'tʃivew] (pl **-eis**) adj irresistible
irresponsável [ixeʃpõ'savew] (pl **-eis**) adj irresponsible
irrigar [ixi'ga*] vt to irrigate
irritação [ixita'sāw] (pl **-ões**) f irritation
irritadiço, -a [ixita'dʒisu, a] adj irritable
irritante [ixi'tātʃi] adj irritating, annoying
irritar [ixi'ta*] vt to irritate; **irritar-se** vr to get angry, get annoyed
irromper [ixõ'pe*] vi (*entrar subitamente*): **~ (em)** to burst in(to)
isca ['iʃka] f (PESCA) bait; (*fig*) lure, bait
isenção [izē'sāw] (pl **-ões**) f exemption
isentar [izē'ta*] vt to exempt; (*livrar*) to free
Islã [iʒ'lā] m Islam
Islândia [iʒ'lādʒa] f: **a ~** Iceland
isolado, -a [izo'ladu, a] adj isolated; (*solitário*) lonely
isolamento [izola'mētu] m isolation; (ELET) insulation
isolar [izo'la*] vt to isolate; (ELET) to insulate
isqueiro [iʃ'kejru] m (cigarette) lighter
Israel [iʒxa'ɛw] m Israel; **israelense** [iʒxae'lēsi] adj, m/f Israeli
isso ['isu] pron that; (*col*: isto) this; **~ mesmo** exactly; **por ~** therefore, so; **por ~ mesmo** for that very reason; **só ~?** is that all?
isto ['iʃtu] pron this; **~ é** that is, namely
Itália [i'talja] f: **a ~** Italy; **italiano, -a** [ita'ljanu, a] adj, m/f Italian ♦ m (LING) Italian
Itamarati [itamara'tʃi] m: **o ~** the Brazilian Foreign Ministry
item [i'tē] (pl **-ns**) m item
itinerário [itʃine'rarju] m itinerary; (*caminho*) route
Iugoslávia [jugoʒ'lavja] f: **a ~** Yugoslavia; **iugoslavo, -a** [jugoʒ'lavu, a] adj, m/f Yugoslav(ian)

J j

já [ʒa] adv already; (*em perguntas*) yet; (*agora*) now; (*imediatamente*) right away; (*agora mesmo*) right now ♦ conj on the other hand; **até ~** bye; **desde ~** from now on; **~ não** no longer; **~ que** as, since; **~ se vê** of course; **~ vou** I'm coming; **~ até** even; **~, ~** right away
jabuti [ʒabu'tʃi] m giant tortoise
jabuticaba [ʒabutʃi'kaba] f jaboticaba (*type of berry*)
jaca ['ʒaka] f jack fruit
jacaré [ʒaka'rɛ] (BR) m alligator
jacto ['ʒaktu] (PT) m = **jato**
jaguar [ʒa'gwa*] m jaguar
jaguatirica [ʒagwatʃi'rika] f leopard cat
Jamaica [ʒa'majka] f: **a ~** Jamaica
jamais [ʒa'majʃ] adv never; (*com palavra negativa*) ever
janeiro [ʒa'nejru] (PT **J-**) m January
janela [ʒa'nɛla] f window
jangada [ʒā'gada] f raft
jantar [ʒā'ta*] m dinner ♦ vt to have for dinner ♦ vi to have dinner
Japão [ʒa'pāw] m: **o ~** Japan; **japonês, -esa** [ʒapo'neʃ, eza] adj, m/f Japanese ♦ m (LING) Japanese
jararaca [ʒara'raka] f jararaca (*snake*)
jardim [ʒax'dʒī] (pl **-ns**) m garden; **~ zoológico** zoo; **jardim-de-infância** (pl **jardins-de-infância**) m kindergarten; **jardinagem** [ʒaxdʒi'naʒē] f gardening
jardineira [ʒaxdʒi'nejra] f (*caixa*) trough; (*calça*) dungarees pl; V tb **jardineiro**
jardineiro, -a [ʒaxdʒi'nejru, a] m/f gardener
jardins [ʒax'dʒīʃ] mpl de **jardim**
jargão [ʒax'gāw] m jargon
jarra ['ʒaxa] f pot
jarro ['ʒaxu] m jug
jasmim [ʒaʒ'mī] m jasmine
jato ['ʒatu] m jet; (*de luz*) flash; (*de ar*) blast; **a ~** at top speed
jaula ['ʒawla] f cage
javali [ʒava'li] m wild boar
jazigo [ʒa'zigu] m grave; (*monumento*) tomb
jazz [dʒɛz] m jazz
jeito ['ʒejtu] m (*maneira*) way; (*aspecto*) appearance; (*habilidade*) skill, knack; (*modos pessoais*) manner; **ter ~ de** to look like; **não ter ~** (*pessoa*) to be awkward; (*situação*) to be hopeless; **dar um ~ em** (*pé*) to twist; (*quarto, casa, papéis*) to tidy up; (*consertar*) to fix; **dar**

jejuar → justificar

um ~ to find a way; **o ~ é ...** the thing to do is ...; **é o ~** it's the best way; **ao ~ de** in the style of; **com ~** tactfully; **daquele ~** (in) that way; (*col: em desordem, mal*) anyhow; **de qualquer ~** anyway; **de ~ nenhum!** no way!

jejuar [ʒeˈʒwa*] vi to fast

jejum [ʒeˈʒũ] (pl **-ns**) m fast; **em ~** fasting

Jesus [ʒeˈzuʃ] m Jesus ♦ excl heavens!

jibóia [ʒiˈbɔja] f boa (constrictor)

jiló [ʒiˈlɔ] m kind of vegetable

jingle [ˈdʒĩgew] m jingle

joalheria [ʒoaʎeˈria] f jeweller's (shop) (BRIT), jewelry store (US)

joaninha [ʒwaˈniɲa] f ladybird (BRIT), ladybug (US)

joelho [ʒoˈeʎu] m knee; **de ~s** kneeling; **ficar de ~s** to kneel down

jogada [ʒoˈgada] f move; (*lanço*) throw; (*negócio*) scheme, move

jogador, a [ʒogaˈdo*, a] m/f player; (*de jogo de azar*) gambler

jogar [ʒoˈga*] vt to play; (*em jogo de azar*) to gamble; (*atirar*) to throw; (*indiretas*) to drop ♦ vi to play; to gamble; (*barco*) to pitch; **~ fora** to throw away

jogging [ˈʒɔgĩŋ] m jogging; (*roupa*) track suit; **fazer ~** to go jogging, jog

jogo [ˈʒogu] m game; (*jogar*) play; (*de azar*) gambling; (*conjunto*) set; (*artimanha*) trick; **J~s Olímpicos** Olympic Games

jóia [ˈʒɔja] f jewel

Jordânia [ʒoxˈdanja] f: **a ~** Jordan; **Jordão** [ʒoxˈdãw] m: **o (rio) Jordão** the Jordan (River)

jornada [ʒoxˈnada] f journey; **~ de trabalho** working day

jornal [ʒoxˈnaw] (pl **-ais**) m newspaper; (TV, RÁDIO) news sg; **jornaleiro, -a** [ʒoxnaˈlejru, a] m/f newsagent (BRIT), newsdealer (US)

jornalismo [ʒoxnaˈliʒmu] m journalism; **jornalista** [ʃoxnaˈliʃta] m/f journalist

jovem [ˈʒɔvẽ] (pl **-ns**) adj young ♦ m/f young person

jovial [ʒoˈvjaw] (pl **-ais**) adj jovial, cheerful

Jr abr = **Júnior**

judaico, -a [ʒuˈdajku, a] adj Jewish

judeu, judia [ʒuˈdew, ʒuˈdʒia] adj Jewish ♦ m/f Jew

judiação [ʒudʒjaˈsãw] f ill-treatment

judiar [ʒuˈdʒja*] vi: **~ de** to ill-treat

judicial [ʒudʒiˈsjaw] (pl **-ais**) adj judicial

judiciário, -a [ʒudʒiˈsjarju, a] adj judicial; **o (poder) ~** the judiciary

judô [ʒuˈdo] m judo

juiz, juíza [ʒwiʒ, ˈiza] m/f judge; (*em jogos*) referee; **~ de paz** justice of the peace; **juizado** [ʒwiˈzado] m court

juízo [ˈʒwizu] m judgement; (*parecer*) opinion; (*siso*) common sense; (*foro*) court; **perder o ~** to lose one's mind; **não ter ~** to be foolish; **tomar** ou **criar ~** to come to one's senses; **chamar/levar a ~** to summon/take to court; **~!** behave yourself!

julgamento [ʒuwgaˈmẽtu] m judgement; (*audiência*) trial; (*sentença*) sentence

julgar [ʒuwˈga*] vt to judge; (*achar*) to think; (JUR: *sentenciar*) to sentence; **julgar-se** vr: **~-se algo** to consider o.s. sth, think of o.s. as sth

julho [ˈʒuʎu] (PT **J-**) m July

jumento, -a [ʒuˈmẽtu, a] m/f donkey

junção [ʒũˈsãw] (pl **-ões**) f (*ato*) joining; (*junta*) join

junco [ˈʒũku] m reed, rush

junções [ʒũˈsõjʃ] fpl de **junção**

junho [ˈʒuɲu] (PT **J-**) m June

júnior [ˈʒunjo*] (pl **juniores**) adj younger, junior ♦ m/f (ESPORTE) junior; **Eduardo Autran J~** Eduardo Autran Junior

junta [ˈʒũta] f board, committee; (POL) junta; (*articulação, juntura*) joint

juntar [ʒũˈta*] vt to join; (*reunir*) to bring together; (*aglomerar*) to gather together; (*recolher*) to collect up; (*acrescentar*) to add; (*dinheiro*) to save up ♦ vi to gather; **juntar-se** vr to gather; (*associar-se*) to join up; **~-se a alguém** to join sb

junto, -a [ˈʒũtu, a] adj joined; (*chegado*) near; **ir ~s** to go together; **~ a/de** near/next to; **segue ~** (COM) please find enclosed

jura [ˈʒura] f vow

jurado, -a [ʒuˈrado, a] adj sworn ♦ m/f juror

juramento [ʒuraˈmẽtu] m oath

jurar [ʒuˈra*] vt, vi to swear; **jura?** really?

júri [ˈʒuri] m jury

jurídico, -a [ʒuˈridʒiku, a] adj legal

juros [ˈʒuruʃ] mpl (ECON) interest sg; **~ simples/compostos** simple/compound interest

justamente [ʒuʃtaˈmẽtʃi] adv fairly, justly; (*precisamente*) exactly

justiça [ʒuʃˈtʃisa] f justice; (*poder judiciário*) judiciary; (*eqüidade*) fairness; (*tribunal*) court; **com ~** justly, fairly; **ir à ~** to go to court; **justiceiro, -a** [ʒuʃtʃiˈsejru, a] adj righteous; (*inflexível*) inflexible

justificação [ʒuʃtʃifikaˈsãw] (pl **-ões**) f justification

justificar [ʒuʃtʃifiˈka*] vt to justify

justo → lápis

justo, -a ['ʒuʃtu, a] *adj* just, fair; (*legítimo: queixa*) legitimate, justified; (*exato*) exact; (*apertado*) tight ♦ *adv* just

juvenil [ʒuve'niw] (*pl* **-is**) *adj* youthful; (*roupa*) young; (*livro*) for young people; (ESPORTE: *equipe, campeonato*) youth *atr*, junior

juventude [ʒuvẽ'tudʒi] *f* youth; (*jovialidade*) youthfulness; (*jovens*) young people *pl*, youth

K k

kg *abr* (= *quilograma*) kg
kit ['kitʃi] (*pl* **~s**) *m* kit
kitchenette [kitʃe'netʃi] *f* studio flat
km *abr* (= *quilômetro*) km
km/h *abr* (= *quilômetros por hora*) km/h

L l

-la [la] *pron* her; (*você*) you; (*coisa*) it
lá [la] *adv* there ♦ *m* (MÚS) A; **~ fora** outside; **~ em baixo** down there; **por ~** (*direção*) that way; (*situação*) over there; **até ~** (*no espaço*) there; (*no tempo*) until then
lã [lã] *f* wool
lábia ['labja] *f* (*astúcia*) cunning; **ter ~** to have the gift of the gab
lábio ['labju] *m* lip
labirinto [labi'rĩtu] *m* labyrinth, maze
laboratório [labora'tɔrju] *m* laboratory
laca ['laka] *f* lacquer
laçar [la'sa*] *vt* to bind, tie
laço ['lasu] *m* bow; (*de gravata*) knot; (*armadilha*) snare; (*fig*) bond, tie; **dar um ~** to tie a bow
lacrar [la'kra*] *vt* to seal (with wax); **lacre** ['lakri] *m* sealing wax
lacuna [la'kuna] *f* gap; (*omissão*) omission; (*espaço em branco*) blank
ladeira [la'dejra] *f* slope
lado ['ladu] *m* side; (MIL) flank; (*rumo*) direction; **ao ~** (*perto*) close by; **a casa ao ~** the house next door; **ao ~ de** beside; **deixar de ~** to set aside; (*fig*) to leave out; **de um ~ para outro** back and forth
ladra ['ladra] *f* thief; (*picareta*) crook
ladrão, -ona [la'drãw, ɔna] (*pl* **-ões, ~s**) *adj* thieving ♦ *m/f* thief, robber; (*picareta*) crook
ladrilho [la'driʎu] *m* tile; (*chão*) tiled floor, tiles *pl*

ladrões [la'drõjʃ] *mpl de* **ladrão**
lagarta [la'gaxta] *f* caterpillar
lagartixa [lagax'tʃiʃa] *f* gecko
lagarto [la'gaxtu] *m* lizard
lago ['lagu] *m* lake; (*de jardim*) pond
lagoa [la'goa] *f* pool, pond; (*lago*) lake
lagosta [la'goʃta] *f* lobster
lagostim [lagoʃ'tʃĩ] (*pl* **-ns**) *m* crayfish
lágrima ['lagrima] *f* tear
laje ['laʒi] *f* paving stone, flagstone
lama ['lama] *f* mud
lamaçal [lama'saw] (*pl* **-ais**) *m* quagmire; (*pântano*) bog, marsh
lamber [lã'be*] *vt* to lick; **lambida** [lã'bida] *f*: **dar uma lambida em algo** to lick sth
lambuzar [lãbu'za*] *vt* to smear
lamentar [lamẽ'ta*] *vt* to lament; (*sentir*) to regret; **lamentar-se** *vr*: **~-se (de algo)** to lament (sth); **~ (que)** to be sorry (that); **lamentável** [lamẽ'tavew] (*pl* **-eis**) *adj* regrettable; (*deplorável*) deplorable; **lamento** [la'mẽtu] *m* lament; (*gemido*) moan
lâmina ['lamina] *f* (*chapa*) sheet; (*placa*) plate; (*de faca*) blade; (*de persiana*) slat
lâmpada ['lãpada] *f* lamp; (*tb*: **~ elétrica**) light bulb; **~ de mesa** table lamp
lança ['lãsa] *f* lance, spear
lançamento [lãsa'mẽtu] *m* throwing; (*de navio, produto, campanha*) launch; (*de disco, filme*) release; (COM: *em livro*) entry
lançar [lã'sa*] *vt* to throw; (*navio, produto, campanha*) to launch; (*disco, filme*) to release; (COM: *em livro*) to enter; (*em leilão*) to bid
lance ['lãsi] *m* (*arremesso*) throw; (*incidente*) incident; (*história*) story; (*situação*) position; (*fato*) fact; (ESPORTE: *jogada*) shot; (*em leilão*) bid; (*de escada*) flight; (*de casas*) row; (*episódio*) moment; (*de muro, estrada*) stretch
lancha ['lãʃa] *f* launch; **~ torpedeira** torpedo boat
lanchar [lã'ʃa*] *vi* to have a snack ♦ *vt* to have as a snack; **lanche** ['lãʃi] *m* snack
lanchonete [lãʃo'netʃi] (BR) *f* snack bar
lânguido, -a ['lãgidu, a] *adj* languid, listless
lanterna [lã'texna] *f* lantern; (*portátil*) torch (BRIT), flashlight (US)
lápide ['lapidʒi] *f* (*tumular*) tombstone; (*comemorativa*) memorial stone
lápis ['lapiʃ] *m inv* pencil; **~ de cor** coloured (BRIT) *ou* colored (US) pencil, crayon; **~ de olho** eyebrow pencil; **lapiseira** [lapi'zejra] *f* propelling (BRIT) *ou* mechanical (US) pencil; (*caixa*) pencil case

Lapônia [la'ponja] f: **a ~** Lapland
lapso ['lapsu] m lapse; (*de tempo*) interval; (*erro*) slip
lar [la*] m home
laranja [la'rãʒa] adj inv orange ♦ f orange ♦ m (*cor*) orange; **laranjada** [larã'ʒada] f orangeade; **laranjeira** [larã'ʒejra] f orange tree
lareira [la'rejra] f hearth, fireside
larga ['laxga] f: **à ~** lavishly; **dar ~s a** to give free rein to; **viver à ~** to lead a lavish life
largada [lax'gada] f start; **dar a ~** to start; (*fig*) to make a start
largar [lax'ga*] vt to let go of, release; (*deixar*) to leave; (*deixar cair*) to drop; (*risada*) to let out; (*velas*) to unfurl; (*piada*) to tell; (*pôr em liberdade*) to let go ♦ vi (*NÁUT*) to set sail; **largar-se** vr (*desprender-se*) to free o.s.; (*ir-se*) to go off; (*pôr-se*) to proceed
largo, -a ['laxgu, a] adj wide, broad; (*amplo*) extensive; (*roupa*) loose, baggy; (*conversa*) long ♦ m (*praça*) square; (*alto-mar*) open sea; **ao ~** at a distance, far off; **passar de ~ sobre um assunto** to gloss over a subject; **passar ao ~ de algo** (*fig*) to sidestep sth; **largura** [lax'gura] f width, breadth
laringite [larĩ'ʒitʃi] f laryngitis
lasanha [la'zaɲa] f lasagna
lasca ['laʃka] f (*de madeira, metal*) splinter; (*de pedra*) chip; (*fatia*) slice
laser ['lejze*] m laser; **raio ~** laser beam
lástima ['laʃtʃima] f pity, compassion; (*infortúnio*) misfortune; **é uma ~ (que)** it's a shame (that); **lastimar** [laʃtʃi'ma*] vt to lament; **lastimar-se** vr to complain, be sorry for o.s.
lata ['lata] f tin (*BRIT*), can; (*material*) tinplate; **~ de lixo** rubbish bin (*BRIT*), garbage can (*US*); **~ velha** (*col: carro*) old banger (*BRIT*) ou clunker (*US*)
latão [la'tãw] m brass
lataria [lata'ria] f (*AUTO*) bodywork; (*enlatados*) canned food
latejar [late'ʒa*] vi to throb
latente [la'tẽtʃi] adj latent
lateral [late'raw] (*pl* -**ais**) adj side, lateral ♦ f (*FUTEBOL*) sideline ♦ m (*FUTEBOL*) throw-in
latido [la'tʃidu] m bark(ing), yelp(ing)
latifundiário, -a [latʃifũ'dʒjarju, a] m/f landowner
latifúndio [latʃi'fũdʒju] m large estate
latim [la'tʃĩ] m (*LING*) Latin; **gastar o seu ~** to waste one's breath
latino, -a [la'tʃinu, a] adj Latin; **latino-americano, -a** adj, m/f Latin-American
latir [la'tʃi*] vi to bark, yelp
latitude [latʃi'tudʒi] f latitude; (*largura*) breadth; (*fig*) scope
latrocínio [latro'sinju] m armed robbery
laudo ['lawdu] m (*JUR*) decision; (*resultados*) findings pl; (*peça escrita*) report
lava ['lava] f lava
lavabo [la'vabu] m toilet
lavadeira [lava'dejra] f washerwoman
lavadora [lava'dora] f washing machine
lavagem [la'vaʒẽ] f washing; **~ a seco** dry cleaning; **~ cerebral** brainwashing
lavanda [la'vãda] f (*BOT*) lavender; (*colônia*) lavender water; (*para lavar os dedos*) fingerbowl
lavar [la'va*] vt to wash; (*culpa*) to wash away; **~ a seco** to dry clean
lavatório [lava'tɔrju] m washbasin; (*aposento*) toilet
lavoura [la'vora] f tilling; (*agricultura*) farming; (*terreno*) plantation
lavrador, a [lavra'do*, a] m/f farmhand
laxativo, -a [laʃa'tʃivu, a] adj laxative ♦ m laxative
lazer [la'ze*] m leisure
leal [le'aw] (*pl* -**ais**) adj loyal; **lealdade** [leaw'dadʒi] f loyalty
leão [le'ãw] (*pl* -**ões**) m lion; **L~** (*ASTROLOGIA*) Leo
lebre ['lɛbri] f hare
lecionar [lesjo'na*] (*PT* -**cc**-) vt, vi to teach
lectivo, -a [lek'tivu, a] (*PT*) adj = **letivo**
legal [le'gaw] (*pl* -**ais**) adj legal, lawful; (*col*) fine; (: *pessoa*) nice ♦ adv (*col*) well; **(tá) ~!** OK!; **legalidade** [legali'dadʒi] f legality, lawfulness; **legalizar** [legali'za*] vt to legalize; (*documento*) to authenticate
legendário, -a [leʒẽ'darju, a] adj legendary
legislação [leʒiʒla'sãw] f legislation
legislar [leʒiʒ'la*] vi to legislate ♦ vt to pass
legislativo, -a [leʒiʒla'tʃivu, a] adj legislative ♦ m legislature
legitimar [leʒitʃi'ma*] vt to legitimize; (*justificar*) to legitimate
legítimo, -a [le'ʒitʃimu, a] adj legitimate; (*justo*) rightful; (*autêntico*) genuine; **legítima defesa** self-defence (*BRIT*), self-defense (*US*)
legume [le'gumi] m vegetable
lei [lej] f law; (*regra*) rule; (*metal*) standard
leigo, -a ['lejgu, a] adj (*REL*) lay, secular ♦ m layman; **ser ~ em algo** (*fig*) to be no

leilão → li

expert at sth, be unversed in sth
leilão [lej'lãw] (pl **-ões**) m auction; **vender em ~** to sell by auction, auction off; **leiloar** [lej'lwa*] vt to auction
leio etc ['leju] vb V **ler**
leitão, -toa [lej'tãw, 'toa] (pl **-ões, ~s**) m/f sucking (BRIT) ou suckling (US) pig
leite ['lejtʃi] m milk; **~ em pó** powdered milk; **~ desnatado** ou **magro** skimmed milk; **~ de magnésia** milk of magnesia; **~ semidesnatado** semi-skimmed milk; **leiteira** [lej'tejra] f (para ferver) milk pan; (para servir) milk jug; **leiteiro, -a** [lej'tejru, a] adj (vaca, gado) dairy ♦ m/f milkman/woman
leito ['lejtu] m bed
leitões [lej'tõjʃ] mpl de **leitão**
leitor, a [lej'to*, a] m/f reader; (professor) lector
leitura [lej'tura] f reading; (livro etc) reading matter
lema ['lɛma] m motto; (POL) slogan
lembrança [lẽ'brãsa] f recollection, memory; (presente) souvenir; **~s** fpl (recomendações): **~s a sua mãe!** regards to your mother!
lembrar [lẽ'bra*] vt, vi to remember; **lembrar-se** vr: **~(-se) de** to remember; **~(-se) (de) que** to remember that; **~ algo a alguém, ~ alguém de algo** to remind sb of sth; **~ alguém de que, ~ a alguém que** to remind sb that; **ele lembra meu irmão** he reminds me of my brother, he is like my brother; **lembrete** [lẽ'bretʃi] m reminder
leme ['lɛmi] m rudder; (NÁUT) helm; (fig) control
lenço ['lẽsu] m handkerchief; (de pescoço) scarf; (de cabeça) headscarf; **~ de papel** tissue
lençol [lẽ'sɔw] (pl **-óis**) m sheet; **estar em maus lençóis** to be in a fix
lenda ['lẽda] f legend; (fig: mentira) lie; **lendário, -a** [lẽ'darju, a] adj legendary
lenha ['lɛɲa] f firewood
lente ['lẽtʃi] f lens sg; **~ de aumento** magnifying glass; **~s de contato** contact lenses
lentidão [lẽtʃi'dãw] f slowness
lento, -a ['lẽtu, a] adj slow
leoa [le'oa] f lioness
leões [le'õjʃ] mpl de **leão**
leopardo [ljo'paxdu] m leopard
lepra ['lɛpra] f leprosy
leque ['lɛki] m fan; (fig) array
ler [le*] vt, vi to read
lesão [le'zãw] (pl **-ões**) f harm, injury; (JUR) violation; (MED) lesion; **~ corporal**

(JUR) bodily harm
lesar [le'za*] vt to harm, damage; (direitos) to violate
lésbica ['lɛʒbika] f lesbian
lesma ['lɛʒma] f slug; (fig: pessoa) slowcoach
lesões [le'zõjʃ] fpl de **lesão**
lesse etc ['lesi] vb V **ler**
leste ['lɛʃtʃi] m east
letal [le'taw] (pl **-ais**) adj lethal
letargia [letax'ʒia] f lethargy
letivo, -a [le'tʃivu, a] adj school atr; **ano ~** academic year
letra ['letra] f letter; (caligrafia) handwriting; (de canção) lyrics pl; **L~s** fpl (curso) language and literature; **à ~** literally; **ao pé da ~** literally, word for word; **~ de câmbio** (COM) bill of exchange; **~ de imprensa** print; **letrado, -a** [le'tradu, a] adj learned, erudite ♦ m/f scholar; **letreiro** [le'trejru] m sign, notice; (inscrição) inscription; (CINEMA) subtitle
leu etc [lew] vb V **ler**
léu [lɛw] m: **ao ~** (à toa) aimlessly; (à mostra) uncovered
leucemia [lewse'mia] f leukaemia (BRIT), leukemia (US)
levado, -a [le'vadu, a] adj mischievous; (criança) naughty
levantador, a [levãta'do*, a] adj lifting ♦ m/f: **~ de pesos** weightlifter
levantamento [levãta'mẽtu] m lifting, raising; (revolta) uprising, rebellion; (arrolamento) survey
levantar [levã'ta*] vt to lift, raise; (voz, capital) to raise; (apanhar) to pick up; (suscitar) to arouse; (ambiente) to brighten up ♦ vi to stand up; (da cama) to get up; (dar vida) to brighten; **levantar-se** vr to stand up; (da cama) to get up; (rebelar-se) to rebel
levar [le'va*] vt to take; (portar) to carry; (tempo) to pass, spend; (roupa) to wear; (lidar com) to handle; (induzir) to lead; (filme) to show; (peça teatral) to do, put on; (vida) to lead ♦ vi to get a beating; **~ a** to lead to; **~ a mal** to take amiss
leve ['lɛvi] adj light; (insignificante) slight; **de ~** lightly, softly
leviandade [levjã'dadʒi] f frivolity
leviano, -a [le'vjanu, a] adj frivolous
lha(s) [ʎa(ʃ)] = **lhe + a(s)**
lhe [ʎi] pron (a ele) to him; (a ela) to her; (a você) to you
lhes [ʎiʃ] pron pl (a eles/elas) to them; (a vocês) to you
lho(s) [ʎu(ʃ)] = **lhe + o(s)**
li etc [li] vb V **ler**

Líbano ['libanu] *m*: **o ~** (the) Lebanon
libélula [li'bɛlula] *f* dragonfly
liberação [libera'sãw] *f* liberation
liberal [libe'raw] (*pl* **-ais**) *adj, m/f* liberal
liberar [libe'ra*] *vt* to release; (*libertar*) to free
liberdade [libex'dadʒi] *f* freedom; **~s** *fpl* (*direitos*) liberties; **pôr alguém em ~** to set sb free; **~ condicional** probation; **~ de palavra** freedom of speech; **~ sob palavra** parole
libertação [libexta'sãw] *f* release
libertar [libex'ta*] *vt* to free, release
libertino, -a [libex'tʃinu, a] *adj* loose-living ♦ *m/f* libertine
liberto, -a [li'bɛxtu, a] *pp de* **libertar**
Líbia ['libja] *f*: **a ~** Libya
libidinoso, -a [libidʒi'nozu, ɔza] *adj* lecherous, lustful
líbio, -a ['libju, a] *adj, m/f* Libyan
libra ['libra] *f* pound; **L~** (*ASTROLOGIA*) Libra
lição [li'sãw] (*pl* **-ões**) *f* lesson
licença [li'sẽsa] *f* licence (*BRIT*), license (*US*); (*permissão*) permission; (*do trabalho, MIL*) leave; **com ~** excuse me; **estar de ~** to be on leave; **dá ~?** may I?
licenciado, -a [lisẽ'sjadu, a] *m/f* graduate
licenciar [lisẽ'sja*] *vt* to license; **licenciar-se** *vr* (*EDUC*) to graduate; (*ficar de licença*) to take leave; **licenciatura** [lisẽsja'tura] *f* (*título*) degree; (*curso*) degree course
liceu [li'sew] (*PT*) *m* secondary (*BRIT*) *ou* high (*US*) school
lições [li'sõjʃ] *fpl de* **lição**
licor [li'ko*] *m* liqueur
lidar [li'da*] *vi*: **~ com** (*ocupar-se*) to deal with; (*combater*) to struggle against; **~ em algo** to work in sth
líder ['lide*] *m/f* leader; **liderança** [lide'rãsa] *f* leadership; (*ESPORTE*) lead; **liderar** [lide'ra*] *vt* to lead
liga ['liga] *f* league; (*de meias*) suspender (*BRIT*), garter (*US*); (*metal*) alloy
ligação [liga'sãw] (*pl* **-ões**) *f* connection; (*fig: de amizade*) bond; (*TEL*) call; (*relação amorosa*) liaison; **fazer uma ~ para alguém** to call sb; **não consigo completar a ~** (*TEL*) I can't get through; **caiu a ~** (*TEL*) I (*ou* he *etc*) was cut off
ligado, -a [li'gadu, a] *adj* (*TEC*) connected; (*luz, rádio etc*) on; (*metal*) alloy
ligadura [liga'dura] *f* bandage
ligamento [liga'mẽtu] *m* ligament
ligar [li'ga*] *vt* to tie, bind; (*unir*) to join, connect; (*luz, TV*) to switch on; (*afetivamente*) to bind together; (*carro*) to start (up) ♦ *vi* (*telefonar*) to ring; **ligar-se** *vr* to join; **~-se com alguém** to join with sb; **~-se a algo** to be connected with sth; **~ para alguém** to ring sb up; **~ para** *ou* **a algo** (*dar atenção*) to take notice of sth; (*dar importância*) to care about sth; **eu nem ligo** it doesn't bother me; **não ligo a mínima (para)** I couldn't care less (about)
ligeiro, -a [li'ʒejru, a] *adj* light; (*ferimento*) slight; (*referência*) passing; (*conhecimentos*) scant; (*rápido*) quick, swift; (*ágil*) nimble ♦ *adv* swiftly, nimbly
lilás [li'laʃ] *adj, m* lilac
lima ['lima] *f* (*laranja*) type of (*very sweet*) orange; (*ferramenta*) file; **~ de unhas** nailfile
limão [li'mãw] (*pl* **-ões**) *m* lime; **limão(-galego)** (*pl* **limões(-galegos)**) *m* lemon
limiar [li'mja*] *m* threshold
limitação [limita'sãw] (*pl* **-ões**) *f* limitation, restriction
limitar [limi'ta*] *vt* to limit, restrict; **limitar-se** *vr*: **~-se a** to limit o.s. to; **~-se com** to border on; **limite** [li'mitʃi] *m* limit, boundary; (*fig*) limit; **passar dos limites** to go too far
limo ['limu] *m* (*BOT*) water weed; (*lodo*) slime
limoeiro [li'mwejru] *m* lemon tree
limões [li'mõjʃ] *mpl de* **limão**
limonada [limo'nada] *f* lemonade (*BRIT*), lemon soda (*US*)
limpar [lĩ'pa*] *vt* to clean; (*lágrimas, suor*) to wipe away; (*polir*) to shine, polish; (*fig*) to clean up; (*roubar*) to rob
limpeza [lĩ'peza] *f* cleanliness; (*esmero*) neatness; (*ato*) cleaning; **~ pública** rubbish (*BRIT*) *ou* garbage (*US*) collection, sanitation
limpo, -a ['lĩpu, a] *pp de* **limpar** ♦ *adj* clean; (*céu, consciência*) clear; (*COM*) net; (*fig*) pure; (*col: pronto*) ready; **passar a ~** to make a fair copy; **tirar a ~** to find out the truth about, clear up; **estar ~ com alguém** (*col*) to be in with sb
linchar [lĩ'ʃa*] *vt* to lynch
lindo, -a ['lĩdu, a] *adj* lovely
lingerie [lĩʒe'ri] *m* lingerie
língua ['lĩgwa] *f* tongue; (*linguagem*) language; **botar a ~ para fora** to stick out one's tongue; **dar com a ~ nos dentes** to let the cat out of the bag; **estar na ponta da ~** to be on the tip of one's tongue
linguado [lĩ'gwadu] *m* (*peixe*) sole

linguagem → logo

linguagem [lĩ'gwaʒẽ] (*pl* **-ns**) *f* (*tb* COMPUT) language; (*falada*) speech; **~ de máquina** (COMPUT) machine language

linguarudo, -a [lĩgwa'rudu, a] *adj* gossiping ♦ *m/f* gossip

lingüiça [lĩ'gwisa] *f* sausage

linha ['liɲa] *f* line; (*para costura*) thread; (*barbante*) string, cord; **~s** *fpl* (*carta*) letter *sg*; **em ~** in line, in a row; (COMPUT) on line; **fora de ~** (COMPUT) off line; **manter/perder a ~** to keep/lose one's cool; **o telefone não deu ~** the line was dead; **~ aérea** airline; **~ de mira** sights *pl*; **~ de montagem** assembly line; **~ férrea** railway (BRIT), railroad (US)

linho ['liɲu] *m* linen; (*planta*) flax

liquidação [likida'sãw] (*pl* **-ões**) *f* liquidation; (*em loja*) (clearance) sale; (*de conta*) settlement; **em ~** on sale

liquidar [liki'da*] *vt* to liquidate; (*conta*) to settle; (*mercadoria*) to sell off; (*assunto*) to lay to rest ♦ *vi* (*loja*) to have a sale; **liquidar-se** *vr* (*destruir-se*) to be destroyed; **~ (com) alguém** (*fig: arrasar*) to destroy sb; (: *matar*) to do away with sb

liqüidificador [likwidʒifika'do*] *m* liquidizer

líquido, -a ['likidu, a] *adj* liquid, fluid; (COM) net ♦ *m* liquid

lira ['lira] *f* lyre; (*moeda*) lira

lírico, -a ['liriku, a] *adj* lyric(al)

lírio ['lirju] *m* lily

Lisboa [liʒ'boa] *n* Lisbon; **lisboeta** [liʒ'bweta] *adj* Lisbon *atr* ♦ *m/f* inhabitant *ou* native of Lisbon

liso, -a ['lizu, a] *adj* smooth; (*tecido*) plain; (*cabelo*) straight; (*col: sem dinheiro*) broke

lisonjear [lizõ'ʒja*] *vt* to flatter

lista ['liʃta] *f* list; (*listra*) stripe; (PT: *menu*) menu; **~ negra** blacklist; **~ telefônica** telephone directory; **listar** [liʃ'ta*] *vt* (COMPUT) to list

listra ['liʃtra] *f* stripe; **listrado, -a** [liʃ'tradu, a] *adj* striped

literal [lite'raw] (*pl* **-ais**) *adj* literal

literário, -a [lite'rarju, a] *adj* literary

literatura [litera'tura] *f* literature

litoral [lito'raw] (*pl* **-ais**) *adj* coastal ♦ *m* coast, seaboard

litro ['litru] *m* litre (BRIT), liter (US)

livrar [li'vra*] *vt* to release, liberate; (*salvar*) to save; **livrar-se** *vr* to escape; **~-se de** to get rid of; (*compromisso*) to get out of; **Deus me livre!** Heaven forbid!

livraria [livra'ria] *f* bookshop (BRIT), bookstore (US)

livre ['livri] *adj* free; (*lugar*) unoccupied; (*desimpedido*) clear, open; **~ de impostos** tax-free; **livre-arbítrio** *m* free will

livro ['livru] *m* book; **~ brochado** paperback; **~ de bolso** pocket-sized book; **~ de cheques** cheque book (BRIT), check book (US); **~ de consulta** reference book; **~ encadernado** *ou* **de capa dura** hardback

lixa ['liʃa] *f* sandpaper; (*de unhas*) nailfile; (*peixe*) dogfish; **lixar** [li'ʃa*] *vt* to sand

lixeira [li'ʃejra] *f* dustbin (BRIT), garbage can (US)

lixeiro [li'ʃejru] *m* dustman (BRIT), garbage man (US)

lixo ['liʃu] *m* rubbish, garbage (US); **ser um ~** (*col*) to be rubbish; **~ atômico** nuclear waste

-lo [lu] *pron* him; (*você*) you; (*coisa*) it

lobo ['lobu] *m* wolf

locação [loka'sãw] (*pl* **-ões**) *f* lease; (*de vídeo etc*) rental

locador, a [loka'do*, a] *m/f* (*de casa*) landlord; (*de carro, filme*) rental agent ♦ *f* rental company; **~a de vídeo** video rental shop

local [lo'kaw] (*pl* **-ais**) *adj* local ♦ *m* site, place ♦ *f* (*notícia*) story; **localidade** [lokali'dadʒi] *f* (*lugar*) locality; (*povoação*) town; **localização** [lokaliza'sãw] (*pl* **-ões**) *f* location; **localizar** [lokali'za*] *vt* to locate; (*situar*) to place; **localizar-se** *vr* to be located; (*orientar-se*) to get one's bearings

loção [lo'sãw] (*pl* **-ões**) *f* lotion; **~ após-barba** aftershave (lotion)

locatário, -a [loka'tarju, a] *m/f* (*de casa*) tenant; (*de carro, filme*) hirer

loções [lo'sõjʃ] *fpl de* **loção**

locomotiva [lokomo'tʃiva] *f* railway (BRIT) *ou* railroad (US) engine, locomotive

locomover-se [lokomo'vexsi] *vr* to move around

locutor, a [loku'to*, a] *m/f* (TV, RÁDIO) announcer

lodo ['lodu] *m* (*lama*) mud; (*limo*) slime

lógica ['lɔʒika] *f* logic; **lógico, -a** ['lɔʒiku, a] *adj* logical; **(é) lógico!** of course!

logo ['lɔgu] *adv* (*imediatamente*) right away, at once; (*em breve*) soon; (*justamente*) just, right; (*mais tarde*) later; **~, ~** straightaway, without delay; **~ mais** later; **~ no começo** right at the start; **~ que, tão ~** as soon as; **até ~!** bye!; **~ antes/depois** just before/shortly afterwards; **~ de saída** *ou* **de cara** straightaway, right away

logotipo [logo'tʃipu] m logo
lograr [lo'gra*] vt (*alcançar*) to achieve; (*obter*) to get, obtain; (*enganar*) to cheat; **~ fazer** to manage to do
loiro, -a ['lojru, a] adj = **louro/a**
loja ['lɔʒa] f shop; **lojista** [lo'ʒiʃta] m/f shopkeeper
lombo ['lõbu] m back; (*carne*) loin
lona ['lɔna] f canvas
Londres ['lõdriʃ] n London; **londrino, -a** [lõ'drinu, a] adj London atr ♦ m/f Londoner
longa-metragem (pl **longas-metragens**) m: **(filme de) ~** feature (film)
longe ['lõʒi] adv far, far away ♦ adj distant; **ao ~** in the distance; **de ~** from far away; (*sem dúvida*) by a long way; **~ de** a long way ou far from; **~ disso** far from it; **ir ~ demais** (*fig*) to go too far
longínquo, -a [lõ'ʒĩkwu, a] adj distant, remote
longitude [lõʒi'tudʒi] f (*GEO*) longitude
longo, -a ['lõgu, a] adj long ♦ m (*vestido*) long dress, evening dress; **ao ~ de** along, alongside
lotação [lota'sãw] f capacity; (*de funcionários*) complement; (*BR*: *ônibus*) bus; **~ completa** ou **esgotada** (*TEATRO*) sold out
lotado, -a [lo'tadu, a] adj (*TEATRO*) full; (*ônibus*) full up; (*bar, praia*) packed, crowded
lotar [lo'ta*] vt to fill, pack; (*funcionário*) to place ♦ vi to fill up
lote ['lɔtʃi] m portion, share; (*em leilão*) lot; (*terreno*) plot; (*de ações*) parcel, batch
loteria [lote'ria] f lottery; **~ esportiva** football pools pl (*BRIT*), lottery (*US*)
louça ['losa] f china; (*conjunto*) crockery; (tb: **~ sanitária**) bathroom suite; **de ~** china atr; **~ de barro** earthenware; **~ de jantar** dinner service; **lavar a ~** to do the washing up (*BRIT*) ou the dishes
louco, -a ['loku, a] adj crazy, mad; (*sucesso*) runaway; (*frio*) freezing ♦ m/f lunatic; **~ varrido** raving mad; **~ de fome/raiva** ravenous/hopping mad; **~ por** crazy about; **deixar alguém ~** to drive sb crazy; **loucura** [lo'kura] f madness; (*ato*) crazy thing; **ser loucura (fazer)** to be crazy (to do); **ser uma loucura** to be crazy; (*col*: *ser muito bom*) to be fantastic
louro, -a ['loru, a] adj blond, fair ♦ m laurel; (*CULIN*) bay leaf; (*papagaio*) parrot;
~s mpl (*fig*) laurels
louva-a-deus ['lova-] m inv praying mantis
louvar [lo'va*] vt to praise ♦ vi: **~ a** to praise; **louvável** [lo'vavew] (pl **-eis**) adj praiseworthy
louvor [lo'vo*] m praise
LP abr m LP
Ltda. abr (= *Limitada*) Ltd (*BRIT*), Inc. (*US*)
lua ['lua] f moon; **estar** ou **viver no mundo da ~** to have one's head in the clouds; **estar de ~** (*col*) to be in a mood; **ser de ~** (*col*) to be moody; **~ cheia/nova** full/new moon; **lua-de-mel** f honeymoon
luar ['lwa*] m moonlight
lubrificante [lubrifi'kãtʃi] m lubricant
lubrificar [lubrifi'ka*] vt to lubricate
lúcido, -a ['lusidu, a] adj lucid
lúcio ['lusju] m (*peixe*) pike
lucrar [lu'kra*] vt (*tirar proveito*) to profit from ou by; (*dinheiro*) to make; (*gozar*) to enjoy ♦ vi to make a profit; **~ com** ou **em** to profit by
lucrativo, -a [lukra'tʃivu, a] adj lucrative, profitable
lucro ['lukru] m gain; (*COM*) profit; **~s e perdas** (*COM*) profit and loss
lugar [lu'ga*] m place; (*espaço*) space, room; (*para sentar*) seat; (*emprego*) job; (*ocasião*) opportunity; **em ~ de** instead of; **dar ~ a** (*causar*) to give rise to; **~ comum** commonplace; **em primeiro ~** in the first place; **em algum/nenhum/todo ~** somewhere/nowhere/everywhere; **em outro ~** somewhere else, elsewhere; **ter ~** (*acontecer*) to take place; **~ de nascimento** place of birth; **lugarejo** [luga'reʒu] m village
lula ['lula] f squid
lume ['lumi] m fire; (*luz*) light
luminária [lumi'narja] f lamp; **~s** fpl (*iluminações*) illuminations
luminosidade [luminozi'dadʒi] f brightness
luminoso, -a [lumi'nozu, ɔza] adj luminous; (*fig*: *raciocínio*) clear; (: *idéia*, *talento*) brilliant; (*letreiro*) illuminated
lunar [lu'na*] adj lunar ♦ m (*na pele*) mole
lunático, -a [lu'natʃiku, a] adj mad
lusitano, -a [luzi'tanu, a] adj Portuguese, Lusitanian
luso, -a ['luzu, a] adj Portuguese; **luso-brasileiro, -a** (pl **lusos-brasileiros, -as**) adj Luso-Brazilian
lustre ['luʃtri] m gloss, sheen; (*fig*) lustre (*BRIT*), luster (*US*); (*luminária*) chandelier

luta ['luta] f fight, struggle; **~ de boxe** boxing; **~ livre** wrestling; **lutador, a** [luta'do*, a] m/f fighter; (*atleta*) wrestler; **lutar** [lu'ta*] vi to fight, struggle; (*luta livre*) to wrestle ♦ vt (*caratê, judô*) to do; **lutar contra/por algo** to fight against/ for sth; **lutar para fazer algo** to fight ou struggle to do sth; **lutar com** (*dificuldades*) to struggle against; (*competir*) to fight with

luto ['lutu] m mourning; (*tristeza*) grief; **de ~** in mourning; **pôr ~** to go into mourning

luva ['luva] f glove; **~s** fpl (*pagamento*) payment sg; (*ao locador*) fee sg

Luxemburgo [luʃẽ'buxgu] m: **o ~** Luxembourg

luxo ['luʃu] m luxury; **de ~** luxury atr; **dar-se ao ~ de** to allow o.s. to; **luxuoso, -a** [lu'ʃwozu, ɔza] adj luxurious

luxúria [lu'ʃurja] f lust

luz [luʒ] f light; (*eletricidade*) electricity; **à ~ de** by the light of; (*fig*) in the light of; **a meia ~** with subdued lighting; **dar à ~ (um filho)** to give birth (to a son); **deu-me uma ~** I had an idea

M m

ma [ma] pron = **me** + **a**

má [ma] f de **mau**

maca ['maka] f stretcher

maçã [ma'sã] f apple; **~ do rosto** cheekbone

macabro, -a [ma'kabru, a] adj macabre

macacão [maka'kãw] (pl **-ões**) m (*de trabalhador*) overalls pl (BRIT), coveralls pl (US); (*da moda*) jump-suit

macaco, -a [ma'kaku, a] m/f monkey ♦ m (MECÂNICA) jack; **(fato) ~** (PT) overalls pl (BRIT), coveralls pl (US); **~ velho** (*fig*) old hand

macacões [maka'kõjʃ] mpl de **macacão**

maçador, a [masa'do*, a] (PT) adj boring

maçaneta [masa'neta] f knob

maçante [ma'sãtʃi] (BR) adj boring

macarrão [maka'xãw] m pasta; (*em forma de canudo*) spaghetti; **macarronada** [makaxo'nada] f pasta with cheese and tomato sauce

Macau [ma'kaw] n Macao

macete [ma'setʃi] m mallet

machado [ma'ʃadu] m axe (BRIT), ax (US)

machista [ma'ʃiʃta] adj chauvinistic, macho ♦ m male chauvinist

macho ['maʃu] adj male; (*fig*) virile, manly; (*valentão*) tough ♦ m male; (TEC) tap

machucado, -a [maʃu'kadu, a] adj hurt; (*pé, braço*) bad ♦ m injury; (*área machucada*) sore patch

machucar [maʃu'ka*] vt to hurt; (*produzir contusão*) to bruise ♦ vi to hurt; **machucar-se** vr to hurt o.s.

maciço, -a [ma'sisu, a] adj solid; (*espesso*) thick; (*quantidade*) massive

macieira [ma'sjejra] f apple tree

macio, -a [ma'siu, a] adj soft; (*liso*) smooth

maço ['masu] m (*de folhas, notas*) bundle; (*de cigarros*) packet

maçom [ma'sõ] (pl **-ns**) m (free)mason

maconha [ma'kɔɲa] f dope; **cigarro de ~** joint

maçons [ma'sõʃ] mpl de **maçom**

má-criação (pl **-ões**) f rudeness; (*ato, dito*) rude thing

mácula ['makula] f stain, blemish

macumba [ma'kũba] f **~** voodoo; (*despacho*) macumba offering; **macumbeiro, -a** [makũ'bejru, a] adj **~** voodoo atr ♦ m/f follower of macumba

madama [ma'dama] f = **madame**

madame [ma'dami] f (*senhora*) lady; (*col: dona-de-casa*) lady of the house

Madeira [ma'dejra] f: **a ~** Madeira

madeira [ma'dejra] f wood ♦ m Madeira (wine); **de ~** wooden; **bater na ~** (*fig*) to touch (BRIT) ou knock on (US) wood; **~ compensada** plywood

madeirense [madej'rẽsi] adj, m/f Madeiran

madeixa [ma'dejʃa] f (*de cabelo*) lock

madrasta [ma'draʃta] f stepmother

madrepérola [madre'pɛrola] f mother of pearl

Madri [ma'dri] n Madrid

Madrid [ma'drid] (PT) n Madrid

madrinha [ma'driɲa] f godmother

madrugada [madru'gada] f (*early*) morning; (*alvorada*) dawn, daybreak

madrugar [madru'ga*] vi to get up early; (*aparecer cedo*) to be early

maduro, -a [ma'duru, a] adj ripe; (*fig*) mature; (: *prudente*) prudent

mãe [mãj] f mother; **~ adotiva** ou **de criação** adoptive mother

maestro, -trina [ma'ɛʃtru, 'trina] m/f conductor

má-fé f malicious intent

magia [ma'ʒia] f magic

mágica ['maʒika] f magic; (*truque*) magic trick; V tb **mágico**

mágico, -a ['maʒiku, a] adj magic ♦ m/f magician

magistério [maʒiʃ'tɛrju] m (*ensino*) teaching; (*profissão*) teaching profession; (*professorado*) teachers pl

magnata [mag'nata] m magnate, tycoon

magnético, -a [mag'nɛtʃiku, a] adj magnetic

magnífico, -a [mag'nifiku, a] adj splendid, magnificent

magnitude [magni'tudʒi] f magnitude

mago ['magu] m magician; **os reis ~s** the Three Wise Men, the Three Kings

mágoa ['magwa] f (*tristeza*) sorrow, grief; (*fig: desagrado*) hurt

magoado, -a [ma'gwadu, a] adj hurt

magoar [ma'gwa*] vt, vi to hurt; **magoar-se** vr: **~-se com algo** to be hurt by sth

magro, -a ['magru, a] adj (*pessoa*) slim; (*carne*) lean; (*fig: parco*) meagre (BRIT), meager (US); (*leite*) skimmed

maio ['maju] (PT M-) m May

maiô [ma'jo] (BR) m swimsuit

maionese [majo'nezi] f mayonnaise

maior [ma'jɔ*] adj (*compar: de tamanho*) bigger; (: *de importância*) greater; (*superl: de tamanho*) biggest; (: *de importância*) greatest ♦ m/f adult; **~ de idade** of age, adult; **~ de 21 anos** over 21; **maioria** [majo'ria] f majority; **a maioria de** most of; **maioridade** [majori'dadʒi] f adulthood

PALAVRA CHAVE

mais [majʃ] adv

1 (*compar*): **~ magro/inteligente (do que)** thinner/more intelligent (than); **ele trabalha ~ (do que eu)** he works more (than me)

2 (*superl*): **o ~ ...** the most ...; **o ~ magro/inteligente** the thinnest/most intelligent

3 (*negativo*): **ele não trabalha ~ aqui** he doesn't work here any more; **nunca ~** never again

4 (+ *adj: valor intensivo*): **que livro ~ chato!** what a boring book!

5 **por ~ que** however much; **por ~ que se esforce ...** no matter how hard you try ...; **por ~ que eu quisesse ...** much as I should like to ...

6: **a ~**: **temos um a ~** we've got one extra

7 (*tempo*): **~ cedo ou ~ tarde** sooner or later; **a ~ tempo** sooner; **logo ~** later on; **no ~ tardar** at the latest

8 (*frases*): **~ ou menos** more or less; **~ uma vez** once more; **cada vez ~** more and more; **sem ~ nem menos** out of the blue

♦ adj

1 (*compar*): **~ (do que)** more (than); **ele tem ~ dinheiro (do que o irmão)** he's got more money (than his brother)

2 (*superl*): **ele é quem tem ~ dinheiro** he's got most money

3 (+ *números*): **ela tem ~ de dez bolsas** she's got more than ten bags

4 (*negativo*): **não tenho ~ dinheiro** I haven't got any more money

5 (*adicional*) else; **~ alguma coisa?** anything else?; **nada/ninguém ~** nothing/no-one else

♦ prep: **2 ~ 2 são 4** 2 and 2 ou plus 2 are 4

♦ m: **o ~** the rest

maisena [maj'zena] f cornflour

maiúscula [ma'juʃkula] f capital letter

majestade [maʒeʃ'tadʒi] f majesty; **majestoso, -a** [maʒeʃ'tozu, ɔza] adj majestic

major [ma'ʒɔ*] m (MIL) major

majoritário, -a [maʒori'tarju, a] adj majority atr

mal [maw] (pl **~es**) m harm; (MED) illness ♦ adv badly; (*quase não*) hardly ♦ conj hardly; **~ desliguei o fone, a campainha tocou** I had hardly put the phone down when the doorbell rang; **falar ~ de alguém** to speak ill of sb, run sb down; **não faz ~** never mind; **estar ~** (*doente*) to be ill; **passar ~** to be sick; **estar de ~ com alguém** not to be speaking to sb

mal- [mal-] prefixo badly

mala ['mala] f suitcase; (BR: AUTO) boot, trunk (US); **~s** fpl (*bagagem*) luggage sg; **fazer as ~s** to pack

malabarismo [malaba'riʒmu] m juggling; **malabarista** [malab'riʃta] m/f juggler

mal-acabado, -a adj badly finished; (*pessoa*) deformed

malagueta [mala'geta] f chilli (BRIT) ou chili (US) pepper

Malaísia [mala'izja] f: **a ~** Malaysia

malandragem [malã'draʒẽ] f (*patifaria*) double-dealing; (*preguiça*) idleness; (*esperteza*) cunning

malandro, -a [ma'lãdru, a] adj double-dealing; (*preguiçoso*) idle; (*esperto*) wily, cunning ♦ m/f crook; idler; layabout; streetwise person

malária → mandioca

malária [ma'larja] f malaria
mal-arrumado, -a [-axu'madu, a] adj untidy
malcomportado, -a [mawkõpox'tadu, a] adj badly behaved
malcriado, -a [maw'krjadu, a] adj rude ♦ m/f slob
maldade [maw'dadʒi] f cruelty; (*malícia*) malice
maldição [mawdʒi'sãw] (*pl* -**ões**) f curse
maldito, -a [maw'dʒitu, a] adj damned
maldizer [mawdʒi'ze*] (*irreg: como* **dizer**) vt to curse
maldoso, -a [maw'dozu, ɔza] adj wicked; (*malicioso*) malicious
maledicência [maledʒi'sẽsja] f slander
mal-educado, -a adj rude ♦ m/f slob
malefício [male'fisju] m harm; **maléfico, -a** [ma'lɛfiku, a] adj (*pessoa*) malicious; (*prejudicial: efeito*) harmful, injurious
mal-entendido, -a adj misunderstood ♦ m misunderstanding
mal-estar m indisposition; (*embaraço*) uneasiness
malfeito, -a [mal'fejtu, a] adj (*roupa*) poorly made; (*corpo*) misshapen
malfeitor, a [mawfej'to*, a] m/f wrongdoer
malha ['maʎa] f (*de rede*) mesh; (*tecido*) jersey; (*suéter*) sweater; (*de ginástica*) leotard; **fazer ~** (*PT*) to knit; **artigos de ~** knitwear
malhar [ma'ʎa*] vt (*bater*) to beat; (*cereais*) to thresh; (*col: criticar*) to knock, run down
mal-humorado, -a [-umo'radu, a] adj grumpy, sullen
malícia [ma'lisja] f malice; (*astúcia*) slyness; (*esperteza*) cleverness; **malicioso, -a** [mali'sjozu, ɔza] adj malicious, sly; clever; (*mente suja*) dirty-minded
maligno, -a [ma'lignu, a] adj evil, malicious; (*danoso*) harmful; (*MED*) malignant
malograr [malo'gra*] vt (*planos*) to upset; (*frustrar*) to thwart, frustrate ♦ vi (*planos*) to fall through; (*fracassar*) to fail; **malograr-se** vr to fail through; to fail
mal-passado, -a adj underdone; (*bife*) rare
malsucedido, -a [mawsuse'dʒidu, a] adj unsuccessful
Malta ['mawta] f Malta
malta ['mawta] (*PT*) f gang, mob
maltrapilho, -a [mawtra'piʎu, a] adj in rags, ragged ♦ m/f ragamuffin

maltratar [mawtra'ta*] vt to ill-treat; (*com palavras*) to abuse; (*estragar*) to ruin, damage
maluco, -a [ma'luku, a] adj crazy, daft ♦ m/f madman/woman
malvadeza [mawva'deza] f wickedness; (*ato*) wicked thing
malvado, -a [maw'vadu, a] adj wicked
Malvinas [maw'vinaʃ] fpl: **as (ilhas) ~** the Falklands, the Falkland Islands
mama ['mama] f breast
mamadeira [mama'dejra] (*BR*) f feeding bottle
mamãe [ma'mãj] f mum, mummy
mamão [ma'mãw] (*pl* -**ões**) m papaya
mamar [ma'ma*] vt to suck; (*dinheiro*) to extort ♦ vi to be breastfed; **dar de ~ a um bebê** to (breast)feed a baby
mamífero [ma'miferu] m mammal
mamilo [ma'milu] m nipple
mamões [ma'mõjʃ] mpl de **mamão**
manada [ma'nada] f herd, drove
mancada [mã'kada] f (*erro*) mistake; (*gafe*) blunder; **dar uma ~** to blunder
mancar [mã'ka*] vt to cripple ♦ vi to limp; **mancar-se** vr (*col*) to get the message, take the hint
Mancha ['mãʃa] f: **o canal da ~** the English Channel
mancha ['mãʃa] f stain; (*na pele*) mark, spot; **sem ~s** (*reputação*) spotless; **manchado, -a** [mã'ʃadu, a] adj soiled; (*malhado*) mottled, spotted; **manchar** [mã'ʃa*] vt to stain, mark; (*reputação*) to soil
manchete [mã'ʃɛtʃi] f headline
manco, -a ['mãku, a] adj crippled, lame ♦ m/f cripple
mandado [mã'dadu] m order; (*JUR*) writ; (*: tb*: **~ de segurança**) injunction; **~ de prisão/busca** warrant for sb's arrest/search warrant; **~ de segurança** injunction
mandão, -dona [mã'dãw, 'dɔna] (*pl* -**ões**, **~s**) adj bossy, domineering
mandar [mã'da*] vt (*ordenar*) to order; (*enviar*) to send ♦ vi to be in charge; **mandar-se** vr (*col: partir*) to make tracks, get going; (*fugir*) to take off; **~ buscar** *ou* **chamar** to send for; **~ fazer um vestido** to have a dress made; **~ que alguém faça, ~ alguém fazer** to tell sb to do; **o que é que você manda?** (*col*) what can I do for you?; **~ em alguém** to boss sb around
mandato [mã'datu] m mandate; (*ordem*) order; (*POL*) term of office
mandioca [mã'dʒjɔka] f cassava, manioc

mandões [mã'dõjʃ] *mpl de* **mandão**
mandona [mã'dɔna] *f de* **mandão**
maneira [ma'nejra] *f* (*modo*) way; (*estilo*) style, manner; **~s** *fpl* (*modas*) manners; **à ~ de** like; **de ~ que** so that; **de ~ alguma** *ou* **nenhuma** not at all; **desta ~** in this way; **de qualquer ~** anyway; **não houve ~ de convencê-lo** it was impossible to convince him
maneiro, -a [ma'nejru, a] *adj* (*ferramenta*) easy to use; (*roupa*) attractive; (*trabalho*) easy; (*pessoa*) capable; (*col: bacana*) great, brilliant
manejar [mane'ʒa*] *vt* (*instrumento*) to handle; (*máquina*) to work; **manejo** [ma'neʒu] *m* handling
manequim [mane'kĩ] (*pl* **-ns**) *m* (*boneco*) dummy ♦ *m/f* model
manga ['mãga] *f* sleeve; (*fruta*) mango; **em ~s de camisa** in (one's) shirt sleeves
mangueira [mã'gejra] *f* hose(pipe); (*árvore*) mango tree
manha ['maɲa] *f* guile, craftiness; (*destreza*) skill; (*ardil*) trick; (*birra*) tantrum; **fazer ~** to have a tantrum
manhã [ma'ɲã] *f* morning; **de** *ou* **pela ~** in the morning; **amanhã/hoje de ~** tomorrow/this morning
manhoso, -a [ma'ɲozu, ɔza] *adj* crafty, sly; (*criança*) whining
mania [ma'nia] *f* (*MED*) mania; (*obsessão*) craze; **estar com ~ de ...** to have a thing about ...; **maníaco, -a** [ma'niaku, a] *adj* manic ♦ *m/f* maniac
manicômio [mani'komju] *m* asylum, mental hospital
manifestação [manifeʃta'sãw] (*pl* **-ões**) *f* show, display; (*expressão*) expression, declaration; (*política*) demonstration
manifestar [manifeʃ'ta*] *vt* to show, display; (*declarar*) to express, declare
manifesto, -a [mani'fɛʃtu, a] *adj* obvious, clear ♦ *m* manifesto
manipulação [manipula'sãw] *f* handling; (*fig*) manipulation
manipular [manipu'la*] *vt* to manipulate; (*manejar*) to handle
manivela [mani'vɛla] *f* crank
manjericão [mãʒeri'kãw] *m* basil
manobra [ma'nɔbra] *f* manoeuvre (*BRIT*), maneuver (*US*); (*de mecanismo*) operation; (*de trens*) shunting; **manobrar** [mano'bra*] *vt* to manoeuvre *ou* maneuver; (*mecanismo*) to operate, work; (*governar*) to take charge of; (*manipular*) to manipulate ♦ *vi* to manoeuvre *ou* maneuver
manso, -a ['mãsu, a] *adj* gentle; (*mar*) calm; (*animal*) tame
manta ['mãta] *f* blanket; (*xale*) shawl; (*agasalho*) cloak
manteiga [mã'tejga] *f* butter; **~ de cacau** cocoa butter
manter [mã'te*] (*irreg: como* **ter**) *vt* to maintain; (*num lugar*) to keep; (*uma família*) to support; (*a palavra*) to keep; (*princípios*) to abide by; **manter-se** *vr* to support o.s.; (*permanecer*) to remain;
mantimento [mãtʃi'mẽtu] *m* maintenance; **mantimentos** *mpl* (*alimentos*) provisions
manual [ma'nwaw] (*pl* **-ais**) *adj* manual ♦ *m* handbook, manual
manufatura [manufa'tura] (*PT* **-ct-**) *f* manufacture; **manufaturar** [manufatu'ra*] (*PT* **-ct-**) *vt* to manufacture
manusear [manu'zja*] *vt* to handle; (*livro*) to leaf through
manutenção [manutẽ'sãw] *f* maintenance; (*da casa*) upkeep
mão [mãw] (*pl* **~s**) *f* hand; (*de animal*) paw; (*de pintura*) coat; (*de direção*) flow of traffic; **à ~** by hand; (*perto*) at hand; **de segunda ~** second-hand; **em ~** by hand; **dar a ~ a alguém** to hold sb's hand; (*cumprimentar*) to shake hands with sb; **dar uma ~ a alguém** to give sb a hand, help sb out; **~ única/dupla** one-way/two-way traffic; **rua de duas ~s** two-way street; **mão-de-obra** *f* (*trabalhadores*) labour (*BRIT*), labor (*US*); (*coisa difícil*) tricky thing
mapa ['mapa] *m* map; (*gráfico*) chart
maquiagem [ma'kjaʒẽ] *f* = **maquilagem**
maquiar [ma'kja*] *vt* to make up; **maquiar-se** *vr* to make o.s. up, put on one's make-up
maquilagem [maki'laʒẽ] (*PT* **-lha-**) *f* make-up; (*ato*) making up
máquina ['makina] *f* machine; (*de trem*) engine; (*fig*) machinery; **~ de calcular/costura/escrever** calculator/sewing machine/typewriter; **~ fotográfica** camera; **~ de filmar** camera; (*de vídeo*) camcorder; **~ de lavar (roupa)/pratos** washing machine/dishwasher; **escrito à ~** typewritten
maquinar [maki'na*] *vt* to plot ♦ *vi* to conspire
maquinista [maki'niʃta] *m* (*FERRO*) engine driver; (*NÁUT*) engineer
mar [ma*] *m* sea; **por ~** by sea; **fazer-se ao ~** to set sail; **pleno ~, ~ alto** high sea; **o ~ Morto/Negro/Vermelho** the Dead/Black/Red Sea
maracujá [maraku'ʒa] *m* passion fruit; **pé**

maratona → matemática

de ~ passion flower
maratona [mara'tona] f marathon
maravilha [mara'viʎa] f marvel, wonder; **maravilhoso, -a** [maravi'ʎozu, ɔza] adj marvellous (BRIT), marvelous (US)
marca ['maxka] f mark; (COM) make, brand; (carimbo) stamp; **~ de fábrica** trademark; **~ registrada** registered trademark
marcação [maxka'sãw] (pl **-ões**) f marking; (em jogo) scoring; (de instrumento) reading; (TEATRO) action; (PT: TEL) dialling
marcador [maxka'do*] m marker; (de livro) bookmark; (ESPORTE: quadro) scoreboard; (: jogador) scorer
marcapasso [maxka'pasu] m (MED) pacemaker
marcar [max'ka*] vt to mark; (hora, data) to fix, set; (PT: TEL) to dial; (gol, ponto) to score ♦ vi to make one's mark; **~ uma consulta, ~ hora** to make an appointment; **~ um encontro com alguém** to arrange to meet sb
marcha ['maxʃa] f march; (de acontecimentos) course; (passo) pace; (AUTO) gear; (progresso) progress; **~ à ré** (BR), **~ atrás** (PT) reverse (gear); **pôr-se em ~** to set off
marchar [max'ʃa*] vi to go; (andar a pé) to walk; (MIL) to march
marco ['maxku] m landmark; (de janela) frame; (fig) frontier; (moeda) mark
março ['maxsu] (PT **M-**) m March
maré [ma're] f tide
marechal [mare'ʃaw] (pl **-ais**) m marshal
maremoto [mare'mɔtu] m tidal wave
marfim [max'fĩ] m ivory
margarida [maxga'rida] f daisy; (COMPUT) daisy wheel
margarina [maxga'rina] f margarine
margem ['maxʒẽ] (pl **-ns**) f (borda) edge; (de rio) bank; (litoral) shore; (de impresso) margin; (fig: tempo) time; (: lugar) space; **à ~ de** alongside
marginal [maxʒi'naw] (pl **-ais**) adj marginal ♦ m/f delinquent
marido [ma'ridu] m husband
marimbondo [marĩ'bõdu] m hornet
marinha [ma'riɲa] f (tb: **~ de guerra**) navy; **~ mercante** merchant navy; **marinheiro** [mari'ɲejru] m seaman, sailor
marinho, -a [ma'riɲu, a] adj sea atr, marine
mariposa [mari'poza] f moth
marítimo, -a [ma'ritʃimu, a] adj sea atr
marketing ['maxketʃĩŋ] m marketing

marmelada [maxme'lada] f quince jam
marmelo [max'mɛlu] m quince
marmita [max'mita] f (vasilha) pot
mármore ['maxmori] m marble
marquês, -quesa [max'keʃ, 'keza] m/f marquis/marchioness
marquise [max'kizi] f awning, canopy
Marrocos [ma'xɔkuʃ] m: **o ~** Morocco
marrom [ma'xõ] (pl **-ns**) adj, m brown
martelar [maxte'la*] vt to hammer; (amolar) to bother ♦ vi to hammer; (insistir): **~ (em algo)** to keep ou harp on (about sth); **martelo** [max'tɛlu] m hammer
mártir ['maxtʃi*] m/f martyr; **martírio** [max'tʃirju] m martyrdom; (fig) torment
marxista [max'ksiʃta] adj, m/f Marxist
mas [ma(j)ʃ] conj but ♦ pron = **me + as**
mascar [maʃ'ka*] vt to chew
máscara ['maʃkara] f mask; (para limpeza de pele) face pack; **sob a ~ de** under the guise of; **mascarar** [maʃka'ra*] vt to mask; (disfarçar) to disguise; (encobrir) to cover up
mascote [maʃ'kɔtʃi] f mascot
masculino, -a [maʃku'linu, a] adj masculine; (BIO) male
massa ['masa] f (FÍS, fig) mass; (de tomate) paste; (CULIN: de pão) dough; (: macarrão etc) pasta
massacrar [masa'kra*] vt to massacre; **massacre** [ma'sakri] f massacre
massagear [masa'ʒja*] vt to massage; **massagem** [ma'saʒẽ] (pl **-ns**) f massage
mastigar [maʃtʃi'ga*] vt to chew
mastro ['maʃtru] m (NÁUT) mast; (para bandeira) flagpole
masturbar-se [maʃtux'baxsi*] vr to masturbate
mata ['mata] f forest, wood
matadouro [mata'doru] m slaughterhouse
matança [ma'tãsa] f massacre; (de reses) slaughter(ing)
matar [ma'ta*] vt to kill; (sede) to quench; (fome) to satisfy; (aula) to skip; (trabalho: não aparecer) to skive off; (: fazer rápido) to dash off; (adivinhar) to guess ♦ vi to kill; **matar-se** vr to kill o.s.; (esfalfar-se) to wear o.s. out; **um calor/uma dor de ~** stifling heat/excruciating pain
mate ['matʃi] adj matt ♦ m (chá) maté tea; (xeque-~) checkmate
matemática [mate'matʃika] f mathematics sg, maths sg (BRIT), math (US); **matemático, -a** [mate'matʃiku, a] adj mathematical ♦ m/f mathematician

matéria [ma'tɛrja] f matter; (TEC) material; (EDUC: assunto) subject; (tema) topic; (jornalística) story, article; **em ~ de** on the subject of

material [mate'rjaw] (pl **-ais**) adj material; (físico) physical ♦ m material; (TEC) equipment; **materialista** [materja'lifta] adj materialistic; **materializar** [materjali'za*] vt to materialize; **materializar-se** vr to materialize

matéria-prima (pl **matérias-primas**) f raw material

maternal [matex'naw] (pl **-ais**) adj motherly, maternal; **escola ~** nursery (school); **maternidade** [matexni'dadʒi] f motherhood, maternity; (hospital) maternity hospital

materno, -a [ma'tɛxnu, a] adj motherly, maternal; (língua) native

matinê [matʃi'ne] f matinée

matiz [ma'tʃiʒ] m (de cor) shade

mato ['matu] m scrubland, bush; (plantas agrestes) scrub; (o campo) country

matraca [ma'traka] f rattle

matrícula [ma'trikula] f (lista) register; (inscrição) registration; (pagamento) enrolment (BRIT) ou enrollment (US) fee; (PT: AUTO) registration number (BRIT), license number (US); **fazer a ~** to enrol (BRIT), enroll (US)

matrimonial [matrimo'njaw] (pl **-ais**) adj marriage atr, matrimonial

matrimônio [matri'monju] m marriage

matriz [ma'triʒ] f (MED) womb; (fonte) source; (molde) mould (BRIT), mold (US); (COM) head office

maturidade [maturi'dadʒi] f maturity

mau, má [maw, ma] adj bad; (malvado) evil, wicked ♦ m bad, (REL) evil; **os ~s** mpl (pessoas) bad people; (num filme) the baddies

maus-tratos mpl ill-treatment sg

maxila [mak'sila] f jawbone

maxilar [maksi'la*] m jawbone

máxima ['masima] f maxim

máximo, -a ['masimu, a] adj (maior que todos) greatest; (o maior possível) maximum ♦ m maximum; (o cúmulo) peak; (temperatura) high; **no ~** at most; **ao ~** to the utmost

MCE abr m = **Mercado Comum Europeu**

me [mi] pron (direto) me; (indireto) (to) me; (reflexivo) (to) myself

meado ['mjadu] m middle; **em ~s ou no(s) ~(s) de julho** in mid-July

Meca ['mɛka] n Mecca

mecânica [me'kanika] f (ciência) mechanics sg; (mecanismo) mechanism; V tb **mecânico**

mecânico, -a [me'kaniku, a] adj mechanical ♦ m/f mechanic

mecanismo [meka'niʒmu] m mechanism

meço etc ['mɛsu] vb V **medir**

medalha [me'daʎa] f medal; **medalhão** [meda'ʎãw] (pl **-ões**) m medallion

média ['mɛdʒja] f average; (café) coffee with milk; **em ~** on average

mediano, -a [me'dʒjanu, a] adj medium; (médio) average; (medíocre) mediocre

mediante [me'dʒjãtʃi] prep by (means of), through; (a troco de) in return for

medicação [medʒika'sãw] (pl **-ões**) f treatment; (medicamentos) medication

medicamento [medʒika'mẽtu] m medicine

medicina [medʒi'sina] f medicine

médico, -a ['mɛdʒiku, a] adj medical ♦ m/f doctor; **receita médica** prescription

medida [me'dʒida] f measure; (providência) step; (medição) measurement; (moderação) prudence; **à ~ que** while, as; **na ~ em que** in so far as; **feito sob ~** made to measure; **ir além da ~** to go too far; **tirar as ~s de alguém** to take sb's measurements; **tomar ~s** to take steps; **tomar as ~s de** to measure

medieval [medʒje'vaw] (pl **-ais**) adj medieval

médio, -a ['mɛdʒju, a] adj (dedo, classe) middle; (tamanho, estatura) medium; (mediano) average; **ensino ~** secondary education

medíocre [me'dʒjokri] adj mediocre

medir [me'dʒi*] vt to measure; (atos, palavras) to weigh; (avaliar: consequências, distâncias) to weigh up ♦ vi to measure; **quanto você mede? – meço 1,60 m** how tall are you? – I'm 1.60 m (tall)

meditar [medʒi'ta*] vi to meditate; **~ sobre algo** to ponder (on) sth

mediterrâneo, -a [medʒite'xanju, a] adj Mediterranean ♦ m: **o M~** the Mediterranean

medo ['medu] m fear; **com ~** afraid; **meter ~ em alguém** to frighten sb; **ter ~ de** to be afraid of

medonho, -a [me'doɲu, a] adj terrible, awful

medroso, -a [me'drozu, ɔza] adj (com medo) frightened; (tímido) timid

megabyte [mega'bajtʃi] m megabyte

meia ['meja] f stocking; (curta) sock;

(*meia-entrada*) half-price ticket ♦ *num* six; **meia-idade** *f* middle age; **pessoa de meia-idade** middle-aged person; **meia-noite** *f* midnight

meigo, -a ['mejgu, a] *adj* sweet

meio, -a ['meju, a] *adj* half ♦ *adv* a bit, rather ♦ *m* middle; (*social, profissional*) milieu; (*tb:* **~ ambiente**) environment; (*maneira*) way; (*recursos: tb:* **~s**) means *pl*; **~ quilo** half a kilo; **um mês e ~ de** one and a half months; **cortar ao ~** to cut in half; **dividir algo ~ a ~** to divide sth in half *ou* fifty-fifty; **em ~ a** amid; **no ~ (de)** in the middle (of); **~s de comunicação (de massa)** (mass) media *pl*; **por ~ de** through; **meio-dia** *m* midday, noon; **meio-fio** *m* kerb (*BRIT*), curb (*US*); **meio-termo** (*pl* **meios-termos**) *m* (*fig*) compromise

mel [mɛw] *m* honey

melaço [me'lasu] *m* treacle (*BRIT*), molasses *pl* (*US*)

melancia [melã'sia] *f* watermelon

melancolia [melãko'lia] *f* melancholy, sadness; **melancólico, -a** [melã'kɔliku, a] *adj* melancholy, sad

melão [me'lãw] (*pl* **-ões**) *m* melon

melhor [me'ʎɔ*] *adj, adv* (*compar*) better; (*superl*) best; **~ que nunca** better than ever; **quanto mais ~** the more the better; **seria ~ começarmos** we had better begin; **tanto ~** so much the better; **ou ~ ...** (*ou antes*) or rather ...; **melhora** [me'ʎɔra] *f* improvement; **melhoras!** get well soon!; **melhorar** [meʎo'ra*] *vt* to improve, make better; (*doente*) to cure ♦ *vi* to improve, get better

melindroso, -a [melĩ'drozu, ɔza] *adj* sensitive, touchy; (*problema, situação*) tricky; (*operação*) delicate

melodia [melo'dʒia] *f* melody; (*composição*) tune

melodrama [melo'drama] *m* melodrama

melões [me'lõjʃ] *mpl de* **melão**

melro ['mɛwxu] *m* blackbird

membro ['mẽbru] *m* member; (*ANAT: braço, perna*) limb

memória [me'mɔrja] *f* memory; **~s** *fpl* (*de autor*) memoirs; **de ~** by heart

memorizar [memori'za*] *vt* to memorize

mencionar [mẽsjo'na*] *vt* to mention

mendigar [mẽdʒi'ga*] *vt* to beg for ♦ *vi* to beg; **mendigo, -a** [mẽ'dʒigu, a] *m/f* beggar

menina [me'nina] *f*: **~ do olho** pupil; **ser a ~ dos olhos de alguém** (*fig*) to be the apple of sb's eye; *V tb* **menino**

meninada [meni'nada] *f* kids *pl*

menino, -a [me'ninu, a] *m/f* boy/girl

menopausa [meno'pawza] *f* menopause

menor [me'nɔ*] *adj* (*mais pequeno: compar*) smaller; (: *superl*) smallest; (*mais jovem: compar*) younger; (: *superl*) youngest; (*o mínimo*) least, slightest; (*tb:* **~ de idade**) under age ♦ *m/f* juvenile, young person; (*JUR*) minor; **não tenho a ~ idéia** I haven't the slightest idea

---
PALAVRA CHAVE
---

menos ['menuʃ] *adj*

1 (*compar*): **~ (do que)** (*quantidade*) less (than); (*número*) fewer (than); **com ~ entusiasmo** with less enthusiasm; **~ gente** fewer people

2 (*superl*) least; **é o que tem ~ culpa** he is the least to blame

♦ *adv*

1 (*compar*): **~ (do que)** less (than); **gostei ~ do que do outro** I liked it less than the other one

2 (*superl*): **é o ~ inteligente da classe** he is the least bright in his class; **de todas elas é a que ~ me agrada** out of all of them she's the one I like least; **pelo ~** at (the very) least

3 (*frases*): **temos sete a ~** we are seven short; **não é para ~** it's no wonder; **isso é o de ~** that's nothing

♦ *prep* (*exceção*) except; (*números*) minus; **todos ~ eu** everyone except (for) me; **5 ~ 2** 5 minus 2

♦ *conj*: **a ~ que** unless; **a ~ que ele venha amanhã** unless he comes tomorrow

♦ *m*: **o ~** the least

---

menosprezar [menuʃpre'za*] *vt* (*subestimar*) to underrate; (*desprezar*) to despise, scorn

mensageiro, -a [mẽsa'ʒejru, a] *m/f* messenger

mensagem [mẽ'saʒẽ] (*pl* **-ns**) *f* message

mensal [mẽ'saw] (*pl* **-ais**) *adj* monthly; **ele ganha £1000 mensais** he earns £1000 a month; **mensalidade** [mẽsali'dadʒi] *f* monthly payment; **mensalmente** [mẽsaw'mẽtʃi] *adv* monthly

menstruação [mẽʃtrwa'sãw] *f* period; (*MED*) menstruation

menta ['mẽta] *f* mint

mental [mẽ'taw] (*pl* **-ais**) *adj* mental; **mentalidade** [mẽtali'dadʒi] *f* mentality

mente ['mẽtʃi] *f* mind; **de boa ~** willingly; **ter em ~** to bear in mind

mentir [mẽ'tʃi*] *vi* to lie

mentira [mẽ'tʃira] f lie; (*ato*) lying; **parece ~ que** it seems incredible that; **de ~** not for real; **~!** (*acusação*) that's a lie!, you're lying!; (*de surpresa*) you don't say!, no!; **mentiroso, -a** [mẽtʃi'rozu, ɔza] *adj* lying ♦ *m/f* liar

menu [me'nu] *m* (*tb*: COMPUT) menu

mercado [mex'kadu] *m* market; **M~ Comum** Common Market; **~ negro** *ou* **paralelo** black market

mercadoria [mexkado'ria] f commodity; **~s** *fpl* (*produtos*) goods

mercearia [mexsja'ria] f grocer's (shop) (BRIT), grocery store

mercúrio [mex'kurju] *m* mercury

merda ['mεxda] (*col!*) f shit (!) ♦ *m/f* (*pessoa*) jerk; **a ~ do carro** the bloody (BRIT!) *ou* goddamn (US!) car

merecer [mere'se*] *vt* to deserve; (*consideração*) to merit; (*valer*) to be worth ♦ *vi* to be worthy; **merecido, -a** [mere'sidu, a] *adj* deserved; (*castigo, prêmio*) just

merenda [me'rẽda] f packed lunch

merengue [me'rẽgi] *m* meringue

mergulhador, a [mexguʎa'do*, a] *m/f* diver

mergulhar [mexgu'ʎa*] *vi* to dive; (*penetrar*) to plunge ♦ *vt*: **~ algo em algo** (*num líquido*) to dip sth into sth; (*na terra etc*) to plunge sth into sth; **mergulho** [mex'guʎu] *m* dip(ping), immersion; (*em natação*) dive; **dar um mergulho** (*na praia*) to go for a dip

mérito ['mεritu] *m* merit

mero, -a ['mεru, a] *adj* mere

mês [meʃ] *m* month

mesa ['meza] f table; (*de trabalho*) desk; (*comitê*) board; (*numa reunião*) panel; **pôr/tirar a ~** to lay/clear the table; **à ~** at the table; **~ de toalete** dressing table; **~ telefônica** switchboard

mesada [me'zada] f monthly allowance; (*de criança*) pocket money

mesa-de-cabeceira (*pl* **mesas-de-cabeceira**) f bedside table

mesmo, -a ['meʒmu, a] *adj* same; (*enfático*) very ♦ *adv* (*exatamente*) right; (*até*) even; (*realmente*) really ♦ *m/f*: **o ~, a mesma** the same (one); **o ~** (*a mesma coisa*) the same (thing); **este ~ homem** this very man; **ele ~ o fez** he did it himself; **dá no ~ ou na mesma** it's all the same; **aqui/agora/hoje ~** right here/right now/this very day; **~ que** even if; **é ~** it's true; **é ~?** really?; **(é) isso ~!** exactly!; **por isso ~** that's why; **nem ~** not even; **só ~** only; **por si ~** by oneself

mesquinho, -a [meʃ'kiɲu, a] *adj* mean

mesquita [meʃ'kita] f mosque

mestiço, -a [meʃ'tʃisu, a] *adj* half-caste, of mixed race; (*animal*) crossbred ♦ *m/f* half-caste; crossbreed

mestre, -a ['mεʃtri, a] *adj* (*chave, viga*) master; (*linha, estrada*) main ♦ *m/f* master/mistress; (*professor*) teacher; **obra mestra** masterpiece

meta ['mεta] f (*em corrida*) finishing post; (*gol*) goal; (*objetivo*) aim

metade [me'tadʒi] f half; (*meio*) middle

metáfora [me'tafora] f metaphor

metal [me'taw] (*pl* **-ais**) *m* metal; **metais** *mpl* (MÚS) brass *sg*; **metálico, -a** [me'taliku, a] *adj* metallic; (*de metal*) metal *atr*

metalúrgico, -a [meta'luxʒiku, a] *m/f* metalworker

meteorologia [meteorolo'ʒia] f meteorology; **meteorologista** [meteorolo'ʒiʃta] *m/f* meteorologist; (*TV, RÁDIO*) weather forecaster

meter [me'te*] *vt* (*colocar*) to put; (*envolver*) to involve; (*introduzir*) to introduce; **meter-se** *vr* (*esconder-se*) to hide; **~-se a fazer algo** to decide to have a go at sth; **~-se com** (*provocar*) to pick a quarrel with; (*associar-se*) to get involved with; **~-se em** to get involved in; (*intrometer-se*) to interfere in

meticuloso, -a [metʃiku'lozu, ɔza] *adj* meticulous

metido, -a [me'tʃidu, a] *adj* (*envolvido*) involved; (*intrometido*) meddling; **~ (a besta)** snobbish

metódico, -a [me'tɔdʒiku, a] *adj* methodical

método ['mεtodu] *m* method

metralhadora [metraʎa'dora] f sub-machine gun

métrico, -a ['mεtriku, a] *adj* metric

metro ['mεtru] *m* metre (BRIT), meter (US); (*PT*) = **metrô**

metrô [me'tro] (*BR*) *m* underground (BRIT), subway (US)

metrópole [me'trɔpoli] f metropolis; (*capital*) capital

meu, minha [mew, 'miɲa] *adj* my ♦ *pron* mine; **os ~s** *mpl* (*minha família*) my family *ou* folks (*col*); **um amigo ~** a friend of mine

mexer [me'ʃe*] *vt* to move; (*cabeça: dizendo sim*) to nod; (: *dizendo não*) to shake; (*misturar*) to stir; (*ovos*) to scramble ♦ *vi* to move; **mexer-se** *vr* to move; (*apressar-se*) to get a move on; **~ em algo** to touch sth; **mexa-se!** get

mexerico [meʃe'riku] m piece of gossip; **~s** mpl (fofocas) gossip sg

México ['mɛʃiku] m: **o ~** Mexico

mexido, -a [me'ʃidu, a] adj (papéis) mixed up; (ovos) scrambled

mexilhão [meʃi'ʎãw] (pl **-ões**) m mussel

mi [mi] m (MÚS) E

miar [mja*] vi to miaow; (vento) to whistle

miau [mjaw] m miaow

micro... [mikru] prefixo micro...; **micro (computador)** [mikro(kõputa'do*)] m micro(computer); **microfone** [mikro'fɔni] m microphone; **microondas** [mikro'õdaʃ] m inv (tb: **forno de microondas**) microwave (oven); **microprocessador** [mikroprosesa'do*] m microprocessor; **microscópio** [mikro'ʃkɔpju] m microscope

mídia ['midʒja] f media pl

migalha [mi'gaʎa] f crumb; **~s** fpl (restos, sobras) scraps

migrar [mi'gra*] vi to migrate

mijar [mi'ʒa*] (col) vi to pee; **mijar-se** vr to wet o.s.

mil [miw] num thousand; **dois ~** two thousand

milagre [mi'lagri] m miracle; **por ~** miraculously; **milagroso, -a** [mila'grozu, ɔza] adj miraculous

milhão [mi'ʎãw] (pl **-ões**) m million; **um ~ de vezes** hundreds of times

milhar [mi'ʎa*] m thousand; **turistas aos ~es** tourists in their thousands

milho ['miʎu] m maize (BRIT), corn (US)

milhões [miʎ'õjʃ] mpl de **milhão**

miligrama [mili'grama] m milligram(me)

milionário, -a [miljo'narju, a] m/f millionaire

militante [mili'tãtʃi] adj militant ♦ m/f activist; (extremista) militant

militar [mili'ta*] adj military ♦ m soldier ♦ vi to fight; **~ em** (MIL: regimento) to serve in; (POL: partido) to belong to, be active in; (profissão) to work in

mim [mĩ] pron me; (reflexivo) myself; **de ~ para ~** to myself

mimar [mi'ma*] vt to pamper, spoil

mímica ['mimika] f mime

mimo ['mimu] m gift; (pessoa, coisa encantadora) delight; (carinho) tenderness; (gentileza) kindness; **cheio de ~s** (criança) spoiled, spoilt (BRIT); **mimoso, -a** [mi'mozu, ɔza] adj (delicado) delicate; (carinhoso) tender, loving; (encantador) delightful

mina ['mina] f mine

mindinho [mĩ'dʒiɲu] m (tb: **dedo ~**) little finger

mineiro, -a [mi'nejru, a] adj mining atr ♦ m/f miner

mineral [mine'raw] (pl **-ais**) adj, m mineral

minério [mi'nɛrju] m ore

míngua ['mĩgwa] f lack; **à ~ de** for want of; **viver à ~** to live in poverty; **minguado, -a** [mĩ'gwadu, a] adj scant; (criança) stunted; **minguado de algo** short of sth

minguar [mĩ'gwa*] vi (diminuir) to decrease, dwindle; (faltar) to run short

minha ['miɲa] f de **meu**

minhoca [mi'ɲɔka] f (earth)worm

mini... [mini] prefixo mini...

miniatura [minja'tura] adj, f miniature

MiniDisc [mini'dʒiʃki] ® m MiniDisc ®

mínima ['minima] f (temperatura) low; (MÚS) minim

mínimo, -a ['minimu, a] adj minimum ♦ m minimum; (tb: **dedo ~**) little finger; **não dou ou ligo a mínima para isso** I couldn't care less about it; **a mínima importância/idéia** the slightest importance/idea; **no ~** at least

minissaia [mini'saja] f miniskirt

ministério [miniʃ'tɛrju] m ministry; **~ da Fazenda** ≈ Treasury (BRIT), ≈ Treasury Department (US); **M~ das Relações Exteriores** ≈ Foreign Office (BRIT), ≈ State Department (US)

ministro, -a [mi'niʃtru, a] m/f minister

minoria [mino'ria] f minority

minto etc ['mĩtu] vb V **mentir**

minucioso, -a [minu'sjozu, ɔza] adj (indivíduo, busca) thorough; (explicação) detailed

minúsculo, -a [mi'nuʃkulu, a] adj minute, tiny; **letra minúscula** lower case

minuta [mi'nuta] f rough draft

minuto [mi'nutu] m minute

miolo ['mjolu] m inside; (polpa) pulp; (de maçã) core; **~s** mpl (cérebro, inteligência) brains

míope ['mjopi] adj short-sighted

mira ['mira] f (de fuzil) sight; (pontaria) aim; (fig) aim, purpose; **à ~ de** on the lookout for; **ter em ~** to have one's eye on

miragem [mi'raʒẽ] (pl **-ns**) f mirage

miscelânea [mise'lanja] f miscellany; (confusão) muddle

miserável [mize'ravew] (pl **-eis**) adj (digno de compaixão) wretched; (pobre)

miséria → moldar

impoverished; (*avaro*) stingy, mean; (*insignificante*) paltry; (*lugar*) squalid; (*infame*) despicable ♦ *m* wretch; (*coitado*) poor thing; (*pessoa infame*) rotter

miséria [miˈzɛrja] *f* misery; (*pobreza*) poverty; (*avareza*) stinginess

misericórdia [mizeriˈkɔrdʒja] *f* (*compaixão*) pity, compassion; (*graça*) mercy

missa [ˈmisa] *f* (*REL*) mass

missão [miˈsãw] (*pl* **-ões**) *f* mission; (*dever*) duty

míssil [ˈmisiw] (*pl* **-eis**) *m* missile

missionário, -a [misjoˈnarju, a] *m/f* missionary

missões [miˈsõjʃ] *fpl de* **missão**

mistério [miʃˈtɛrju] *m* mystery; **misterioso, -a** [miʃteˈrjozu, ɔza] *adj* mysterious

mistificar [miʃtʃifiˈka*] *vt, vi* to fool

misto, -a [ˈmiʃtu, a] *adj* mixed; (*confuso*) mixed up ♦ *m* mixture; **misto-quente** (*pl* **mistos-quentes**) *m* toasted cheese and ham sandwich

mistura [miʃˈtura] *f* mixture; (*ato*) mixing; **misturar** [miʃtuˈra*] *vt* to mix; (*confundir*) to mix up; **misturar-se** *vr*: **~r-se com** to mingle with

mitigar [mitʃiˈga*] *vt* (*raiva*) to temper; (*dor*) to relieve; (*sede*) to lessen

mito [ˈmitu] *m* myth

miudezas [mjuˈdezaʃ] *fpl* minutiae; (*bugigangas*) odds and ends; (*objetos pequenos*) trinkets

miúdo, -a [ˈmjudu, a] *adj* tiny, minute ♦ *m/f* (*PT*: *criança*) youngster, kid; **~s** *mpl* (*dinheiro*) change *sg*; (*de aves*) giblets; **dinheiro ~** small change

mm *abr* (= *milímetro*) mm

mo [mu] *pron* = **me** + **o**

moa *etc* [ˈmoa] *vb V* **moer**

móbil [ˈmɔbiw] (*pl* **-eis**) *adj* = **móvel**

móbile [ˈmɔbili] *m* mobile

mobília [moˈbilja] *f* furniture; **mobiliar** [mobiˈlja*] (*BR*) *vt* to furnish; **mobiliário** [mobiˈljarju] *m* furnishings *pl*

moça [ˈmosa] *f* girl, young woman

Moçambique [mosãˈbiki] *m* Mozambique

moção [moˈsãw] (*pl* **-ões**) *f* motion

mochila [moˈʃila] *f* rucksack

mocidade [mosiˈdadʒi] *f* youth; (*os moços*) young people *pl*

moço, -a [ˈmosu, a] *adj* young ♦ *m* young man, lad

moções [moˈsõjʃ] *fpl de* **moção**

moda [ˈmɔda] *f* fashion; **estar na ~** to be in fashion, be all the rage; **fora da ~** old-fashioned; **sair da** *ou* **cair de ~** to go out of fashion

modalidade [modaliˈdadʒi] *f* kind; (*ESPORTE*) event

modelo [moˈdelu] *m* model; (*criação de estilista*) design

moderado, -a [modeˈradu, a] *adj* moderate; (*clima*) mild

moderar [modeˈra*] *vt* to moderate; (*violência*) to control, restrain; (*velocidade*) to reduce; (*voz*) to lower; (*gastos*) to cut down

modernizar [modexniˈza*] *vt* to modernize; **modernizar-se** *vr* to modernize

moderno, -a [moˈdɛxnu, a] *adj* modern; (*atual*) present-day

modéstia [moˈdɛʃtʃja] *f* modesty

modesto, -a [moˈdɛʃtu, a] *adj* modest; (*simples*) simple, plain; (*vida*) frugal

módico, -a [ˈmɔdʒiku, a] *adj* moderate; (*preço*) reasonable; (*bens*) scant

modificar [modʒifiˈka*] *vt* to modify, alter

modista [moˈdʒiʃta] *f* dressmaker

modo [ˈmɔdu] *m* (*maneira*) way, manner; (*método*) way; (*MÚS*) mode; **~s** *mpl* (*comportamento*) manners; **de (tal) ~ que** so (that); **de ~ nenhum** in no way; **de qualquer ~** anyway, anyhow; **~ de emprego** instructions *pl* for use

módulo [ˈmɔdulu] *m* module

moeda [ˈmwɛda] *f* (*uma ~*) coin; (*dinheiro*) currency; **uma ~ de 10p** a 10p piece; **~ corrente** currency; **Casa da M~** ≈ the Mint (*BRIT*), ≈ the (US) Mint

moedor [moeˈdo*] *m* (*de café*) grinder; (*de carne*) mincer

moer [mwe*] *vt* (*café*) to grind; (*cana*) to crush

mofado, -a [moˈfadu, a] *adj* mouldy (*BRIT*), moldy (*US*)

mofo [ˈmofu] *m* (*BOT*) mo(u)ld; **cheiro de ~** musty smell

mogno [ˈmɔgnu] *m* mahogany

mói *etc* [mɔj] *vb V* **moer**

moía *etc* [moˈia] *vb V* **moer**

moído, -a [moˈidu, a] *adj* (*café*) ground; (*carne*) minced; (*cansado*) tired out; (*corpo*) aching

moinho [ˈmwiɲu] *m* mill; (*de café*) grinder; **~ de vento** windmill

mola [ˈmɔla] *f* (*TEC*) spring; (*fig*) motive, motivation

moldar [mowˈda*] *vt* to mould (*BRIT*), mold (*US*); (*metal*) to cast; **molde** [ˈmowdʒi] *m* mo(u)ld; (*de papel*) pattern;

moldura → morto

(*fig*) model; **molde de vestido** dress pattern

moldura [mow'dura] f (*de pintura*) frame

mole ['mɔli] adj soft; (*sem energia*) listless; (*carnes*) flabby; (*col: fácil*) easy; (*lento*) slow; (*preguiçoso*) sluggish ♦ adv (*lentamente*) slowly

moleque [mo'lɛki] m (*de rua*) urchin; (*menino*) youngster; (*pessoa sem palavra*) unreliable person; (*canalha*) scoundrel ♦ adj (*levado*) mischievous; (*brincalhão*) funny

molestar [moleʃ'ta*] vt to upset; (*enfadar*) to annoy; (*importunar*) to bother

moléstia [mo'lɛʃtʃa] f illness

moleza [mo'leza] f softness; (*falta de energia*) listlessness; (*falta de força*) weakness; **ser (uma) ~** (*col*) to be easy; **na ~** without exerting oneself

molhado, -a [mo'ʎadu, a] adj wet, damp

molhar [mo'ʎa*] vt to wet; (*de leve*) to moisten, dampen; (*mergulhar*) to dip; **molhar-se** vr to get wet

molho¹ ['mɔʎu] m (*de chaves*) bunch; (*de trigo*) sheaf

molho² ['moʎu] m (CULIN) sauce; (: *de salada*) dressing; (: *de carne*) gravy; **pôr de ~** to soak; **estar/deixar de ~** (*roupa etc*) to be/leave to soak

momentâneo, -a [momē'tanju, a] adj momentary

momento [mo'mētu] m moment; (TEC) momentum; **a todo ~** constantly; **de um ~ para outro** suddenly; **no ~ em que** just as

Mônaco ['monaku] m Monaco

monarquia [monax'kia] f monarchy

monitor [moni'to*] m monitor

monopólio [mono'pɔlju] m monopoly; **monopolizar** [monopoli'za*] vt to monopolize

monotonia [monoto'nia] f monotony; **monótono, -a** [mo'nɔtonu, a] adj monotonous

monstro, -a ['mōʃtru, a] adj inv giant ♦ m (*tb fig*) monster; **monstruoso, -a** [mōʃtrwozu, ɔza] adj monstrous; (*enorme*) gigantic, huge

montagem [mō'taʒē] (pl **-ns**) f assembly; (ARQ) erection; (CINEMA) editing; (TEATRO) production

montanha [mō'taɲa] f mountain; **montanha-russa** f roller coaster

montante [mō'tātʃi] m amount, sum; **a ~** (*nadar*) upstream

montar [mō'ta*] vt (*cavalo*) to mount, get on; (*colocar em*) to put on; (*cavalgar*) to ride; (*peças*) to assemble, put together; (*loja, máquina*) to set up; (*casa*) to put up; (*peça teatral*) to put on ♦ vi to ride; **~ a** *ou* **em** (*animal*) to get on; (*cavalgar*) to ride; (*despesa*) to come to

monte ['mōtʃi] m hill; (*pilha*) heap, pile; **um ~ de** (*muitos*) a lot of, lots of; **gente aos ~s** loads of people

montra ['mōtra] (PT) f shop window

monumental [monumē'taw] (pl **-ais**) adj monumental; (*fig*) magnificent, splendid

monumento [monu'mētu] m monument

moqueca [mo'kɛka] f fish or seafood simmered in coconut cream and palm oil; **~ de camarão** prawn *moqueca*

morada [mo'rada] f home, residence; (PT: *endereço*) address; **moradia** [mora'dʒia] f home, dwelling; **morador, a** [mora'do*, a] m/f resident; (*de casa alugada*) tenant

moral [mo'raw] (pl **-ais**) adj moral ♦ f (*ética*) ethics pl; (*conclusão*) moral ♦ m (*de pessoa*) sense of morality; (*ânimo*) morale; **moralidade** [morali'dadʒi] f morality

morango [mo'rãgu] m strawberry

morar [mo'ra*] vi to live, reside

mórbido, -a ['mɔxbidu, a] adj morbid

morcego [mox'segu] m (BIO) bat

mordaça [mox'dasa] f (*de animal*) muzzle; (*fig*) gag

mordaz [mox'daʒ] adj scathing

morder [mox'de*] vt to bite; (*corroer*) to corrode; **mordida** [mox'dʒida] f bite

mordomia [moxdo'mia] f (*de executivos*) perk; (*col: regalia*) luxury, comfort

mordomo [mox'dɔmu] m butler

moreno, -a [mo'renu, a] adj dark(-skinned); (*de cabelos*) dark(-haired); (*de tomar sol*) brown ♦ m/f dark person

mormaço [mox'masu] m sultry weather

morno, -a ['moxnu, 'mɔxna] adj lukewarm, tepid

morrer [mo'xe*] vi to die; (*luz, cor*) to fade; (*fogo*) to die down; (AUTO) to stall

morro ['moxu] m (*monte*) hill; (*favela*) slum

mortadela [moxta'dɛla] f salami

mortal [mox'taw] (pl **-ais**) adj mortal; (*letal, insuportável*) deadly ♦ m mortal

mortalidade [moxtali'dadʒi] f mortality

morte ['mɔxtʃi] f death

mortífero, -a [mox'tʃiferu, a] adj deadly, lethal

morto, -a ['moxtu, 'mɔxta] pp de **matar** ♦ pp de **morrer** ♦ adj dead; (*cor*) dull; (*exausto*) exhausted; (*inexpressivo*) lifeless ♦ m/f dead man/woman; **estar/ser ~** to be dead/killed; **estar ~ de inveja** to be green with envy; **estar ~ de vontade de** to be dying to

mos [muʃ] *pron* = **me** + **os**

mosca ['moʃka] *f* fly; **estar às ~s** (*bar etc*) to be deserted

Moscou [moʃ'ku] (*BR*) *n* Moscow

Moscovo [moʃ'kovu] (*PT*) *n* Moscow

mosquito [moʃ'kitu] *m* mosquito

mostarda [moʃ'taxda] *f* mustard

mosteiro [moʃ'tejru] *m* monastery; (*de monjas*) convent

mostrador [moʃtra'do*] *m* (*de relógio*) face, dial

mostrar [moʃ'tra*] *vt* to show; (*mercadorias*) to display; (*provar*) to demonstrate, prove; **mostrar-se** *vr* to show o.s. to be; (*exibir-se*) to show off

motel [mo'tεw] (*pl* **-éis**) *m* motel

motivar [motʃi'va*] *vt* (*causar*) to cause, bring about; (*estimular*) to motivate; **motivo** [mo'tʃivu] *m* (*causa*): **motivo (de** *ou* **para)** cause (of), reason (for); (*fim*) motive; (*ARTE, MÚS*) motif; **por motivo de** because of, owing to

moto ['mɔtu] *f* motorbike ♦ *m* (*lema*) motto

motocicleta [motosi'kleta] *f* motorcycle, motorbike

motociclista [motosi'kliʃta] *m/f* motorcyclist

motociclo [moto'siklu] (*PT*) *m* = **motocicleta**

motor, motriz [mo'to*, mo'triʒ] *adj*: **força motriz** driving force ♦ *m* motor; (*de carro, avião*) engine; **~ diesel/de explosão** diesel/internal combustion engine

motorista [moto'riʃta] *m/f* driver

móvel ['mɔvew] (*pl* **-eis**) *adj* movable ♦ *m* piece of furniture; **móveis** *mpl* (*mobília*) furniture *sg*

mover [mo've*] *vt* to move; (*cabeça*) to shake; (*mecanismo*) to drive; (*campanha*) to start (up); **mover-se** *vr* to move

movimentado, -a [movimē'tadu, a] *adj* (*rua, lugar*) busy; (*pessoa*) active; (*show, música*) up-tempo

movimentar [movimē'ta*] *vt* to move; (*animar*) to liven up

movimento [movi'mētu] *m* movement; (*TEC*) motion; (*na rua*) activity, bustle; **de muito ~** busy

muamba ['mwāba] (*col*) *f* (*contrabando*) contraband; (*objetos roubados*) loot

muçulmano, -a [musuw'manu, a] *adj, m/f* Moslem

muda ['muda] *f* (*planta*) seedling; (*vestuário*) outfit; **~ de roupa** change of clothes

mudança [mu'dāsa] *f* change; (*de casa*) move; (*AUTO*) gear

mudar [mu'da*] *vt* to change; (*deslocar*) to move ♦ *vi* to change; (*ave*) to moult (*BRIT*), molt (*US*); **mudar-se** *vr* (*de casa*) to move (away); **~ de roupa/de assunto** to change clothes/the subject; **~ de casa** to move (house); **~ de idéia** to change one's mind

mudez [mu'deʒ] *f* muteness; (*silêncio*) silence

mudo, -a ['mudu, a] *adj* dumb; (*calado, CINEMA*) silent; (*telefone*) dead ♦ *m/f* mute

---

PALAVRA CHAVE

muito, -a ['mwĩtu, a] *adj* (*quantidade*) a lot of; (: *em frase negativa ou interrogativa*) much; (*número*) lots of, a lot of; many; **~ esforço** a lot of effort; **faz ~ calor** it's very hot; **~ tempo** a long time; **muitas amigas** lots *ou* a lot of friends; **muitas vezes** often

♦ *pron* a lot; (*em frase negativa ou interrogativa*: *sg*) much; (: *pl*) many; **tenho ~ que fazer** I've got a lot to do; **~s dizem que ...** a lot of people say that ...

♦ *adv*

1 a lot; (+ *adj*) very; (+ *compar*): **~ melhor** much *ou* far *ou* a lot better; **gosto ~ disto** I like it a lot; **sinto ~** I'm very sorry; **~ interessante** very interesting

2 (*resposta*) very; **está cansado? – ~** are you tired? – very

3 (*tempo*): **~ depois** long after; **há ~** a long time ago; **não demorou ~** it didn't take long

---

mula ['mula] *f* mule

mulato, -a [mu'latu, a] *adj, m/f* mulatto

muleta [mu'leta] *f* crutch; (*fig*) support

mulher [mu'ʎe*] *f* woman; (*esposa*) wife

multa ['muwta] *f* fine; **levar uma ~** to be fined; **multar** [muw'ta*] *vt* to fine; **multar alguém em $1000** to fine sb $1000

multi... [muwtʃi] *prefixo* multi...

multidão [muwtʃi'dāw] (*pl* **-ões**) *f* crowd; **uma ~ de** (*muitos*) lots of

multimídia [muwtʃi'midʒja] *adj* multimedia

multinacional [muwtʃinasjo'naw] (*pl* **-ais**) *adj, f* multinational

multiplicar [muwtʃipli'ka*] *vt* to multiply; (*aumentar*) to increase

múltiplo, -a ['muwtʃiplu, a] *adj* multiple

múmia → nascer

♦ *m* multiple
múmia ['mumja] *f* mummy
mundial [mũ'dʒjaw] (*pl* **-ais**) *adj* worldwide; (*guerra, recorde*) world *atr* ♦ *m* world championship
mundo ['mũdu] *m* world; **todo o ~** everybody; **um ~ de** lots of, a great many
munição [muni'sãw] (*pl* **-ões**) *f* (*de armas*) ammunition; (*chumbo*) shot; (MIL) munitions *pl*, supplies *pl*
municipal [munisi'paw] (*pl* **-ais**) *adj* municipal
município [muni'sipju] *m* local authority; (*cidade*) town; (*condado*) county
munições [muni'sõjʃ] *fpl de* **munição**
munir [mu'ni*] *vt*: **~ de** to provide with, supply with; **munir-se** *vr*: **~-se de** (*provisões*) to equip o.s. with
muralha [mu'raʎa] *f* (*de fortaleza*) rampart; (*muro*) wall
murchar [mux'ʃa*] *vt* (BOT) to wither; (*sentimentos*) to dull; (*pessoa*) to sadden ♦ *vi* to wither, wilt; (*fig*) to fade
murmurar [muxmu'ra*] *vi* to murmur, whisper; (*queixar-se*) to mutter, grumble; (*água*) to ripple; (*folhagem*) to rustle ♦ *vt* to murmur; **murmúrio** [mux'murju] *m* murmuring; whispering; grumbling; rippling; rustling
muro ['muru] *m* wall
murro ['muxu] *m* punch; **dar um ~ em alguém** to punch sb
musa ['muza] *f* muse
musculação [muʃkula'sãw] *f* bodybuilding
músculo ['muʃkulu] *m* muscle; **musculoso, -a** [muʃku'lozu, ɔza] *adj* muscular
museu [mu'zew] *m* museum; (*de pintura*) gallery
musgo ['muʒgu] *m* moss
música ['muzika] *f* music; (*canção*) song; **músico, -a** ['muziku, a] *adj* musical ♦ *m/f* musician
mutilar [mutʃi'la*] *vt* to mutilate; (*pessoa*) to maim; (*texto*) to cut
mútuo, -a ['mutwu, a] *adj* mutual

N n

N *abr* (= *norte*) N
na [na] = **em** + **a**
-na [na] *pron* her; (*coisa*) it
nabo ['nabu] *m* turnip
nação [na'sãw] (*pl* **-ões**) *f* nation

nacional [nasjo'naw] (*pl* **-ais**) *adj* national; (*carro, vinho etc*) domestic, home-produced; **nacionalidade** [nasjonali'dadʒi] *f* nationality; **nacionalismo** [nasjona'liʒmu] *m* nationalism; **nacionalista** [nasjona'liʃta] *adj*, *m/f* nationalist
nações [na'sõjʃ] *fpl de* **nação**
nada ['nada] *pron* nothing ♦ *adv* at all; **antes de mais ~** first of all; **não é ~ difícil** it's not at all hard, it's not hard at all; **~ mais** nothing else; **~ de novo** nothing new; **obrigado – de ~** thank you – not at all *ou* don't mention it
nadador, a [nada'do*, a] *m/f* swimmer
nadar [na'da*] *vi* to swim
nádegas ['nadegaʃ] *fpl* buttocks
nado ['nadu] *m*: **atravessar a ~** to swim across; **~ borboleta/de costas/de peito** butterfly (stroke)/backstroke/breaststroke
naipe ['najpi] *m* (*cartas*) suit
namorado, -a [namo'radu, a] *m/f* boyfriend/girlfriend
namorar [namo'ra*] *vt* (*ser namorado de*) to be going out with
namoro [na'moru] *m* relationship
não [nãw] *adv* not; (*resposta*) no ♦ *m* no; **~ sei** I don't know; **~ muito** not much; **~ só ... mas também** not only ... but also; **agora ~** not now; **~ tem de quê** don't mention it; **~ é?** isn't it?, won't you? (*etc, segundo o verbo precedente*); **eles são brasileiros, ~ é?** they're Brazilian, aren't they?
não- [nãw-] *prefixo* non-
naquele(s), -a(s) [na'keli(ʃ), na'kɛla(ʃ)] = **em + aquele(s), a(s)**
naquilo [na'kilu] = **em + aquilo**
narcótico, -a [nax'kɔtʃiku, a] *adj* narcotic ♦ *m* narcotic
narina [na'rina] *f* nostril
nariz [na'riʒ] *m* nose
narração [naxa'sãw] (*pl* **-ões**) *f* narration; (*relato*) account
narrar [na'xa*] *vt* to narrate
narrativa [naxa'tʃiva] *f* narrative; (*história*) story
nas [naʃ] = **em** + **as**
-nas [naʃ] *pron* them
nascença [na'sẽsa] *f* birth; **de ~** by birth; **ele é surdo de ~** he was born deaf
nascente [na'sẽtʃi] *m*: **o ~** the East, the Orient ♦ *f* (*fonte*) spring
nascer [na'se*] *vi* to be born; (*plantas*) to sprout; (*o sol*) to rise; (*ave*) to hatch; (*fig: ter origem*) to come into being ♦ *m*: **~ do sol** sunrise; **ele nasceu para médico** *etc* he's a born doctor *etc*; **nascimento**

[nasi'mẽtu] m birth; (fig) origin; (estirpe) descent
nata ['nata] f cream
natação [nata'sãw] f swimming
natais [na'tajʃ] adj pl de **natal**
Natal [na'taw] m Christmas; **Feliz ~!** Merry Christmas!
natal [na'taw] (pl **-ais**) adj (relativo ao nascimento) natal; (país) native; **cidade ~** home town
natalino, -a [nata'linu, a] adj Christmas atr
nativo, -a [na'tʃivu, a] adj, m/f native
natural [natu'raw] (pl **-ais**) adj natural; (nativo) native ♦ m/f native; **ao ~** (CULIN) fresh, uncooked; **naturalidade** [naturali'dadʒi] f naturalness; **de naturalidade paulista** etc born in São Paulo etc; **naturalizar** [naturali'za*] vt to naturalize; **naturalizar-se** vr to become naturalized; **naturalmente** [naturaw'mẽtʃi] adv naturally; **naturalmente!** of course!
natureza [natu'reza] f nature; (espécie) kind, type
nau [naw] f (literário) ship
naufrágio [naw'fraʒu] m shipwreck; **náufrago, -a** ['nawfragu, a] m/f castaway
náusea ['nawzea] f nausea; **dar ~s a alguém** to make sb feel sick; **sentir ~s** to feel sick
náutico, -a ['nawtʃiku, a] adj nautical
naval [na'vaw] (pl **-ais**) adj naval; **construção ~** shipbuilding
navalha [na'vaʎa] f (de barba) razor; (faca) knife
nave ['navi] f (de igreja) nave
navegação [navega'sãw] f navigation, sailing; **~ aérea** air traffic; **companhia de ~** shipping line
navegar [nave'ga*] vt to navigate; (mares) to sail ♦ vi to sail; (dirigir o rumo) to navigate
navio [na'viu] m ship; **~ aeródromo/cargueiro/petroleiro** aircraft carrier/cargo ship/oil tanker; **~ de guerra** (BR) battleship
nazi [na'zi] (PT) adj, m/f = **nazista**
nazista [na'ziʃta] adj, m/f Nazi
NB abr (= note bem) NB
neblina [ne'blina] f fog, mist
nebuloso, -a [nebu'lozu, ɔza] adj foggy, misty; (céu) cloudy; (fig) vague
necessário, -a [nese'sarju, a] adj necessary ♦ m: **o ~** the necessities pl
necessidade [nesesi'dadʒi] f need, necessity; (o que se necessita) need;

(pobreza) poverty, need; **ter ~ de** to need; **em caso de ~** if need be
necessitado, -a [nesesi'tadu, a] adj needy, poor; **~ de** in need of
necessitar [nesesi'ta*] vt to need, require ♦ vi: **~ de** to need
neerlandês, -esa [neexlã'deʃ, eza] adj Dutch ♦ m/f Dutchman/woman
Neerlândia [neex'lãdʒa] f the Netherlands pl
negar [ne'ga*] vt to deny; (recusar) to refuse; **negar-se** vr: **~-se a** to refuse to
negativa [nega'tʃiva] f negative; (recusa) denial
negativo, -a [nega'tʃivu, a] adj negative ♦ m (TEC, FOTO) negative ♦ excl (col) nope!
negligência [negli'ʒẽsja] f negligence, carelessness; **negligente** [negli'ʒẽtʃi] adj negligent, careless
negociação [negosja'sãw] (pl **-ões**) f negotiation
negociante [nego'sjãtʃi] m/f businessman/woman
negociar [nego'sja*] vt to negotiate; (COM) to trade ♦ vi: **~ (com)** to trade ou deal (in); to negotiate (with)
negócio [ne'gɔsju] m (COM) business; (transação) deal; (questão) matter; (col: troço) thing; (assunto) affair, business; **homem de ~s** businessman; **a ~s** on business; **fechar um ~** to make a deal
negro, -a ['negru, a] adj black; (raça) Black; (fig: lúgubre) black, gloomy ♦ m/f Black man/woman
nele(s), -a(s) ['neli(ʃ), 'nɛla(ʃ)] = **em + ele(s), ela(s)**
nem [nẽj] conj nor, neither; **~ (sequer)** not even; **~ que** even if; **~ bem** hardly; **~ um só** not a single one; **~ estuda ~ trabalha** he neither studies nor works; **~ eu** nor me; **sem ~** without even; **~ todos** not all; **~ tanto** not so much; **~ sempre** not always
nenê [ne'ne] m/f baby
neném [ne'nẽj] (pl **-ns**) m/f = **nenê**
nenhum, -a [ne'nũ, 'numa] adj no, not any ♦ pron (nem um só) none, not one; (de dois) neither; **~ lugar** nowhere
neozelandês, -esa [neozelã'deʃ, deza] adj New Zealand atr ♦ m/f New Zealander
nervo ['nexvu] m (ANAT) nerve; (fig) energy, strength; (em carne) sinew; **nervosismo** [nexvo'ziʒmu] m (nervosidade) nervousness; (irritabilidade) irritability; **nervoso, -a** [nex'vozu, ɔza] adj nervous; (irritável) touchy, on edge;

(*exaltado*) worked up; **ele me deixa nervoso** he gets on my nerves
nesse(s), -a(s) ['nesi(ʃ), 'nɛsa(ʃ)] = **em + esse(s), -a(s)**
neste(s), -a(s) ['neʃtʃi(ʃ), 'nɛʃta(ʃ)] = **em + este(s), -a(s)**
neto, -a ['nɛtu, a] *m/f* grandson/daughter; **~s** *mpl* grandchildren
neurose ['new'rɔzi] *f* neurosis; **neurótico, -a** [new'rɔtʃiku, a] *adj, m/f* neurotic
neutralizar [newtrali'za*] *vt* to neutralize; (*anular*) to counteract
neutro, -a ['newtru, a] *adj* (LING) neuter; (*imparcial*) neutral
nevar [ne'va*] *vi* to snow; **nevasca** [ne'vaʃka] *f* snowstorm; **neve** ['nɛvi] *f* snow
névoa ['nɛvoa] *f* fog; **nevoeiro** [nevo'ejru] *m* thick fog
nexo ['nɛksu] *m* connection, link; **sem ~** disconnected, incoherent
Nicarágua [nika'ragwa] *f*: **a ~** Nicaragua
nicotina [niko'tʃina] *f* nicotine
Nigéria [ni'ʒɛrja] *f*: **a ~** Nigeria
Nilo ['nilu] *m*: **o ~** the Nile
ninguém [nĩ'gẽj] *pron* nobody, no-one
ninho ['niɲu] *m* nest; (*toca*) lair; (*lar*) home
nisso ['nisu] = **em + isso**
nisto ['niʃtu] = **em + isto**
nitidez [nitʃi'deʒ] *f* (*clareza*) clarity; (*brilho*) brightness; (*imagem*) sharpness
nítido, -a ['nitʃidu, a] *adj* clear, distinct; (*brilhante*) bright; (*imagem*) sharp, clear
nível ['nivew] (*pl* -**eis**) *m* level; (*fig: padrão*) standard; (*: ponto*) point, pitch; **~ de vida** standard of living
no [nu] = **em + o**
-no [nu] *pron* him; (*coisa*) it
n° *abr* (= *número*) no
nó [nɔ] *m* knot; (*de uma questão*) crux; **~s dos dedos** knuckles; **dar um ~** to tie a knot
nobre ['nɔbri] *adj, m/f* noble; **horário ~** prime time; **nobreza** [no'breza] *f* nobility
noção [no'sãw] (*pl* -**ões**) *f* notion; **noções** *fpl* (*rudimentos*) rudiments, basics; **~ vaga** inkling; **não ter a menor ~ de algo** not to have the slightest idea about sth
nocaute [no'kawtʃi] *m* knockout ♦ *adv*: **pôr alguém ~** to knock sb out
nocivo, -a [no'sivu, a] *adj* harmful
noções [no'sõjʃ] *fpl de* **noção**
nocturno, -a [no'tuxnu, a] (PT) *adj* = **noturno**

nódoa ['nɔdwa] *f* spot; (*mancha*) stain
nogueira [no'gejra] *f* (*árvore*) walnut tree; (*madeira*) walnut
noite ['nojtʃi] *f* night; **à** *ou* **de ~** at night, in the evening; **boa ~** good evening; (*despedida*) good night; **da ~ para o dia** overnight; **tarde da ~** late at night
noivado [noj'vadu] *m* engagement
noivo, -a ['nojvu, a] *m/f* (*prometido*) fiancé(e); (*no casamento*) bridegroom/bride; **os ~s** *mpl* (*prometidos*) the engaged couple; (*no casamento*) the bride and groom; (*recém-casados*) the newly-weds
nojento, -a [no'ʒẽtu, a] *adj* disgusting
nojo ['noʒu] *m* nausea; (*repulsão*) disgust, loathing; **ela é um ~** she's horrible; **este trabalho está um ~** this work is messy
no-la(s) = **nos + a(s)**
no-lo(s) = **nos + o(s)**
nome ['nɔmi] *m* name; (*fama*) fame; **de ~** by name; **escritor de ~** famous writer; **um restaurante de ~** a restaurant with a good reputation; **em ~ de** in the name of; **~ de batismo** Christian name
nomeação [nomja'sãw] (*pl* -**ões**) *f* nomination; (*para um cargo*) appointment
nomear [no'mja*] *vt* to nominate; (*conferir um cargo a*) to appoint; (*dar nome a*) to name
nominal [nomi'naw] (*pl* -**ais**) *adj* nominal
nono, -a ['nɔnu, a] *num* ninth
nora ['nɔra] *f* daughter-in-law
nordeste [nox'dɛʃtʃi] *m, adj* northeast
norma ['nɔxma] *f* standard, norm; (*regra*) rule; **como ~** as a rule
normal [nox'maw] (*pl* -**ais**) *adj* normal; (*habitual*) usual; **normalizar** [noxmali'za*] *vt* to bring back to normal; **normalizar-se** *vr* to return to normal
noroeste [nor'wɛʃtʃi] *adj* northwest, northwestern ♦ *m* northwest
norte ['nɔxtʃi] *adj* northern, north; (*vento, direção*) northerly ♦ *m* north; **norte-americano, -a** *adj, m/f* (North) American
Noruega [nor'wega] *f* Norway; **norueguês, -esa** [norwe'geʃ, geza] *adj, m/f* Norwegian ♦ *m* (LING) Norwegian
nos [nuʃ] = **em + os** *pron* (*direto*) us; (*indireto*) us, to us, for us; (*reflexivo*) (to) ourselves; (*recíproco*) (to) each other
-nos [nuʃ] *pron* them
nós [nɔʃ] *pron* we; (*depois de prep*) us; **~ mesmos** we ourselves
nosso, -a ['nɔsu, a] *adj* our ♦ *pron* ours; **um amigo ~** a friend of ours; **Nossa**

Senhora (REL) Our Lady
nostalgia [noʃtawˈʒia] f nostalgia; (saudades da pátria etc) homesickness; **nostálgico, -a** [noʃˈtawʒiku, a] adj nostalgic; homesick
nota [ˈnɔta] f note; (EDUC) mark; (conta) bill; (cédula) banknote; **~ de venda** sales receipt; **~ fiscal** receipt
notar [noˈta*] vt to notice, note; **notar-se** vr to be obvious; **fazer ~** to call attention to; **notável** [noˈtavew] (pl **-eis**) adj notable, remarkable
notícia [noˈtʃisja] f (uma ~) piece of news; (TV etc) news item; **~s** fpl (informações) news sg; **pedir ~s de** to inquire about; **ter ~s de** to hear from; **noticiário** [notʃiˈsjarju] m (de jornal) news section; (CINEMA) newsreel; (TV, RÁDIO) news bulletin
notoriedade [notorjeˈdadʒi] f renown, fame
notório, -a [noˈtɔrju, a] adj well-known
noturno, -a [noˈtuxnu, a] adj nocturnal, nightly; (trabalho) night atr ♦ m (trem) night train
nova [ˈnɔva] f piece of news; **~s** fpl (novidades) news sg
novamente [novaˈmẽtʃi] adv again
novato, -a [noˈvatu, a] adj inexperienced, raw ♦ m/f beginner, novice; (EDUC) fresher
nove [ˈnɔvi] num nine
novela [noˈvɛla] f short novel, novella; (RÁDIO, TV) soap opera
novelo [noˈvelu] m ball of thread
novembro [noˈvẽbru] (PT **N-**) m November
noventa [noˈvẽta] num ninety
novidade [noviˈdadʒi] f novelty; (notícia) piece of news; **~s** fpl (notícias) news sg
novilho, -a [noˈviʎu, a] m/f young bull/heifer
novo, -a [ˈnovu, ˈnɔva] adj new; (jovem) young; (adicional) further; **de ~** again
noz [nɔʒ] f nut; (da nogueira) walnut; **~ moscada** nutmeg
nu, a [nu, ˈnua] adj naked; (arvore, sala, parede) bare ♦ m nude
nublado, -a [nuˈbladu, a] adj cloudy, overcast
nuca [ˈnuka] f nape (of the neck)
nuclear [nuˈklja*] adj nuclear
núcleo [ˈnuklju] m nucleus sg; (centro) centre (BRIT), center (US)
nudez [nuˈdeʒ] f nakedness, nudity; (de paredes etc) bareness
nudista [nuˈdʒiʃta] adj, m/f nudist
nulo, -a [ˈnulu, a] adj (JUR) null, void; (nenhum) non-existent; (sem valor) worthless; (esforço) vain, useless
num [nũ] = **em** + **um**
numa(s) [ˈnuma(ʃ)] = **em** + **uma(s)**
numeral [numeˈraw] (pl **-ais**) m numeral
numerar [numeˈra*] vt to number
numérico, -a [nuˈmɛriku, a] adj numerical
número [ˈnumeru] m number; (de jornal) issue; (TEATRO etc) act; (de sapatos, roupa) size; **sem ~** countless; **~ de matrícula** registration (BRIT) ou license plate (US) number; **numeroso, -a** [numeˈrozu, ɔza] adj numerous
nunca [ˈnũka] adv never; **~ mais** never again; **quase ~** hardly ever; **mais que ~** more than ever
nuns [nũʃ] = **em** + **uns**
núpcias [ˈnupsjaʃ] fpl nuptials, wedding sg
nutrição [nutriˈsãw] f nutrition
nutritivo, -a [nutriˈtʃivu, a] adj nourishing
nuvem [ˈnuvẽj] (pl **-ns**) f cloud; (de insetos) swarm

O o

PALAVRA CHAVE

o, a [u, a] art def
1 the; **o livro/a mesa/os estudantes** the book/table/students
2 (com n abstrato: não se traduz): **o amor/a juventude** love/youth
3 (posse: traduz-se muitas vezes por adj possessivo): **quebrar o braço** to break one's arm; **ele levantou a mão** he put his hand up; **ela colocou o chapéu** she put her hat on
4 (valor descritivo): **ter a boca grande/os olhos azuis** to have a big mouth/blue eyes
♦ pron demostrativo: **meu livro e o seu** my book and yours; **as de Pedro são melhores** Pedro's are better; **não a(s) branca(s) mas a(s) cinza(s)** not the white one(s) but the grey one(s)
♦ pron relativo: **o que** etc
1 (indef): **o(s) que quiser(em) pode(m) sair** anyone who wants to can leave; **leve o que mais gustar** take the one you like best
2 (def): **o que comprei ontem** the one I bought yesterday; **os que sairam** those who left

3: **o que** what; **o que eu acho/mais gosto** what I think/like most
♦ *pron pessoal*
1 (*pessoa: m*) him; (: *f*) her; (: *pl*) them; **não posso lo(s)** I can't see him/them; **vemo-la todas as semanas** we see her every week
2 (*animal, coisa: sg*) it; (: *pl*) them; **não posso vê-lo(s)** I can't see it/them; **acharam-nos na praia** they found us on the beach

---

obedecer [obede'se*] *vi*: **~ a** to obey; **obediência** [obe'dʒẽsja] *f* obedience; **obediente** [obe'dʒẽtʃi] *adj* obedient
óbito ['ɔbitu] *m* death; **atestado de ~** death certificate
objeção [obʒe'sãw] (*PT* **-cç-**) (*pl* **-ões**) *f* objection; **fazer** *ou* **pôr objeções a** to object to
objetivo, -a [obʒe'tʃivu, a] (*PT* **-ct-**) *adj* objective ♦ *m* objective
objeto [ob'ʒɛtu] (*PT* **-ct-**) *m* object
oblíquo, -a [o'blikwu, a] *adj* oblique; (*olhar*) sidelong
obra ['ɔbra] *f* work; (*ARQ*) building, construction; (*TEATRO*) play; **em ~s** under repair; **ser ~ de alguém/algo** to be the work of sb/the result of sth; **~ de arte** work of art; **~s públicas** public works; **obra-prima** (*pl* **obras-primas**) *f* masterpiece
obrigação [obriga'sãw] (*pl* **-ões**) *f* obligation; (*COM*) bond
obrigado, -a [obri'gadu, a] *adj* obliged, compelled ♦ *excl* thank you; (*recusa*) no, thank you
obrigar [obri'ga*] *vt* to oblige, compel; **obrigar-se** *vr*: **~-se a** to undertake to; **obrigatório, -a** [obriga'tɔrju, a] *adj* compulsory, obligatory
obsceno, -a [obi'sɛnu, a] *adj* obscene
obscurecer [obiʃkure'se*] *vt* to darken; (*entendimento, verdade etc*) to obscure ♦ *vi* to get dark
obscuro, -a [obi'ʃkuru, a] *adj* dark; (*fig*) obscure
observação [obisexva'sãw] (*pl* **-ões**) *f* observation; (*comentário*) remark, comment; (*de leis, regras*) observance
observador, a [obisexva'do*, a] *m/f* observer
observar [obisex'va*] *vt* to observe; (*notar*) to notice; **~ algo a alguém** to point sth out to sb
observatório [obisexva'tɔrju] *m* observatory
obsessão [obise'sãw] (*pl* **-ões**) *f* obsession; **obsessivo, -a** [obise'sivu, a] *adj* obsessive
obsoleto, -a [obiso'lɛtu, a] *adj* obsolete
obstáculo [obi'ʃtakulu] *m* obstacle; (*dificuldade*) hindrance, drawback
obstinado, -a [obiʃtʃi'nadu, a] *adj* obstinate, stubborn
obstrução [obiʃtru'sãw] (*pl* **-ões**) *f* obstruction; **obstruir** [obi'ʃtrwi*] *vt* to obstruct; (*impedir*) to impede
obter [obi'te*] (*irreg: como* **ter**) *vt* to obtain, get; (*alcançar*) to gain
obturação [obitura'sãw] (*pl* **-ões**) *f* (*de dente*) filling
obtuso, -a [obi'tuzu, a] *adj* (*ger*) obtuse; (*fig: pessoa*) thick
óbvio, -a ['ɔbvju, a] *adj* obvious; **(é) ~!** of course!
ocasião [oka'zjãw] (*pl* **-ões**) *f* opportunity, chance; (*momento, tempo*) occasion; **ocasionar** [okazjo'na*] *vt* to cause, bring about
oceano [o'sjanu] *m* ocean
ocidental [osidẽ'taw] (*pl* **-ais**) *adj* western ♦ *m/f* westerner
ocidente [osi'dẽtʃi] *m* west
ócio ['ɔsju] *m* (*lazer*) leisure; (*inação*) idleness; **ocioso, -a** [o'sjozu, ɔza] *adj* idle; (*vaga*) unfilled
oco, -a ['oku, a] *adj* hollow, empty
ocorrência [oko'xẽsja] *f* incident, event; (*circunstância*) circumstance
ocorrer [oko'xe*] *vi* to happen, occur; (*vir ao pensamento*) to come to mind; **~ a alguém** to happen to sb; to occur to sb
oculista [oku'liʃta] *m/f* optician
óculo ['ɔkulu] *m* spyglass; **~s** *mpl* (*para ver melhor*) glasses, spectacles; **~s de proteção** goggles
ocultar [okuw'ta*] *vt* to hide, conceal; **oculto, -a** [o'kuwtu, a] *adj* hidden; (*desconhecido*) unknown; (*secreto*) secret; (*sobrenatural*) occult
ocupação [okupa'sãw] (*pl* **-ões**) *f* occupation
ocupado, -a [oku'padu, a] *adj* (*pessoa*) busy; (*lugar*) taken, occupied; (*BR: telefone*) engaged (*BRIT*), busy (*US*); **sinal de ~** (*BR: TEL*) engaged tone (*BRIT*), busy signal (*US*)
ocupar [oku'pa*] *vt* to occupy; (*tempo*) to take up; (*pessoa*) to keep busy; **ocupar-se** *vr*: **~-se com** *ou* **de** *ou* **em algo** (*dedicar-se a*) to deal with sth; (*cuidar de*) to look after sth; (*passar seu tempo com*) to occupy o.s. with sth
odiar [o'dʒja*] *vt* to hate; **ódio** ['ɔdʒju] *m* hate, hatred; **odioso, -a** [o'dʒjozu, ɔza]

adj hateful

odor [o'do*] *m* smell

oeste ['wɛʃtʃi] *m* west ♦ *adj inv* (*região*) western; (*direção, vento*) westerly

ofegante [ofe'gãtʃi] *adj* breathless, panting

ofender [ofẽ'de*] *vt* to offend; **ofender-se** *vr*: **~-se (com)** to take offence (*BRIT*) *ou* offense (*US*) (at)

ofensa [o'fẽsa] *f* insult; (*à lei, moral*) offence (*BRIT*), offense (*US*); **ofensiva** [ofẽ'siva] *f* offensive; **ofensivo, -a** [ofẽ'sivu, a] *adj* offensive

oferecer [ofere'se*] *vt* to offer; (*dar*) to give; (*jantar*) to give; (*propor*) to propose; (*dedicar*) to dedicate; **oferecer-se** *vr* (*pessoa*) to offer o.s., volunteer; (*oportunidade*) to present itself, arise; **~-se para fazer** to offer to do; **oferecimento** [oferesi'mẽtu] *m* offer; **oferta** [o'fɛxta] *f* offer; (*dádiva*) gift; (*COM*) bid; (*em loja*) special offer

oficial [ofi'sjaw] (*pl* **-ais**) *adj* official ♦ *m/f* official; (*MIL*) officer; **~ de justiça** bailiff

oficina [ofi'sina] *f* workshop; **~ mecânica** garage

ofício [o'fisju] *m* profession, trade; (*REL*) service; (*carta*) official letter; (*função*) function; (*encargo*) job, task

oitavo, -a [oj'tavu, a] *num* eighth

oitenta [oj'tẽta] *num* eighty

oito ['ojtu] *num* eight

olá [o'la] *excl* hello!

olaria [ola'ria] *f* (*fábrica: de louças de barro*) pottery; (: *de tijolos*) brickworks *sg*

óleo ['ɔlju] *m* (*lubricante*) oil; **~ diesel/de bronzear** diesel/suntan oil; **oleoso, -a** [o'ljozu, ɔza] *adj* oily; (*gorduroso*) greasy

olfato [ow'fatu] *m* sense of smell

olhada [o'ʎada] *f* glance, look; **dar uma ~** to have a look

olhadela [oʎa'dɛla] *f* peep

olhar [o'ʎa*] *vt* to look at; (*observar*) to watch; (*ponderar*) to consider; (*cuidar de*) to look after ♦ *vi* to look ♦ *m* look; **olhar-se** *vr* to look at o.s.; (*duas pessoas*) to look at each other; **~ fixamente** to stare at; **~ para** to look at; **~ por** to look after; **~ fixo** stare

olho ['oʎu] *m* (*ANAT, de agulha*) eye; (*vista*) eyesight; **~ nele!** watch him!; **~ vivo!** keep your eyes open!; **a ~** (*medir, calcular etc*) by eye; **~ mágico** (*na porta*) peephole; **~ roxo** black eye; **num abrir e fechar de ~s** in a flash

olimpíada [olĩ'piada] *f*: **as O~s** the Olympics

oliveira [oli'vejra] *f* olive tree

ombro ['õbru] *m* shoulder; **encolher os ~s, dar de ~s** to shrug one's shoulders

omeleta [ome'leta] (*PT*) *f* = **omelete**

omelete [ome'letʃi] (*BR*) *f* omelette (*BRIT*), omelet (*US*)

omissão [omi'sãw] (*pl* **-ões**) *f* omission; (*negligência*) negligence

omitir [omi'tʃi*] *vt* to omit

omoplata [omo'plata] *f* shoulder blade

onça ['õsa] *f* ounce; (*animal*) jaguar

onda ['õda] *f* wave; (*moda*) fashion; **~ curta/média/longa** short/medium/long wave; **~ de calor** heat wave

onde ['õdʒi] *adv* where ♦ *conj* where, in which; **de ~ você é?** where are you from?; **por ~** through which; **por ~?** which way?; **~ quer que** wherever

ondulado, -a [õdu'ladu, a] *adj* wavy

ônibus ['onibuʃ] (*BR*) *m inv* bus; **ponto de ~** bus-stop

ontem ['õtẽ] *adv* yesterday; **~ à noite** last night

ONU ['onu] *abr f* (= *Organização das Nações Unidas*) UNO

ônus ['onuʃ] *m inv* onus; (*obrigação*) obligation; (*COM*) charge; (*encargo desagradável*) burden

onze ['õzi] *num* eleven

opaco, -a [o'paku, a] *adj* opaque; (*obscuro*) dark

opção [op'sãw] (*pl* **-ões**) *f* option, choice; (*preferência*) first claim, right

OPEP [o'pepi] *abr f* (= *Organização dos Países Exportadores de Petróleo*) OPEC

ópera ['ɔpera] *f* opera

operação [opera'sãw] (*pl* **-ões**) *f* operation; (*COM*) transaction

operador, a [opera'do*, a] *m/f* operator; (*cirurgião*) surgeon; (*num cinema*) projectionist

operar [ope'ra*] *vt* to operate; (*produzir*) to effect, bring about; (*MED*) to operate on ♦ *vi* to operate; (*agir*) to act, function; **operar-se** *vr* (*suceder*) to take place; (*MED*) to have an operation

operário, -a [ope'rarju, a] *adj* working ♦ *m/f* worker; **classe operária** working class

opinar [opi'na*] *vt* to think ♦ *vi* to give one's opinion

opinião [opi'njãw] (*pl* **-ões**) *f* opinion; **mudar de ~** to change one's mind

oponente [opo'nẽtʃi] *adj* opposing ♦ *m/f* opponent

opor [o'po*] (*irreg: como* **pôr**) *vt* to oppose; (*resistência*) to put up, offer; (*objeção, dificuldade*) to raise; **opor-se** *vr*: **~-se a** to object to; (*resistir*) to oppose

oportunidade → otimista

oportunidade [opoxtuni'dadʒi] f opportunity

oportunista [opoxtu'niʃta] adj, m/f opportunist

oportuno, -a [opox'tunu, a] adj (momento) opportune, right; (oferta de ajuda) well-timed; (conveniente) convenient, suitable

oposição [opozi'sãw] f opposition; **em ~ a** against; **fazer ~ a** to oppose

oposto, -a [o'poʃtu, 'pɔʃta] adj opposite; (em frente) facing; (opiniões) opposing ♦ m opposite

opressão [opre'sãw] (pl **-ões**) f oppression; **opressivo, -a** [opre'sivu, a] adj oppressive

oprimir [opri'mi*] vt to oppress; (comprimir) to press

optar [op'ta*] vi to choose; **~ por** to opt for; **~ por fazer** to opt to do

óptico, -a etc ['ɔtiku, a] (PT) = **ótico** etc

óptimo, -a etc ['ɔtimu, a] (PT) adj = **ótimo** etc

ora ['ɔra] adv now ♦ conj well; **por ~** for the time being; **~ ..., ~ ...** one moment ..., the next ...; **~ bem** now then

oração [ora'sãw] (pl **-ões**) f prayer; (discurso) speech; (LING) clause

oral [o'raw] (pl **-ais**) adj oral ♦ f (exam)

orar [o'ra*] vi (REL) to pray

órbita ['ɔxbita] f orbit; (do olho) socket

Órcades ['ɔxkadʒiʃ] fpl: **as ~** the Orkneys

orçamento [oxsa'mẽtu] m (do estado etc) budget; (avaliação) estimate

orçar [ox'sa*] vt to value, estimate ♦ vi: **~ em** (gastos etc) to be valued at, be put at

ordem ['ɔxdẽ] (pl **-ns**) f order; **até nova ~** until further notice; **de primeira ~** first-rate; **estar em ~** to be tidy; **por ~** in order, in turn; **~ do dia** agenda; **~ pública** public order, law and order

ordenado, -a [oxde'nadu, a] adj (posto em ordem) in order; (metódico) orderly ♦ m salary, wages pl

ordens ['ɔxdẽʃ] fpl de **ordem**

ordinário, -a [oxdʒi'narju, a] adj ordinary; (comum) usual; (medíocre) mediocre; (grosseiro) coarse, vulgar; (de má qualidade) inferior; **de ~** usually

orelha [o'reʎa] f ear; (aba) flap

órfã ['ɔxfã] f de **órfão**

órfão, -fã ['ɔxfãw, fã] (pl **~s**) adj, m/f orphan

orgânico, -a [ox'ganiku, a] adj organic

organismo [oxga'niʒmu] m organism; (entidade) organization

organização [oxganiza'sãw] (pl **-ões**) f organization; **organizar** [oxgani'za*] vt to organize

órgão ['ɔxgãw] (pl **~s**) m organ; (governamental etc) institution, body

orgasmo [ox'gaʒmu] m orgasm

orgia [ox'ʒia] f orgy

orgulho [ox'guʎu] m pride; (arrogância) arrogance; **orgulhoso, -a** [oxgu'ʎozu, ɔza] adj proud; haughty

orientação [orjẽta'sãw] f direction; (posição) position; **~ educacional** training, guidance

oriental [orjẽ'taw] (pl **-ais**) adj eastern; (do Extremo Oriente) oriental

orientar [orjẽ'ta*] vt to orientate; (indicar o rumo) to direct; (aconselhar) to guide; **orientar-se** vr to get one's bearings; **~-se por algo** to follow sth

oriente [o'rjẽtʃi] m: **o O~** the East; **Extremo O~** Far East; **O~ Médio** Middle East

origem [o'riʒẽ] (pl **-ns**) f origin; (ascendência) lineage, descent; **lugar de ~** birthplace

original [oriʒi'naw] (pl **-ais**) adj original; (estranho) strange, odd ♦ m original; **originalidade** [oriʒinali'dadʒi] f originality; (excentricidade) eccentricity

originar [oriʒi'na*] vt to give rise to, start; **originar-se** vr to arise; **~-se de** to originate from

oriundo, -a [o'rjũdu, a] adj: **~ de** arising from; (natural) native of

orla ['ɔxla] f: **~ marítima** seafront

ornamento [oxna'mẽtu] m adornment, decoration

orquestra [ox'kɛʃtra] (PT **-esta**) f orchestra

orquídea [ox'kidʒja] f orchid

ortodoxo, -a [oxto'dɔksu, a] adj orthodox

ortografia [oxtogra'fia] f spelling

orvalho [ox'vaʎu] m dew

os [uʃ] art def V **o**

osso ['osu] m bone

ostensivo, -a [oʃtẽ'sivu, a] adj ostensible

ostentar [oʃtẽ'ta*] vt to show; (alardear) to show off, flaunt

ostra ['oʃtra] f oyster

OTAN ['otã] abr f (= Organização do Tratado do Atlântico Norte) NATO

ótica ['ɔtʃika] f optics sg; (loja) optician's; (fig: ponto de vista) viewpoint; V tb **ótico**

ótico, -a ['ɔtʃiku, a] adj optical ♦ m/f optician

otimista [otʃi'miʃta] adj optimistic ♦ m/f

optimist

ótimo, -a ['ɔtʃimu, a] *adj* excellent, splendid ♦ *excl* great!, super!

ou [o] *conj* or; **~ este ~ aquele** either this one or that one; **~ seja** in other words

ouço *etc* ['osu] *vb V* **ouvir**

ouriço [o'risu] *m* (*europeu*) hedgehog; (*casca*) shell

ouro ['oru] *m* gold; **~s** *mpl* (*CARTAS*) diamonds

ousadia [oza'dʒia] *f* daring; **ousado, -a** [o'zadu, a] *adj* daring, bold

ousar [o'za*] *vt, vi* to dare

outono [o'tonu] *m* autumn

PALAVRA CHAVE
---

outro, a ['otru, a] *adj*

1 (*distinto: sg*) another; (: *pl*) other; **outra coisa** something else; **de ~ modo, de outra maneira** otherwise; **no ~ dia** the next day; **ela está outra** (*mudada*) she's changed

2 (*adicional*): **traga-me ~ café, por favor** can I have another coffee, please?; **outra vez** again

♦ *pron*

1 o ~ the other one; **(os) ~s** (the) others; **de ~** somebody else's

2 (*recíproco*): **odeiam-se uns aos ~s** they hate one another *ou* each other

3: **~ tanto** the same again; **comer ~ tanto** to eat the same *ou* as much again; **ele recebeu uma dezena de telegramas e outras tantas chamadas** he got about ten telegrams and as many calls

---

outubro [o'tubru] (*PT* **O-**) *m* October

ouvido [o'vidu] *m* (*ANAT*) ear; (*sentido*) hearing; **de ~** by ear; **dar ~s a** to listen to

ouvinte [o'vĩtʃi] *m/f* listener; (*estudante*) auditor

ouvir [o'vi*] *vt* to hear; (*com atenção*) to listen to; (*missa*) to attend ♦ *vi* to hear; to listen; **~ dizer que ...** to hear that ...; **~ falar de** to hear of

ova ['ɔva] *f* roe

oval [o'vaw] (*pl* **-ais**) *adj*, *f* oval

ovário [o'varju] *m* ovary

ovelha [o'veʎa] *f* sheep

óvni ['ɔvni] *m* UFO

ovo ['ovu] *m* egg; **~s de granja** free-range eggs; **~ pochê** (*BR*) *ou* **escalfado** (*PT*) poached egg; **~ estrelado** *ou* **frito** fried egg; **~s mexidos** scrambled eggs; **~ quente/cozido duro** hard-boiled/soft-boiled egg

oxidar [oksi'da*] *vt* to rust; **oxidar-se** *vr* to rust, go rusty

oxigenado, -a [oksiʒe'nadu, a] *adj* (*cabelo*) bleached; **água oxigenada** peroxide

oxigênio [oksi'ʒenju] *m* oxygen

ozônio [o'zonju] *m* ozone; **camada de ~** ozone layer

P p

P. *abr* (= *Praça*) Sq.

p.a. *abr* (= *por ano*) p.a.

pá [pa] *f* shovel; (*de remo, hélice*) blade ♦ *m* (*PT*) pal, mate; **~ de lixo** dustpan

paca ['paka] *f* (*ZOOL*) paca

pacato, -a [pa'katu, a] *adj* (*pessoa*) quiet; (*lugar*) peaceful

paciência [pa'sjẽsja] *f* patience; **paciente** [pa'sjẽtʃi] *adj*, *m/f* patient

pacífico, -a [pa'sifiku, a] *adj* (*pessoa*) peace-loving; (*aceito sem discussão*) undisputed; (*sossegado*) peaceful; **o (Oceano) P~** the Pacific (Ocean)

pacote [pa'kɔtʃi] *m* packet; (*embrulho*) parcel; (*ECON, COMPUT, TURISMO*) package

pacto ['paktu] *m* pact; (*ajuste*) agreement

padaria [pada'ria] *f* bakery, baker's (shop)

padeiro [pa'dejru] *m* baker

padiola [pa'dʒɔla] *f* stretcher

padrão [pa'drãw] (*pl* **-ões**) *m* standard; (*medida*) gauge; (*desenho*) pattern; (*fig: modelo*) model; **~ de vida** standard of living

padrasto [pa'draʃtu] *m* stepfather

padre ['padri] *m* priest

padrinho [pa'driɲu] *m* godfather; (*de noivo*) best man; (*patrono*) sponsor

padroeiro, -a [pa'drwejru, a] *m/f* patron; (*santo*) patron saint

padrões [pa'drõjʃ] *mpl de* **padrão**

pães [pãjʃ] *mpl de* **pão**

pagã [pa'gã] *f de* **pagão**

pagador, a [paga'do*, a] *adj* paying ♦ *m/f* payer; (*de salário*) pay clerk; (*de banco*) teller

pagamento [paga'mẽtu] *m* payment; **~ a prazo** *ou* **em prestações** payment in instal(l)ments; **~ à vista** cash payment; **~ contra entrega** (*COM*) COD, cash on delivery

pagão, -gã [pa'gãw, gã] (*pl* **~s, ~s**) *adj, m/f* pagan

pagar [pa'ga*] *vt* to pay; (*compras,*

pecados) to pay for; (*o que devia*) to pay back; (*retribuir*) to repay ♦ *vi* to pay; **~ por algo** (*tb fig*) to pay for sth; **~ a prestações** to pay in instal(l)ments; **~ de contado** (*PT*) to pay cash
página [ˈpaʒina] *f* page
pago, -a [ˈpagu, a] *pp de* **pagar** ♦ *adj* paid; (*fig*) even ♦ *m* pay
pai [paj] *m* father; **~s** *mpl* parents
painel [pajˈnɛw] (*pl* **-éis**) *m* panel; (*quadro*) picture; (*AUTO*) dashboard; (*de avião*) instrument panel
país [paˈjiʃ] *m* country; (*região*) land; **~ natal** native land
paisagem [pajˈzaʒẽ] (*pl* **-ns**) *f* scenery, landscape
paisano, -a [pajˈzanu, a] *adj* civilian ♦ *m/f* (*não militar*) civilian; (*compatriota*) fellow countryman
Países Baixos *mpl*: **os ~** the Netherlands
paixão [pajˈʃãw] (*pl* **-ões**) *f* passion
palácio [paˈlasju] *m* palace; **~ da justiça** courthouse
paladar [palaˈda*] *m* taste; (*ANAT*) palate
palafita [palaˈfita] *f* (*estacaria*) stilts *pl*; (*habitação*) stilt house
palavra [paˈlavra] *f* word; (*fala*) speech; (*promessa*) promise; (*direito de falar*) right to speak; **dar a ~ a alguém** to give sb the chance to speak; **ter ~** (*pessoa*) to be reliable; **~s cruzadas** crossword (puzzle) *sg*; **palavrão** [palaˈvrãw] (*pl* **-ões**) *m* swearword
palco [ˈpawku] *m* (*TEATRO*) stage; (*fig*: *local*) scene
Palestina [paleʃˈtʃina] *f*: **a ~** Palestine; **palestino, -a** [paleʃˈtʃinu, a] *adj*, *m/f* Palestinian
palestra [paˈlɛʃtra] *f* chat, talk; (*conferência*) lecture
paletó [paleˈtɔ] *m* jacket
palha [ˈpaʎa] *f* straw
palhaço [paˈʎasu] *m* clown
pálido, -a [ˈpalidu, a] *adj* pale
palito [paˈlitu] *m* stick; (*para os dentes*) toothpick
palma [ˈpawma] *f* (*folha*) palm leaf; (*da mão*) palm; **bater ~s** to clap; **palmada** [pawˈmada] *f* slap
palmeira [pawˈmejra] *f* palm tree
palmo [ˈpawmu] *m* span; **~ a ~** inch by inch
palpável [pawˈpavew] (*pl* **-eis**) *adj* tangible; (*fig*) obvious
pálpebra [ˈpawpebra] *f* eyelid
palpitação [pawpitaˈsãw] (*pl* **-ões**) *f* beating, throbbing; **palpitações** *fpl* (*batimentos cardíacos*) palpitations

palpitante [pawpiˈtatʃi] *adj* beating, throbbing; (*fig*: *emocionante*) thrilling; (: *de interesse atual*) sensational
palpitar [pawpiˈta*] *vi* (*coração*) to beat
palpite [pawˈpitʃi] *m* (*intuição*) hunch; (*JOGO, TURFE*) tip; (*opinião*) opinion
pampa [ˈpãpa] *f* pampas
Panamá [panaˈma] *m*: **o ~** Panama, the Panama Canal
pancada [pãˈkada] *f* (*no corpo*) blow, hit; (*choque*) knock; (*de relógio*) stroke; **dar ~ em alguém** to hit sb; **pancadaria** [pãkadaˈria] *f* (*surra*) beating; (*tumulto*) fight
pandeiro [pãˈdejru] *m* tambourine
pane [ˈpani] *f* breakdown
panela [paˈnɛla] *f* (*de barro*) pot; (*de metal*) pan; (*de cozinhar*) saucepan; (*no dente*) hole; **~ de pressão** pressure cooker
panfleto [pãˈfletu] *m* pamphlet
pânico [ˈpaniku] *m* panic; **entrar em ~** to panic
pano [ˈpanu] *m* cloth; (*TEATRO*) curtain; (*vela*) sheet, sail; **~ de pratos** tea-towel; **~ de pó** duster; **~ de fundo** (*tb fig*) backdrop
panorama [panoˈrama] *m* view
panqueca [pãˈkɛka] *f* pancake
pantanal [pãtaˈnaw] (*pl* **-ais**) *m* swampland
pântano [ˈpãtanu] *m* marsh, swamp
pantera [pãˈtɛra] *f* panther
pão [pãw] (*pl* **pães**) *m* bread; **o P~ de Açúcar** (*no Rio*) Sugarloaf Mountain; **~ torrado** toast; **pão-duro** (*pl* **pães-duros**) (*col*) *adj* mean, stingy ♦ *m/f* miser; **pãozinho** [pãwˈziɲu] *m* roll
papa [ˈpapa] *m* Pope; (*mingau*) porridge
papagaio [papaˈgaju] *m* parrot; (*pipa*) kite
papai [paˈpaj] *m* dad, daddy; **P~ Noel** Santa Claus, Father Christmas
papel [paˈpɛw] (*pl* **-éis**) *m* paper; (*TEATRO, função*) role; **~ de embrulho/de escrever/de alumínio** wrapping paper/ writing paper/tinfoil; **~ higiênico/usado** toilet/waste paper; **~ de parede/de seda/transparente** wallpaper/tissue paper/tracing paper; **papelada** [papeˈlada] *f* pile of papers; (*burocracia*) paperwork, red tape; **papelão** [papeˈlãw] *m* cardboard; (*fig*) fiasco; **papelaria** [papelaˈria] *f* stationer's (shop); **papel-carbono** *m* carbon paper
papo [ˈpapu] (*col*) *m* (*conversa*) chat; **bater** *ou* **levar um ~** (*col*) to have a chat;

ficar de ~ para o ar (*fig*) to laze around
paquerar [pake'ra*] (*col*) *vi* to flirt ♦ *vt* to chat up
paquistanês, -esa [pakiʃta'neʃ, eza] *adj*, *m/f* Pakistani
Paquistão [pakiʃ'tãw] *m*: **o ~** Pakistan
par [pa*] *adj* (*igual*) equal; (*número*) even ♦ *m* pair; (*casal*) couple; (*pessoa na dança*) partner; **~ a ~** side by side, level; **sem ~** incomparable
para ['para] *prep* for; (*direção*) to, towards; **~ que** so that, in order that; **~ quê?** what for?, why?; **ir ~ casa** to go home; **~ com** (*atitude*) towards; **de lá ~ cá** since then; **~ a semana** next week; **estar ~** to be about to; **é ~ nós ficarmos aqui?** should we stay here?
parabéns [para'bẽjʃ] *mpl* congratulations; (*no aniversário*) happy birthday; **dar ~ a** to congratulate
pára-brisa ['para-] (*pl* **~s**) *m* windscreen (*BRIT*), windshield (*US*)
pára-choque ['para-] (*pl* **~s**) *m* (*AUTO*) bumper
parada [pa'rada] *f* stop; (*COM*) stoppage; (*militar, colegial*) parade
parado, -a [pa'radu, a] *adj* (*imóvel*) standing still; (*sem vida*) lifeless; (*carro*) stationary; (*máquina*) out of action; (*olhar*) fixed; (*trabalhador, fábrica*) idle
paradoxo [para'dɔksu] *m* paradox
parafuso [para'fuzu] *m* screw
paragem [pa'raʒẽ] (*pl* **-ns**) *f* stop; **paragens** *fpl* (*lugares*) places, parts; **~ de eléctrico** (*PT*) tram (*BRIT*) *ou* streetcar (*US*) stop
parágrafo [pa'ragrafu] *m* paragraph
Paraguai [para'gwaj] *m*: **o ~** Paraguay; **paraguaio, -a** [para'gwaju, a] *adj*, *m/f* Paraguayan
paraíso [para'izu] *m* paradise
pára-lama ['para-] (*pl* **~s**) *m* wing (*BRIT*), fender (*US*); (*de bicicleta*) mudguard
paralelepípedo [paralele'pipedu] *m* paving stone
paralelo, -a [para'lɛlu, a] *adj* parallel
paralisar [parali'za*] *vt* to paralyse; (*trabalho*) to bring to a standstill; **paralisar-se** *vr* to become paralysed; (*fig*) to come to a standstill; **paralisia** [parali'zia] *f* paralysis
paranóico, -a [para'nɔjku, a] *adj*, *m/f* paranoid
parapeito [para'pejtu] *m* wall, parapet; (*da janela*) windowsill
pára-quedas ['para-] *m inv* parachute
pára-quedista [parake'dʒiʃta] *m/f* parachutist ♦ *m* (*MIL*) paratrooper

parar [pa'ra*] *vi* to stop; (*ficar*) to stay ♦ *vt* to stop; **fazer ~** (*deter*) to stop; **~ na cadeia** to end up in jail; **~ de fazer** to stop doing
pára-raios ['para-] *m inv* lightning conductor
parasita [para'zita] *m* parasite
parceiro, -a [pax'sejru, a] *adj* matching ♦ *m/f* partner
parcela [pax'sɛla] *f* piece, bit; (*de pagamento*) instalment (*BRIT*), installment (*US*); (*de terra*) plot; (*do eleitorado etc*) section; (*MAT*) item
parceria [paxse'ria] *f* partnership
parcial [pax'sjaw] (*pl* **-ais**) *adj* partial; (*feito por partes*) in parts; (*pessoa*) bias(s)ed; (*POL*) partisan; **parcialidade** [paxsjali'dadʒi] *f* bias, partiality
pardal [pax'daw] (*pl* **-ais**) *m* sparrow
pardieiro [pax'dʒjejru] *m* ruin, heap
pardo, -a ['paxdu, a] *adj* (*cinzento*) grey (*BRIT*), gray (*US*); (*castanho*) brown; (*mulato*) mulatto
parecer [pare'se*] *m*, *vi* (*ter a aparência de*) to look, seem; **parecer-se** *vr*: **~-se com alguém** to look like sb; **~ (com)** (*ter semelhança com*) to look (like); **ao que parece** apparently; **parece-me que** I think that, it seems to me that; **que lhe parece?** what do you think?; **parece que** it looks as if
parecido, -a [pare'sidu, a] *adj* alike, similar; **~ com** like
parede [pa'redʒi] *f* wall
parente, -a [pa'rẽtʃi] *m/f* relative, relation; **parentesco** [parẽ'teʃku] *m* relationship; (*fig*) connection
parêntese [pa'rẽtezi] *m* parenthesis; (*na escrita*) bracket; (*fig: digressão*) digression
páreo ['parju] *m* race; (*fig*) competition
parir [pa'ri*] *vt* to give birth to ♦ *vi* to give birth; (*mulher*) to have a baby
Paris [pa'riʃ] *n* Paris; **parisiense** [pari'zjẽsi] *adj*, *m/f* Parisian
parlamentar [paxlamẽ'ta*] *adj* parliamentary ♦ *m/f* member of parliament
parlamento [paxla'mẽtu] *m* parliament
paróquia [pa'rɔkja] *f* (*REL*) parish
parque ['paxki] *m* park; **~ industrial/infantil** industrial estate/children's playground; **~ nacional** national park
parte ['paxtʃi] *f* part; (*quinhão*) share; (*lado*) side; (*ponto*) point; (*papel*) role; **a maior ~ de** most of; **à ~** aside; (*separado*) separate; (*separadamente*) separately; (*além de*) apart from; **da ~ de alguém** on sb's part;

participação → patamar

em alguma/qualquer ~ somewhere/anywhere; **em ~ alguma** nowhere; **por toda (a)** ~ everywhere; **pôr de** ~ to set aside; **tomar ~ em** to take part in; **dar ~ de alguém à polícia** to report sb to the police

participação [paxtʃisipa'sãw] f participation; (COM) stake, share; (comunicação) announcement, notification

participar [paxtʃisi'pa*] vt to announce, notify of ♦ vi: ~ **de** ou **em** to participate in, take part in; (compartilhar) to share in

particípio [paxtʃi'sipju] m participle

particular [paxtʃiku'la*] adj particular, special; (privativo, pessoal) private ♦ m particular; (indivíduo) individual; **~es** mpl (pormenores) details; **em ~** in private; **particularmente** [paxtʃikulax'mētʃi] adv privately; (especialmente) particularly

partida [pax'tʃida] f (saída) departure; (ESPORTE) game, match

partidário, -a [paxtʃi'darju, a] adj supporting ♦ m/f supporter, follower

partido [pax'tʃidu] m (POL) party; **tirar ~ de** to profit from; **tomar o ~ de** to side with

partilhar [paxtʃi'ʎa*] vt to share; (distribuir) to share out

partir [pax'tʃi*] vt to break; (dividir) to divide, split ♦ vi (pôr-se a caminho) to set off, set out; (ir-se embora) to leave, depart; **partir-se** vr to break; **a ~ de** (starting) from

parto ['paxtu] m (child)birth; **estar em trabalho de ~** to be in labour (BRIT) ou labor (US)

Páscoa ['paʃkwa] f Easter; (dos judeus) Passover

pasmo, -a ['paʒmu, a] adj astonished ♦ m amazement

passa ['pasa] f raisin

passadeira [pasa'dejra] f (tapete) stair carpet; (mulher) ironing lady; (PT: para peões) zebra crossing (BRIT), crosswalk (US)

passado, -a [pa'sadu, a] adj past; (antiquado) old-fashioned; (fruta) bad; (peixe) off ♦ m past; **o ano ~** last year; **bem/mal passado** (carne) well done/rare

passageiro, -a [pasa'ʒejru, a] adj passing ♦ m/f passenger

passagem [pa'saʒē] (pl **-ns**) f passage; (preço de condução) fare; (bilhete) ticket; **~ de ida e volta** return ticket, round trip ticket (US); **~ de nível** level (BRIT) ou grade (US) crossing; **~ de pedestres** pedestrian crossing (BRIT), crosswalk (US); **~ subterrânea** underpass, subway (BRIT)

passaporte [pasa'pɔxtʃi] m passport

passar [pa'sa*] vt to pass; (exceder) to go beyond, exceed; (a ferro) to iron; (o tempo) to spend; (a outra pessoa) to pass on; (pomada) to put on ♦ vi to pass; (na rua) to go past; (tempo) to go by; (dor) to wear off; (terminar) to be over; **passar-se** vr (acontecer) to go on, happen; **~ bem** (de saúde) to be well; **passava das dez horas** it was past ten o'clock; **~ alguém para trás** to con sb; (cônjuge) to cheat on sb; **~ por algo** (sofrer) to go through sth; (transitar: estrada) to go along sth; (ser considerado como) to be thought of as sth; **~ sem** to do without

passarela [pasa'rɛla] f footbridge

pássaro ['pasaru] m bird

passatempo [pasa'tẽpu] m pastime

passe ['pasi] m pass

passear [pa'sja*] vt to take for a walk ♦ vi (a pé) to go for a walk; (sair) to go out; **~ a cavalo** (ou **de carro**) to go for a ride; **passeata** [pa'sjata] f (marcha coletiva) protest march; **passeio** [pa'seju] m walk; (de carro) drive, ride; (excursão) outing; (calçada) pavement (BRIT), sidewalk (US); **dar um passeio** to go for a walk; (de carro) to go for a drive ou ride

passível [pa'sivew] (pl **-eis**) adj: **~ de** (dor etc) susceptible to; (pena, multa) subject to

passivo, -a [pa'sivu, a] adj passive ♦ m (COM) liabilities pl

passo ['pasu] m step; (medida) pace; (modo de andar) walk; (ruído dos passos) footstep; (sinal de pé) footprint; **ao ~ que** while; **ceder o ~ a** to give way to

pasta ['paʃta] f paste; (de couro) briefcase; (de cartolina) folder; (de ministro) portfolio; **~ dentifrícia** ou **de dentes** toothpaste

pastar [paʃ'ta*] vt to graze on ♦ vi to graze

pastel [paʃ'tew] (pl **-éis**) adj inv (cor) pastel ♦ m samosa

pastelão [paʃte'lãw] m slapstick

pastelaria [paʃtela'ria] f cake shop; (comida) pastry

pasteurizado, -a [paʃtewri'zadu, a] adj pasteurized

pastilha [paʃ'tʃiʎa] f (MED) tablet; (doce) pastille; (COMPUT) chip

pastor, a [paʃ'to*, a] m/f shepherd(ess) ♦ m (REL) clergyman, pastor

pata ['pata] f (pé de animal) foot, paw; (ave) duck; (col: pé) foot

patamar [pata'ma*] m (de escada)

patente → pegada

landing; (fig) level
patente [pa'tẽtʃi] adj obvious, evident ♦ f (COM) patent
paternal [patex'naw] (pl -ais) adj paternal, fatherly; **paternidade** [patexni'dadʒi] f paternity; **paterno, -a** [pa'tɛxnu, a] adj paternal, fatherly; **casa paterna** family home
pateta [pa'tɛta] adj stupid, daft ♦ m/f idiot
patético, -a [pa'tɛtʃiku, a] adj pathetic, moving
patife [pa'tʃifi] m scoundrel, rogue
patim [pa'tʃĩ] (pl -ns) m skate; **patins em linha** Rollerblades ®; **patins de roda** roller skates; **patinar** [patʃi'na*] vi to skate; (AUTO: derrapar) to skid
patins [pa'tʃĩʃ] mpl de **patim**
pátio ['patʃju] m (de uma casa) patio, backyard; (espaço cercado de edifícios) courtyard; (tb: ~ **de recreio**) playground; (MIL) parade ground
pato ['patu] m duck; (macho) drake
patologia [patolo'ʒia] f pathology; **patológico, -a** [pato'lɔʒiku, a] adj pathological
patrão [pa'trãw] (pl -ões) m (COM) boss; (dono de casa) master; (proprietário) landlord; (NÁUT) skipper
pátria ['patrja] f homeland
patrimônio [patri'monju] m (herança) inheritance; (fig) heritage; (bens) property
patriota [pa'trjɔta] m/f patriot
patrocinador, a [patrosina'do*, a] m/f sponsor, backer
patrocinar [patrosi'na*] vt to sponsor; (proteger) to support; **patrocínio** [patro'sinju] m sponsorship, backing; support
patrões [pa'trõjʃ] mpl de **patrão**
patrulha [pa'truʎa] f patrol; **patrulhar** [patru'ʎa*] vt, vi to patrol
pau [paw] m (madeira) wood; (vara) stick; **~s** mpl (CARTAS) clubs; **~ a ~** neck and neck; **~ de bandeira** flagpole
pausa ['pawza] f pause; (intervalo) break; (descanso) rest
pauta ['pawta] f (linha) (guide)line; (ordem do dia) agenda; (indicações) guidelines pl; **sem ~** (papel) plain; **em ~** on the agenda
pavão [pa'vãw, 'voa] (pl -ões, ~s) m/f peacock/peahen
pavilhão [pavi'ʎãw] (pl -ões) m tent; (de madeira) hut; (no jardim) summerhouse; (em exposição) pavilion; (bandeira) flag
pavimento [pavi'mẽtu] m (chão, andar) floor; (da rua) road surface
pavões [pa'võjʃ] mpl de **pavão**
pavor [pa'vo*] m dread, terror; **ter ~ de** to be terrified of; **pavoroso, -a** [pavo'rozu, ɔza] adj dreadful, terrible
paz [pajʒ] f peace; **fazer as ~es** to make up, be friends again
PC abr m = **personal computer**
Pça. abr (= Praça) Sq.
pé [pɛ] m foot; (da mesa) leg; (fig: base) footing; (de milho, café) plant; **ir a ~** to walk, go on foot; **ao ~ de** near, by; **ao ~ da letra** literally; **estar de ~** (festa etc) to be on; **em** ou **de ~** standing (up); **dar no ~** (col) to run away, take off; **não ter ~ nem cabeça** (fig) to make no sense
peão [pjãw] (PT: pl -ões) m pedestrian
peça ['pɛsa] f piece; (AUTO) part; (aposento) room; (TEATRO) play; **~ de reposição** spare part; **~ de roupa** garment
pecado [pe'kadu] m sin
pecar [pe'ka*] vi to sin; **~ por excesso de zelo** to be over-zealous
pechincha [pe'ʃĩʃa] f (vantagem) godsend; (coisa barata) bargain; **pechinchar** [peʃĩ'ʃa*] vi to bargain, haggle
peço etc ['pɛsu] vb V **pedir**
peculiar [peku'lja*] adj special, peculiar; (particular) particular; **peculiaridade** [pekuljari'dadʒi] f peculiarity
pedaço [pe'dasu] m piece; (fig: trecho) bit; **aos ~s** in pieces
pedágio [pe'daʒju] m (BR) (pagamento) toll
pedal [pe'daw] (pl -ais) m pedal; **pedalar** [peda'la*] vt, vi to pedal
pedante [pe'dãtʃi] adj pretentious ♦ m/f pseud
pedestre [pe'dɛʃtri] m (BR) pedestrian
pedicuro, -a [pedʒi'kuru, a] m/f chiropodist (BRIT), podiatrist (US)
pedido [pe'dʒidu] m request; (COM) order; **~ de demissão** resignation; **~ de desculpa** apology
pedinte [pe'dʒĩtʃi] m/f beggar
pedir [pe'dʒi*] vt to ask for; (COM, comida) to order; (exigir) to demand ♦ vi to ask; (num restaurante) to order; **~ algo a alguém** to ask sb for sth; **~ a alguém que faça, ~ para alguém fazer** to ask sb to do
pedra ['pɛdra] f stone; (rochedo) rock; (de granizo) hailstone; (de açúcar) lump; (quadro-negro) slate; **~ de gelo** ice cube; **pedreiro** [pe'drejru] m stonemason
pegada [pe'gada] f (de pé) footprint;

pegado → pequerrucho

(*FUTEBOL*) save
pegado, -a [pe'gadu, a] *adj* stuck; (*unido*) together
pegajoso, -a [pega'ʒozu, ɔza] *adj* sticky
pegar [pe'ga*] *vt* to catch; (*selos*) to stick (on); (*segurar*) to take hold of; (*hábito, mania*) to get into; (*compreender*) to take in; (*trabalho*) to take on; (*estação de rádio*) to pick up, get ♦ *vi* to stick; (*planta*) to take; (*moda*) to catch on; (*doença*) to be catching; (*motor*) to start; ~ **em** (*segurar*) to grab, pick up; **ir** ~ (*buscar*) to go and get; ~ **um emprego** to get a job; ~ **fogo a algo** to set fire to sth; ~ **no sono** to fall asleep
pego, -a ['pɛgu, a] *pp de* **pegar**
peito ['pejtu] *m* (*ANAT*) chest; (*de ave, mulher*) breast; (*fig*) courage
peitoril [pejto'riw] (*pl* -**is**) *m* windowsill
peixada [pej'ʃada] *f fish cooked in a seafood sauce*
peixaria [pejʃa'ria] *f* fish shop, fishmonger's (*BRIT*)
peixe ['pejʃi] *m* fish; **P~s** *mpl* (*ASTROLOGIA*) Pisces *sg*
pela ['pɛla] = **por** + **a**
pelada [pe'lada] *f* football game
pelado, -a [pe'ladu, a] *adj* (*sem pele*) skinned; (*sem pêlo, cabelo*) shorn; (*nu*) naked, in the nude; (*sem dinheiro*) broke
pelar [pe'la*] *vt* (*tirar a pele*) to skin; (*tirar o pêlo*) to shear
pelas ['pɛlaʃ] = **por** + **as**
pele ['pɛli] *f* skin; (*couro*) leather; (*como agasalho*) fur; (*de animal*) hide
película [pe'likula] *f* film
pelo ['pelu] = **por** + **o**
pêlo ['pelu] *m* hair; (*de animal*) fur, coat; **nu em** ~ stark naked
pelos ['pɛluʃ] = **por** + **os**
peludo, -a [pe'ludu, a] *adj* hairy; (*animal*) furry
pena ['pena] *f* feather; (*de caneta*) nib; (*escrita*) writing; (*JUR*) penalty, punishment; (*sofrimento*) suffering; (*piedade*) pity; **que ~!** what a shame!; **dar** ~ to be upsetting; **ter** ~ **de** to feel sorry for; ~ **capital** capital punishment
penal [pe'naw] (*pl* -**ais**) *adj* penal; **penalidade** [penali'dadʒi] *f* (*JUR*) penalty; (*castigo*) punishment; **penalizar** [penali'za*] *vt* to trouble; (*castigar*) to penalize
pênalti ['penawtʃi] *m* (*FUTEBOL*) penalty (kick)
penar [pe'na*] *vt* to grieve ♦ *vi* to suffer
pendência [pē'dēsja] *f* dispute, quarrel

pendente [pē'dētʃi] *adj* hanging; (*por decidir*) pending; (*inclinado*) sloping; (*dependent*) ~ **(de)** dependent (on) ♦ *m* pendant
pêndulo ['pēdulu] *m* pendulum
pendurar [pēdu'ra*] *vt* to hang
penedo [pe'nedu] *m* rock, boulder
peneira [pe'nejra] *f* sieve; **peneirar** [penej'ra*] *vt* to sift, sieve ♦ *vi* (*chover*) to drizzle
penetrante [pene'trātʃi] *adj* (*olhar*) searching; (*ferida*) deep; (*frio*) biting; (*som, análise*) penetrating, piercing; (*dor, arma*) sharp; (*inteligência, idéias*) incisive
penetrar [pene'tra*] *vt* to get into, penetrate; (*compreender*) to understand ♦ *vi*: ~ **em** *ou* **por** *ou* **entre** to penetrate; ~ **em** (*segredo*) to find out
penhasco [pe'ɲaʃku] *m* cliff, crag
penhorar [peɲo'ra*] *vt* (*dar em penhor*) to pledge, pawn
penicilina [penisi'lina] *f* penicillin
península [pe'nīsula] *f* peninsula
pênis ['peniʃ] *m inv* penis
penitência [peni'tēsja] *f* penitence; (*expiação*) penance; **penitenciária** [penitē'sjarja] *f* prison
penoso, -a [pe'nozu, ɔza] *adj* (*assunto, tratamento*) painful; (*trabalho*) hard
pensamento [pēsa'mētu] *m* thought; (*mente*) mind; (*opinião*) way of thinking; (*idéia*) idea
pensão [pē'sāw] (*pl* -**ões**) *f* (*tb*: **casa de** ~) boarding house; (*comida*) board; ~ **completa** full board; ~ **de aposentadoria** (*retirement*) pension
pensar [pē'sa*] *vi* to think; (*imaginar*) to imagine; ~ **em** to think of *ou* about; ~ **fazer** to intend to do; **pensativo, -a** [pēsa'tʃivu, a] *adj* thoughtful, pensive
pensionista [pēsjo'niʃta] *m/f* pensioner
pensões [pē'sōjʃ] *fpl de* **pensão**
pente ['pētʃi] *m* comb; **penteado, -a** [pē'tʃjadu, a] *adj* (*cabelo*) in place; (*pessoa*) smart ♦ *m* hairdo, hairstyle; **pentear** [pē'tʃja*] *vt* to comb; (*arranjar o cabelo*) to do, style; **pentear-se** *vr* to comb one's hair; to do one's hair
penúltimo, -a [pe'nuwtʃimu, a] *adj* last but one, penultimate
penumbra [pe'nūbra] *f* twilight, dusk; (*sombra*) shadow; (*meia-luz*) half-light
penúria [pe'nurja] *f* poverty
peões [pjōjʃ] *mpl de* **peão**
pepino [pe'pinu] *m* cucumber
pequeno, -a [pe'kenu, a] *adj* small; (*mesquinho*) petty ♦ *m* boy
pequerrucho [peke'xuʃu] *m* thimble

Pequim → perplexo

Pequim [pe'kĩ] *n* Peking, Beijing
pêra ['pera] *f* pear
perambular [perãbu'la*] *vi* to wander
perante [pe'rãtʃi] *prep* before, in the presence of
per capita [pɛx'kapita] *adv, adj* per capita
perceber [pexse'be*] *vt* to realize; *(por meio dos sentidos)* to perceive; *(compreender)* to understand; *(ver)* to see; *(ouvir)* to hear; *(ver ao longe)* to make out; *(dinheiro: receber)* to receive
percentagem [pexsẽ'taʒẽ] *f* percentage
percepção [pexsep'sãw] *f* perception; **perceptível** [pexsep'tʃivew] *(pl* **-eis)** *adj* perceptible, noticeable; *(som)* audible
percevejo [pexse'veʒu] *m (inseto)* bug; *(prego)* drawing pin *(BRIT)*, thumbtack *(US)*
perco *etc* ['pexku] *vb V* **perder**
percorrer [pexko'xe*] *vt (viajar por)* to travel (across *ou* over); *(passar por)* to go through, traverse; *(investigar)* to search through
percurso [pex'kuxsu] *m (espaço percorrido)* distance (covered); *(trajeto)* route; *(viagem)* journey
percussão [pexku'sãw] *f (MÚS)* percussion
perda ['pexda] *f* loss; *(desperdício)* waste; **~s e danos** damages, losses
perdão [pex'dãw] *m* pardon, forgiveness; **~!** sorry!, I beg your pardon!
perder [pex'de*] *vt* to lose; *(tempo)* to waste; *(trem, show, oportunidade)* to miss ♦ *vi* to lose; **perder-se** *vr* to get lost; *(arruinar-se)* to be ruined; *(desaparecer)* to disappear; **~-se de alguém** to lose sb
perdição [pexdʒi'sãw] *f* perdition, ruin; *(desonra)* depravity
perdido, -a [pex'dʒidu, a] *adj* lost; **~s e achados** lost and found, lost property
perdiz [pex'dʒiʒ] *f* partridge
perdoar [pex'dwa*] *vt* to forgive
perdurar [pexdu'ra*] *vi* to last a long time; *(continuar a existir)* to still exist
perecível [pere'sivew] *(pl* **-eis)** *adj* perishable
peregrinação [peregrina'sãw] *(pl* **-ões)** *f (viagem)* travels *pl; (REL)* pilgrimage
peregrino, -a [pere'grinu, a] *m/f* pilgrim
peremptório, -a [perẽp'tɔrju, a] *adj* final; *(decisivo)* decisive
perene [pe'rɛni] *adj* everlasting; *(BOT)* perennial
perfeição [pexfej'sãw] *f* perfection
perfeitamente [pexfejta'mẽtʃi] *adv* perfectly ♦ *excl* exactly!
perfeito, -a [pex'fejtu, a] *adj* perfect ♦ *m (LING)* perfect
perfil [pex'fiw] *(pl* **-is)** *m* profile; *(silhueta)* silhouette, outline; *(ARQ)* (cross) section
perfume [pex'fumi] *m* perfume, scent
perfurar [pexfu'ra*] *vt (o chão)* to drill a hole in; *(papel)* to punch (a hole in)
pergunta [pex'gũta] *f* question; **fazer uma ~ a alguém** to ask sb a question; **perguntar** [pexgũ'ta*] *vt* to ask; *(interrogar)* to question ♦ *vi*: **perguntar por alguém** to ask after sb; **perguntar-se** *vr* to wonder; **perguntar algo a alguém** to ask sb sth
perícia [pe'risja] *f* expertise; *(destreza)* skill; *(exame)* investigation
periferia [perife'ria] *f* periphery; *(da cidade)* outskirts *pl*
perigo [pe'rigu] *m* danger; **perigoso, -a** [peri'gozu, ɔza] *adj* dangerous; *(arriscado)* risky
periódico, -a [pe'rjɔdʒiku, a] *adj* periodic ♦ *m (revista)* magazine, periodical; *(jornal)* (news)paper
período [pe'riodu] *m* period; *(estação)* season
peripécia [peri'pesja] *f (aventura)* adventure; *(incidente)* turn of events
periquito [peri'kitu] *m* parakeet
perito, -a [pe'ritu, a] *adj* expert ♦ *m/f* expert; *(quem faz perícia)* investigator
permanecer [pexmane'se*] *vi* to remain; *(num lugar)* to stay; *(continuar a ser)* to remain, keep; **~ parado** to keep still
permanência [pexma'nẽsja] *f* permanence; *(estada)* stay; **permanente** [pexma'nẽtʃi] *adj (dor)* constant; *(cor)* fast; *(residência, pregas)* permanent ♦ *m (cartão)* pass ♦ *f* perm
permissão [pexmi'sãw] *f* permission, consent; **permissivo, -a** [pexmi'sivu, a] *adj* permissive
permitir [pexmi'tʃi*] *vt* to allow, permit
perna ['pɛxna] *f* leg; **~s tortas** bow legs
pernil [pex'niw] *(pl* **-is)** *m (de animal)* haunch; *(CULIN)* leg
pernilongo [pexni'lõgu] *m* mosquito
pernis [pex'niʃ] *mpl de* **pernil**
pernoitar [pexnoj'ta*] *vi* to spend the night
pérola ['pɛrola] *f* pearl
perpendicular [pexpẽdʒiku'la*] *adj, f* perpendicular
perpetuar [pexpe'twa*] *vt* to perpetuate; **perpétuo, -a** [pex'pɛtwu, a] *adj* perpetual
perplexo, -a [pex'plɛksu, a] *adj*

bewildered, puzzled; (*indeciso*) uncertain; **ficar ~** to be taken aback

persa ['pɛxsa] *adj, m/f* Persian

perseguição [pexsegi'sãw] *f* pursuit; (*REL, POL*) persecution

perseguir [pexse'gi*] *vt* to pursue; (*correr atrás*) to chase (after); (*REL, POL*) to persecute; (*importunar*) to harass, pester

perseverante [pexseve'rātʃi] *adj* persistent

perseverar [pexseve'ra*] *vi*: **~ (em)** to persevere (in), persist (in)

Pérsia ['pɛxsja] *f*: **a ~** Persia

persiana [pex'sjana] *f* blind

Pérsico, -a ['pɛxsiku, a] *adj*: **o golfo ~** the Persian Gulf

persigo *etc* [pex'sigu] *vb V* **perseguir**

persistente [pexsiʃ'tētʃi] *adj* persistent

persistir [pexsiʃ'tʃi*] *vi*: **~ (em)** to persist (in)

personagem [pexso'naʒē] (*pl* **-ns**) *m/f* famous person, celebrity; (*num livro, filme*) character

personalidade [pexsonali'dadʒi] *f* personality

perspectiva [pexʃpek'tʃiva] *f* perspective; (*panorama*) view; (*probabilidade*) prospect

perspicácia [pexʃpi'kasja] *f* insight, perceptiveness; **perspicaz** [pexʃpi'kajʒ] *adj* observant; (*sagaz*) shrewd

persuadir [pexswa'dʒi*] *vt* to persuade; **persuadir-se** *vr* to convince o.s.; **persuasão** [pexswa'zāw] *f* persuasion; **persuasivo, -a** [pexswa'zivu, a] *adj* persuasive

pertencente [pextē'sētʃi] *adj*: **~ a** pertaining to

pertencer [pextē'se*] *vi*: **~ a** to belong to; (*referir-se*) to concern

pertences [pex'tēsiʃ] *mpl* (*de uma pessoa*) belongings

pertinência [pextʃi'nēsja] *f* relevance; **pertinente** [pextʃi'nētʃi] *adj* relevant; (*apropriado*) appropriate

perto, -a ['pɛxtu, a] *adj* nearby ♦ *adv* near; **~ de** near to; (*em comparação com*) next to; **de ~** closely; (*ver*) close up; (*conhecer*) very well

perturbar [pextux'ba*] *vt* to disturb; (*abalar*) to upset, trouble; (*atrapalhar*) to put off; (*andamento, trânsito*) to disrupt; (*envergonhar*) to embarrass; (*alterar*) to affect

Peru [pe'ru] *m*: **o ~** Peru

peru, a [pe'ru, a] *m/f* turkey

peruca [pe'ruka] *f* wig

perverso, -a [pex'vɛxsu, a] *adj* perverse; (*malvado*) wicked

perverter [pexvex'te*] *vt* to corrupt, pervert; **pervertido, -a** [pexvex'tʃidu, a] *adj* perverted ♦ *m/f* pervert

pesadelo [peza'dɛlu] *m* nightmare

pesado, -a [pe'zadu, a] *adj* heavy; (*ambiente*) tense; (*trabalho*) hard; (*estilo*) dull, boring; (*andar*) slow; (*piada*) coarse; (*comida*) stodgy; (*tempo*) sultry ♦ *adv* heavily

pêsames ['pesamiʃ] *mpl* condolences, sympathy *sg*

pesar [pe'za*] *vt* to weigh; (*fig*) to weigh up ♦ *vi* to weigh; (*ser pesado*) to be heavy; (*influir*) to carry weight; (*causar mágoa*): **~ a** to hurt, grieve ♦ *m* grief; **~ sobre** (*recair*) to fall upon

pesaroso, -a [peza'rozu, ɔza] *adj* sorrowful, sad; (*arrependido*) regretful, sorry

pesca ['pɛʃka] *f* fishing; (*os peixes*) catch; **ir à ~** to go fishing

pescada [peʃ'kada] *f* whiting

pescado [peʃ'kadu] *m* fish

pescador, a [peʃka'do*, a] *m/f* fisherman/woman; **~ à linha** angler

pescar [peʃ'ka*] *vt* (*peixe*) to catch; (*tentar apanhar*) to fish for; (*retirar da água*) to fish out ♦ *vi* to fish

pescoço [peʃ'kosu] *m* neck

peso ['pezu] *m* weight; (*fig*: ônus) burden; (*importância*) importance; **~ bruto/líquido** gross/net weight

pesquisa [peʃ'kiza] *f* inquiry, investigation; (*científica, de mercado*) research; **pesquisar** [peʃki'za*] *vt, vi* to investigate; to research

pêssego ['pesegu] *m* peach

pessimista [pesi'miʃta] *adj* pessimistic ♦ *m/f* pessimist

péssimo, -a ['pɛsimu, a] *adj* very bad, awful

pessoa [pe'soa] *f* person; **~s** *fpl* (*gente*) people; **pessoal** [pe'swaw] (*pl* **~is**) *adj* personal ♦ *m* personnel *pl*, staff *pl*; (*col*) people *pl*, folks *pl*

pestana [peʃ'tana] *f* eyelash

peste ['pɛʃtʃi] *f* epidemic; (*bubônica*) plague; (*fig*) pest, nuisance

pétala ['pɛtala] *f* petal

petição [petʃi'sãw] (*pl* **-ões**) *f* request; (*documento*) petition

petisco [pe'tʃiʃku] *m* savoury (*BRIT*), savory (*US*), titbit (*BRIT*), tidbit (*US*)

petróleo [pe'trɔlju] *m* oil, petroleum; **~ bruto** crude oil

petulância [petu'lāsja] *f* impudence; **petulante** [petu'lātʃi] *adj* impudent

peúga ['pjuga] (PT) f sock
pevide [pe'vidʒi] (PT) f (de melão) seed; (de maçã) pip
p. ex. abr (= por exemplo) e.g.
pia ['pia] f wash basin; (da cozinha) sink; **~ batismal** font
piada ['pjada] f joke
pianista [pja'niʃta] m/f pianist
piano ['pjanu] m piano
piar [pja*] vi (pinto) to cheep; (coruja) to hoot
picada [pi'kada] f (de agulha etc) prick; (de abelha) sting; (de mosquito, cobra) bite; (de avião) dive; (de navalha) stab; (atalho) path, trail
picante [pi'kãtʃi] adj (tempero) hot
pica-pau ['pika-] (pl **~s**) m woodpecker
picar [pi'ka*] vt to prick; (suj: abelha) to sting; (: mosquito) to bite; (: pássaro) to peck; (um animal) to goad; (carne) to mince; (papel) to shred; (fruta) to chop up ♦ vi (comichar) to prickle
picareta [pika'reta] f pickaxe (BRIT), pickax (US) ♦ m/f crook
pico ['piku] m (cume) peak; (ponta aguda) sharp point; (PT: um pouco) a bit; **mil e ~** just over a thousand
picolé [piko'lɛ] m lolly
picotar [piko'ta*] vt to perforate; (bilhete) to punch
piedade [pje'dadʒi] f piety; (compaixão) pity; **ter ~ de** to have pity on; **piedoso, -a** [pje'dozu, ɔza] adj (compassivo) merciful
pifar [pi'fa*] (col) vi (carro) to break down; (rádio etc) to go wrong; (plano, programa) to fall through
pijama [pi'ʒama] m ou f pyjamas pl (BRIT), pajamas pl (US)
pilantra [pi'lãtra] (col) m/f crook
pilar [pi'la*] vt to pound, crush ♦ m pillar
pilha ['piʎa] f (ELET) battery; (monte) pile, heap
pilhagem [pi'ʎaʒẽ] f (ato) pillage; (objetos) plunder, booty
pilhar [pi'ʎa*] vt to plunder, pillage; (roubar) to rob; (surpreender) to catch
pilotar [pilo'ta*] vt (avião) to fly
piloto [pi'lotu] m pilot; (motorista) (racing) driver; (bico de gás) pilot light ♦ adj inv (usina, plano) pilot; (peça) sample atr
pílula ['pilula] f pill; **a ~ (anticoncepcional)** the pill
pimenta [pi'mẽta] f (CULIN) pepper; **~ de Caiena** cayenne pepper; **pimenta-do-reino** f black pepper; **pimenta-malagueta** (pl **pimentas-malagueta**) f chilli (BRIT) ou chili (US) pepper;
pimentão [pimẽ'tãw] (pl **-ões**) m (BOT) pepper
pinça ['pĩsa] f (de sobrancelhas) tweezers pl; (de casa) tongs pl; (MED) callipers pl (BRIT), calipers pl (US)
pincel [pĩ'sɛw] (pl **-éis**) m brush; (para pintar) paintbrush; **pincelar** [pĩse'la*] vt to paint
pinga ['pĩga] f (cachaça) rum; (PT: trago) drink
pingar [pĩ'ga*] vi to drip
pingo ['pĩgu] m (gota) drop
pingue-pongue [pĩgi-'põgi] ® m ping-pong ®
pingüim [pĩ'gwĩ] (pl **-ns**) m penguin
pinheiro [pi'ɲejru] m pine (tree)
pinho ['piɲu] m pine
pino ['pinu] m (peça) pin; (AUTO: na porta) lock; **a ~** upright
pinta ['pĩta] f (mancha) spot
pintar [pĩ'ta*] vt to paint; (cabelo) to dye; (rosto) to make up; (descrever) to describe; (imaginar) to picture ♦ vi to paint; **pintar-se** vr to make o.s. up
pintarroxo [pĩta'xoʃu] m (BR) linnet; (PT) robin
pinto ['pĩtu] m chick; (col!) prick (!)
pintor, a [pĩ'to*, a] m/f painter
pintura [pĩ'tura] f painting; (maquiagem) make-up
piolho ['pjoʎu] m louse
pioneiro, -a [pjo'nejru, a] m/f pioneer
pior ['pjɔ*] adj, adv (compar) worse; (superl) worst ♦ m: **o ~** worst of all; **piorar** [pjo'ra*] vt to make worse, worsen ♦ vi to get worse
pipa ['pipa] f barrel, cask; (de papel) kite
pipi [pi'pi] (col) m pee; **fazer ~** to have a pee
pipoca [pi'pɔka] f popcorn
pipocar [pipo'ka*] vi to go pop, pop
pique etc vb V **picar**
piquenique [piki'niki] m picnic
pirâmide [pi'ramidʒi] f pyramid
piranha [pi'raɲa] f piranha (fish)
pirata [pi'rata] m pirate
pires ['piriʃ] m inv saucer
Pirineus [piri'newʃ] mpl: **os ~** the Pyrenees
pirulito [piru'litu] (BR) m lollipop
pisar [pi'za*] vt to tread on; (esmagar, subjugar) to crush ♦ vi to step, tread
pisca-pisca [piʃka-'piʃka] (pl **~s**) m (AUTO) indicator
piscar [piʃ'ka*] vt to blink; (dar sinal) to

piscina [pi'sina] f swimming pool
piso ['pizu] m floor
pisotear [pizo'tʃja*] vt to trample (on)
pista ['piʃta] f (vestígio) trace; (indicação) clue; (de corridas) track; (AVIAT) runway; (de estrada) lane; (de dança) (dance) floor
pistola [piʃ'tɔla] f pistol
pitada [pi'tada] f (porção) pinch
pivete [pi'vɛtʃi] m child thief
pivô [pi'vo] m pivot; (fig) central figure, prime mover
pizza ['pitsa] f pizza
placa ['plaka] f plate; (AUTO) number plate (BRIT), license plate (US); (comemorativa) plaque; (na pele) blotch; ~ **de sinalização** roadsign
placar [pla'ka*] m scoreboard
plácido, -a ['plasidu, a] adj calm; (manso) placid
plágio ['plaʒu] m plagiarism
planalto [pla'nawtu] m tableland, plateau
planar [pla'na*] vi to glide
planear [pla'nja*] (PT) vt = **planejar**
planejamento [planeʒa'mẽtu] m planning; ~ **familiar** family planning
planejar [plane'ʒa*] (BR) vt to plan; (edifício) to design
planeta [pla'neta] m planet
planície [pla'nisi] f plain
plano, -a ['planu, a] adj flat, level; (liso) smooth ♦ m plan; **em primeiro/em último** ~ in the foreground/background
planta ['plãta] f plant; (de pé) sole; (ARQ) plan
plantação [plãta'sãw] f (ato) planting; (terreno) planted land; (plantio) crops pl
plantão [plã'tãw] (pl **-ões**) m duty; (noturno) night duty; (plantonista) person on duty; (MIL: serviço) sentry duty; (: pessoa) sentry; **estar de** ~ to be on duty
plantar [plã'ta*] vt to plant; (estaca) to drive in; (estabelecer) to set up
plantões [plã'tõjʃ] mpl de **plantão**
plástico, -a ['plaʃtʃiku, a] adj plastic ♦ m plastic
plataforma [plata'fɔxma] f platform; ~ **de exploração de petróleo** oil rig; ~ **de lançamento** launch pad
platéia [pla'tɛja] f (TEATRO etc) stalls pl (BRIT), orchestra (US); (espectadores) audience
platina [pla'tʃina] f platinum

platinados [platʃi'naduʃ] mpl (AUTO) points
plausível [plaw'zivew] (pl **-eis**) adj credible, plausible
playground [plej'grãwdʒi] (pl ~**s**) m (children's) playground
plenamente [plena'mẽtʃi] adv fully, completely
pleno, -a ['plenu, a] adj full; (completo) complete; **em** ~ **dia** in broad daylight; **em** ~ **inverno** in the middle ou depths of winter
plural [plu'raw] (pl **-ais**) adj, m plural
pneu ['pnew] m tyre (BRIT), tire (US)
pneumonia [pnewmo'nia] f pneumonia
pó [pɔ] m powder; (sujeira) dust; **sabão em** ~ soap powder; **tirar o** ~ **(de algo)** to dust (sth)
pobre ['pɔbri] adj poor ♦ m/f poor person; **pobreza** [po'breza] f poverty
poça ['pɔsa] f puddle, pool
poção [po'sãw] (pl **-ões**) f potion
poço ['posu] m well; (de mina, elevador) shaft
poções [po'sõjʃ] fpl de **poção**
pôde etc ['podʒi] vb V **poder**
pó-de-arroz m face powder

┌─── PALAVRA CHAVE ───┐

poder [po'de*] vi
1 (capacidade) can, be able to; **não posso fazê-lo** I can't do it, I'm unable to do it
2 (ter o direito de) can, may, be allowed to; **posso fumar aqui?** can I smoke here?; **pode entrar?** (posso?) can I come in?
3 (possibilidade) may, might, could; **pode ser** maybe; **pode ser que** it may be that; **ele -á vir amanhã** he might come tomorrow
4: **não** ~ **com: não posso com ele** I cannot cope with him
5 (col: indignação): **pudera!** no wonder!; **como é que pode?** you're joking!
♦ m power; (autoridade) authority; ~ **aquisitivo** purchasing power; **estar no** ~ to be in power; **em** ~ **de alguém** in sb's hands

└─────────────────────┘

poderoso, -a [pode'rozu, ɔza] adj mighty, powerful
podre ['pɔdri] adj rotten; **podridão** [podri'dãw] f decay, rottenness; (fig) corruption
põe etc [põj] vb V **pôr**
poeira ['pwejra] f dust; ~ **radioativa**

fallout; **poeirento, -a** [pwej'retu, a] *adj* dusty
poema ['pwɛma] *m* poem
poesia [poe'zia] *f* poetry; *(poema)* poem
poeta ['pwɛta] *m* poet; **poético, -a** ['pwɛtʃiku, a] *adj* poetic; **poetisa** [pwe'tʃiza] *f* (woman) poet
pois [pojʃ] *adv (portanto)* so; *(PT: assentimento)* yes ♦ *conj* as, since; *(mas)* but; **~ bem** well then; **~ é** that's right; **~ não!** *(BR)* of course!; **~ não?** *(BR: numa loja)* what can I do for you?; *(PT)* isn't it?, aren't you?, didn't you? *etc*; **~ sim!** certainly not!; **~ (então)** then
polaco, -a [po'laku, a] *adj* Polish ♦ *m/f* Pole ♦ *m (LING)* Polish
polar [po'la*] *adj* polar
polegada [pole'gada] *f* inch
polegar [pole'ga*] *m (tb: dedo ~)* thumb
polêmica [po'lemika] *f* controversy; **polêmico, -a** [po'lemiku, a] *adj* controversial
pólen ['pɔlẽ] *m* pollen
polícia [po'lisja] *f* police, police force ♦ *m/f* policeman/woman; **policial** [poli'sjaw] *(pl -ais) adj* police *atr* ♦ *m/f (BR)* policeman/woman; **novela** *ou* **romance policial** detective novel; **policiar** [poli'sja*] *vt* to police; *(instintos, modos)* to control, keep in check
polidez [poli'deʒ] *f* good manners *pl*, politeness
polido, -a [po'lidu, a] *adj* polished, shiny; *(cortês)* well-mannered, polite
pólio ['pɔlju] *f* polio
polir [po'li*] *vt* to polish
política [po'litʃika] *f* politics *sg*; *(programa)* policy; **político, -a** [po'litʃiku, a] *adj* political ♦ *m/f* politician
pólo ['pɔlu] *m* pole; *(ESPORTE)* polo; **P~ Norte/Sul** North/South Pole
polonês, -esa [polo'neʃ, eza] *adj* Polish ♦ *m/f* Pole ♦ *m (LING)* Polish
Polônia [po'lonja] *f*: **a ~** Poland
polpa ['powpa] *f* pulp
poltrona [pow'trɔna] *f* armchair
poluição [polwi'sãw] *f* pollution; **poluir** [po'lwi*] *vt* to pollute
polvo ['powvu] *m* octopus
pólvora ['pɔwvora] *f* gunpowder
pomada [po'mada] *f* ointment
pomar [po'ma*] *m* orchard
pomba ['põba] *f* dove
pombo ['põbu] *m* pigeon
pompa ['põpa] *f* pomp
pomposo, -a [põ'pozu, ɔza] *adj* pompous
ponderação [põdera'sãw] *f* consideration, meditation; *(prudência)* prudence
ponderado, -a [põde'radu, a] *adj* prudent
ponderar [põde'ra*] *vt* to consider, weigh up ♦ *vi* to meditate, muse
ponho *etc* ['poɲu] *vb V* **pôr**
ponta ['põta] *f* tip; *(de faca)* point; *(de sapato)* toe; *(extremidade)* end; *(FUTEBOL: posição)* wing; (: *jogador*) winger; **uma ~ de** *(um pouco)* a touch of; **~ do dedo** fingertip
pontada [põ'tada] *f (dor)* twinge
pontapé [põta'pɛ] *m* kick; **dar ~s em alguém** to kick sb
pontaria [põta'ria] *f* aim; **fazer ~** to take aim
ponte ['põtʃi] *f* bridge; **~ aérea** air shuttle, airlift; **~ de safena** (heart) bypass operation
ponteiro [põ'tejru] *m (indicador)* pointer; *(de relógio)* hand
pontiagudo, -a [põtʃja'gudu, a] *adj* sharp, pointed
ponto ['põtu] *m* point; *(MED, COSTURA, TRICÔ)* stitch; *(pequeno sinal, do i)* dot; *(na pontuação)* full stop *(BRIT)*, period *(US)*; *(na pele)* spot; *(de ônibus)* stop; *(de táxi)* rank *(BRIT)*, stand *(US)*; *(matéria escolar)* subject; **estar a ~ de fazer** to be on the point of doing; **às cinco em ~** at five o'clock on the dot; **dois ~s** colon *sg*; **~ de admiração** *(PT)* exclamation mark; **~ de exclamação/interrogação** exclamation/question mark; **~ de vista** point of view, viewpoint; **ponto-e-vírgula** *(pl* **ponto-e-vírgulas)** *m* semicolon
pontuação [põtwa'sãw] *f* punctuation
pontual [põ'twaw] *(pl -ais) adj* punctual
pontudo, -a [põ'tudu, a] *adj* pointed
popa ['popa] *f* stern
população [popula'sãw] *(pl -ões) f* population
popular [popu'la*] *adj* popular; **popularidade** [populari'dadʒi] *f* popularity
pôquer ['poke*] *m* poker

---PALAVRA CHAVE---

por [po*] *(por + o(s), a(s) = pelo(s), pela(s)) prep*
1 *(objetivo)* for; **lutar pela pátria** to fight for one's country
2 *(+ infin)*: **está ~ acontecer** it is about to happen, it is yet to happen; **está ~ fazer** it is still to be done
3 *(causa)* out of, because of; **~ falta de**

pôr → posar

fundos through lack of funds; **~ hábito/natureza** out of habit/by nature; **faço isso ~ ela** I do it for her; **~ isso** therefore; **a razão pela qual ...** the reason why ...; **pelo amor de Deus!** for Heaven's sake!

4 (*tempo*): **pela manhã** in the morning; **~ volta das duas horas** at about two o'clock; **ele vai ficar ~ uma semana** he's staying for a week

5 (*lugar*): **~ aqui** this way; **viemos pelo parque** we came through the park; **passar ~ São Paulo** to pass through São Paulo; **~ fora/dentro** outside/inside

6 (*troca, preço*) for; **trocar o velho pelo novo** to change old for new; **comprei o livro ~ dez libras** I bought the book for ten pounds

7 (*valor proporcional*): **~ cento** per cent; **~ hora/dia/semana/mês/ano** hourly/daily/weekly/monthly/yearly; **~ cabeça** a ou per head; **~ mais difícil** etc **que seja** however difficult etc it is

8 (*modo, meio*) by; **~ correio/avião** by post/air; **~ sí** by o.s.; **~ escrito** in writing; **entrar pela entrada principal** to go in through the main entrance

9: **~ que** (*por causa*) because (*PT*), why (*BR*); **~ quê?** why?

10: **~ mim tudo bem** as far as I'm concerned, that's OK

PALAVRA CHAVE

pôr [po*] *vt*
1 (*colocar*) to put; (*roupas*) to put on; (*objeções, dúvidas*) to raise; (*ovos, mesa*) to lay; (*defeito*) to find; **põe mais forte** turn it up; **você põe açúcar?** do you take sugar?; **~ de lado** to set aside

2 (+ *adj*) to make; **você está me pondo nervoso** you're making me nervous

♦ **pôr-se** *vr*
1 (*sol*) to set
2 (*colocar-se*): **~-se de pé** to stand up; **ponha-se no meu lugar** put yourself in my position
3: **~-se a** to start to; **ela pôs-se a chorar** she started crying

♦ *m*: **o ~ do sol** sunset

---

porão [po'rāw] (*pl* **-ões**) *m* (*de casa*) basement; (: *armazém*) cellar
porca ['pɔxka] *f* (*animal*) sow
porção [pox'sāw] (*pl* **-ões**) *f* portion, piece; **uma ~ de** a lot of
porcaria [poxka'ria] *f* filth; (*dito sujo*) obscenity; (*coisa ruim*) piece of junk
porcelana [poxse'lana] *f* porcelain
porcentagem [poxsē'taʒē] (*pl* **-ns**) *f* percentage
porco, -a ['pɔxku, 'pɔxka] *adj* filthy ♦ *m* (*animal*) pig; (*carne*) pork
porções [pox'sõjʃ] *fpl de* **porção**
porém [po'rē] *conj* however
pormenor [poxme'nɔ*] *m* detail
pornografia [poxnogra'fia] *f* pornography
poro ['pɔru] *m* pore
porões [po'rõjs] *mpl de* **porão**
porque ['poxke] *conj* because; (*interrogativo*: *PT*) why
porquê [pox'ke] *adv* why ♦ *m* reason, motive; **~?** (*PT*) why?
porrete [po'xetʃi] *m* club
porta ['pɔxta] *f* door; (*vão da ~*) doorway; (*de um jardim*) gate
portador, a [poxta'do*, a] *m/f* bearer
portagem [pox'taʒē] (*PT*) (*pl* **-ns**) *f* toll
portal [pox'taw] (*pl* **-ais**) *m* doorway
porta-luvas *m inv* (*AUTO*) glove compartment
porta-malas *m inv* (*AUTO*) boot (*BRIT*), trunk (*US*)
porta-níqueis *m inv* purse
portanto [pox'tātu] *conj* so, therefore
portão [pox'tāw] (*pl* **-ões**) *m* gate
portar [pox'ta*] *vt* to carry; **portar-se** *vr* to behave
portaria [poxta'ria] *f* (*de um edifício*) entrance hall; (*recepção*) reception desk; (*do governo*) edict, decree
portátil [pox'tatʃiw] (*pl* **-eis**) *adj* portable
porta-voz (*pl* **-es**) *m/f* (*pessoa*) spokesman/woman
porte ['pɔxtʃi] *m* transport; (*custo*) freight charge, carriage; **~ pago** post paid; **de grande ~** far-reaching, important
porteiro, -a [pox'tejru, a] *m/f* caretaker; **~ eletrônico** entryphone
pórtico ['pɔxtʃiku] *m* porch, portico
porto ['pɔxtu] *m* (*do mar*) port, harbour (*BRIT*), harbor (*US*); (*vinho*) port; **o P~** Oporto
portões [pox'tōjʃ] *mpl de* **portão**
Portugal [poxtu'gaw] *m* Portugal; **português, -guesa** [portu'geʃ, 'geza] *adj* Portuguese ♦ *m/f* Portuguese *inv* ♦ *m* (*LING*) Portuguese
porventura [poxvē'tura] *adj* by chance; **se ~ você ...** if you happen to ...
pôs [poʃ] *vb V* **pôr**
posar [po'za*] *vi* (*FOTO*): **~ (para)** to pose (for)

posição [pozi'sãw] (*pl* **-ões**) *f* position; (*social*) standing, status; **posicionar** [pozisjo'na*] *vt* to position

positivo, -a [pozi'tʃivu, a] *adj* positive

possante [po'sãtʃi] *adj* powerful, strong; (*carro*) flashy

posse ['pɔsi] *f* possession, ownership; **~s** *fpl* (*pertences*) possessions, belongings; **tomar ~ de** to take possession of

possessão [pose'sãw] *f* possession; **possessivo, -a** [pose'sivu, a] *adj* possessive

possibilidade [posibili'dadʒi] *f* possibility; **~s** *fpl* (*recursos*) means

possibilitar [posibili'ta*] *vt* to make possible, permit

possível [po'sivew] (*pl* **-eis**) *adj* possible; **fazer todo o ~** to do one's best

posso *etc* ['posu] *vb V* **poder**

possuidor, a [poswi'do*, a] *m/f* owner

possuir [po'swi*] *vt* (*casa, livro etc*) to own; (*dinheiro, talento*) to possess

postal [poʃ'taw] (*pl* **-ais**) *adj* postal ♦ *m* postcard

poste ['pɔʃtʃi] *m* pole, post

posterior [poʃte'rjo*] *adj* (*mais tarde*) subsequent, later; (*traseiro*) rear, back; **posteriormente** [poʃterjox'mẽtʃi] *adv* later, subsequently

postiço, -a [poʃ'tʃisu, a] *adj* false, artificial

posto, -a ['poʃtu, 'pɔʃta] *pp de* **pôr** ♦ *m* post, position; (*emprego*) job; **~ de gasolina** service *ou* petrol station; **~ que** although; **~ de saúde** health centre *ou* center

póstumo, -a ['pɔʃtumu, a] *adj* posthumous

postura [poʃ'tura] *f* posture; (*aspecto físico*) appearance

potável [po'tavew] (*pl* **-eis**) *adj* drinkable; **água ~** drinking water

pote ['pɔtʃi] *m* jug, pitcher; (*de geléia*) jar; (*de creme*) pot; **chover a ~s** (*PT*) to rain cats and dogs

potência [po'tẽsja] *f* power

potencial [potẽ'sjaw] (*pl* **-ais**) *adj, m* potential

potente [po'tẽtʃi] *adj* powerful, potent

PALAVRA CHAVE
---

pouco, -a ['poku, a] *adj*

1 (*sg*) little, not much; **~ tempo** little *ou* not much time; **de ~ interesse** of little interest, not very interesting; **pouca coisa** not much

2 (*pl*) few, not many; **uns ~s** a few, some; **poucas vezes** rarely; **poucas crianças comem o que devem** few children eat what they should

♦ *adv*

1 little, not much; **custa ~** it doesn't cost much; **dentro em ~, daqui a ~** shortly; **~ antes** shortly before

2 (+ *adj*: = *negativo*): **ela é ~ inteligente/simpática** she's not very bright/friendly

3: **por ~ eu não morri** I almost died

4: **~ a ~** little by little

5: **aos ~s** gradually

♦ *m*: **um ~** a little, a bit; **nem um ~** not at all

---

poupador, a [popa'do*, a] *adj* thrifty

poupança [po'pãsa] *f* thrift; (*economias*) savings *pl*; (*tb*: **caderneta de ~**) savings bank

poupar [po'pa*] *vt* to save; (*vida*) to spare

pouquinho [po'kiɲu] *m*: **um ~ (de)** a little

pousada [po'zada] *f* (*hospedagem*) lodging; (*hospedaria*) inn

pousar [po'za*] *vt* to place; (*mão*) to rest ♦ *vi* (*avião, pássaro*) to land; (*pernoitar*) to spend the night

povo ['povu] *m* people; (*raça*) people *pl*, race; (*plebe*) common people *pl*; (*multidão*) crowd

povoação [povwa'sãw] (*pl* **-ões**) *f* (*aldeia*) village, settlement; (*habitantes*) population

povoado [po'vwadu] *m* village

povoar [po'vwa*] *vt* (*de habitantes*) to people, populate; (*de animais etc*) to stock

pra [pra] (*col*) *prep* = **para a**

praça ['prasa] *f* (*largo*) square; (*mercado*) marketplace; (*soldado*) soldier; **~ de touros** bullring

praga ['praga] *f* nuisance; (*maldição*) curse; (*desgraça*) misfortune; (*erva daninha*) weed

pragmático, -a [prag'matʃiku, a] *adj* pragmatic

praia ['praja] *f* beach

prancha ['prãʃa] *f* plank; (*de surfe*) board

prata ['prata] *f* silver; (*col: cruzeiro*) ≈ quid (*BRIT*), ≈ buck (*US*)

prateado, -a [pra'tʃjadu, a] *adj* silver-plated; (*brilhante*) silvery; (*cor*) silver ♦ *m* (*cor*) silver; (*de um objeto*) silver-plating; **papel ~** silver paper

prateleira [prate'lejra] *f* shelf

prática ['pratʃika] *f* practice; (*experiência*) experience, know-how; (*costume*) habit, custom; *V tb* **prático**

praticante → prêmio

praticante [pratʃi'kãtʃi] *adj* practising (*BRIT*), practicing (*US*) ♦ *m/f* apprentice; (*de esporte*) practitioner

praticar [pratʃi'ka*] *vt* to practise (*BRIT*), practice (*US*); (*roubo, operação*) to carry out; **prático, -a** ['pratʃiku, a] *adj* practical ♦ *m/f* expert

prato ['pratu] *m* plate; (*comida*) dish; (*de uma refeição*) course; (*de toca-discos*) turntable; **~s** *mpl* (*MÚS*) cymbals

praxe ['praksi] *f* custom, usage; **de ~** usually; **ser de ~** to be the norm

prazer [pra'ze*] *m* pleasure; **muito ~ em conhecê-lo** pleased to meet you

prazo ['prazu] *m* term, period; (*vencimento*) expiry date, time limit; **a curto/médio/longo ~** in the short/medium/long term; **comprar a ~** to buy on hire purchase (*BRIT*) *ou* on the installment plan (*US*)

precário, -a [pre'karju, a] *adj* precarious; (*escasso*) failing

precaução [prekaw'sãw] (*pl* **-ões**) *f* precaution

precaver-se [preka'vexsi] *vr*: **~ (contra** *ou* **de)** to be on one's guard (against); **precavido, -a** [preka'vidu, a] *adj* cautious

prece ['presi] *f* prayer; (*súplica*) entreaty

precedente [prese'dẽtʃi] *adj* preceding ♦ *m* precedent

preceder [prese'de*] *vt, vi* to precede; **~ a algo** to precede sth; (*ter primazia*) to take precedence over sth

precioso, -a [pre'sjozu, ɔza] *adj* precious

precipício [presi'pisju] *m* precipice; (*fig*) abyss

precipitação [presipita'sãw] *f* haste; (*imprudência*) rashness

precipitado, -a [presipi'tadu, a] *adj* hasty; (*imprudente*) rash

precisamente [preziza'mẽtʃi] *adv* precisely

precisar [presi'za*] *vt* to need; (*especificar*) to specify; **precisar-se** *vr*: **"precisa-se"** "needed"; **~ de** to need; (*uso impess*): **não precisa você se preocupar** you needn't worry

preciso, -a [pre'sizu, a] *adj* precise, accurate; (*necessário*) necessary; (*claro*) concise; **é ~ você ir** you must go

preço ['presu] *m* price; (*custo*) cost; (*valor*) value; **a ~ de banana** (*BR*) *ou* **de chuva** (*PT*) dirt cheap

precoce [pre'kɔsi] *adj* precocious; (*antecipado*) early

preconceito [prekõ'sejtu] *m* prejudice

precursor, a [prekux'so*, a] *m/f* precursor, forerunner; (*mensageiro*) herald

predador [preda'do*] *m* predator

predileto, -a [predʒi'letu, a] (*PT* **-ct-**) *adj* favourite (*BRIT*), favorite (*US*)

prédio ['prɛdʒju] *m* building; **~ de apartamentos** block of flats (*BRIT*), apartment house (*US*)

predispor [predʒiʃ'po*] (*irreg: como* **pôr**) *vt*: **~ alguém contra** to prejudice sb against; **predispor-se** *vr*: **~-se a/para** to get o.s. in the mood to/for

predominar [predomi'na*] *vi* to predominate, prevail

preencher [preẽ'ʃe*] *vt* (*formulário*) to fill in (*BRIT*) *ou* out, complete; (*requisitos*) to fulfil (*BRIT*), fulfill (*US*), meet, fill

prefácio [pre'fasju] *m* preface

prefeito, -a [pre'fejtu, a] *m/f* mayor; **prefeitura** [prefej'tura] *f* town hall

preferência [prefe'rẽsja] *f* preference; (*AUTO*) priority; **de ~** preferably; **preferencial** [preferẽ'sjaw] (*pl* **-ais**) *adj* (*rua*) main ♦ *f* main road (*with priority*)

preferido, -a [prefe'ridu, a] *adj* favourite (*BRIT*), favorite (*US*)

preferir [prefe'ri*] *vt* to prefer

prefiro *etc* [pre'firu] *vb V* **preferir**

prefixo [pre'fiksu] *m* (*LING*) prefix; (*TEL*) code

prega ['prɛga] *f* pleat, fold

pregar¹ [prɛ'ga*] *vt, vi* to preach

pregar² [prɛ'ga*] *vt* (*com prego*) to nail; (*fixar*) to pin, fasten; (*cosendo*) to sew on; **~ uma peça** to play a trick; **~ um susto em alguém** to give sb a fright

prego ['prɛgu] *m* nail; (*col: casa de penhor*) pawn shop

preguiça [pre'gisa] *f* laziness; (*animal*) sloth; **estar com ~** to feel lazy; **preguiçoso, -a** [pregi'sozu, ɔza] *adj* lazy

pré-histórico, -a [prɛ-] *adj* prehistoric

preia-mar (*PT*) *f* high tide

prejudicar [preʒudʒi'ka*] *vt* to damage; (*atrapalhar*) to hinder; **prejudicial** [preʒudʒi'sjaw] (*pl* **-ais**) *adj* damaging; (*à saúde*) harmful

prejuízo [pre'ʒwizu] *m* damage, harm; (*em dinheiro*) loss; **em ~ de** to the detriment of

prematuro, -a [prema'turu, a] *adj* premature

premiado, -a [pre'mjadu, a] *adj* prize-winning; (*bilhete*) winning ♦ *m/f* prize-winner

premiar [pre'mja*] *vt* to award a prize to; (*recompensar*) to reward

prêmio ['premju] *m* prize; (*recompensa*)

prenda → **pretender**

reward; (SEGUROS) premium

prenda ['prēda] f gift, present; (em jogo) forfeit; **~s domésticas** housework sg

prendedor [prēde'do*] m fastener; (de cabelo, gravata) clip; **~ de roupa** clothes peg; **~ de papéis** paper clip

prender [prē'de*] vt to fasten, fix; (roupa) to pin; (cabelo) to put back; (capturar) to arrest; (atar, ligar) to tie; (atenção) to catch; (afetivamente) to tie, bind; (reter: doença, compromisso) to keep; (movimentos) to restrict; **prender-se** vr to get caught, stick; **~-se a alguém** (por amizade) to be attached to sb

preocupação [preokupa'sāw] (pl **-ões**) f preoccupation; (inquietação) worry, concern

preocupar [preoku'pa*] vt to preoccupy; (inquietar) to worry; **preocupar-se** vr: **~-se com** to worry about, be worried about

preparação [prepara'sāw] (pl **-ões**) f preparation

preparar [prepa'ra*] vt to prepare; **preparar-se** vr to get ready; **preparativos** [prepara'tʃivuʃ] mpl preparations, arrangements

preponderante [prepōde'rātʃi] adj predominant

preposição [prepozi'sāw] (pl **-ões**) f preposition

prepotente [prepo'tētʃi] adj predominant; (despótico) despotic; (atitude) overbearing

presa ['preza] f (na guerra) spoils pl; (vítima) prey; (dente de animal) fang

prescrever [preʃkre've*] vt to prescribe; (prazo) to set

presença [pre'zēsa] f presence; (freqüência) attendance; **ter boa ~** to be presentable; **presenciar** [prezē'sja*] vt to be present at; (testemunhar) to witness

presente [pre'zētʃi] adj present; (fig: interessado) attentive; (: evidente) clear, obvious ♦ m present ♦ f (COM: carta): **a ~** this letter; **os ~s** mpl (pessoas) those present; **presentear** [prezē'tʃja*] vt: **presentear alguém (com algo)** to give sb (sth as) a present

preservação [prezexva'sāw] f preservation

preservar [prezex'va*] vt to preserve, protect; **preservativo** [prezexva'tʃivu] m preservative; (anticoncepcional) condom

presidente, -a [prezi'dētʃi, ta] m/f president

presidiário, -a [prezi'dʒjarju, a] m/f convict

presídio [pre'zidʒju] m prison

presidir [prezi'dʒi*] vt, vi: **~ (a)** to preside over; (reunião) to chair; (suj: leis, critérios) to govern

presilha [pre'ziʎa] f fastener; (para o cabelo) slide

preso, -a ['prezu, a] adj imprisoned; (capturado) under arrest; (atado) tied ♦ m/f prisoner; **estar ~ a alguém** to be attached to sb

pressa ['presa] f haste, hurry; (rapidez) speed; (urgência) urgency; **às ~s** hurriedly; **estar com ~** to be in a hurry; **ter ~ de** ou **em fazer** to be in a hurry to do

presságio [pre'saʒu] m omen, sign; (pressentimento) premonition

pressão [pre'sāw] (pl **-ões**) f pressure; **(colchete de) ~** press stud, popper

pressentimento [presētʃi'mētu] m premonition

pressentir [presē'tʃi*] vt to foresee; (suspeitar) to sense

pressionar [presjo'na*] vt (botão) to press; (coagir) to pressure ♦ vi to press, put on pressure

pressões [pre'sōjʃ] fpl de **pressão**

pressupor [presu'po*] (irreg: como **pôr**) vt to presuppose

prestação [preʃta'sāw] (pl **-ões**) f instalment (BRIT), installment (US); (por uma casa) repayment

prestar [preʃ'ta*] vt (cuidados) to give; (favores, serviços) to do; (contas) to render; (informações) to supply; (uma qualidade a algo) to lend ♦ vi: **~ a alguém para algo** to be of use to sb for sth; **prestar-se** vr: **~-se a** to be suitable for; (admitir) to lend o.s. to; (dispor-se) to be willing to; **~ atenção** to pay attention

prestativo, -a [preʃta'tʃivu, a] adj helpful, obliging

prestes ['prɛʃtʃiʃ] adj inv ready; (a ponto de): **~ a partir** about to leave

prestígio [preʃ'tʃiʒu] m prestige

presunção [prezū'sāw] (pl **-ões**) f presumption; (vaidade) conceit, self-importance; **presunçoso, -a** [prezū'sozu, ɔza] adj vain, self-important

presunto [pre'zūtu] m ham

pretendente [pretē'dētʃi] m/f claimant; (candidato) candidate, applicant ♦ m suitor

pretender [pretē'de*] vt to claim; (cargo, emprego) to go for; **~ fazer** to intend to do

pretensão [pretẽ'sãw] (*pl* **-ões**) *f* claim; (*vaidade*) pretension; (*propósito*) aim; (*aspiração*) aspiration; **pretensioso, -a** [pretẽ'sjozu, ɔza] *adj* pretentious

pretérito [pre'tɛritu] *m* (*LING*) preterite

pretexto [pre'teʃtu] *m* pretext

preto, -a ['pretu, a] *adj* black ♦ *m/f* Black (man/woman)

prevalecer [prevale'se*] *vi* to prevail; **prevalecer-se** *vr*: **~-se de** (*aproveitar-se*) to take advantage of

prevenção [prevẽ'sãw] (*pl* **-ões**) *f* prevention; (*preconceito*) prejudice; (*cautela*) caution; **estar de ~ com** *ou* **contra alguém** to be bias(s)ed against sb

prevenido, -a [preve'nidu, a] *adj* cautious, wary

prevenir [preve'ni*] *vt* to prevent; (*avisar*) to warn; (*preparar*) to prepare

prever [pre've*] (*irreg: como* **ver**) *vt* to predict, foresee; (*pressupor*) to presuppose

previdência [previ'dẽsja] *f* foresight; (*precaução*) precaution

previdente [previ'dẽtʃi] *adj*: **ser ~** to show foresight

prévio, -a ['prɛvju, a] *adj* prior; (*preliminar*) preliminary

previsão [previ'zãw] (*pl* **-ões**) *f* foresight; (*prognóstico*) prediction, forecast; **~ do tempo** weather forecast

previsível [previ'zivew] (*pl* **-eis**) *adj* predictable

previsões [previ'zõjʃ] *fpl de* **previsão**

prezado, -a [pre'zadu, a] *adj* esteemed; (*numa carta*) dear

prezar [pre'za*] *vt* (*amigos*) to value highly; (*autoridade*) to respect; (*gostar de*) to appreciate

primário, -a [pri'marju, a] *adj* primary; (*elementar*) basic, rudimentary; (*primitivo*) primitive ♦ *m* (*curso*) elementary education

primavera [prima'vɛra] *f* spring; (*planta*) primrose

primeira [pri'mejra] *f* (*AUTO*) first (gear)

primeiro, -a [pri'mejru, a] *adj, adv* first; **de primeira** first-class

primitivo, -a [primi'tʃivu, a] *adj* primitive; (*original*) original

primo, -a ['primu, a] *m/f* cousin; **~ irmão** first cousin

princesa [prĩ'seza] *f* princess

principal [prĩsi'paw] (*pl* **-ais**) *adj* principal; (*entrada, razão, rua*) main ♦ *m* head, principal; (*essencial, de dívida*) principal

príncipe ['prĩsipi] *m* prince

principiante [prĩsi'pjātʃi] *m/f* beginner

principiar [prĩsi'pja*] *vt, vi* to begin

princípio [prĩ'sipju] *m* beginning, start; (*origem*) origin; (*legal, moral*) principle; **~s** *mpl* (*de matéria*) rudiments

prioridade [prjori'dadʒi] *f* priority

prisão [pri'zãw] (*pl* **-ões**) *f* imprisonment; (*cadeia*) prison, jail; (*detenção*) arrest; **~ de ventre** constipation; **prisioneiro, -a** [prizjo'nejru, a] *m/f* prisoner

privação [priva'sãw] (*pl* **-ões**) *f* deprivation; **privações** *fpl* (*penúria*) hardship *sg*

privacidade [privasi'dadʒi] *f* privacy

privações [priva'sõjʃ] *fpl de* **privação**

privada [pri'vada] *f* toilet

privado, -a [pri'vadu, a] *adj* private; (*carente*) deprived

privar [pri'va*] *vt* to deprive

privativo, -a [priva'tʃivu, a] *adj* (*particular*) private; **~ de** peculiar to

privilegiado, -a [privile'ʒjadu, a] *adj* privileged; (*excepcional*) unique, exceptional

privilegiar [privile'ʒja*] *vt* to privilege; (*favorecer*) to favour (*BRIT*), favor (*US*)

privilégio [privi'lɛʒu] *m* privilege

pró [prɔ] *adv* for, in favour (*BRIT*) *ou* favor (*US*) ♦ *m* advantage; **os ~s e os contras** the pros and cons; **em ~ de** in favo(u)r of

pró- [prɔ] *prefixo* pro-

proa ['proa] *f* prow, bow

probabilidade [probabili'dadʒi] *f* probability; **~s** *fpl* (*chances*) odds

problema [prob'lɛma] *m* problem

procedência [prose'dẽsja] *f* origin, source; (*lugar de saída*) point of departure

proceder [prose'de*] *vi* to proceed; (*comportar-se*) to behave; (*agir*) to act ♦ *m* conduct; **procedimento** [prosedʒi'mẽtu] *m* conduct, behaviour (*BRIT*), behavior (*US*); (*processo*) procedure; (*JUR*) proceedings *pl*

processamento [prosesa'mẽtu] *m* processing; (*JUR*) prosecution; (*verificação*) verification; **~ de texto** (*JUR*) word processing

processar [prose'sa*] *vt* (*JUR*) to take proceedings against, prosecute; (*requerimentos, COMPUT*) to process

processo [pro'sesu] *m* process; (*procedimento*) procedure; (*JUR*) lawsuit, legal proceedings *pl*; (: *autos*) record; (*conjunto de documentos*) documents *pl*

procissão [prosi'sãw] (*pl* **-ões**) *f* procession

proclamação [proklama'sãw] *f* proclamation

proclamar [prokla'ma*] *vt* to proclaim

procura [pro'kura] *f* search; (*COM*) demand

procuração [prokura'sãw] *f*: **por ~** by proxy

procurador, a [prokura'do*, a] *m/f* attorney; **P~ Geral da República** Attorney General

procurar [proku'ra*] *vt* to look for, seek; (*emprego*) to apply for; (*ir visitar*) to call on; (*contatar*) to get in touch with; **~ fazer** to try to do

prodígio [pro'dʒiʒu] *m* prodigy

produção [produ'sãw] (*pl* **-ões**) *f* production; (*volume de produção*) output; (*produto*) product; **~ em massa, ~ em série** mass production

produtivo, -a [produ'tʃivu, a] *adj* productive; (*rendoso*) profitable

produto [pro'dutu] *m* product; (*renda*) proceeds *pl*, profit

produtor, a [produ'to*, a] *adj* producing ♦ *m/f* producer

produzir [produ'zi*] *vt* to produce; (*ocasionar*) to cause, bring about; (*render*) to bring in

proeminente [proemi'nẽtʃi] *adj* prominent

proeza [pro'eza] *f* achievement, feat

profanar [profa'na*] *vt* to desecrate, profane; **profano, -a** [pro'fanu, a] *adj* profane ♦ *m/f* layman/woman

profecia [profe'sia] *f* prophecy

professor, a [profe'so*, a] *m/f* teacher; (*universitário*) lecturer

profeta, -isa [pro'feta, profe'tʃiza] *m/f* prophet; **profetizar** [profetʃi'za*] *vt, vi* to prophesy, predict

profissão [profi'sãw] (*pl* **-ões**) *f* profession; **profissional** [profisjo'naw] (*pl* **-ais**) *adj, m/f* professional; **profissionalizante** [profisjonali'zãtʃi] *adj* (*ensino*) vocational

profundidade [profũdʒi'dadʒi] *f* depth

profundo, -a [pro'fũdu, a] *adj* deep; (*fig*) profound

profusão [profu'zãw] *f* profusion, abundance

prognóstico [prog'nɔʃtʃiku] *m* prediction, forecast

programa [pro'grama] *m* programme (*BRIT*), program (*US*); (*COMPUT*) program; (*plano*) plan; (*diversão*) thing to do; (*de um curso*) syllabus; **programação** [programa'sãw] *f* planning; (*TV, RÁDIO, COMPUT*) programming; **programador, a** [programa'do*, a] *m/f* programmer; **programar** [progra'ma*] *vt* to plan; (*COMPUT*) to program

progredir [progre'dʒi*] *vi* to progress; (*avançar*) to move forward; (*infecção*) to progress

progressista [progre'siʃta] *adj, m/f* progressive

progressivo, -a [progre'sivu, a] *adj* progressive; (*gradual*) gradual

progresso [pro'gresu] *m* progress

progrido *etc* [pro'gridu] *vb V* **progredir**

proibição [proibi'sãw] (*pl* **-ões**) *f* prohibition, ban

proibir [proi'bi*] *vt* to prohibit; (*livro, espetáculo*) to ban; **"é proibido fumar"** "no smoking"; **~ alguém de fazer, ~ que alguém faça** to forbid sb to do

projeção [proʒe'sãw] (*PT* **-cç-**) (*pl* **-ões**) *f* projection

projetar [proʒe'ta*] (*PT* **-ct-**) *vt* to project

projétil [pro'ʒɛtʃiw] (*PT* **-ct-**) (*pl* **-eis**) *m* projectile, missile

projeto [pro'ʒɛtu] (*PT* **-ct-**) *m* project; (*plano, ARQ*) plan; (*TEC*) design; **~ de lei** bill

projetor [proʒe'to*] (*PT* **-ct-**) *m* (*CINEMA*) projector

proliferar [prolife'ra*] *vi* to proliferate

prolongação [prolõga'sãw] *f* extension

prolongado, -a [prolõ'gadu, a] *adj* prolonged; (*alongado*) extended

prolongar [prolõ'ga*] *vt* to extend, lengthen; (*decisão etc*) to postpone; (*vida*) to prolong; **prolongar-se** *vr* to extend; (*durar*) to last

promessa [pro'mɛsa] *f* promise

prometer [prome'te*] *vt, vi* to promise

promíscuo, -a [pro'miʃkwu, a] *adj* disorderly, mixed up; (*comportamento sexual*) promiscuous

promissor, a [promi'so*, a] *adj* promising

promoção [promo'sãw] (*pl* **-ões**) *f* promotion; **fazer ~ de alguém/algo** to promote sb/sth

promotor, a [promo'to*, a] *m/f* promoter; (*JUR*) prosecutor

promover [promo've*] *vt* to promote; (*causar*) to cause, bring about

pronome [pro'nɔmi] *m* pronoun

pronto, -a [prõtu, a] *adj* ready; (*rápido*) quick, speedy; (*imediato*) prompt ♦ *adv* promptly; **de ~** promptly; **estar ~ a ...** to be prepared *ou* willing to ...; **pronto-socorro** (*pl* **prontos-socorros**) (*PT*) *m* towtruck

pronúncia [pro'nũsja] *f* pronunciation;

pronunciar → proveniente

(*JUR*) indictment

pronunciar [pronũ'sja*] *vt* to pronounce; (*discurso*) to make, deliver; (*JUR: réu*) to indict; (: *sentença*) to pass

propaganda [propa'gãda] *f* (*POL*) propaganda; (*COM*) advertising; (: *uma ~*) advert, advertisement; **fazer ~ de** to advertise

propagar [propa'ga*] *vt* to propagate; (*fig: difundir*) to disseminate

propensão [propẽ'sãw] (*pl* **-ões**) *f* inclination, tendency; **propenso, -a** [pro'pẽsu, a] *adj*: **propenso a** inclined to; **ser propenso a** to be inclined to, have a tendency to

propina [pro'pina] *f* (*gorjeta*) tip; (*PT: cota*) fee

propor [pro'po*] (*irreg: como pôr*) *vt* to propose; (*oferecer*) to offer; (*um problema*) to pose; **propor-se** *vr*: **~-se (a) fazer** (*pretender*) to intend to do; (*visar*) to aim to do; (*dispor-se*) to decide to do; (*oferecer-se*) to offer to do

proporção [propox'sãw] (*pl* **-ões**) *f* proportion; **proporções** *fpl* (*dimensões*) dimensions; **proporcional** [propoxsjo'naw] (*pl* **-ais**) *adj* proportional; **proporcionar** [propoxsjona'*] *vt* to provide, give; (*adaptar*) to adjust, adapt

proposição [propozi'sãw] (*pl* **-ões**) *f* proposition, proposal

proposital [propozi'taw] (*pl* **-ais**) *adj* intentional

propósito [pro'pɔzitu] *m* (*intenção*) purpose; (*objetivo*) aim; **a ~** by the way; **a ~ de** with regard to; **de ~** on purpose

proposta [pro'pɔʃta] *f* proposal; (*oferecimento*) offer

propriamente [proprja'mẽtʃi] *adv* properly, exactly; **~ falando** *ou* **dito** strictly speaking

propriedade [proprje'dadʒi] *f* property; (*direito de proprietário*) ownership; (*o que é apropriado*) propriety

proprietário, -a [proprje'tarju, a] *m/f* owner, proprietor

próprio, -a ['prɔprju, a] *adj* own, of one's own; (*mesmo*) very, selfsame; (*hora, momento*) opportune, right; (*nome*) proper; (*característico*) characteristic; (*sentido*) proper, true; (*depois de pronome*) -self; **~ (para)** suitable (for); **eu ~** I myself; **por si ~** of one's own accord; **ele é o ~ inglês** he's a typical Englishman; **é o ~** it's him himself

prorrogação [proxoga'sãw] (*pl* **-ões**) *f* extension

prosa ['prɔza] *f* prose; (*conversa*) chatter; (*fanfarrice*) boasting, bragging ♦ *adj* full of oneself

prospecto [proʃ'pɛktu] *m* leaflet; (*em forma de livro*) brochure

prosperar [proʃpe'ra*] *vi* to prosper, thrive; **prosperidade** [proʃperi'dadʒi] *f* prosperity; (*bom êxito*) success; **próspero, -a** ['prɔʃperu, a] *adj* prosperous; (*bem sucedido*) successful; (*favorável*) favourable (*BRIT*), favorable (*US*)

prosseguir [prose'gi*] *vt*, *vi* to continue; **~ em** to continue (with)

prostíbulo [proʃ'tʃibulu] *m* brothel

prostituta [proʃtʃi'tuta] *f* prostitute

prostrado, -a [proʃ'tradu, a] *adj* prostrate

protagonista [protago'niʃta] *m/f* protagonist

proteção [prote'sãw] (*PT* **-cç-**) *f* protection

protector, a [protek'to*, a] (*PT*) = **protetor, a**

proteger [prote'ʒe*] *vt* to protect; **protegido, -a** [prote'ʒidu, a] *m/f* protégé(e)

proteína [prote'ina] *f* protein

protejo *etc* [pro'teʒu] *vb V* **proteger**

protestante [proteʃ'tãtʃi] *adj*, *m/f* Protestant

protestar [proteʃ'ta*] *vt*, *vi* to protest; **protesto** [pro'tɛʃtu] *m* protest

protetor, a [prote'to*, a] *adj* protective ♦ *m/f* protector; **~ solar** sunscreen; **~ de tela** (*COMPUT*) screensaver

protuberância [protube'rãsja] *f* bump; **protuberante** [protube'rãtʃi] *adj* sticking out

prova ['prɔva] *f* proof; (*TEC: teste*) test, trial; (*EDUC: exame*) examination; (*sinal*) sign; (*de comida, bebida*) taste; (*de roupa*) fitting; (*ESPORTE*) competition; (*TIP*) proof; **~(s)** *f(pl)* (*JUR*) evidence *sg*; **à ~ de bala/fogo/água** bulletproof/fireproof/waterproof; **pôr à ~** to put to the test

provar [pro'va*] *vt* to prove; (*comida*) to taste, try; (*roupa*) to try on ♦ *vi* to try

provável [pro'vavew] (*pl* **-eis**) *adj* probable, likely

provedor, a [prove'do*, a] *m/f* supplier; **~ de acesso à Internet** Internet service provider

proveito [pro'vejtu] *m* advantage; (*ganho*) profit; **em ~ de** for the benefit of; **fazer ~ de** to make use of; **proveitoso, -a** [provej'tozu, ɔza] *adj* profitable, advantageous; (*útil*) useful

proveniente [prove'njẽtʃi] *adj*: **proveniente de** originating from; (*que*

resulta de) arising from
prover [pro've*] (*irreg: como* **ver**) *vt* to provide, supply; (*vaga*) to fill ♦ *vi*: ~ **a** to take care of, see to
provérbio [pro'vɛxbju] *m* proverb
providência [provi'dẽsja] *f* providence; **~s** *fpl* (*medidas*) measures, steps; **providencial** [providẽ'sjaw] (*pl* **-ais**) *adj* opportune; **providenciar** [providẽ'sja*] *vt* to provide; (*tomar providências*) to arrange ♦ *vi* to make arrangements, take steps; **providenciar para que** to see to it that
província [pro'vĩsja] *f* province; **provinciano, -a** [provĩ'sjanu, a] *adj* provincial
provisório, -a [provi'zɔrju, a] *adj* provisional, temporary
provocador, a [provoka'do*, a] *adj* provocative
provocante [provo'kãtʃi] *adj* provocative
provocar [provo'ka*] *vt* to provoke; (*ocasionar*) to cause; (*atrair*) to tempt, attract; (*estimular*) to rouse, stimulate
próximo, -a ['prɔsimu, a] *adj* (*no espaço*) near, close; (*no tempo*) close; (*seguinte*) next; (*amigo, parente*) close; (*vizinho*) neighbouring (BRIT), neighboring (US) ♦ *adv* near ♦ *m* fellow man; **~ a** *ou* **de** near, close to; **até a próxima!** see you again soon!
prudência [pru'dẽsja] *f* care, prudence; **prudente** [pru'dẽtʃi] *adj* prudent
prurido [pru'ridu] *m* itch
psicanálise [psika'nalizi] *f* psychoanalysis
psicologia [psikolo'ʒia] *f* psychology; **psicológico, -a** [psiko'lɔʒiku, a] *adj* psychological; **psicólogo, -a** [psi'kɔloɡu, a] *m/f* psychologist
psique ['psiki] *f* psyche
psiquiatra [psi'kjatra] *m/f* psychiatrist
psiquiatria [psikja'tria] *f* psychiatry
psíquico, -a ['psikiku, a] *adj* psychological
puberdade [pubex'dadʒi] *f* puberty
publicação [publika'sãw] *f* publication
publicar [publi'ka*] *vt* to publish; (*divulgar*) to divulge; (*proclamar*) to announce
publicidade [publisi'dadʒi] *f* publicity; (COM) advertising; **publicitário, -a** [publisi'tarju, a] *adj* publicity *atr*; advertising *atr*
público, -a ['publiku, a] *adj* public ♦ *m* public; (CINEMA, TEATRO *etc*) audience
pude *etc* ['pudʒi] *vb V* **poder**
pudera *etc* [pu'dɛra] *vb V* **poder**

pudim [pu'dʒĩ] (*pl* **-ns**) *m* pudding
pudor [pu'do*] *m* bashfulness, modesty; (*moral*) decency
pular [pu'la*] *vi* to jump; (*no Carnaval*) to celebrate ♦ *vt* to jump (over); (*páginas, trechos*) to skip; **~ Carnaval** to celebrate Carnaval; **~ corda** to skip
pulga ['puwga] *f* flea
pulmão [puw'mãw] (*pl* **-ões**) *m* lung
pulo[1] ['pulu] *m* jump; **dar um ~ em** to stop off at
pulo[2] *etc vb V* **polir**
pulôver [pu'love*] (BR) *m* pullover
pulsação [puwsa'sãw] *f* pulsation, beating; (MED) pulse
pulseira [puw'sejra] *f* bracelet; (*de sapato*) strap
pulso ['puwsu] *m* (ANAT) wrist; (MED) pulse; (*fig*) vigour (BRIT), vigor (US), energy
punha *etc* ['puɲa] *vb V* **pôr**
punhado [pu'ɲadu] *m* handful
punhal [pu'ɲaw] (*pl* **-ais**) *m* dagger
punho ['puɲu] *m* fist; (*de manga*) cuff; (*de espada*) hilt
punição [puni'sãw] (*pl* **-ões**) *f* punishment
punir [pu'ni*] *vt* to punish
pupila [pu'pila] *f* (ANAT) pupil
purê [pu're] *m* purée; **~ de batatas** mashed potatoes
pureza [pu'reza] *f* purity
purificar [purifi'ka*] *vt* to purify
puritano, -a [puri'tanu, a] *adj* puritanical; (*seita*) puritan ♦ *m/f* puritan
puro, -a ['puru, a] *adj* pure; (*uísque etc*) neat; (*verdade*) plain; (*intenções*) honourable (BRIT), honorable (US); (*estilo*) clear
pus[1] [puʃ] *m* pus
pus[2] *etc* [pujʃ] *vb V* **pôr**
puser *etc* [pu'ze*] *vb V* **pôr**
puta ['puta] *f* whore; *V tb* **puto**
puto, -a ['putu, a] (*col!*) *m/f* (*sem-vergonha*) bastard ♦ *adj* (*zangado*) furious; (*incrível*): **um ~ ...** a hell of a ...; **o ~ de ...** the bloody ...
pútrido, -a ['putridu, a] *adj* putrid, rotten
puxador [puʃa'do*] *m* handle, knob
puxão [pu'ʃãw] (*pl* **-ões**) *m* tug, jerk
puxar [pu'ʃa*] *vt* to pull; (*sacar*) to pull out; (*assunto*) to bring up; (*conversa*) to strike up; (*briga*) to pick ♦ *vi*: **~ de uma perna** to limp; **~ a** to take after
puxões [pu'ʃõjʃ] *mpl de* **puxão**

Q q

QG abr m (= *Quartel-General*) HQ
QI abr m (= *Quociente de Inteligência*) IQ
quadra ['kwadra] f (*quarteirão*) block; (*de tênis etc*) court; (*período*) time, period
quadrado, -a [kwa'dradu, a] adj square ♦ m square ♦ m/f (*col*) square
quadril [kwa'driw] (*pl* -**is**) m hip
quadrinho [kwa'driɲu] m: **história em ~s** (BR) cartoon, comic strip
quadris [kwa'drif] mpl de **quadril**
quadro ['kwadru] m painting; (*gravura, foto*) picture; (*lista*) list; (*tabela*) chart, table; (TEC: *painel*) panel; (*pessoal*) staff; (*time*) team; (TEATRO, *fig*) scene; **quadro-negro** (*pl* **quadros-negros**) m blackboard
quadruplicar [kwadrupli'ka*] vt, vi to quadruple
qual [kwaw] (*pl* -**ais**) pron which ♦ conj as, like ♦ excl what!; **o ~** which; (*pessoa: suj*) who; (: *objeto*) whom; **seja ~ for** whatever ou whichever it may be; **cada ~** each one
qualidade [kwali'dadʒi] f quality
qualificação [kwalifika'sãw] (*pl* -**ões**) f qualification
qualificado, -a [kwalifi'kadu, a] adj qualified
qualificar [kwalifi'ka*] vt to qualify; (*avaliar*) to evaluate; **qualificar-se** vr to qualify; **~ de** ou **como** to classify as
qualquer [kwaw'ke*] (*pl* **quaisquer**) adj, pron any; **~ pessoa** anyone, anybody; **~ um dos dois** either; **~ que seja** whichever it may be; **a ~ momento** at any moment
quando ['kwãdu] adv when ♦ conj when; (*interrogativo*) when?; (*ao passo que*) whilst; **~ muito** at most
quantia [kwã'tʃia] f sum, amount
quantidade [kwãtʃi'dadʒi] f quantity, amount

PALAVRA CHAVE

quanto, -a ['kwãtu, a] adj
1 (*interrogativo: sg*) how much?; (: *pl*) how many?; **~ tempo?** how long?
2 (*o que for necessário*) all that, as much as; **daremos ~s exemplares ele precisar** we'll give him as many copies as ou all the copies he needs
3: **tanto/tantos ... ~** as much/many ... as
♦ pron
1 how much?; how many?; **~ custa?** how much?; **a ~ está o jogo?** what's the score?
2: **tudo ~** everything that, as much as
3: **tanto/tantos ~ ...** as much/as many as ...
4: **um tanto ~** somewhat, rather
♦ adv
1: **~ a** as regards; **~ a mim** as for me
2: **~ antes** as soon as possible
3: **~ mais** (*principalmente*) especially; (*muito menos*) let alone; **~ mais cedo melhor** the sooner the better
4: **tanto ~ possível** as much as possible; **tão ... ~ ...** as ... as ...
♦ conj: **~ mais trabalha, mais ele ganha** the more he works, the more he earns; **~ mais, (tanto) melhor** the more, the better

quarenta [kwa'rẽta] num forty
quarentena [kwarẽ'tena] f quarantine
quaresma [kwa'rɛʒma] f Lent
quarta ['kwaxta] f (*tb:* **~-feira**) Wednesday; (*parte*) quarter; (AUTO) fourth (gear); **quarta-feira** (*pl* **quartas-feiras**) f Wednesday; **quarta-feira de cinzas** Ash Wednesday
quarteirão [kwaxtej'rãw] (*pl* -**ões**) m (*de casas*) block
quartel [kwax'tew] (*pl* -**éis**) m barracks sg; **quartel-general** m headquarters pl
quarteto [kwax'tetu] m quartet(te)
quarto, -a ['kwaxtu, a] num fourth ♦ m quarter; (*aposento*) room; **~ de banho/dormir** bathroom/bedroom; **três ~s de hora** three quarters of an hour
quase ['kwazi] adv almost, nearly; **~ nunca** hardly ever
quatorze [kwa'toxzi] num fourteen
quatro ['kwatru] num four

PALAVRA CHAVE

que [ki] conj
1 (*com oração subordinada: muitas vezes não se traduz*) that; **ele disse ~ viria** he said (that) he would come; **não há nada ~ fazer** there's nothing to be done; **espero ~ sim/não** I hope so/not; **dizer ~ sim/não** to say yes/no
2 (*consecutivo: muitas vezes não se traduz*) that; **é tão pesado ~ não consigo levantá-lo** it's so heavy (that) I can't lift it
3 (*comparações*): **(do) ~** than; *V tb* **mais**; **menos**; **mesmo**
♦ pron
1 (*coisa*) which, that; (+ *prep*) which; **o chapéu ~ você comprou** the hat (that ou which) you bought

2 (*pessoa: suj*) who, that; (: *complemento*) whom, that; **o amigo ~ me levou ao museu** the friend who took me to the museum; **a moça ~ eu convidei** the girl (that *ou* whom) I invited **3** (*interrogativo*) what?; **o ~ você disse?** what did you say? **4** (*exclamação*) what!; **~ pena!** what a pity!; **~ lindo!** how lovely!

quê [ke] *m* (*col*) something ♦ *pron* what; **~!** what!; **não tem de ~** don't mention it; **para ~?** what for?; **por ~?** why?

quebra ['kɛbra] *f* break, rupture; (*falência*) bankruptcy; (*de energia elétrica*) cut; **de ~** in addition; **quebra-cabeça** (*pl* **quebra-cabeças**) *m* puzzle, problem; (*jogo*) jigsaw puzzle

quebrado, -a [ke'bradu, a] *adj* broken; (*cansado*) exhausted; (*falido*) bankrupt; (*carro, máquina*) broken down; (*telefone*) out of order

quebra-nozes *m inv* nutcrackers *pl* (*BRIT*), nutcracker (*US*)

quebrar [ke'bra*] *vt* to break ♦ *vi* to break; (*carro*) to break down; (*COM*) to go bankrupt; (*ficar sem dinheiro*) to go broke

queda ['kɛda] *f* fall; (*fig*) downfall; **ter ~ para algo** to have a bent for sth; **~ de barreira** landslide; **queda-d'água** (*pl* **quedas-d'água**) *f* waterfall

queijo ['kejʒu] *m* cheese

queimado, -a [kej'madu, a] *adj* burnt; (*de sol: machucado*) sunburnt; (: *bronzeado*) brown, tanned; (*plantas, folhas*) dried up

queimadura [kejma'dura] *f* burn; (*de sol*) sunburn

queimar [kej'ma*] *vt* to burn; (*roupa*) to scorch; (*com líquido*) to scald; (*bronzear a pele*) to tan; (*planta, folha*) to wither ♦ *vi* to burn; **queimar-se** *vr* (*pessoa*) to burn o.s.; (*de sol*) to tan

queima-roupa *f*: **à ~** point-blank, at point-blank range

queira *etc* ['kejra] *vb V* **querer**

queixa ['kejʃa] *f* complaint; (*lamentação*) lament; **fazer ~ de alguém** to complain about sb

queixar-se [kej'ʃaxsi] *vr* to complain; **~ de** to complain about; (*dores etc*) to complain of

queixo ['kejʃu] *m* chin; (*maxilar*) jaw; **bater o ~** to shiver

quem [kẽj] *pron* who; (*como objeto*) who (*m*); **de ~ é isto?** whose is this?; **~ diria!** who would have thought (it)!; **~ sabe** (*talvez*) perhaps

Quênia ['kenja] *m*: **o ~** Kenya

quente ['kẽtʃi] *adj* hot; (*roupa*) warm

quer [ke*] *vb V* **querer** ♦ *conj*: **~ ... ou ...** whether ... or ...; **~ chova ~ não** whether it rains or not; **onde/quando/ quem ~ que** wherever/whenever/ whoever; **o que ~ que seja** whatever it is

---PALAVRA CHAVE---

querer [ke're*] *vt*

1 (*desejar*) to want; **quero mais dinheiro** I want more money; **queria um chá** I'd like a cup of tea; **quero ajudar/que vá** I want to help/you to go; **você vai ~ sair amanhã?** do you want to go out tomorrow?; **eu vou ~ uma cerveja** (*num bar etc*) I'd like a beer; **por/ sem ~** intentionally/unintentionally; **como queira** as you wish

2 (*perguntas para pedir algo*): **você quer fechar a janela?** will you shut the window?; **quer me dar uma mão?** can you give me a hand?

3 (*amar*) to love

4 (*convite*): **quer entrar/sentar** do come in/sit down

5: **~ dizer** (*significar*) to mean; (*pretender dizer*) to mean to say; **quero dizer** I mean; **quer dizer** (*com outras palavras*) in other words

♦ *vi*: **~ bem a** to be fond of

♦ **querer-se** *vr* to love one another

♦ *m* (*vontade*) wish; (*afeto*) affection

---

querido, -a [ke'ridu, a] *adj* dear ♦ *m/f* darling; **Q~ João** Dear John

querosene [kero'zɛni] *m* kerosene

questão [keʃ'tãw] (*pl* **-ões**) *f* question, inquiry; (*problema*) matter, question; (*JUR*) case; (*contenda*) dispute, quarrel; **fazer ~ (de)** to insist (on); **em ~** in question; **há ~ de um ano** about a year ago; **questionar** [keʃtʃjo'na*] *vi* to question ♦ *vt* to question, call into question; **questionário** [keʃtʃjo'narju] *m* questionnaire; **questionável** [keʃtʃjo'navew] (*pl* **-eis**) *adj* questionable

quicar [ki'ka*] *vt, vi* to bounce

quieto, -a ['kjɛtu, a] *adj* quiet; (*imóvel*) still; **quietude** [kje'tudʒi] *f* calm, tranquillity

quilate [ki'latʃi] *m* carat

quilo ['kilu] *m* kilo; **quilobyte** [kilo'bajtʃi] *m* kilobyte; **quilograma** [kilo'grama] *m* kilogram; **quilometragem** [kilome'traʒẽ] *f* number of kilometres *ou* kilometers travelled, ≈ mileage; **quilômetro**

química → ralhar

[ki'lometru] m kilometre (BRIT), kilometer (US); **quilowatt** [kilo'watʃi] m kilowatt
química ['kimika] f chemistry
químico, -a ['kimiku, a] adj chemical ♦ m/f chemist
quina ['kina] f corner; (de mesa etc) edge; **de ~ edgeways** (BRIT), edgewise (US)
quindim [kĩ'dʒĩ] m sweet made of egg yolks, coconut and sugar
quinhão [ki'ɲãw] (pl **-ões**) m share, portion
quinhentos, -as [ki'ɲẽtuʃ, aʃ] num five hundred
quinhões [ki'ɲõjʃ] mpl de **quinhão**
quinquilharias [kĩkiʎa'riaʃ] fpl odds and ends; (miudezas) knick-knacks, trinkets
quinta ['kĩta] f (tb: **~-feira**) Thursday; (propriedade) estate; (PT) farm; **quinta-feira** ['kĩta'fejra] (pl **quintas-feiras**) f Thursday
quintal [kĩ'taw] (pl **-ais**) m back yard
quinteto [kĩ'tetu] m quintet(te)
quinto, -a ['kĩtu, a] num fifth
quinze ['kĩzɪ] num fifteen; **duas e ~** a quarter past (BRIT) ou after (US) two; **~ para as sete** a quarter to (BRIT) ou of (US) seven
quinzena [kĩ'zena] f two weeks, fortnight (BRIT); **quinzenal** [kĩze'naw] (pl **~is**) adj fortnightly; **quinzenalmente** [kĩzenaw'mẽtʃi] adv fortnightly
quiosque ['kjɔʃki] m kiosk
quis etc [kiʒ] vb V **querer**
quiser etc [ki'ze*] vb V **querer**
quisto ['kiʃtu] m cyst
quitanda [ki'tãda] f grocer's (shop) (BRIT), grocery store (US)
quitar [ki'ta*] vt (dívida: pagar) to pay off; (: perdoar) to cancel; (devedor) to release
quite ['kitʃi] adj (livre) free; (com um credor) squared up; (igualado) even; **estar ~ (com alguém)** to be quits (with sb)
quitute [ki'tutʃi] m titbit (BRIT), tidbit (US)
quota ['kwɔta] f quota; (porção) share, portion
quotidiano, -a [kwɔtʃi'dʒjanu, a] adj everyday

R r

R abr (= rua) St
R$ abr = **real**
rã [xã] f frog
rabanete [xaba'netʃi] m radish
rabiscar [xabiʃ'ka*] vt to scribble; (papel) to scribble on ♦ vi to scribble; (desenhar) to doodle; **rabisco** [xa'biʃku] m scribble
rabo ['xabu] m tail
rabugento, -a [xabu'ʒẽtu, a] adj grumpy
raça ['xasa] f breed; (grupo étnico) race; **cão/cavalo de ~** pedigree dog/thoroughbred horse
racha ['xaʃa] f (fenda) split; (greta) crack; **rachadura** [xaʃa'dura] f crack; **rachar** [xa'ʃa*] vt to crack; (objeto, despesas) to split; (lenha) to chop ♦ vi to split; (cristal) to crack; **rachar-se** vr to split; to crack
racial [xa'sjaw] (pl **-ais**) adj racial
raciocínio [xasjo'sinju] m reasoning
racional [xasjo'naw] (pl **-ais**) adj rational; **racionalizar** [xasjonali'za*] vt to rationalize
racionamento [xasjona'mẽtu] m rationing
racismo [xa'siʒmu] m racism; **racista** [xa'siʃta] adj, m/f racist
radar [xa'da*] m radar
radiação [xadʒja'sãw] f radiation
radiador [xadʒja'do*] m radiator
radiante [xa'dʒjãtʃi] adj radiant
radical [xadʒi'kaw] (pl **-ais**) adj radical
radicar-se [xadʒi'kaxsi] vr to take root; (fixar residência) to settle
rádio ['xadʒju] m radio; (QUÍM) radium; **radioativo, -a** [xadʒjua'tʃivu, a] (PT **-act-**) adj radioactive; **radiodifusão** [xadʒjodʒifu'zãw] f broadcasting; **radiografar** [xadʒjogra'fa*] vt to X-ray; **radiografia** [xadʒjogra'fia] f X-ray
raia ['xaja] f (risca) line; (fronteira) boundary; (limite) limit; (de corrida) lane; (peixe) ray
raiar [xa'ja*] vi to shine
rainha [xa'iɲa] f queen
raio ['xaju] m (de sol) ray; (de luz) beam; (de roda) spoke; (relâmpago) flash of lightning; (alcance) range; (MAT) radius; **~s X** X-rays
raiva ['xajva] f rage, fury; (MED) rabies sg; **estar/ficar com ~ (de)** to be/get angry (with); **ter ~ de** to hate; **raivoso, -a** [xaj'vozu, ɔza] adj furious
raiz [xa'iʒ] f root; (origem) origin, source; **~ quadrada** square root
rajada [xa'ʒada] f (vento) gust
ralado, -a [xa'ladu, a] adj grated; **ralador** [xala'do*] m grater
ralar [xa'la*] vt to grate
ralhar [xa'ʎa*] vi to scold; **~ com alguém** to tell sb off

rali [xa'li] m rally

ralo, -a ['xalu, a] adj (cabelo) thinning; (tecido) flimsy; (vegetação) sparse; (sopa) thin, watery; (café) weak ♦ m (de regador) rose, nozzle; (de pia, banheiro) drain

rama ['xama] f branches pl, foliage; **pela ~** superficially; **ramagem** [xa'maʒẽ] f branches pl, foliage; **ramal** [xa'maw] (pl -ais) m (FERRO) branch line; (TEL) extension; (AUTO) side road

ramificar-se [xamifi'kaxsi] vr to branch out

ramo ['xamu] m branch; (profissão, negócios) line; (de flores) bunch; **Domingo de R~s** Palm Sunday

rampa ['xãpa] f ramp; (ladeira) slope

rancor [xã'ko*] m bitterness; (ódio) hatred; **rancoroso, -a** [xãko'rozu, ɔza] adj bitter, resentful; hateful

rançoso, -a [xã'sozu, ɔza] adj rancid; (cheiro) musty

ranger [xã'ʒe*] vi to creak ♦ vt: **~ os dentes** to grind one's teeth

ranhura [xa'ɲura] f groove; (para moeda) slot

rapar [xa'pa*] vt to scrape; (a barba) to shave; (o cabelo) to crop

rapariga [xapa'riga] f girl

rapaz [xa'pajʒ] m boy; (col) lad

rapidez [xapi'deʒ] f speed

rápido, -a ['xapidu, a] adj fast, quick ♦ adv fast, quickly ♦ m (trem) express

rapina [xa'pina] f robbery; **ave de ~** bird of prey

raptar [xap'ta*] vt to kidnap; **rapto** ['xaptu] m kidnapping; **raptor** [xap'to*] m kidnapper

raquete [xa'kɛtʃi] f racquet

raquítico, -a [xa'kitʃiku, a] adj (franzino) puny; (vegetação) poor

raramente [xara'mẽtʃi] adv rarely, seldom

rarefeito, -a [xare'fejtu, a] adj rarefied; (multidão, população) sparse

raro, -a ['xaru, a] adj rare ♦ adv rarely, seldom

rascunho [xaʃ'kuɲu] m draft, rough copy

rasgado, -a [xaʒ'gadu, a] adj (roupa) torn, ripped

rasgão [xaʒ'gãw] (pl -ões) m tear, rip

rasgar [xaʒ'ga*] vt to tear, rip; (destruir) to tear up, rip up; **rasgar-se** vr to split; **rasgo** ['xaʒgu] m tear, rip

rasgões [xaʒ'gõjʃ] mpl de **rasgão**

raso, -a ['xazu, a] adj (liso) flat, level; (não fundo) shallow; (baixo) low; **soldado ~** private

raspa ['xaʃpa] f (de madeira) shaving; (de metal) filing

raspão [xaʃ'pãw] (pl -ões) m scratch, graze

raspar [xaʃ'pa*] vt to scrape; (alisar) to file; (tocar de raspão) to graze; (arranhar) to scratch; (pêlos, cabeça) to shave; (apagar) to rub out ♦ vi: **~ em** to scrape

raspões [xaʃ'põjʃ] mpl de **raspão**

rasteira [xaʃ'tejra] f: **dar uma ~ em alguém** to trip sb up

rasteiro, -a [xaʃ'tejru, a] adj crawling; (planta) creeping

rastejar [xaʃte'ʒa*] vi to crawl; (furtivamente) to creep; (fig: rebaixar-se) to grovel ♦ vt (fugitivo etc) to track

rasto ['xaʃtu] m (pegada) track; (de veículo) trail; (fig) sign, trace; **andar de ~s** to crawl

rastro ['xaʃtru] m = **rasto**

rata ['xata] f rat; (pequena) mouse

ratificar [xatʃifi'ka*] vt to ratify

rato ['xatu] m rat; (pequeno) mouse; **~ de hotel/praia** hotel/beach thief; **ratoeira** [xa'twejra] f rat trap; mousetrap

ravina [xa'vina] f ravine

razão [xa'zãw] (pl -ões) f reason; (argumento) reasoning; (MAT) ratio ♦ m (COM) ledger; **à ~ de** at the rate of; **em ~ de** on account of; **dar ~ a alguém** to support sb; **ter/não ter ~** to be right/wrong; **razoável** [xa'zwavew] (pl -eis) adj reasonable

r/c (PT) abr = **rés-do-chão**

RDSI abr f (= Rede Digital de Serviços Integrados) ISDN

ré [xɛ] f (AUTO) reverse (gear); **dar (marcha à) ~** to reverse, back up; V tb **réu**

reabastecer [xeabaʃte'se*] vt (avião) to refuel; (carro) to fill up; **reabastecer-se** vr: **~-se de** to replenish one's supply of

reação [xea'sãw] (PT **-cç-**) (pl -ões) f reaction

reagir [xea'ʒi*] vi to react; (doente, time perdedor) to fight back; **~ a** (resistir) to resist; (protestar) to rebel against

reais [xe'ajʃ] adj pl de **real**

reaja etc [xe'aʒa] vb V **reagir**; **reaver**

reajuste [xea'ʒuʃtʃi] m adjustment

real [xe'aw] (pl -ais) adj real; (relativo à realeza) royal ♦ m (moeda) real

realçar [xeaw'sa*] vt to highlight; **realce** [xe'awsi] m emphasis; (mais brilho) highlight; **dar realce a** to enhance

realeza [xea'leza] f royalty

realidade [xeali'dadʒi] f reality; **na ~**

realista → reciclar

actually, in fact

realista [xea'liʃta] *adj* realistic ♦ *m/f* realist

realização [xealiza'sāw] *f* fulfilment (*BRIT*), fulfillment (*US*), realization; (*de projeto*) execution, carrying out

realizador, a [xealiza'do*, a] *adj* enterprising

realizar [xeali'za*] *vt* to achieve; (*projeto*) to carry out; (*ambições, sonho*) to fulfil (*BRIT*), fulfill (*US*), realize; (*negócios*) to transact; (*perceber*) to realize; **realizar-se** *vr* to take place; (*ambições*) to be realized; (*sonhos*) to come true

realmente [xeaw'mētʃi] *adv* really; (*de fato*) actually

reanimar [xeani'ma*] *vt* to revive; (*encorajar*) to encourage; **reanimar-se** *vr* to cheer up

reatar [xea'ta*] *vt* to resume, take up again

reaver [xea've*] *vt* to recover, get back

rebaixar [xebaj'ʃa*] *vt* to lower; (*mercadorias*) to lower the price of; (*humilhar*) to put down, humiliate ♦ *vi* to drop; **rebaixar-se** *vr* to demean o.s.

rebanho [xe'baɲu] *m* (*de carneiros, fig*) flock; (*de gado, elefantes*) herd

rebelar-se [xebe'laxsi] *vr* to rebel; **rebelde** [xe'bewdʒi] *adj* rebellious; (*indisciplinado*) unruly, wild ♦ *m/f* rebel; **rebeldia** [xebew'dʒia] *f* rebelliousness; (*fig: obstinação*) stubbornness; (: *oposição*) defiance

rebelião [xebe'ljãw] (*pl* -**ões**) *f* rebellion

rebentar [xebē'ta*] *vi* (*guerra*) to break out; (*louça*) to smash; (*corda*) to snap; (*represa*) to burst; (*ondas*) to break ♦ *vt* to smash; to snap; (*porta*) to break down

rebocador [xeboka'do*] *m* tug(boat)

rebocar [xebo'ka*] *vt* (*paredes*) to plaster; (*veículo*) to tow

rebolar [xebo'la*] *vt* to swing ♦ *vi* to sway

reboque¹ [xe'bɔki] *m* tow; (*veículo: tb:* **carro ~**) trailer; (*cabo*) towrope; (*BR: de socorro*) towtruck; **a ~** on *ou* in (*US*) tow

reboque² *etc vb V* **rebocar**

rebuçado [xebu'sadu] (*PT*) *m* sweet, candy (*US*)

recado [xe'kadu] *m* message; **deixar ~** to leave a message

recaída [xeka'ida] *f* relapse

recair [xeka'i*] *vi* (*doente*) to relapse

recalcar [xekaw'ka*] *vt* to repress

recalque *etc* [xe'kawki] *vb V* **recalcar**

recanto [xe'kãtu] *m* corner, nook

recapitular [xekapitu'la*] *vt* to sum up, recapitulate; (*fatos*) to review; (*matéria escolar*) to revise

recatado, -a [xeka'tadu, a] *adj* (*modesto*) modest; (*reservado*) reserved

recauchutado, -a [xekawʃu'tadu, a] *adj*: **pneu ~** (*AUTO*) retread, remould (*BRIT*)

recear [xe'sja*] *vt* to fear ♦ *vi*: **~ por** to fear for; **~ fazer/que** to be afraid to do/ that

receber [xese'be*] *vt* to receive; (*ganhar*) to earn, get; (*hóspedes*) to take in; (*convidados*) to entertain; (*acolher bem*) to welcome ♦ *vi* (~ *convidados*) to entertain; **recebimento** [xesebi'mẽtu] (*BR*) *m* reception; (*de uma carta*) receipt; **acusar o recebimento de** to acknowledge receipt of

receio [xe'seju] *m* fear; **ter ~ de que** to fear that

receita [xe'sejta] *f* income; (*do Estado*) revenue; (*MED*) prescription; (*CULIN*) recipe; **R~ Federal** ≈ Inland Revenue (*BRIT*), ≈ IRS (*US*); **receitar** [xesej'ta*] *vt* to prescribe

recém [xe'sẽ] *adv* recently, newly; **recém-casado, -a** *adj*: **os recém-casados** the newlyweds; **recém-chegado, -a** *m/f* newcomer; **recém-nascido, -a** *m/f* newborn child

recente [xe'sẽtʃi] *adj* recent; (*novo*) new ♦ *adv* recently; **recentemente** [xesẽtʃi'mẽtʃi] *adv* recently

receoso, -a [xe'sjozu, ɔza] *adj* frightened, fearful; **estar ~ de (fazer)** to be afraid of (doing)

recepção [xesep'sãw] (*pl* -**ões**) *f* reception; (*PT: de uma carta*) receipt; **acusar a ~ de** (*PT*) to acknowledge receipt of; **recepcionista** [xesepsjo'niʃta] *m/f* receptionist

receptivo, -a [xesep'tʃivu, a] *adj* receptive; (*acolhedor*) welcoming

receptor [xesep'to*] *m* receiver

recessão [xese'sãw] (*pl* -**ões**) *f* recession

recesso [xe'sesu] *m* recess

recessões [xese'sõjʃ] *fpl de* **recessão**

recheado, -a [xe'ʃjadu, a] *adj* (*ave, carne*) stuffed; (*empada, bolo*) filled; (*cheio*) full, crammed

rechear [xe'ʃja*] *vt* to fill; (*ave, carne*) to stuff; **recheio** [xe'ʃeju] *m* stuffing; (*de empada, de bolo*) filling; (*o conteúdo*) contents *pl*

rechonchudo, -a [xeʃõ'ʃudu, a] *adj* chubby, plump

recibo [xe'sibu] *m* receipt

reciclar [xesi'kla*] *vt* to recycle

recinto → reduzir

recinto [xeˈsĩtu] *m* enclosure; (*lugar*) area
recipiente [xesiˈpjẽtʃi] *m* container, receptacle
recíproco, -a [xeˈsiproku, a] *adj* reciprocal
recitar [xesiˈta*] *vt* to recite
reclamação [xeklamaˈsãw] (*pl* **-ões**) *f* complaint
reclamar [xeklaˈma*] *vt* to demand; (*herança*) to claim ♦ *vi* to complain
reclinar [xekliˈna*] *vt* to rest, lean; **reclinar-se** *vr* to lie back; (*deitar-se*) to lie down
recobrar [xekoˈbra*] *vt* to recover, get back; **recobrar-se** *vr* to recover
recolher [xekoˈʎe*] *vt* to collect; (*coisas dispersas*) to pick up; (*gado, roupa do varal*) to bring in; (*juntar*) to gather together; **recolhido, -a** [xekoˈʎidu, a] *adj* (*lugar*) secluded; (*pessoa*) withdrawn; **recolhimento** [xekoʎiˈmẽtu] *m* retirement; (*arrecadação*) collection; (*ato de levar*) taking
recomeçar [xekomeˈsa*] *vt, vi* to restart
recomendação [xekomẽdaˈsãw] (*pl* **-ões**) *f* recommendation; **recomendações** *fpl* (*cumprimentos*) regards
recomendar [xekomẽˈda*] *vt* to recommend; **recomendável** [xekomẽˈdavew] (*pl* **-eis**) *adj* advisable
recompensa [xekõˈpẽsa] *f* reward; **recompensar** [xekõpẽˈsa*] *vt* to reward
recompor [xekõˈpo*] (*irreg: como* **pôr**) *vt* to reorganize; (*restabelecer*) to restore
reconciliar [xekõsiˈlja*] *vt* to reconcile
reconhecer [xekoɲeˈse*] *vt* to recognize; (MIL) to reconnoitre (BRIT), reconnoiter (US); **reconhecido, -a** [xekoɲeˈsidu, a] *adj* recognized; (*agradecido*) grateful, thankful; **reconhecimento** [xekoɲesiˈmẽtu] *m* recognition; (*admissão*) admission; (*gratidão*) gratitude; (MIL) reconnaissance; **reconhecível** [xekoɲeˈsivew] (*pl* **-eis**) *adj* recognizable
reconstruir [xekõʃˈtrwi*] *vt* to rebuild
recordação [xekoxdaˈsãw] (*pl* **-ões**) *f* (*reminiscência*) memory; (*objeto*) memento
recordar [xekoxˈda*] *vt* to remember; (*parecer*) to look like; (*recapitular*) to revise; **recordar-se** *vr*: **~-se de** to remember; **~ algo a alguém** to remind sb of sth
recorde [xeˈkɔdʒi] *adj inv* record *atr* ♦ *m* record
recorrer [xekoˈxe*] *vi*: **~ a** to turn to; (*valer-se de*) to resort to
recortar [xekoxˈta*] *vt* to cut out; **recorte** [xeˈkɔxtʃi] *m* (*ato*) cutting out; (*de jornal*) cutting, clipping
recreação [xekrjaˈsãw] *f* recreation
recreativo, -a [xekrjaˈtʃivu, a] *adj* recreational
recreio [xeˈkreju] *m* recreation
recriminar [xekrimiˈna*] *vt* to reproach, reprove
recrutamento [xekrutaˈmẽtu] *m* recruitment
recrutar [xekruˈta*] *vt* to recruit
rectângulo [xekˈtãgulu] (PT) = **retângulo**
recto, -a *etc* [ˈxɛkto, a] (PT) = **reto** *etc*
recuar [xeˈkwa*] *vt* to move back ♦ *vi* to move back; (*exército*) to retreat
recuperação [xekuperaˈsãw] *f* recovery
recuperar [xekupeˈra*] *vt* to recover; (*tempo perdido*) to make up for; (*reabilitar*) to rehabilitate; **recuperar-se** *vr* to recover
recurso [xeˈkuxsu] *m* resource; (JUR) appeal; **~s** *mpl* (*financeiros*) resources
recusa [xeˈkuza] *f* refusal; (*negação*) denial; **recusar** [xekuˈza*] *vt* to refuse; to deny; **recusar-se** *vr*: **recusar-se a** to refuse to
redação [xedaˈsãw] (PT **-cç-**) (*pl* **-ões**) *f* (*ato*) writing; (EDUC) composition, essay; (*redatores*) editorial staff
redator, a [xedaˈto*, a] (PT **-act-**) *m/f* journalist; (*editor*) editor; (*quem redige*) writer
rede [ˈxedʒi] *f* net; (*de dormir*) hammock; (*cilada*) trap; (FERRO, TEC, *fig*) network; **a R~** (*a Internet*) the Net
rédea [ˈxɛdʒja] *f* rein
redentor, a [xedẽˈto*, a] *adj* redeeming
redigir [xedʒiˈʒi*] *vt, vi* to write
redobrar [xedoˈbra*] *vt* (*aumentar*) to increase; (*esforços*) to redouble
redondamente [xedõdaˈmẽtʃi] *adv* (*completamente*) completely
redondezas [xedõˈdezaʃ] *fpl* surroundings
redondo, -a [xeˈdõdu, a] *adj* round
redor [xeˈdo*] *m*: **ao** *ou* **em ~ (de)** around, round about
redução [xeduˈsãw] (*pl* **-ões**) *f* reduction
redundância [xedũˈdãsja] *f* redundancy; **redundante** [xedũˈdãtʃi] *adj* redundant
reduzido, -a [xeduˈzidu, a] *adj* reduced; (*limitado*) limited; (*pequeno*) small
reduzir [xeduˈzi*] *vt* to reduce; **reduzir-se** *vr*: **~-se a** to be reduced to; (*fig*:

reembolsar → reinado

resumir-se em) to come down to
reembolsar [xeēbow'sa*] vt to recover; (restituir) to reimburse; (depósito) to refund; **reembolso** [xeē'bowsu] m (de depósito) refund; (de despesa) reimbursement
reencontro [xeē'kõtru] m reunion
refazer [xefa'ze*] (irreg: como **fazer**) vt to redo; (consertar) to repair; **refazer-se** vr (MED etc) to recover
refeição [xefej'sãw] (pl **-ões**) f meal; **refeitório** [xefej'tɔrju] m refectory
refém [xe'fẽ] (pl **-ns**) m hostage
referência [xefe'rẽsja] f reference; **~s** fpl (informações para emprego) references; **fazer ~ a** to make reference to, refer to
referente [xefe'rẽtʃi] adj: **~ a** concerning, regarding
referir [xefe'ri*] vt to relate, tell; **referir-se** vr: **~-se a** to refer to
REFESA f = Rede Ferroviária SA
refinamento [xefina'mẽtu] m refinement
refinaria [xefina'ria] f refinery
refiro etc [xe'firu] vb V **referir**
refletir [xefle'tʃi*] (PT **-ct-**) vt to reflect ♦ vi: **~ em** ou **sobre** to consider, think about
reflexão [xeflek'sãw] (pl **-ões**) f reflection
reflexo, -a [xe'fleksu, a] adj (luz) reflected; (ação) reflex ♦ m reflection; (ANAT) reflex; (no cabelo) highlight
reflexões [xeflek'sõjʃ] fpl de **reflexão**
reflito etc [xe'flitu] vb V **refletir**
reforçado, -a [xefox'sadu, a] adj reinforced; (pessoa) strong; (café da manhã, jantar) hearty
reforçar [xefox'sa*] vt to reinforce; (revigorar) to invigorate; **reforço** [xe'foxsu] m reinforcement
reforma [xe'fɔxma] f reform; (ARQ) renovation; **reformado, -a** [xefox'madu, a] adj reformed; renovated; (MIL) retired; **reformar** [xefox'ma*] vt to reform; to renovate; **reformar-se** vr to reform
refractário, -a [xefra'tarju, a] (PT) adj = **refratário/a**
refrão [xe'frãw] (pl **-ãos** ou **-ães**) m chorus, refrain; (provérbio) saying
refratário, -a [xefra'tarju, a] adj (TEC) heat-resistant; (CULIN) ovenproof
refrear [xefre'a*] vt (cavalo) to rein in; (inimigo) to contain, check; (paixões, raiva) to control; **refrear-se** vr to restrain o.s.
refrescante [xefreʃ'kãtʃi] adj refreshing
refrescar [xefreʃ'ka*] vt (ar, ambiente) to cool; (pessoa) to refresh ♦ vi to cool down

refresco [xe'freʃku] m cool fruit drink, squash; **~s** mpl (refrigerantes) refreshments
refrigerador [xefriʒera'do*] m refrigerator, fridge (BRIT)
refrigerante [xefriʒe'rãtʃi] m soft drink
refugiado, -a [xefu'ʒjadu, a] adj, m/f refugee
refugiar-se [xefu'ʒjaxsi] vr to take refuge; **refúgio** [xe'fuʒju] m refuge
refugo [xe'fugu] m rubbish, garbage (US); (mercadoria) reject
refutar [xefu'ta*] vt to refute
rega ['xɛga] (PT) f irrigation
regador [xega'do*] m watering can
regalia [xega'lia] f privilege
regar [xe'ga*] vt (plantas, jardim) to water; (umedecer) to sprinkle
regatear [xega'tʃja*] vt (o preço) to haggle over, bargain for ♦ vi to haggle
regenerar [xeʒene'ra*] vt to regenerate
reger [xe'ʒe*] vt to govern; (orquestra) to conduct; (empresa) to run ♦ vi to rule; (maestro) to conduct
região [xe'ʒjãw] (pl **-ões**) f region, area
regime [xe'ʒimi] m (POL) regime; (dieta) diet; (maneira) way; **estar de ~** to be on a diet
regimento [xeʒi'mẽtu] m regiment
regiões [xe'ʒjõjʃ] fpl de **região**
regional [xeʒjo'naw] (pl **-ais**) adj regional
registrar [xeʒiʃ'tra*] (PT **-ista-**) vt to register; (anotar) to record
registro [xe'ʒiʃtru] (PT **-to**) m registration; (anotação) recording; (livro, LING) register; (histórico) record; **~ civil** registry office
regra ['xɛgra] f rule; **~s** fpl (MED) periods
regressar [xegre'sa*] vi to come (ou go) back, return; **regressivo, -a** [xegre'sivu, a] adj regressive; **contagem regressiva** countdown; **regresso** [xe'grɛsu] m return
régua ['xɛgwa] f ruler; **~ de calcular** slide rule
regulador [xegula'do*] m regulator
regulamento [xegula'mẽtu] m rules pl, regulations pl
regular [xegu'la*] adj regular; (estatura) average, medium; (tamanho) normal; (razoável) not bad ♦ vt to regulate; (reger) to govern; (máquina) to adjust; (carro, motor) to tune ♦ vi to work, function; **regularidade** [xegulari'dadʒi] f regularity
rei [xej] m king; **Dia de R~s** Epiphany; **R~ Momo** carnival king
reinado [xej'nadu] m reign

reinar [xej'na*] vi to reign
reino ['xejnu] m kingdom; (fig) realm; **o R~ Unido** the United Kingdom
reivindicação [xejvĩdʒika'sãw] (pl **-ões**) f claim, demand
reivindicar [rejvĩdʒi'ka*] vt to claim; (aumento salarial, direitos) to demand
rejeição [xeʒej'sãw] (pl **-ões**) f rejection
rejeitar [xeʒej'ta*] vt to reject; (recusar) to refuse
rejo etc ['xeju] vb V **reger**
rejuvenescer [xeʒuvene'se*] vt to rejuvenate
relação [xela'sãw] (pl **-ões**) f relation; (conexão) connection; (relacionamento) relationship; (MAT) ratio; (lista) list; **com ou em ~ a** regarding, with reference to; **relações públicas** public relations; **relacionamento** [xelasjona'mẽtu] m relationship; **relacionar** [xelasjo'na*] vt to make a list of; (ligar) to connect; **relacionar algo com algo** to connect sth with sth, relate sth to sth; **relacionar-se** vr to be connected ou related
relâmpago [xe'lãpagu] m flash of lightning; **~s** mpl (clarões) lightning sg
relance [xe'lãsi] m glance; **olhar de ~** to glance at
relapso, -a [xe'lapsu, a] adj (negligente) negligent
relatar [xela'ta*] vt to give an account of
relativo, -a [xela'tʃivu, a] adj relative
relato [xe'latu] m account
relatório [xela'tɔrju] m report
relaxado, -a [xela'ʃadu, a] adj relaxed; (desleixado) slovenly, sloppy; (relapso) negligent
relaxante [xela'ʃãtʃi] adj relaxing
relaxar [xela'ʃa*] vt, vi to relax
relegar [xele'ga*] vt to relegate
relembrar [xelẽ'bra*] vt to recall
relevante [xele'vãtʃi] adj relevant
relevo [xe'levu] m relief
religião [xeli'ʒãw] (pl **-ões**) f religion; **religioso, -a** [xeli'ʒozu, ɔza] adj religious ♦ m/f religious person; (frade/freira) monk/nun
relíquia [xe'likja] f relic; **~ de família** family heirloom
relógio [xe'lɔʒu] m clock; (de gás) meter; **~ (de pulso)** (wrist)watch; **~ de sol** sundial
relutante [xelu'tãtʃi] adj reluctant
relva ['xɛwva] f grass; (terreno gramado) lawn
relvado [xew'vadu] (PT) m lawn
remar [xe'ma*] vt, vi to row

rematar [xema'ta*] vt to finish off; **remate** [xe'matʃi] m (fim) end; (acabamento) finishing touch
remediar [xeme'dʒja*] vt to put right, remedy
remédio [xe'mɛdʒju] m (medicamento) medicine; (recurso, solução) remedy; (JUR) recourse; **não tem ~** there's no way
remendar [xemẽ'da*] vt to mend; (com pano) to patch; **remendo** [xe'mẽdu] m repair; patch
remessa [xe'mɛsa] f shipment; (de dinheiro) remittance
remetente [xeme'tẽtʃi] m/f sender
remeter [xeme'te*] vt to send, dispatch; (dinheiro) to remit
remexer [xeme'ʃe*] vt (papéis) to shuffle; (sacudir: braços) to wave; (folhas) to shake; (revolver: areia, lama) to stir up ♦ vi: **~ em** to rummage through
reminiscência [xemini'sẽsja] f reminiscence
remo ['xemu] m oar; (ESPORTE) rowing
remoção [xemo'sãw] f removal
remorso [xe'mɔxsu] m remorse
remoto, -a [xe'mɔtu, a] adj remote
remover [xemo've*] vt to move; (transferir) to transfer; (demitir) to dismiss; (retirar, afastar) to remove; (terra) to churn up
renal [xe'naw] (pl **-ais**) adj renal, kidney atr
Renascença [xena'sẽsa] f: **a ~** the Renaissance
renascer [xena'se*] vi to be reborn; (fig) to revive
renascimento [xenasi'mẽtu] m rebirth; (fig) revival; **o R~** the Renaissance
renda ['xẽda] f income; (nacional) revenue; (de aplicação, locação) yield; (tecido) lace
render [xẽ'de*] vt (lucro, dinheiro) to bring in, yield; (preço) to fetch; (homenagem) to pay; (graças) to give; (serviços) to render; (armas) to surrender; (guarda) to relieve; (causar) to bring ♦ vi (dar lucro) to pay; **render-se** vr to surrender; **rendição** [xẽdʒi'sãw] f surrender
rendimento [xẽdʒi'mẽtu] m income; (lucro) profit; (juro) yield, interest
renegar [xene'ga*] vt (crença) to renounce; (detestar) to hate; (trair) to betray; (negar) to deny; (desprezar) to reject
renomado, -a [xeno'madu, a] adj renowned
renome [xe'nɔmi] m renown

renovação [xenova'sãw] (pl -ões) f renewal; (ARQ) renovation

renovar [xeno'va*] vt to renew; (ARQ) to renovate

rentabilidade [xẽtabili'dadʒi] f profitability

rentável [xẽ'tavew] (pl -eis) adj profitable

renúncia [xe'nũsja] f resignation

renunciar [xenũ'sja*] vt to give up, renounce ♦ vi to resign; (abandonar): ~ a algo to give sth up

reouve etc [xe'ovi] vb V **reaver**

reouver etc [xeo've*] vb V **reaver**

reparação [xepara'sãw] (pl -ões) f mending, repairing; (de mal, erros) remedying; (fig) amends pl, reparation

reparar [xepa'ra*] vt to repair; (forças) to restore; (mal, erros) to remedy; (prejuizo, danos, ofensa) to make amends for; (notar) to notice ♦ vi: ~ em to notice; **reparo** [xe'paru] m repair; (crítica) criticism; (observação) observation

repartição [xepaxtʃi'sãw] (pl -ões) f distribution

repartir [xepax'tʃi*] vt (distribuir) to distribute; (dividir entre vários) to share out; (dividir em várias porções) to divide up

repelente [xepe'lẽtʃi] adj, m repellent

repelir [xepe'li*] vt to repel

repente [xe'pẽtʃi] m outburst; **de ~** suddenly; (col: talvez) maybe

repentino, -a [xepẽ'tʃinu, a] adj sudden

repercussão [xepexku'sãw] (pl -ões) f repercussion

repercutir [xepexku'tʃi*] vt to echo ♦ vi to reverberate, echo; (fig): ~ (em) to have repercussions (on)

repertório [xepex'tɔrju] m list; (coleção) collection; (MÚS) repertoire

repetidamente [xepetʃida'mẽtʃi] adv repeatedly

repetido, -a [xepe'tʃidu, a] adj: **repetidas vezes** repeatedly, again and again

repetir [xepe'tʃi*] vt to repeat ♦ vi (ao comer) to have seconds; **repetir-se** vr to happen again; (pessoa) to repeat o.s.; **repetitivo, -a** [xepetʃi'tʃivu, a] adj repetitive

repilo etc [xe'pilu] vb V **repelir**

repito etc [xe'pitu] vb V **repetir**

repleto, -a [xe'plɛtu, a] adj replete, full up

réplica ['xɛplika] f replica; (contestação) reply, retort

replicar [xepli'ka*] vt to answer, reply to ♦ vi to reply, answer back

repolho [xe'poʎu] m cabbage

repor [xe'po*] (irreg: como **pôr**) vt to put back, replace; (restituir) to return; **repor-se** vr to recover

reportagem [xepox'taʒẽ] (pl -ns) f reporting; (notícia) report

repórter [xe'pɔxte*] m/f reporter

repousar [xepo'za*] vi to rest; **repouso** [xe'pozu] m rest

repreender [xeprjẽ'de*] vt to reprimand; **repreensão** [xeprjẽ'sãw] (pl -ões) f reprimand

represália [xepre'zalja] f reprisal

representação [xeprezẽta'sãw] (pl -ões) f representation; (TEATRO) performance; **representante** [xeprezẽ'tãtʃi] m/f representative

representar [xeprezẽ'ta*] vt to represent; (TEATRO: papel) to play; (: peça) to put on ♦ vi to act; **representativo, -a** [xeprezẽta'tʃivu, a] adj representative

repressão [xepre'sãw] (pl -ões) f repression

reprimir [xepri'mi*] vt to repress

reprodução [xeprodu'sãw] (pl -ões) f reproduction

reproduzir [xeprodu'zi*] vt to reproduce; (repetir) to repeat; **reproduzir-se** vr to breed

reprovar [xepro'va*] vt to disapprove of; (aluno) to fail

réptil ['xɛptʃiw] (pl -eis) m reptile

república [xe'publika] f republic; **republicano, -a** [xepubli'kanu, a] adj, m/f republican

repudiar [xepu'dʒja*] vt to repudiate; **repúdio** [xe'pudʒju] m repudiation

repugnância [xepug'nãsja] f repugnance; **repugnante** [xepug'nãtʃi] adj repugnant

repulsa [xɛ'puwsa] f (ato) rejection; (sentimento) repugnance; (física) repulsion; **repulsivo, -a** [xepuw'sivu, a] adj repulsive

reputação [reputa'sãw] (pl -ões) f reputation

requeijão [xekej'ʒãw] m cheese spread

requerer [xeke're*] vt (emprego) to apply for; (pedir) to request; (exigir) to require; **requerimento** [xekeri'mẽtu] m application; request; (petição) petition

requintado, -a [xekĩ'tadu, a] adj refined, elegant

requinte [xe'kĩtʃi] m refinement, elegance; (cúmulo) height

requisito [xeki'zitu] m requirement

rés-do-chão [xɛʒ-] (PT) m inv ground floor (BRIT), first floor (US)

reserva [xeˈzɛxva] f reserve; (para hotel, fig) reservation ♦ m/f (ESPORTE) reserve

reservado, -a [xezexˈvadu, a] adj reserved

reservar [xezexˈva*] vt to reserve; (guardar de reserva) to keep; (forças) to conserve; **reservar-se** vr to save o.s.

reservatório [xezexvaˈtɔrju] m reservoir

resfriado, -a [xeʃˈfrjadu, a] (BR) adj: **estar/ficar ~** to have a cold/catch (a) cold ♦ m cold, chill

resgatar [xeʒgaˈta*] vt (salvar) to rescue; (prisioneiro) to ransom; (retomar) to get back, recover; **resgate** [xeʒˈgatʃi] m rescue; ransom; recovery

residência [xeziˈdẽsja] f residence; **residencial** [xezidẽˈsjaw] (pl -ais) adj residential; (computador, telefone etc) home atr; **residente** [xeziˈdẽtʃi] adj, m/f resident

residir [xeziˈdʒi*] vi to live, reside

resíduo [xeˈzidwu] m residue

resignação [xezignaˈsãw] (pl -ões) f resignation

resignar-se [xezigˈnaxsi] vr: **~ com** to resign o.s. to

resina [xeˈzina] f resin

resistente [xeziʃˈtẽtʃi] adj resistant; (material, objeto) hard-wearing, strong

resistir [xeziʃˈtʃi*] vi to hold; (pessoa) to hold out; **~ a** to resist; (sobreviver) to survive

resmungar [xeʒmũˈga*] vt, vi to mutter, mumble

resolução [xezoluˈsãw] (pl -ões) f resolution; (de um problema) solution; **resoluto, -a** [xezoˈlutu, a] adj decisive

resolver [xezowˈve*] vt to sort out; (problema) to solve; (questão) to resolve; (decidir) to decide; **resolver-se** vr: **~-se (a fazer)** to make up one's mind (to do), decide (to do)

respectivo, -a [xeʃpekˈtʃivu, a] adj respective

respeitar [xeʃpejˈta*] vt to respect; **respeitável** [xeʃpejˈtavew] (pl -eis) adj respectable; (considerável) considerable

respeito [xeʃˈpejtu] m: **~ (a ou por)** respect (for); **~s** mpl (cumprimentos) regards; **a ~ de, com ~ a** as to, as regards; (sobre) about; **dizer ~ a** to concern; **em ~ a** with respect to

respiração [xeʃpiraˈsãw] f breathing

respirar [xeʃpiˈra*] vt, vi to breathe

respiro [xeʃˈpiru] m breath

resplandecente [xeʃplãdeˈsẽtʃi] adj resplendent

responder [xeʃpõˈde*] vt to answer ♦ vi to answer; (ser respondão) to answer back; **~ por** to be responsible for, answer for

responsabilidade [xeʃpõsabiliˈdadʒi] f responsibility

responsabilizar [xeʃpõsabiliˈza*] vt: **~ alguém (por algo)** to hold sb responsible (for sth); **responsabilizar-se** vr: **~-se por** to take responsibility for

responsável [xeʃpõˈsavew] (pl -eis) adj: **~ (por)** responsible (for); **~ a** answerable to, accountable to

resposta [xeʃˈpɔʃta] f answer, reply

resquício [xeʃˈkisju] m (vestígio) trace

ressabiado, -a [xesaˈbjadu, a] adj wary; (ressentido) resentful

ressaca [xeˈsaka] f undertow; (mar bravo) rough sea; (fig: de quem bebeu) hangover

ressaltar [xesawˈta*] vt to emphasize ♦ vi to stand out

ressalva [xeˈsawva] f safeguard

ressentido, -a [xesẽˈtʃidu, a] adj resentful

ressentimento [xesẽtʃiˈmẽtu] m resentment

ressentir-se [xesẽˈtʃixsi] vr: **~ de** (ofender-se) to resent; (magoar-se) to be hurt by; (sofrer) to suffer from, feel the effects of

ressurgimento [xesuxʒiˈmẽtu] m resurgence, revival

ressurreição [xesuxejˈsãw] (pl -ões) f resurrection

ressuscitar [xesusiˈta*] vt, vi to revive

restabelecer [xeʃtabeleˈse*] vt to re-establish, restore; **restabelecer-se** vr to recover, recuperate; **restabelecimento** [xeʃtabelesiˈmẽtu] m re-establishment; restoration; recovery

restante [xeʃˈtãtʃi] adj remaining ♦ m rest

restar [xeʃˈta*] vi to remain, be left

restauração [xeʃtawraˈsãw] (pl -ões) f restoration; (de costumes, usos) revival

restaurante [xeʃtawˈrãtʃi] m restaurant

restaurar [xeʃtawˈra*] vt to restore

restituição [xeʃtʃitwiˈsãw] (pl -ões) f restitution, return; (de dinheiro) repayment

restituir [xeʃtʃiˈtwi*] vt to return; (dinheiro) to repay; (forças, saúde) to restore; (usos) to revive; (reempossar) to reinstate

resto [ˈxeʃtu] m rest; (MAT) remainder; **~s** mpl (sobras) remains; (de comida) scraps

restrição [xeʃtriˈsãw] (pl -ões) f restriction

restringir [xeʃtrĩˈʒi*] vt to restrict

resultado [xezuwˈtadu] m result

resultante [xezuw'tãtʃi] *adj* resultant; **~ de** resulting from

resultar [xezuw'ta*] *vi*: **~ (de/em)** to result (from/in) ♦ *vi* (*vir a ser*) to turn out to be

resumir [xezu'mi*] *vt* to summarize; (*livro*) to abridge; (*reduzir*) to reduce; (*conter em resumo*) to sum up; **resumo** [xe'zumu] *m* summary, résumé; **em resumo** in short, briefly

retaguarda [xeta'gwaxda] *f* rearguard; (*posição*) rear

retaliação [xetalja'sãw] (*pl* **-ões**) *f* retaliation

retângulo [xe'tãgulu] *m* rectangle

retardar [xetax'da*] *vt* to hold up, delay; (*adiar*) to postpone

reter [xe'te*] (*irreg: como* **ter**) *vt* (*guardar, manter*) to keep; (*deter*) to stop; (*segurar*) to hold; (*ladrão, suspeito*) to detain; (*na memória*) to retain; (*lágrimas, impulsos*) to hold back; (*impedir de sair*) to keep back

reticente [xetʃi'sẽtʃi] *adj* reticent

retificar [xetʃifi'ka*] *vt* to rectify

retirada [xetʃi'rada] *f* (*MIL*) retreat; (*salário, saque*) withdrawal

retirar [xetʃi'ra*] *vt* to withdraw; (*afastar*) to take away, remove; **retirar-se** *vr* to withdraw; (*de uma festa etc*) to leave; (*MIL*) to retreat

reto, -a ['xetu, a] *adj* straight; (*fig: justo*) fair; (: *honesto*) honest, upright ♦ *m* (*ANAT*) rectum

retorcer [xetox'se*] *vt* to twist; **retorcer-se** *vr* to wriggle, writhe

retornar [xetox'na*] *vi* to return, go back; **retorno** [xe'toxnu] *m* return; **dar retorno** to do a U-turn; **retorno (do carro)** (*COMPUT*) (carriage) return

retraído, -a [xetra'idu, a] *adj* (*tímido*) reserved, timid

retrair [xetra'i*] *vt* to withdraw; (*contrair*) to contract; (*pessoa*) to make reserved

retrato [xe'tratu] *m* portrait; (*FOTO*) photo; (*fig: efígie*) likeness; (: *representação*) portrayal; **~ falado** identikit ® picture

retribuir [xetri'bwi*] *vt* to reward, recompense; (*pagar*) to remunerate; (*hospitalidade, favor, sentimento, visita*) to return

retroceder [xetrose'de*] *vi* to retreat, fall back; **retrocesso** [xetro'sɛsu] *m* retreat; (*ao passado*) return

retrógrado, -a [xe'trɔgradu, a] *adj* retrograde; (*reacionário*) reactionary

retrospecto [xetro'ʃpɛktu] *m*: **em ~** in retrospect

retrovisor [xetrovi'zo*] *adj, m*: **(espelho) ~** (rear-view) mirror

réu, ré [xɛw, xɛ] *m/f* defendant; (*culpado*) culprit, criminal

reumatismo [xewma'tʃiʒmu] *m* rheumatism

reunião [xeu'njãw] (*pl* **-ões**) *f* meeting; (*ato, reencontro*) reunion; (*festa*) get-together, party; **~ de cúpula** summit (meeting)

reunir [xeu'ni*] *vt* (*pessoas*) to bring together; (*partes*) to join, unite; (*qualidades*) to combine; **reunir-se** *vr* to meet; **~-se a** to join

revanche [xe'vãʃi] *f* revenge

reveillon [xeve'jõ] *m* New Year's Eve

revelação [xevela'sãw] (*pl* **-ões**) *f* revelation

revelar [xeve'la*] *vt* to reveal; (*FOTO*) to develop; **revelar-se** *vr* to turn out to be

revelia [xeve'lia] *f* default; **à ~** by default; **à ~ de** without the knowledge *ou* consent of

revendedor, a [xevẽde'do*, a] *m/f* dealer

rever [xe've*] (*irreg: como* **ver**) *vt* to see again; (*examinar*) to check; (*revisar*) to revise

reverência [xeve'rẽsja] *f* reverence, respect; (*ato*) bow; (: *de mulher*) curtsey; **fazer uma ~** to bow, to curtsey

reverenciar [xeverẽ'sja*] *vt* to revere

reverso [xe'vɛxsu] *m* reverse

reverter [xevex'te*] *vt* to revert

revés [xe'vɛʃ] *m* reverse; (*infortúnio*) setback, mishap; **ao ~** (*roupa*) inside out; **de ~** (*olhar*) askance

revestir [xeveʃ'tʃi*] *vt* (*paredes etc*) to cover; (*interior de uma caixa etc*) to line

revezar [xeve'za*] *vt, vi* to alternate; **revezar-se** *vr* to take turns, alternate

revidar [xevi'da*] *vt* (*soco, insulto*) to return; (*retrucar*) to answer; (*crítica*) to rise to, respond to ♦ *vi* to hit back; (*retrucar*) to respond

revirar [xevi'ra*] *vt* to turn round; (*gaveta*) to turn out, go through

revisão [xevi'zãw] (*pl* **-ões**) *f* revision; (*de máquina*) overhaul; (*de carro*) service; (*JUR*) appeal

revisar [xevi'za*] *vt* to revise

revisões [xevi'zõjʃ] *fpl de* **revisão**

revista [xe'viʃta] *f* (*busca*) search; (*MIL, exame*) inspection; (*publicação*) magazine; (: *profissional, erudita*) journal; (*TEATRO*) revue

revistar [xeviʃ'ta*] *vt* to search; (*tropa*) to review; (*examinar*) to examine

revisto *etc* [xe'viʃtu] *vb V* **revestir**

revogar [xevo'ga*] vt to revoke
revolta [xe'vɔwta] f revolt; (fig: indignação) disgust
revoltado, -a [xevow'tadu, a] adj in revolt; (indignado) disgusted; (amargo) bitter
revoltante [xevow'tãtʃi] adj disgusting, revolting
revoltar [xevow'ta*] vt to disgust; **revoltar-se** vr to rebel, revolt; (indignar-se) to be disgusted
revolto, -a [xe'vowtu, a] pp de **revolver** ♦ adj (década) turbulent; (mundo) troubled; (cabelo) untidy, unkempt; (mar) rough; (desarrumado) untidy
revolução [xevolu'sãw] (pl **-ões**) f revolution; **revolucionar** [xevolusjo'na*] vt to revolutionize; **revolucionário, -a** [xevolusjo'narju, a] adj, m/f revolutionary
revolver [xevow've*] vi to revolve, rotate
revólver [xe'vɔwve*] m revolver
reza [ˈxɛza] f prayer; **rezar** [xe'za*] vi to pray
riacho [ˈxjaʃu] m brook, stream
ribeiro [xi'bejru] m brook, stream
rico, -a [ˈxiku, a] adj rich; (PT: lindo) beautiful; (: excelente) splendid ♦ m/f rich man/woman
ridicularizar [xidʒikulari'za*] vt to ridicule
ridículo, -a [xi'dʒikulu, a] adj ridiculous
rifa [ˈxifa] f raffle
rifle [ˈxifli] m rifle
rigidez [xiʒi'deʒ] f rigidity, stiffness; (austeridade) severity, strictness
rígido, -a [ˈxiʒidu, a] adj rigid, stiff; (fig) strict
rigor [xi'go*] m rigidity; (meticulosidade) rigour (BRIT), rigor (US), (severidade) harshness, severity; (exatidão) precision; **ser de ~** to be essential ou obligatory; **rigoroso, -a** [xigo'rozu, ɔza] adj rigorous; (severo) strict; (exigente) demanding; (minucioso) precise, accurate; (inverno) harsh
rijo, -a [ˈxiʒu, a] adj tough, hard; (severo) harsh, severe
rim [xĩ] (pl **-ns**) m kidney; **rins** mpl (parte inferior das costas) small sg of the back
rima [ˈxima] f rhyme; (poema) verse, poem; **rimar** [xi'ma*] vt, vi to rhyme
rímel [ˈximew] ® (pl **-eis**) m mascara
ringue [ˈxĩgi] m ring
rins [xĩʃ] mpl de **rim**
Rio [ˈxiu] m: **o ~ (de Janeiro)** Rio (de Janeiro)
rio [ˈxiu] m river
riqueza [xi'keza] f wealth, riches pl; (qualidade) richness
rir [xi*] vi to laugh; **~ de** to laugh at
risada [xi'zada] f laughter
risca [ˈxiʃka] f stroke; (listra) stripe; (no cabelo) parting
riscar [xiʃ'ka*] vt (marcar) to mark; (apagar) to cross out; (desenhar) to outline
risco [ˈxiʃku] m (marca) mark, scratch; (traço) stroke; (desenho) drawing, sketch; (perigo) risk; **correr o ~ de** to run the risk of
riso [ˈxizu] m laughter; **risonho, -a** [xi'zɔɲu, a] adj smiling; (contente) cheerful
ríspido, -a [ˈxiʃpidu, a] adj brusque; (áspero) harsh
ritmo [ˈxitʃmu] m rhythm
rito [ˈxitu] m rite
ritual [xi'twaw] (pl **-ais**) adj, m ritual
rival [xi'vaw] (pl **-ais**) adj, m/f rival; **rivalidade** [xivali'dadʒi] f rivalry; **rivalizar** [xivali'za*] vt to rival ♦ vi: **rivalizar com** to compete with, vie with
roa etc [ˈxoa] vb V **roer**
robô [xo'bo] m robot
robusto, -a [xo'buʃtu, a] adj strong, robust
roça [ˈxɔsa] f plantation; (no mato) clearing; (campo) country
rocha [ˈxɔʃa] f rock; (penedo) crag
rochedo [xo'ʃedu] m crag, cliff
rock-and-roll [xɔkã'xɔw] m rock and roll
roda [ˈxɔda] f wheel; (círculo) circle; **~ dentada** cog(wheel); **em** ou **à ~ de** round, around
rodada [xo'dada] f (de bebidas, ESPORTE) round
rodar [xo'da*] vt to turn, spin; (viajar por) to tour, travel round; (quilômetros) to do; (filme) to make; (imprimir) to print; (COMPUT: programa) to run ♦ vi to turn round; (AUTO) to drive around; **~ por** (a pé) to wander around; (de carro) to drive around
rodeio [xo'deju] m (em discurso) circumlocution; (subterfúgio) subterfuge; (de gado) round-up; **fazer ~s** to beat about the bush; **sem ~s** plainly, frankly
rodela [xo'dɛla] f (pedaço) slice
rodízio [xo'dʒizju] m rota; **em ~** on a rota basis
rodopiar [xodo'pja*] vi to whirl around, swirl
rodovia [xodo'via] f highway, ~

rodoviária → ruído

motorway (BRIT), ≈ interstate (US)
rodoviária [xodo'vjarja] f (tb: **estação ~**) bus station; V tb **rodoviário**
rodoviário, -a [xodo'vjarju, a] adj road atr; (polícia) traffic atr
roer [xwe*] vt to gnaw, nibble; (enferrujar) to corrode; (afligir) to eat away
rogar [xo'ga*] vi to ask, request; **~ a alguém que faça (algo)** to beg sb to do (sth)
rói [xɔj] vb V **roer**
roía etc [xo'ia] vb V **roer**
rolar [xo'la*] vt, vi to roll
roleta [xo'leta] f roulette; (borboleta) turnstile
rolha ['xoʎa] f cork
roliço, -a [xo'lisu, a] adj (pessoa) plump, chubby; (objeto) round, cylindrical
rolo ['xolu] m (de papel etc) roll; (para nivelar o solo, para pintura) roller; (para cabelo) curler; (col: briga) brawl, fight; **cortina de ~** roller blind; **~ compressor** steamroller
Roma ['xoma] n Rome
romã [xo'mã] f pomegranate
romance [xo'mãsi] m novel; (caso amoroso) romance; **~ policial** detective story
romano, -a [xo'manu, a] adj, m/f Roman
romântico, -a [xo'mãtʃiku, a] adj romantic
rombo ['xõbu] m (buraco) hole; (fig: desfalque) embezzlement; (: prejuízo) loss, shortfall
Romênia [xo'menja] f: **a ~** Romania; **romeno, -a** [xo'menu, a] adj, m/f Rumanian ♦ m (LING) Rumanian
romper [xõ'pe*] vt to break; (rasgar) to tear; (relações) to break off ♦ vi (sol) to appear, emerge; (: surgir) to break through; (ano, dia) to start, begin; **~ em pranto** ou **lágrimas** to burst into tears; **rompimento** [xõpi'mẽtu] m breakage; (fenda) break; (de relações) breaking off
roncar [xõ'ka*] vi to snore; **ronco** ['xõku] m snore
ronda ['xõda] f patrol, beat; **fazer a ~ de** to go the rounds of, patrol; **rondar** [xõ'da*] vt to patrol; (espreitar) to prowl ♦ vi to prowl, lurk; (fazer a ronda) to patrol; **a inflação ronda os 30% ao mês** inflation is in the region of 30% a month
rosa ['xɔza] adj inv pink ♦ f rose; **rosado, -a** [xo'zadu, a] adj rosy, pink
rosário [xo'zarju] m rosary
rosbife [xoʒ'bifi] m roast beef
rosca ['xoʃka] f spiral, coil; (de parafuso) thread; (pão) ring-shaped loaf
roseira [xo'zejra] f rosebush
rosnar [xoʒ'na*] vi (cão) to growl, snarl; (murmurar) to mutter, mumble
rosto ['xoʃtu] m face
rota ['xɔta] f route, course
rotativo, -a [xota'tʃivu, a] adj rotary
roteiro [xo'tejru] m itinerary; (ordem) schedule; (guia) guidebook; (de filme) script
rotina [xo'tʃina] f routine; **rotineiro, -a** [xotʃi'nejru, a] adj routine
roto, -a ['xotu, a] adj broken; (rasgado) torn
rotular [xotu'la*] vt to label; **rótulo** ['xɔtulu] m label
roubar [xo'ba*] vt to steal; (loja, casa, pessoa) to rob ♦ vi to steal; (em jogo, no preço) to cheat; **~ algo a alguém** to steal sth from sb; **roubo** ['xobu] m theft, robbery
rouco, -a ['roku, a] adj hoarse
round ['xãwdʒi] (pl **~s**) m (BOXE) round
roupa ['xopa] f clothes pl, clothing; **~ de baixo** underwear; **~ de cama** bedclothes pl, bed linen
roupão [xo'pãw] (pl **-ões**) m dressing gown
rouxinol [xoʃi'nɔw] (pl **-óis**) m nightingale
roxo, -a ['xoʃu, a] adj purple, violet
royalty ['xɔjawtʃi] (pl **-ies**) m royalty
rua ['xua] f street; **~ principal** main street; **~ sem saída** no through road, cul-de-sac
rubéola [xu'bɛola] f (MED) German measles sg
rubi [xu'bi] m ruby
rubor [xu'bo*] m blush; (fig) shyness, bashfulness; **ruborizar-se** [xubori'axsi] vr to blush
rubrica [xu'brika] f (signed) initials pl
rubro, -a ['xubru, a] adj (faces) rosy, ruddy
ruço, -a ['xusu, a] adj grey (BRIT), gray (US), dun; (desbotado) faded
rude ['xudʒi] adj (ingênuo) simple; (grosseiro) rude; **rudeza** [xu'deza] f simplicity; rudeness
rudimento [xudʒi'mẽtu] m rudiment
ruela ['xwela] f lane, alley
ruga ['xuga] f (na pele) wrinkle; (na roupa) crease
ruge ['xuʒi] m rouge
rugido [xu'ʒidu] m roar
rugir [xu'ʒi*] vi to roar
ruído ['xwidu] m noise; **ruidoso, -a** [xwi'dozu, ɔza] adj noisy

ruim [xu'ĩ] (*pl* **-ns**) *adj* bad; (*defeituoso*) defective
ruína ['xwina] *f* ruin; (*decadência*) downfall
ruins [xu'ĩʃ] *pl de* **ruim**
ruir ['xwi*] *vi* to collapse, go to ruin
ruivo, -a ['xwivu, a] *adj* red-haired ♦ *m/f* redhead
rum [xũ] *m* rum
rumo ['xumu] *m* course, bearing; (*fig*) course; **~ a** bound for; **sem ~** adrift
rumor [xu'mo*] *m* noise; (*notícia*) rumour (*BRIT*), rumor (*US*), report
ruptura [xup'tura] *f* break, rupture
rural [xu'raw] (*pl* **-ais**) *adj* rural
rush [xʌʃ] *m* rush; **(a hora do) ~** rush hour
Rússia ['xusja] *f*: **a ~** Russia; **russo, -a** ['xusu, a] *adj, m/f* Russian ♦ *m* (*LING*) Russian
rústico, -a ['xuʃtʃiku, a] *adj* rustic; (*pessoa*) simple; (*utensílio, objeto*) crude

S s

S. *abr* (= *Santo, -a ou São*) St
SA *abr* (= *Sociedade Anônima*) Ltd (*BRIT*), Inc. (*US*)
sã [sã] *f de* **são**
Saara [sa'ara] *m*: **o ~** the Sahara
sábado ['sabadu] *m* Saturday
sabão [sa'bãw] (*pl* **-ões**) *m* soap
sabedoria [sabedo'ria] *f* wisdom; (*erudição*) learning
saber [sa'be*] *vt, vi* to know; (*descobrir*) to find out ♦ *m* knowledge; **a ~** namely; **~ fazer** to know how to do, be able to do; **que eu saiba** as far as I know
sabiá [sa'bja] *m/f* thrush
sabido, -a [sa'bidu, a] *adj* knowledgeable; (*esperto*) shrewd
sábio, -a ['sabju, a] *adj* wise; (*erudito*) learned ♦ *m/f* wise person; (*erudito*) scholar
sabões [sa'bõjʃ] *mpl de* **sabão**
sabonete [sabo'netʃi] *m* toilet soap
sabor [sa'bo*] *m* taste, flavour (*BRIT*), flavor (*US*); **saborear** [sabo'rja*] *vt* to taste, savour (*BRIT*), savor (*US*); **saboroso, -a** [sabo'rozu, ɔza] *adj* tasty, delicious
sabotagem [sabo'taʒẽ] *f* sabotage
sabotar [sabo'ta*] *vt* to sabotage
saca ['saka] *f* sack
sacar [sa'ka*] *vt* to take out; (*dinheiro*) to withdraw; (*arma, cheque*) to draw; (*ESPORTE*) to serve; (*col: entender*) to understand ♦ *vi* (*col: entender*) to understand; **~ sobre um devedor** to borrow money from sb
saca-rolhas *m inv* corkscrew
sacerdote [sasex'dɔtʃi] *m* priest
saciar [sa'sja*] *vt* (*fome, curiosidade*) to satisfy; (*sede*) to quench
saco ['saku] *m* bag; (*enseada*) inlet; **~ de café** coffee filter; **~ de dormir** sleeping bag
sacode *etc* [sa'kɔdʒi] *vb V* **sacudir**
sacola [sa'kɔla] *f* bag
sacramento [sakra'mẽtu] *m* sacrament
sacrificar [sakrifi'ka*] *vt* to sacrifice; **sacrifício** [sakri'fisju] *m* sacrifice
sacrilégio [sakri'lɛʒu] *m* sacrilege
sacro, -a ['sakru, a] *adj* sacred
sacudida [saku'dʒida] *f* shake
sacudir [saku'dʒi*] *vt* to shake; **sacudir-se** *vr* to shake
sádico, -a ['sadʒiku, a] *adj* sadistic
sadio, -a [sa'dʒiu, a] *adj* healthy
safado, -a [sa'fadu, a] *adj* shameless; (*imoral*) dirty; (*travesso*) mischievous ♦ *m* rogue
safira [sa'fira] *f* sapphire
safra ['safra] *f* harvest
Sagitário [saʒi'tarju] *m* Sagittarius
sagrado, -a [sa'gradu, a] *adj* sacred, holy
saia ['saja] *f* skirt
saiba *etc* ['sajba] *vb V* **saber**
saída [sa'ida] *f* exit, way out; (*partida*) departure; (*ato: de pessoa*) going out; (*fig: solução*) way out; (*COMPUT: de programa*) exit; (: *de dados*) output; **~ de emergência** emergency exit
sair [sa'i*] *vi* to go (*ou* come) out; (*partir*) to leave; (*realizar-se*) to turn out; (*COMPUT*) to exit; **sair-se** *vr*: **~-se bem/mal** to be successful/unsuccessful in
sal [saw] (*pl* **sais**) *m* salt; **sem ~** (*comida*) salt-free; (*pessoa*) lacklustre (*BRIT*), lackluster (*US*)
sala ['sala] *f* room; (*num edifício público*) hall; (*classe, turma*) class; **~ (de aula)** classroom; **~ de espera/(de estar)/de jantar** waiting/living/dining room; **~ de operação** (*MED*) operating theatre (*BRIT*) *ou* theater (*US*)
salada [sa'lada] *f* salad; (*fig*) confusion, jumble
sala-e-quarto (*pl* **~s** *ou* **salas-e-quarto**) *m* two-room flat (*BRIT*) *ou* apartment (*US*)
salão [sa'lãw] (*pl* **-ões**) *m* large room, hall; (*exposição*) show; **~ de beleza**

beauty salon

salário [sa'larju] *m* wages *pl*, salary

saldo ['sawdu] *m* balance; (*sobra*) surplus

saleiro [sa'lejru] *m* salt cellar

salgadinho [sawga'dʒiɲu] *m* savoury (*BRIT*), savory (*US*), snack

salgado, -a [saw'gadu, a] *adj* salty, salted

salgar [saw'ga*] *vt* to salt

salgueiro [saw'gejru] *m* willow; **~ chorão** weeping willow

salientar [saljē'ta*] *vt* to point out; (*acentuar*) to stress, emphasize; **saliente** [sa'ljētʃi] *adj* prominent; (*evidente*) clear, conspicuous; (*importante*) outstanding; (*assanhado*) forward

saliva [sa'liva] *f* saliva

salmão [saw'mãw] (*pl* **-ões**) *m* salmon

salmoura [saw'mora] *f* brine

salões [sa'lõjʃ] *mpl de* **salão**

salsa ['sawsa] *f* parsley

salsicha [saw'siʃa] *f* sausage; **salsichão** [sawsi'ʃãw] (*pl* **-ões**) *m* sausage

saltar [saw'ta*] *vt* to jump (over), leap (over); (*omitir*) to skip ♦ *vi* to jump, leap; (*sangue*) to spurt out; (*de ônibus, cavalo*): **~ de** to get off

salto ['sawtu] *m* jump, leap; (*de calçado*) heel; **~ de vara/em altura/em distância** pole vault/high jump/long jump

salubre [sa'lubri] *adj* healthy, salubrious

salvação [sawva'sãw] *f* salvation

salvador [sawva'do*] *m* saviour (*BRIT*), savior (*US*)

salvamento [sawva'mētu] *m* rescue; (*de naufrágio*) salvage

salvar [saw'va*] *vt* to save; (*resgatar*) to rescue; (*objetos, de ruína*) to salvage; (*honra*) to defend; **salvar-se** *vr* to escape

salva-vidas *m inv* (*bóia*) lifebuoy ♦ *m/f inv* (*pessoa*) lifeguard; **barco ~** lifeboat

salvo, -a ['sawvu, a] *adj* safe ♦ *prep* except, save; **a ~** in safety

samba ['sãba] *m* samba

sanar [sa'na*] *vt* to cure; (*remediar*) to remedy

sanção [sã'sãw] (*pl* **-ões**) *f* sanction; **sancionar** [sãsjo'na*] *vt* to sanction

sandália [sã'dalja] *f* sandal

sandes ['sãdəʃ] (*PT*) *f inv* sandwich

sanduíche [sand'wiʃi] (*BR*) *m* sandwich

saneamento [sanja'mētu] *m* sanitation

sanear [sa'nja*] *vt* to clean up

sangrar [sã'gra*] *vt, vi* to bleed; **sangrento, -a** [sã'grētu, a] *adj* bloody; (*CULIN: carne*) rare

sangue ['sãgi] *m* blood

sanguessuga [sãgi'suga] *f* leech

sanguinário, -a [sãgi'narju, a] *adj* bloodthirsty

sanguíneo, -a [sã'ginju, a] *adj*: **grupo ~** blood group; **pressão sanguínea** blood pressure; **vaso ~** blood vessel

sanidade [sani'dadʒi] *f* (*saúde*) health; (*mental*) sanity

sanita [sa'nita] (*PT*) *f* toilet, lavatory

sanitário, -a [sani'tarju, a] *adj* sanitary; **vaso ~** toilet, lavatory (bowl); **sanitários** [sani'tarjuʃ] *mpl* toilets

santidade [sãtʃi'dadʒi] *f* holiness, sanctity

santo, -a ['sãtu, a] *adj* holy ♦ *m/f* saint

santuário [sã'twarju] *m* shrine, sanctuary

São [sãw] *m* Saint

são, sã [sãw, sã] (*pl* **~s, ~s**) *adj* healthy; (*conselho*) sound; (*mentalmente*) sane; **~ e salvo** safe and sound

São Paulo [-'pawlu] *n* São Paulo

sapataria [sapata'ria] *f* shoe shop

sapateiro [sapa'tejru] *m* shoemaker; (*vendedor*) shoe salesman; (*que conserta*) shoe repairer; (*loja*) shoe repairer's

sapatilha [sapa'tʃiʎa] *f* (*de balé*) shoe; (*sapato*) pump; (*de atleta*) running shoe

sapato [sa'patu] *m* shoe

sapo ['sapu] *m* toad

saque¹ ['saki] *m* (*de dinheiro*) withdrawal; (*COM*) draft, bill; (*ESPORTE*) serve; (*pilhagem*) plunder, pillage; **~ a descoberto** (*COM*) overdraft

saque² *etc vb* **V sacar**

saquear [sa'kja*] *vt* to pillage, plunder

sarampo [sa'rãpu] *m* measles *sg*

sarar [sa'ra*] *vt* to cure; (*ferida*) to heal ♦ *vi* to recover

sarcasmo [sax'kaʒmu] *m* sarcasm

sarda ['saxda] *f* freckle

Sardenha [sax'dɛɲa] *f*: **a ~** Sardinia

sardinha [sax'dʒiɲa] *f* sardine

sargento [sax'ʒētu] *m* sergeant

sarjeta [sax'ʒeta] *f* gutter

Satã [sa'tã] *m* Satan

Satanás [sata'naʃ] *m* Satan

satélite [sa'tɛlitʃi] *m* satellite

sátira ['satʃira] *f* satire

satisfação [satʃiʃfa'sãw] (*pl* **-ões**) *f* satisfaction; (*recompensa*) reparation; **satisfatório, -a** [satʃiʃfa'tɔrju, a] *adj* satisfactory

satisfazer [satʃiʃfa'ze*] (*irreg: como* **fazer**) *vt* to satisfy ♦ *vi* to be satisfactory; **satisfazer-se** *vr* to be satisfied; (*saciar-se*) to fill o.s. up; **~ a** to satisfy; **satisfeito, -a** [satʃiʃ'fejtu, a] *adj* satisfied;

saudação → seguir

(*saciado*) full; **dar-se por satisfeito com algo** to be content with sth

saudação [sawda'sãw] (*pl* **-ões**) *f* greeting

saudade [saw'dadʒi] *f* longing, yearning; (*lembrança nostálgica*) nostalgia; **deixar ~s** to be greatly missed; **ter ~(s) de** (*desejar*) to long for; (*sentir falta de*) to miss; **~(s) de casa, ~(s) da pátria** homesickness *sg*

saudar [saw'da*] *vt* to greet; (*dar as boas vindas*) to welcome; (*aclamar*) to acclaim

saudável [saw'davew] (*pl* **-eis**) *adj* healthy; (*moralmente*) wholesome

saúde [sa'udʒi] *f* health; (*brinde*) toast; **~!** (*brindando*) cheers!; (*quando se espirra*) bless you!; **beber à ~ de** to drink to, toast; **estar bem/mal de ~** to be well/ill

saudosismo [sawdo'ziʒmu] *m* nostalgia

saudoso, -a [saw'dozu, ɔza] *adj* (*nostálgico*) nostalgic; (*da família ou terra natal*) homesick; (*de uma pessoa*) longing; (*que causa saudades*) much-missed

sauna ['sawna] *f* sauna

saxofone [sakso'fɔni] *m* saxophone

sazonal [sazo'naw] (*pl* **-ais**) *adj* seasonal

scanner ['skane*] *m* scanner

---PALAVRA CHAVE---

se [si] *pron*
1 (*reflexivo: impess*) oneself; (: *m*) himself; (: *f*) herself; (: *coisa*) itself; (: *você*) yourself; (: *pl*) themselves; (: *vocês*) yourselves; **ela está ~ vestindo** she's getting dressed; (*usos léxicos del pron*) *V o vb em questão p. ex.* **arrepender-se**
2 (*uso recíproco*) each other, one another; **olharam-~** they looked at each other
3 (*impess*): **come-~ bem aqui** you can eat well here; **sabe-~ que ...** it is known that ...; **vende(m)-~ jornais naquela loja** they sell newspapers in that shop
♦ *conj* if; (*em pergunta indireta*) whether; **~ bem que** even though

---

sê [se] *vb V* **ser**

sebe ['sɛbi] (*PT*) *f* fence; **~ viva** hedge

sebo ['sebu] *m* tallow; **seboso, -a** [se'bozu, ɔza] *adj* greasy; (*sujo*) dirty

seca ['seka] *f* drought

secador [seka'do*] *m*: **~ de cabelo/roupa** hairdryer/clothes horse

seção [se'sãw] (*pl* **-ões**) *f* section; (*em loja, repartição*) department

secar [se'ka*] *vt* to dry; (*planta*) to parch

♦ *vi* to dry; to wither; (*fonte*) to dry up

secção [sek'sãw] (*PT*) = **seção**

seco, -a ['seku, a] *adj* dry; (*ríspido*) curt, brusque; (*magro*) thin; (*pessoa: frio*) cold; (: *sério*) serious

seções [se'sõjʃ] *fpl de* **seção**

secretaria [sekreta'ria] *f* general office; (*de secretário*) secretary's office; (*ministério*) ministry

secretária [sekre'tarja] *f* writing desk; **~ eletrônica** (*telephone*) answering machine; *V tb* **secretário**

secretário, -a [sekre'tarju, a] *m/f* secretary; **S~ de Estado de ...** Secretary of State for ...

secreto, -a [se'krɛtu, a] *adj* secret

sector [sek'to*] (*PT*) *m* = **setor**

século ['sɛkulu] *m* century; (*época*) age

secundário, -a [sekũ'darju, a] *adj* secondary

seda ['seda] *f* silk

sedativo [seda'tʃivu] *m* sedative

sede¹ ['sedʒi] *f* (*de empresa, instituição*) headquarters *sg*; (*de governo*) seat; (*REL*) see, diocese

sede² ['sedʒi] *f* thirst; **estar com** *ou* **ter ~** to be thirsty; **sedento, -a** [se'dẽtu, a] *adj* thirsty

sediar [se'dʒja*] *vt* to base

sedimento [sedʒi'mẽtu] *m* sediment

sedução [sedu'sãw] (*pl* **-ões**) *f* seduction

sedutor, a [sedu'to*, a] *adj* seductive; (*oferta etc*) tempting

seduzir [sedu'zi*] *vt* to seduce; (*fascinar*) to fascinate

segmento [seg'mẽtu] *m* segment

segredo [se'gredu] *m* secret; (*sigilo*) secrecy; (*de fechadura*) combination

segregar [segre'ga*] *vt* to segregate

seguidamente [segida'mẽtʃi] *adv* (*sem parar*) continuously; (*logo depois*) soon afterwards

seguido, -a [se'gidu, a] *adj* following; (*contínuo*) continuous, consecutive; **~ de** *ou* **por** followed by; **três dias ~s** three days running; **horas seguidas** for hours on end; **em seguida** next; (*logo depois*) soon afterwards; (*imediatamente*) immediately, right away

seguimento [segi'mẽtu] *m* continuation; **dar ~ a** to proceed with; **em ~ de** after

seguinte [se'gĩtʃi] *adj* following, next; **eu lhe disse o ~** this is what I said to him

seguir [se'gi*] *vt* to follow; (*continuar*) to continue ♦ *vi* to follow; to continue, carry on; (*ir*) to go; **seguir-se** *vr*: **~-se (a)** to follow; **logo a ~** next; **~-se (de)** to

segunda → senões

segunda [se'gūda] f (tb: ~-**feira**) Monday; (AUTO) second (gear); **de ~** second-rate; **segunda-feira** (pl **segundas-feiras**) f Monday

segundo, -a [se'gūdu, a] adj second ♦ prep according to ♦ conj as, from what ♦ adv secondly ♦ m second; **de segunda mão** second-hand; **de segunda (classe)** second-class; **~ ele disse** according to what he said; **~ dizem** apparently; **~ me consta** as far as I know; **segundas intenções** ulterior motives

seguramente [segura'mẽtʃi] adv certainly; (muito provavelmente) surely

segurança [segu'rãsa] f security; (ausência de perigo) safety; (confiança) confidence ♦ m/f security guard; **com ~** assuredly

segurar [segu'ra*] vt to hold; (amparar) to hold up; (COM: bens) to insure ♦ vi: **~ em** to hold; **segurar-se** vr: **~-se em** to hold on to

seguro, -a [se'guru, a] adj safe; (livre de risco, firme) secure; (certo) certain, assured; (confiável) reliable; (de si mesmo) confident; (tempo) settled ♦ adv confidently ♦ m (COM) insurance; **estar ~ de/de que** to be sure of/that; **fazer ~** to take out an insurance policy; **~ contra acidentes/incêndio** accident/fire insurance; **seguro-saúde** (pl **seguros-saúde**) m health insurance

sei [sej] vb V **saber**

seio ['seju] m breast, bosom; (âmago) heart; **~ paranasal** sinus

seis [sejʃ] num six

seita ['sejta] f sect

seixo ['sejʃu] m pebble

seja etc ['seʒa] vb V **ser**

sela ['sɛla] f saddle

selar [se'la*] vt (carta) to stamp; (documento oficial, pacto) to seal; (cavalo) to saddle

seleção [sele'sãw] (PT **-cç-**) (pl **-ões**) f selection; (ESPORTE) team

selecionar [selesjo'na*] (PT **-cc-**) vt to select

seleções [sele'sõjʃ] fpl de **seleção**

seleto, -a [se'lɛtu, a] (PT **-ct-**) adj select

selim [se'lĩ] (pl **-ns**) m saddle

selo ['selu] m stamp; (carimbo, sinete) seal

selva ['sɛwva] f jungle

selvagem [sew'vaʒẽ] (pl **-ns**) adj wild; (feroz) fierce; (povo) savage; **selvageria** [sewvaʒe'ria] f savagery

sem [sẽ] prep without ♦ conj: **~ que eu peça** without my asking; **estar/ficar ~ dinheiro/gasolina** to have no/have run out of money/petrol

semáforo [se'maforu] m (AUTO) traffic lights pl; (FERRO) signal

semana [se'mana] f week; **semanal** [sema'naw] (pl **-is**) adj weekly; **semanário** [sema'narju] m weekly (publication)

semear [se'mja*] vt to sow

semelhança [seme'ʎãsa] f similarity, resemblance; **semelhante** [seme'ʎãtʃi] adj similar; (tal) such ♦ m fellow creature

sêmen ['semẽ] m semen

semente [se'mẽtʃi] f seed

semestral [semeʃ'traw] (pl **-ais**) adj half-yearly, bi-annual

semestre [se'mɛʃtri] m six months; (EDUC) semester

semi... [semi] prefixo semi..., half...; **semicírculo** [semi'sixkulu] m semicircle; **semifinal** [semi'finaw] (pl **semifinais**) f semi-final

seminário [semi'narju] m seminar; (REL) seminary

sem-número m: **um ~ de coisas** loads of things

sempre ['sẽpri] adv always; **você ~ vai?** (PT) are you still going?; **~ que** whenever; **como ~** as usual; **a comida/hora** etc **de ~** the usual food/time etc

sem-terra m/f inv landless labourer (BRIT) ou laborer (US)

sem-teto m/f inv: **os ~** the homeless

sem-vergonha adj inv shameless ♦ m/f inv (pessoa) rogue

senado [se'nadu] m senate; **senador, a** [sena'do*, a] m/f senator

senão [se'nãw] (pl **-ões**) conj otherwise; (mas sim) but, but rather ♦ prep except ♦ m flaw, defect

senha ['sena] f sign; (palavra de passe) password; (de caixa automático) PIN number; (recibo) receipt; (passe) pass

senhor, a [se'ɲo*, a] m (homem) man; (formal) gentleman; (homem idoso) elderly man; (REL) lord; (dono) owner; (tratamento) Mr.(.); (tratamento respeitoso) sir ♦ f (mulher) lady; (esposa) wife; (mulher idosa) elderly lady; (dona) owner; (tratamento) Mrs(.), Ms(.); (tratamento respeitoso) madam; **o ~, a ~a** (você) you; **nossa ~a!** (col) gosh!; **sim, ~(a)!** yes indeed!

senhorita [seɲo'rita] f young lady; (tratamento) Miss, Ms(.); **a ~** (você) you

senil [se'niw] (pl **-is**) adj senile

senões [se'nõjʃ] mpl de **senão**

sensação [sēsaˈsãw] (pl **-ões**) f sensation; **sensacional** [sēsasjoˈnaw] (pl **-ais**) adj sensational

sensato, -a [sēˈsatu, a] adj sensible

sensível [sēˈsivew] (pl **-eis**) adj sensitive; (visível) noticeable; (considerável) considerable; (dolorido) tender

senso [ˈsēsu] m sense; (juízo) judgement

sensual [sēˈswaw] (pl **-ais**) adj sensual

sentado, -a [sēˈtadu, a] adj sitting

sentar [sēˈta*] vt to seat ♦ vi to sit; **sentar-se** vr to sit down

sentença [sēˈtēsa] f (JUR) sentence; **sentenciar** [sētēˈsja*] vt (julgar) to pass judgement on; (condenar por sentença) to sentence

sentido, -a [sēˈtʃidu, a] adj (magoado) hurt; (choro, queixa) heartfelt ♦ m sense; (direção) direction; (atenção) attention; (aspecto) respect; **~!** (MIL) attention!; **em certo ~** in a sense; **(não) ter ~** (not) to be acceptable; **"~ único"** (PT: sinal) "one-way"

sentimental [sētʃimēˈtaw] (pl **-ais**) adj sentimental; **vida ~** love life

sentimento [sētʃiˈmētu] m feeling; (senso) sense; **~s** mpl (pêsames) condolences

sentinela [sētʃiˈnɛla] f sentry, guard

sentir [sēˈtʃi*] vt to feel; (perceber, pressentir) to sense; (ser afetado por) to be affected by; (magoar-se) to be upset by ♦ vi to feel; (sofrer) to suffer; **sentir-se** vr to feel; (julgar-se) to consider o.s. (to be); **~ (a) falta de** to miss; **~ cheiro/gosto (de)** to smell/taste; **~ vontade de** to feel like; **sinto muito** I am very sorry

separação [sepaɾaˈsãw] (pl **-ões**) f separation

separado, -a [sepaˈradu, a] adj separate; **em ~** separately, apart

separar [sepaˈra*] vt to separate; (dividir) to divide; (pôr de lado) to put aside; **separar-se** vr to separate; to be divided

sepultamento [sepuwtaˈmētu] m burial

sepultar [sepuwˈta*] vt to bury; **sepultura** [sepuwˈtura] f grave, tomb

seqüência [seˈkwēsja] f sequence

sequer [seˈkɛ*] adv at least; **(nem) ~** not even

seqüestrador, a [sekweʃtraˈdo*, a] m/f kidnapper; (de avião etc) hijacker

seqüestrar [sekweʃˈtra*] vt (bens) to seize, confiscate; (raptar) to kidnap; (avião etc) to hijack; **seqüestro** [seˈkwɛʃtru] m seizure; abduction, kidnapping; hijack

---

PALAVRA CHAVE

ser [se*] vi

1 (descrição) to be; **ela é médica/muito alta** she's a doctor/very tall; **é Ana** (TEL) Ana speaking ou here; **ele é de uma bondade incrível** he's incredibly kind; **ele está é danado** he's really angry; **~ de mentir/briga** to be the sort to lie/fight

2 (horas, datas, números): **é uma hora** it's one o'clock; **são seis e meia** it's half past six; **é dia 1º de junho** it's the first of June; **somos/são seis** there are six of us/them

3 (origem, material): **~ de** to be ou come from; (feito de) to be made of; (pertencer) to belong to; **sua família é da Bahia** his (ou her etc) family is from Bahia; **a mesa é de mármore** the table is made of marble; **é de Pedro** it's Pedro's, it belongs to Pedro

4 (em orações passivas): **já foi descoberto** it had already been discovered

5 (locuções com subjun): **ou seja** that is to say; **seja quem for** whoever it may be; **se eu fosse você** if I were you; **se não fosse você, ...** if it hadn't been for you, ...

6 (locuções): **a não ~** except; **a não ~ que** unless; **é** (resposta afirmativa) yes; **..., não é?...**, isn't it?, ..., don't you? etc; **ah, é?** really?; **que foi?** (o que aconteceu?) what happened?; (qual é o problema?) what's the problem?; **~á que ...?** I wonder if ...?

♦ m being; **~es** mpl (criaturas) creatures

---

sereia [seˈreja] f mermaid

sereno, -a [seˈrɛnu, a] adj calm; (tempo) fine, clear

série [ˈsɛri] f series; (seqüência) sequence, succession; (EDUC) grade; (categoria) category; **fora de ~** out of order; (fig) extraordinary

seriedade [serjeˈdadʒi] f seriousness; (honestidade) honesty

seringa [seˈrĩga] f syringe

sério, -a [ˈsɛrju, a] adj serious; (honesto) honest, decent; (responsável) responsible; (confiável) reliable; (roupa) sober ♦ adv seriously; **a ~** seriously; **~?** really?

sermão [sexˈmãw] (pl **-ões**) m sermon; (fig) telling-off

serpente [sexˈpētʃi] f snake

serpentina [sexpēˈtʃina] f streamer

serra [ˈsɛxa] f (montanhas) mountain

range; (TEC) saw
serralheiro, -a [sexa'ʎejru, a] m/f locksmith
serrano, -a [se'xanu, a] adj highland atr ♦ m/f highlander
serrar [se'xa*] vt to saw
sertanejo, -a [sexta'neʒu, a] adj rustic, country ♦ m/f inhabitant of the sertão
sertão [sex'tãw] (pl -ões) m backwoods pl, bush (country)
servente [sex'vẽtʃi] m/f servant; (operário) labourer (BRIT), laborer (US)
serviçal [sexvi'saw] (pl -ais) adj obliging, helpful ♦ m/f servant; (trabalhador) wage earner
serviço [sex'visu] m service; (de chá etc) set; **estar de ~** to be on duty; **prestar ~** to help
servidor, a [sexvi'do*, a] m/f servant; (funcionário) employee; **~ público** civil servant
servil [sex'viw] (pl -is) adj servile
servir [sex'vi*] vt to serve ♦ vi to serve; (ser útil) to be useful; (ajudar) to help; (roupa: caber) to fit; **servir-se** vr: **~-se (de)** (comida, café) to help o.s. (to); **~-se de** to use, make use of; **~ de** (prover) to supply with, provide with; **você está servido?** (num bar) are you all right for a drink?; **~ de algo** to serve as sth; **qualquer ônibus serve** any bus will do
servis [sex'vif] adj pl de **servil**
sessão [se'sãw] (pl -ões) f (do parlamento etc) session; (reunião) meeting; (de cinema) showing
sessenta [se'sẽta] num sixty
sessões [se'sõjʃ] fpl de **sessão**
sesta [ˈsɛʃta] f siesta, nap
seta [ˈsɛta] f arrow
sete [ˈsɛtʃi] num seven
setembro [se'tẽbru] (PT S-) m September
setenta [se'tẽta] num seventy
sétimo, -a [ˈsɛtʃimu, a] num seventh
setor [se'to*] m sector
seu, sua [sew, 'sua] adj (dele) his; (dela) her; (de coisa) its; (deles, delas) their; (de você, vocês) your ♦ pron: **(o) ~, (a) sua** his; hers; its; theirs; yours ♦ m (senhor) Mr(.)
severidade [severi'dadʒi] f severity
severo, -a [se'vɛru, a] adj severe
sexo [ˈsɛksu] m sex
sexta [ˈseʃta] f (tb: **~-feira**) Friday; **sexta-feira** (pl **sextas-feiras**) f Friday; **Sexta-feira Santa** Good Friday

sexto, -a [ˈseʃtu, a] num sixth
sexual [se'kswaw] (pl -ais) adj sexual; (vida, ato) sex atr
sexy [ˈsɛksi] (pl ~s) adj sexy
s.f.f. (PT) abr = **se faz favor**
short [ˈʃɔxtʃi] m (pair of) shorts pl
si [si] pron oneself; (ele) himself; (ela) herself; (coisa) itself; (PT: você) yourself, you; (: vocês) yourselves; (eles, elas) themselves
SIDA [ˈsida] (PT) abr f (= síndrome de deficiência imunológica adquirida) **a ~** AIDS
siderúrgica [side'ruxʒika] f steel industry
sigilo [si'ʒilu] m secrecy
sigla [ˈsigla] f acronym; (abreviação) abbreviation
significado [signifi'kadu] m meaning
significar [signifi'ka*] vt to mean, signify; **significativo, -a** [signifika'tʃivu, a] adj significant
signo [ˈsignu] m sign
sigo etc [ˈsigu] vb V **seguir**
sílaba [ˈsilaba] f syllable
silenciar [silẽ'sja*] vt to silence
silêncio [si'lẽsju] m silence, quiet; **silencioso, -a** [silẽ'sjozu, ɔza] adj silent, quiet ♦ m (AUTO) silencer (BRIT), muffler (US)
silhueta [si'ʎweta] f silhouette
silvestre [siw'vɛʃtri] adj wild
sim [sĩ] adv yes; **creio que ~** I think so
símbolo [ˈsĩbolu] m symbol
simetria [sime'tria] f symmetry
similar [simi'la*] adj similar
simpatia [sĩpa'tʃia] f liking; (afeto) affection; (afinidade, solidariedade) sympathy; **~s** fpl (inclinações) sympathies; **simpático, -a** [sĩ'patʃiku, a] adj (pessoa, decoração etc) nice; (lugar) pleasant, nice; (amável) kind; **simpatizante** [sĩpatʃi'zãtʃi] adj sympathetic ♦ m/f sympathizer; **simpatizar** [sĩpatʃi'za*] vi: **simpatizar com** (pessoa) to like; (causa) to sympathize with
simples [ˈsĩpliʃ] adj inv simple; (único) single; (fácil) easy; (mero) mere; (ingênuo) naïve ♦ adv simply; **simplicidade** [sĩplisi'dadʒi] f simplicity; **simplificar** [sĩplifi'ka*] vt to simplify
simular [simu'la*] vt to simulate
simultaneamente [simuwtanja'mẽtʃi] adv simultaneously
simultâneo, -a [simuw'tanju, a] adj simultaneous
sinagoga [sina'gɔga] f synagogue
sinal [si'naw] (pl -ais) m sign; (gesto, TEL) signal; (na pele) mole; (: de nascença)

sinceridade → sociedade

birthmark; (*depósito*) deposit; (*tb:* **~ de tráfego, ~ luminoso**) traffic light; **por ~** (*por falar nisso*) by the way; (*aliás*) as a matter of fact; **~ de chamada** (*TEL*) ringing tone; **~ de discar** (*BR*) *ou* **de marcar** (*PT*) dialling tone (*BRIT*), dial tone (*US*); **~ de ocupado** (*BR*) *ou* **de impedido** (*PT*) engaged tone (*BRIT*), busy signal (*US*); **sinalização** [sinaliza'sãw] *f* (*ato*) signalling; (*para motoristas*) traffic signs *pl*

sinceridade [sĩseri'dadʒi] *f* sincerity
sincero, -a [sĩ'sɛru, a] *adj* sincere
sindicalista [sĩdʒika'liʃta] *m/f* trade unionist
sindicato [sĩdʒi'katu] *m* trade union; (*financeiro*) syndicate
síndrome [sĩdromi] *f* syndrome; **~ de Down** Down's syndrome
sinfonia [sĩfo'nia] *f* symphony
singular [sĩgu'la*] *adj* singular; (*extraordinário*) exceptional; (*bizarro*) odd, peculiar
sino ['sinu] *m* bell
sintaxe [sĩ'tasi] *f* syntax
síntese ['sĩtezi] *f* synthesis; **sintético, -a** [sĩ'tɛtʃiku, a] *adj* synthetic; **sintetizar** [sĩtetʃi'za*] *vt* to synthesize
sinto etc ['sĩtu] *vb V* **sentir**
sintoma [sĩ'tɔma] *m* symptom
sinuca [si'nuka] *f* snooker
sinuoso, -a [si'nwozu, ɔza] *adj* (*caminho*) winding; (*linha*) wavy
siri [si'ri] *m* crab
Síria ['sirja] *f*: **a ~** Syria; **sírio, -a** ['sirju, a] *adj, m/f* Syrian
sirvo etc ['sixvu] *vb V* **servir**
sistema [siʃ'tema] *m* system; (*método*) method
site ['sajtʃi] *m* (*na Internet*) website
sitiar [si'tʃja*] *vt* to besiege
sítio ['sitʃju] *m* (*MIL*) siege; (*propriedade rural*) small farm; (*PT: lugar*) place
situação [sitwa'sãw] (*pl* **-ões**) *f* situation; (*posição*) position
situado, -a [si'twadu, a] *adj* situated
situar [si'twa*] *vt* to place, put; (*edifício*) to situate, locate; **situar-se** *vr* to position o.s.; (*estar situado*) to be situated
slogan [iʒ'lɔgã] (*pl* **~s**) *m* slogan
SME *abr m* (= *Sistema Monetário Europeu*) ERM
smoking [iʒ'mokĩʃ] (*pl* **~s**) *m* dinner jacket (*BRIT*), tuxedo (*US*)
só [sɔ] *adj* alone; (*único*) single; (*solitário*) solitary ♦ *adv* only; **a ~s** alone

soar [swa*] *vi* to sound ♦ *vt* (*horas*) to strike; (*instrumento*) to play; **~ a** to sound like; **~ bem/mal** (*fig*) to go down well/ badly
sob [sob] *prep* under; **~ juramento** on oath; **~ medida** (*roupa*) made to measure
sobe etc ['sɔbi] *vb V* **subir**
soberano, -a [sobe'ranu, a] *adj* sovereign; (*fig: supremo*) supreme ♦ *m/f* sovereign
sobra ['sɔbra] *f* surplus, remnant; **~s** *fpl* (*restos*) remains; (*de tecido*) remnants; (*de comida*) leftovers; **ter algo de ~** to have sth extra; (*tempo, comida, motivos*) to have plenty of sth; **ficar de ~** to be left over
sobrado [so'bradu] *m* (*andar*) floor; (*casa*) house (*of two or more storeys*)
sobrancelha [sobrã'seʎa] *f* eyebrow
sobrar [so'bra*] *vi* to be left; (*dúvidas*) to remain
sobre ['sɔbri] *prep* on; (*por cima de*) over; (*acima de*) above; (*a respeito de*) about
sobrecarregar [sobrikaxe'ga*] *vt* to overload
sobremesa [sobri'meza] *f* dessert
sobrenatural [sobrinatu'raw] (*pl* **-ais**) *adj* supernatural
sobrenome [sobri'nɔmi] (*BR*) *m* surname, family name
sobrepor [sobri'po*] (*irreg: como* **pôr**) *vt*: **~ algo a algo** to put sth on top of sth
sobressair [sobrisa'i*] *vi* to stand out; **sobressair-se** *vr* to stand out
sobressalente [sobrisa'letʃi] *adj, m* spare
sobressalto [sobri'sawtu] *m* start; (*temor*) trepidation; **de ~** suddenly
sobretaxa [sobri'taʃa] *f* surcharge
sobretudo [sobri'tudu] *m* overcoat ♦ *adv* above all, especially
sobrevivência [sobrivi'vẽsja] *f* survival; **sobrevivente** [sobrivi'vẽtʃi] *adj* surviving ♦ *m/f* survivor
sobreviver [sobrivi've*] *vi*: **~ (a)** to survive
sobrinho, -a [so'briɲu, a] *m/f* nephew/ niece
sóbrio, -a ['sɔbrju, a] *adj* sober; (*moderado*) moderate, restrained
socar [so'ka*] *vt* to hit, strike; (*calcar*) to crush, pound; (*massa de pão*) to knead
social [so'sjaw] (*pl* **-ais**) *adj* social; **socialista** [sosja'liʃta] *adj, m/f* socialist
sociedade [sosje'dadʒi] *f* society; (*COM: empresa*) company; (*associação*) association; **~ anônima** limited company (*BRIT*), incorporated company (*US*)

sócio, -a ['sɔsju, a] *m/f* (COM) partner; (*de clube*) member

soco ['soku] *m* punch; **dar um ~ em** to punch

socorrer [soko'xe*] *vt* to help, assist; (*salvar*) to rescue; **socorrer-se** *vr*: **~-se de** to resort to, have recourse to; **socorro** [so'koxu] *m* help, assistance; (*reboque*) breakdown (BRIT) *ou* tow (US) truck; **socorro!** help!; **primeiros socorros** first aid *sg*

soda ['sɔda] *f* soda (water)

sofá [so'fa] *m* sofa, settee; **sofá-cama** (*pl* **sofás-camas**) *m* sofa-bed

sofisticado, -a [sofiʃtʃi'kadu, a] *adj* sophisticated; (*afetado*) pretentious

sofrer [so'fre*] *vt* to suffer; (*acidente*) to have; (*agüentar*) to bear, put up with; (*experimentar*) to undergo ♦ *vi* to suffer; **sofrido, -a** [so'fridu, a] *adj* long-suffering; **sofrimento** [sofri'mẽtu] *m* suffering

software [sof'twe*] *m* (COMPUT) software

sogro, -a ['sogru, 'sɔgra] *m/f* father-in-law/mother-in-law

sóis [sɔjʃ] *mpl de* **sol**

soja ['sɔʒa] *f* soya (BRIT), soy (US)

sol [sɔw] (*pl* **sóis**) *m* sun; (*luz*) sunshine, sunlight; **fazer ~** to be sunny; **tomar ~** to sunbathe

sola ['sɔla] *f* sole

solar [sola*] *adj* solar; **energia/painel ~** solar energy/panel

soldado [sow'dadu] *m* soldier

soldar [sow'da*] *vt* to weld

soleira [so'lejra] *f* doorstep

solene [so'lɛni] *adj* solemn; **solenidade** [soleni'dadʒi] *f* solemnity; (*cerimônia*) ceremony

soletrar [sole'tra*] *vt* to spell

solicitar [solisi'ta*] *vt* to ask for; (*emprego etc*) to apply for; (*amizade, atenção*) to seek; **~ algo a alguém** to ask sb for sth

solícito, -a [so'lisitu, a] *adj* helpful

solidão [soli'dãw] *f* solitude; (*sensação*) loneliness

solidariedade [solidarje'dadʒi] *f* solidarity

solidário, -a [soli'darju, a] *adj*: **ser ~ a** *ou* **com** (*pessoa*) to stand by; (*causa*) to be sympathetic to, sympathize with

sólido, -a ['sɔlidu, a] *adj* solid

solitário, -a [soli'tarju, a] *adj* lonely; (*isolado*) solitary ♦ *m* hermit

solo ['sɔlu] *m* ground, earth; (MÚS) solo

soltar [sow'ta*] *vt* to set free; (*desatar*) to loosen; (*largar*) to let go of; (*emitir*) to emit; (*grito*) to let out; (*cabelo*) to let down; (*freio*) to release; **soltar-se** *vr* to come loose; (*desinibir-se*) to let o.s. go

solteirão, -ona [sowtej'rãw, rɔna] (*pl* **-ões, ~s**) *adj* unmarried, single ♦ *m/f* confirmed bachelor/spinster

solteiro, -a [sow'tejru, a] *adj* unmarried, single ♦ *m/f* bachelor/single woman

solteirões [sowtej'rõjʃ] *mpl de* **solteirão**

solteirona [sowtej'rɔna] *f de* **solteirão**

solto, -a ['sowtu, a] *pp de* **soltar** ♦ *adj* loose; (*livre*) free; (*sozinho*) alone

solução [solu'sãw] (*pl* **-ões**) *f* solution

soluçar [solu'sa*] *vi* (*chorar*) to sob; (MED) to hiccup

solucionar [solusjo'na*] *vt* to solve; (*decidir*) to resolve

soluço [so'lusu] *m* sob; (MED) hiccup

soluções [solu'sõjʃ] *fpl de* **solução**

som [sõ] (*pl* **-ns**) *m* sound; **~ cd** compact disc player

soma ['sɔma] *f* sum; **somar** [so'ma*] *vt* (*adicionar*) to add (up); (*chegar a*) to add up to, amount to ♦ *vi* to add up

sombra ['sõbra] *f* shadow; (*proteção*) shade; (*indício*) trace, sign

sombrinha [sõ'briɲa] *f* parasol, sunshade

sombrio, -a [sõ'briu, a] *adj* shady, dark; (*triste*) gloomy

some *etc* ['sɔmi] *vb V* **sumir**

somente [sɔ'mẽtʃi] *adv* only

somos ['somoʃ] *vb V* **ser**

sonâmbulo, -a [so'nãbulu, a] *m/f* sleepwalker

sondar [sõ'da*] *vt* to probe; (*opinião etc*) to sound out

soneca [so'nɛka] *f* nap, snooze

sonegar [sone'ga*] *vt* (*dinheiro, valores*) to conceal, withhold; (*furtar*) to steal, pilfer; (*impostos*) to dodge, evade; (*informações, dados*) to withhold

soneto [so'netu] *m* sonnet

sonhador, a [soɲa'do*, a] *adj* dreamy ♦ *m/f* dreamer

sonhar [so'ɲa*] *vt*, *vi* to dream; **~ com** to dream about; **sonho** ['sɔɲu] *m* dream; (CULIN) doughnut

sono ['sonu] *m* sleep; **estar com** *ou* **ter ~** to be sleepy

sonolento, -a [sono'lẽtu, a] *adj* sleepy, drowsy

sonoro, -a [so'nɔru, a] *adj* resonant

sons [sõʃ] *mpl de* **som**

sonso, -a ['sõsu, a] *adj* sly, artful

sopa ['sopa] *f* soup

soporífero [sopo'riferu], **soporífico** [sopo'rifiku] *m* sleeping drug

soprar → subsistência

soprar [so'pra*] vt to blow; (balão) to blow up; (vela) to blow out; (dizer em voz baixa) to whisper ♦ vi to blow;
sopro ['sopru] m blow, puff; (de vento) gust
sórdido, -a ['sɔxdʒidu, a] adj sordid; (imundo) squalid
soro ['soru] m (MED) serum
sorridente [soxi'dẽtʃi] adj smiling
sorrir [so'xi*] vi to smile; **sorriso** [so'xizu] m smile
sorte ['sɔxtʃi] f luck; (casualidade) chance; (destino) fate, destiny; (condição) lot; (espécie) sort, kind; **de ~ que** so that; **dar ~** (trazer sorte) to bring good luck; (ter sorte) to be lucky; **estar com** ou **ter ~** to be lucky
sortear [sox'tʃja*] vt to draw lots for; (rifar) to raffle; (MIL) to draft; **sorteio** [sox'teju] m draw; raffle; draft
sortido, -a [sox'tʃidu, a] adj (abastecido) supplied, stocked; (variado) assorted; (loja) well-stocked
sortudo, -a [sox'tudu, a] (col) adj lucky
sorvete [sox'vetʃi] (BR) m ice cream
SOS abr SOS
sossegado, -a [sose'gadu, a] adj peaceful, calm
sossegar [sose'ga*] vt to calm, quieten ♦ vi to quieten down
sossego [so'segu] m peace (and quiet)
sótão ['sɔtãw] (pl **~s**) m attic, loft
sotaque [so'taki] m accent
sotavento [sota'vẽtu] m (NÁUT) lee
soterrar [sote'xa*] vt to bury
sou [so] vb V **ser**
soube etc ['sobi] vb V **saber**
soutien [su'tʃjã] (PT) m = **sutiã**
sova ['sɔva] f beating, thrashing
sovaco [so'vaku] m armpit
soviético, -a [so'vjetʃiku, a] adj, m/f Soviet
sovina [so'vina] adj mean, stingy ♦ m/f miser
sozinho, -a [sɔ'ziɲu, a] adj (all) alone, by oneself; (por si mesmo) by oneself
squash [iʃ'kwɛʃ] m squash
Sr. abr (= senhor) Mr(.)
Sr.ª abr (= senhora) Mrs(.)
Sr.ta abr (= senhorita) Miss
status [iʃ'tatus] m status
sua ['sua] f de **seu**
suar [swa*] vt, vi to sweat
suástica [swaʃtʃika] f swastika
suave ['swavi] adj gentle; (música, voz) soft; (sabor, vinho) smooth; (cheiro) delicate; (dor) mild; (trabalho) light;
suavidade [suavi'dadʒi] f gentleness; softness
subalterno, -a [subaw'tɛxnu, a] adj, m/f subordinate
subconsciente [subkõ'sjẽtʃi] adj, m subconscious
subdesenvolvido, -a [subdʒizẽvow'vidu, a] adj underdeveloped
subentender [subẽtẽ'de*] vt to understand, assume; **subentendido, -a** [subẽtẽ'dʒidu, a] adj implied ♦ m implication
subestimar [subeʃtʃi'ma*] vt to underestimate
subida [su'bida] f ascent, climb; (ladeira) slope; (de preços) rise
subir [su'bi*] vi to go up; (preço, de posto etc) to rise ♦ vt to raise; (ladeira, escada, rio) to climb, go up; **~ em** to climb, go up; (cadeira, palanque) to climb onto, get up onto; (ônibus) to get on
súbito, -a ['subitu, a] adj sudden ♦ adv (tb: **de ~**) suddenly
subjetivo, -a [subʒe'tʃivu, a] (PT **-ct-**) adj subjective
subjuntivo, -a [subʒũ'tʃivu, a] adj subjunctive ♦ m subjunctive
sublime [su'blimi] adj sublime
sublinhar [subli'ɲa*] vt to underline; (destacar) to emphasize, stress
sublocar [sublo'ka*] vt, vi to sublet
submarino, -a [subma'rinu, a] adj underwater ♦ m submarine
submergir [submex'ʒi*] vt to submerge; **submergir-se** vr to submerge
submeter [subme'te*] vt to subdue; (plano) to submit; (sujeitar): **~ a** to subject to; **submeter-se** vr: **~-se a** to submit to; (operação) to undergo
submirjo etc [sub'mixʒu] vb V **submergir**
submisso, -a [sub'misu, a] adj submissive
subnutrição [subnutri'sãw] f malnutrition
subornar [subox'na*] vt to bribe; **suborno** [su'boxnu] m bribery
subseqüente [subse'kwẽtʃi] adj subsequent
subserviente [subsex'vjẽtʃi] adj obsequious, servile
subsidiária [subsi'dʒjarja] f (COM) subsidiary (company)
subsidiário, -a [subsi'dʒjarju, a] adj subsidiary
subsídio [sub'sidʒu] m subsidy; (ajuda) aid
subsistência [subsiʃ'tẽsja] f subsistence

subsistir → superlotado

subsistir [subsiʃˈtʃi*] vi to exist; (viver) to subsist
subsolo [subˈsɔlu] m (de prédio) basement
substância [subˈʃtãsja] f substance; **substancial** [subʃtãˈsjaw] (pl -ais) adj substantial
substantivo [subʃtãˈtʃivu] m noun
substituir [subʃtʃiˈtwi*] vt to substitute; **substituto, -a** [subʃtiˈtutu, a] adj, m/f substitute
subterrâneo, -a [subiteˈxanju, a] adj subterranean, underground
subtil etc [subˈtiw] (PT) = **sutil** etc
subtrair [subtraˈi*] vt to steal; (deduzir) to subtract ♦ vi to subtract
subumano, -a [subuˈmanu, a] adj subhuman; (desumano) inhuman
suburbano, -a [subuxˈbanu, a] adj suburban
subúrbio [suˈbuxbju] m suburb
subvenção [subvẽˈsãw] (pl -ões) f subsidy, grant
subversivo, -a [subvexˈsivu, a] adj subversive
sucata [suˈkata] f scrap metal
sucção [sukˈsãw] f suction
suceder [suseˈde*] vi to happen ♦ vt to succeed; ~ **a** (num cargo) to succeed; (seguir) to follow
sucessão [suseˈsãw] (pl -ões) f succession; **sucessivo, -a** [suseˈsivu, a] adj successive
sucesso [suˈsesu] m success; (música, filme) hit; **fazer** ou **ter** ~ to be successful
sucinto, -a [suˈsĩtu, a] adj succinct
suco [ˈsuku] (BR) m juice
suculento, -a [sukuˈlẽtu, a] adj succulent
sucumbir [sukũˈbi*] vi to succumb; (morrer) to die, perish
sucursal [sukuxˈsaw] (pl -ais) f (COM) branch
Sudão [suˈdãw] m: **o** ~ (the) Sudan
sudeste [suˈdɛʃtʃi] m south-east
súdito [ˈsudʒitu] m (de rei etc) subject
sudoeste [sudˈwɛʃtʃi] m south-west
Suécia [ˈswesja] f: **a** ~ Sweden; **sueco, -a** [ˈswɛku, a] adj Swedish ♦ m/f Swede ♦ m (LING) Swedish
suéter [ˈswɛte*] (BR) m ou f sweater
suficiente [sufiˈsjẽtʃi] adj sufficient, enough
sufixo [suˈfiksu] m suffix
sufocante [sufoˈkãtʃi] adj suffocating; (calor) sweltering, oppressive
sufocar [sufoˈka*] vt, vi to suffocate
sugar [suˈga*] vt to suck

sugerir [suʒeˈri*] vt to suggest
sugestão [suʒeʃˈtãw] (pl -ões) f suggestion; **dar uma** ~ to make a suggestion; **sugestivo, -a** [suʒeʃˈtʃivu, a] adj suggestive
sugiro etc [suˈʒiru] vb V **sugerir**
Suíça [ˈswisa] f: **a** ~ Switzerland
suíças [ˈswisaʃ] fpl sideburns; V tb **suíço**
suicida [swiˈsida] adj suicidal ♦ m/f suicidal person; (morto) suicide; **suicidar-se** [swisiˈdaxsi] vr to commit suicide; **suicídio** [swiˈsidʒju] m suicide
suíço, -a [ˈswisu, a] adj, m/f Swiss
suíte [ˈswitʃi] f (MÚS, em hotel) suite
sujar [suˈʒa*] vt to dirty ♦ vi to make a mess; **sujar-se** vr to get dirty
sujeira [suˈʒejra] f dirt; (estado) dirtiness; (col) dirty trick
sujeito, -a [suˈʒejtu, a] adj: ~ **a** subject to ♦ m (LING) subject ♦ m/f man/woman
sujo, -a [ˈsuʒu, a] adj dirty; (fig: desonesto) dishonest ♦ m dirt
sul [suw] adj inv south, southern ♦ m: **o** ~ the south; **sul-africano, -a** adj, m/f South African; **sul-americano, -a** adj, m/f South American
sulco [ˈsuwku] m furrow
suma [ˈsuma] f: **em** ~ in short
sumário, -a [suˈmarju, a] adj (breve) brief, concise; (JUR) summary; (biquíni) skimpy ♦ m summary
sumiço [suˈmisu] m disappearance
sumir [suˈmi*] vi to disappear, vanish
sumo, -a [ˈsumu, a] adj (importância) extreme; (qualidade) supreme ♦ m (PT) juice
sunga [ˈsũga] f swimming trunks pl
suor [swɔ*] m sweat
super- [supe*-] prefixo super-
superado, -a [supeˈradu, a] adj (idéias) outmoded
superar [supeˈra*] vt (rival) to surpass; (inimigo, dificuldade) to overcome; (expectativa) to exceed
superficial [supexfiˈsjaw] (pl -ais) adj superficial
superfície [supexˈfisi] f surface; (extensão) area; (fig: aparência) appearance
supérfluo, -a [suˈpɛxflwu, a] adj superfluous
superior [supeˈrjo*] adj superior; (mais elevado) higher; (quantidade) greater; (mais acima) upper ♦ m superior; **superioridade** [superjoriˈdadʒi] f superiority
superlotado, -a [supexloˈtadu, a] adj

crowded; (*excessivamente cheio*) overcrowded
supermercado [supexmex'kadu] *m* supermarket
superpotência [supexpo'tẽsja] *f* superpower
superstição [supexʃtʃi'sãw] (*pl* **-ões**) *f* superstition; **supersticioso, -a** [supexʃtʃi'sjozu, ɔza] *adj* superstitious
supervisão [supexvi'zãw] *f* supervision; **supervisionar** [supexvizjo'na*] *vt* to supervise; **supervisor, a** [supexvi'zo*, a] *m/f* supervisor
suplementar [suplemẽ'ta*] *adj* supplementary ♦ *vt* to supplement
suplemento [suple'mẽtu] *m* supplement
súplica ['suplika] *f* supplication, plea; **suplicar** [supli'ka*] *vt, vi* to plead, beg
suplício [su'plisju] *m* torture
supor [su'po*] (*irreg: como* **pôr**) *vt* to suppose; (*julgar*) to think
suportar [supox'ta*] *vt* to hold up, support; (*tolerar*) to bear, tolerate; **suportável** [supox'tavew] (*pl* **-eis**) *adj* bearable; **suporte** [su'pɔxtʃi] *m* support
suposto, -a [su'poʃtu, 'pɔʃta] *adj* supposed ♦ *m* assumption, supposition
supremo, -a [su'premu, a] *adj* supreme
suprimir [supri'mi*] *vt* to suppress
surdez [sux'deʒ] *f*: **aparelho para a ~** hearing aid
surdo, -a ['suxdu, a] *adj* deaf; (*som*) muffled, dull ♦ *m/f* deaf person; **surdo-mudo, surda-muda** *adj* deaf and dumb ♦ *m/f* deaf-mute
surfe ['suxfi] *m* surfing
surgir [sux'ʒi*] *vi* to appear; (*problema, oportunidade*) to arise
surjo *etc* ['suxju] *vb V* **surgir**
surpreendente [suxprjẽ'dẽtʃi] *adj* surprising
surpreender [suxprjẽ'de*] *vt* to surprise; **surpreender-se** *vr*: **~-se (de)** to be surprised (at); **surpresa** [sux'preza] *f* surprise; **surpreso, -a** [sux'prezu, a] *pp de* **surpreender** ♦ *adj* surprised
surra ['suxa] *f* (*ger, ESPORTE*): **dar uma ~ em** to thrash; **levar uma ~ (de)** to get thrashed (by); **surrar** [su'xa*] *vt* to beat, thrash
surtir [sux'tʃi*] *vt* to produce, bring about
surto ['suxtu] *m* outbreak
suscetível [suse'tʃivew] (*pl* **-eis**) *adj* susceptible; **~ de** liable to
suspeita [suʃ'pejta] *f* suspicion;
suspeitar [suʃpej'ta*] *vt* to suspect ♦ *vi*: **suspeitar de algo** to suspect sth;

suspeito, -a [suʃ'pejtu, a] *adj, m/f* suspect
suspender [suʃpẽ'de*] *vt* (*levantar*) to lift; (*pendurar*) to hang; (*trabalho, funcionário etc*) to suspend; (*encomenda*) to cancel; (*sessão*) to adjourn, defer; (*viagem*) to put off; **suspensão** [suʃpẽ'sãw] (*pl* **-ões**) *f* (*ger, AUTO*) suspension; (*de trabalho, pagamento*) stoppage; (*de viagem, sessão*) deferment; (*de encomenda*) cancellation; **suspense** [suʃ'pẽsi] *m* suspense; **filme de suspense** thriller; **suspenso, -a** [suʃ'pẽsu, a] *pp de* **suspender**
suspensórios [suʃpẽ'sɔrjuʃ] *mpl* braces (*BRIT*), suspenders (*US*)
suspirar [suʃpi'ra*] *vi* to sigh; **suspiro** [suʃ'piru] *m* sigh; (*doce*) meringue
sussurrar [susu'xa*] *vt, vi* to whisper; **sussurro** [su'suxu] *m* whisper
sustentar [suʃtẽ'ta*] *vt* to sustain; (*prédio*) to hold up; (*padrão*) to maintain; (*financeiramente, acusação*) to support; **sustentável** [suʃtẽ'tavew] (*pl* **-eis**) *adj* sustainable; **sustento** [suʃ'tẽtu] *m* sustenance; (*subsistência*) livelihood; (*amparo*) support
susto ['suʃtu] *m* fright, scare
sutiã [su'tʃjã] *m* bra(ssiere)
sutil [su'tʃiw] (*pl* **-is**) *adj* subtle; **sutileza** [sutʃi'leza] *f* subtlety

T t

ta [ta] = **te** + **a**
tabacaria [tabaka'ria] *f* tobacconist's (shop)
tabaco [ta'baku] *m* tobacco
tabela [ta'bela] *f* table, chart; (*lista*) list; **por ~** indirectly
taberna [ta'bɛxna] *f* tavern, bar
tablete [ta'bletʃi] *m* (*de chocolate*) bar
tabu [ta'bu] *adj, m* taboo
tábua ['tabwa] *f* plank, board; (*MAT*) table; **~ de passar roupa** ironing board
tabuleiro [tabu'lejru] *m* tray; (*XADREZ*) board
tabuleta [tabu'leta] *f* (*letreiro*) sign, signboard
taça ['tasa] *f* cup
tacha ['taʃa] *f* tack
tachinha [ta'ʃiɲa] *f* drawing pin (*BRIT*), thumb tack (*US*)
tácito, -a ['tasitu, a] *adj* tacit
taco ['taku] *m* (*BILHAR*) cue; (*GOLFE*) club
táctico, -a *etc* ['tatiku, a] (*PT*) = **tático** *etc*

tacto ['tatu] (*PT*) *m* = **tato**
tagarela [taga'rɛla] *adj* talkative ♦ *m/f* chatterbox; **tagarelar** [tagare'la*] *vi* to chatter
Tailândia [taj'lãdʒja] *f*: **a ~** Thailand
tal [taw] (*pl* **tais**) *adj* such; **~ e coisa** this and that; **um ~ de Sr. X** a certain Mr. X; **que ~?** what do you think?; (*PT*) how are things?; **que ~ um cafezinho?** what about a coffee?; **que ~ nós irmos ao cinema** what about (us) going to the cinema?; **~ pai, ~ filho** like father, like son; **~ como** such as; (*da maneira que*) just as; **~ qual** just like; **o ~ professor** that teacher; **a ~ ponto** to such an extent; **de ~ maneira** in such a way; **e ~ e tal** and so on; **o ~, a ~** (*col*) the greatest; **o Pedro de ~** Peter what's-his-name; **na rua ~** in such and such a street; **foi um ~ de gente ligar lá para casa** there were people ringing home non-stop
tala ['tala] *f* (*MED*) splint
talão [ta'lãw] (*pl* **-ões**) *m* (*de recibo*) stub; **~ de cheques** cheque book (*BRIT*), check book (*US*)
talco ['tawku] *m* talcum powder; **pó de ~** (*PT*) talcum powder
talento [ta'lẽtu] *m* talent; (*aptidão*) ability
talha ['taʎa] *f* carving; (*vaso*) pitcher; (*NÁUT*) tackle
talher [ta'ʎe*] *m* set of cutlery; **~es** *mpl* cutlery *sg*
talho ['taʎu] *m* (*corte*) cutting, slicing; (*PT*: *açougue*) butcher's (shop)
talo ['talu] *m* stalk, stem
talões [ta'lõjʃ] *mpl* de **talão**
talvez [taw've3] *adv* perhaps, maybe
tamanco [ta'mãku] *m* clog, wooden shoe
tamanduá [tamã'dwa] *m* anteater
tamanho, -a [ta'maɲu, a] *adj* such (a) great ♦ *m* size
tâmara ['tamara] *f* date
também [tã'bẽj] *adv* also, too, as well; (*além disso*) besides; **~ não** not ... either, nor
tambor [tã'bo*] *m* drum
tamborim [tãbo'rĩ] (*pl* **-ns**) *m* tambourine
Tâmisa ['tamiza] *m*: **o ~** the Thames
tampa ['tãpa] *f* lid; (*de garrafa*) cap
tampão [tã'pãw] (*pl* **-ões**) *m* tampon; (*de olho*) (eye) patch
tampar [tã'pa*] *vt* (*lata, garrafa*) to put the lid on; (*cobrir*) to cover
tampinha [tã'piɲa] *f* lid, top
tampo ['tãpu] *m* lid
tampões [tã'põjʃ] *mpl* de **tampão**

tampouco [tã'poku] *adv* nor, neither
tangente [tã'ʒẽtʃi] *f* tangent
tangerina [tãʒe'rina] *f* tangerine
tanque ['tãki] *m* tank; (*de lavar roupa*) sink
tanto, -a ['tãtu, a] *adj, pron* (*sg*) so much; (: + *interrogativa/negativa*) as much; (*pl*) so many; (: + *interrogativa/negativa*) as many ♦ *adv* so much; **~ ... como ...** both ... and ...; **~ ... quanto ...** as much ... as ...; **~ tempo** so long; **quarenta e ~s anos** forty-odd years; **~ faz** it's all the same to me, I don't mind; **um ~ (quanto)** (*como algo*) rather, somewhat; **~ (assim) que** so much so that
tão [tãw] *adv* so; **~ rico quanto** as rich as; **tão-só** *adv* only
tapa ['tapa] *m ou f* slap
tapar [ta'pa*] *vt* to cover; (*garrafa*) to cork; (*caixa*) to put the lid on; (*orifício*) to block up; (*encobrir*) to block out
tapear [ta'pja*] *vt, vi* to cheat
tapeçaria [tapesa'ria] *f* tapestry
tapete [ta'petʃi] *m* carpet, rug
tardar [tax'da*] *vi* to delay; (*chegar tarde*) to be late ♦ *vt* to delay; **sem mais ~** without delay; **~ a** *ou* **em fazer** to take a long time to do; **o mais ~** at the latest
tarde ['taxdʒi] *f* afternoon ♦ *adv* late; **mais cedo ou mais ~** sooner or later; **antes ~ do que nunca** better late than never; **boa ~!** good afternoon!; **à** *ou* **de ~** in the afternoon
tardio, -a [tax'dʒiu, a] *adj* late
tarefa [ta'rɛfa] *f* task, job; (*faina*) chore
tarifa [ta'rifa] *f* tariff; (*para transportes*) fare; (*lista de preços*) price list; **~ alfandegária** customs duty
tartaruga [taxta'ruga] *f* turtle
tasca ['taʃka] (*PT*) *f* cheap eating place
tática ['tatʃika] *f* tactics *pl*
tático, -a ['tatʃiku, a] *adj* tactical
tato ['tatu] *m* touch; (*fig: diplomacia*) tact
tatu [ta'tu] *m* armadillo
tatuagem [ta'twaʒẽ] (*pl* **-ns**) *f* tattoo
taxa ['taʃa] *f* (*imposto*) tax; (*preço*) fee; (*índice*) rate; **~ de câmbio/juros** exchange/interest rate; **taxação** [taʃa'sãw] *f* taxation; **taxar** [ta'ʃa*] *vt* (*fixar o preço de*) to fix the price of; (*lançar impostos sobre*) to tax
táxi ['taksi] *m* taxi
tchau [tʃaw] *excl* bye!
tcheco, -a ['tʃɛko, a] *adj, m/f* Czech
Tcheco-Eslováquia [tʃɛkuiʒlo'vakja] *f* = **Tchecoslováquia**
Tchecoslováquia [tʃekoʒlo'vakja] *f*: **a ~**

Czechoslovakia

te [tʃi] *pron* you; *(para você)* (to) you
té [tɛ] *prep abr de* **até**
tear [tʃja*] *m* loom
teatral [tʃja'traw] *(pl* **-ais)** *adj* theatrical; *(grupo)* theatre *atr (BRIT)*, theater *atr (US)*; *(obra, arte)* dramatic
teatro ['tʃjatru] *m* theatre *(BRIT)*, theater *(US)*; *(obras)* plays *pl*, dramatic works *pl*; *(gênero, curso)* drama; **peça de ~** play
tecer [te'se*] *vt, vi* to weave; **tecido** [te'sidu] *m* cloth, material; *(ANAT)* tissue
tecla ['tɛkla] *f* key; **teclado** [tek'ladu] *m* keyboard
técnica ['tɛknika] *f* technique; *V tb* **técnico**
técnico, -a ['tɛkniku, a] *adj* technical ♦ *m/f* technician; *(especialista)* expert
tecnologia [teknolo'ʒia] *f* technology; **tecnológico, -a** [tekno'lɔʒiku, a] *adj* technological
tecto ['tɛktu] *(PT) m* = **teto**
tédio ['tɛdʒju] *m* tedium, boredom; **tedioso, -a** [te'dʒjozu, ɔza] *adj* tedious, boring
teia ['teja] *f* web; **~ de aranha** cobweb
teimar [tej'ma*] *vi* to insist, keep on; **~ em** to insist on
teimosia [tejmo'zia] *f* stubbornness; **~ em fazer** insistence on doing
teimoso, -a [tej'mozu, ɔza] *adj* obstinate; *(criança)* wilful *(BRIT)*, willful *(US)*
Tejo ['teʒu] *m*: **o (rio) ~** the (River) Tagus
tela ['tɛla] *f* fabric, material; *(de pintar)* canvas; *(CINEMA, TV)* screen
tele... ['tɛle] *prefixo* tele...;
telecomunicações [telekomunika'sõjʃ] *fpl* telecommunications;
teleconferência [telekõfe'rẽsja] *f* teleconference
teleférico [tele'fɛriku] *m* cable car
telefonar [telefo'na*] *vi*: **~ para alguém** to (tele)phone sb
telefone [tele'fɔni] *m* phone, telephone; *(número)* (tele)phone number; *(telefonema)* phone call; **~ celular** cellphone, mobile phone; **~ de carro** carphone; **telefonema** [telefo'nema] *m* phone call; **dar um telefonema** to make a phone call; **telefônico, -a** [tele'foniku, a] *adj* telephone *atr*; **telefonista** [telefo'niʃta] *m/f* telephonist; *(na companhia telefônica)* operator
telégrafo [te'lɛgrafu] *m* telegraph
telegrama [tele'grama] *m* telegram, cable; **passar um ~** to send a telegram
tele...: telejornal [teleʒox'naw] *(pl* **~jornais)** *m* television news *sg*;
telenovela [teleno'vɛla] *f* (TV) soap opera; **telescópio** [tele'skɔpju] *m* telescope; **telespectador, a** [teleʃpekta'do*, a] *m/f* viewer
teletrabalho [teletra'baʎu] *m* teleworking
televendas [tele'vẽdaʃ] *fpl* telesales
televisão [televi'zãw] *f* television; **~ por assinatura** pay television; **~ a cabo** cable television; **~ a cores** colo(u)r television; **~ digital** digital television; **~ via satélite** satellite television; **aparelho de ~** television set; **televisionar** [televizjo'na*] *vt* to televise; **televisivo, -a** [televi'zivu, a] *adj* television *atr*
televisor [televi'zo*] *m (aparelho)* television (set), TV (set)
telex [te'lɛks] *m* telex; **enviar por ~** to telex
telha ['teʎa] *f* tile; *(col: cabeça)* head; **ter uma ~ de menos** to have a screw loose
telhado [te'ʎadu] *m* roof
tema ['tema] *m* theme; *(assunto)* subject; **temática** [te'matʃika] *f* theme
temer [te'me*] *vt* to fear, be afraid of ♦ *vi* to be afraid
temeroso, -a [teme'rozu, ɔza] *adj* fearful, afraid; *(pavoroso)* dreadful
temido, -a [te'midu, a] *adj* fearsome, frightening
temível [te'mivew] *(pl* **-eis)** *adj* = **temido**
temor [te'mo*] *m* fear
temperado, -a [tẽpe'radu, a] *adj (clima)* temperate; *(comida)* seasoned
temperamento [tẽpera'mẽtu] *m* temperament, nature
temperar [tẽpe'ra*] *vt* to season
temperatura [tẽpera'tura] *f* temperature
tempero [tẽ'peru] *m* seasoning, flavouring *(BRIT)*, flavoring *(US)*
tempestade [tẽpeʃ'tadʒi] *f* storm; **tempestuoso, -a** [tẽpeʃ'twozu, ɔza] *adj* stormy
templo ['tẽplu] *m* temple; *(igreja)* church
tempo ['tẽpu] *m* time; *(meteorológico)* weather; *(LING)* tense; **o ~ todo** the whole time; **a ~** on time; **ao mesmo ~** at the same time; **a um ~** at once; **com ~** in good time; **de ~ em ~** from time to time; **nesse meio ~** in the meantime; **quanto ~?** how long?; **mais ~** longer; **há ~s** for ages; *(atrás)* ages ago; **~ livre** spare time; **primeiro/segundo ~** *(ESPORTE)* first/second half
temporada [tẽpo'rada] *f* season; *(tempo)* spell
temporal [tẽpo'raw] *(pl* **-ais)** *m* storm, gale

temporário, -a [tẽpoˈrarju, a] *adj* temporary, provisional

tenacidade [tenasiˈdadʒi] *f* tenacity

tenaz [teˈnajʒ] *adj* tenacious

tencionar [tẽsjoˈna*] *vt* to intend, plan

tenda [ˈtẽda] *f* tent

tendão [tẽˈdãw] (*pl* -**ões**) *m* tendon

tendência [tẽˈdẽsja] *f* tendency; (*da moda etc*) trend; **a ~ de** *ou* **em** *ou* **a fazer** the tendency to do; **tendencioso, -a** [tẽdẽˈsjozu, ɔza] *adj* tendentious, bias(s)ed

tendões [tẽˈdõjʃ] *mpl de* **tendão**

tenebroso, -a [teneˈbrozu, ɔza] *adj* dark, gloomy; (*fig*) horrible

tenho *etc* [ˈtẽɲu] *vb V* **ter**

tênis [ˈteniʃ] *m inv* tennis; (*sapatos*) training shoes *pl*; (*um sapato*) training shoe; **~ de mesa** table tennis; **tenista** [teˈniʃta] *m/f* tennis player

tenor [teˈno*] *m* (*MÚS*) tenor

tenro, -a [ˈtẽxu, a] *adj* tender; (*macio*) soft; (*delicado*) delicate; (*novo*) young

tensão [tẽˈsãw] *f* tension; (*pressão*) pressure, strain; (*rigidez*) tightness; (*ELET: voltagem*) voltage

tenso, -a [ˈtẽsu, a] *adj* tense; (*sob pressão*) under stress, strained

tentação [tẽtaˈsãw] *f* temptation

tentáculo [tẽˈtakulu] *m* tentacle

tentador, a [tẽtaˈdo*, a] *adj* tempting

tentar [tẽˈta*] *vt* to try; (*seduzir*) to tempt ♦ *vi* to try; **tentativa** [tẽtaˈtʃiva] *f* attempt; **tentativa de homicídio/ suicídio/roubo** attempted murder/ suicide/robbery; **por tentativas** by trial and error

tênue [ˈtenwi] *adj* tenuous; (*fino*) thin; (*delicado*) delicate; (*luz, voz*) faint; (*pequeníssimo*) minute

teor [teˈo*] *m* (*conteúdo*) tenor; (*sentido*) meaning, drift

teoria [teoˈria] *f* theory; **teoricamente** [teorikaˈmẽtʃi] *adv* theoretically, in theory; **teórico, -a** [teˈɔriku, a] *adj* theoretical ♦ *m/f* theoretician

tépido, -a [ˈtɛpidu, a] *adj* tepid

PALAVRA CHAVE

ter [te*] *vt*

1 (*possuir, ger*) to have; (*na mão*) to hold; **você tem uma caneta?** have you got a pen?; **ela vai ~ neném** she is going to have a baby

2 (*idade, medidas, estado*) to be; **ela tem 7 anos** she's 7 (years old); **a mesa tem 1 metro de comprimento** the table is 1 metre long; **~ fome/sorte** to be hungry/lucky; **~ frio/calor** to be cold/hot

3 (*conter*) to hold, contain; **a caixa tem um quilo de chocolates** the box holds one kilo of chocolates

4: **~ que** *ou* **de fazer** to have to do

5: **~ a ver com** to have to do with

6: **ir ~ com** to (go and) meet

♦ *vb impess*

1: **tem** (*sg*) there is; (*pl*) there are; **tem 3 dias que não saio de casa** I haven't been out for 3 days

2: **não tem de quê** don't mention it

---

terapeuta [teraˈpewta] *m/f* therapist

terapia [teraˈpia] *f* therapy

terça [ˈtexsa] *f* (*tb:* **~-feira**) Tuesday; **terça-feira** (*pl* **terças-feiras**) *f* Tuesday; **terça-feira gorda** Shrove Tuesday

terceiro, -a [texˈsejru, a] *num* third; **~s** *mpl* (*os outros*) outsiders

terço [ˈtexsu] *m* third (part)

termas [ˈtexmaʃ] *fpl* bathhouse *sg*

térmico, -a [ˈtexmiku, a] *adj* thermal; **garrafa térmica** (Thermos ®) flask

terminal [texmiˈnaw] (*pl* -**ais**) *adj* terminal ♦ *m* (*de rede, ELET, COMPUT*) terminal ♦ *f* terminal; **~ (de vídeo)** monitor, visual display unit

terminar [texmiˈna*] *vt* to finish ♦ *vi* (*pessoa*) to finish; (*coisa*) to end; **~ de fazer** to finish doing; (*ter feito há pouco*) to have just done; **~ por fazer algo** to end up doing sth

término [ˈtexminu] *m* end, termination

termo [ˈtexmu] *m* term; (*fim*) end, termination; (*limite*) limit, boundary; (*prazo*) period; (*PT: garrafa*) (Thermos ®) flask; **meio ~** compromise; **em ~s (de)** in terms (of)

termômetro [texˈmometru] *m* thermometer

terno, -a [ˈtexnu, a] *adj* gentle, tender ♦ *m* (*BR: roupa*) suit; **ternura** [texˈnura] *f* gentleness, tenderness

terra [ˈtɛxa] *f* earth, world; (*AGR, propriedade*) land; (*pátria*) country; (*chão*) ground; (*GEO*) soil; (*pó*) dirt

terraço [teˈxasu] *m* terrace

terramoto [texaˈmɔtu] (*PT*) *m* = **terremoto**

terreiro [teˈxejru] *m* yard, square

terremoto [texeˈmɔtu] *m* earthquake

terreno, -a [teˈxenu, a] *m* ground, land; (*porção de terra*) plot of land ♦ *adj* earthly

térreo, -a [ˈtɛxju, a] *adj*: **andar ~** (*BR*) ground floor (*BRIT*), first floor (*US*)

terrestre → tocante

terrestre [teˈxɛʃtri] adj land atr
terrina [teˈxina] f tureen
território [texiˈtɔrju] m territory
terrível [teˈxivew] (pl **-eis**) adj terrible, dreadful
terror [teˈxo*] m terror, dread; **terrorista** [texoˈriʃta] adj, m/f terrorist
tese [ˈtɛzi] f proposition, theory; (EDUC) thesis; **em ~** in theory
teso, -a [ˈtezu, a] adj (cabo) taut; (rígido) stiff
tesoura [teˈzora] f scissors pl; **uma ~** a pair of scissors
tesouraria [tezoraˈria] f treasury
tesouro [teˈzoru] m treasure; (erário) treasury, exchequer; (livro) thesaurus
testa [ˈtɛʃta] f brow, forehead
testamento [teʃtaˈmẽtu] m will, testament; (REL): **Velho/Novo T~** Old/New Testament
testar [teʃˈta*] vt to test; (deixar em testamento) to bequeath
teste [ˈtɛʃtʃi] m test
testemunha [teʃteˈmuɲa] f witness; **testemunhar** [teʃtemuˈɲa*] vi to testify ♦ vt to give evidence about; (presenciar) to witness; (confirmar) to demonstrate; **testemunho** [teʃteˈmuɲu] m evidence
testículo [teʃˈtʃikulu] m testicle
teta [ˈtɛta] f teat, nipple
tétano [ˈtɛtanu] m tetanus
teto [ˈtɛtu] m ceiling; (telhado) roof; (habitação) home
teu, tua [tew, ˈtua] adj your ♦ pron yours
teve [ˈtevi] vb V **ter**
têxtil [ˈteʃtʃiw] (pl **-eis**) m textile
texto [ˈteʃtu] m text
textura [teʃˈtura] f texture
thriller [ˈsrila*] (pl **~s**) m thriller
ti [tʃi] pron you
tia [ˈtʃia] f aunt
Tibete [tʃiˈbetʃi] m: **o ~** Tibet
tido, -a [ˈtʃidu, a] pp de **ter** ♦ adj: **~ como ou por** considered to be
tigela [tʃiˈʒɛla] f bowl
tigre [ˈtʃigri] m tiger
tijolo [tʃiˈʒolu] m brick
til [tʃiw] (pl **tis**) m tilde
timbre [ˈtʃĩbri] m insignia, emblem; (selo) stamp; (MÚS) tone, timbre; (de voz) tone; (em papel de carta) heading
time [ˈtʃimi] (BR) m team; **de segundo ~** (fig) second-rate
tímido, -a [ˈtʃimidu, a] adj shy, timid
tímpano [ˈtʃĩpanu] m eardrum; (MÚS) kettledrum
tina [ˈtʃina] f vat

tingir [tʃĩˈʒi*] vt to dye; (fig) to tinge
tinha etc [ˈtʃiɲa] vb V **ter**
tinjo etc [ˈtʃĩʒu] vb V **tingir**
tinta [ˈtʃĩta] f (de pintar) paint; (de escrever) ink; (para tingir) dye; (fig: vestígio) shade, tinge
tinto, -a [ˈtʃĩtu, a] adj dyed; (fig) stained; **vinho ~** red wine
tintura [tʃĩˈtura] f dye; (ato) dyeing; (fig) tinge, hint
tinturaria [tʃĩturaˈria] f dry-cleaner's
tio [ˈtʃiu] m uncle
típico, -a [ˈtʃipiku, a] adj typical
tipo [ˈtʃipu] m type; (de imprensa) print; (de impressora) typeface; (col: sujeito) guy, chap; (pessoa) person
tipografia [tʃipograˈfia] f printing; (estabelecimento) printer's
tíquete [ˈtʃiketʃi] m ticket
tira [ˈtʃira] f strip ♦ m (BR: col) cop
tira-gosto (pl **~s**) m snack, savoury (BRIT)
tirano, -a [tʃiˈranu, a] adj tyrannical ♦ m/f tyrant
tirar [tʃiˈra*] vt to take away; (de dentro) to take out; (de cima) to take off; (roupa, sapatos) to take off; (arrancar) to pull out; (férias) to take, have; (boas notas) to get; (salário) to earn; (curso) to do, take; (mancha) to remove; (foto, cópia) to take; (mesa) to clear; **~ algo a alguém** to take sth from sb
tiritar [tʃiriˈta*] vi to shiver
tiro [ˈtʃiru] m shot; (ato de disparar) shooting; **~ ao alvo** target practice; **trocar ~s** to fire at one another
tiroteio [tʃiroˈteju] m shooting, exchange of shots
tis [tʃiʃ] mpl de **til**
titular [tʃituˈla*] adj titular ♦ m/f holder
título [ˈtʃitulu] m title; (COM) bond; (universitário) degree; **~ de propriedade** title deed
tive etc [ˈtʃivi] vb V **ter**
to [tu] = **te + o**
toa [ˈtoa] f towrope; **à ~** at random; (sem motivo) for no reason; (inutilmente) in vain, for nothing
toalete [twaˈletʃi] m (banheiro) toilet; (traje) outfit ♦ f: **fazer a ~** to have a wash
toalha [toˈaʎa] f towel
toca [ˈtɔka] f burrow, hole
toca-discos (BR) m inv record-player
toca-fitas m inv cassette player
tocaia [toˈkaja] f ambush
tocante [toˈkãtʃi] adj moving, touching; **no ~ a** regarding, concerning

tocar [to'ka*] vt to touch; (MÚS) to play ♦ vi to touch; to play; (campainha, sino, telefone) to ring; **tocar-se** vr to touch (each other); **~ a** (dizer respeito a) to concern, affect; **~ em** to touch; (assunto) to touch upon; **~ para alguém** (telefonar) to ring sb (up), call sb (up); **pelo que me toca** as far as I am concerned

tocha ['tɔʃa] f torch

todavia [toda'via] adv yet, still, however

PALAVRA CHAVE
---

todo, -a ['todu, 'tɔda] adj
1 (com artigo sg) all; **toda a carne** all the meat; **toda a noite** all night, the whole night; **~ o Brasil** the whole of Brazil; **a toda (velocidade)** at full speed; **o mundo** (BR), **toda a gente** (PT) everybody, everyone; **em toda (a) parte** everywhere
2 (com artigo pl) all; (: cada) every; **~s os livros** all the books; **~s os dias/todas as noites** every day/night; **~s os que querem sair** all those who want to leave; **~s nós** all of us
♦ adv: **ao ~** altogether; (no total) in all; **de ~** completely
♦ pron: **~s** mpl everybody sg, everyone sg

---

todo-poderoso, -a adj all-powerful ♦ m: **o T~** the Almighty

toicinho [toj'siɲu] m bacon fat

toldo ['towdu] m awning, sun blind

tolerância [tole'rãsja] f tolerance; **tolerante** [tole'rãtʃi] adj tolerant

tolerar [tole'ra*] vt to tolerate; **tolerável** [tole'ravew] (pl **-eis**) adj tolerable, bearable; (satisfatório) passable; (falta) excusable

tolice [to'lisi] f stupidity, foolishness; (ato, dito) stupid thing

tolo, -a ['tolu, a] adj foolish, silly, stupid ♦ m/f fool

tom [tõ] (pl **-ns**) m tone; (MÚS: altura) pitch; (: escala) key; (cor) shade

tomada [to'mada] f capture; (ELET) socket

tomar [to'ma*] vt to take; (capturar) to capture, seize; (decisão) to make; (bebida) to drink; **~ café** (de manhã) to have breakfast

tomara [to'mara] excl: **~!** if only!; **~ que venha hoje** I hope he comes today

tomate [to'matʃi] m tomato

tombadilho [tõba'dʒiʎu] m deck

tombar [tõ'ba*] vi to fall down, tumble down ♦ vt to knock down, knock over;

tombo ['tõbu] m tumble, fall

tomilho [to'miʎu] m thyme

tona ['tɔna] f surface; **vir à ~** to come to the surface; (fig) to emerge; **trazer à ~** to bring up; (recordações) to bring back

tonalidade [tonali'dadʒi] f (de cor) shade; (MÚS: tom) key

tonelada [tone'lada] f ton

tônica ['tonika] f (água) tonic (water); (fig) keynote

tônico ['toniku] m tonic; **acento ~** stress

tons [tõʃ] mpl de **tom**

tonteira [tõ'tejra] f dizziness

tonto, -a ['tõtu, a] adj stupid, silly; (zonzo) dizzy, lightheaded; (atarantado) flustered

topar [to'pa*] vt to agree to ♦ vi: **~ com** to come across; **topar-se** vr (duas pessoas) to run into one another; **~ em** (tropeçar) to stub one's toe on; (esbarrar) to run into; (tocar) to touch

tópico, -a ['tɔpiku, a] adj topical ♦ m topic

topless [tɔp'lɛs] adj inv topless

topo ['topu] m top; (extremidade) end, extremity

toque¹ ['tɔkɪ] m touch; (de instrumento musical) playing; (de campainha) ring; (retoque) finishing touch

toque² etc vb V **tocar**

Tóquio ['tɔkju] n Tokyo

tora ['tɔra] f (pedaço) piece; (de madeira) log; (sesta) nap

toranja [to'rãʒa] f grapefruit

torção [tox'sãw] (pl **-ões**) m twist; (MED) sprain

torcedor, a [toxse'do*, a] m/f supporter, fan

torcer [tox'se*] vt to twist; (MED) to sprain; (desvirtuar) to distort, misconstrue; (roupa: espremer) to wring; (: na máquina) to spin; (vergar) to bend ♦ vi: **~ por** (time) to support; **torcer-se** vr to squirm, writhe

torcicolo [toxsi'kɔlu] m stiff neck

torcida [tox'sida] f (pavio) wick; (ESPORTE: ato de torcer) cheering; (: torcedores) supporters pl

torções [tox'sõjʃ] mpl de **torção**

tormenta [tox'mẽta] f storm

tormento [tox'mẽtu] m torment; (angústia) anguish

tornar [tox'na*] vi to return, go back ♦ vt: **~ algo em algo** to turn ou make sth into sth; **tornar-se** vr to become; **~ a fazer algo** to do sth again

torneio [tox'neju] m tournament

torneira [tox'nejra] f tap (BRIT), faucet (US)

torno ['toxnu] *m* lathe; (*CERÂMICA*) wheel; **em ~ de** (*ao redor de*) around; (*sobre*) about

tornozelo [toxno'zelu] *m* ankle

torpe ['toxpi] *adj* vile

torrada [to'xada] *f* toast; **uma ~** a piece of toast; **torradeira** [toxa'dejra] *f* toaster

torrão [to'xãw] (*pl* **-ões**) *m* turf, sod; (*terra*) soil, land; (*de açúcar*) lump

torrar [to'xa*] *vt* to toast; (*café*) to roast

torre ['toxi] *f* tower; (*XADREZ*) castle, rook; (*ELET*) pylon; **~ de controle** (*AER*) control tower

tórrido, -a ['tɔxidu, a] *adj* torrid

torrões [to'xõjʃ] *mpl de* **torrão**

torso ['toxsu] *m* torso

torta ['tɔxta] *f* pie, tart

torto, -a ['toxtu, 'tɔxta] *adj* twisted, crooked; **a ~ e a direito** indiscriminately

tortuoso, -a [tox'twozu, ɔza] *adj* winding

tortura [tox'tura] *f* torture; (*fig*) anguish; **torturar** [toxtu'ra*] *vt* to torture; to torment

tos [tuʃ] = **te + os**

tosco, -a ['toʃku, a] *adj* rough, unpolished; (*grosseiro*) coarse, crude

tosse ['tɔsi] *f* cough; **~ de cachorro** whooping cough; **tossir** [to'si*] *vi* to cough

tosta ['tɔʃta] (*PT*) *f* toast; **~ mista** toasted cheese and ham sandwich

tostão [toʃ'tãw] *m* cash

tostar [toʃ'ta*] *vt* to toast; (*pele, pessoa*) to tan; **tostar-se** *vr* to get tanned

total [to'taw] (*pl* **-ais**) *adj, m* total

totalitário, -a [totali'tarju, a] *adj* totalitarian

totalmente [totaw'mẽtʃi] *adv* totally

touca ['toka] *f* bonnet; **~ de banho** bathing cap

toupeira [to'pejra] *f* mole; (*fig*) numbskull, idiot

tourada [to'rada] *f* bullfight; **toureiro** [to'rejru] *m* bullfighter

touro ['toru] *m* bull; **T~** (*ASTROLOGIA*) Taurus

tóxico, -a ['tɔksiku, a] *adj* toxic ♦ *m* poison; (*droga*) drug; **toxicômano, -a** [toksi'komanu, a] *m/f* drug addict

TPM *abr f* (= *tensão pré-menstrual*) PMT

trabalhadeira [trabaʎa'dejra] *f*: **ela é ~** she's a hard worker

trabalhador, a [trabaʎa'do*, a] *adj* hard-working, industrious; (*POL: classe*) working ♦ *m/f* worker

trabalhar [traba'ʎa*] *vi* to work ♦ *vt* (*terra*) to till; (*madeira, metal*) to work; (*texto*) to work on; **~ com** (*comerciar*) to deal in; **~ de** *ou* **como** to work as;

trabalhista [traba'ʎiʃta] *adj* labour *atr* (*BRIT*), labor *atr* (*US*); **trabalho** [tra'baʎu] *m* work; (*emprego, tarefa*) job; (*ECON*) labo(u)r; **trabalho braçal** manual work; **trabalho doméstico** housework; **trabalhoso, -a** [traba'ʎozu, ɔza] *adj* laborious, arduous

traça ['trasa] *f* moth

traçado [tra'sadu] *m* sketch, plan

tração [tra'sãw] *f* traction

traçar [tra'sa*] *vt* to draw; (*determinar*) to set out, outline; (*planos*) to draw up; (*escrever*) to compose

tracção [tra'sãw] (*PT*) *f* = **tração**

traço ['trasu] *m* line, dash; (*vestígio*) trace, vestige; (*aspecto*) feature, trait; **~s** *mpl* (*do rosto*) features; **~ (de união)** hyphen; (*entre frases*) dash

tractor [tra'to*] (*PT*) *m* = **trator**

tradição [tradʒi'sãw] (*pl* **-ões**) *f* tradition; **tradicional** [tradʒisjo'naw] (*pl* **-ais**) *adj* traditional

tradução [tradu'sãw] (*pl* **-ões**) *f* translation

tradutor, a [tradu'to*, a] *m/f* translator

traduzir [tradu'zi*] *vt* to translate

trafegar [trafe'ga*] *vi* to move, go

tráfego ['trafegu] *m* traffic

traficante [trafi'kãtʃi] *m/f* trafficker, dealer

traficar [trafi'ka*] *vi*: **~ (com)** to deal (in)

tráfico ['trafiku] *m* traffic

tragar [tra'ga*] *vt* to swallow; (*fumaça*) to inhale; (*suportar*) to tolerate ♦ *vi* to inhale

tragédia [tra'ʒɛdʒja] *f* tragedy; **trágico, -a** ['traʒiku, a] *adj* tragic

trago[1] ['tragu] *m* mouthful

trago[2] *etc vb V* **trazer**

traição [traj'sãw] (*pl* **-ões**) *f* treason, treachery; (*deslealdade*) disloyalty; (*infidelidade*) infidelity; **traiçoeiro, -a** [traj'swejru, a] *adj* treacherous; disloyal

traidor, a [traj'do*, a] *m/f* traitor

trailer ['trejla*] (*pl* **~s**) *m* trailer; (*tipo casa*) caravan (*BRIT*), trailer (*US*)

traineira [traj'nejra] *f* trawler

trair [tra'i*] *vt* to betray; (*mulher, marido*) to be unfaithful to; (*esperanças*) not to live up to; **trair-se** *vr* to give o.s. away

trajar [tra'ʒa*] *vt* to wear

traje ['traʒi] *m* dress, clothes *pl*; **~ de banho** swimsuit

trajeto [tra'ʒetu] (*PT* **-ct-**) *m* course, path

trajetória [traʒe'tɔrja] (*PT* **-ct-**) *f* trajectory, path; (*fig*) course

tralha → través

tralha ['traʎa] f fishing net
trama ['trama] f (tecido) weft (BRIT), woof (US); (enredo, conspiração) plot
tramar [tra'ma*] vt (tecer) to weave; (maquinar) to plot ♦ vi: ~ **contra** to conspire against
trâmites ['tramitʃiʃ] mpl procedure sg, channels
trampolim [trãpo'lĩ] (pl **-ns**) m trampoline; (de piscina) diving board; (fig) springboard
tranca ['trãka] f (de porta) bolt; (de carro) lock
trança ['trãsa] f (cabelo) plait; (galão) braid
trancar [trã'ka*] vt to lock
tranqüilidade [trãkwili'dadʒi] f tranquillity; (paz) peace
tranqüilizante [trãkwili'zãtʃi] m (MED) tranquillizer
tranqüilizar [trãkwili'za*] vt to calm, quieten, (despreocupar): ~ **alguém** to reassure sb, put sb's mind at rest; **tranqüilizar-se** vr to calm down
tranqüilo, -a [trã'kwilu, a] adj peaceful; (mar, pessoa) calm; (criança) quiet; (consciência) clear; (seguro) sure, certain
transação [trãza'sãw] (PT **-cç-**) (pl **-ões**) f transaction
transbordar [trãʒbox'da*] vi to overflow
transbordo [trãʒ'boxdu] m (de viajantes) change, transfer
transe ['trãzi] m ordeal; (lance) plight; (hipnótico) trance
transeunte [trã'zjũtʃi] m/f passer-by
transferência [trãʃfe'rẽsja] f transfer
transferir [trãʃfe'ri*] vt to transfer; (adiar) to postpone
transformação [trãʃfoxma'sãw] (pl **-ões**) f transformation
transformador [trãʃfoxma'do*] m (ELET) transformer
transformar [trãʃfox'ma*] vt to transform; **transformar-se** vr to turn
transfusão [trãʃfu'zãw] (pl **-ões**) f transfusion
transição [trãzi'sãw] (pl **-ões**) f transition
transistor [trãziʃ'to*] m transistor
transitar [trãzi'ta*] vi: ~ **por** to move through; (rua) to go along
transitivo, -a [trãzi'tʃivu, a] adj (LING) transitive
trânsito ['trãzitu] m transit, passage; (na rua: veículos) traffic; (: pessoas) flow;
transitório, -a [trãzi'tɔrju, a] adj transitory; (período) transitional
transmissão [trãʒmi'sãw] (pl **-ões**) f transmission; (transferência) transfer; ~ **ao vivo** live broadcast
transmissor [trãʒmi'so*] m transmitter
transmitir [trãʒmi'tʃi*] vt to transmit; (RÁDIO, TV) to broadcast; (transferir) to transfer; (recado, notícia) to pass on
transparência [trãʃpa'rẽsja] f transparency; (de água) clarity; **transparente** [trãʃpa'rẽtʃi] adj transparent; (roupa) see-through; (água) clear
transpirar [trãʃpi'ra*] vi to perspire; (divulgar-se) to become known; (verdade) to come out ♦ vt to exude
transplante [trãʃ'plãtʃi] m transplant
transportar [trãʃpox'ta*] vt to transport; (levar) to carry; (enlevar) to entrance, enrapture
transporte [trãʃ'pɔxtʃi] m transport; (COM) haulage
transtorno [trãʃ'toxnu] m upset, disruption
trapaça [tra'pasa] f swindle, fraud;
trapacear [trapa'sja*] vt, vi to swindle;
trapaceiro, -a [trapa'sejru, a] adj crooked, cheating ♦ m/f swindler, cheat
trapalhão, -lhona [trapa'ʎãw, 'ʎɔna] (pl **-ões**, **~s**) m/f bungler, blunderer
trapo ['trapu] m rag
traquéia [tra'kɛja] f windpipe
trarei etc [tra'rej] vb V **trazer**
trás [trajʃ] prep, adv: **para ~** backwards; **por ~ de** behind; **de ~** from behind
traseira [tra'zejra] f rear; (ANAT) bottom
traseiro, -a [tra'zejru, a] adj back, rear ♦ m (ANAT) bottom
traste ['traʃtʃi] m thing; (coisa sem valor) piece of junk
tratado [tra'tadu] m treaty
tratamento [trata'mẽtu] m treatment
tratar [tra'ta*] vt to treat; (tema) to deal with; (combinar) to agree ♦ vi: ~ **com** to deal with; (combinar) to agree with; ~ **de** to deal with; **de que se trata?** what is it about?
trato ['tratu] m treatment; (contrato) agreement, contract; **~s** mpl (relações) dealings
trator [tra'to*] m tractor
trauma ['trawma] m trauma
travão [tra'vãw] (PT: pl **-ões**) m brake
travar [tra'va*] vt (roda) to lock; (iniciar) to engage in; (conversa) to strike up; (luta) to wage; (carro) to stop; (passagem) to block; (movimentos) to hinder ♦ vi (PT) to brake
trave ['travi] f beam; (ESPORTE) crossbar
través [tra'vɛʃ] m slant, incline; **de ~**

across, sideways
travessa [tra'vesa] f crossbeam, crossbar; (*rua*) lane, alley; (*prato*) dish; (*para o cabelo*) comb, slide
travessão [trave'sāw] (*pl* **-ões**) m (*de balança*) bar, beam; (*pontuação*) dash
travesseiro [trave'sejru] m pillow
travessia [trave'sia] f (*viagem*) journey, crossing
travesso, -a [tra'vesu, a] adj mischievous, naughty
travessões [trave'sōjʃ] mpl de **travessão**
travessura [trave'sura] f mischief, prank
travões [tra'vōjʃ] mpl de **travão**
trazer [tra'ze*] vt to bring
trecho ['treʃu] m passage; (*de rua, caminho*) stretch; (*espaço*) space
trégua ['tregwa] f truce; (*descanso*) respite
treinador, a [trejna'do*, a] m/f trainer
treinamento [trejna'mētu] m training
treinar [trej'na*] vt to train; **treinar-se** vr to train; **treino** ['trejnu] m training
trejeito [tre'ʒejtu] m gesture; (*careta*) grimace, face
trela ['trɛla] f lead, leash
trem [trēj] (*pl* **-ns**) m train; ~ **de aterrissagem** (*avião*) landing gear
tremendo, -a [tre'mēdu, a] adj tremendous; (*terrível*) terrible, awful
tremer [tre'me*] vi to shudder, quake; (*terra*) to shake; (*de frio, medo*) to shiver
tremor [tre'mo*] m tremor; ~ **de terra** (earth) tremor
trêmulo, -a ['tremulu, a] adj shaky, trembling
trenó [tre'nɔ] m sledge, sleigh (BRIT), sled (US)
trens [trējʃ] mpl de **trem**
trepadeira [trepa'dejra] f (BOT) creeper
trepar [tre'pa*] vt to climb ♦ vi: ~ **em** to climb
trepidar [trepi'da*] vi to tremble, shake
três [treʃ] num three
trevas ['trɛvaʃ] fpl darkness sg
trevo ['trevu] m clover; (*de vias*) intersection
treze ['trezi] num thirteen
triângulo ['trjāgulu] m triangle
tribal [tri'baw] (*pl* **-ais**) adj tribal
tribo ['tribu] f tribe
tribuna [tri'buna] f platform, rostrum; (REL) pulpit
tribunal [tribu'naw] (*pl* **-ais**) m court; (*comissão*) tribunal
tributar [tribu'ta*] vt to tax; (*pagar*) to pay
tributo [tri'butu] m tribute; (*imposto*) tax

tricô [tri'ko] m knitting; **tricotar** [triko'ta*] vt, vi to knit
trigo ['trigu] m wheat
trilha ['triʎa] f (*caminho*) path; (*rasto*) track, trail; ~ **sonora** soundtrack
trilhão [tri'ʎāw] (*pl* **-ões**) m billion (BRIT), trillion (US)
trilho ['triʎu] m (BR: FERRO) rail; (*vereda*) path, track
trilhões [tri'ʎōjʃ] mpl de **trilhão**
trimestral [trimeʃ'traw] (*pl* **-ais**) adj quarterly; **trimestralmente** [trimeʃtraw'mētʃi] adv quarterly
trimestre [tri'mɛʃtri] m (EDUC) term; (COM) quarter
trincar [trī'ka*] vt to crunch; (*morder*) to bite; (*dentes*) to grit ♦ vi to crunch
trinco ['trīku] m latch
trinta ['trīta] num thirty
trio ['triu] m trio; ~ **elétrico** music float
tripa ['tripa] f gut, intestine; **~s** fpl (*intestinos*) bowels; (*vísceras*) guts; (CULIN) tripe sg
tripé [tri'pɛ] m tripod
triplicar [tripli'ka*] vt, vi to treble; **triplicar-se** vr to treble
tripulação [tripula'sāw] (*pl* **-ões**) f crew
tripulante [tripu'lātʃi] m/f crew member
triste ['triʃtʃi] adj sad; (*lugar*) depressing; **tristeza** [triʃ'teza] f sadness; gloominess
triturar [tritu'ra*] vt to grind
triunfar [trjū'fa*] vi to triumph; **triunfo** ['trjūfu] m triumph
trivial [tri'vjaw] (*pl* **-ais**) adj common (place), ordinary; (*insignificante*) trivial
triz [triʒ] m: **por um** ~ by a hair's breadth
troca ['trɔka] f exchange, swap
trocadilho [troka'dʒiʎu] m pun, play on words
trocado [tro'kadu] m: **~(s)** (small) change
trocador, a [troka'do*, a] m/f (*em ônibus*) conductor
trocar [tro'ka*] vt to exchange, swap; (*mudar*) to change; (*inverter*) to change *ou* swap round; (*confundir*) to mix up; **trocar-se** vr to change; ~ **dinheiro** to change money
troco ['troku] m (*dinheiro*) change; (*revide*) retort, rejoinder
troféu [tro'fɛw] m trophy
tromba ['trōba] f (*do elefante*) trunk; (*de outro animal*) snout
trombeta [trō'beta] f trumpet
trombone [trō'bɔni] m trombone
trombose [trō'bɔzi] f thrombosis

tronco → ultravioleta

tronco ['trõku] m trunk; (ramo) branch; (de corpo) torso, trunk
trono ['trɔnu] m throne
tropa ['trɔpa] f troop; (exército) army; **ir para a ~** (PT) to join the army
tropeçar [trope'sa*] vi to stumble, trip; (fig) to blunder
tropical [tropi'kaw] (pl -ais) adj tropical
trópico ['trɔpiku] m tropic
trotar [tro'ta*] vi to trot; **trote** ['trɔtʃi] m trot; (por telefone etc) hoax call
trouxe etc ['trosi] vb V **trazer**
trovão [tro'vãw] (pl -ões) m clap of thunder; (trovoada) thunder; **trovejar** [trove'ʒa*] vi to thunder; **trovoada** [tro'vwada] f thunderstorm
trunfo ['trũfu] m trump (card)
truque ['truki] m trick; (publicitário) gimmick
truta ['truta] f trout
tu [tu] (PT) pron you
tua ['tua] f de **teu**
tuba ['tuba] f tuba
tubarão [tuba'rãw] (pl -ões) m shark
tuberculose [tubexku'lɔzi] f tuberculosis
tubo ['tubu] m tube, pipe; **~ de ensaio** test tube
tucano [tu'kanu] m toucan
tudo ['tudu] pron everything; **~ quanto** everything that; **antes de ~** first of all; **acima de ~** above all
tufão [tu'fãw] (pl -ões) m typhoon
tulipa [tu'lipa] f tulip
tumba ['tũba] f tomb; (lápide) tombstone
tumor [tu'mo*] m tumour (BRIT), tumor (US)
túmulo ['tumulu] m tomb; (sepultura) burial
tumulto [tu'muwtu] m uproar, trouble; (grande movimento) bustle; (balbúrdia) hubbub; (motim) riot; **tumultuado, -a** [tumuw'twadu, a] adj riotous, heated; **tumultuar** [tumuw'twa*] vt to disrupt; (amotinar) to rouse, incite
túnel ['tunew] (pl -eis) m tunnel
túnica ['tunika] f tunic
Tunísia [tu'nizja] f: **a ~** Tunisia
tupi [tu'pi] m Tupi (tribe); (LING) Tupi ♦ m/f Tupi Indian
tupiniquim [tupini'kĩ] (pej) (pl -ns) adj Brazilian (Indian)
turbilhão [tuxbi'ʎãw] (pl -ões) m (de vento) whirlwind; (de água) whirlpool
turbulência [tuxbu'lẽsja] f turbulence; **turbulento, -a** [tuxbu'lẽtu, a] adj turbulent
turco, -a ['tuxku, a] adj Turkish ♦ m/f Turk ♦ m (LING) Turkish
turismo [tu'riʒmu] m tourism; **turista** [tu'riʃta] m/f tourist ♦ adj (classe) tourist atr
turma ['tuxma] f group; (EDUC) class
turno ['tuxnu] m shift; (vez) turn; (ESPORTE, de eleição) round; **por ~s** alternately, by turns, in turn
turquesa [tux'keza] adj inv turquoise
Turquia [tux'kia] f: **a ~** Turkey
tusso etc ['tusu] vb V **tossir**
tutela [tu'tɛla] f protection; (JUR) guardianship
tutor, a [tu'to*, a] m/f guardian
tutu [tu'tu] m (CULIN) beans, bacon and manioc flour
TV [te've] abr f (= televisão) TV

U u

UE abr f (= União Européia) EU
UEM abr f (= União Econômica e Monetária) EMU
Uganda [u'gãda] m Uganda
uísque ['wiʃki] m whisky (BRIT), whiskey (US)
uivar [wi'va*] vi to howl; (berrar) to yell; **uivo** ['wivu] m howl; (fig) yell
úlcera ['uwsera] f ulcer
ultimamente [uwtʃima'metʃi] adv lately
ultimato [uwtʃi'matu] m ultimatum
último, -a ['uwtʃimu, a] adj last; (mais recente) latest; (qualidade) lowest; (fig) final; **por ~** finally; **nos ~s anos** in recent years; **a última** (notícia) the latest (news)
ultra- [uwtra-] prefixo ultra-
ultrajar [uwtra'ʒa*] vt to outrage; (insultar) to insult, offend; **ultraje** [uw'traʒi] m outrage; (insulto) insult, offence (BRIT), offense (US)
ultramar [uwtra'ma*] m overseas
ultrapassado, -a [uwtrapa'sadu, a] adj (idéias etc) outmoded
ultrapassar [uwtrapa'sa*] vt (atravessar) to cross, go beyond; (ir além de) to exceed; (transgredir) to overstep; (AUTO) to overtake (BRIT), pass (US); (ser superior a) to surpass ♦ vi (AUTO) to overtake (BRIT), pass (US)
ultra-som m ultrasound
ultravioleta [uwtravjo'leta] adj ultraviolet

um → uva

PALAVRA CHAVE

um, uma [ũ, 'uma] (*pl* **uns, umas**) *num* one; **~ e outro** both; **~ a ~** one by one; **à ~a (hora)** at one (o'clock)
♦ *adj*: **uns cinco** about five; **uns poucos** a few
♦ *art indef*
1 (*sg*) a; (: *antes de vogal ou 'h' mudo*) an; (*pl*) some; **ela é de ~a beleza incrível** she's incredibly beautiful
2 (*dando ênfase*): **estou com ~a fome!** I'm so hungry!
3: **~ ao outro** one another; (*entre dois*) each other

---

umbigo [ũ'bigu] *m* navel
umbilical [ũbili'kaw] (*pl* **-ais**) *adj*: **cordão ~** umbilical cord
umedecer [umede'se*] *vt* to moisten, wet; **umedecer-se** *vr* to get wet
umidade [umi'dadʒi] *f* dampness; (*clima*) humidity
úmido, -a ['umidu, a] *adj* wet, moist; (*roupa*) damp; (*clima*) humid
unânime [u'nanimi] *adj* unanimous
unha ['uɲa] *f* nail; (*garra*) claw; **unhada** [u'ɲada] *f* scratch
união [u'njãw] (*pl* **-ões**) *f* union; (*ato*) joining; (*unidade, solidariedade*) unity; (*casamento*) marriage; (*TEC*) joint; **a U~ Européia** the European Union
unicamente [unika'metʃi] *adv* only
único, -a ['uniku, a] *adj* only; (*sem igual*) unique; (*um só*) single
unidade [uni'dadʒi] *f* unity; (*TEC, COM*) unit; **~ central de processamento** (*COMPUT*) central processing unit; **~ de disco** (*COMPUT*) disk drive
unido, -a [u'nidu, a] *adj* joined, linked; (*fig*) united
unificar [unifi'ka*] *vt* to unite; **unificar-se** *vr* to join together
uniforme [uni'fɔxmi] *adj* uniform; (*semelhante*) alike, similar; (*superfície*) even ♦ *m* uniform; **uniformizado, -a** [unifoxmi'zadu, a] *adj* uniform, standardized; (*vestido de uniforme*) in uniform; **uniformizar** [unifoxmi'za*] *vt* to standardize
uniões [u'njõjʃ] *fpl de* **união**
unir [u'ni*] *vt* to join together; (*ligar*) to link; (*pessoas, fig*) to unite; (*misturar*) to mix together; **unir-se** *vr* to come together; (*povos etc*) to unite
uníssono [u'nisonu] *m*: **em ~** in unison
universal [univex'saw] (*pl* **-ais**) *adj* universal; (*mundial*) worldwide
universidade [univexsi'dadʒi] *f* university; **universitário, -a** [univexsi'tarju, a] *adj* university *atr* ♦ *m/f* (*professor*) lecturer; (*aluno*) university student
universo [uni'vexsu] *m* universe; (*mundo*) world
uns [ũʃ] *mpl de* **um**
untar [ũ'ta*] *vt* (*esfregar*) to rub; (*com óleo, manteiga*) to grease
urbanismo [uxba'niʒmu] *m* town planning
urbano, -a [ux'banu, a] *adj* (*da cidade*) urban; (*fig*) urbane
urgência [ux'ʒẽsja] *f* urgency; **com toda ~** as quickly as possible; **urgente** [ux'ʒẽtʃi] *adj* urgent
urina [u'rina] *f* urine; **urinar** [uri'na*] *vi* to urinate ♦ *vt* (*sangue*) to pass; (*cama*) to wet; **urinar-se** *vr* to wet o.s.; **urinol** [uri'nɔw] (*pl* **-óis**) *m* chamber pot
urna ['uxna] *f* urn; **~ eleitoral** ballot box
urrar [u'xa*] *vt, vi* to roar; (*de dor*) to yell
urso, -a ['uxsu, a] *m/f* bear
URSS *abr f* (= *União das Repúblicas Socialistas Soviéticas*): **a ~** the USSR
urtiga [ux'tʃiga] *f* nettle
Uruguai [uru'gwaj] *m*: **o ~** Uruguay
urze ['uxzi] *m* heather
usado, -a [u'zadu, a] *adj* used; (*comum*) common; (*roupa*) worn; (*gasto*) worn out; (*de segunda mão*) second-hand
usar [u'za*] *vt* (*servir-se de*) to use; (*vestir*) to wear; (*gastar com o uso*) to wear out; (*barba, cabelo curto*) to have, wear ♦ *vi*: **~ de** to use; **modo de ~** directions *pl*
usina [u'zina] *f* (*fábrica*) factory; (*de energia*) plant
uso ['uzu] *m* use; (*utilização*) usage; (*prática*) practice
usual [u'zwaw] (*pl* **-ais**) *adj* usual; (*comum*) common
usuário, -a [u'zwarju, a] *m/f* user
usufruir [uzu'frwi*] *vt* to enjoy ♦ *vi*: **~ de** to enjoy
úteis ['utejʃ] *pl de* **útil**
utensílio [utẽ'silju] *m* utensil
útero ['uteru] *m* womb, uterus
útil ['utʃiw] (*pl* **-eis**) *adj* useful; (*vantajoso*) profitable, worthwhile; **utilidade** [utʃili'dadʒi] *f* usefulness; **utilização** [utʃiliza'sãw] *f* use; **utilizar** [utʃili'za*] *vt* to use; **utilizar-se** *vr*: **utilizar-se de** to make use of
uva ['uva] *f* grape

V v

v *abr* (= *volt*) v
vá *etc* [va] *vb V* **ir**
vã [vã] *f de* **vão**
vaca ['vaka] *f* cow; **carne de ~** beef
vacilar [vasi'la*] *vi* to hesitate; (*balançar*) to sway; (*cambalear*) to stagger; (*luz*) to flicker; (*col*) to slip up
vacina [va'sina] *f* vaccine; **vacinar** [vasi'na*] *vt* to vaccinate
vácuo ['vakwu] *m* vacuum; (*fig*) void; (*espaço*) space
vadiar [va'dʒia*] *vi* to lounge about; (*não trabalhar*) to idle about; (*perambular*) to wander
vadio, -a [va'dʒiu, a] *adj* (*ocioso*) idle, lazy; (*vagabundo*) vagrant ♦ *m/f* idler; vagabond, vagrant
vaga ['vaga] *f* wave; (*em hotel, trabalho*) vacancy
vagabundo, -a [vaga'būdu, a] *adj* vagrant; (*vadio*) lazy, idle; (*de má qualidade*) shoddy ♦ *m/f* tramp
vagão [va'gãw] (*pl* **-ões**) *m* (*de passageiros*) carriage; (*de cargas*) wagon; **vagão-leito** (*pl* **vagões-leitos**) (*PT*) *m* sleeping car; **vagão-restaurante** (*pl* **vagões-restaurantes**) *m* buffet car
vagar [va'ga*] *vi* to wander about; (*barco*) to drift; (*ficar vago*) to be vacant
vagaroso, -a [vaga'rozu, ɔza] *adj* slow
vagina [va'ʒina] *f* vagina
vago, -a ['vagu, a] *adj* vague; (*desocupado*) vacant, free
vagões [va'gõjʃ] *mpl de* **vagão**
vai *etc* [vaj] *vb V* **ir**
vaia ['vaja] *f* booing; **vaiar** [va'ja*] *vt, vi* to boo, hiss
vaidade [vaj'dadʒi] *f* vanity; (*futilidade*) futility
vaidoso, -a [vaj'dozu, ɔza] *adj* vain
vaivém [vaj'vẽj] *m* to-ing and fro-ing
vala ['vala] *f* ditch
vale ['vali] *m* valley; (*escrito*) voucher; **~ postal** postal order
valente [va'lẽtʃi] *adj* brave; **valentia** [valẽ'tʃia] *f* courage, bravery; (*proeza*) feat
valer [va'le*] *vi* to be worth; (*ser válido*) to be valid; (*ter influência*) to carry weight; (*servir*) to serve; (*ser proveitoso*) to be useful; **valer-se** *vr*: **~-se de** to use, make use of; **~ a pena** to be worthwhile; **~ por** (*equivaler*) to be worth the same as; **para ~** (*muito*) very much, a lot; (*realmente*) for real, properly; **vale dizer** in other words; **mais vale ... (do que ...)** it would be better to ... (than ...)
valeta [va'leta] *f* gutter
valha *etc* ['vaʎa] *vb V* **valer**
validade [vali'dadʒi] *f* validity
validar [vali'da*] *vt* to validate; **válido, -a** ['validu, a] *adj* valid
valioso, -a [va'ljozu, ɔza] *adj* valuable
valise [va'lizi] *f* case, grip
valor [va'lo*] *m* value; (*mérito*) merit; (*coragem*) courage; (*preço*) price; (*importância*) importance; **~es** *mpl* (*morais*) values; (*num exame*) marks; (*COM*) securities; **dar ~ a** to value; **valorizar** [valori'za*] *vt* to value
valsa ['vawsa] *f* waltz
válvula ['vawvula] *f* valve
vampiro, -a [vã'piru, a] *m/f* vampire
vandalismo [vãda'liʒmu] *m* vandalism
vândalo, -a ['vãdalu, a] *m/f* vandal
vangloriar-se [vãglo'rjaxsi] *vr*: **~ de** to boast of *ou* about
vanguarda [vã'gwaxda] *f* vanguard; (*arte*) avant-garde
vantagem [vã'taʒẽ] (*pl* **-ns**) *f* advantage; (*ganho*) profit, benefit; **tirar ~ de** to take advantage of; **vantajoso, -a** [vãta'ʒozu, ɔza] *adj* advantageous; (*lucrativo*) profitable; (*proveitoso*) beneficial
vão¹, vã [vãw, vã] (*pl* **~s, ~s**) *adj* vain; (*fútil*) futile ♦ *m* (*intervalo*) space; (*de porta etc*) opening
vão² *vb V* **ir**
vapor [va'po*] *m* steam; (*navio*) steamer; (*de gás*) vapour (*BRIT*), vapor (*US*); **vaporizador** [vaporiza'do*] *m* (*de perfume*) spray
vaqueiro [va'kejru] *m* cowboy
vara ['vara] *f* stick; (*TEC*) rod; (*JUR*) jurisdiction; (*de porcos*) herd; **salto de ~** pole vault; **~ de condão** magic wand
varal [va'raw] (*pl* **-ais**) *m* clothes line
varanda [va'rãda] *f* verandah; (*balcão*) balcony
varar [va'ra*] *vt* to pierce; (*passar*) to cross
varejista [vare'ʒiʃta] (*BR*) *m/f* retailer ♦ *adj* (*mercado*) retail
varejo [va'reʒu] (*BR*) *m* (*COM*) retail trade; **a ~** retail
variação [varja'sãw] (*pl* **-ões**) *f* variation
variado, -a [va'rjadu, a] *adj* varied; (*sortido*) assorted
variar [va'rja*] *vt, vi* to vary; **variável** [va'rjavew] (*pl* **-eis**) *adj* variable; (*tempo, humor*) changeable

varicela → vento

varicela [vari'sɛla] f chickenpox
variedade [varje'dadʒi] f variety
varinha [va'riɲa] f wand; ~ **de condão** magic wand
vário, -a ['varju, a] adj (diverso) varied; (pl) various, several; (COM) sundry
varíola [va'riola] f smallpox
varizes [va'riziʃ] fpl varicose veins
varrer [va'xe*] vt to sweep; (fig) to sweep away
vasculhar [vaʃku'ʎa*] vt (pesquisar) to research; (remexer) to rummage through
vaselina [vaze'lina] ® f vaseline ®
vasilha [va'ziʎa] f (para líquidos) jug; (para alimentos) dish; (barril) barrel
vaso ['vazu] m pot; (para flores) vase
vassoura [va'sora] f broom
vasto, -a ['vaʃtu, a] adj vast
vatapá [vata'pa] m fish or chicken with coconut milk, shrimps, peanuts, palm oil and spices
Vaticano [vatʃi'kanu] m: **o ~** the Vatican
vazamento [vaza'mētu] m leak
vazão [va'zãw] (pl **-ões**) f flow; (venda) sale; **dar ~ a** (expressar) to give vent to; (atender) to deal with; (resolver) to attend to
vazar [va'za*] vt to empty; (derramar) to spill; (verter) to pour out ♦ vi to leak
vazio, -a [va'ziu, a] adj empty; (pessoa) empty-headed, frivolous; (cidade) deserted ♦ m emptiness; (deixado por alguém/algo) void
vazões [va'zõjʃ] fpl de **vazão**
vê etc [ve] vb V **ver**
veado ['vjadua] m deer; **carne de ~** venison
vedado, -a [ve'dadu, a] adj (proibido) forbidden; (fechado) enclosed
vedar [ve'da*] vt to ban, prohibit; (buraco) to stop up; (entrada, passagem) to block; (terreno) to close off
veemente [vje'mētʃi] adj vehement
vegetação [veʒeta'sãw] f vegetation
vegetal [veʒe'taw] (pl **-ais**) adj (reino, vida) plant atr ♦ m vegetable
vegetalista [veʒeta'liʃta] adj, m/f vegan
vegetariano, -a [veʒeta'rjanu, a] adj, m/f vegetarian
veia ['veja] f vein
veículo [ve'ikulu] m vehicle; (fig: meio) means sg
veio ['veju] vb V **vir** ♦ m (de rocha) vein; (na mina) seam; (de madeira) grain
vejo etc ['veʒu] vb V **ver**
vela ['vɛla] f candle; (AUTO) spark plug; (NÁUT) sail; **barco à ~** sailing boat
velar [ve'la*] vt to veil; (ocultar) to hide; (vigiar) to keep watch over; (um doente) to sit up with ♦ vi (não dormir) to stay up; (vigiar) to keep watch; **~ por** to look after
veleiro [ve'lejru] m sailing boat (BRIT), sailboat (US)
velejar [vele'ʒa*] vi to sail
velhaco, -a [ve'ʎaku, a] adj crooked ♦ m/f crook
velhice [ve'ʎisi] f old age
velho, -a ['vɛʎu, a] adj old ♦ m/f old man/woman
velocidade [velosi'dadʒi] f speed, velocity; (PT: AUTO) gear
velório [ve'lɔrju] m wake
veloz [ve'lɔʒ] adj fast
vem [vẽj] vb V **vir**
vêm [vẽj] vb V **vir**
vencedor, a [vẽse'do*, a] adj winning ♦ m/f winner
vencer [vẽ'se*] vt (num jogo) to beat; (competição) to win; (inimigo) to defeat; (exceder) to surpass; (obstáculos) to overcome; (percorrer) to pass ♦ vi (num jogo) to win; **vencido, -a** [vẽ'sidu, a] adj: **dar-se por vencido** to give in; **vencimento** [vẽsi'mētu] m (COM) expiry; (data) expiry date; (salário) salary; (de gêneros alimentícios etc) sell-by date; **vencimentos** mpl (ganhos) earnings
venda ['vẽda] f sale; (pano) blindfold; (mercearia) general store; **à ~** on sale, for sale
vendaval [vẽda'vaw] (pl **-ais**) m gale
vendedor, a [vẽde'do*, a] m/f seller; (em loja) sales assistant; **~ ambulante** street vendor
vender [vẽ'de*] vt, vi to sell; **~ por atacado/a varejo** to sell wholesale/retail
veneno [ve'nɛnu] m poison; **venenoso, -a** [vene'nozu, ɔza] adj poisonous
venerar [vene'ra*] vt to revere; (REL) to worship
venéreo, -a [ve'nɛrju, a] adj: **doença venérea** venereal disease
Venezuela [vene'zwɛla] f: **a ~** Venezuela
venha etc ['veɲa] vb V **vir**
ventania [vẽta'nia] f gale
ventar [vẽ'ta*] vi: **está ventando** it is windy
ventilação [vẽtʃila'sãw] f ventilation
ventilador [vẽtʃila'do*] m ventilator; (elétrico) fan
ventilar [vẽtʃi'la*] vt to ventilate; (roupa, sala) to air
vento ['vẽtu] m wind; (brisa) breeze;

ventoinha [vẽ'twiɲa] f weathercock, weather vane; (PT: AUTO) fan

ventre ['vẽtri] m belly

ver [ve*] vt to see; (olhar para, examinar) to look at; (televisão) to watch ♦ vi to see ♦ m: **a meu ~** in my opinion; **vai ~ que ... maybe ...**; **não tem nada a ~ (com)** it has nothing to do (with)

veracidade [verasi'dadʒi] f truthfulness

veraneio [vera'neju] m summer holidays pl (BRIT) ou vacation (US)

verão [ve'rãw] (pl **-ões**) m summer

verba ['vɛxba] f allowance; **~(s)** f(pl) (recursos) funds pl

verbal [vex'baw] (pl **-ais**) adj verbal

verbete [vex'betʃi] m (num dicionário) entry

verbo ['vɛxbu] m verb

verdade [vex'dadʒi] f truth; **de ~** (falar) truthfully; (ameaçar etc) really; **na ~** in fact; **para falar a ~** to tell the truth; **verdadeiro, -a** [vexda'dejru, a] adj true; (genuíno) real; (pessoa) truthful

verde ['vexdʒi] adj green; (fruta) unripe ♦ m green; (plantas etc) greenery

verdura [vex'dura] f (hortaliça) greens pl; (BOT) greenery; (cor verde) greenness

verdureiro, -a [vexdu'rejru, a] m/f greengrocer (BRIT), produce dealer (US)

vereador, a [verja'do*, a] m/f councillor (BRIT), councilor (US)

veredicto [vere'dʒiktu] m verdict

verga ['vɛxga] f (vara) stick; (de metal) rod

vergonha [vex'goɲa] f shame; (timidez) embarrassment; (humilhação) humiliation; (ato indecoroso) indecency; (brio) self-respect; **ter ~** to be ashamed; (tímido) to be shy; **vergonhoso, -a** [vɛxgo'ɲozo, ɔza] adj shameful; (indecoroso) disgraceful

verídico, -a [ve'ridʒiku, a] adj true, truthful

verificar [verifi'ka*] vt to check; (confirmar) to verify

verme ['vɛxmi] m worm

vermelho, -a [vex'meʎu, a] adj red ♦ m red

vermute [vex'mutʃi] m vermouth

verniz [vex'niʒ] m varnish; (couro) patent leather

verões [ve'rõjʃ] mpl de **verão**

verossímil [vero'simiw] (PT: **-osí-**) (pl **-eis**) adj likely, probable; (crível) credible

verruga [ve'xuga] f wart

versão [vex'sãw] (pl **-ões**) f version; (tradução) translation

versátil [vex'satʃiw] (pl **-eis**) adj versatile

verso ['vɛxsu] m verse; (linha) line of poetry

versões [vex'sõjʃ] fpl de **versão**

verter [vex'te*] vt to pour; (por acaso) to spill; (traduzir) to translate; (lágrimas, sangue) to shed ♦ vi: **~ de** to spring from; **~ em** (rio) to flow into

vertical [vextʃi'kaw] (pl **-ais**) adj vertical; (de pé) upright, standing ♦ f vertical

vertigem [vex'tʃiʒẽ] f (medo de altura) vertigo; (tonteira) dizziness; **vertiginoso, -a** [vextʃiʒi'nozu, ɔza] adj dizzy, giddy; (velocidade) frenetic

vesgo, -a ['veʒgu, a] adj cross-eyed

vesícula [ve'zikula] f: **~ (biliar)** gall bladder

vespa ['veʃpa] f wasp

véspera ['vɛʃpera] f: **a ~ de** the day before; **a ~ de Natal** Christmas Eve

vestiário [veʃ'tʃjarju] m (em casa, teatro) cloakroom; (ESPORTE) changing room; (de ator) dressing room

vestíbulo [veʃ'tʃibulu] m hall(way), vestibule; (TEATRO) foyer

vestido, -a [veʃ'tʃidu, a] adj: **~ de branco** etc dressed in white etc ♦ m dress

vestígio [veʃ'tʃiʒju] m (rastro) track; (fig) sign, trace

vestimenta [veʃtʃi'mẽta] f garment

vestir [veʃ'tʃi*] vt (uma criança) to dress; (pôr sobre si) to put on; (trajar) to wear; (comprar, dar roupa para) to clothe; (fazer roupa para) to make clothes for; **vestir-se** vr to get dressed

vestuário [veʃ'twarju] m clothing

vetar [ve'ta*] vt to veto

veterano, -a [vete'ranu, a] adj, m/f veteran

veterinário, -a [veteri'narju, a] m/f vet(erinary surgeon)

veto ['vɛtu] m veto

véu [vɛw] m veil

vexame [ve'ʃami] f shame, disgrace; (tormento) affliction; (humilhação) humiliation; (afronta) insult

vez [veʒ] f time; (turno) turn; **uma ~** once; **algumas ~es, às ~es** sometimes; **~ por outra** sometimes; **cada ~ (que)** every time; **de ~ em quando** from time to time; **em ~ de** instead of; **uma ~ que** since; **3 ~es 6** 3 times 6; **de uma ~ por todas** once and for all; **muitas ~es** many times; (freqüentemente) often; **toda ~ que** every time; **um de cada ~** one at a time; **uma ~ ou outra** once in a while

vi [vi] vb V **ver**

via¹ ['via] f road, route; (meio) way;

(*documento*) copy; (*conduto*) channel
♦ *prep* via, by way of; **em ~s de** about to; **por ~ terrestre/marítima** by land/sea
via² *etc vb V* **ver**
viaduto [vja'dutu] *m* viaduct
viagem ['vjaʒẽ] (*pl* **-ns**) *f* journey, trip; (*o viajar*) travel; (*NÁUT*) voyage; **viagens** *fpl* (*jornadas*) travels; **~ de ida e volta** return trip, round trip
viajante [vja'ʒãtʃi] *adj* travelling (*BRIT*), traveling (*US*) ♦ *m* traveller (*BRIT*), traveler (*US*)
viajar [vja'ʒa*] *vi* to travel
viável ['vjavew] (*pl* **-eis**) *adj* feasible, viable
víbora ['vibora] *f* viper
vibração [vibra'sãw] (*pl* **-ões**) *f* vibration; (*fig*) thrill
vibrante [vi'brãtʃi] *adj* vibrant; (*discurso*) stirring
vibrar [vi'bra*] *vt* to brandish; (*fazer estremecer*) to vibrate; (*cordas*) to strike ♦ *vi* to vibrate; (*som*) to echo
vice ['visi] *m/f* deputy
vice- [visi-] *prefixo* vice-; **vice-presidente, -a** *m/f* vice president; **vice-versa** [-'vɛxsa] *adv* vice-versa
viciado, -a [vi'sjadu, a] *adj* addicted; (*ar*) foul ♦ *m/f* addict; **~ em algo** addicted to sth
viciar [vi'sja*] *vt* (*falsificar*) to falsify; **viciar-se** *vr*: **~-se em algo** to become addicted to sth
vício ['visju] *m* vice; (*defeito*) failing; (*costume*) bad habit; (*em entorpecentes*) addiction
viço ['visu] *m* vigour (*BRIT*), vigor (*US*); (*da pele*) freshness
vida ['vida] *f* life; (*duração*) lifetime; (*fig*) vitality; **com ~** alive; **ganhar a ~** to earn one's living; **modo de ~** way of life; **dar a ~ por algo/por fazer algo** to give one's right arm for sth/to do sth; **estar bem de ~** to be well off
vide ['vidʒi] *vt* see; **~ verso** see over
videira [vi'dejra] *f* grapevine
vidente [vi'dẽtʃi] *m/f* clairvoyant
vídeo ['vidʒju] *m* video; **videocassete** [vidʒjuka'sɛtʃi] *m* video cassette *ou* tape; (*aparelho*) video (recorder); **videoteipe** [vidʒju'tejpi] *m* video tape
vidraça [vi'drasa] *f* window pane
vidrado, -a [vi'dradu, a] *adj* glazed; (*porta*) glass *atr*; (*olhos*) glassy
vidro ['vidru] *m* glass; (*frasco*) bottle; **fibra de ~** fibreglass (*BRIT*), fiberglass (*US*); **~ de aumento** magnifying glass
vier *etc* [vje*] *vb V* **vir**

viés [vjɛʃ] *m* slant; **ao** *ou* **de ~** diagonally
vieste ['vjeʃtʃi] *vb V* **vir**
Vietnã [vjet'nã] *m*: **o ~** Vietnam; **vietnamita** [vjetna'mita] *adj, m/f* Vietnamese
viga ['viga] *f* beam; (*de ferro*) girder
viger [vi'ʒe*] *vi* to be in force
vigia [vi'ʒia] *f* watching; (*NÁUT*) porthole ♦ *m* night watchman; **vigiar** [vi'ʒja*] *vt* to watch; (*ocultamente*) to spy on; (*presos, fronteira*) to guard ♦ *vi* to be on the lookout
vigilância [viʒi'lãsja] *f* vigilance; **vigilante** [viʒi'lãtʃi] *adj* vigilant; (*atento*) alert
vigor [vi'go*] *m* energy, vigour (*BRIT*), vigor (*US*); **em ~** in force; **entrar/pôr em ~** to take effect/put into effect; **vigoroso, -a** [vigo'rozu, ɔza] *adj* vigorous
vil [viw] (*pl* **vis**) *adj* vile
vila ['vila] *f* town; (*casa*) villa
vilão, -lã [vi'lãw, 'lã] (*pl* **~s, ~s**) *m/f* villain
vilarejo [vila'reʒu] *m* village
vim [vĩ] *vb V* **vir**
vime ['vimi] *m* wicker
vinagre [vi'nagri] *m* vinegar
vinco ['vĩku] *m* crease; (*sulco*) furrow; (*no rosto*) line
vincular [vĩku'la*] *vt* to link, tie; **vínculo** ['vĩkulu] *m* bond, tie; (*relação*) link
vinda ['vĩda] *f* arrival; (*regresso*) return; **dar as boas ~s a** to welcome
vingança [vĩ'gãsa] *f* vengeance, revenge; **vingar** [vĩ'ga*] *vt* to avenge; **vingar-se** *vr*: **vingar-se de** to take revenge on; **vingativo, -a** [vĩga'tʃivu, a] *adj* vindictive
vinha¹ ['viɲa] *f* vineyard; (*planta*) vine
vinha² *etc vb V* **vir**
vinho ['viɲu] *m* wine; **~ branco/rosado/tinto** white/rosé/red wine; **~ seco/doce** dry/sweet wine; **~ do Porto** port
vinte ['vĩtʃi] *num* twenty
viola ['vjɔla] *f* viola
violação [vjola'sãw] (*pl* **-ões**) *f* violation; **~ de domicílio** housebreaking
violão [vjo'lãw] (*pl* **-ões**) *m* guitar
violar [vjo'la*] *vt* to violate; (*a lei*) to break
violência [vjo'lẽsja] *f* violence; **violentar** [vjolẽ'ta*] *vt* to force; (*mulher*) to rape; **violento, -a** [vjo'lẽtu, a] *adj* violent
violeta [vjo'leta] *f* violet
violino [vjo'linu] *m* violin
violões [vjo'lõjʃ] *mpl de* **violão**

violoncelo [vjolõ'sɛlu] m cello
vir¹ [vi*] vi to come; **~ a ser** to turn out to be; **a semana que vem** next week
vir² etc vb V **ver**
vira-lata ['vira-] (pl **~s**) m (cão) mongrel
virar [vi'ra*] vt to turn; (página, disco, barco) to turn over; (copo) to empty; (transformar-se em) to become ♦ vi to turn; (barco) to capsize; (mudar) to change; **virar-se** vr to turn; (voltar-se) to turn round; (defender-se) to fend for o.s.
virgem ['vixʒẽ] (pl **-ns**) f virgin; **V~** (ASTROLOGIA) Virgo
vírgula ['vixgula] f comma; (decimal) point
viril [vi'riw] (pl **-is**) adj virile
virilha [vi'riʎa] f groin
viris [vi'riʃ] adj pl de **viril**
virtual [vix'twaw] (pl **-ais**) adj virtual; (potencial) potential
virtude [vix'tudʒi] f virtue; **em ~ de** owing to, because of; **virtuoso, -a** [vix'twozu, ɔza] adj virtuous
virulento, -a [viru'lẽtu, a] adj virulent
vírus ['viruʃ] m inv virus
vis [viʃ] adj pl de **vil**
visão [vi'zãw] (pl **-ões**) f vision; (ANAT) eyesight; (vista) sight; (maneira de perceber) view
visar [vi'za*] vt (alvo) to aim at; (ter em vista) to have in view; (ter como objetivo) to aim for
vísceras ['viseraʃ] fpl innards, bowels
viseira [vi'zejra] f visor
visita [vi'zita] f visit, call; (pessoa) visitor; **fazer uma ~ a** to visit; **visitante** [vizi'tãtʃi] adj visiting ♦ m/f visitor; **visitar** [vizi'ta*] vt to visit
visível [vi'zivew] (pl **-eis**) adj visible
vislumbrar [viʒlũ'bra*] vt to glimpse, catch a glimpse of; **vislumbre** [viʒ'lũbri] (pl **-s**) m glimpse
visões [vi'zõjʃ] fpl de **visão**
visor [vi'zo*] m (FOTO) viewfinder
visse etc ['visi] vb V **ver**
vista ['viʃta] f sight; (MED) eyesight; (panorama) view; **à** ou **em ~ de** in view of; **dar na ~** to attract attention; **dar uma ~ de olhos em** to glance at; **fazer ~ grossa (a)** to turn a blind eye (to); **ter em ~** to have in mind; **à ~** visible, showing; (COM) in cash; **até a ~!** see you!
visto, -a ['viʃtu, a] pp de **ver** ♦ adj seen ♦ m (em passaporte) visa; (em documento) stamp; **pelo ~** by the looks of things
visto etc vb V **vestir**
vistoria [viʃto'ria] f inspection
vistoso, -a [viʃ'tozu, ɔza] adj eye-catching
visual [vi'zwaw] (pl **-ais**) adj visual; **visualizar** [vizwali'za*] vt to visualize
vital [vi'taw] (pl **-ais**) adj vital; **vitalício, -a** [vita'lisju, a] adj for life
vitamina [vita'mina] f vitamin; (para beber) fruit crush
vitela [vi'tɛla] f calf; (carne) veal
vítima ['vitʃima] f victim
vitória [vi'tɔrja] f victory; **vitorioso, -a** [vito'rjozu, ɔza] adj victorious
vitrina [vi'trina] f = **vitrine**
vitrine [vi'trini] f shop window; (armário) display case
viúvo, -a ['vjuvu, a] m/f widower/widow
viva ['viva] m cheer; **~!** hurray!
vivaz [vi'vajʒ] adj lively
viveiro [vi'vejru] m nursery
vivência [vi'vẽsja] f existence; (experiência) experience
vivenda [vi'vẽda] f (casa) residence
viver [vi've*] vt, vi to live ♦ m life; **~ de** to live on
víveres ['viverɛʃ] mpl provisions
vívido, -a ['vividu, a] adj vivid
vivo, -a ['vivu, a] adj living; (esperto) clever; (cor) bright; (criança, debate) lively ♦ m: **os ~s** the living
vizinhança [vizi'ɲãsa] f neighbourhood (BRIT), neighborhood (US)
vizinho, -a [vi'ziɲu, a] adj neighbouring (BRIT), neighboring (US); (perto) nearby ♦ m/f neighbour (BRIT), neighbor (US)
voar [vo'a*] vi to fly; (explodir) to blow up, explode
vocabulário [vokabu'larju] m vocabulary
vocábulo [vo'kabulu] m word
vocação [voka'sãw] (pl **-ões**) f vocation; **vocacional** [vokasjo'naw] (pl **-ais**) adj vocational; (orientação) careers atr
vocal [vo'kaw] (pl **-ais**) adj vocal
você, s [vo'se(ʃ)] pron (pl) you
vodca ['vɔdʒka] f vodka
vogal [vo'gaw] (pl **-ais**) f (LING) vowel
vol. abr (= volume) vol.
volante [vo'lãtʃi] m steering wheel
vôlei ['vɔlej] m volleyball
voleibol [volej'bɔw] m = **vôlei**
volt ['vɔwtʃi] (pl **~s**) m volt
volta ['vɔwta] f turn; (regresso) return; (curva) bend, curve; (circuito) lap; (resposta) retort; **dar uma ~** (a pé) to go for a walk; (de carro) to go for a drive; **estar de ~** to be back; **na ~ do correio** by return (post); **por ~ de** about, around; **à** ou **em ~ de** around; **na ~ (no**

caminho de ~) on the way back

voltagem [vowl'taʒē] f voltage

voltar [vow'ta*] vt to turn ♦ vi to return, go (*ou* come) back; **voltar-se** vr to turn round; **~ a fazer** to do again; **~ a si** to come to; **~-se para** to turn to; **~-se contra** to turn against

volume [vo'lumi] m volume; (*pacote*) package; **volumoso, -a** [volu'mozu, ɔza] adj bulky, big

voluntário, -a [volũ'tarju, a] adj voluntary ♦ m/f volunteer

volúpia [vo'lupja] f pleasure, ecstasy

volúvel [vo'luvew] (*pl* -**eis**) adj fickle

vomitar [vomi'ta*] vt, vi to vomit; **vômito** ['vomitu] m (*ato*) vomiting; (*efeito*) vomit

vontade [võ'tadʒi] f will; (*desejo*) wish; **com ~** (*com prazer*) with pleasure; (*com gana*) with gusto; **estar com** *ou* **ter ~ de fazer** to feel like doing

vôo ['vou] (*PT* **voo**) m flight; **levantar ~** to take off; **~ livre** (*ESPORTE*) hang-gliding

voraz [vo'rajʒ] adj voracious

vos [vuʃ] pron you; (*indireto*) to you

vós [vɔʃ] pron you

vosso, -a ['vɔsu, a] adj your ♦ pron: **(o) ~** yours

votação [vota'sãw] (*pl* -**ões**) f vote, ballot; (*ato*) voting

votar [vo'ta*] vt (*eleger*) to vote for; (*aprovar*) to pass; (*submeter a votação*) to vote on ♦ vi to vote; **voto** ['vɔtu] m vote; (*promessa*) vow; **votos** mpl (*desejos*) wishes

vou [vo] vb V **ir**

vovó [vo'vɔ] f grandma

vovô [vo'vo] m grandad

voz [vɔʒ] f voice; (*clamor*) cry; **a meia ~** in a whisper; **de viva ~** orally; **ter ~ ativa** to have a say; **em ~ alta/baixa** aloud/in a low voice; **~ de comando** command

vulcão [vuw'kãw] (*pl* ~**s** *ou* -**ões**) m volcano

vulgar [vuw'ga*] adj common; (*pej*: *pessoa etc*) vulgar; **vulgaridade** [vuwgari'dadʒi] f commonness; vulgarity

vulgo ['vuwgu] m common people pl ♦ adv commonly known as

vulnerável [vuwne'ravew] (*pl* -**eis**) adj vulnerable

vulto ['vuwtu] m figure; (*volume*) mass; (*fig*) importance; (*pessoa importante*) important person

W w

walkie-talkie [wɔki'tɔki] (*pl* ~**s**) m walkie-talkie

watt ['wɔtʃi] (*pl* ~**s**) m watt

X x

xadrez [ʃa'dreʒ] m chess; (*tabuleiro*) chessboard; (*tecido*) checked cloth

xampu [ʃã'pu] m shampoo

xarope [ʃa'rɔpi] m syrup; (*para a tosse*) cough syrup

xeque ['ʃeki] m (*soberano*) sheikh; **pôr em ~** (*fig*) to call into question; **xeque-mate** (*pl* **xeques-mate**) m checkmate

xerife [ʃe'rifi] m sheriff

xerocar [ʃero'ka*] vt to photocopy, Xerox ®

xerox [ʃe'rɔks] ® m (*cópia*) photocopy; (*máquina*) photocopier

xícara ['ʃikara] (*BR*) f cup

xingar [ʃĩ'ga*] vt to swear at ♦ vi to swear

Z z

zagueiro [za'gejru] m (*FUTEBOL*) fullback

Zâmbia ['zãbja] f Zambia

zangado, -a [zã'gadu, a] adj angry; annoyed; (*irritadiço*) bad-tempered

zangar [zã'ga*] vt to annoy, irritate ♦ vi to get angry; **zangar-se** vr (*aborrecer-se*) to get annoyed; **~-se com** to get cross with

zarpar [zax'pa*] vi (*navio*) to set sail; (*irse*) to set off; (*fugir*) to run away

zebra ['zebra] f zebra

zelador, a [zela'do*, a] m/f caretaker

zelar [ze'la*] vt, vi: **~ (por)** to look after

zelo ['zelu] m devotion, zeal; **zeloso, -a** [ze'lozu, ɔza] adj zealous; (*diligente*) hard-working

zerar [ze'ra*] vt (*conta, inflação*) to reduce to zero; (*déficit*) to pay off, wipe out

zero ['zɛru] m zero; (*ESPORTE*) nil; **zero-quilômetro** adj inv brand new

ziguezague [zigi'zagi] m zigzag

Zimbábue [zĩ'babwi] m: **o ~** Zimbabwe

zinco ['zĩku] m zinc

-zinho, -a [-'ziɲu, a] sufixo little; **florzinha**

little flower
zíper ['zipe*] m zip (BRIT), zipper (US)
zodíaco [zo'dʒiaku] m zodiac
zoeira ['zwejra] f din
zombar [zõ'ba*] vi to mock; ~ **de** to make fun of; **zombaria** [zõba'ria] f mockery, ridicule
zona ['zɔna] f area; (de cidade) district; (GEO) zone; (col: local de meretrício) red-light district; (: confusão) mess; (: tumulto) free-for-all; ~ **eleitoral** electoral district, constituency
zonzo, -a ['zõzu, a] adj dizzy
zôo ['zou] m zoo
zoológico, -a [zo'lɔʒiku, a] adj zoological; **jardim** ~ zoo
zumbido [zũ'bidu] m buzz(ing); (de tráfego) hum
zumbir [zũ'bi*] vi to buzz; (ouvido) to ring ♦ m buzzing; ringing
zunzum [zũ'zũ] m buzz(ing)
zurrar [zu'xa*] vi to bray

Cromosete
Gráfica e editora Ltda.

Impressão e acabamento
Rua Uhland, 307 - Vila Ema
03283-000 - São Paulo - SP
Tel/Fax: (011) 6104-1176
Email: adm@cromosete.com.br